AUTEURS ET DIRECTEURS DES COLLECTIONS
Dominique AUZIAS & Jean-Paul LABOURDETTE

DIRECTEUR DES EDITIONS VOYAGE
Stéphan SZEREMETA

RESPONSABLES EDITORIAUX VOYAGE
Patrick MARINGE et Morgane VESLIN

EDITION ✆ 01 72 69 08 00
Maïssa BENMILOUD, Julien BERNARD, Audrey BOURSET, Sophie CUCHEVAL, Caroline MICHELOT, Charlotte MONNIER, Antoine RICHARD, Pierre-Yves SOUCHET et Hélène DEBART

ENQUETE ET REDACTION
Saliha HADJ-DJILANI, Julie RAULT, Jean-Paul SANCHEZ, Marie-Hélène MARTIN, Yann et Isabelle CHAPLET

MAQUETTE & MONTAGE
Sophie LECHERTIER, Delphine PAGANO, Julie BORDES, Élodie CLAVIER, É... Évelyne AMRI, Sandrine ... Laurie PILLOIS, ... Antoine ...

CART...
Philipp...

PHOTO...
Élodie SC... ...CAS et Robin BEDDAR

REGIE INT...NALE ✆ 01 53 69 65 50
Karine VIROT, Camille ESMIEU, Romain COLLYER, Guillaume LABOUREUR et Laurent BOSCHERO assistés de Virginie BOSCREDON

PUBLICITE ✆ 01 53 69 70 66
Olivier AZPIROZ, Stéphanie BERTRAND, Perrine de CARNE-MARCEIN, Caroline AUBRY, Oriane de SALABERRY, Caroline GENTELET, Sabrina SERIN et Aurélien MILTENBERGER

INTERNET
Lionel CAZAUMAYOU, Jean-Marc REYMOUND, Mathilde BALITOUT, Fiona TORRENO, Cédric MAILLOUX, Anthony LEFEVRE, Christophe PERREAU et Imad HOULAIM

RELATIONS PRESSE ✆ 01 53 69 70 19
Jean-Mary MARCHAL

DIFFUSION ✆ 01 53 69 70 68
Éric MARTIN, Bénédicte MOULET, Jean-Pierre GHEZ, Aïssatou DIOP, et Nathalie GONCALVES

DIRECTEUR ADMINISTRATIF ET FINANCIER
Gérard BRODIN

RESPONSABLE COMPTABILITE
Isabelle BAFOURD assistée de Christelle MANEBARD, Janine DEMIRDJIAN et Oumy DIOUF

DIRECTRICE DES RESSOURCES HUMAINES
Dina BOURDEAU assistée de Sandra MORAIS, Cindy ROGY et Aurélie GUIBON

LE PETIT FUTÉ COSTA RICA 2012-2013
10e édition

NOUVELLES ÉDITIONS DE L'UNIVERSITÉ©
Dominique AUZIAS & Associés©
18, rue des Volontaires - 75015 Paris
Tél. : 33 1 53 69 70 00 - Fax : 33 1 53 69 70 62
Petit Futé, Petit Malin, Globe Trotter, Country Guides et City Guides sont des marques déposées ™®©
© Photo de couverture : Stéphane SAVIGNARD
ISBN - 9782746940048
Imprimé en France par GROUPE CORLET IMPRIMEUR
14110 Condé-sur-Noireau
Dépôt légal : octobre 2011
Date d'achèvement : octobre 2011

Pour nous contacter par email, indiquez le nom de famille en minuscule suivi de @petitfute.com
Pour le courrier des lecteurs : country@petitfute.com

¡Bienvenidos a Costa Rica!

Petit pays d'Amérique centrale, bordé par deux océans – la mer des Caraïbes et l'océan Pacifique – et ... par une véritable colonne vertébrale ...centrale, qui abrite plus de cent volcans – ... le Costa Rica. Son nom de « côte ... 'e son découvreur Christophe Colomb, ... les parures des Indiens qu'il rencontre lors ... son quatrième voyage. Depuis, ce territoire n'a cessé d'être un pays beau, calme et attachant, étant qualifié à juste titre de Suisse d'Amérique centrale. Pays démocrate depuis son indépendance en 1821, le Costa Rica a aboli la peine de mort en 1882, n'a plus d'armée depuis 1948 et a donné le droit de vote aux femmes en 1949 ! Depuis les années 1980, il se mobilise en faveur de la paix, de la liberté et de la nature. Officiellement neutre, le Costa Rica s'est forgé un état d'esprit pacifiste. Les Costaricains sont fiers – exception culturelle latino-américaine – de ne pas avoir connu les nombreuses guerres civiles de leurs turbulents voisins. Et que dire d'un pays dont l'un des présidents de la République, Óscar Arias Sánchez, a été Prix Nobel de la paix ! Véritable corridor biologique entre les Amériques du Nord et du Sud, bénéficiaire d'une biodiversité des plus riches du monde (6 % de la biodiversité de la planète), le Costa Rica a fait de la protection de la nature, outre une profession de foi, une réalité quotidienne qu'il veut durable. Près d'un tiers de son territoire est protégé en « réserve naturelle » au grand bénéfice de la faune et de la flore. De fait, le tourisme est devenu le premier poste économique du pays. Alors que diriez-vous d'un voyage dans le pays de dame Nature ? Et comme disent les Ticos : *¡Pura vida!*

L'équipe de rédaction

REMERCIEMENTS. *Un grand merci à l'ambassade du Costa Rica à Paris et à Miroslava Barrantes en particulier, à Freddy Lizano de l'Institut costaricain du tourisme et à tous ses précieux collaborateurs de l'ICT sur place : María Fernanda Leitón, Gustavo Castillo, Dana Orozco Alvarado, Francisco Esquivel, Hilda Sibaja Miranda, Emily Fernández Valle, Massi Devoto. Un grand merci aussi à Laurent Boschero pour sa précieuse aide logistique et son investissement dans le guide et à mes amis français d'Escazú, Simon Godreau et Mathilde Guyot, pour leur accueil sur place. Enfin merci à tous ceux qui ont, de près ou de loin, participé à la réactualisation de ce guide.*

Ce guide a été fabriqué chez un imprimeur bénéficiant du label IMPRIM'VERT.
Cette démarche implique le respect de nombreux critères contribuant à préserver l'environnement.

Sommaire

INVITATION AU VOYAGE

DÉCOUVERTE

SAN JOSÉ

NORD DE LA VALLÉE CENTRALE

RÉGION CARAÏBE

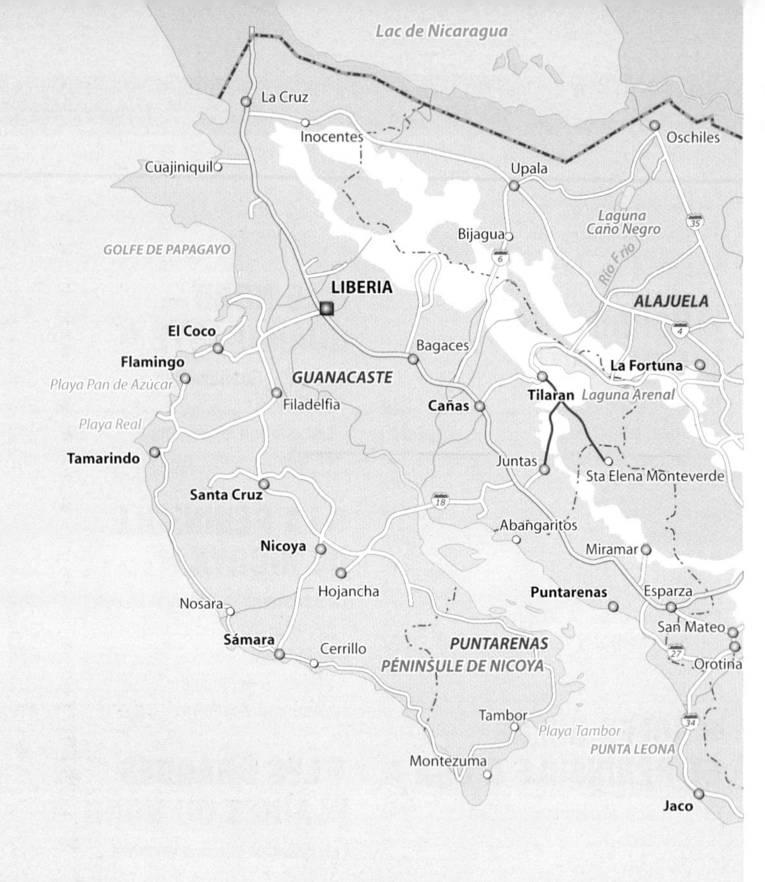

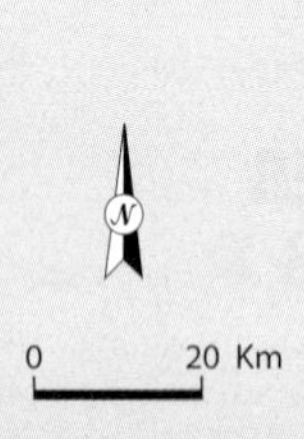

Le Costa Rica

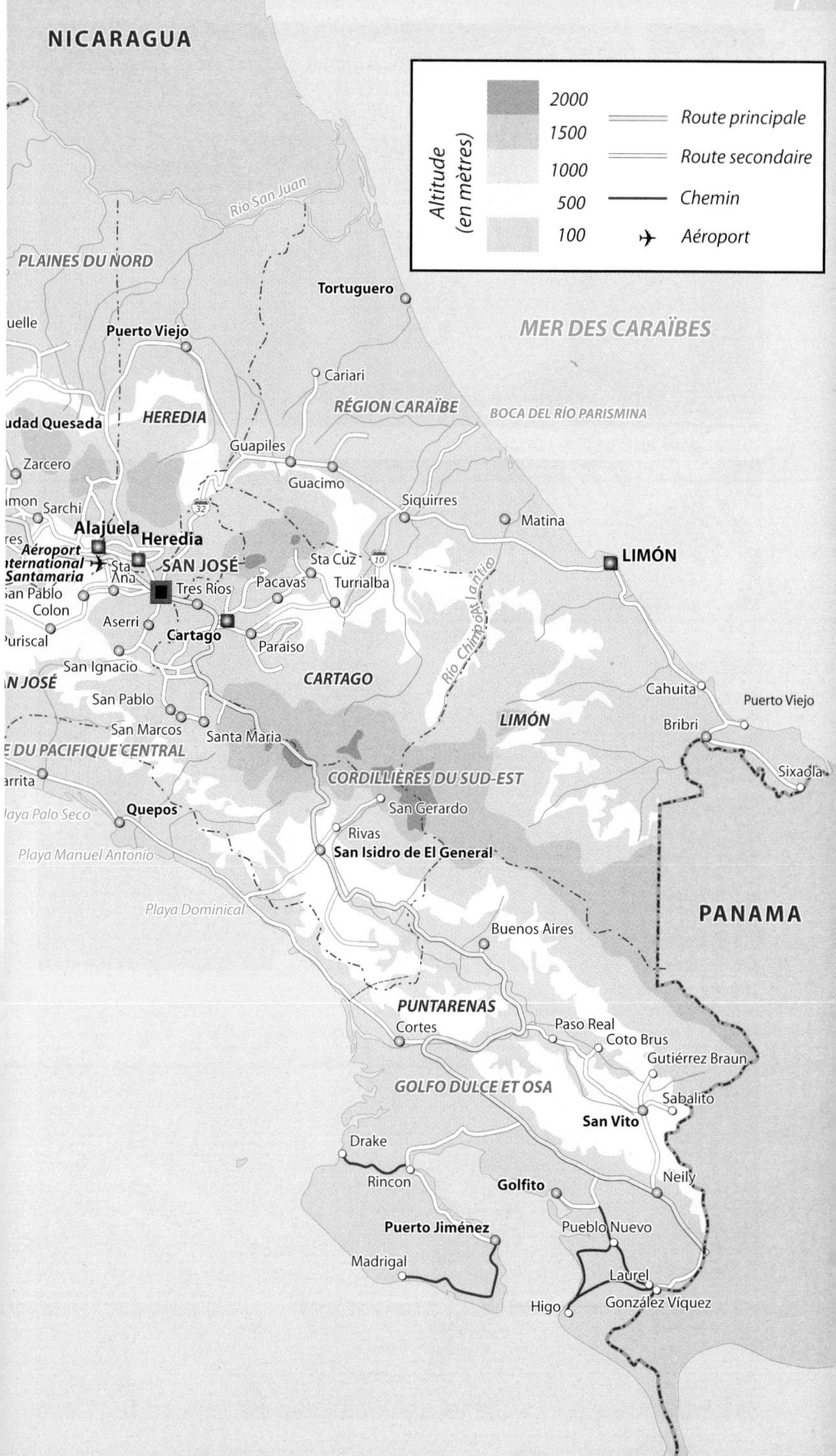
NICARAGUA
Altitude (en mètres)
2000
1500
1000
500
100
Route principale
Route secondaire
Chemin
Aéroport
Río San Juan
PLAINES DU NORD
Tortuguero
MER DES CARAÏBES
Puerto Viejo
Cariari
RÉGION CARAÏBE
BOCA DEL RÍO PARISMINA
HEREDIA
Guapiles
Guacimo
Zarcero
Sarchi
Siquirres
Matina
Alajuela
Heredia
Aéroport
Santamaria
SAN JOSÉ
Sta Ana
Sta Cuz
LIMÓN
Tres Rios
Pacavas
Turrialba
San Pablo
Colon
Aserri
Cartago
Paraiso
Río Chimpo Atlantico
San Ignacio
CARTAGO
Cahuita
Puerto Viejo
San Pablo
LIMÓN
Bribri
San Marcos
Santa Maria
Sixaola
CORDILLIÈRES DU SUD-EST
Quepos
San Gerardo
Rivas
Playa Manuel Antonio
San Isidro de El General
Playa Dominical
PANAMA
Buenos Aires
PUNTARENAS
Paso Real
Cortes
Coto Brus
Gutiérrez Braun
GOLFO DULCE ET OSA
Sabalito
San Vito
Drake
Rincon
Golfito
Neily
Puerto Jiménez
Pueblo Nuevo
Madrigal
Laurel
Higo
González Víquez

Paréos colorés sur la plage de Dominical.

Paysage de la côte pacifique.

Centre de secours pour animaux sauvages Las Pumas à Cañas.

Les plus du Costa Rica

Un accueil chaleureux et professionnel

Le Costa Rica a depuis longtemps compris que son salut vient du tourisme, et les nombreux opérateurs, souvent formés « à l'américaine », sont très bien organisés. Nombre d'entre eux parlent l'anglais – les trois-quarts des touristes viennent d'Amérique du Nord – et les équipes intègrent bien souvent un opérateur connaissant le français. Mais que ce soit dans les agences ou dans les hôtels, ils sont pour la majorité très professionnels et sauront répondre à vos attentes. Quant aux Costaricains que vous rencontrerez au hasard de vos pérégrinations, ils se distinguent par leur gentillesse et leur discrétion qui peut parfois passer pour de l'indifférence, mais qui n'en est pas.

Un climat diversifié

Malgré sa position tropicale, qui devrait garantir au Costa Rica une certaine uniformité climatique, on peut trouver ici plusieurs climats liés aux différences d'altitude et à la proximité des océans Atlantique et Pacifique : si la chaleur humide des basses plaines devient trop écrasante, rien de mieux qu'une petite virée à la sierra pour se rafraîchir. Et on peut même y ressentir une vraie sensation de froid, comme aux alentours du Cerro de la Muerte. De nombreux lodges en altitude font marcher la cheminée le soir. Entre décembre et avril, c'est la saison dite sèche, *el verano*. Il ne pleut pas, le soleil brille en permanence et les températures sont plus élevées. C'est la pleine saison touristique (*la temporada alta*) : les touristes, notamment nord-américains, sont nombreux et les prix évidemment plus élevés. Même s'ils font partie de *la temporada verde* (la saison verte), les mois compris entre mai et novembre sont malgré tout fréquentables. Selon les années, les pluies sont plus ou moins abondantes, voire rares. Et ces années-là, c'est le bonheur en basse saison ! Nous vous recommandons de partir entre mai et septembre, pile au moment des vacances scolaires... Pendant cette période, il y a un peu moins de monde – un peu moins de Nord-Américains en fait. Mais en juillet et août, la période des vacances européennes fait partie de la petite temporada alta, et les prix des chambres d'hôtels sont souvent ajustés au niveau supérieur.

Un large choix d'activités

Outre la contemplation béate des règnes animal et végétal, on peut s'adonner au surf (les vagues du Costa Rica sont réputées), à la plongée (le plus beau spot se trouve sur la Isla del Coco, à 500 km à l'ouest de la côte pacifique !), au rafting et au canoë sur les ríos qui descendent de la cordillère centrale (Pacuare, Reventazón, Sarapiquí...), à la randonnée pépère comme à la plus extrême en forêt dense, aux ascensions, comme celle du volcan Rincón de la Vieja, au saut à l'élastique, au VTT, aux nombreuses randonnées à cheval... Et même au repos total dans des lodges éloignés de tout, où chacun est invité à respecter son prochain comme son environnement, dans son hamac.

Exposition de vaches dans le centre-ville de San José.

Randonnée à cheval dans le parc national Rincón de la Vieja.

Une nature bienveillante

Très généreuse et variée – 6 % de la biodiversité de la planète ! –, la nature est ici protégée et respectée par tous. C'est l'un des principaux buts d'un voyage au Costa Rica. Si l'on est peu réceptif aux merveilles végétales et animales, on risque de s'y ennuyer un peu, bien qu'il reste la mer et les plages avec la pêche sportive très répandue et le surf qui l'est tout autant. Quant aux amateurs de fleurs, d'arbres, d'oiseaux, de grenouilles, d'iguanes et de nombreux autres animaux, ils trouveront le voyage toujours trop court.

La Paz Waterfall Garden, attention, traversée de colibris !

De belles plages

Même si quelques complexes hôteliers n'ont pas hésité à recouvrir leur plage privée un peu grise de fin sable blanc – au mépris des lois naturelles – pour ne pas décevoir le touriste, les plages sont telles qu'on les imagine en pensant « tropiques ». C'est vrai qu'on peut être surpris par la couleur du sable de certaines d'entre elles, mais elles sont toutes tellement belles et surprenantes ! Des grandes plages rectilignes, bordées par une frange tropicale toujours verte, aux criques peu fréquentées, aux eaux calmes et transparentes, aux vagues écrasantes pour les plages ouvertes... il y en a pour tous les goûts.

Une qualité de vie sans pareille

D'après des expatriés qui en ont vu d'autres, le Costa Rica serait le pays le plus accueillant d'Amérique centrale, et peut-être même d'Amérique tout court. Il faut dire aussi que les étrangers y sont particulièrement bien soignés au travers de nombreux organismes d'accueil ou d'investissement. Dans la vie de tous les jours, et contrairement à ses voisins agités, il y règne une certaine tranquillité qui va de pair avec stabilité. Il n'y a pas d'armée et pas de putsch. Le respect des gens, de la nature, de la vie, la paix sociale et la démocratie sont bien ancrées dans le pays. La nature même est clémente car, si le risque d'éruptions volcaniques est toujours présent, il n'y a pas de cyclone au Costa Rica, fait remarquable pour un pays tropical de la région Caraïbe. Enfin, en conclusion, on peut dire qu'il s'y dégage une philosophie de vie que caractérise bien le slogan national « Pura vida ».

Fiche technique

Argent

Monnaie. La monnaie du Costa Rica est le colón (¢) – colones au pluriel – du nom du « découvreur » Christophe Colomb. Mais les prix sont souvent affichés en US$.

Taux de change (juillet 2011) : 1 € = 724 colones ; 1 US$ = 501 colones ; soit 1 000 colones = 1,38 € ou 1,99 US$.

Le Costa Rica en bref

Le pays

Capitale : San José.

Nature du régime : présidentiel.

Président (et chef du gouvernement) : Laura Chinchilla (depuis 2010), la première femme à devenir présidente au Costa Rica.

Frontières : Nicaragua au nord, Panamá au sud-est, océan Pacifique à l'ouest, océan Atlantique à l'est.

Superficie : 51 100 km² (même superficie que la Suisse, le 11ᵉ de la France et 0,03 % de la superficie de la planète).

Longueur maximale : 464 km du río Sapoá à Punta Burica.

Largeur maximale : 259 km de Cabo Santa Elena au río Colorado.

Largeur minimale : 119 km de Tuba à Boca del Colorado.

Plus haut sommet : Cerro Chirripó (3 819 m).

Plus grand cratère de volcan : volcan Poás (l'un des plus grands du monde, 1 320 m de diamètre).

Biodiversité : 12 écosystèmes et 6 % de la richesse mondiale.

Protection : plus de 27 % du territoire (en parcs, refuges et réserves nationales), mais il faut compter 33 % environ avec les initiatives privées.

La population

Population : 4,6 millions d'habitants (estimation 2010).

Densité : 88 hab./km² (2010).

Espérance de vie : 79 ans (données PNUD 2010).

Répartition : population urbaine 64 % ; population rurale 36 %.

Population indigène : 65 000 hab., soit 1,5 % environ de la population totale (22 réserves indigènes).

Groupes indigènes : Malekus (Guatusos), Chorotegas (Matambú), Huetares (Quitirrisí et Zapatón), Cabécares (Nairí-Awari, Chirripó, Alto de Chirripó, Tayni, Telire, Talamanca Cabécar et Ujarrás), Bribrís (Cocles, Talamanca Bribrí, Salitre et Cabagra), Teribes (Térraba), Borucas (Boruca et Curré) et Guaymies (Coto Brus, Abrojo Montezuma, Osa, Conte Burica).

Langue officielle : espagnol.

Langues indigènes : maleku, cabécar, bribrí, guaymí et brunca (Boruca).

Taux d'alphabétisation : 96 %.

Le drapeau du Costa Rica

Le drapeau (la bandera)

Il a été établi avec les trois couleurs de la France : bleu, blanc rouge avec cinq bandes horizontales. « La France dresse ses couleurs verticalement, car elle est au centre de la civilisation. Le Costa Rica les érigera horizontalement car c'est une nation qui commence à recevoir les premiers rayons de sa véritable indépendance et de la civilisation du siècle. » (Castro Madriz, président de la République, 1848).

L'écusson

Trois volcans sont dessinés, chacun représentant les principales cordillères du pays. Ils sont bordés par l'océan Pacifique et la mer des Caraïbes sur lesquels naviguent deux goélettes abordant les deux principaux ports. Le soleil levant symbolise la jeunesse de la république. Les sept étoiles du firmament sont les sept provinces du pays. Le tout est bordé de grains de café, *el grano de oro*. L'ensemble est surmonté de deux inscriptions : « République du Costa Rica » et « Amérique centrale ».

L'économie

- **PIB/hab :** 6 345 US$ (l'un des plus élevés du continent).
- **Croissance annuelle du PIB :** 3,4 % (2010).
- **Taux d'inflation :** 5,8 % (2010).
- **Chômage :** 7,3 % (2010).
- **Exportations :** 9,341 millions de US$ (2010). Café, banane, sucre de canne, ananas, huile de palme, viande, plantes ornementales et fleurs, composants électroniques...
- **Importations :** 13,572 millions de US$ (2010).
- **Recettes du tourisme :** 2 milliards de US$ (2010).

Téléphone

- **Indicatif téléphonique :** 506. Tous les numéros ont 8 chiffres, avec un 2 pour les numéros de fixe et un 8 pour les numéros de portable. A l'intérieur du pays, on ne fait donc que les 8 chiffres.
- **Appeler le Costa Rica depuis l'étranger :** composer le 00 + 506 (ou le 011 depuis le Québec), puis les 8 chiffres du numéro de votre correspondant.
- **Appeler du Costa Rica :** composer le 00 puis l'indicatif du pays de votre correspondant et enfin le numéro sans le 0 initial. Ex : 00 + 33 (indicatif France) + 1 (Paris) + 53 69 70 00 ou 00 + 33 + 6 + 10 75 52 73 pour un téléphone portable.

Décalage horaire

GMT moins 6 heures, c'est-à-dire moins 7 heures en hiver par rapport à la France, la Belgique et la Suisse, et moins 8 heures en été. Moins 1 heure par rapport à Montréal.

Formalités

Le visa n'est pas exigé pour les ressortissants français qui se rendent au Costa Rica, si le séjour n'excède pas 90 jours : un passeport est suffisant. Attention cependant, toute personne qui quitte le Costa Rica par l'aéroport international doit s'acquitter d'une taxe de 26 US$ (ou la somme équivalente en colones).

Climat

Le climat du Costa Rica est tropical avec deux saisons : la saison sèche de décembre à avril, la saison humide (*temporada verde*) de mai à novembre. Les températures sont agréables (25-30 °C) tout au long de l'année. Plus élevées sur les côtes et dans les plaines, elles fraîchissent pourtant considérablement en altitude. Il peut même y faire froid... Et c'est pour cela que vous trouverez des poêles à bois dans les lodges d'altitude.

Saisonnalité

Le climat du Costa Rica est tropical avec deux saisons : la saison sèche de décembre à avril, la saison des pluies (*temporada verde*) de mai à novembre. Si le meilleur moment pour un voyage est la saison sèche – évitez cependant la semaine sainte en mars ou en avril –, il faut savoir que pendant la « saison verte » les prix sont beaucoup plus bas et les touristes un peu moins nombreux (sauf en juillet et en août qui correspondent aux vacances des Européens).

San José

Janvier	Février	Mars	Avril	Mai	Juin	Juillet	Août	Sept.	Octobre	Nov.	Déc.
14°/ 24°	14°/ 24°	15°/ 26°	17°/ 26°	17°/ 27°	17°/ 26°	17°/ 25°	16°/ 26°	16°/ 26°	16°/ 25°	16°/ 25°	14°/ 24°

Exploitation de bananes dans la région de Guápiles.

L'un des bungalows du Tenorio Lodge, dans le Nord.

Rafting sur le Río Colorado.

Ara Ararauna dans la volière de La Paz Waterfall Garden.

Idées de séjour

La petite taille du Costa Rica est compensée par son relief très accidenté et la longueur de ses côtes aussi bien Caraïbe (220 km) que Pacifique (1 200 km). Passer d'une région à l'autre, c'est changer presque totalement d'univers, et on peut découvrir plusieurs types de paysages en une seule journée. Mais qu'on ne s'y trompe pas, il faut prévoir d'y rester au moins deux semaines pour varier les plaisirs, pour avoir le temps de compenser les effets du décalage horaire et « rentabiliser » la longueur du trajet pour s'y rendre (au minimum 15 heures de vol, escale comprise). Attendez-vous à faire ces circuits au pas de course et à devoir écourter vos pauses. Dans tous les cas, prévoyez toujours de commencer au plus tôt vos journées, surtout pour la visite des parcs nationaux et afin d'observer plus aisément les animaux.

Séjour court

Séjour de deux semaines au pays des quetzals et Pacifique sud. Cet itinéraire offre une découverte des parcs nationaux incontournables du Pacifique sud-ouest avec une halte au volcan Irazú et une promenade d'observation des quetzals. Après récupération du décalage horaire (dépendant de l'heure d'arrivée à San José) :

Jour 1. San José, découverte du centre-ville : les rues piétonnes autour de la place de la Culture. Toute l'activité de San José gravite autour de la plaza de la Cultura. Bordée par l'avenida Central et les calles 3 et 5, la place se situe au cœur d'une zone piétonnière commerçante. C'est le lieu de rencontre des jeunes. Flâner au marché central, puis aller à la plaza de la Cultura avec le Museo de Oro Precolombiano. Visite du Teatro Nacional à l'italienne qui est l'un des plus beaux bâtiments de la ville situé entre les parcs Central et Morazán. En suivant la même avenue (Avenida 2), plaza de la Democracia et visite du Museo Nacional de Costa Rica : petit musée qui retrace le développement culturel de la société costaricaine (géologie, archéologie, religion, objets précolombiens en or...).

Jour 2. San José, promenade dans le centre. La suite de la visite de San José – une belle promenade – sera consacrée à deux quartiers adjacents, les barrios Otoya et Amón, qui composent le centre historique de San José. La promenade commencera par la Legación de México (Avenida 7), un bijou en pierre de style néoclassique, la Casa Amarilla, un bâtiment du XVIIIe siècle de style néobaroque. La Casa Verde de Amón, la Casa Morisca, une maison de style mauresque, le Castillo del Moro (palais de l'Archevêque) aussi de style mauresque, l'hôtel Britania, lui de style victorien, le museo del Jade, visite du musée (superbe collection de bijoux en jade, de sculptures précolombiennes, de figurines en or et de céramiques très anciennes). La promenade se termine par un bon verre, ou mieux, un bon repas au café Mundo.

Étalage de fruits au marché central de Cartago.

- **Jour 3.** San José-Cartago. Transfert San José-Cartago. Visite de Cartago, ascension au cratère du volcan Irazú.
- **Jour 4.** Vallée d'Orosí. Visite de la vallée d'Orosí, Ujarrás, plantation de caféiers.
- **Jour 5.** Orosí-Valle Savegre. Trajet, arrivée le soir au lodge (Savegre lodge).
- **Jour 6.** Valle Savegre. Observation des quetzals tôt le matin.
- **Jour 7.** Valle Savegre-Puerto Jiménez. Trajet, arrivée le soir à Puerto Jiménez.
- **Jour 8.** Puerto Jiménez. Traversée du Golfo Dulce, Golfito.
- **Jour 9.** Puerto Jiménez. Promenade (en 4x4) jusqu'au Cabo Matapalo, puis Carate.
- **Jour 10.** Bahia Drake. Snorkeling à la Isla del Caño.
- **Jour 11.** Bahia Drake. Visite du parc national de Corcovado (incontournable).
- **Jour 12.** Bahia Drake-Manuel Antonio. Trajet, visite de l'hacienda Barú, arrivée le soir à Manuel Antonio.
- **Jour 13.** Manuel Antonio. Visite du parc national de Manuel Antonio (incontournable) et du jardin botanique aux papillons.
- **Jour 14.** Quepos-San José. Trajet via Jacó et Santa Ana, visite de la réserve biologique de Carara.
- **Jour 15.** San José.

Séjour long

Séjour de trois semaines parmi les volcans des Caraïbes au Pacifique. Des volcans actifs recouverts de forêts tropicales luxuriantes, picorées d'orchidées, et habités par de nombreuses espèces d'animaux exotiques aux rivages Caraïbe et Pacifique ourlés de sable blanc ou noir : cet itinéraire offre aux voyageurs une découverte complète des beautés naturelles du Costa Rica. Après récupération du décalage horaire (dépendant de l'heure d'arrivée à San José) :

- **Jour 1.** San José. Journée semblable à celle de l'itinéraire précédent.
- **Jour 2.** San José, promenade dans le centre historique. Deuxième journée semblable à celle de l'itinéraire précédent.
- **Jour 3.** La journée. Visite du village de Tortuguero.
- **Jour 4.** Visite du parc national de Tortuguero (un incontournable du Costa Rica). Visite de

Les immanquables de chaque région

- **San José :** le centre-ville, les quartiers Amón et Otoya, les musées de l'Or, du Jade et le Musée national.
- **La Vallée centrale :** la vallée d'Orosí, les volcans Irazú et Turrialba, le volcan Poás et les chutes d'eau de la Paz, les plantations de café et le parc national Braulio Carrillo, le río Pacuare (pour les rafteurs).
- **La côte caraïbe :** la lagune et le parc national de Tortuguero, Cahuita et Puerto Viejo, le parc national de Cahuita et ses récifs coralliens (pour les plongeurs), Bananito.
- **La côte du Pacifique central :** les plages de la région comprise entre Jacó et Dominical, le parc national de Manuel Antonio, la réserve de Carara.
- **La péninsule de Nicoya :** les plages de la péninsule de Nicoya sont belles, en particulier celles de Montezuma, de Santa Teresa, de Malpaís, de Samara, de Carrillo, de Tamarindo, le golfe de Papagayo (Playas El Coco, Hermosa, Panamá).
- **Le Guanacaste :** les volcans Rincón de la Vieja et Arenal, le lac Arenal (tour du lac), les réserves de Santa Elena et de Monteverde, La Fortuna.
- **Le nord :** Puerto Viejo de Sarapiquí, le refuge de Caño Negro, le río Sarapiquí (pour les rafteurs).
- **Les hautes montagnes du sud-ouest :** les cerros de la Muerte (San Gerardo de Dota) et du Chirripó, la vallée de Savegre (quetzals).
- **La péninsule d'Osa :** le Golfo Dulce, Puerto Jiménez, Bahia Drake, le parc national de Corcovado, les plages du sud (pour les surfeurs).
- **La Isla del Coco :** une fois que l'on y est, tout est incontournable.

© STÉPHANE SAVIGNARD

Vue le volcan Turrialba sur le domaine de la Casa Turire à La Suiza.

la lagune en bateau. Observation de la ponte des tortues, la nuit sur la plage.

Jour 5. Tortuguero-Puerto Viejo via Limón. Déjeuner à Limón.

Jour 6. Puerto Viejo-Manzanillo. Visite du parc national Gandoca-Manzanillo.

Jour 7. Cahuita. Visite du parc animalier Jaguar Centro de Rescate (le matin). Visite du parc national de Cahuita, possibilité de faire de la plongée en apnée et d'y admirer le magnifique récif corallien.

Jour 8. Playa Cocles. Journée descanso/farniente et baignade sur l'une des plus belles plages du Costa Rica.

Jour 9. Puerto Viejo-La Fortuna (volcan Arenal) via Limón. Passage par la luxuriante vallée San Carlos d'où se dresse la majestueuse silhouette du volcan Arenal.

Jour 10. La Fortuna-volcan Arenal. Baignade dans les eaux thermales de Baldi ou aux Ecotermales.

Jour 11. La Fortuna-Rincón de la Vieja. Tour du lac Arenal avec ses belles perspectives. Visite des jardins botaniques Arenal. Après Cañas, intéressante visite de l'orphelinat des animaux Las Pumas (bébés pumas, jaguars, ocelots...).

Jour 12. Volcan Rincón de la Vieja. Il est vraiment très agréable de se promener et de se baigner dans les sources d'eau chaude au pied des cascades. Il est possible de faire une promenade à cheval et d'observer la faune et la flore en compagnie de guides locaux. Las Paillas : boue chaude, gerbes de vapeur, cascades...

Jour 13. Ascension du volcan Rincón de la Vieja. L'ascension est longue de 13,3 km avec un dénivelé de quelque 1 100 m pour arriver au cratère actif. Une bonne condition physique est nécessaire.

Jour 14. Rincón de la Vieja-Tamarindo via Liberia. Trajet.

Jour 15. Tamarindo. Une journée descanso/farniente, baignade, pêche, surf.

Jour 16. Tamarindo-Manuel Antonio. Au passage, visite du parc national de Carara.

Jour 17. Manuel Antonio. Visite du parc national Manuel Antonio (un incontournable) qui forme une presqu'île.

Jour 18. Manuel Antonio-Santa Ana (San José). Après une détente sur la côte pacifique, le retour vers San José se fait calmement sur de jolies routes de montagne parmi les caféiers.

Jour 19. Santa Ana (San José) -volcan Poás-Santa Ana. Visite du volcan Poás (le sommet est accessible en voiture). Sur les flancs du volcan, visite des petits villages de Grecia, de Sarchi (réputé pour la fabrication artisanale des carretas), de Naranjo (église coloniale). Retour à San José.

Jour 20. San José.

Séjours thématiques

Treks en pleine nature

Grâce à ses nombreux parcs, réserves, refuges, volcans et sites privés, le Costa Rica offre aux randonneurs d'innombrables itinéraires de découverte, pour les sportifs et les moins sportifs.

▶ **Pour des randonnées de courte durée** (entre 1 et 3 jours) : la randonnée qui permet de voir les cratères des volcans Turrialba et Irazú (possible à partir du lodge Volcan Turrialba), les randonnées dans le massif et l'ascension du Rincón de la Vieja (par exemple à partir du lodge Aroma de Campo), les randonnées dans le parc national de Cahuita.

▶ **Pour des randonnées de plus grande durée** (3 jours et plus) : il est indispensable d'avoir une excellente condition physique, surtout en milieu tropical. Le parc national de Corcovado vous offrira des parcours d'aventure dans l'une des plus belles forêts tropicales humides qui soient, de même que le parc national de Santa Rosa de physionomie différente, forêt tropicale sèche, qui mène aux belles plages de surf de Naranjo et à Bahia Salinas.

▶ **Pour du trekking un peu plus intense,** vous trouverez dans le parc de la Amistad des randonnées adaptées à vos exigences, plus aventurières, notamment l'ascension du Cerro Chirripó avec son sommet de nature « andine ».

Rafting

Du fait de ses hautes montagnes – dont certaines pointent à plus de 3 000 m –, du climat tropical humide et de la mer toute proche, les cours d'eau, très chargés, ne sont pas longs et ont donc une forte pente. Le Costa Rica dispose de nombreux torrents et rivières d'un grand intérêt pour le rafting.

▶ **Itinéraire de deux semaines** (transfert et un peu de détente compris) : dans la Vallée centrale, à l'est de San José, vous trouverez, dans un très beau cadre de nature sauvage, le río Pacuare de classe IV. Sur ce site exceptionnel, vous pourrez passer 3 ou 4 jours pour explorer toutes les possibilités et tous les plaisirs du raft. Vous pourrez compléter votre séjour par la visite des volcans Turrialba (compter un jour, mais il faut arriver au lodge la veille au soir) et Irazú (un jour aussi). Plus au sud de San José, le río General, de classe III-IV, vous offre beaucoup d'eau et de forts courants. Compter deux ou trois jours. Dans le même secteur, vous trouverez le río Savegre et surtout son affluent le río División de classe IV +. Le séjour peut être agrémenté par l'observation des quetzals (compter un jour en arrivant au lodge la veille au soir) dans la vallée du Savegre (nouveau parc national des Quetzals). Plus au nord de San José, le río Sarapiquí vous offre des parcours de raft avec la possibilité à partir de Puerto Viejo de continuer en pirogue (motorisée) jusqu'au fleuve San Juan (frontière avec le Nicaragua). Compter trois jours. Votre séjour peut se faire à partir du lodge, La Quinta de Sarapiquí.

Surf

Du fait de ses nombreuses côtes et surtout des puissants rouleaux (*olas*) de l'océan Pacifique, le Costa Rica dispose de nombreux spots de surf. Parmi les plus célèbres : sur la côte sud-caraïbe, la région de Puerto Viejo-Manzanillo propose de belles vagues dont la plus célèbre est la Salsa Brava... réservée aux amateurs très aguerris et totalement déconseillée aux autres.

▶ **Dans le Pacifique sud,** au sud de Golito, Playa Pavones propose la plus longue vague gauche d'Amérique.

▶ **Dans la partie centrale du Pacifique,** Manuel Antonio (bien pour l'initiation), Playa Jacó et Playa Hermosa où l'on trouve de belles olas (vagues) régulières toute l'année. Dans le sud de la péninsule de Nicoya, les bons spots sont à Santa Teresa et à Malpaís.

▶ **Plus au nord,** Tamarindo est une excellente base, agréable et bien équipée pour les surfeurs. Elle offre des sites pour débutants et aussi de belles olas pour les autres comme Playa Langosta et Playa Avellanas. Encore plus au nord, dans le golfe de Papagayo, les plus beaux spots sont à Playa Naranjo dans le sud du parc national Santa Rosa. Mondialement connus, les spots de Witch's Rock ou de Peña Bruja (rocher de la Sorcière) et celui de Ollie's Point offrent des olas droites et gauches bien roulées de 2 à 3 m de hauteur. Un séjour de deux semaines n'est pas de trop pour les surfeurs afin d'apprécier les spots costaricains. C'est même un peu court, surtout si les soirées dans les bars et les nuits sont aussi agitées que sur les planches de surf...

DÉCOUVERTE

Samoa Lodge dans le parc de Tortuguero.

Le Costa Rica en 25 mots-clés

Atardecer

Du fait de la proximité de l'équateur, les couchers de soleil y ont lieu à la même heure pratiquement toute l'année, avec seulement un quart d'heure de différence au moment des solstices. A Manuel Antonio, par exemple, rendez-vous sur la plage vers 17h45. Evidemment, les couchers les plus magiques sont visibles sur la côte pacifique, dans les environs de Jacó, dans la péninsule de Nicoya, mais aussi de tout autre endroit d'où on a l'impression que le soleil se couche derrière les montagnes, mauves à cette heure. Le summum de la magie : un *atardecer* sur le Pacifique depuis l'amphithéâtre enchanteur de la Villa Caletas (nord de Jacó) sur un air de Vivaldi.

Biodiversité

Selon la loi de biodiversité votée à Montréal en 1997, on désigne par ce terme l'ensemble des espèces animales ou végétales et leur diversité vivant au sein des écosystèmes. On y inclut également les activités humaines sous toutes leurs formes. La biodiversité garantissant la richesse d'un milieu, il est très important de la protéger. C'est ce qu'a compris le Costa Rica qui, bien qu'occupant seulement 0,03 % de la surface terrestre, bénéficie de 5 % de la biodiversité mondiale, soit plus que les Etats-Unis (tout de même 200 fois plus grand).

Café

Alors qu'il n'est pas originaire du Costa Rica, le café (*el grano de oro*) est la culture miracle du pays. Profitant des terres volcaniques d'altitude et d'une température constante (printanière), mais aux saisons marquées, le café a trouvé dans la Vallée centrale les terres idéales pour produire ce café au goût unique, le meilleur du monde. Miracle, car il est à l'origine du développement économique du Costa Rica et l'a tiré de son sous-développement. Aujourd'hui, bien qu'ayant perdu leur première place au profit du tourisme, les 175 millions de plants sont toujours choyés, et nulle part ailleurs dans le monde le café n'atteint une telle productivité. La fève de *grano de oro* évolue toujours et libère aujourd'hui plus d'arôme pour moins de caféine.

Canopy

Le vrai succès du Costa Rica depuis quelques années ! La canopée (*canopy* en anglais, terme le plus souvent répandu ici) désigne la voûte supérieure de la forêt qu'on ne voit

Caféier dans la région de Turrialba.

quasiment jamais du sol. Pour l'observer, il faut grimper au moyen de câbles ou de passerelles suspendues. Une nouvelle dimension est ainsi apportée au spectacle, sans comparaison avec celui que procuraient les jumelles auparavant. Mousses, champignons, plantes épiphytes, orchidées, reptiles, oiseaux, grenouilles, insectes, autant d'espèces jusqu'alors entr'aperçues mais inconnues qui peuvent être observées.

Carretas

Ce sont des charrettes de bois multicolores et excessivement décorées. A l'origine moyen de transport, elles servent aujourd'hui de décoration. Elles représentent le symbole de l'artisanat costaricain.

Déforestation

L'une des principales inquiétudes du Costa Rica, et pour cause ! On estime que la forêt tropicale couvrait la totalité du territoire au moment de la découverte. En 1953, elle avait reculé de 50 % et n'occupait plus que 30 % dans les années 1980. La responsabilité incombe à l'élevage extensif, à l'exploitation forestière et aux plantations agricoles. Pour parer à ce désastre, on a créé à partir des années 1960 des zones de protection (parcs, réserves et refuges) qui sont aujourd'hui la base de la première source de revenus du pays. Peu à peu, les zones de reforestation s'étendent grâce à des subventions promises aux propriétaires de terrains reboisés mais ce ne sont que des reboisements, bien loin de la richesse biologique des forêts primaires ou même secondaires.

Écologie et écotourisme

Fer de lance du Costa Rica, avec les bananes, le café et le tourisme (dans le désordre). Pour attirer le touriste dans un si petit pays, facilement confondu avec l'un ou l'autre de ses turbulents voisins, l'écotourisme et le tourisme d'aventure sont devenus très en vogue depuis quelques années. En dehors des devises que l'amour des choses vertes rapporte au pays, c'est aussi un moyen de sensibiliser la population aux richesses naturelles de leur patrie. Les fresques peintes sur les murs des écoles témoignent, sans ostentation, du souci constant de préserver l'environnement.

Faune

Le Costa Rica est un véritable paradis terrestre avec quelque 200 espèces de mammifères dont de beaux félins comme l'ocelot, le jaguar, le puma, le margay et les très rares chats-tigres ; de nombreux singes ; 850 espèces d'oiseaux dont le toucan, les colibris (une cinquantaine d'espèces), les perroquets et les aras, l'emblématique et très rare quetzal. Mais ce n'est pas tout ; il y a aussi des reptiles, des papillons (plus de variétés que dans les Etats-Unis et le Canada réunis) et, pour finir, si l'on peut dire, de nombreuses espèces marines dont la célèbre tortue luth.

Flore

Exubérante, luxuriante, magnifique, étonnante... Des belles franges de cocotiers aux géants qui émergent des brumes d'altitude, les qualificatifs sont insuffisants pour décrire l'explosion de verdure qui enchante les sens. Un paradis se doit d'avoir un écrin, ce sont les 34 parcs nationaux et réserves et les nombreux volcans – dont 7 en activité – qui abritent 12 000 espèces de végétaux comme les héliconias (famille des oiseaux de paradis), les passiflores (fleur du fruit de la passion), et surtout les orchidées – 1 200 espèces – dont la guaria morada, emblème du pays.

Lodges

A l'origine (anglaise), un hôtel dans la nature. Il faut savoir que dans la plupart des lodges, presque toujours éloignés des villages, on ne peut sortir pour manger ailleurs. Souvent, le prix de la nuit inclut au moins deux repas. Quand ce n'est pas le cas, les prix pratiqués au restaurant du lodge sont justifiés par la difficulté à se ravitailler, mais certains établissements ont quelquefois oublié que la route a été asphaltée depuis leur installation ou que la zone a été raccordée au réseau électrique ou même qu'ils sont inclus dans une zone urbaine (Manuel Antonio par exemple). Les prix élevés sont peut-être là pour nous rappeler que nous aimons rester dans un rêve... quelque peu éveillé.

Maje !

Typiquement *tico*, ce mot signifiant à l'origine « crétin », puis « mec » (à prononcer entre « ma », « maille » et « mare », ou tout simplement « maé » comme le nom du chanteur français) est presque devenu une interjection, souvent doublée – peut-être pour bien enfoncer le clou – qui commence et termine les phrases. On pourrait le traduire par « Hé ! ». C'est également ainsi que se reconnaissent les Ticos à l'étranger.

Marimba

Le son du *marimba* anime de nombreuses soirées du pays. Composé de lamelles de bois local, cette espèce de xylophone existe sous des formes diverses dans la plupart des pays d'Amérique latine. Au Costa Rica, la ville de Santa Cruz dans le Guanacaste est la capitale du *marimba* où l'on trouve le plus de *marimbistas* (joueurs) et de *marimberos* (fabricants).

Neutralité

On en rêve tous un peu... Le Costa Rica l'a fait en poussant la logique jusqu'au bout puisque ce petit pays coincé entre des voisins fort agités n'a pas d'armée, tout juste une police. Oscar Arias Sánchez, Prix Nobel de la paix en 1987, déclarait en mai 1990 : « Certains pensent que nous sommes vulnérables parce que nous n'avons pas d'armée. C'est exactement le contraire. C'est parce que nous n'avons pas d'armée que nous sommes forts. »

Playas

De vraies cartes postales, mais les vagues, bonheur des surfeurs, sont presque toujours contraires à la baignade. De nombreuses plages sont dangereuses et peu recommandées à cause des courants forts qui longent les côtes dans un sens ou dans l'autre. Le mieux est d'interroger quelqu'un du coin, si aucun baigneur n'est là pour vous renseigner. Sur le sable, noir ou blanc, on se découvre peu. En tout cas, pas de seins nus, à moins que la plage ne soit totalement déserte. On dénombre deux cents noyades par an au Costa Rica. Même si les personnes concernées sont souvent des « Ticos imbibés » rentrant d'une tournée bien arrosée, la plupart de ces accidents sont provoqués par les contre-courants qui poussent les baigneurs vers le large. Pour les éviter, essayez de nager parallèlement à la plage, selon un angle de 45°, ou sur le côté ce qui diminue la prise du courant sur votre corps. Si, par mégarde, vous étiez pris dans un contre-courant, surtout pas de panique. Laissez-vous porter jusqu'à ce que le courant vous semble dissipé, puis revenez vers la plage en prenant les précautions nécessaires. Mais c'est plus facile à dire qu'à faire...

Le quetzal peuple la vallée de San Gerardo de Dota.

¡Pura vida!

Si un publicitaire avait cherché un slogan pour le Costa Rica, il n'aurait pas mieux trouvé que cette expression ! Signifiant littéralement « pure vie », elle paraît tellement actuelle qu'on a du mal à imaginer qu'elle vient des années de vache maigre. Dans les années 1930, quand la viande était rare et chère, on trompait l'appétit en ajoutant de temps en temps un os à la soupe. Par dérision, *puro hueso* (pur os) désignait alors les bonnes choses. Quand la viande est revenue dans les assiettes, c'est devenu *pura carne* (pure viande) qui se disait encore dans les années 1970. Petit à petit, *pura vida* a remplacé *pura carne* qui devenait un peu trop « boucher » pour l'époque. Aujourd'hui, à la question *¿Que tal?* (Comment ça va ?), on répond par *¡pura vida!* (parfaitement bien !) qui démontre surtout la bonne humeur. S'emploie aussi pour dire « bonne chance ».

Quetzal

Considéré comme l'un des plus beaux oiseaux tropicaux du monde, le quetzal est l'emblème de la civilisation. Il a donné figure au dieu Quetzalcóatl, que l'on peut voir sur de nombreuses sculptures précolombiennes, du Mexique au Panamá, associé au culte du serpent à plumes. L'empereur Montezuma revêtait, en cérémonie, un manteau réalisé avec plusieurs milliers de plumes de quetzals. Cet oiseau vit dans les hautes forêts tropicales humides, mais on peut tout de même l'observer. Le quetzal resplendissant possède un ramage à la hauteur de son plumage émeraude. Son chant rivalise très bien avec celui du rossignol.

Puerto Viejo est un spot de surf réputé.

Rancho

Construction ouverte sur trois ou quatre côtés, donc aérée, et le plus souvent recouverte de palmes. De nombreux bars et restaurants ont choisi cette architecture, bénéficiant ainsi d'une vue extraordinaire sur la plage, sur la forêt ou les montagnes, mais parfois sur la route...

Semana Santa

A oublier absolument lors de l'organisation de son séjour, à moins de vouloir profiter d'un San José déserté par ses habitants qui se précipitent vers les plages ! Du jeudi saint au lundi de Pâques de cette semaine sainte, tout est fermé et déserté, ou bondé, selon l'endroit où l'on se trouve.

Soda, pulpería, abastecedor

Ce sont tous des petits commerces – un peu les épiceries de nos villages ! –, où l'on peut manger quelque chose. La *soda* : petit restaurant familial servant les plats de base comme le *casado, gallo pinto* ou des *empanadas* et parfois même des plats du jour. C'est presque toujours bon et sain, un peu comme au bar des Amis ou chez Jules. La *pulpería* : c'est l'épicerie typique. L'*abastecedor* : petit magasin généraliste, alimentation, ustensiles, etc., dans les zones rurales.

Surf

Le Costa Rica est un véritable paradis du surf. De la côte pacifique à la côte caraïbe, les spots de surf sont très nombreux et certains spots très célèbres n'ont rien à envier aux plages australiennes ou californiennes. Certaines plages conviennent aussi bien aux néophytes qu'aux surfeurs aguerris comme à Tamarindo, Jacó, Manuel Antonio. D'autres sont uniquement pour les surfeurs expérimentés recherchant de grandes sensations. Ce sera le cas à Puerto Viejo sur la célèbre Sala Brava, à Playa Pavones sur la plus longue *ola* (vague) gauche d'Amérique et les spots de Witch's Rock ou de Peña Bruja (rocher de la Sorcière) et de Ollie's Point qui offrent des *olas* droites et gauches bien roulées de 2 à 3 m de hauteur. Le surf se développe beaucoup, et à juste titre, au Costa Rica, surtout sur la côte pacifique et contribue ainsi fortement à l'offre touristique du pays.

Temporada verde

Encore une invention publicitaire que cette « saison verte »... Il s'agit en fait de la saison des pluies qui sévit en gros de mai à novembre, mais comme le mot « pluie » – pas très touristique – était peu attirant, le Costa Rica a préféré instaurer la saison verte. Pendant cette saison, il pleut presque tous les jours, en général l'après-midi après un souffle de chaleur lourde. L'averse, qui est alors bienvenue, est violente mais fugace. Quelquefois, la pluie persiste trois à quatre jours. Ce sont les *temporales*. Il faut malgré tout différencier la côte caraïbe de la côte pacifique beaucoup plus sèche. Des averses sur les Caraïbes peuvent survenir durant la saison sèche. Certaines parties de la côte pacifique, comme la péninsule de Nicoya, ne connaissent l'humidité que durant trois mois. De plus, les phénomènes du Niño et de la Niña perturbent régulièrement les conditions atmosphériques. La saison verte est très intéressante au niveau touristique : les prix baissent considérablement, la fréquentation aussi, même si on trouve encore qu'il y a beaucoup de monde...

Faire – Ne pas faire

Il n'y a pas vraiment de tabous au Costa Rica et le sujet le plus sensible – la politique, et actuellement la corruption – est souvent source de rigolade entre Ticos. Peut-être que douter de la beauté du pays ou critiquer trop vivement ses efforts de préservation pourrait mal passer auprès de vos interlocuteurs, mais ce serait surtout à cause de votre mauvaise foi. Non vraiment, les Costaricains étant toujours prêts à plaire, il y a peu de chance que vous tombiez sur le sujet qu'il ne fallait pas aborder. En revanche, votre comportement sera certainement jugé sévèrement si vous ne montrez aucun respect envers l'environnement, et surtout envers les animaux. Mais si cela arrive, que faites-vous donc au Costa Rica ?

Tico, tica

Le terme viendrait de l'habitude qu'ont les Costaricains d'user et d'abuser de diminutifs. Si les autres hispanisants ajoutent *-ito* ou *-illo*, eux collent *-ico* à tous les mots. Mais ils ne se contentent pas de cette précision puisqu'ils doublent très souvent le *-tico* : *hermanititico* est « mon petit frère » et *chiquititico* est tout simplement « minuscule ». De là, l'usage du terme *tico*, qui remplace « costaricain » dans toutes les occasions et est certainement plus facile à dire que *costarricense*.

Tormenta

Orages secs ou accompagnés de violentes averses, le tonnerre gronde presque en permanence dès la fin de l'après-midi zébrant le ciel d'impressionnants éclairs, surtout au-dessus de la mer. Attention les *tormentas* sont très violentes. Et s'il n'y a pas d'éclairs, c'est peut-être une secousse tellurique ou un volcan proche... Pendant la saison des pluies (*temporada verde*), de très violents orages appelés *temporales* annoncent souvent quelques jours de beau temps sec, souvent le *veranillo* (petit été) de fin juin-début juillet. Si vous vous trouvez dehors quand éclate un orage qui s'est pourtant annoncé par un coup de vent sous un ciel de plus en sombre, n'oubliez pas les consignes habituelles et, si vous êtes en voiture, levez le pied, gardez un œil sur les arbres et les surplombs de terre qui pourraient être instables de chaque côté de la route. Pluies violentes, ruissellement et déforestation provoquent des glissements de terrain qui sont le plus à craindre en cas d'orage. Il n'y a pas d'ouragan au Costa Rica car leur route passe plus au nord de la mer des Caraïbes. Mais il peut y avoir des queues de cyclone qui se traduisent par de très forts orages tropicaux. A l'opposé des *tormentas*, il y a la pluie fine et pénétrante qui est appelée *pelo de gato* (poil de chat).

Tremblements de terre

Etant donné la situation géographique du Costa Rica sur le point de rencontre entre plusieurs plaques et son activité volcanique, il n'est pas étonnant que le pays, comme ses voisins, connaisse des séismes de plus ou moins grande intensité. En mars et en avril 1991, deux tremblements de terre dépassant 7 sur l'échelle de Richter ont causé de nombreux dégâts, surtout sur la côte caraïbe. En 1999, la région de Quepos a été durement secouée, sans beaucoup de dégâts. Ces derniers séismes sont les plus violents qui aient été enregistrés depuis celui qui a ravagé Cartago, alors capitale du pays, en 1910. En janvier 2009, un autre séisme dont l'épicentre se trouvait à 30 km de la capitale a sévèrement ébranlé toute la région, détruisant une route et faisant plus d'une dizaine de victimes. Dans la région de Jacó, sur la côte pacifique, attendez-vous à ressentir au moins une secousse par jour, la ville étant située sur une faille. En général, les tremblements de terre qui ont lieu sont de faible intensité et se ressentent plus sensiblement en octobre et en novembre. Si vous êtes en voiture, vous ne les remarquerez même pas.

Volcans

Le Costa Rica, situé sur la ceinture de feu du Pacifique, abrite 116 volcans en tout, avec environ 300 cônes volcaniques. Seulement 7 sont actifs (du nord au sud : Rincón de la Vieja, Miravalles, Arenal, Poás, Barva, Irazú et Turrialba), d'autres monstres sont endormis mais peuvent se réveiller (Tenorio, Orosí, Cacho Negro, Platanar...). Les autres volcans sont considérés comme éteints, en terre ou en mer.

Survol du Costa Rica

GÉOGRAPHIE

Le Costa Rica, petit pays de l'isthme d'Amérique centrale, est délimité au nord par le Nicaragua, au sud par le Panamá, à l'ouest par le Pacifique (1 200 km de côte) et à l'est par la mer des Caraïbes (215 km de côte). Situé entre deux continents et entre deux océans, il bénéficie d'une situation unique. Sur 51 060 km² de superficie, soit un peu moins d'un dixième de la France, le relief du Costa Rica est traversé du nord-ouest au sud-est par quatre chaînes montagneuses atteignant au plus haut point 3 800 m d'altitude – au nord-ouest, les cordillères du Guanacaste et de Tilarán, la cordillère centrale à l'est de San José et la cordillère de Talamanca au sud du pays. Deux chaînes plus basses soulignent les précédentes : la chaîne Costañera longe la côte pacifique sud, et la chaîne Bustamante se situe au sud de la région appelée Los Santos. On compte également une zone montagneuse au centre de la péninsule de Nicoya. Au centre de ces montagnes, à 1 000 m et plus d'altitude, la Vallée centrale (Valle Central) – 3 000 km² de terres fertiles enrichies par un climat tropical tempéré – héberge la moitié de la population du pays et une grande partie des cultures, dont les plus importantes sont celles du café qui donne les meilleurs arabicas à 1 200 m d'altitude, la canne à sucre, la noix de macadamia et des plantes ornementales, principaux produits d'exportation. Les montagnes qui protègent ces plantations sont pour la plupart d'origine volcanique et au moins cinq d'entre elles sont encore en activité (l'Irazú, le Poás, le Rincón de la Vieja, le Miravalles et l'Arenal). Le plus haut sommet, le Chirripó, au sud du pays dans la cordillère de Talamanca, à seulement 50 km de la côte pacifique, ne gronde jamais, mais en impose avec ses 3 819 m d'altitude. Au pied des montagnes, les plus grandes plaines sont principalement la plaine sèche du Guanacaste au nord-ouest du pays, les plaines marécageuses du nord (*llanuras*) et la plaine Caraïbe dont la partie septentrionale est sillonnée de canaux artificiels et de rivières naturelles (Tortuguero).

Baigné par deux océans (aucun point du pays n'est à plus de 120 km d'une côte), plus de 65 % des frontières du Costa Rica sont côtières, et quelles côtes !

Lac Angostura à La Suiza dans la Vallée centrale.

Tous les rêves d'îles idylliques sont ici réunis, de l'ambiance caraïbe à la douceur du Pacifique, des plages rocheuses aux cocotiers inclinés vers les vagues. Nombre de ces plages sont encore désertes, connues seulement de quelques surfeurs guidés par la passion. Les plus fréquentées sont celles du Pacifique nord qui bénéficient d'un climat plus sec et du Pacifique centre (Quepos).

Les grandes zones géographiques

La Vallée centrale et San José. Plus encore que ne l'indique son nom, elle représente véritablement le cœur du pays. Elle est à la fois son centre géographique et son pôle économique. A plus de 1 000 m d'altitude, ce plateau est entouré de chaînes de montagnes volcaniques. Un peu plus de la moitié des Costaricains y vivent, dans les plus grandes et anciennes villes du Costa Rica (San José, Cartago, Alajuela, Escazú et Heredia). A partir de la capitale, les possibilités d'excursions vers des points aussi variés que le volcan Poás ou la vallée d'Orosí, véritable jardin entre les collines, sont très nombreuses et demandent peu de préparation. Une petite promenade en voiture vers Aserrí permettra de découvrir un site spectaculaire. C'est de ce petit village, et du bord de la route qui serpente dans la montagne, que l'on apprécie le mieux la vallée. Par temps dégagé, on peut admirer San José et les villes proches. La nuit, la vue est enchanteresse : la lune se profile au-dessus de la vallée, des lumières scintillantes batifolent au flanc des montagnes... San José est le centre d'activité de cette « Meseta centrale ». Il y a une décennie, la jonction entre les quatre villes voisines s'effectuait par des routes épousant les *cafetales* (champs de caféiers). De nos jours, il est difficile de distinguer l'instant où vous quittez l'une pour retrouver l'autre. Le développement économique du pays a transformé la région de San José en une petite mégapole. On sent que les limites de la Vallée centrale seront bientôt atteintes et que dans peu de temps les problèmes de circulation automobile et de pollution se révéleront périlleux. Le gouvernement actuel fait de louables efforts luttant contre une pollution déjà bien présente. Malheureusement, si des contrôles techniques ont été mis en place, peu de véhicules respectent réellement les quotas d'émission et beaucoup échappent aux pénalités prévues à l'aide de petites enveloppes. A San José, aucun bus ne respectant les normes, il a fallu les exempter de contrôle... Pourtant, dès que l'on s'éloigne du centre de San José, les premières pentes apparaissent : on respire à pleins poumons l'air frais de la campagne si proche.

La côte pacifique. Du nord au sud de la côte ouest (1 200 km), le paysage est multiple. Chaleur et sécheresse sévissent dans le Guanacaste, une région un peu à part, la plus prisée des touristes et la mieux aménagée. Au nord, Playa del Coco est la première plage à caractère familial. Beaucoup plus chic, Playa Flamingo, parfois appelée « Miami Beach » par les Ticos, possède sa propre piste d'atterrissage. Un peu plus au sud, le parc Las Baulas offre une aire de protection

Cratère coloré dans le parc national du volcan Poás.

naturelle dans une région par ailleurs sinistrée par le déboisement intensif. Ainsi Playa Grande, très appréciée des surfeurs, continue d'accueillir les tortues baulas (les plus grosses du monde) qui viennent y pondre depuis des millénaires. Toujours en longeant la côte, on aborde le flanc ouest de la péninsule de Nicoya, où les plages se succèdent jusqu'à Playa Carillo, premier point d'accès quand on descend des montagnes du centre de la péninsule. Tout au sud de Nicoya en remontant vers le golfe du même nom, les refuges fauniques, nationaux ou privés sont légion. Les anses rocheuses, encore sauvages, sont malheureusement un peu difficiles d'accès pendant la saison des pluies. De l'autre côté du golfe, Puntarenas fut longtemps le premier port du Costa Rica. La ville commence seulement à ressusciter. Après avoir été le premier port de marchandises, Puerto Caldera, le port de Puntarenas, fait la part belle aux bateaux de croisière. Pour que les touristes aient une vue plaisante à leur débarquement, la ville restaure petit à petit ce qui pourrait bien finir par ressembler à une promenade des Anglais. Au sud de la cité, le climat change pour devenir plus humide et plus lourd. Les plages sont célèbres parmi les surfeurs, principalement celles de Barranca et d'Hermosa, à proximité de Playa Jacó, mais les vagues rendent la baignade souvent dangereuse. En descendant vers Quepos, on retrouve des plages un peu plus calmes et le très célèbre parc national Manuel Antonio qui fait partie de la longue liste des parcs à ne manquer sous aucun prétexte (tout comme celui de Carara, avant Tárcoles, moins connu mais offrant un parfait exemple du mélange des écosystèmes). La route a été refaite, mais restez sur vos gardes : les nombreux petits ponts sont parfois surprenants. La route est très pénible de Quepos à Dominical. Mais peut-on parler de route quand il n'y a pas la moindre surface de goudron ? Limite sud de la côte pacifique en ce qui concerne le Costa Rica, la péninsule d'Osa et ses abords immédiats sont en passe de devenir un pôle touristique de premier ordre. Eloignée et encore difficile d'accès, elle n'est pour l'instant fréquentée que par quelques férus d'écologie ou par des malins avertis qui, après avoir pratiqué toutes les autres plages du pays, viennent surfer sur ses côtes désertes. Le projet de « belle » route qui desservira bientôt Puerto Jiménez va certainement bousculer les tranquilles habitudes du parc national de Corcovado.

Plage de Cocles sur la côte caraïbe.

La côte caraïbe et Limón. La côte est du pays (212 km) est longée par la mer des Caraïbes. Juste après la cordillère centrale et ses forêts cachées par les nuages, la plaine se couvre de bananeraies qui assurent une partie du revenu national du pays. Près de Limón, les bananiers font place aux cocotiers et les maisons sont beaucoup plus colorées que les baraquements des planteurs. Les îles Caraïbes sont proches. La ville de Limón, bruyante et vivement colorée, abrite en grand nombre des pêcheurs et des marins mais demeure peu touristique. Les visiteurs choisissent de s'orienter plutôt vers le nord ou le sud où se trouvent les endroits les plus intéressants de la région, les tortues ou les surfeurs... Tortuguero, au nord, est une immense étendue lacustre où les canaux naturels ou aménagés remplacent les routes. Le relatif isolement de cette zone constitue la meilleure protection pour la flore et la faune, peu farouche. Tortuguero reste le lieu privilégié des tortues vertes qui ont choisi ses plages pour venir pondre de mai à août. Vous aurez une très bonne pêche à Barra del Colorado – où le tarpon répond présent – et dans le río San Juan, qui est la limite frontalière entre le Costa Rica et le Nicaragua. Au sud, entre les récifs de corail et les forêts, les plages invitent à un séjour cool – nature, surf, plage, farniente et cuisine colorée – parmi les pêcheurs rastas ou les Indiens. Le sud se développe rapidement et son charme attire les touristes lassés du Pacifique et de ses plages à succès.

Volcan et lac Arenal.

Le Nord et ses grandes plaines. Au nord, les rivières Frío et Sarapiquí, qui vont jusqu'au Nicaragua, sont parfaites pour les excursions en bateau, la pêche ou tout simplement l'observation des oiseaux. La région de Los Chiles est encore peu fréquentée, mais on prévoit son développement rapide grâce à l'intensification du trafic avec le Nicaragua et, surtout, la saturation d'autres zones. Un peu plus au sud, les chutes d'eau de La Fortuna et les sources d'eau chaude de Tabacón sont beaucoup plus connues des touristes et des Costaricains. Le reste de la région, quasi désert, peut faire l'objet de vagabondages (non improvisés, bien sûr) vers Rara Avis, Selva Verde, La Selva ou la belle réserve de Caño Negro qui, peu fréquentée, offre de nombreuses possibilités d'observation.

Le Nord-Ouest. Avec son climat sec, ses très grands pâturages, ses deux cordillères avec ses célèbres volcans, le Nord-Ouest qui s'étale jusqu'au Nicaragua est la grande région du Guanacaste récemment « annexée » par le Costa Rica. Le majestueux Rincón de la Vieja et le non moins majestueux Arenal sont là pour rappeler aux visiteurs l'activité volcanique permanente de l'isthme central-américain. La forêt nuageuse de Monteverde, le lac Arenal et les plages du Pacifique nord, encore à l'abri du flot humain, complètent pour le touriste, l'extraordinaire palette des richesses naturelles de cette région.

Le Sud-Ouest et ses hautes montagnes. A partir de Dominical, dont l'infrastructure touristique se développe, la région reçoit moins de visiteurs. C'est pourtant sur les flancs de la cordillère de Talamanca que vous pourrez rencontrer des indigènes et assister à des fêtes typiques (il y pleut un peu plus que partout ailleurs). Les routes desservant cette partie du pays, peu nombreuses, sont encore plus rares loin des côtes. C'est pourtant une région du plus haut intérêt pour un tourisme, hors des sentiers battus, privilégiant le retour presque total à la nature, comme dans le parc national de Chirripó, intégré au parc international La Amistad, ou sur la péninsule d'Osa. Enfin, les infrastructures hôtelières, si elles sont loin d'égaler les centres touristiques d'autres régions, offrent l'avantage d'être financièrement plus accessibles et peut-être un peu plus accueillantes.

Les principaux volcans

Volcan Rincón de la Vieja. A 24 km au nord-est de Libería se trouve ce volcan, vieux de plus d'un million d'années. C'est actuellement le troisième volcan actif du Costa Rica, avec neuf cônes éruptifs reliés entre eux, dont un – le cratère principal – en activité permanente. Mais cette activité n'inquiète pas les vulcanologues qui estiment que les geysers et les bassins de boue sont suffisants pour équilibrer la pression interne du volcan. Il se comporte comme un autocuiseur qui aurait plusieurs embouts laissant échapper la sur-vapeur. Il n'est donc pas explosif. La dernière coulée importante de lave a eu lieu sur le versant nord du Rincón ; il semble que ce soit le côté le plus exposé en cas d'éruption puisque les centres d'hébergement sont tous situés au sud et à l'ouest. Le volcan est à peu près au centre d'un parc naturel destiné à protéger les nombreuses rivières qui y prennent leur source ainsi que la flore extrêmement variée de cette région. Au nord du géant, dans les endroits appelés « Las Pailas » (chardons) et « Hornillas » (petits fours), des geysers et des jets de vapeur contenant du soufre, du fer et du cuivre ont coloré les alentours de taches « impressionnistes » rouges, jaunes ou vertes. De véritables baignoires naturelles invitent à se baigner dans la douce tiédeur de la boue volcanique dont on prétend qu'une seule application permet de retrouver le bon teint. Ces sept marmites magiques ont d'ailleurs été surnommées Sala de Belleza (salon de beauté). Pour finir cette journée de remise en forme, vous pourrez vous baigner dans les eaux sulfureuses de Las Azufrales dont la température se maintient autour des 40 °C. Il vaut mieux ne pas rester plus de cinq minutes dans cette eau ; entre chaque barbotage, on peut aller se rafraîchir sous une des cascades d'eau froide.

Volcan Arenal. Le volcan le plus actif du Costa Rica se situe à La Fortuna, dans le nord du pays. L'Arenal représente le volcan dans toute sa perfection conique et menaçante. Il est encore jeune : les éruptions n'ont pas encore tronqué son sommet. Du fait de ses trois mille années d'inactivité, on a longtemps vécu près de cette montagne, émergeant des collines luxuriantes, sans jamais penser qu'elle pouvait présenter un danger. Mais en 1968, un violent tremblement de terre, suivi d'une importante éruption, a complètement détruit un village sur le versant ouest. La nuit est particulièrement propice à l'observation des coulées de lave en fusion et des projections de roches incandescentes sur le flanc nord. Le jour, on n'entend que les grondements sourds et quelquefois des explosions, qui rappellent la force prodigieuse du monstre. Le sommet est souvent caché par les nuages, mais les fumerolles sont nettement visibles sur les flancs de la montagne avant de se confondre avec les brumes. Suite à plusieurs accidents, les visiteurs ne sont plus autorisés à s'approcher du cratère ni à entreprendre l'ascension à cause des coulées permanentes de lave et des fissures, mais il est possible d'en avoir un très bon aperçu de l'endroit appelé Parqueo Interior, lorsque la végétation disparaît au profit de la poussière anthracite. A proximité du volcan se situe le lac Arenal où l'on pratique la planche à voile ainsi que la pêche. Pour un autre type de balade, la réserve de Monteverde peut être atteinte en quelques heures à cheval, à travers de magnifiques paysages de montagne.

Volcan Poás. Le volcan Poás, à 37 km de San José dans la province d'Alajuela, figure parmi les plus spectaculaires. A 2 704 m d'altitude, son cratère est considéré comme le plus grand du monde. L'éruption de 1910 et la colonne d'eau et de boue qu'elle projeta à plus de 4 000 m d'altitude sont restées dans la mémoire collective : des cendres s'étaient déposées jusqu'à Puntarenas !

Eglise sur la route n° 4 en direction du parc national du volcan Poás.

Volcan Barva. Au nord-ouest du parc national Braulio Carrillo, le volcan s'élève à 2 900 m d'altitude. Inactif depuis plus de deux mille ans, comme l'atteste la présence de végétaux datant de cette époque, il est tout de même suivi de très près par les vulcanologues, qui s'inquiètent des quelques secousses mineures enregistrées à ses abords. Aucune route carrossable ne mène au cratère, mais l'ascension à pied est aisée et ne demande qu'une petite heure à travers une splendide forêt prise dans les nuages. L'atmosphère, toujours très humide, constitue le revers de ce plaisir ; il vaut mieux se protéger, surtout durant le trajet (30 minutes) qui mène au petit lac Laguna Copey.

Volcan Irazú. A 31 km au nord-ouest de Cartago, l'Irazú, qui culmine à 3 432 m d'altitude, est un volcan actif au lourd passé éruptif. Ses éruptions sont accompagnées de nuages de vapeur et de jets de cendres, de scories ou de pierres plus ou moins grosses. La terre tremble et émet des grondements sourds. Ses derniers sursauts datent de 1991 et seules quelques fumerolles sont actuellement visibles. Au sommet de l'Irazú se trouvent quatre cratères : le principal présente un paysage lunaire sur 1 050 m de diamètre ; le Diego de la Haya, le deuxième, abrite un lac sulfureux ; les deux autres, de moindre importance, sont situés de chaque côté du cratère principal. Le terrain autour du volcan est dénudé, seul le myrte pousse à proximité des cratères. La aune est pauvre. On peut cependant apercevoir des lapins, des coyotes, des porcs-épics ou des tatous et, parmi les oiseaux, la chouette brune, entre autres. L'ascension jusqu'aux lugubres cratères vaut vraiment la peine ; elle vous offrira de superbes vues de la Vallée centrale. A partir du parking, au sommet du volcan, un sentier longe le premier cratère et mène aux plus petits. Par beau temps, il serait possible d'apercevoir les deux océans mais, à moins de s'y rendre à la pointe du jour entre janvier et avril, l'occasion est des plus rares. Prévoyez des vêtements couvrants pour vous protéger des cendres et pour échapper à la sensation de froid quand vous sortirez de la voiture. Nous sommes à plus de 3 000 m d'altitude et le vent est violent.

Cratère du volcan Poás rempli d'eau sulfureuse.

Volcan Turrialba. A 3 339 m, le sommet de ce volcan est constitué de trois cratères dont deux sont actifs. Malgré les fumerolles et la vapeur, le volcan ne s'est pas manifesté depuis longtemps. Mais un cratère est tout de même interdit à toute visite, car très dangereux. Difficilement accessible et concurrencé par son puissant voisin, l'Irazú, il intéresse beaucoup moins les visiteurs. On peut observer le Turrialba du versant nord de l'Irazú en empruntant le petit chemin de terre à gauche après l'administration du parc. Le meilleur moyen de s'y rendre est de participer à un tour d'une journée ou de loger dans un des lodges des environs qui organisent des randonnées à cheval jusqu'au volcan

Géologie

Par son origine géologique, l'Amérique centrale est l'une des régions sismiques les plus actives au monde. La subduction de la plaque du Pacifique (plaque de Cocos) sous la plaque continentale (plaque Amérique du Nord) a entraîné la création d'une longue chaîne de volcans sur tout l'ouest de la région, dont le relief accidenté se prolonge en Amérique du Sud. Elle forme une partie de la ceinture de feu du Pacifique. Les sommets de la cordillère centrale sont l'une des plus anciennes manifestations de ce pays puisqu'ils sont apparus au miocène supérieur, d'abord sous la forme d'îles. Pour preuve, nombre de fossiles marins ont été retrouvés dans le Macizo de la Muerte. Le substrat océanique apparaît dans les péninsules de la côte pacifique (Santa Elena, Nicoya, Osa). Il est constitué d'une unité ophiolitique, datant du campanien (il y a 85 millions d'années). Le sud-ouest du pays marque quant à lui la limite de la plaque caraïbe. Le sol du Costa Rica contient quelques gisements d'or et de minerais d'argent, des réserves de bauxite, de manganèse et de magnétite.

CLIMAT

Situé entre les 8e et 13e degrés de latitude nord, le Costa Rica jouit d'un climat tropical où quatre zones climatiques sont à distinguer. Les basses terres humides sont celles de la côte caraïbe et du sud de la côte pacifique. Elles se caractérisent par une quasi-absence de saison sèche. Les pluies, peu abondantes sur les plages, s'intensifient dès que l'on pénètre dans les terres, jusqu'à dépasser 5 000 à 6 000 mm par an (près de dix fois la pluviométrie de Paris). Les températures sont assez constantes (autour de 25 à 27 °C), mais sont ressenties comme beaucoup plus élevées en raison du taux d'humidité dans l'air proche de 95 %. La côte caraïbe connaît de temps en temps un grain plus fort qui entraîne des inondations – d'où de nombreuses maisons sur pilotis –, mais elle n'est pratiquement pas menacée par les cyclones – seulement les effets de quelques queues de cyclones – qui balayent d'autres pays pourtant proches.
Les basses terres, avec saison sèche, comprennent le Guanacaste et une partie de la province de Puntarenas. Elles se distinguent par des températures plus chaudes (de 30 à 35 °C) et une saison sèche très marquée. La saison des pluies commence en mai, traditionnellement à la San Isidro (15 mai), pour se terminer en novembre comme dans la Vallée centrale où le climat est plus tempéré (de 20 à 25 °C). Fin juin, après la Saint-Jean (24 juin), *el veranillo* (petit été) est une courte période d'une quinzaine de jours pendant laquelle les pluies diminuent et le temps redevient presque estival. Le *veranillo* qui s'annonce souvent par un orage très violent (*temporal*) est certainement le meilleur moment pour visiter le Costa Rica qui reçoit moins de touristes en cette basse saison.
Entre 1 000 m et 1 500 m d'altitude, les températures sont un peu plus fraîches et constantes ; la saison sèche est encore marquée. Le climat montagneux se rencontre, bien sûr, au-dessus de 1 500 m, et plus on grimpe plus les températures baissent. On peut même ressentir cruellement le froid par temps humide et le choc est rude si on est arrivé le matin même de la côte...

ENVIRONNEMENT – ÉCOLOGIE

Protection de l'environnement

« L'Etat devra garantir le droit au plus grand bien-être à tous les habitants du pays, en organisant et en stimulant la production et une meilleure répartition des richesses. Pour cela, il semble légitime de dénoncer les actes qui vont à l'encontre de ce droit et de réclamer réparation. L'Etat devra garantir, défendre et préserver ce droit. La loi déterminera les responsabilités et les sanctions correspondantes. » (Article 50 de la Constitution politique du Costa Rica). Par cet article, ajouté à la Constitution le 14 septembre 2002, l'un des premiers actes du président de la République élu au mois de mai de la même année, Abel Pacheco insiste, au moment où l'on s'apprête à célébrer la fête nationale, sur le droit dont dispose chacun à bénéficier du meilleur environnement possible, c'est-à-dire sain et écologiquement équilibré où les richesses naturelles doivent être mieux réparties, qu'elles soient à l'origine de bénéfices commerciaux ou tout simplement vitales comme l'eau et l'air. Après les garanties sociales signées par Calderón en 1943, ce sont les garanties ambientales qui deviennent l'une des priorités du pays. Les déclarations ont été applaudies par la plupart des Costaricains (48 députés sur 53 ont voté pour), mais les organisations et les responsables savent qu'il ne suffit pas de créer des zones protégées pour garantir un environnement sain. C'est ensuite aux mauvaises habitudes qu'il faut s'attaquer, aux modes agressifs de culture, à la déforestation sauvage, aux pollutions de notre quotidien, au manque d'infrastructures ou de moyens comme le ramassage des ordures ou la mise en place de poubelles dans les endroits très fréquentés ou aux gestes de malveillance.

Essor de l'écotourisme

Dans la lignée de cet élan politique et social, les associations écologistes, les entreprises touristiques et les autorités se rencontrent régulièrement pour redéfinir l'écotourisme. Le Costa Rica avec ses richesses incomparables est en train de devenir une école écologique du monde, du moins un exemple à suivre en matière d'écotourisme.

Maison colorée sur la route n° 10 en direction de la Vallée centrale et de Turrialba.

Les autorités affichent une volonté réelle de développer les établissement écologiques. Elles exigent par exemple que le traitement des eaux usées soit écologique, que les énergies renouvelables soient les principales énergies et que le recours aux pesticides dans le jardin de l'établissement soit quasi nul. L'Institut costaricain du tourisme récompense ainsi les hôtels les plus soucieux de la protection de l'environnement en leur attribuant symboliquement un certain nombre de feuilles vertes, l'équivalent écologique des étoiles pour le standing des hôtels. Il est particulièrement difficile d'arriver à avoir le maximum de feuilles vertes, soit cinq, pour un hôtel. Les conditions sont drastiques, les contrôles fréquents, et on peut se voir refuser une feuille verte supplémentaire simplement car on utilise un séche-linge pour sécher les vêtements des clients ; il eût fallu les laisser sécher au soleil pour respecter au mieux la nature... Vous pourrez voir facilement les petites feuilles vertes à l'entrée des hôtels qui en ont, elles ne sont en général pas loin des étoiles quand il y en a. Cependant les directeurs d'établissements sont bien plus fiers de leur nombre de feuilles vertes que de leur nombre d'étoiles aujourd'hui ; ils savent aussi que les touristes qui viennent au Costa Rica aiment la nature, c'est donc un bon argument de vente aussi.

C'est dans cet esprit-là qu'a été adoptée en 2007 l'initiative « Paz con la naturaleza » : le Costa Rica s'est fixé comme objectif d'être le premier pays au monde à être neutre en carbone d'ici à 2021, et comme moyen la reforestation et le développement des énergies renouvelables. Il a ainsi institué – avant que cela ne devienne une des pistes majeures de réflexion de la communauté internationale – un système de paiements pour les services environnementaux (surtout dans le secteur forestier), financé en partie par une taxe prélevée sur la consommation de carburants fossiles. Le Costa Rica est partenaire du programme REDD+. C'est une diplomate costaricienne, Christina Figures (la propre fille de l'ancien président José Figueres passé à la postérité pour avoir aboli l'armée) qui est chargée des négociations sur le climat à l'ONU. Elle est secrétaire générale de la CCNUCC (Convention cadre sur le changement climatique) depuis juillet 2010. Alors nous, touristes, avons certainement un petit rôle à jouer en nous intéressant aux initiatives locales, en posant des questions sur l'utilisation des énergies et sur le recyclage, sur l'impact de cette activité sur l'environnement, etc. Bref, en changeant notre niveau d'exigence et notre comportement. Il s'agit de ne pas visiter le Costa Rica comme on visiterait un musée de Sciences naturelles ou un zoo.

PARCS NATIONAUX

Depuis la création, en 1963, du premier parc à Cabo Blanco, et du Service des parcs nationaux en 1970 au sein du ministère de l'Agriculture, le Costa Rica n'a pas cessé d'augmenter l'importance de ces zones qui couvrent actuellement 28 % de la surface du pays et protègent 6 % de la totalité des espèces végétales et animales du monde. Presque tous les habitats existants y sont présents : forêts caducifoliées, marais, mangroves, forêts pluvieuses (*rainforest* ou *bosque lluvioso*) appelées aussi forêts tropicales humides, forêts nuageuses (*cloudforest* ou *bosque nuboso*), lagunes herbacées, palmeraies de marais, forêts tropicales sèches et étendues désertiques. De nombreuses zones protégées ont pu ainsi conserver leur beauté naturelle et leur effet scénique telles les longues plages blanches, souvent grises et parfois noires, les montagnes d'où se précipitent des cascades d'une limpidité parfaite, et des vallées qui, tantôt alpines, se découvrent tropicales au hasard d'un caprice du relief. L'abondante végétation bleue à force d'être verte offre à la vue une multitude de découvertes. La tache brune d'un paresseux endormi dans un arbre, le bourdonnement permanent d'un oiseau-mouche (colibri), le plongeon d'une tortue d'eau, un crocodile qui se détache des branches mortes tombées dans l'eau, une nuée d'oiseaux vert pomme qui piaillent de cocotier en cocotier, un papillon bleu électrique (morpho) qui vous frôle ou encore un iguane apparemment pétrifiée qui détale entre vos jambes... sont les menus du jour dans un parc, une réserve ou un refuge. Suivre les sentiers d'un parc costaricain est une approche formidable, mais parfois inquiétante, notamment quand on pense aux jaguars ou autres « bestioles » peu sympathiques comme les nombreux serpents.

Le Costa Rica veille jalousement sur ses parcs et sur l'énorme potentiel économique qu'ils détiennent, richesse permise par un climat bienveillant et une situation du pays entre deux continents et deux mers. 21 parcs nationaux, 13 réserves biologiques et 1 monument national (site archéologique de Guayabo) sont gérés par le Service des parcs nationaux (SPN) ; 25 zones protégées et 12 réserves forestières sont administrées par la Direction des forêts et 9 refuges de vie sylvestre par la Direction de la vie sylvestre. A ces 81 aires de protection viennent s'ajouter 5 projets privés, comme la célèbre réserve de Monteverde, et une centaine de propriétés privées, déclarées zones protégées et aménagées pour la visite par leurs propriétaires sans être officiellement enregistrées. Enfin, il y a également 21 réserves indiennes. Toutes ces aires protégées communiquent maintenant entre elles par des couloirs écologiques qui permettent une libre circulation des animaux. Le pays en est sillonné et chacun est fier que l'un de ces *corredores* traverse le fond du jardin...

Pour gérer ces gigantesques réserves naturelles et les maintenir en l'état, un si petit pays a dramatiquement besoin de fonds, notamment pour acheter les terrains ou verser des subventions aux propriétaires (ce qui n'a pas été possible jusqu'à maintenant malgré les promesses), les aménager (le plus souvent, seulement, une partie d'entre eux), puis les entretenir et les mettre à la disposition des touristes, mais surtout des étudiants et des chercheurs.

Randonnée à cheval dans le parc national Rincón de la Vieja.

L'argent vient d'organisations internationales, du gouvernement, des particuliers (une partie des impôts sur le revenu est destinée aux zones protégées) et des droits d'entrée dans les parcs. L'afflux croissant de visiteurs n'étant pas encore suffisant, il a fallu trouver d'autres sources financières : ainsi, en septembre 1994, le droit d'entrée est passé de 300 colones (1,50 US$ de l'époque) à 5 000 colones (10 US$). L'entrée est généralement libre pour les enfants de moins de 12 ans et peu chère pour les locaux et les résidents. A noter que pour le parc de Cahuita, on donne ce que l'on veut en sortant (il serait d'ailleurs intéressant de connaître le prix moyen qui en résulte... c'est peut-être le prix qui conviendrait à tous les parcs), l'équilibre offre-demande.

Parc national Braulio Carillo. Au nord-est de la Vallée centrale, ce parc comprend les volcans Barva, Cacho Negro (tous deux éteints) et le Bajo de Hondura. Sa situation sur la cordillère volcanique centrale lui confère une allure très découpée, alternant hautes montagnes recouvertes de forêts humides et profondes vallées creusées par les rivières qui descendent des volcans. Sans suivre les sentiers du parc, il est possible d'en avoir un sublime aperçu le long des 24 km de route qui le traversent en se dirigeant vers Limón. Mais vous risquez de ne contempler que les fougères qui tapissent les parois de la montagne dynamitée et les cascades dont la luminosité éclate dans tout ce bleu vert végétal, voilé par le brouillard. Soyez prudent sur cette route, car le brouillard et les pluies empêchent de voir à plus de 10 m quand ce n'est pas moins. Certains jours, on ne distingue même pas l'arche d'entrée du tunnel Zurquí.

Parc national Irazú. 2 309 hectares. Plus haut volcan du pays (3 432 m), l'Irazú apparaît lunaire. Le dernier cycle d'activité volcanique (1963-1965) a complètement appauvri la végétation autour des cinq cratères maintenant au repos. Un lac aux eaux vertes sulfureuses s'est formé au fond de l'un d'eux. Par beau temps, on peut voir les deux océans du sommet du volcan. S'il y a des nuages, le sentier après les deux cratères principaux devient très impressionnant, surtout quand le vent chasse les masses nuageuses vers vous.

Parc national Tapantí. 6 000 hectares. Ce parc n'est que partiellement exploré en raison de son relief très perturbé par les rivières et les cascades qui abondent dans ce terrain montagneux recouvert d'une épaisse forêt pluviale de montagne. Oiseaux et mammifères (dont l'ocelot, le tapir ou le chat-tigre) peuplent cet espace protégé par sa nature même. A voir : le nid de quetzal du poste de gardiens. Ce parc agréable est peu visité, excepté en fin de semaine.

Parc national Poás. 5 600 hectares. Facilement accessible et proche de la capitale, le parc du volcan Poás est très fréquenté. Sur le belvédère aménagé, les familles frissonnent en découvrant les fumerolles, les geysers et

Quelle différence ?

Parcs nationaux. Ces zones protègent les ressources naturelles, la plupart du temps des forêts primaires, c'est-à-dire jamais touchées par l'homme. Le Costa Rica a créé 34 parcs et réserves. On peut y suivre des sentiers, guidés ou non, et participer à des activités de découverte ou d'entretien.

Réserves biologiques. Ce sont des forêts ou des terrains forestiers où est préservée toute forme de vie forestière. Seuls les étudiants et les chercheurs peuvent en profiter.

Refuges nationaux de vie sylvestre. A l'instar des précédentes, ces zones délimitées protègent la faune et la flore des forêts et plus particulièrement des espèces menacées. Les terres et les portions de mer comprises dans ces refuges peuvent être habitées et cultivées mais avec certaines restrictions. Il existe également des refuges privés.

Réserves forestières. Elles ont été développées sur les terres qui ne sont bonnes qu'à être des forêts. La forêt peut y être exploitée, mais seulement si on prend la peine d'en assurer le futur, c'est pourquoi on y trouve également de grandes plantations forestières, notamment de tecks qui se sont très bien adaptés au Costa Rica. Pour les marécages qui sont l'habitat de nombreuses espèces végétales et animales, ces terres inondées ou partiellement recouvertes d'eau sont autorisées à avoir ou à garder certaines activités humaines à condition qu'elles n'aient aucun impact sur l'environnement.

les émanations de soufre qui irritent les yeux. Le Poás a le plus grand cratère actif du monde (1,36 km de diamètre), au fond duquel se trouvait un lac d'eau chaude, évaporé depuis le début de la période active actuelle. A cause des émanations, la faune et la flore y sont assez rares, mais le parc protège une forêt humide en contrebas du cratère. Les 600 m à parcourir (de l'administration au belvédère) sont déconseillés à ceux qui souffrent d'affections respiratoires ou oculaires.

Réserve biologique Carara. La réserve étant située dans une zone de transition entre le Pacifique sec et le Pacifique humide, plusieurs écosystèmes y sont présents : marécages, lagunes, forêts-galeries, forêts secondaire et primaire. La diversité de la flore entraîne un égal éclectisme de la faune, dont les exemples les plus remarquables sont le crocodile et surtout l'ara rouge, au plumage bleu, rouge et jaune, qui avait pratiquement disparu de la zone Pacifique et que l'on revoit maintenant régulièrement.

Parc national Manuel Antonio. 683 ha terrestres et marins. Parc très prisé des touristes étrangers comme des Ticos, Manuel Antonio est le refuge d'oiseaux migrateurs qui se plaisent dans les forêts primaire et secondaire, dans la mangrove et sur la douzaine d'îlots proches de la côte. Outre les espèces marines que l'on y trouve, on aperçoit de temps à autre des dauphins ou des baleines le long des côtes. La docilité des singes et des iguanes qui se laissent facilement observer du sentier laisse supposer que l'interdiction de nourrir les animaux n'est pas très respectée.

Réserve biologique de Santa Elena et Monteverde. La célèbre forêt nuageuse de Monteverde est composée d'une réserve nationale (Santa Elena) et d'une réserve privée (Monteverde). Ses hautes frondaisons sans cesse baignées d'une humidité qui favorise le développement de fantastiques plantes épiphytes abritent quelque 450 espèces d'oiseaux, dont le quetzal et une variété enrichie d'oiseaux migrateurs en provenance d'Amérique du Nord.

Parc national Arenal. 2 920 hectares. Les eaux du lac artificiel sont utilisées pour la production d'énergie électrique et pour l'irrigation de la zone. La flore est variée et on y rencontre, entre autres, le goyavier de montagne, le laurier ou le bois de rose. Côté faune, on observera avec curiosité les tapirs, les paresseux, les jaguars, les cerfs, les serpents (boa par exemple). Parmi les oiseaux, on remarquera quelques perroquets, perruches ou quetzals. Les eaux du lac, riches en poissons, sont propices à la pêche. Le principal sujet d'attraction du parc est bien entendu le volcan Arenal. Son ultime période de grande activité date de 1968. Pendant plusieurs jours, il cracha des roches en fusion, de la cendre, de la vapeur et d'importantes coulées de lave. Attention, et on ne le répétera jamais assez : le volcan conique est presque toujours caché par les nuages ou les brouillards qui se dissipent quelquefois vers 3h du matin !

Réserve faunique naturelle Ostional. 162 hectares terrestres, 584 hectares marins. Sur la côte pacifique, c'est l'un des lieux les plus importants de nidification de la tortue luth ou baula (janvier) et de la tortue de Ridley (entre juillet et novembre).

Parc national Diría. 4 000 hectares. Ce petit parc récent, puisqu'il a officiellement ouvert le 1er juillet 2004, abrite une importante population de singes hurleurs (*monos congos*) et de fourmiliers.

Parc national de Guanacaste et de Santa Rosa. 82 027 hectares terrestres et 78 000 ha marins. Les deux parcs nationaux, proches, sont établis dans la partie sèche du Pacifique. Ils présentent une grande diversité d'habitats due au dénivelé important de 0 à 2 000 m du volcan Orosí. Santa Rosa est un lieu historique pour le pays. C'est ici que se déroula la bataille victorieuse du 20 mars 1856 contre les mercenaires de William Walker. 240 espèces d'arbres (dont le guanacaste, l'arbre national) sont visibles ainsi que 140 mammifères, 300 oiseaux, 100 amphibiens, 10 000 insectes et 5 000 espèces de papillons nocturnes. Depuis le 4 décembre 1999, la zone de conservation Guanacaste est inscrite au Patrimoine naturel mondial de l'Unesco.

Parc national Rincón de la Vieja. 14 084 hectares. Le volcan Rincón de la Vieja qui fait partie de la cordillère du Guanacaste compte 9 points d'activité volcanique dont des sources d'eau chaude et des bassins de boue volcanique. L'un d'eux est actif, dégageant des fumerolles. Les éruptions les plus récentes datent de l'année 1998. La faune et la flore sont typiques des forêts tropicales humides (différentes variétés de singes, plus de 200 espèces d'oiseaux et habitat principal de la guaria morada, l'orchidée devenue fleur nationale).

© STÉPHANE SAVIGNARD

Excursion en bateau dans le parc de Tortuguero.

Réserve faunique naturelle Caño Negro. Autour du lac temporaire de Caño Negro, cette région de marécages est l'une des plus humides du Costa Rica et des plus fréquentées par les oiseaux migrateurs.

Parc national Palo Verde. 16 804 hectares. Un arbuste de couleur vert tendre aux délicates fleurs jaunes a donné son nom au parc. Le long de la rivière Tempisque, les marécages abritent des oiseaux aquatiques, palmipèdes et échassiers communs à toute l'Amérique centrale (279 espèces). Sur les rives même du río Tempisque, les crocodiles peuvent atteindre 5 m de longueur. Le parc est peut-être le plus important refuge d'oiseaux d'Amérique centrale.

Réserve biologique des îles Guayabo, negritos et Pájaros. 91 hectares. Accès restreint. Cette réserve a été créée pour protéger la beauté des quatre îles (les Pájaros sont deux). La flore est basse à cause de la pauvreté des sols et de la force des vents. Les îles sont le refuge de centaines d'oiseaux qui y vivent en permanence et d'oiseaux migrateurs dont le faucon pèlerin qui y hiberne.

Réserve faunique naturelle de Curú. Face à Isla Tortuga bien connue des tours à la journée, ce refuge protège une bande côtière large de 200 m où a été conservée l'une des dernières forêts de la péninsule très fortement déboisée.

Réserve faunique naturelle Peñas Blancas. Sur des terres d'origine volcanique couvertes de forêts tropicales sèches bordées de forêts plus humides en altitude, ce refuge a été créé pour sauver des zones menacées de déboisage par leur proximité avec les grandes villes de la Vallée centrale.

Parc national de Tortuguero et Réserve faunique naturelle Barra del Colorado. 92 000 hectares. Au nord-est du Costa Rica, sur la côte Atlantique, ces aires protégées ne peuvent être atteintes qu'en avion ou par bateau. A la confluence de la rivière San Juan (frontière avec le Nicaragua) et des canaux naturels ou artificiels de Tortuguero, c'est une zone marécageuse de forêt tropicale très humide où vivent caïmans, grenouilles (dont les minuscules grenouilles rouges et venimeuses), singes et paresseux, et 240 espèces d'oiseaux. C'est également le lieu de nidification de la tortue verte. Plusieurs milliers d'entre elles arrivent sur la plage de Tortuguero entre les mois de juin et août.

Parc national de Cahuita. 1 068 hectares. Dans l'un des plus beaux endroits du pays, ce parc protège l'un des trois récifs coralliens vivants du Costa Rica, au large de sa forêt et de ses plages de sable blanc. Ce récif compte 35 espèces de coraux, 140 espèces de mollusques, 44 espèces de crustacés, 128 espèces d'algues et 123 espèces de poissons.

Réserve faunique naturelle Gandoca-Manzanillo. 5 013 ha terrestres, 4 436 ha marins. Les plages de sable blanc résument nos rêves tropicaux avec leurs cocotiers inclinés vers les franges écumeuses des vagues. Derrière les cocotiers, une forêt primaire abrite des spécimens rares dont certains en voie de disparition. La faune est principalement celle d'habitats aquifères d'eau douce et d'eau de mer. Mangrove importante.

FAUNE ET FLORE

Biodiversité

Le Costa Rica est certainement le pays d'Amérique latine dont la faune et la flore sont les plus riches et variées, la forêt tropicale humide représentant 34 % du territoire. Les espèces végétales et animales représenteraient près de 6 % des espèces connues sur terre alors que le territoire n'occupe que 0,03 % de la planète ! Autre intérêt du Costa Rica, sa concentration en espèces. Quand le Brésil compte 6 espèces d'arbres différentes par kilomètre carré, la Colombie en dénombre 35 et le Costa Rica 295 ! Et en ce qui concerne les animaux, on estime qu'il y a encore 2 % de vertébrés inconnus et 40 % de poissons ! Les nombreux parcs nationaux et réserves privées protègent pratiquement 30 % du territoire. Ils constituent l'un des principaux attraits du pays.

On trouve dans le pays une grande variété de forêts : montagneuses humides, tropicales sèches et tropicales humides. Ces forêts abritent quantité d'espèces végétales (fougères arborescentes, fromagers, héliconias, broméliacées épiphytes dont près de 1 200 variétés d'orchidées sur 1 400 recensées dans le monde). En premier lieu, les oiseaux : on dénombre plus de 850 espèces dans le pays, qui est un des tout premiers lieux d'observation ornithologique au monde. Citons, entre autres oiseaux qu'on peut apercevoir de sa voiture ou de son hamac : le toucan, le colibri (50 espèces), le trogon, le motmot, la perruche ou le perroquet, le héron, le pic-vert (carpintero), le milan à queue fourchue, le tyran, le pélican, la frégate, le martin-pêcheur, le zopilote (grand vautour), le jabiru (rare), la spatule rose et les aras très menacés. Le plus célèbre de tous, le plus bel oiseau tropical, est sans doute le mythique quetzal, au plumage brillant vert émeraude et rouge et à la petite tête ébouriffée comme une peluche. On trouve également au Costa Rica la faune tropicale habituelle : de nombreux reptiles (tortues, iguanes, caïmans, crocodiles, boas), des papillons, des amphibiens, des félins (jaguars, pumas, ocelot, margay...), des singes, etc.

La forêt tropicale

C'est la grande richesse du Costa Rica. La forêt qui couvrait un jour 99 % du territoire n'en recouvre plus aujourd'hui que 34 % (80 % encore en 1950 !). Même s'il faut des espaces pour les activités humaines, surtout pour l'agriculture, que d'habitats perdus, que d'espèces disparues pour toujours ! Le sol des régions situées sous les tropiques est soumis depuis des millénaires à une forte érosion et la mince couche de terre est par conséquent très pauvre. Dans ces zones, les écosystèmes sont de plus fragilisés par un ensoleillement et une chaleur qui entraînent une forte évaporation.

Bébé iguane dans le parc national de Cahuita.

Pour survivre, les forêts tropicales se sont adaptées en « recyclant » les éléments nutritifs.On compte plusieurs types de forêts (distinction par les âges) au Costa Rica : la forêt primaire issue de l'origine des temps, encore présente, mais en grand danger, car elle offre des essences de bois extrêmement rares et donc précieuses. Elle est d'une richesse incroyable, car les espèces s'y sont adaptées et ont évolué depuis l'origine de la forêt dans l'isthme américain. On distingue ensuite la forêt secondaire qui prend accidentellement la place de la précédente, mais sans sa richesse, car la nature ne parvient pas, en quelques centaines d'années, à atteindre la richesse biologique résultant d'évolutions successives au cours des millénaires. Par la reforestation, l'homme cherche à reproduire la diversité de la nature, sans toutefois y parvenir, surtout quand il introduit des espèces voisines. Mais il essaie et son effort est louable, comme c'est le cas à Las Cruces dans les ex-jardins de Wilson. Il y a aussi le reboisement, où l'homme plante des sélections d'arbres sur d'anciens pâturages – comme dans le Guanacaste – ou sur des friches. Mais peut-on encore parler de forêt ? Entre forêt primaire et reboisement, il y a vraiment un monde. L'autre distinction de la forêt est celle due aux climats, aux habitats. Parmi ces forêts, il convient de distinguer la forêt tropicale humide ou pluvieuse (*rainforest* ou *bosque lluvioso*), la plus riche, mais la plus menacée par la déforestation, la forêt nuageuse (*cloudforest* ou *bosque nuboso*), la forêt tropicale sèche (*dry forest* ou *bosque seco*), la savane et enfin la mangrove (*manglar*).

La forêt pluvieuse (*el bosque lluvioso*), appelée aussi forêt humide. Une grande partie de cette forêt est celle des origines, la forêt primaire, celle que tous les continents connaissaient il y a quelques millions d'années. Cette forêt, étant peu soumises à des variations climatiques et au sol toujours détrempé par la condensation, abrite tant d'espèces végétales et animales qu'elle est très précieuse. Elle est composée d'arbres élevés formant une canopée dense à une quarantaine de mètres de hauteur d'où émergent de temps en temps des arbres plus élevés comme le roble ou le ceiba (le fromager). On en distingue deux au Costa Rica : *el bosque lluvioso del Caribe* (l'est de Talamanca, Manzanillo) et *el bosque lluvioso del Pacífico* (Corcovado). Comme la lumière pénètre difficilement les branches, le sous-bois est quasi inexistant et il faut s'aventurer dans la canopée pour découvrir des merveilles insoupçonnables, d'où l'intérêt des *canopy tours* et autres *sky walking* qui se sont développés au Costa Rica. De très nombreuses espèces animales y habitent, comme les oiseaux, les reptiles, les amphibiens, et surtout les mammifères dont les grands félins.

La forêt nuageuse (*el bosque nuboso*), appelée aussi « forêt des brouillards ». C'est la forêt d'altitude tropicale qui rencontre la couche de nuages. Les arbres de taille moyenne baignent dans un brouillard et une

Terrasse d'hôtel surplombant le Pacifique.

Observer les oiseaux

- **Porter** des vêtements sombres qui se confondent avec l'environnement. Les couleurs voyantes et lumineuses sont à proscrire.
- **Ne pas les nourrir.** Ne pas les acheter !
- **L'observation** est plus agréable à l'aube ou au crépuscule ou, mieux encore, après une bonne averse.
- **Le quetzal** des forêts humides a des chances de se montrer entre janvier et mars.
- **Les clairières,** les forêts primaire et secondaire et les lieux mixtes présentent une gamme plus étendue d'espèces.
- **Former** des groupes de cinq personnes au maximum.
- **Regarder** et écouter avec précaution. Les bruits, et plus encore les exclamations, intimident l'oiseau.
- **Les appeaux** sont interdits dans certains endroits. Se renseigner à l'administration du parc.

humidité permanente qui favorise l'apparition de mousses omniprésentes : impossible ici de repérer le nord, la couche de nuages est partout ! La forêt nuageuse est belle et inquiétante comme le serait Brocéliande dans notre imagination, mais elle est surtout unique. On la trouve un peu partout comme à Monteverde, au Cerro de la Muerte, au Chirripó... C'est le royaume des amphibiens, du magnifique quetzal et des orchidées.

- **La forêt tropicale sèche (*el bosque seco*).** Cette forêt tropicale qui reçoit beaucoup moins d'eau que les précédentes – tout de même 2 000 mm par an – est influencée par l'océan Pacifique ; elle s'étend du Mexique à la péninsule de Nicoya. Avec des saisons alternées humides et sèches, elle est très différente des forêts humides, mais n'en présente pas moins de variétés. Pas de grands ceiba qui trouent la canopée à la recherche de la lumière, mais de grands guanacaste en forme de parasol pour se protéger du soleil.

La mangrove (*el manglar*)

Cette forme particulière de végétation se développe le long des côtes, là où l'eau de mer chaude stagne en terrain plat et se marie avec l'eau douce tout aussi chaude. Elle est constituée de bosquets compacts d'arbres, les mangliers, qui se distinguent par leurs racines aériennes qui ressemblent à des pattes d'insecte. Ce système permet aux racines d'absorber l'oxygène de l'air avant de s'enfoncer dans la vase. La mangrove est très importante pour la protection du littoral, et sa destruction, souvent pour des raisons d'économie rapide, entraîne de graves conséquences écologiques. Elle est l'habitat de quantité d'espèces animales surtout les oiseaux, les reptiles et les amphibiens.

Flore

- **Achiote,** rocouyer ou anatto (*Bixa orellana*). Arbuste qu'on remarque sur le bord des routes pour ses fruits poilus, en forme de pompon au rouge profond presque brun. De ces fruits, on tire une teinture rouge utilisée en cosmétique et dans l'industrie alimentaire. Les Indiens s'en barbouillaient le visage et le corps.
- **Allamanda.** Arbre frêle remarquable pour ses fleurs d'un jaune vif en forme de corolle simple.
- **Almendrón.** Arbre de bord de mer aux grosses feuilles rondes et charnues qui rougissent avant de tomber. Le fruit proche de l'amande est comestible.
- **Almendro** (*Terminalia catappa*). Il domine la forêt tropicale humide du haut de ses 50 m de hauteur et offre un abri sûr à une multitude d'animaux qui se nourrissent de ses amandes. C'est l'arbre préféré des aras de Buffon (lapas verdes) dans le nord du Costa Rica.
- **Aloès.** Arbre, bien que ça n'y ressemble pas. Bouquet de feuilles épaisses et tendres aux bords dentelés dont la résine est un excellent cicatrisant et apaise les coups de soleil. A ne pas confondre avec l'agave dont les feuilles aux bords lisses sont soulignées de jaune.

Écologie, écotourisme, développement durable...

Cocotier à Cahuita.

La forêt qui couvrait 99 % du Costa Rica à l'origine n'en couvre plus aujourd'hui que 34 %. La déforestation a été massive ces cinquante dernières années car il y avait encore 80 % des forêts en 1950. Les besoins en nouveaux espaces pour les activités humaines, l'agriculture, et surtout les pâturages, ont été fatals à la forêt et aux espèces animales qui y habitaient. Conscient qu'ils étaient dépositaires d'une incroyable richesse naturelle, la protection de la nature devenait une urgence pour les responsables costaricains. Mais c'est le Suédois Nils Olof Wessberg et sa compagne danoise Karen Morgenson qui furent les pionniers de l'écologie au Costa Rica. En effet, ils furent à l'origine du premier parc national, celui de Cabo Blanco dans la péninsule de Nicoya. Mais dérangeant les intérêts locaux pour la création d'un deuxième parc dans la péninsule d'Osa, Nils paya de sa personne son engagement dans l'écologie par son assassinat. Ainsi la création des parcs nationaux dans un premier temps sur le modèle « parquiste » américain, qui consiste à geler des espaces et à les gérer par l'Etat sans le concours des populations, donna un premier coup d'arrêt à la déforestation. Mais ce modèle a ses limites, surtout pour un pays de petite taille, et l'écologie ne doit pas conduire à un sous-développement des populations. C'est l'idée d'un concept nouveau : le mariage de l'écologie et de l'économie, c'est-à-dire la protection de la nature associée au développement contenu, maîtrisé et partagé par les populations. L'écologie prenait du galon en devenant « développement durable ». Sur le terrain, cela s'est concrétisé par la création de refuges, de réserves, nationales ou privées avec des activités humaines indispensables au développement des populations. Dans ces conditions, et en bénéficiant de l'image propre du pays, le tourisme s'est développé à la « costaricaine », c'est-à-dire maîtrisé (petits ensembles hôteliers de type lodge, implications des professionnels du tourisme dans tous les secteurs, responsabilisation des dirigeants, appropriation de l'or vert par tous les Costaricains). L'écotourisme était né. Sur le plan économique, en 1990, les revenus du café et de la banane représentaient chacun 300 millions de dollars, l'élevage avec 35 % du territoire 50 millions (grand consommateur d'espaces pour une faible productivité) et le tourisme 200 millions. Aujourd'hui le tourisme, avec 28 % de territoires protégés, est le premier poste économique du pays avec 1 100 millions de dollars (2000) de revenus, 1,4 million de touristes par an et 14 % de croissance annuelle !

Le Costa Rica a fait – peut-être malgré lui – les bons choix. D'un riche capital nature il a tiré profit, amenant l'écologie, le développement durable et l'écotourisme. Il doit maintenant maîtriser son succès car la pression touristique se fait encore plus sentir et les investissements étrangers sont de plus en plus importants, comme dans le golfe de Papagayo qui rêverait d'un petit Cancún... Le Costa Rica est aujourd'hui un modèle de protection de la nature et de développement touristique. Reconnu et pensant aux générations futures, il entend bien le rester.

Amapola ou frangipanier (*Hibiscus mutabilis*). Arbuste assez grand évoquant un peu le cerisier. Les fleurs blanches à roses de forme très simple sont très odorantes.

Arbre à pain ou *arbol de pán*. Un arbre de taille moyenne aux grandes feuilles très découpées. Ses gros fruits, de forme oblongue, comestibles et très riches en amidon, sont cuits ou séchés.

Arbre ombrelle (*Schefflera*). Arbre dont les jeunes plants sont connus de nos appartements. Cette plante épiphyte, aux feuilles regroupées à l'extrémité d'un long rameau, regroupe 650 espèces dont *Panax ginseng*.

Bambou. Graminée originaire d'Asie mais très bien acclimatée. Sa tige très résistante est de plus en plus utilisée dans la construction au Costa Rica.

Balsa (*Ochroma pyramidale*). Un arbre originaire d'Amérique centrale. Son bois très léger est utilisé dans l'industrie comme dans l'artisanat ou pour la fabrication de modèles réduits.

Bananier (*Musa*). Plante vivace pouvant atteindre 10 m de hauteur au tronc filandreux. Les feuilles, de 4 m de longueur, ont un aspect déchiré. La fleur d'un mètre de long rouge violet précède le régime de bananes ou plátano (grosse banane verte plantain à cuire). Les fibres du bananier servent à la fabrication d'un joli papier qu'on trouve un peu partout au Costa Rica.

Bougainvillée (*Bougainvillea*). Plante grimpante, souvent arbustive au Costa Rica. Sa fleur, minuscule et jaune, est entourée de feuilles rouges à violettes (bractées) qu'on prend pour les fleurs. Deux appellations : la bougainvillée et le bougainvillier.

Caña agria ou costus (*Costus spp.*). La grande famille des *Costus* rassemble des plantes vivaces remarquables pour leur épi formé de sépales très colorés, de rose à rouge vif. Le plus amusant est le gingembre sauvage dont émerge une fleur blanche, tel un mouchoir agité.

Croton (*Codiaeum*). Un arbuste dont les feuilles coriaces oblongues ou étroites réunies en gros bouquets se distinguent par leur panaché de couleurs, vert à rouge, souligné par des nervures plus claires.

Cycas (*Cycas revoluta*). Les feuilles du cycas évoquent des palmes souples, mais cet arbuste bas au port étalé n'est pas un palmier. Connu aussi sous le nom de sagoutier.

Datura. Arbuste aux grandes fleurs pendantes de couleur jaune clair. De ses graines et feuilles, les Indiens tiraient un hallucinogène puissant.

Dracaena. Grande famille de plantes parmi les plus connues de nos appartements. Parmi ceux du Costa Rica qui sont, bien entendu, de grande taille, vous reconnaîtrez *Dracaena deremensis* aux feuilles vert foncé soulignées de gris argenté, ou le marginata aux feuilles étroites, assez proches de celles du yucca.

Eucalyptus. Arbre de grande taille aux feuilles légèrement argentées et odorantes, originaire d'Australie.

Dormilona ou sensitive (*Mimosa pigra*). De la famille du mimosa, malgré sa ressemblance avec des petites fougères tapissant le sol. Ses feuilles délicates se replient au moindre contact. C'est toujours amusant !

Ficus. Arbres. On trouve le caoutchouc (*Ficus elastica*) et *Ficus benjamina* mais sous une forme tellement différente que les plantes préférées de nos appartements en attraperaient des complexes horticoles.

Fleur de bananier à Turrialba.

Flamboyant (*Delonix regia*). Arbre d'une quinzaine de mètres de hauteur, remarquable lors de sa floraison rouge feu.

Fougères. La plus remarquable est la tree fern, une fougère arborescente dont les feuilles sont réparties en gerbe au sommet d'un tronc.

Gengibre rojo ou gingembre rouge. Plante vivace apparentée au gingembre dont on consomme le rhizome. Sa fleur, en fait un épi de bractées rouges d'une vingtaine de centimètres, est l'une de celles qu'on observe le plus au Costa Rica.

Le bananier

« Le bananier seul peut donner à l'homme de quoi le nourrir, le loger, le meubler, l'habiller et l'ensevelir », écrivait Bernardin de Saint-Pierre. Connue en Europe depuis le début du XVIe siècle, mais cultivée depuis au moins 10 000 ans, soit bien avant le riz, la banane se décline en trois variétés principales : la très grosse banane, appelée plantain (plátano au Costa Rica) ; la petite banane, au goût délicat, et la banane la plus courante, celle qui s'exporte et se retrouve sur nos marchés européens. Plus qu'un arbre, le bananier est plutôt un ensemble de feuilles enroulées sur elles-mêmes à la manière d'un grand poireau. Chaque bananier consomme une cinquantaine de litres d'eau par jour. La production suit donc de très près l'arrosage et la pluviométrie. La plante produit en moyenne un régime par an, un tous les neuf mois si l'année a été particulièrement pluvieuse. Le pied femelle se débrouille tout seul sans pollinisation tandis qu'on coupe la grosse fleur violette du pied mâle pour que les bananes se cambrent au goût du consommateur. Le bananier flétrit après chaque régime et se renouvelle par la pousse de rejets sur sa souche. Un des rejets portera le régime suivant. Au bout de quatre années, la souche, dégagée par les rejets successifs, devient instable et doit être transplantée, les rejets poussant de plus en plus haut. Pendant des décennies, on a arrosé très généreusement les bananeraies (et les ouvriers !) de pesticides jusqu'à ce qu'on s'aperçoive que la plante gère très bien les attaques extérieures…

Goyavier (*Psidium guajava*). Arbuste dont les fleurs aux pétales blancs se remarquent par leur gerbe d'étamines blanches. Le fruit, peu goûteux, se consomme en jus, en confiture ou en pâte de fruits.

Grenadier. Arbuste épineux de 5 m de hauteur aux fleurs en corolles rouges. Le fruit est la grenade.

Guanacaste (*Enterolobium cyclocarpum*). Ce magnifique arbre au port étalé est devenu l'emblème du Costa Rica.

Heliconias ou balisiers. Plante vivace de la même famille que les bananiers très recherchée par nos fleuristes. Ses fleurs rouges bordées de jaune ou orange se répartissent le long d'une tige montante ou retombante. Elles éclairent la forêt pendant la *temporada verde*. Dans cette famille, on trouve également l'oiseau de paradis, indescriptible, qui attire les colibris.

Hibiscus (Althaea). Arbuste de 6 m de hauteur. Il existe plusieurs variétés d'hibiscus dont l'hibiscus rouge, l'hibiscus rose et l'hibiscus jaune.

Impatiens. Plante vivace originaire de Nouvelle-Guinée mais qui s'est si bien acclimatée qu'elle est presque considérée comme une mauvaise herbe qui tapisse les bords de route humides.

Jacaranda. Arbre d'une quinzaine de mètres à la floraison bleue à mauve. Egalement appelé flamboyant bleu, il est aussi remarquable que le rouge.

Jicaró (ou *Crescienta cujete*). Arbre du Guanacaste aux feuilles persistantes. Ses graines sont abritées dans une calebasse fine qui explose sous les pneus des voitures.

Limettier ou limón criollo. Arbre qui ne dépasse pas les 5 m de hauteur. Ses fruits ressemblent à des petits citrons vert foncé, mais leur goût et leur parfum diffèrent du cousin jaune.

Malinche (*Royal Poinciana* ou *Delonix regia*). Originaire de Madagascar.

Marañón ou anacardier (*Anacardium* occidentale). Arbre pouvant atteindre une quinzaine de mètres de hauteur. Il est connu pour le noyau grillé de son fruit (corrosif quand il n'est pas mûr), la noix de cajou.

Manguier (*Mangifera indica*). Un arbre de grande taille (de la même famille que le précédent), au feuillage vert sombre très dense recherché pour son ombre épaisse.

Bananeraie sur la route n° 36 entre Puerto Viejo et Puerto Limón.

Les feuilles sont fines et allongées et le fruit riche en vitamines. On le trouve dans tous les jardins.

Matapaló (*Clusia major*). Arbre de petite taille aux feuilles ovales très résistantes restant sur l'arbre plusieurs années.

Monstera et philodendron (aracée). Plante grimpante et épiphyte de familles différentes, mais visuellement très proches.

Orchidées épiphytes. Très nombreuses (1 200) et variées. *Epidendrum ibaguense* est le genre qu'on observe le plus facilement. La vanille, originaire du Mexique, est la plus célèbre mais peu cultivée au Costa Rica. La fleur nationale du Costa Rica est une orchidée, la guaria morada.

Palmier à huile (*Elaeis oleifera* ou *guineensis*). Palmier au tronc droit très épais et aux grandes feuilles serrées. Les fruits rouges à noirs sont récoltés puis broyés pour obtenir l'huile de palme surtout utilisée en cosmétique.

Pandano (*Pandanus*). Cette plante, qu'on observe surtout sur la côte pacifique, aux feuilles rappelant celles du yucca soulignées de jaune devient impressionnante avec l'âge lorsque ses racines adventives la « poussent » vers le haut, lui donnant l'air d'avoir des jambes.

Papayer (*Carica papaya*). Plante herbacée de 10 m de hauteur au tronc blanc et élancé surmonté d'une touffe de grandes feuilles très découpées. Les papayes, gros fruits verts, sont rassemblées autour du tronc sous les feuilles, un peu comme des noix de coco. De la sève, on extrait la papaïne aux applications médicales et industrielles.

Passiflore (*Passiflora vitifolia*). Plante grimpante originaire d'Amérique tropicale. Certaines variétés ont un fruit comestible, le fruit de la passion (granadilla).

Pejibaye (*Bactris gasipaes*). Palmier d'une vingtaine de mètres de hauteur au tronc couvert d'épines. Les fruits verts à rouges, à la chair farineuse, sont mangés bouillis et salés.

Raisinier de mer ou uvero de playa. Arbre de taille moyenne poussant sur les plages. On le reconnaît à ses grappes de fruits comestibles évoquant le raisin.

Rose de porcelaine. Plante vivace apparentée au curcuma. Sa fleur rose tendre ressemble à un artichaut un peu éclaté. Egalement appelée « bâton de l'empereur ».

Teca ou teck (*Tecona grandis).* Arbre de grande taille, originaire d'Asie du Sud-Est mais très bien acclimaté au Costa Rica où il croît rapidement au sein de plantations destinées à la construction et à l'ameublement. On le reconnaît à ses grappes de fleurs légères.

Théier (*Camelia sinensis*). Arbuste de la famille des camélias. Le thé est obtenu à partir des feuilles.

Yuca, manioc ou cassave. Arbuste peu élevé cultivé pour ses tubercules. Ses feuilles ressemblent à des feuilles de châtaignier au port tombant. On retrouve le terme « yuca » dans le mot « tapioca ».

Espèces animales menacées d'extinction

- **Parmi les reptiles,** les tortues (verte, carey, baula, etc.), le crocodile et le boa constrictor (bécquer).
- **Parmi les mammifères,** les singes *tití*, la *danta* (tapir), le puma, le jaguar ou l'ocelot.
- **Parmi les amphibiens,** on est presque certain que la grenouille vénéneuse (*sapo venenoso*) et le crapaud doré (*sapo dorado*) ont déjà disparu.
- **De nombreux oiseaux sont menacés,** dont les *lapas verde* et *roja* (aras), l'aigle harpie, le faucon *pechirufo* ou le *guachipelín*, le quetzal (en situation délicate).
- **La tarentule,** arachnide effrayant, est devenue rare.

- **Yucca** ou itabo (*Yucca elephantipes*). Arbre se présentant sous forme d'une grosse touffe de grandes et longues feuilles aux bords acérés, à ne pas confondre avec la yuca (un seul « c »). Les fleurs blanc vert, regroupées en grappe au-dessus de la touffe, sont quelquefois mangées en salade.
- **Ylang-ylang** (*Cananga odorata*). Arbre difficile à dénicher sinon par l'odeur que dégagent ses fleurs vertes à blanches, comme posées sur les branches au-dessus des feuilles.
- **Zapote** ou sapotille (*Diospyros ebenaster*). Arbre de grande taille au feuillage proche de celui du figuier. Les fruits jaune orange se mangent comme des avocats. La sève, du latex, était autrefois récoltée pour fabriquer le chicle (chewing-gum).

Observation de grenouilles de nuit.

Faune

Pour en savoir un peu plus, n'hésitez pas à vous procurer les fiches plastifiées éditées par Rainforest Publications. Très bien faites, on les trouve un peu partout dans le pays.

- **Agouti ou guatusa** (*Dasyprocta punctata*). Un gros rat mi-écureuil.
- **Aras** (*lapas verde* et *lapas rojas*). Ce magnifique oiseau menacé d'extinction est malheureusement bien trop beau et encore objet de braconnage. C'est toujours émouvant de les apercevoir en couple après avoir été averti de leur présence par leurs cris stridents.
- **Colibris** (oiseaux-mouches et *hummingbirds* en anglais). Ce formidable petit oiseau peut développer jusqu'à 80 battements d'ailes par seconde, ce qui lui permet ce vol stationnaire caractéristique. A titre de comparaison, le vautour bat des ailes une fois par seconde.
- **Crocodiles et caïmans** (lagartos – lézard – ou cocodrilos). Ils animent les rivières... quand ils bougent du moins.
- **Ardilla** (*Sciurus granatensis*). Ecureuil rouge.
- **Fourmilier ou oso hormiguero** (*Tamandua mexicana*). Cet animal a un long nez qui lui est nécessaire pour repérer les fourmis et les termites.
- **Frégate.** On remarque ce mythique oiseau à son vol (il semble glisser dans les airs au-dessus des vagues) et à ses ailes pointant vers l'arrière.
- **Gecko.** Ce petit lézard plat vit près des habitations où il se réfugie dès la tombée de la nuit et anime nos soirées de son cri très particulier. Il s'accroche aux murs et aux plafonds grâce aux poils fins qui tapissent ses pattes aux formes arrondies.

Singe hurleur dans le parc national de Cahuita.

Iguane. Ce reptile venu de la nuit des temps est très facilement observable. Attention cependant à l'apparente placidité du mâle. Les iguanes se reproduisent au mois d'août. Pour attirer les femelles, les mâles gonflent et se parent de couleurs vives.

Jabirú. Plus grand oiseau du pays (1,30 m de hauteur), il est apparenté aux cigognes, dont il se distingue par sa gorge rouge. Si vous avez la chance d'en apercevoir, soyez discret : ils sont assez craintifs.

Jaguar (*Panthera onca*). Plus grand félin d'Amérique, jusqu'à 2 m de longueur. Ne rêvez pas trop, vous n'en verrez pas. C'est le maître du camouflage.

Jaguarundi (*Felis yagouaroundi*). Petit jaguar ou gros chat sauvage de couleur unie.

Mapache ou raton laveur (*Procyon cancrivorus*). Mammifère carnivore, dit mangeur de crabes. Si l'on ne voit pas ses lunettes blanches, il peut être confondu, de loin, avec le pizote.

Morpho. Il existe environ une centaine d'espèces de morphos, mais celui qui nous intéresse est *Morpho peleides limpida*, aux grandes ailes bleu électrique bordées de noir. Lorsqu'il vole, on ne voit de lui qu'un fugace scintillement, ce qui est pour lui la meilleure protection contre ses prédateurs.

Motmot. Bel oiseau dont on entend beaucoup parler mais qu'on voit peu. Il se distingue par sa tête bleue aux yeux cernés de noir et à sa queue double en forme de cuillère à long manche.

Murcielagos ou chauves-souris. On compte plus de 20 espèces au Costa Rica.

Ocelot ou manigordo (*Felis pardalis*). Mammifère carnivore au pelage tacheté.

Papillons (*mariposas*). Il y a beaucoup d'espèces de papillons au Costa Rica, vous les verrez souvent. Il y a des mariposarios très bien aménagés pour cela. La vedette est le morpho peleides, mais vous verrez également le monarque, le thoas, le dircenna, l'heliconius...

Paresseux ou *perezoso – Choleopus hoffmani* (2 doigts) ou *Bradypus variegatus* (3 doigts). Animal emblématique des forêts tropicales, il vit principalement accroché aux branches des arbres où il peut échapper à ses prédateurs et trouver suffisamment de fruits et d'eau. Avec ses 80 cm de hauteur, son long pelage gris où vit en symbiose un parasite qui lui donne quelquefois un aspect galeux, il attire la sympathie par l'extrême lenteur de ses mouvements (8 battements de cœur par minute) et son sourire bonhomme. La femelle met bas vers le haut, accrochée la tête en bas, pour éviter la chute du petit. Les Indiens qui ne le voyaient jamais manger l'appelaient « l'animal qui se nourrit de vent ».

Pélican gris. Très nombreux sur la côte pacifique.

Pizote ou *coati* (*Nasua narica*). Petit mammifère omnivore d'environ 60 cm de longueur et pouvant peser jusqu'à 10 kg. Son pelage est marron clair presque blanc à marron très foncé, ses yeux sont entourés d'un masque plus clair et sa longue queue est ponctuée d'anneaux plus foncés. Le pizote est très vorace et rôde souvent autour des poubelles des maisons.

Puma. Mammifère carnivore.

Quetzal. Emblème des régions montagneuses, il ne supporte pas la captivité. Cet oiseau extraordinaire nidifie dans les plus hauts et plus vieux arbres des forêts tropicales d'altitude. Le couple quetzal est un parfait exemple de partage des tâches au sein de la famille, la femelle couvant la nuit, le mâle (à la queue verte) le reste du temps. Animal très difficile à observer.

Serpents. Il y a énormément d'espèces de serpent au Costa Rica. Les plus dangereux sont le serpent fer-de-lance (*terciopelo*), le serpent corail (le vrai est rayé rouge-jaune-noir, alors que le faux est rayé rouge-noir-jaune), le serpent tue-bœuf (*matabuey*) et la vipère verte. On peut également, mais très rarement, rencontrer des boas constrictors.

Singe capucin ou *mono cariblanco* (*Cebus capucinus*). Corps noir et tête et épaules blanches, comme un moine. C'est un singe farceur dont vous ferez certainement la connaissance dans le parc national Manuel Antonio. Unique représentant de son genre, il est menacé par la déforestation et la capture à fin de domestication.

Singe congo (*mono congo*). C'est le singe hurleur dont le cri ressemble à un rugissement. Impressionnant le matin au lever du jour pour vous réveiller...

Singe tití (*mono tití*). Petit singe en voie d'extinction. Il n'en reste qu'une population estimée entre 1 200 et 1 500 pour les plus optimistes. Il est inscrit sur la liste rouge des animaux en voie de disparition.

Tapir (*danta*). L'un des survivants de la préhistoire est aujourd'hui en voie d'extinction après des siècles de chasse alimentaire par les hommes et les jaguars.

Tortues leatherback (*baulas*, les plus grandes), *olive ridley* (*loras*), *hawksbill* (*carey*). Elles peuvent à elles seules motiver un voyage au Costa Rica.

Toucan. Connu pour son long bec recourbé et coloré, on en observe au moins trois espèces au Costa Rica (toucan de Swainson, toucan *pico iris* et *aracarí*). Il fait son nid dans les cavités au sommet des arbres.

Trogon (*trogon*). De la même famille que le quetzal.

Zopilote. Fréquent aux abords des plages, ce vautour noir vole en rond à la recherche de charognes. Il s'annonce également par son odeur...

La Bandera Azul Ecológica

C'est un programme national de l'ICT (Instituto Costarricense de Turismo) pour protéger les plages du Costa Rica. C'est une adaptation du programme « Drapeau bleu » mis en œuvre en Europe depuis 1985, par l'Union européenne. De nombreuses plages costaricaines s'enorgueillissent de pouvoir arborer un drapeau bleu (*bandera azul*) qui garantit leur propreté autant que leur beauté, hiérarchisées par le nombre d'étoiles. Vous pouvez découvrir les plages concernées sur : www.guiascostarica.com/bazul

A : qualité de l'eau de mer et des plages satisfaisante, accès à l'eau potable, traitement des eaux usées, éducation de l'environnement, sécurité.

AA : en plus des critères précédents, surveillance de la baignade, signalisation des courants marins.

AAA : en plus des critères précédents, camping réglementé, facilité d'accès pour les handicapés, centre de premiers soins, centre d'informations touristiques, services sanitaires et douches.

AAAA : en plus des critères précédents, recyclage des déchets, surveillance et secourisme toute l'année, comité d'urgence permanente.

Quelques plantes remarquables et aisément identifiées grâce à un excellent livre, très clair, ce qui est rare : *Guide des plantes tropicales* par J.-G. Rohwer chez Delachaux et Niestlé, collection Les compagnons du naturaliste. A se procurer de toute urgence !

Histoire

Comme tous les pays du continent américain, qu'ils soient du nord ou du sud, le Costa Rica a une histoire divisée en deux parties bien distinctes : la première avant Christophe Colomb (préhistoire et époque précolombienne), la deuxième après la découverte du Costa Rica par le célèbre navigateur le 18 septembre 1502 (découverte et construction actuelle).

Les premiers peuplements

Le continent américain a été peuplé par des nomades venant d'Asie qui ont traversé l'actuel détroit de Béring il y a environ 40 000 ans av. J.-C., les deux continents étant alors reliés physiquement. Ces toutes premières populations de chasseurs ont très lentement entamé une « migration vers le sud » du continent atteignant l'actuel Costa Rica il y a 12 000 ans. C'est l'époque du paléolithique. Bien que la région ait toujours été une zone de passage, certains se sont sédentarisés et les chasseurs-cueilleurs sont devenus des agriculteurs vers 4 000 av. J.-C. (néolithique). Mais au cours de son lent processus de sédentarisation, cette région méso-américaine ne put jamais développer des structures sociales et politiques importantes contrairement à celles des régions plus au nord (l'actuel Mexique-Guatemala, civilisation maya) et plus au sud (pays andins, civilisation inca). Les tribus restèrent trop isolées et ne purent, ou ne surent, jamais s'unir.

L'époque précolombienne

Au centre du pays, sur le plateau (l'actuelle Vallée centrale), vivaient par petites tribus des Indiens Corobicí, chasseurs, cueilleurs, agriculteurs, artisans et aussi bâtisseurs. Ils ont laissé la seule construction précolombienne en pierre (Xe siècle) du Costa Rica, Guayabo. Ils ont aussi laissé de nombreux objets, statuettes, amulettes en or. Or, pour des raisons inconnues, ces peuplades de Guayabo disparurent vers 1 400 apr. J.-C., donc bien avant l'arrivée des Espagnols. Mystère ! Il y avait aussi sur ces hauts plateaux les Indiens Huetares. Sur les terres du nord-ouest, aujourd'hui Nicoya et Guanacaste, vivaient les Indiens Chorotegas d'origine sud-mexicaine car ils parlaient le nahuatl, une langue aztèque. Plutôt cultivateurs (maïs, haricots, coton, cacao), ils ont laissé des céramiques et des figurines en jade d'une exceptionnelle qualité. Au sud de la cordillère de Talamanca vivaient les Indiens Cabecar et Guaymí, tribus qui se prolongeaient au Panamá d'aujourd'hui.
Sur la côte caraïbe, au sud-est, vivaient les Indiens Bribri et Kekoldi dont on peut encore visiter aujourd'hui les « réserves » et les villages. Agriculteurs (manioc), ils étaient particulièrement proches de cultures plus sud-américaines contrairement aux Chorotegas. Au sud-ouest vivaient les Indiens Boruca (appelés aussi Brunca), toujours présents. Ils taillaient dans des blocs de granit d'énormes sphères – jusqu'à 2 m de diamètre – laissant ainsi une énigme aux générations futures. Ces *bolas* réalisées 1 000 ans av. J.-C., et dont on peut en voir quelques-unes à la Isla del Caño, mais plus facilement au musée national de San José, parfaitement sphériques devaient avoir une signification religieuse, la sphère pouvant représenter le soleil ou la lune. A l'approche de 1500, juste avant les premiers contacts avec les Espagnols, on estime qu'il y avait environ 25 tribus disséminées dans tout le pays avec très peu, voire aucun contact, entre elles et représentant environ 100 000 personnes. Le territoire était en fait une terre de passage entre l'Amérique du Nord et du Sud, si bien qu'elle n'avait pas donné naissance à une civilisation propre et puissante, partagé entre les influences mayas du nord et incas du sud sans en tirer véritablement un quelconque bénéfice. Cette situation préfigurait un peu ce qu'allait être cette terre pendant les siècles suivants, intéressant peu sa métropole ibérique.

La découverte

Le 18 septembre 1502, Christophe Colomb, lors de son quatrième et dernier voyage, est contraint par une violente tempête à chercher refuge sur la côte, sur l'île aujourd'hui connue sous le nom de Isla Uvita. Il pose alors pied en un endroit nommé « Cariarí », probablement sur Isla Uvita au large de l'actuel Puerto Limón. Eblouis par l'or que portent les guerriers et leurs chefs, les caciques, et sensibles au bon accueil qu'on leur réserve, les Espagnols s'imaginent avoir atteint une terre fabuleuse et facile à conquérir. Ils baptisent « Costa Rica » (côte riche) cette terre aux richesses si convoitées.

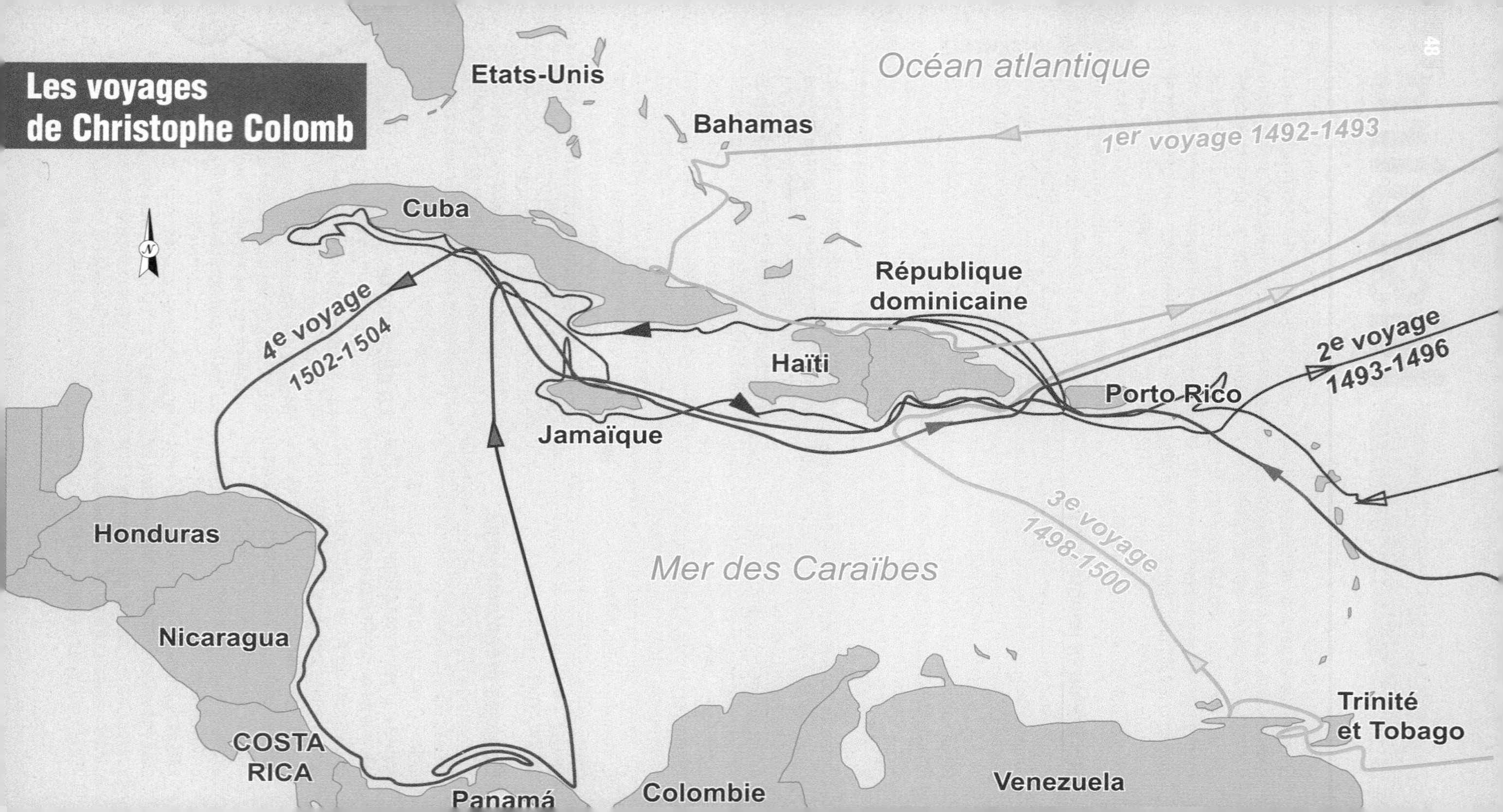
Les voyages
de Christophe Colomb
Etats-Unis
Océan atlantique
Bahamas
1er voyage 1492-1493
Cuba
N
République
dominicaine
4e voyage
1502-1504
2e voyage
1493-1496
Haïti
Porto Rico
Jamaïque
Honduras
Mer des Caraïbes
3e voyage
1498-1500
Nicaragua
Trinité
et Tobago
COSTA
RICA
Panamá
Colombie
Venezuela

Quatre ans plus tard, en 1506, Diego de Nicuesa, installé au Panamá, est envoyé par le roi Ferdinand V d'Espagne pour coloniser le territoire, déjà incorporé à la Castilla del Oro et parcouru par Bartolomé Colomb, frère de Christophe. Diego de Nicuesa et ses hommes remontent la côte à pied. De nombreux soldats, victimes des maladies tropicales, meurent ; les autres se heurtent à l'accueil des Indiens guère enthousiaste. En 1513, Vásco Núñez de Balboa découvre la côte pacifique, ce qui donne lieu à d'autres expéditions colonisatrices qui restent des échecs. Le pays n'est exploré qu'en 1522 par Juan de Castañeda et Hernán Ponce de León. Le golfe de Nicoya est atteint par Gaspar de Espinosa. En 1524, Bruselas est la première ville fondée dans cette région. Enfin, en 1540, le territoire passe sous juridiction espagnole, dirigé depuis le Guatemala.

Les colonies

Le pays est alors occupé par environ 350 000 indigènes hostiles aux Espagnols. Ils seront pour la plupart anéantis par les maladies, la faim et les guerres – dans les années 1570, on estime qu'ils n'étaient plus que 250 000. La colonisation est difficile, mais en 1561, un an après la fondation du premier village Garcimuñoz, par Juan de Cavallón, la côte riche est occupée jusqu'à la péninsule de Nicoya. Cependant, les Espagnols sont déçus : l'or n'est guère abondant. A la mort de Juan de Cavallón, Juan Vásquez de Coronado est nommé gouverneur de la région. Il fonde Cartago en 1562, première capitale des nouvelles terres. Son gouvernement servit de modèle en Amérique centrale. Colonisateur humaniste, Juan Vásquez de Coronado marqua profondément son époque.

L'indépendance

Le Costa Rica était placé sous la juridiction de la capitainerie générale du Guatemala qui englobait sous sa tutelle toute la région centrale du Nouveau Monde, des Chiapas au Mexique jusqu'au Panamá (Audiences). Le 13 octobre 1821, Cartago apprend par courrier que les autres régions de l'isthme centraméricain ont déclaré leur indépendance à l'égard de la couronne d'Espagne le 15 septembre précédent. Les Costaricains en profitent pour rédiger une Constitution (le pacte de la Concorde ou Acta de los Nublados) ratifiée le 1er décembre de la même année. Après quelques échauffourées entre partisans de l'indépendance totale et ceux du rattachement au Guatemala (les libérales San José et Alajuela sont face aux conservatrices Heredia et Cartago), le Costa Rica fait partie des Provinces unies centraméricaines jusqu'en 1838, date à laquelle la nouvelle République se déclare indépendante des autres à l'initiative du président Braulio Carrillo. Entre-temps, en 1828, la péninsule de Nicoya qui faisait partie du Nicaragua avait décidé de se rattacher au Costa Rica. L'esclavage a été aboli en 1824. Le premier président de cette jeune République, officiellement proclamée en 1848, Mora Fernández, lance dès sa nomination un programme de développement pour le Costa Rica, prévoyant notamment la construction de routes et d'écoles. Sa politique audacieuse (cession de lopins de terre à quiconque promettait d'y cultiver du café) est à l'origine du plus important commerce du pays.

Menaces sur la République

Au milieu du XIXe siècle, William Walker, ancien journaliste, médecin, avocat, chercheur d'or, agent « d'affaires » et surtout aventurier, s'est senti pousser des ailes de chef d'Etat. Il commence alors sa nouvelle carrière de mercenaire et de semeur de troubles avec une « idée impériale » en tête : annexer l'isthme aux Etats-Unis. En 1850, il monte une expédition financée par une organisation esclavagiste. Il mène ses hommes dans la péninsule de Baja California et au Mexique où il s'autoproclame président-colonel de Sonora et de Baja California, malgré l'Acte de neutralité de 1818. Arrêté aux Etats-Unis, il est acquitté et repart aussitôt vers le Nicaragua, d'où il veut conquérir l'Amérique centrale et en faire son réservoir d'esclaves. Une autre idée (plus moderne) l'anime : il envisage la percée d'un canal entre le lac Nicaragua et le Pacifique, reliant ainsi les deux océans par le fleuve San Juan et facilitant par là même l'accès à la Californie dont les richesses récemment découvertes étaient aussi convoitées qu'inaccessibles (cinq mois de voyage entre New York et San Francisco, deux mois en passant par le cap Horn, vingt-quatre jours via le Nicaragua).

En 1855, Walker débarque donc au Nicaragua, à la tête d'une soixantaine d'hommes, mais les futurs esclaves ne sont pas très dociles et une bataille financière entre ses commanditaires achève de le déstabiliser. En effet, Cornelius Vanderbilt avait été le premier à lancer l'idée de la route nicaraguayenne.

Ayant fait fortune en quelques jours à Wall Street après avoir falsifié les conclusions de l'étude préalable au percement du canal qui déclaraient la chose impossible à cause des rapides de la rivière San Juan, il avait ensuite confié le projet à deux associés qui ne trouvèrent rien de mieux que de s'emparer de ses affaires. Pour se venger, Vanderbilt investit dans le chemin de fer panaméen, entraînant la chute des actions de l'American Atlantic and Pacific Ship Canal Company. C'est ici que réapparaît Walker, appelé et financé par les ex-acolytes de Vanderbilt, qui croyaient voir en lui un allié de poids. Mais Vanderbilt trouve la parade au Costa Rica et aide le président costaricain Juan Rafael Mora à lever une armée de neuf mille marchands, campesinos ou bureaucrates qui n'ont que des outils en guise d'armes (cité dans l'hymne national). Toute l'Amérique centrale se ligue alors et déclare la guerre à Walker en février 1856. Le 20 mars, au terme d'une courte bataille de quatorze minutes, les trois cents flibustiers de Walker sont mis hors de combat aux abords de l'hacienda Santa Rosa, devenue monument national dans le parc du même nom. Walker se réfugie à Rivas (Nicaragua) dans une maison de bois qui sera incendiée par le jeune tambour volontaire Juan Santamaría (qui deviendra et reste toujours le héros national). Vanderbilt, qui n'a jamais payé les trois millions de pesos promis au Costa Rica, a depuis lors été oublié. Devant ces défaites, les financiers américains abandonnent Walker qui, en 1860, se jette en pâture aux Honduriens, en persistant à se déclarer leur président légitime. Il sera exécuté cette même année. Sur sa tombe, on peut lire : « Gloire aux patriotes qui ont libéré l'Amérique centrale de ce pirate sanguinaire. Malédiction à tous ceux qui l'ont aidé et supporté. » Mora, le libérateur, n'aura pas non plus une fin glorieuse. Jugé trop ambitieux, accusé d'être responsable d'une épidémie de choléra et d'avoir trafiqué les élections de 1859, il échouera dans sa tentative de reprise du pouvoir et sera exécuté.

En 1870, le général Tomás Guardia fait un coup d'Etat militaire et reste au pouvoir jusqu'en 1882. Durant ces années, il impose un gouvernement stable qui permet le développement d'avancées sociales. Les impôts tirés du café servent à subventionner les travaux publics ; les écoles et collèges connaissent un énorme essor. La peine de mort est abolie, la Constitution est adoptée en 1871, la construction du chemin de fer appelé « le train de la banane » est lancée.

Les bananes

A la suite de l'augmentation des exportations de café, il devenait indispensable de relier les côtes Atlantique et Pacifique. Un Anglais, William Le Lacheur, avait déjà ouvert, par hasard, la côte Atlantique au commerce du café. Mais l'expansion complète ne viendrait qu'avec un port praticable à l'est du pays. En 1871, on décida la construction d'un chemin de fer reliant le centre du Costa Rica à Limón. On fit appel au constructeur américain de lignes ferroviaires au Pérou et au Chili, Henry Meiggs. C'est son neveu Minor C. Keith qui mena à bien ce terrible chantier en 1890, mais à quel prix ! Les Jamaïcains, débarqués sur la côte caraïbe, y fondèrent ainsi une communauté encore très présente aujourd'hui.

En 1899, le Costa Rica est le premier producteur de bananes du monde. C'est le moment que choisit Keith pour fonder l'United Fruit Company : monopolisant ainsi la production et la commercialisation de la banane, le pays passe alors sous dépendance économique des Etats-Unis. L'United Fruit Company devait être ensuite de première importance dans le développement socio-économique (et politique) de plusieurs pays d'Amérique centrale et source de très vives controverses. De nombreuses manifestations d'ouvriers inscrits au parti communiste contre les conditions de travail se terminent dans le sang (Gabriel García Márquez décrit les malversations de la compagnie dans sa ville imaginaire de Macondo, dans *Cent ans de Solitude*) et une épidémie vient détruire les plantations. Ce n'est qu'en 1934, après de violents conflits, que les choses s'arrangent : de meilleures conditions de travail sont garanties aux ouvriers de cette multinationale dont les bénéfices n'ont profité qu'à des étrangers.

Le libéralisme, la démocratie et la guerre civile

Dès 1880, les classes politiques costaricaines cherchent à s'émanciper du conservatisme clérical régnant depuis toujours. En 1884, l'évêque est même expulsé du Costa Rica. En 1889, les premières élections démocratiques à participation populaire sont organisées (les premières en Amérique centrale) par les libéraux, qui ne sont pas élus ! Par la suite, un seul président, ainsi élu, trahira la confiance populaire : en 1917, le président Joaquín Tinoco, qui avait institué aussitôt après les élections un régime dictatorial, fut chassé du pays.

Chronologie

-1 100 av. J.-C. > Premières traces du peuplement du Costa Rica. On suppose que les premiers habitants ont été attirés par les ressouces potentielles des côtes.

-1 000 av. J.-C. > Construction de la cité huetar de Guayabo qui atteste de la prise de pouvoir de cette communauté indienne au Costa Rica mais la cité est abandonnée vers 1400 ; on ignore toujours les raisons de cet abandon.

-100 av. J.-C. > Développement des échanges commerciaux du Costa Rica avec d'autres pays d'Amérique centrale comme le Mexique. Le Costa Rica vend principalement de l'or.

1502 > Christophe Colomb découvre une nouvelle terre, l'île d'Uvita au large de Limón.

1509 > Le territoire reconnu est rattaché à la Castilla del Oro au Panamá.

1519 > Arrivée des premiers colons espagnols dans le golfe de Nicoya et premières échauffourées avec les Indiens chorotegas et huetares.

1524 > Sur la péninsule de Nicoya, fondation de Bruselas par Francisco de Cordóba.

1525 > Victoire de Juan de Cavallón sur les Indiens.

1526 > Fondation de Cartago qui devient la capitale du territoire.

1570 > La portion de terre appelée Costa Rica est intégrée à la capitainerie générale du Guatemala.

1600 > Les colons découvrent la Vallée centrale.

1706 > Fondation d'Heredia qui s'appelle alors Cobujuquí.

1737 > Fondation de Villa Nueva de la Boca del Monte qui deviendra San José.

1782 > Fondation d'Alajuela sous le nom de Villa Hermosa.

1821 > Le 15 septembre, le Costa Rica devient une république indépendante.

1823 > Le Costa Rica fait partie de la Fédération des Provinces unies jusqu'en 1838.

1824 > Juan Mora Fernández est le premier président de la jeune République, l'esclavage est aboli.

1828 > Annexion par référendum du Guanacaste, région jusqu'alors indépendante.

1848 > Le Costa Rica officialise son indépendance.

1857 > Libération du Nicaragua occupé par les troupes de William Walker par une coalition centraméricaine.

1882 > Abolition de la peine de mort. L'année suivante, la durée de la journée de travail est limitée à 8 heures.

1940 > Le Costa Rica déclare la guerre à l'Allemagne et demande aux résidents allemands de quitter le territoire.

1941 > Les femmes obtiennent le droit de vote ; on vote une loi sur les garanties sociales (Sécurité sociale) qui préfigurent les garanties environnementales votées en 2002.

1943 > Edition du Code du travail.

1949 > Abolition de l'armée et nationalisation des banques.

San José, statue de San Martín.

© STÉPHANE SAVIGNARD

Rue du centre de la capitale.

1963 > Eruption du volcan Irazú qui crache des cendres pendant deux ans.

1979 > Arrivée massive de 300 000 Nicaraguayens fuyant le nouveau régime sandiniste.

1983 > Le Costa Rica proclame sa neutralité « perpétuelle, active et non armée ». La même année, premier voyage dans l'espace du héros Franklin Chang Díaz.

1986 > Accession d'Oscar Arias Sánchez à la présidence de la République.

1987 > Oscar Arias Sánchez reçoit le prix Nobel de la paix pour son action en faveur de la paix en Amérique centrale (Esquipulas II).

1995 > Ralentissement économique, mouvements sociaux. Entrée du Costa Rica dans l'OMC.

1998 > Election à la présidence de la République de Miguel Angel Rodríguez qui entreprend un plan de redressement économique.

2002 > Abel Pacheco, l'ancien directeur de l'hôpital psychiatrique de San José, est élu président de la République.

2006 > Oscar Arias Sánchez, Prix Nobel de la paix (1987), est élu président de la République pour un deuxième mandat.

2007 > Référendum sur l'accord de libre-échange pour l'Amérique centrale (CAFTA en anglais qui signifie Central American Free Trade Agreement), le « oui » l'emporte de peu.

2008 > Entrée en vigueur de l'accord de libre-échange qui fait toujours polémique quant aux avantages et aux inconvénients de l'ouverture des marchés, et notamment celui des Etats-Unis.

2009 > Le Costa Rica reprend ses relations diplomatiques avec Cuba, rompues en 1961.

2009 > Le Costa Rica s'engage à respecter les normes de l'OCDE en matière de fiscalité, et a été ainsi retiré de la liste noire des paradis fiscaux.

2010 > Election de Laura Chinchilla à la présidence du Costa Rica. Le 7 février 2010, Mme Laura Chinchilla est élue au premier tour présidente du Costa Rica. C'est la première femme présidente de ce pays. Elle est militante du Parti de libération nationale.

© STÉPHANE SAVIGNARD

San José, Musée national.

En 1940, Rafael Angel Calderón Guardia est élu président de la République. On lui doit le système d'aide sociale, le droit des travailleurs à se regrouper, une réforme agraire et un revenu minimum garanti, ainsi que la création de l'université du Costa Rica. Ces réformes, avant tout destinées à calmer les revendications communistes, ont donné l'occasion aux ennemis de ce social-chrétien de lui reprocher ses tendances populistes et son goût trop prononcé pour le pouvoir. On critiquait son éclectisme dans le choix de ses amis, aussi divers que l'archevêque catholique ou le leader communiste Manuel Mora (ce dernier avait été à l'origine des concessions accordées en 1934 par l'United Fruit Company). Les anti-Calderón regroupaient aussi bien les hommes d'affaires que les fermiers ou les campesinos, les syndicalistes que les jeunes intellectuels. Les pro-Calderón, quant à eux, faisaient partie du gouvernement, du clergé, des syndicats communistes ou de l'armée. Teodoro Picado – marionnette de Calderón –, élu en 1944, est battu aux élections de 1948, mais il refuse de laisser sa place à Otilio Ulate, son challenger. Après de vaseuses controverses au sujet des élections, un opposant notoire de Calderón, exilé au Mexique, saisit l'occasion pour renverser le gouvernement devenu illégitime. Pepe Figueres, producteur de café, préparait depuis longtemps cette offensive. Il se sert de l'aéroport de San Isidro d'El General comme base de transit des armes qu'il avait auparavant achetées. Picado déclare l'état de siège et appelle à la rescousse des soldats nicaraguayens et des ouvriers bananiers communistes. Il faudra quarante jours d'affrontements et deux mille morts pour que Picado cède le pouvoir à José Figueres.

Les temps modernes

Don Pepe (José Figueres), qui ne gouvernera que dix-huit mois, met au point une nouvelle Constitution (l'actuelle) qui interdit toute réélection immédiate à la présidence. Il déclare illégaux le parti communiste (toujours officiellement interdit) et les syndicats de travailleurs qui le suivent, abolit l'armée, accorde le droit de vote aux femmes et aux Noirs. Don Pepe crée un comité de « défense des élections démocratiques » et nationalise les banques (dont 10 % des fonds doivent servir à la reconstruction) et les compagnies d'assurances, tout en conservant les réformes introduites par Calderón, et fonde l'ICE, la compagnie d'électricité. Dix-huit mois après son arrivée au pouvoir, Figueres se retire laissant sa place à Otilio Ulate, dont le terrain était sérieusement préparé. Figueres sera réélu président en 1954 et en 1970. Dans les années 1960 et 1970, le gouvernement visait l'autosuffisance agricole puis industrielle, projet encouragé par une croissance économique positive et constante. D'énormes efforts de développement et de modernisation sont entrepris : achat de matériel performant, construction d'usines et généralisation de l'utilisation d'engrais et pesticides. Mais tout cela coûte cher, la dette extérieure s'alourdit. A la veille de la crise pétrolière des années 1970, le Costa Rica est devenu, de par son industrialisation, dépendant du pétrole et des matières premières achetées grâce aux bananes, au café et au sucre, principales exportations du pays. En 1974, la baisse des prix sur ces trois produits est catastrophique. En 1979, l'effondrement du marché du café a failli être fatal au pays. A la fin des années 1970, l'économie du Costa Rica n'est guère florissante et la précarité politique de ses voisins (particulièrement le Nicaragua et le Salvador) ternit quelque peu sa réputation de stabilité en empêchant la création d'un marché commun centraméricain. Le pays plonge dans le marasme économique et dans l'insécurité.

Dès 1978, le Costa Rica et son président Rodrigo Carazo, qui sera le premier Centraméricain à tenir tête au FMI en refusant de payer la dette du Costa Rica, prennent position dans la guerre civile au Nicaragua en accueillant des bases sandinistes. Après la chute d'Anastasio Somoza, une partie de l'opinion costaricaine, déçue par l'extrémisme marxiste-léniniste des sandinistes, se tourne vers les Contras en leur permettant de manœuvrer depuis le Costa Rica. En 1982, le président Luis Alberto Monge déclare la neutralité totale du Costa Rica tandis que la crise économique atteint son paroxysme. De lourdes mesures sont prises pour enrayer la chute du pays qui risque de suivre son voisin dans la guerre civile. Oscar Arias Sánchez, économiste et avocat élu à la présidence en 1986, respectueux du principe de neutralité, va intensifier l'effort de paix en Amérique centrale. Il commence par interdire les bases établies dans le nord du pays (dont la fameuse piste de Santa Rosa, Guanacaste, révélée lors de l'Irangate).

Collection de pièces précolombiennes au Musée National de San José.

Son combat aboutit à un plan de paix : Esquipulas II (plan de paix pour l'Amérique centrale, il fut dans un premier temps en « conflit » avec le président Reagan), entériné le 7 août 1987 par les chefs d'Etat du Nicaragua, du Salvador, du Honduras et du Guatemala. Même si l'Occident doutait de la crédibilité de cette entente, le plan de paix connut un grand retentissement en Amérique centrale. La mise en place d'un Parlement centraméricain prévue dans le plan permettait tous les espoirs. Le processus de pacification fut assez long à se mettre en place, mais permit au moins aux factions rivales de se rencontrer en terrain neutre et favorisa le renouvellement du pouvoir au Nicaragua au détriment des sandinistes. Oscar Arias Sánchez reçut le prix Nobel de la paix en 1987 pour avoir engagé et imposé ce processus de paix en Amérique centrale. L'espoir renaissant encouragea le décollage économique. Le Costa Rica en cours de modernisation allait bientôt découvrir le tourisme. En 1990, Rafael Angel Calderón, le fils du Calderón des années 1940, succède à Oscar Arias Sánchez avant de céder sa place au fils de Pepe Figueres, José María, en 1994.

En 1998, le nouveau président (droite modérée) Miguel Angel Rodríguez, tout juste élu, s'est trouvé confronté aux attentes très grandes de la population, déçue par son prédécesseur José María Figueres. Ses ambitions de relance sociale et économique passant par les nouvelles technologies se heurtèrent malheureusement à la réalité de la situation générale du pays. Il créa un forum de concertation nationale composé de représentants du gouvernement, de partis politiques et d'associations, et chargé de discuter les principales questions économiques et sociales et de présenter ses conclusions au Parlement. Outil démocratique par excellence, il a permis de dégager un consensus qui a aidé au redressement économique du pays. Mais la dette pèse toujours lourdement sur l'économie et les questions sociales restent les parents pauvres du redressement costaricain. Le 7 avril 2002, « don » Abel Pacheco est élu président de la République. Candidat conservateur du PUSC (Parti de l'unité sociale-chrétienne), il paraît être dès son élection l'homme de la situation en ce qui concerne les aspects sociaux, à la traîne, du Costa Rica. Très apprécié, sa tâche est comprise par tous, mais les attentes de ses électeurs sont immenses. Entre autres actions, il doit s'attaquer aux très lourds dossiers de la drogue qui transite par son pays (la filière colombienne), du blanchiment de narcodollars, du déficit fiscal, de la modernisation agricole et de la privatisation des services publics. Deux ans plus tard, l'enthousiasme soulevé par son élection est oublié et les Costaricains, souvent déçus par la prise de position de leur président, qui a ouvertement soutenu les Etats-Unis en mars 2003, découvrent chaque jour que leurs élus sont impliqués dans des scandales financiers... Succédant pour un mandat de quatre ans au social-chrétien Abel Pacheco, Oscar Arias aura pour priorités, réaffirmées, l'éducation, l'amélioration des infrastructures, notamment routières, et la ratification parlementaire de l'accord de libre-échange avec les Etats-Unis, le CAFTA (Central American Free Trade Agreement). Cet accord s'étend à cinq pays d'Amérique centrale (Costa Rica, Salvador, Guatemala, Honduras et Nicaragua) et à la République dominicaine. Seul le Costa Rica, pays le plus développé de cette région, ne l'a pas encore ratifié. Oscar Arias, candidat du Parti de libération nationale (PLN, membre de l'Internationale socialiste), a obtenu la victoire avec 40,9 % des suffrages contre 39,8 % à Otton Solis, candidat du Parti d'action citoyenne (PAC, dissidence du PLN). L'abstention fut importante (34,8 %).

Comme la socialiste chilienne Michelle Bachelet, Oscar Arias Sánchez est un fervent partisan du libre-échange continental. Il a mené sa campagne présidentielle en prônant la ratification du CAFTA. Otton Solis ne rejette pas catégoriquement ce traité, mais il veut le renégocier avec Washington. Il déclarait à ce sujet : « La loi de la jungle profite aux gros animaux, nous ne sommes que des insectes ». Il reproche notamment à ce traité d'ouvrir la voie à la privatisation de monopoles d'Etat (télécommunications et autres services publics) et de faire la part trop belle aux exportations agricoles subventionnées des Etats-Unis. Dans la nuit suivant la journée électorale du 5 février, Oscar Arias Sánchez reconnaissait que « le traité de libre-échange a divisé les Costaricains », et que pour le ratifier, il lui faudra une majorité absolue parlementaire (soit au moins 29 députés sur 57). C'est finalement le oui qui l'emporte lors d'un référundum national sur le Cafta mais l'opinion costaricaine reste divisée sur les bénéfices à long terme de l'ouverture du marché aux Etats-Unis. L'auréole du prix Nobel de la paix octroyé en 1987 à Oscar Arias Sánchez pour son action pacificatrice en Amérique centrale, longtemps secouée par des guérillas d'extrême gauche, l'a sans doute aidé à gagner ce deuxième mandat.

En 2010, Laura Chinchilla (Parti de Libération Nationale) qui était vice-présidente du gouvernement Arias est élue Présidente du Costa Rica. Elle a plusieurs priorités : la lutte contre l'insécurité, la protection de l'environnement, la création de nouveaux emplois, notamment dans la construction, et l'extension de la couverture médicale aux populations les plus démunies. Cependant contrairement à son prédecesseur, elle est contre le mariage homosexuel, la légalisation de l'avortement et totalement opposée à la transformation du Costa Rica en Etat laïc. Elle est également confrontée aux tensions entre agriculteurs et pionniers du tourisme durable car le développement des infrastructures touristiques grignote peu à peu les terres et son impact sur l'environnement n'est pas toujours bénéfique, malgré l'engagement écologiste des pouvoirs publics. Mais gouverner, c'est décider et, un an et demi après les élections, la ratification est effectuée, non sans critiques de la part de ses détracteurs qui voient dans ce traité la mort des petits paysans et de certains secteurs industriels qui ne pourront faire face à une concurrence accrue. A l'heure actuelle, il est encore difficile d'évaluer les bienfaits et/ou les dégâts d'une telle ratification.

Fresque murale dans le centre-ville de Turrialba.

Politique et économie

POLITIQUE

Structure étatique

Le Costa Rica compte sept provinces (portant le nom de leur capitale administrative), elles-mêmes divisées en cantons, puis en districts. Ainsi, la province de San José comprend vingt cantons, Alajuela quinze (ouest de San José), Cartago huit (est), Heredia dix (nord), Guanacaste onze (ouest), Puntarenas onze (côte pacifique) et Limón six (côte caraïbe). Le pouvoir central est représenté dans chaque province par un gobernador (gouverneur). Chaque canton est géré par un municipalidad (conseil municipal) dont les membres sont élus au suffrage universel. Le Costa Rica est une république démocratique dotée d'un régime de type présidentiel. Comme dans tout pays démocratique qui se respecte, le système politique est divisé en trois pouvoirs :

- **Le pouvoir exécutif** est constitué d'un président de la République élu pour quatre ans au suffrage universel et non rééligible dans la foulée (il peut être rééligible plus tard dans une autre investiture). Il y a deux vice-présidents et un cabinet présidentiel composé de vingt-deux ministres d'Etat ayant la responsabilité des finances, du budget social, de la productivité et de la culture.
- **Le pouvoir législatif** est représenté par cinquante-sept députés qui votent les lois et les règlements. Les députés peuvent être réélus, excepté pour deux mandats consécutifs.
- **Le pouvoir judiciaire** est constitué sous la forme d'une cour suprême divisée en quatre salles, dont font partie le tribunal supérieur et les tribunaux civil et pénal. Le tribunal supérieur des élections, indépendant du pouvoir politique, est chargé de l'organisation et de la surveillance de leur bon déroulement. Les Costaricains sont automatiquement enregistrés sur les listes électorales quand ils atteignent leur 18e anniversaire. Les élections sont toujours une vraie fête. Tout le monde se connaît, et c'est forcément le voisin qui se présente, ou l'ancien copain de classe. La vie et les gestes du président sont toujours très suivis, non pas pour guetter le scandale, mais, bien au contraire, pour raconter les dernières petites péripéties gouvernementales.

Partis

Les deux principaux partis politiques sont le PLN (Partido de Liberación Nacional – Parti de libération nationale), parti de gauche, et le PUSC (Partido de Unidad Social Cristiana – Parti d'unité sociale-chrétienne), parti de droite conservatrice. Les différences idéologiques entre ces deux partis sont faibles, mais on peut dire que le PUSC est de tendance néolibérale, plus favorable que le PLN au désengagement de l'Etat dans l'économie. L'élection présidentielle de 2002 a vu l'émergence d'un nouveau parti (Acción Ciudadana – Action citoyenne) de centre gauche, dont le chef de file est Otton Solis, ancien membre dissident du PLN. Depuis 2010, la gauche est au pouvoir avec l'élection de Laura Chinchilla (Parti de libération nationale) à la présidence du Costa Rica. C'est la première femme présidente de ce pays.

Enjeux actuels

Première femme présidente du Costa Rica, élue en 2010, Laura Chinchilla (Parti de libération nationale) était vice-présidente du gouvernement Arias. Elle a plusieurs priorités : la lutte contre l'insécurité, la protection de l'environnement, la création de nouveaux emplois, notamment dans la construction, et l'extension de la couverture médicale aux populations les plus démunies. Un pacte gouvernemental de son parti avec le Movimiento Libertario lui permettait de gouverner avec une petite majorité parlementaire. Cependant, lors du renouvellement des membres de l'Assemblée, le 1er mai 2011, le Movimiento Libertario a rompu le pacte gouvernemental. Une alliance purement formelle des cinq partis d'opposition a alors détrôné le Parti de libération nationale au sein de l'Assemblée, donnant un nouveau visage à la vie politique costaricienne, passée d'un bipartisme PLN/PUSC à un multipartisme. L'exécutif n'a donc plus d'autorité réelle lors des sessions parlementaires et risque de rencontrer des difficultés accrues pour faire voter les lois destinées à réaliser le programme du gouvernement.

ÉCONOMIE

Principales ressources

Pays prospère d'Amérique centrale, le Costa Rica est l'image de « l'Etat-providence » avec les meilleurs indicateurs sociaux d'Amérique centrale. En 2003, il a connu la seconde plus forte croissance des pays d'Amérique latine, due essentiellement à l'amélioration de la demande externe, aux exportations principalement – des entreprises pharmaceutiques, de télécommunications, d'informatique et des services de call-back –, mais également à la diversification des produits agricoles exportés (fleurs, melons, ananas) et à la forte croissance de l'industrie touristique. Si l'économie du pays a été florissante dans les années 1970, elle a connu un net ralentissement au cours de la décennie suivante, marquée par l'inflation.

Depuis cette période, le Costa Rica doit concentrer ses efforts sur le remboursement des emprunts concédés par le FMI. Néanmoins, le PIB par habitant (6 345 $ en 2010 – pour comparaison, France 40 591 US$) est l'un des plus élevés d'Amérique centrale même si près de 21 % de la population vit en dessous du seuil de pauvreté. Les principaux clients du Costa Rica sont les Etats-Unis (plus de la moitié des échanges), l'Europe (presque un quart des échanges, essentiellement avec l'Allemagne), l'Amérique latine (environ 15 % des échanges) et le Japon. Bien que de dimension réduite (PIB de 29,3 milliards de US$ en 2010), l'économie du Costa Rica est à la fois la plus industrialisée d'Amérique centrale et la plus ouverte sur l'extérieur. Un rapport de la Banque mondiale de 2008 indiquait que le Costa Rica présentait le niveau d'intégration commercial le plus élevé d'Amérique centrale.

En outre, il réunit les meilleures conditions pour le commerce et les affaires étant donné son faible tarif douanier (13 % sur les importations agricoles et 4,7 % pour les industrielles avant la ratification du CAFTA, ces tarifs sont respectivement de 9 et 3,2 %), donc de son ouverture aux marchés extérieurs. Ajoutons tout de même, pour un tableau complet, le fait que la crise économique mondiale n'arrange pas les affaires du Costa Rica. Son taux de croissance pour 2010 à 3,4 % lui a permis d'obtenir « un prêt préventif » de 735 millions de dollars, que le pays ne recevra que s'il ne peut faire face à ses dettes. Affaire à suivre donc.

Agriculture

Plus de 50 % des échanges commerciaux concernent l'agriculture, ce qui place ce secteur au premier rang. En terme de population active, c'est près d'un quart de la population qui est concerné. En terme de produits cultivés viennent en tête le café, avec près de 175 millions de caféiers, et la banane qui représente 14 % de la consommation mondiale. En 2007, l'agriculture, la sylviculture et la pêche ont représenté 13 % du PIB et 34 % des exportations totales du pays. Néanmoins, ce ne sont pas les seuls produits puisque la culture et l'exploitation de canne à sucre n'est pas en reste, tout comme le cacao, le riz, le maïs, le tabac ou le palmier (à huile, de coco ou de macadamia). De même, l'élevage bovin tient une place importante avec plus de deux millions de têtes. A noter parmi les productions moins traditionnelles, le secteur des plantes décoratives (les serres noires que vous apercevrez avant l'atterrissage), des fraises, des oranges et des fleurs. Aujourd'hui, ce marché non traditionnel est florissant et rapporte quasiment autant que les exportations dites traditionnelles ; il est devenu en quelques années le principal exportateur latino-américain vers l'Europe dans ce secteur.

Exploitation de bananes dans la région de Guápiles.

Industrie

23 % de la population active pour 20 % du PIB, l'industrie est un secteur de base important de l'économie costaricaine. L'activité industrielle est essentiellement concentrée dans la production d'énergie (80 % de l'électricité est d'origine hydroélectrique). L'exploration pétrolière au large de la côte caraïbe a donné de bons résultats, mais l'exploitation est retardée par la contestation écologique qui défend la zone de Tortuguero. L'industrie manufacturière est également importante, surtout dans la haute technologie (fabrication des microprocesseurs INTEL) – le pays est d'ailleurs classée cinquième au niveau mondial pour l'exportation de haute technologie par habitant.

Services

Ils offrent des emplois pour 57 % de la population active. La contribution au PIB est de plus de 59 % et ne fait que s'accroître. C'est bien le secteur d'avenir du pays, et le tourisme en est le fer de lance.

Tourisme

Le tourisme est donc la source importante la plus importante des revenus (10 % du PIB, plus que l'agriculture). En raison de la vague écologique qui a déferlé sur le monde au milieu des années 1980, les regards se sont tournés vers ce petit pays qui n'avait pourtant pas pensé au « tourisme nature » ou au « tourisme propre » en créant des aires de protection de sa faune et sa flore : les Costaricains ont fait au départ, comme M. Jourdain de la prose sans le savoir, du tourisme vert sans le savoir... Les touristes nord-américains redécouvrirent les richesses écologiques du Costa Rica après le soleil et la mer. Pour ces touristes en mal de retour à la nature, on édifia des complexes sur les plages les mieux exposées. Les parcs nationaux se multiplièrent (jusqu'à couvrir près de 30 % du territoire), on développa les activités sportives et culturelles afin de hisser le tourisme au rang de première ressource nationale. Depuis 1993, le pari est gagné. Le forum économique mondial a d'ailleurs élu le Costa Rica, pour la deuxième année consécutive, pays le plus compétitif de l'Amérique latine en matière touristique.

Investissement

Le dernier et le plus récent fer de lance de l'économie costaricaine est l'investissement étranger, qui ne prit réellement son essor qu'après le traité d'Esquipulas II (plan de paix pour l'Amérique centrale du président Oscar Arias Sánchez en « conflit » avec le président Reagan, et qui valut au président costaricain le prix Nobel de la paix). Des annonces alléchantes fleurissent dans les journaux, et les pays d'Asie du Sud-Est seraient intéressés par le Costa Rica comme base en Amérique centrale. En plus de la stabilité politique et économique attirante du pays ont été créées, en 1980, neuf zones franches (Zeta Parque Industrial, Zona Libre à Cartago, Alajuela Parque Industrial Zona Libre...), destinées à séduire l'investisseur. La plus récente est la Zona Franca Metropolitana, située près de l'aéroport. En 2008, le taux de croissance a atteint 7,8 %, une belle performance si l'on considère la crise qui touche la plupart des pays industrialisés. Malheureusement le taux chute à 0,7 % en 2009, avant de repartir à 3,4 % en 2010. En termes d'investissements, le revenu des capitaux étrangers n'a cessé d'augmenter jusqu'en 2007 pour atteindre 1 900 millions de dollars. Ces investissements directs étrangers ont été principalement injectés dans le secteur industriel, le tourisme, le secteur immobilier et le commerce. D'après un rapport de l'Investissement mondial, le Costa Rica se positionnerait en troisième place en Amérique latine en terme d'attractivité des IDE. Aussi, il apparaît que ce petit pays soit le plus intégré commercialement, toujours pour l'Amérique latine (et selon un rapport de la Banque mondiale effectué en 2008).

Place du tourisme

Le tourisme est l'une des filières les plus dynamiques de l'économie costaricienne. Il profite des richesses naturelles du pays, notamment grâce au boum de l'écotourisme, encouragé par les autorités. Ce contexte a permis d'assurer au pays une croissance moyenne proche de 6 % de 1994 à 2006. En 2008, la croissance est cependant retombée à 4 %, et a même été légèrement négative en 2009. Toutefois, elle atteint 3,4 % en 2010.

Enjeux actuels

En 2002, l'élection à la présidence d'Abel Pacheco, un pragmatique, avait fait naître beaucoup d'espoirs auprès des Costaricains qui auraient aimé que leur pays retrouve un peu plus l'image de la Suisse de l'Amérique centrale (pour reprendre l'expression connue). Avec un plan fiscal d'urgence mis en œuvre fin 2002, les autorités ont réussi à réduire le rythme de croissance des dépenses (de 15,5 à 9,8 %) et également à accroître les recettes fiscales de 15 %. Cependant, l'inflation (10 % depuis 2000, 14 % en 2005) et le maintien de taux d'intérêt à un niveau élevé pèsent sur la compétitivité. Les exportations, toujours soutenues, supérieures à 7 milliards US$ (microprocesseurs, équipements médicaux, pharmacie, produits agricoles), la réactivation des secteurs de l'agriculture, des transports, de la construction, du tourisme (aujourd'hui premier poste économique), des télécommunications et de l'énergie expliquent la bonne croissance de 3,4 % du PIB en 2010. Malgré ces bons résultats, la dette publique demeure élevée, l'inflation progresse et le taux chômage est en augmentation, atteignant 7,6 % en 2010.

L'économie du Costa Rica est tout de même en bonne santé, mais elle est à un tournant de son histoire car cette région d'Amérique centrale sous l'impulsion (et la vigilance) des Etats-Unis est en plein changement. Actuellement, l'atmosphère politique et sociale est difficile avec les débats sur le libre traité de commerce entre les Etats-Unis et les pays d'Amérique centrale, débats qui empoisonnent la vie paisible des Costaricains. A quoi s'ajoute le débat sur les paradis fiscaux. En effet, le G20 d'avril 2009 avait établi trois listes (blanche, grise et noire) de pays selon leurs dispositions à inclure des critères permettant une meilleure transparence fiscale. Or, à la sortie du G20 le 2 avril, le Costa Rica ne s'était en rien engagé à incorporer de tels critères dans sa législation. Ainsi, pendant quelques jours, le Costa Rica apparaissait comme l'un des trois pays au monde les moins coopératifs en matière d'échanges d'informations fiscales. Une semaine plus tard, le 9 avril, le Costa Rica s'engage et passe alors de la liste noire, à la liste grise puisqu'en avril 2009 celui-ci s'est engagé à échanger toute information fiscale susceptible d'intéresser les pays de l'OCDE.

La crise financière internationale a amplifié certaines faiblesses de l'économie du pays : l'inflation demeure à un niveau élevé (un peu moins de 6 % en 2010) et la dépendance énergétique est forte. Enfin, le Costa Rica est peu diversifié dans ses productions agricoles et reste très dépendant de l'extérieur en termes d'importation de blé et de maïs.

Population et langues

POPULATION

La population du Costa Rica (4,6 millions d'habitants), bien que souvent d'origine européenne, est largement métissée, les vagues de migrants ayant chacune apporté leur couleur, du blond cendré au brun. La Vallée centrale, où vit plus de 50 % de la population, est la plus « européenne », avec 95 % de la population originaire du vieux continent. Les Ticos y sont espagnols, anglais, allemands, suisses, polonais... La côte Atlantique se différencie par sa population d'origine jamaïcaine. Arrivés au XIXe siècle lors de la construction du chemin de fer, les Jamaïcains ont longtemps conservé de leur île toute proche leur culture et leur langue, l'anglais, encore majoritaire sur la côte. Les Jamaïcains, longtemps ignorés par le pays, ne sont considérés comme des citoyens libres que depuis une cinquantaine d'années. De nos jours, le pays revendique ses origines multiculturelles et les célèbre au travers de deux fêtes aux noms un peu étonnants : le 19 avril est la fête des Aborigènes et le 31 août celle des Noirs. Les différents apports culturels se reconnaissent dans les noms de lieux, l'artisanat et la gastronomie.

Les Indiens du Costa Rica

Les Indiens sont peu présents au Costa Rica où leur nombre est estimé à près de 65 000 (1,5 % de la population totale). Certains des peuples qui ont connu les bouleversements coloniaux ont totalement disparu ou ont été complètement assimilés. Les autres, bien que maintes fois déplacés, se sont regroupés en communautés au sein de vingt-deux réserves. Ils bénéficient de la citoyenneté depuis 1990 (!) et leur culture reçoit de temps en temps le soutien du gouvernement ou d'associations culturelles ticas ou étrangères. Les musées d'Or et de Jade de San José témoignent du passé indien du Costa Rica.

Les Huetares, venus du Brésil et d'Equateur, occupaient la partie sud de la côte Atlantique et semblent avoir été les plus nombreux à l'arrivée des Espagnols. Semi-nomades, ils vivaient principalement de tubercules, de manioc, de citrouille et du fruit du pejibaye (palmier), mais aussi de la chasse et de la pêche. Quelques maisons coniques au bord d'une rivière constituaient le village huetar temporairement habité par le clan, quelques familles apparentées qui se déplaçaient selon les saisons. Les Huetares ne faisaient la guerre que pour le prestige d'un membre du clan (la tête de l'ennemi décapité accroissait sensiblement ce prestige). La fonction de cacique était héréditaire. Chez ces peuplades qui vénéraient le soleil et la lune, le pouvoir religieux était partagé entre les prêtres et

Spectacle folklorique au Musée national à San José.

les chamans (sorciers) qui, au cours des fêtes religieuses, n'étaient pas les derniers à s'adonner à la chicha. Cette boisson fermentée, à base de yuca et de pejibaye, alimentait de gigantesques beuveries. Ils vivent maintenant dans deux réserves situées entre San José et Jacó, dans la région de Puriscal.

Les Chorotegas, qui ont laissé des traces dès le VIIIe siècle apr. J.-C., seraient issus de tribus du sud du Mexique ayant fui les Olmèques, d'où leur nom « hommes qui fuient ». L'explorateur Gonzalo Fernández de Oviedo fut le premier à donner des informations sur ce peuple (1529). Ils s'organisaient selon trois classes : les prêtres et les nobles guerriers, le peuple, les esclaves. Le Conseil des anciens régissait la vie communautaire et on ne nommait un chef qu'en cas de conflit. Dans chaque village, autour de la place centrale où avaient lieu les cérémonies religieuses, les maisons abritaient individuellement une famille. Le cacao servait de monnaie d'échange, notamment sur les marchés organisés, fréquentés uniquement par les femmes. Ces dernières, outre le commerce, détenaient le secret de la fabrication de la céramique, dont celle de couleur sombre que l'on appelle « chocolat » et qui est toujours fabriquée dans la région de Santa Cruz, à Guaitil. Les Indiens cultivaient le maïs, base de leur alimentation, le coton, les haricots et cueillaient les fruits et le tabac. Le maïs était moulu sur les metates, des petites tables basses en pierre qui sont toujours précieusement conservées dans les foyers d'origine chorotega. Les bijoux étaient de jade (de très beaux spécimens sont exposés au musée du Jade à San José). Le coton cultivé était destiné au tissage de pièces très fines et colorées avec des teintures végétales ou animales comme l'escargot de pourpre. Ce peuple possédait des livres écrits sur des parchemins. Même en l'absence de guerre, une organisation militaire permanente combattait pour l'acquisition de nouvelles terres et veillait à l'exploitation des esclaves. Ceux-ci étaient quelquefois sacrifiés aux dieux et subissaient le même sort que les jeunes vierges jetées dans les cratères des volcans (certains rites purificateurs exigeaient que les corps des victimes de sacrifices fussent dévorés). Les descendants des Chorotegas sont présents dans quelques villages de la péninsule de Nicoya. Il y en avait de l'ordre de 12 000 en 1522, il y en aurait aujourd'hui 709.

Les Borucas ou Bruncas du sud-ouest sont d'origine colombienne. Le cacique était le chef du territoire du clan, base de leur organisation sociale, qui cultivait et redistribuait, parmi les siens, le produit des récoltes (maïs, manioc, haricots, citrouilles, coton), de la cueillette, de la chasse et de la pêche. Chaque clan, qui comprenait plusieurs familles, habitait une maison circulaire érigée en véritable forteresse. Le point fort de leur artisanat était le travail de l'or dont on peut voir aujourd'hui de superbes pectoraux ou autres objets à figure humaine ou animale au musée de l'Or. Les Borucas, qui fabriquaient également des objets en céramique, de couleur naturelle, rouge ou noire, sont à l'origine des fameuses sphères de pierre à l'utilisation restée aussi mystérieuse que leur fabrication et leur mise en scène (visibles au musée national à San José). Les femmes borucas, surnommées les « Birritèques » par les peuples voisins, prenaient part aux guerres. Chez eux également, le sacrifice humain était une pratique religieuse. Aujourd'hui, on rencontre des Borucas aux abords du río Sierpe, près de Buenos Aires, où ils vivent de leur artisanat.

Spectacle folklorique au Musée national à San José.

Outre ces trois peuples, les Cabecares sont les Indiens les plus représentés. Ils vivent au sein de communautés au sud de la côte Atlantique. Ils ont su préserver leur langue en l'enseignant aux enfants. Les Bribrís se sont organisés à peu près de la même façon et vivent entre les deux côtes à l'est du pays. Dans la même région proche du Panamá, les Guaymis ont conservé nombre de leurs traditions ainsi que leur langue. Le petit groupe de Guatusos vit à proximité de la frontière du Nicaragua et n'oublie pas sa langue, le maleku.

LANGUES

La langue officielle est l'espagnol. En réalité, c'est plutôt le castillan, qui a la réputation d'être l'un des plus purs d'Amérique latine, mais il est actuellement tellement coloré que l'on se demande à quand remonte cette pureté. Les différences entre l'espagnol d'Espagne et celui du Costa Rica sont peu nombreuses dans le fond. Plus difficiles à saisir sont les déformations ou les usages anciens comme le *voseo* (forme ancienne du vouvoiement), correspondant au vouvoiement français, où *vos* remplace « tu ». La conjugaison de la deuxième personne du singulier s'en trouve modifiée : « tu puedes » = « vos podés ». Mais « tu puedes » est parfaitement compris des Costaricains, comme en Argentine et au Paraguay. De même, *usted* (« vous », au singulier) et *ustedes* (« vous », au pluriel) sont moins formels qu'en Espagne et s'emploient en famille, entre amis et marquent plutôt l'estime et l'affection. Pour ne pas se tromper, autant employer *usted* pour tout le monde, c'est d'ailleurs ce que font les Costaricains depuis quelques années.Sur la côte caraïbe, on parle un anglais à la syntaxe espagnole héritée des travailleurs jamaïcains venus s'installer ici à la fin du XIXe siècle – un espagnol métissé d'anglais ou vice versa –, mais tourisme et invasion gringa obligent, de nombreux Costaricains parlent l'anglais, en plus de l'espagnol qui est un peu différent de celui qu'on a appris à l'école. Ils le parlent vite et en altèrent souvent la prononciation. Ainsi, le double « ll » et le « y » s'entendent plutôt « dj » que « y » (ex. : *amarillo* « jaune » se prononcera plutôt « amaridjo » ; et *yo* « je », « djo »).

Quelques *tiquismos*

- **Entre amis,** « qu'ihubo » remplacera l'habituel « ¿ Como está ? » (Comment allez-vous ?), auquel on pourra répondre « pura vida » (qui veut tout dire pourvu que cela soit positif). « Pura vida » est une expression typique du Costa Rica qui est presque devenue sa devise tellement elle colle au pays. Sur la côte caraïbe, on répond parfois « tuanis », qui est une déformation de l'anglais *too nice* (trop bien).
- ***Con gusto*** **ou** ***mucho gusto*** (littéralement, avec goût) se dit très souvent dans le sens « d'enchanté » ou de « je vous en prie » pour le second.
- ***Vieras vos*** (tu vois), « fijate vos » ou « imaginate » reviennent fréquemment dans la conversation, un peu comme une ponctuation.
- ***Es buena nota*** **:** il/elle est sympathique.
- ***Pour une femme,*** on dira *madre* (mère), *mamita* (petite mère) ou *mi hijita* (ma petite fille, de *hija*) qui équivalent à « ma chérie ». Dans la rue, cela devient *chiquita, muchacha, corazón*...
- **Les jeunes gens** s'appellent entre eux *majes* qui, tout en signifiant « crétin », se traduirait ici plutôt par « mec ».
- **Quelques surnoms sympathiques** servent à définir, voire à interpeller les gens. Ainsi, on pourra vous appeler *gordo/gorda* (gros/grosse), *flaco/flaca* (mince), *negro/negra* (de peau foncée), *macho* (aux cheveux clairs), ou *chino/china* (aux yeux en amandes), *gato* (aux yeux de chat, verts) sans chercher à vous vexer. Ces adjectifs s'emploient un peu n'importe où et n'importe quand.
- ***Achára*** exprime le regret, en cas de perte de quelque chose par exemple.
- ***¿Y diay?*** est l'expression d'un grand étonnement.
- ***Ya casi viene*** signifie que ça arrive, ça vient, tout de suite... Y'a pas l'feu quoi !
- **Une bonne habitude à prendre** qui vous fera presque sentir tico est de crier (doucement tout de même) « upe » (oupé) à la porte de la maison de l'ami que vous visitez. Ce petit mot serait un reste de « Ave de Guadalupe », une bénédiction au nom de la Vierge du même nom, et remplace ici la sonnette. Enfin, n'oubliez pas d'ajouter *-ito* ou *-itico* à la fin de vos adjectifs. Enfin (bis), on donne du *don* et du *doña* à tout va. N'hésitez pas à l'utiliser avant le prénom de la personne respectée à qui ou de qui vous parlez, cela sera très apprécié...

Mode de vie

VIE SOCIALE

L'absence de conflits armés et un tourisme en plein développement ont permis aux Costaricains d'avoir le niveau de vie le plus élevée d'Amérique centrale. Et vous verrez très probablement peu de différences entre leur niveau de vie et le vôtre... Ils achètent les mêmes marques de vêtements ou de produits high-tech (nombreux iPhones !) qu'en Europe ou en Amérique du Nord. Cependant, contrairement aux sociétés des pays industrialisés, la famille est restée un noyau fondamental de la société. Les familles s'entraident énormément, moralement ou financièrement, et c'est certainement ce qui fait la force des habitants du Costa Rica.

Marché central de Cartago.

MŒURS ET FAITS DE SOCIÉTÉ

Éducation

L'effort d'éducation mené depuis plus d'un siècle (1869) fait du Costa Rica l'un des pays les plus alphabétisés d'Amérique latine (sur les façades des écoles, on peut lire « Ici nous apprenons pour être meilleurs »). Depuis les années 1970, les dépenses consacrées à l'éducation s'élèvent à 28 % du budget national, ce qui est permis par l'absence d'armée. L'école élémentaire publique est obligatoire et gratuite et 70 % des écoles secondaires sont publiques, les autres étant accréditées auprès du ministère de l'Education. L'université a été fondée en 1940 – bien qu'un enseignement supérieur fût dispensé depuis le siècle dernier (1843) – et a été suivi par la création d'autres universités, publiques ou privées. Nombre d'étudiants, notamment en médecine, poursuivent leur cursus aux Etats-Unis. Les écoliers portent tous un uniforme, par un souci d'égalité apparu dans les années 1960. Une politique qui a pour résultat direct un taux d'alphabétisation excellent qui s'élève à 96% de la population en 2010.

Délassement national

Comme dans tous les pays d'Amérique latine, le foot est la passion numéro 1 du Costaricain et de la Costaricaine. Lors de grands matchs, on arrête toute activité pour mieux écouter les annonces des résultats. Les employés ont leur transistor sur le bureau ou derrière le guichet. Hommes, femmes et enfants se scotchent aux haut-parleurs installés dans la rue, sans compter les attroupements qui bloquent la circulation devant les magasins de hi-fi. En atterrissant ou en décollant de l'aéroport Juan Santamaría, jetez un coup d'œil sur votre droite (ou gauche au décollage) : des dizaines de familles viennent pique-niquer le long du grillage qui sépare l'autoroute des pistes. C'est, paraît-il, une attraction très prisée que d'observer le ventre des avions, et il n'y a pas que les enfants pour y prendre plaisir.

Femmes

Les femmes tiennent une grande place dans la société costaricaine. Elles sont près de 40 % à travailler, mais, comme ailleurs, leur salaire est nettement inférieur à celui des hommes et elles sont plus touchées par le chômage ou la précarité.

Qu'à cela ne tienne, quand la situation devient difficile, que le mari perd son emploi ou ne gagne plus suffisamment, les femmes prennent l'initiative de la reconversion : la plupart des coopératives rurales sont organisées et gérées par des femmes.

Statue dans la basilique Nuestra Señora de Los Ángeles à Cartago.

Depuis 1999, un décret tente de garantir la parité hommes-femmes et les autorités soutiennent les mères isolées (la moitié des foyers) qui peuvent obliger le père des enfants à participer à leur éducation, test ADN à l'appui si nécessaire. Une loi récente oblige également tout touriste qui a mis enceinte une femme costaricaine à lui verser une pension alimentaire d'un an avant de quitter le territoire. Si ce dernier refuse, il est arrêté à la frontière et ne peut pas quitter le pays tant qu'il n'a pas réglé l'intégralité de la somme. Si le contrôle des naissances et le divorce sont depuis longtemps acceptés par l'Eglise costaricaine encore puissante, l'avortement est encore illégal sauf en cas de danger pour la mère.

Immigration

Le Costa Rica, qui est né de l'installation de colons restés ici pour cultiver la terre et élever du bétail et qui est un pays politiquement et économiquement stable en comparaison de ses voisins qui ont connu ou connaissent encore le pire, continue à attirer. Les plus importantes vagues d'immigration ont concerné les ouvriers asiatiques et jamaïcains venus participer à la fin du XIXe siècle à la construction du chemin de fer et qui sont restés sur les plantations, souvent tenus à l'écart de la Vallée centrale par les pouvoirs publics. Depuis quelques décennies, ce sont les Nicaraguayens, les « Nicas », qui sont venus en masse. Chauffeurs de taxi ou propriétaires de kiosque à San José, on estime qu'ils sont environ 230 000 (soit près de 6 % de la population totale) et sont accusés de tous les maux par les Ticos bien-pensants, même si depuis peu ce sont les jeunes Salvadoriens ou Colombiens organisés en gangs qui seraient responsables de l'insécurité, véritable bête noire du pays. Le nombre de Colombiens a fortement augmenté depuis le début des années 2000. Les Nord-Américains sont officiellement 10 000, mais les « faux touristes » ou les « touristes permanents » feraient grimper le nombre d'anglophones à 50 000.

Prostitution

Le tourisme sexuel au Costa Rica a pris un tel essor qu'on voit de plus en plus d'affiches et d'autocollants contre cette pratique qui touche également les enfants. Les Nord-Américains « descendent » pour le week-end trouver des filles saines et faciles. Le quartier autour de l'hôtel Rey en plein centre de San José ainsi que Jacó, pour ne parler que des plus importants, en sont les exemples les plus frappants. La prostitution est légale au Costa Rica et de nombreuses publicités vous invitent à la découvrir, dans les night-clubs spécialisés. Mais le Costa Rica protège les enfants contre les abus du tourisme sexuel, la prostitution enfantine, et bien sûr le trafic d'enfants. Tout manquement à ces règles, touriste ou pas, est sévèrement puni par la loi. Et comme on le voit sur le logo, l'Union européenne est solidaire du Costa Rica.

RELIGION

La Constitution costaricaine proclame la liberté absolue de culte. 85 % des Costaricains pratiquent le catholicisme, religion d'Etat ; 14 % sont protestants ou anglicans.

Un peu moins de 30 000 personnes sont adeptes de religions extrême-orientales et la communauté juive, regroupée à San José, est assez importante. Les Eglises baptiste ou adventiste sont plus nombreuses sur la côte Atlantique. Quelques centres de Témoins de Jéhovah se sont installés dans les campagnes.

Arts et culture

La vie culturelle du Costa Rica est à l'image de son peuple, discrète. En effet, le pays est beaucoup plus célèbre pour sa nature que pour sa culture. Contrairement à ses voisins comme le Nicaragua, le Guatemala ou le Mexique, il n'y a pas de pyramides, pas de vestiges majeurs, pas de signes forts des cultures qui se sont croisées comme celles des Mayas, Aztèques ou Incas. L'héritage précolombien est donc bien faible. Il en est de même pour l'héritage colonial : son histoire a été si tranquille qu'elle n'a pas suscité le développement d'une culture majeure. Il n'y a pas de villes coloniales, peu d'artisanat. Pourtant le métissage de la société, le renouveau de l'intérêt amérindien, l'influence de cultures afro-américaine, colombienne, un peu asiatique, et aussi nord-américaine se font aujourd'hui sentir et offrent un tissu propre à un développement culturel intéressant.

ARTISANAT

L'influence précolombienne est manifeste dans la joaillerie. Effectivement, la joaillerie contemporaine puise largement dans la période précolombienne ses sources d'inspiration, voire ses techniques de réalisation. Les artisans joailliers fabriquent de très beaux bijoux, de très belles figurines en or et en argent, inspirées des chamans et des dieux. En éponse aux besoins des touristes, l'artisanat du bois, surtout du bois précieux, se développe beaucoup. En réalité d'origine pas forcément costaricaine mais plutôt centraméricaine, voire colombienne, cet artisanat permet à de jeunes talents, au-delà du commercial, de s'exprimer. Sculpture sur bois et peinture sont une spécialité de Sarchí pour les fameuses *carretas*, ces petits chariots en bois, vestige de l'époque des transports à bœufs qui servent aujourd'hui à décorer les jardins. Il faut enfin signaler deux anciennes traditions artisanales d'origine précolombienne, la céramique des Indiens Chorotegas dans la péninsule de Nicoya et les *molas*, ces tissus dont la technique est héritée des Indiens de la péninsule d'Osa. Très appréciés, surtout par les étrangers, ces objets d'artisanat ancien ont de beaux jours devant eux.

Carretas

Les charrettes de bois, peintes et décorées, sont certainement le symbole artisanal du Costa Rica. A l'origine véritables moyens de transport, elles ont peu à peu disparu devant les progrès techniques.

Que ramener de son voyage ?

Quand on pense à rapporter des souvenirs et faire quelques emplettes au Costa Rica, c'est vers l'artisanat en premier lieu que l'on se tourne. Des sacs de style guatémaltèque colorés aux tee-shirts à la gloire de la flore et de la faune tropicales ou frappés d'un « pura vida » typique, en passant par les hamacs en macramé et les figurines multicolores, le choix est vaste. A première vue, il n'est pas différent de ce que l'on peut trouver dans d'autres pays d'Amérique latine, mais on se laisse tenter, en évitant bien sûr quelques boutiques au goût douteux. A moins que vous ne soyez en quête de kitsch exotique... Le mieux est de se concentrer sur les tissus du Guatemala (ils sont peut-être moins chers là-bas, mais vous n'y êtes pas) que l'on peut acheter dans une petite boutique sympathique, dans le centre de San José, sur les tee-shirts dont certains sont très beaux (mais il faut les trouver dans la masse proposée), les bijoux et les objets de bois précieux (ou imitation). On trouve cependant un grand choix de produits artisanaux dans les régions indiennes, dans les réserves mêmes où souvent les femmes ont créé des coopératives artisanales. A part San José où vous trouverez de nombreuses boutiques de souvenirs, Sarchí reste le village de l'artisanat du bois. Vous y trouverez charrettes, rocking-chairs et reproductions d'oiseaux en bois ainsi que des collections impressionnantes de magnets, mugs, porte-clés ou cendriers, tous à l'effigie de grenouilles, quetzals ou morphos.

Les artisans ont décidé de les miniaturiser pour en faire des objets propres au commerce artisanal. Elles sont devenues multicolores et « multidécorées » alors qu'elles étaient seulement bleues, blanches et orange. A usage multiple, elles servent de desserte dans les salons costaricains, d'élément décoratif dans les jardins ou d'enseigne de magasins. La fabrication des *carretas* est centralisée à Sarchí où ne manqueront pas de vous déposer les tour-opérateurs.

« Les *carretas* pour le café sont fabriquées par les artisans sous des auvents dressés au bord de la route. Seize rayons de bois dur composent chaque roue, des pièces qui en roulant doivent produire un son caractéristique. Un ouvrier affirme que la carreta doit supporter 300 livres sans que change le chant de l'essieu. » (Extrait de *Centroamérica, Otro Mundo de Hilda*, Cole Epsy).

Bois, osier, cuir et orfèvrerie

L'acajou, le chêne et le cèdre sont travaillés pour devenir meubles, objets décoratifs de toutes sortes et instruments de musique (le marimba est typique du Guanacaste). Le Guanacaste est également connu pour le travail de l'osier (paniers, objets utilitaires, chaises...). Meubles, ceintures, sacs ou chaussures de cuir sont à l'honneur au Costa Rica et l'on trouve des tas de modèles sur les marchés. En orfèvrerie, ce sont les répliques des pièces précolombiennes en or ou en argent qui ont la faveur des touristes.

CINÉMA

L'industrie cinématographique n'est pas très développée au Costa Rica, mais de jeunes talents émergent comme la réalisatrice Paz Fabrega, née en 1979 à San José. Elle a signé le long-métrage *Agua fría de mar*, sorti en janvier 2010 en France, récompensé par un Tig Award au festival du film de Rotterdam. A la fois intimiste et féministe, ce film retrace l'histoire d'un couple costaricain qui recueille une fillette fugueuse sur la côte pacifique.

DANSE

Au Costa Rica, comme dans la plupart des pays d'Amérique latine, si on ne danse pas, ce n'est pas une fête. Tous les prétextes sont bons pour se retrouver sur *la pista*, surtout que le *baíle* est un passeport pour la fin de la nuit. Jusqu'au début du XXe siècle, la danse était un mélange de styles hérités des cultures précolombiennes et de la colonisation espagnole. Les influences afrocaraïbes sont arrivées en même temps que les ouvriers jamaïcains venus travailler sur les lignes de chemin de fer à la fin du XIXe siècle. Aujourd'hui, le moindre petit village possède sa salle de danse (*salón*) qui reste le lieu de rencontre privilégié. Pour se fondre parmi les Ticos fous de rythmes, point n'est besoin de connaître tous les pas et subtilités de la danse. Un peu de rhum, aucune timidité et beaucoup d'enthousiasme font l'affaire et sont amplement suffisants. Ici, pas question de montrer ses pieds en grimaçant.

LITTÉRATURE

Le Costa Rica n'ayant pas connu dans son histoire de guerres ni de grands mouvements sociaux, qui sont souvent à l'origine d'une littérature engagée, les ouvrages sont donc peu nombreux et leurs auteurs peu connus. Un auteur connu, et reconnu même hors du pays, est Carlos Luis Fallas qui écrivit *Mamita Yunai*. C'est un livre décrivant les conditions atroces des *bananeros* (ouvriers des bananeraies) de l'United Fruit Company (la Pieuvre). Un des auteurs parmi les plus aimés est José León Sánchez, Indien Huetar d'origine, qui fut condamné à quarante ans de prison (il aurait cambriolé une basilique). Illettré à son incarcération, il apprit à lire et à écrire tout seul. Il écrivit en cachette *La Isla de los hombres solos*, qui fut un immense succès. Libéré au bout de vingt ans, il rédigea de nombreux autres romans. Un autre auteur parmi les plus connus au Costa Rica est Carmen Naranjo qui fut ministre de la Culture. Son livre majeur, en espagnol, s'intitule *En esta tierra redonda y plana*. La poésie est représentée par le poète Jorge Debravo de condition modeste, adepte de Pablo Neruda. Malgré sa courte vie – il est mort à 29 ans –, il a laissé une œuvre poétique importante et très appréciée au Costa Rica. « Padre, púntame la paz en la palma de la mano » (que l'on traduit par : « Père, dessine-moi la paix dans le creux de la main ») est l'une de ses belles pensées. Très peu de livres sont traduits en français. On peut citer toutefois : *Les Pétroglyphes*, de Rodrigo Soto, éditions Meet, 2003 ; *L'Ombre derrière la porte*, du même auteur, éditions Vericuetos/Unesco, 1997 ; *Le Paradis assiégé* (titre original : *Asalto al paraíso*), de Tatiana Lobo. Même si elle est d'origine chilienne, la majeure partie de son œuvre est costaricaine car elle y vit depuis les événements chiliens.

MÉDIAS

Presse

Le pays compte trois quotidiens : *La Nación* (87 000 exemplaires), *La República* (60 000 exemplaires) et *La Prensa Libre* (50 000 exemplaires, journal du soir). Dans la presse économique, nous citerons : *Actualidad económica* et *Tribuna económica*.

▸ ***Rumbo centroamericano,*** anciennement *La Nación internacional*, est un hebdomadaire d'informations générales qui existe depuis 1981.

▸ ***Universidad*** relate de façon détaillée la politique et la culture.

▸ ***Libertad* et *Libertad revolucionara*** sont les organes des partis communistes costaricains.

▸ **Le *Tico Times*,** disponible tous les jeudis en anglais, lorgne du côté des Etats-Unis, mais est très utile.

▸ **Le *Costa Rica Today*,** également en anglais et paraissant le même jour, est intéressant. On le trouve gratuitement dans de nombreux hôtels et points touristiques comme les centres d'informations, sinon il est vendu 50 colones.

▸ ***Costa Rica Outdoors.*** Bimensuel. Belles photos, beaucoup de pubs mais quelques articles intéressants. On trouve la revue gratuitement dans certains hôtels, sinon elle coûte 2,50 US$.

▸ ***Costa Rica Informer.*** Hebdomadaire gratuit, dans les hôtels et autres lieux touristiques. La carte centrale est la meilleure carte routière trouvée... A se procurer dès l'arrivée à San José.

▸ **Autres journaux :** *Contrapunto, Comercio Exterior, Realidad, Escena, Alimentaria, Tecnitur, Horizontes, TVGuía...*

Télévision

Six chaînes locales et quantité de chaînes latino-américaines et nord-américaines reçues par satellite. Le câble, installé dans la majeure partie du pays, propose une cinquantaine de chaînes dont la plupart sont des programmes qui proviennent des Etats-Unis. Les informations sont en espagnol et en anglais. TV5 (la chaîne française diffusée à l'étranger) est présente au Costa Rica. On dénombre au Costa Rica plus de 150 téléviseurs pour 1 000 habitants (trois fois plus qu'au Guatemala).

Radio

Soixante-cinq stations de radio se partagent les ondes moyennes et les grandes ondes. La FM en compte cinquante et une et les ondes courtes, douze. La plupart d'entre elles sont musicales et paraissent peu variées à la première écoute : salsa, reggae, mambo, cumbia, cha-cha... On s'y habitue vite, ensuite cela fait partie du paysage.

MUSIQUE

Au croisement des cultures, le Costa Rica a développé une certaine richesse musicale. On y écoute aussi bien des mélodies latines traditionnelles telles que le merengue, la salsa ou la cumbia que du calypso né dans la communauté afro-caribéeenne. Sans oublier l'influence des Etats-Unis avec le jazz, le rock ou encore le hip-hop. De nombreux groupes costaricains sont les héritiers directs de cette diversité culturelle. Parmi eux, le Taboga Band qui mêle salsa et jazz, ou encore le groupe de salsa Los Brillanticos.

PEINTURE ET ARTS GRAPHIQUES

Longtemps prisonniers des représentations impressionnistes européennes, les peintres costaricains sont arrivés à sortir du bois dans les années 1920 grâce à des artistes comme Fausto Pacheco qui ont peint des paysages typiques du Costa Rica dans un style pittoresque. Les peintres contemporains au Costa Rica ont des styles très divers ; Francisco Amighetti est un héritier des surréalistes tandis que les toîles d'Isidro Con Wong sont empreintes de « realismo magico ». Au musée d'Art contemporain de San José, vous pourrez admirer les peintures des artistes costaricains en vogue.

SCULPTURE

La sculpture ne s'est pas développée dans l'art contemporain au Costa Rica. Cependant, les *carretas* sculptées de Sarchí et les objets en céramique des Indiens Chorotega, sur la péninsule de Nicoya, sont un grand succès pour la sculpture traditionnelle costaricaine.

SPECTACLE VIVANT

Le théâtre est très apprécié au Costa Rica. De nombreuses salles dans les quartiers et un grand théâtre offrent à San José une intéressante activité théâtrale, certainement du fait que les cours de théâtre firent partie du programme scolaire dès le XXe siècle. Le gouvernement désirant un grand théâtre, le Théâtre national fut à l'origine construit avec les revenus d'une taxe sur le café : de style très « européen », c'est l'un des monuments les plus célèbres de San José. Il accueille des pièces de théâtre, des opéras, des ballets ainsi que toutes sortes de représentations culturelles de niveau national.

Spectacle folklorique au Musée national de San José.

Janvier

ALAJUELITAS FIESTAS
Alajuela
La semaine du 15 janvier. Fête patronale en l'honneur du Christ noir d'Esquipulas (processions).

COPA DEL CAFÉ
Escazú, San José.
Dates variables. Un tournoi international de tennis qui réunit chaque année des jeunes de moins de 18 ans au Costa Rica Country Club à Escazú (San José).

FÊTE DE LA POÉSIE
Le 31 janvier. Fête de la poésie (Día de Jorge Debravo).

FÊTES DE LA PLEINE LUNE
Sur la péninsule d'Osa, plage de Cocalito
Les nuits de la pleine lune sont l'occasion de diverses manifestations sur la plage de Cocalito.

PALMARES FIESTAS
Palmares
Les deux premières semaines du mois. Manifestations populaires à Palmares.

SANTA CRUZ FIESTAS
Santa Cruz
La semaine du 15 janvier. Fêtes dans la province du Guanacaste (danses folkloriques Marimabas, etc.)

Février

CARNAVAL DE PUNTARENAS
Puntarenas
Dernière semaine du mois.

FESTIVAL DE MUSIQUE DE MONTEVERDE
Monteverde
Fin février.

FÊTES FOLKLORIQUES DE LIBERIA
Libéria
Dernière semaine du mois.

FIESTA DE LOS DIABLITOS
Talamanca
Le 11 février. Fiesta de los Diablitos (fête des diablotins) à Talamanca. C'est une fête d'origine précolombienne qui survit au sein des ethnies indiennes.

FOIRE AGRICOLE
San Isidro
Première semaine du mois. Foire agricole et combats de taureaux à San Isidro.

Mars

DÍA DEL BOYERO
Sant Antonio de Escazú
Deuxième dimanche du mois. Día del Boyero (jour du bouvier) à San Antonio de Escazú. Défilé de charrettes colorées, bénédiction du bétail et des récoltes.

DÍA DE SAN JOSÉ
San José
Le 19 mars. Fête de Saint-Joseph, le patron de la capitale et de la province, jour férié. A l'occasion de cette fête, festival de l'Orchidée à San José.

FESTIVAL INTERNATIONAL DE LA CULTURE
San José
Deuxième semaine du mois. Concerts en plein air dans le centre-ville de San José.

SEMAINE SAINTE
Dans tout le pays
Pensant la semaine sainte. La passion du Christ et sa mort sont reconstituées à travers des processions dans tout le pays. Le jeudi et le vendredi saints sont fériés et souvent prétexte à une semaine entière de vacances. C'est également à cette période qu'a lieu le pèlerinage d'Ujarrás : des centaines de croyants parcourent à pied la distance entre Cartago et les ruines de la plus ancienne église du Costa Rica. Cela peut être l'occasion de visiter la très belle vallée d'Orosí.

SOUTH CARIBBEAN MUSIC FESTIVAL
Manzanillo
Fin mars. Organisé par le Playa Chiquita Lodge, à Puerto Viejo, le festival donne l'occasion à des groupes locaux ou non de se produire les week-ends des mois de mars et d'avril.

Avril

FESTIVAL INTERNATIONAL D'ARTS DE SAN JOSÉ
Du 15 au 21 avril. Festival international d'arts à San José (théâtre, danse, musique...).

Fêtes populaires

Les *turnos* ou *festejos populares* célèbrent pour la plupart un saint patron (*patronales*), la fin d'une récolte ou un événement historique (*cívicos*). C'est l'occasion de festoyer, de sortir les *payasos* (géants de papier mâché), les chars du défilé, les *bandas* (fanfares), de danser au bal, de montrer ses talents de dresseur de cheval, de gagner au *bingo*, d'élire la reine de la fête (*reinada*) ou d'encourager les participants à une course cycliste, un sport très prisé au Costa Rica. Si vous traversez un village en plein *turno*, n'hésitez pas à vous arrêter un peu…

FÊTE DE JUAN SANTAMARIA
Alajuela
Le 11 avril. Fête du héros Juan Santamaría à Alajuela (défilés, fêtes, concerts...), jour férié. Commémoration de la bataille contre William Walker qui a eu lieu en 1856.

FOIRE ARTISANALE
San José
Fin avril.

PÂQUES
Tous les magasins sont fermés du jeudi au dimanche. Nombreuses processions dans tout le pays. Pensez à réserver vos nuits d'hôtel.

SEMAINE UNIVERSITAIRE DE SAN PEDRO
San Pedro, San José
Dernière semaine du mois. Fêtes étudiantes. Tout est permis !

Mai

FÊTE DE SAN ISIDRO
Le 15 mai. San Isidro, fête des travailleurs. Toutes les villes portant le nom du saint patron des paysans font la fête (bénédiction du bétail et des récoltes).

FÊTE-DIEU
Dans tout le pays
Le 29 mai. Corpus Christi (Fête-Dieu). Procession de l'Eucharistie sur un tapis de sciure colorée ou de fleurs. La plus importante est celle de Pacayas, dans la province de Cartago.

FÊTE DU 1ER MAI
Dans tout le pays
Fête du Travail. Jour traditionnellement festif à Limón (jour férié).

FÊTE DU 8 MAI
Dans tout le pays
Tous les quatre ans, le 8, on célèbre l'investiture et la prise de fonctions du président de la République. Les étudiants et les écoliers rendent hommage au président, en l'occurrence à la présidente (Laura Chinchilla depuis 2010), en présence de nombreuses personnalités étrangères.

Juin

FÊTE DE LA MUSIQUE
San José
Le 21 juin. Fête de la musique. Manifestations parrainées par des organismes français à San José.

FÊTE DE SAINT PIERRE ET SAINT PAUL
Dans tout le pays
Le 29 juin. Grande fête religieuse dans tout le pays et jour férié en l'honneur des saints.

FÊTE DES PÈRES
Dans tout le pays
Troisième dimanche du mois.

Juillet

FÊTE DE L'ANNEXION DU GUANACASTE
Liberia
Chaque 25 juillet, une fête commémore à Liberia l'annexion du Guanacaste par le Costa Rica. Défilés équestres et des parades folkloriques dans toute la ville.

FÊTE DE LA VIRGEN DEL MAR
Puntarenas
Autour du 16 juillet. Fête de la Virgen del Mar (Vierge de la Mer) à Puntarenas. Une barque fleurie mène la procession de la Vierge dans le golfe de Nicoya. Festival de musique, feux d'artifice, etc.

Août

CARIBBEAN SUMMER FESTIVAL
A Puerto Viejo, au mois d'août (parfois septembre ou octobre). Projection de courts-métrages, marché artisanal et cuisine caraïbe pour faire la fête.

FÊTE DE LA VIERGE NOIRE

Dans tout le pays

Le 2 août. Fête de la Vierge noire, patronne du pays, Notre-Dame-des-Anges (Nuestra Señora de los Angeles, la Negrita), jour férié. Un pèlerinage part à pied de San José pour atteindre Cartago dans la nuit du 1er au 2 août. Les fidèles viennent de toute l'Amérique centrale pour y participer ainsi qu'à la messe donnée le 2 sur le parvis de la basilique de Cartago et à la procession jusqu'à l'église du Carmel.

FÊTE DES MÈRES

Le 15 août. Assomption de la Vierge et fête des mères. Jour férié.

Septembre

FÊTE NATIONALE

Le 15 septembre. Fête nationale (fête de l'Indépendance – par rapport à l'Espagne, 1821), jour férié. Une flamme de la Liberté, partie du Guatemala quelques jours auparavant, traverse les pays d'Amérique centrale. Le 14, à 18h précises, elle est interceptée à San José, lors d'une retraite aux flambeaux (*desfile de faroles*), l'une parmi les nombreuses organisées dans tout le pays par les écoliers. A 18h également, nul ne saurait manquer l'hymne national chanté solennellement à travers tout le pays.

Octobre

CARNAVAL DE LIMÓN

Semaine du 10 octobre.

FÊTE DU 12 OCTOBRE

Dans tout le pays

Ce jour commémore la découverte de l'Amérique par Christophe Colomb, célébrée dans toute l'Amérique latine, jour férié. Au Costa Rica, des groupes d'écoliers portant des drapeaux costaricains et espagnols déposent une gerbe au pied de la statue de la reine Isabelle, dans le parc Isabela la Católica à San José. C'est aussi le jour où l'on célèbre la culture indigène (Día de la Raza).

FÊTE DU MAÏS

Upala

Le 13 octobre. Fiesta del Maíz à Upala, dans la province d'Alajuela. On élit la reine du maïs parmi des jeunes filles dont les costumes sont autant de variations sur le thème.

NOCHE DE LAS BRUJAS

Dans tout le pays

Le 31 octobre. La Noche de las Brujas, ou Nuit des sorcières, semblable à Halloween. Les enfants déguisés passent de maison en maison et reçoivent des friandises. Très fêtée à Escazú, la Salem costaricaine.

Novembre

FÊTE DES MORTS

Le 2 novembre. On se rend en famille dans les cimetières honorer la mémoire des disparus.

Décembre

FESTIVAL INTERNATIONAL DE DANSE DE SAN JOSÉ

Les deux premières semaines du mois.

FESTIVITÉS DE FIN D'ANNÉE À SAN JOSÉ

Du 25 au 31 décembre. Festejos populares à Zapote (San José). Fête foraine et feux d'artifice pour clore l'année. Le 26, El Tope est une grande parade équestre qui se met en branle à San José à partir de midi. Le 27, place au carnaval et à une grande parade festive (Corso fleuri), toujours à San José.

FÊTE DE L'IMMACULÉE CONCEPTION

Le 8 décembre. Fête de l'Immaculée Conception, jour férié. Célébrations religieuses et réjouissances dans tout le pays. Les manifestations les plus intéressantes se déroulent à Jesús María de San Mateo (province d'Alajuela) et à La Rivera de Belén (province de Heredia).

FIESTA DE LOS NEGRITOS

Boruca

Semaine du 8 décembre. Fiesta de los Negritos dans le village indien de Boruca. Les Indiens ont mélangé d'anciens rites aux honneurs rendus à l'Immaculée Conception.

RÉVEILLON DE NOËL

Après avoir englouti le *tamal* et la *pata de chancho*, on se rend à la *misa del gallo* (messe du coq) qui se déroule entre 20h et 21h. Selon la tradition, l'Enfant Jésus apporte lui-même les cadeaux qui sont disposés autour du lit des enfants. L'arbre de Noël est ici un cyprès.

Cuisine costaricaine

La cuisine costaricaine peut sembler peu variée et peu raffinée, mais ce qui fait sa force, c'est la qualité et l'extrême fraîcheur des produits utilisés toujours goûteux.

PRODUITS CARACTÉRISTIQUES

Les plats

Les éléments de base de la cuisine typique costaricaine sont le riz, les haricots noirs ou rouges, les légumes, le *yuca* (manioc), le poulet, le bœuf et les poissons. A la base : du riz (*arroz*), des haricots noirs (*frijoles*), du yuca, de la chayotte et de la viande (*carne*). Après, ce sont des variations avec sauce, oignons et petits légumes. Les plats sont très peu épicés, voire fades, mais une petite bouteille de chilero, de Tabasco, de salsa Lizano et l'inévitable Ketchup traîne toujours sur les tables des restaurants. Les *casados*, riz et haricots mélangés à toutes sortes de légumes, sont plus goûteux. Bœuf, porc, poulet ou poisson (*pescado*) accompagnent ces légumes. Quand il y a du poisson, il est toujours très frais, mais il vaut mieux le commander grillé (*a la plancha*). Voici quelques termes à connaître si vous voulez vous spécialiser dans la cuisine tica :

Petit déjeuner copieux à la Casa Turire dans la Vallée centrale.

- ***A la parrilla*** : cuit sur une planche de bois de caféier.
- ***Arreglados*** : petits pâtés soufflés fourrés de bœuf, de fromage ou de poulet
- ***Arroz con pollo*** : riz avec du poulet.
- ***Arroz con carne*** : riz avec du bœuf.
- ***Arroz con pescado*** : riz avec du poisson.
- ***Al ajillo*** : à l'ail.
- ***Bocadillos*** : préparations accompagnant l'apéritif (appelées *bocas* ou *boquitas*).
- ***Bombo*** : hamburger de type McDo.
- ***Camarones*** : crevettes.
- ***Casado*** : plat typique que l'homme est en mesure d'attendre de son épouse, d'où son nom de « marié ». Riz (*arroz*), haricots rouges (*frijoles*), plantain frit (*plátano*), oignons (*cebolla*), salades de chou blanc (*repollo*), tomate, viande (*carne*) ou œufs (*huevos*) et quelquefois *picadillo* (viande hachée et légumes frits). Les meilleurs *casados*, enfin ceux qui laissent souvent un très bon souvenir, sont ceux qu'on mange dans une petite *soda* familiale de bord de route.
- ***Cazuela de...*** : casserole de...
- ***Ceviche*** : poisson de mer (*corvina*) ou fruits de mer (*mariscos*) « cuits » dans le jus de citron vert, assaisonné de coriandre, oignon, poivrons... Un régal rafraîchissant.
- ***Chicharrones*** : gras de porc grillé très apprécié dans la Vallée centrale où les restaurants s'en font une spécialité.
- ***Chompipes*** : dinde farcie.
- ***Chorreadas*** : crêpe de maïs jeune servie avec de la *natilla* (crème).
- ***Corvina*** : bar.
- ***Conchas*** : coquillages.

© STÉPHANE SAVIGNARD

Vendeur de fruits et légumes à Liberia.

Elote : épi de maïs grillé (*asado*), *cocinado* s'il est bouilli.

Empanadas : chaussons de maïs ou de pâte brisée fourrés de viande hachée, de fromage ou de légumes. Le *patí* en est la version bien plus épicée de la côte caraïbe.

Enchiladas : petites tourtes fourrées de fromage, de pommes de terre et quelquefois de viande.

Enyucados : boulettes de *yuca*.

Frijoles : haricots (noirs ou rouges), *frijoles molidos* (purée de haricots).

Frito guanacasteco : héritage des Indiens Chorotegas, c'est le plat traditionnel du Guanacaste proche du *casado*, souvent agrémenté de riz, de maïs, un ragoût.

Gallos : sandwich de *tortilla* fourré de viande, de haricots ou de fromage.

Gallo pinto : riz et haricots noirs, petit déjeuner (*desayuno*) tico par excellence.

Hamburguesa : hamburger énorme et garni de tout ce qui peut tenir à l'intérieur du pain : viande, œufs, chou, laitue, sauces diverses, etc.

Huevos : œufs au plat (*huevos fritos*) ou brouillés (*huevos revueltos*).

Huevos de tortuga (œufs de tortue) : leur consommation est bien sûr interdite, mais en période d'*arribada* (octobre), les habitants des villages « visités » ont l'autorisation de récolter les premiers œufs qui seraient de toute façon écrasés par les autres tortues.

Langostinos : langoustines.

Lomito : filet de bœuf (en réalité aloyau).

Mariscos : fruits de mer.

Olla de carne : soupe de légumes (dont maïs et yuca, parfois chayote) et de bœuf. C'est le pot-au-feu tropical.

Patacones : plantain frit et écrasé en purée (côte caraïbe).

Patí : petits pâtés farcis de viande, bœuf ou poulet, souvent épicés. Ils sont servis en entrée dans un repas, mais se consomment généralement directement après l'achat.

Pechuga : blanc de poulet.

Plátano : plantain ou grandes bananes vertes qui ne se mangent que cuites, bouillies ou frites.

Pozol : ragoût de maïs et de porc, rarement cuisiné en dehors du Guanacaste d'où il est originaire.

Rondón : ragoût de légumes et de bœuf ou de poisson mitonné sur la côte caraïbe.

Sopa de mondongo : soupe de tripes.

Sopa negra : soupe de légumes et de haricots noirs, parfois agrémentée d'un œuf poché.

Tacos : portion de viande sur une *tortilla* grillée.

Tamales : viande enveloppée avec du maïs dans une feuille de bananier bouillie (qui ne se mange pas). Préparation traditionnelle de Noël.

▶ ***Tonronjas rellenas*** : pamplemousses confits au sucre caramélisé.

▶ ***Tortas*** : théoriquement un sandwich de pain roulé, mais souvent une moitié d'un gros pain rond un peu brioché recouvert d'un steak haché et de salade de légumes.

▶ ***Tortilla*** : crêpe de maïs. Rien à voir avec la *tortilla* espagnole (omelette de pommes de terre et oignons).

▶ ***Yuca*** : tapioca, manioc ou cassave, c'est la même chose.

Plats végétariens

Les plats indiqués (*sin carne*) ne sont pas forcément dépourvus de viande. *Carne* signifie presque toujours bœuf, et le poulet ou le porc sont habituellement signalés par *con pollo* ou *con cerdo.* A San José et dans les endroits touristiques (donc rentables), il y a toujours un restaurant végétarien à portée de la main, parce que végétarien rimant avec écologie, on pense sans doute confirmer le sentiment écologique du touriste qui a « fait » deux parcs dans la journée. Un marché permanent de produits biologiques s'est ouvert à Desamparados (près de Cartago) en face de l'école San Geronimo. Ce marché, animé par une quarantaine de fermiers appartenant à l'Association nationale de petits producteurs de produits organiques (ANAPAO), vise à l'éducation alimentaire des Costaricains, pas seulement au niveau hygiénique, mais aussi sur le plan agricole, car jusqu'à maintenant aucune loi ne réglemente l'utilisation des engrais et des pesticides dans le pays. Un autre marché, Comercio Alternativo, se tient à Guachipelín, à l'ouest de San José.

Les desserts

▶ ***Dulce de leche*** : lait et sucre concentrés et formant une pâte épaisse au doux goût de sucette Pierrot ou de crème Mont Blanc. La *cajeta* est plus concentrée et plus brune.

▶ ***Torta chilena*** : gâteau fourré au *dulce de leche.*

▶ ***Flan de coco*** : flan à la noix de coco.

▶ ***Mazamorra*** : entremets au maïs.

▶ ***Melcocha*** : friandise au sucre brun.

▶ ***Milanes*** : friandises au chocolat.

▶ ***Queque seco*** : gâteau un peu sec pouvant accompagner le *mazamorra.*

▶ ***Tres leches*** : gâteau, type quatre-quarts imbibé de lait, de lait concentré et de lait en poudre.

▶ ***Pan bon*** : cake de la côte caraïbe.

Les fruits et légumes

Les différents climats dont jouit le Costa Rica permettent une culture très diversifiée des fruits et légumes. Mais des pommes aux fruits typiquement tropicaux, l'abondance ne s'accompagne malheureusement pas toujours de qualité, l'usage des pesticides n'étant pas encore bien contrôlé. Plusieurs expériences de culture biologique et, au moins, une campagne de sensibilisation sur les méfaits de l'emploi abusif des « -ides » sont actuellement menées auprès des agriculteurs. Les produits que l'on trouve sur les marchés sont généralement propres mais pour éviter tout risque de dérangement intestinal, il est préférable de les éplucher ou de les laver soigneusement avant de les consommer. Pour une première approche des fruits et des légumes tropicaux,

Étal de fruits dans le village de Tortuguero.

flânez donc dans les rues de San José le samedi matin ou au Mercado Borbón tous les jours de la semaine.

Aguacate (*Persea americana*) : avocat. Ils sont énormes et délicieux, toujours à point.

Banano : banane. Aussi appelée *plátano* par analogie avec le fruit qui se mange cuit.

Cacao (*Theobroma cacao*) : d'excellente qualité, il est pourtant assez mal exploité dans l'élaboration du chocolat local qui ne satisfera certainement pas les amateurs. Dans la cabosse, les graines sont entourées d'une chair blanche crémeuse délicieuse à goûter absolument !

Carambola (*Averrhoa carambola*) : carambole, fruit jaune en forme d'étoile qui sert de base aux jus de fruits (*refrescos*).

Cas : petite goyave. On la retrouve surtout dans les *refrescos*.

Castaña (*Artocarpus heterophyllus*) : fruit de l'arbre à pain (jacquier) au goût de châtaigne quand il est bouilli.

Cebadas : orge.

Chiverre : fruit ressemblant beaucoup à la pastèque, mais la chair est filandreuse et sert surtout à la fabrication d'une pâtisserie au moment de Pâques.

Coco : noix de coco mûre. Elle est mangée sous toutes les formes, même grillée. Des vendeurs ambulants en proposent dans les rues de San José. La *pipa* est une noix encore jeune qui peut contenir jusqu'à un litre d'*agua* qu'on boit à la paille. On dit que l'*agua de pipa* a les mêmes propriétés que le sang humain ou qu'elle est plus riche mais moins grasse que le lait maternel..

Granadillas (*Passiflora*) : fruits de la passion, de la taille d'un œuf.

Guanábana (*Annona muricata* ou *glabra*) : doux et sucré, on consomme toujours ce gros fruit sous forme de jus ou dans quelques desserts. Appelé ailleurs corossol.

Guayaba (*Psidium guajava*) : goyave. A maturité de septembre à novembre. La boisson du même nom est délicieuse. On la trouve également en pâte de fruit et en confiture.

Limones : citrons. Les *verdelios* sont sans pépins ; les *criollos* sont petits, verts et juteux ; les *bencinos*, les plus gros citrons verts, sont moins juteux ; les *mandarinas* ressemblent à des mandarines et sont très acides.

Mamón (*Melicocca bijuga*) : petits fruits verts au goût de raisin. Les *mamones chinos* sont recouverts d'épines (litchis).

Mango (*Mangifera indica*) : mangue. De la famille des anacardiers qui comprend également la noix de cajou, les meilleures sont rouge et jaune, sans taches, ou encore les *mangas*, plus longues. Pour éviter l'irritation qui peut suivre la dégustation d'une mangue, il suffit de couper la partie du fruit qui contient encore de la sève, près de la queue.

Manzana : pomme. Une seule variété de pomme est cultivée, la *manzana rosa* (*Eugenia jambos*), mais en général pommes et poires sont importées des Etats-Unis. Ces fruits sont principalement consommés autour de Noël.

Maracuja : fruit de la passion, jaune orangé, de la taille d'un œuf.

Marañon : fruit de l'arbre à noix de cajou.

Melón : melon (ou cantaloup).

Moras : mûres. Elles font de délicieux jus de fruits.

Naranja (*Citrus sinensis*) : oranges. Elles sont ici vendues vertes, mais ont le même goût sinon meilleur que nos oranges calibrées.

Palmitos : cœurs de palmier, plus savoureux et moins nains qu'en boîte.

Papaya (*Carica papaya*) : gros fruit à la chair orangée, un peu fade, mais un peu écœurant quand il est très mûr et déjà mou.

Pejibayes : petites noix du palmier du même nom que l'on mange bouillies dans de l'eau salée. La chair est d'un bel orange et évoque un peu le goût du cœur d'artichaut, selon les uns, la châtaigne selon les autres.

Piña : ananas. Les blancs sont plus acides que les jaunes. Pour savoir si le fruit est mûr, le frapper du plat de la main : le son devrait être plein et sourd. Plus simple, les feuilles s'enlèvent facilement quand l'ananas est bon à consommer.

Sandía : pastèque. Dans le doute, même technique que pour l'ananas.

Tamarindo (*Tamarindus indica*) : tamarin. Consommé sous forme de jus ou de confit.

Toronja (*Citrus paradisi*) : pamplemousse.

Uva : raisin. On cultive un peu de raisin et quelques-uns se sont essayés à la vinification.

Zapote (*Diospyros ebenaster*) : avocat encore plus gros.

Délicieux ceviches de la côte pacifique.

Les boissons

L'eau est potable dans presque tout le pays, seule celle des zones un peu reculées peut être un sujet de méfiance... Si vos craintes persistent, on trouve dans les épiceries et les supermarchés de l'eau de source locale (de *manantial*) en bouteille. Les sources pures étant très nombreuses, le marché des eaux, rentable, devrait encore se développer. De toute façon, on boit peu d'eau au Costa Rica, mais plutôt des jus de fruits (banane, ananas, goyave...) mélangés à de l'eau ou à du lait (*refrescos* ou *frescos naturales* et *batidos*). Les boissons sucrées gazeuses sont nombreuses, locales ou d'origine nord-américaine, mais toujours fabriquées sur place (Fanta, Coca-Cola, Pepsi...). A défaut de les boire frais, goûtez les jus de fruits de la marque Natural, ils sont très bons. Le café est bu à toutes les heures et partout. Dans les bureaux, les agences ou les musées, il y a toujours une cafetière pleine à disposition des employés et des clients. On boit peu de thé, mais on en trouve presque partout.

- ***Agua (fría)*** : eau (fraîche), minérale ou de *manantial*, en bouteille, en *jarra* ou carafe.
- ***Aguadulce*** : eau bouillie et sucre brun (*tapa dulce*) au goût de sucre candi. Très énergétique.
- ***Batidos*** : jus de fruits et lait (*con leche*).
- ***Café (té) negro, con leche*** : café (thé) noir, au lait. Il y a évidemment de multiples manières de le préparer, mais le Costa Rica et notamment les restaurants les plus chics ont redécouvert la façon la plus simple de faire un bon café : le filtre ou plutôt le *chorreador*, une espèce de chaussette en coton suspendue à un support en bois au-dessus de la tasse. La mouture de café (le meilleur si possible) est doucement arrosée d'eau bouillie. C'est simple, et paraît-il plus savoureux. A la commande, n'oubliez pas de préciser *negro* pour ne pas vous retrouver avec un café au lait et déjà sucré.
- ***Cerveza*** : bière.
- ***Horchata*** : boisson à base d'orge ou de riz au léger goût de cannelle.
- ***Pipa*** : eau de coco, bue directement à la noix. A ne pas confondre avec le lait de coco (*leche*) qui est la chair broyée.
- ***Refrescos*** : jus de fruits et eau (*sin leche*).
- ***Con azucar, sin azucar*** : avec ou sans sucre (plutôt sans d'ailleurs !).
- ***Sodas*** : les boissons des « Gringos » : Coca, Fanta, Sprite...
- ***Tamarindo*** : boisson à base de cosses de tamarinier rappelant le goût du jus de pomme. N'en abusez pas, la boisson est très laxative !
- ***Té de hierbas*** : infusions. Le plus souvent de *manzanilla* (camomille).
- ***Vino*** : vin ; le *tinto* (rouge), le plus souvent du Chili (cabernet sauvignon) et le *blanco* (chardonnay).

HABITUDES ALIMENTAIRES

Le petit déjeuner est le repas le plus important de la journée. Il est de plus en plus souvent constitué de fruits, de pain, de *café negro* ou *con leche*, et de céréales.
Mais le vrai petit déjeuner tico reste le *gallo pinto*, un plat de riz et de haricots noirs frits ensemble, accompagné de *tortillas con natilla* (petites galettes de maïs que l'on trempe dans un bol de crème, un vrai délice !). Le déjeuner est assez léger et se prend entre 11h et 15h. Le soir, le dîner, plutôt sommaire, est prétexte à se rassembler autour d'une table. Cependant toutes ces habitudes ont tendance à changer et le repas du soir devient important, surtout en fin de semaine car il est un repas de fête.

Fruits tropicaux dans le jardin du centre CATIE à Turrialba.

Cocotier sur Playa Cocles.

Buvette lors du carnaval de Puerto Limón.

Végétation tropicale dans le parc de Tortuguero.

Fleur de bananier à Cahuita.

RECETTES

Les plats traditionnels de la cuisine costaricaine sont le *gallo pinto* et le *casado*. Voici quelques recettes typiques.

Ceviche

Ingrédients. 1 filet de poisson blanc (cabillaud, lieu noir...) • coriandre fraîche hachée • 1 oignon haché • 1 poivron vert haché • citrons (jaunes dans la recette tica).

Préparation. Dans un récipient, mélanger la coriandre, l'oignon, le poivron et le jus des citrons. Découper le poisson en lamelles d'environ 1 cm d'épaisseur et les ajouter au mélange précédent. Bien mélanger. Couvrir le récipient et le mettre au réfrigérateur une journée (préparer le ceviche le matin pour le soir). Servir avec des *patacones*.

Gallo pinto

Ingrédients. Recette pour 6 personnes. 2 tasses de haricots noirs cuits (pas rouges, très important) • 3 tasses de riz cuit (plutôt du basmati) • 2 cuillères à soupe d'huile • 1 cuillère à soupe de poivron rouge haché • 2 cuillères à soupe d'oignon haché • 1 cuillère à soupe de feuilles de coriandre hachées • 3 morceaux de bacon cuit • 1 ½ cuillère à soupe de sauce Worcester • 3/4 d'une cuillère à soupe de Tabasco.

Préparation. Faire sauter le poivron et les oignons dans l'huile pendant 2 minutes, ajouter les haricots noirs cuits, le bacon cuit et les sauces Worcester et Tabasco et faire mijoter à feu doux pendant 10 minutes. Ajouter le riz puis, au dernier moment, la coriandre.

Casado

Le plat principal du Costa Rica est le *casado* (l'homme marié !) servi généralement à midi, dont les deux ingrédients de base sont le riz et les haricots rouges. Le riz se cuit dans l'eau froide : on remplit la casserole d'eau à 2 cm au-dessus du niveau du riz et on fait cuire jusqu'à ce que celui-ci l'ait complètement absorbée. Les haricots noirs sont cuits à la vapeur ; carottes, chayotes (christophine), petits pois, haricots verts..., des légumes crus, chou vert en lamelles très fines, tomates, concombres, un morceau de fromage frit (à pâte pressée, demi-sec, de peu de matière grasse, à 25 %), banane plantain frite (faire revenir les tranches avec une noix de beurre et... du sucre roux ou de la cassonade). La viande peut être remplacée par du poisson en filets. Le tout accompagné de *tortilla* : galette de farine de maïs, faite à la main avec une pincée de sel et de l'eau, posée une minute dans un *comal* (ou une plaque chaude), d'un côté, puis de l'autre. Le riz et les haricots se cuisent en grande quantité pour plusieurs jours. Le matin, on reprend le riz et les haricots et on les fait réchauffer, ensemble cette fois et on les condimente à nouveau. A ce moment-là, le plat se nomme *gallo pinto* (le coq coloré... celui qui chante le matin) et on le mange avec des *tortillas* avec de la *natilla* (crème aigre, que l'on peut remplacer par du fromage blanc avec une pointe de sel). A table, on boit généralement un jus de fruit frais (mûre ou fruit de la saison) ou bien de l'*agua dulce* (eau douce). Normalement, on le fait avec *la tapa de dulce* qui est le résidu sucré de la canne à sucre, étape antérieure au raffinage du sucre brun ou de la cassonade. En l'absence de *tapa de dulce*, prendre de la cassonade, la faire fondre totalement dans de l'eau à feu doux. Faire bouillir de l'eau et, dans chaque tasse, verser l'eau bouillante sur 1 à 2 cuillerées de sirop de cassonade. Boire chaud.

Enyucados

Ingrédients. 500 g de *yuca* (ou du tapioca) • 2 œufs • 1 c. à soupe de beurre • 2 c. à soupe de farine • sel • coriandre • huile.

Préparation. Peler la *yuca* et la faire cuire dans de l'eau salée. L'écraser et y ajouter les œufs, le beurre, la farine, la coriandre et le sel. Mouler la pâte en plusieurs petits « gâteaux » et les faire frire dans l'huile.

Pan bon

Ingrédients. 8 tasses de farine • levure de boulanger • 1 demi-tasse de *dulce* (sucre brun en poudre) • 100 g de beurre • vanille • cannelle en poudre • noix de muscade en poudre • fruits confits • 1 œuf battu.

Préparation. Diluer la levure dans de l'eau tiède et la mélanger à un tiers de la farine. Laisser reposer 3 heures. Ajouter à la pâte le *dulce*, le reste de farine, le beurre, la vanille, la cannelle, la noix de muscade et les fruits confits auparavant roulés dans la farine. Quand le mélange est bien homogène, le séparer en quatre portions égales. Rouler trois boules et avec la dernière portion faire trois sphères plus petites à poser sur les trois plus grosses. Enduire les trois gâteaux d'œuf battu, puis faire cuire à four chaud pendant une trentaine de minutes.

Jeux, loisirs et sports

DISCIPLINES NATIONALES

Football

Comme dans toute l'Amérique latine, le football est le sport national par excellence. Pas un petit village n'échappe au terrain de foot (*cancha*). Vous vous apercevrez lors de vos excursions que les employés des entreprises consacrent souvent leur temps de repos à cette activité. Vous pourrez aisément vous joindre à un groupe d'enfants tapant le ballon dans les villages. Quatre équipes se battent pour le championnat national de *primera divisón* : le légendaire Saprissa (San José), Heredia, Alajuela (La Liga) et Cartago ; ambiance dans les gradins. Le Costa Rica a participé à l'avant dernier Mundial (Coupe du Monde) en Allemagne en 2006, mais ne s'est pas qualifié pour l'Afrique du Sud en 2010. A la Copa America, en juillet 2011, le Costa Rica gagne contre la Bolivie avant d'être éliminé par l'Argentine. Tout le monde se souvient enfin du match amical France-Costa Rica en 2010, où les Bleus avaient gagné 2-1. Ce match en vue de la préparation du Mondial aura été une victoire de courte de durée pour la France...

ACTIVITÉS À FAIRE SUR PLACE

Canopy

Une idée originale pour mieux découvrir la forêt... Puisque la plupart des animaux vivent dans les hauteurs des arbres, pourquoi ne pas aller les observer là où ils sont ? C'est ce que se sont dit les créateurs de cette activité au Costa Rica. En général, une équipe de grimpeurs professionnels vous emmène sur des plates-formes aménagées dans les arbres les plus hauts de la forêt. Vous observez les différents habitats au plus près, puis la descente s'effectue en glissant le long d'un câble tendu au-dessus et à l'intérieur de la forêt (tyrolienne). Souvent sportifs, les *canopy tours* ont fait des petits : les circuits aménagés pour les moins téméraires se font sur des passerelles tendues entre les arbres. La sensation sportive est moindre, mais l'observation se faisant plus au calme et confortablement campé sur ses pieds, on voit beaucoup plus de choses du haut d'une passerelle. Vous trouverez quantité de *canopy tours* pendant votre voyage. En principe, les tours sont sécurisés et régulièrement entretenus, mais avant de vous lancer inspectez bien le matériel ou faites semblant de vous y connaître en posant toutes les questions qui vous taraudent. Et en cas de doute, abstenez-vous... Parmi les circuits sur passerelles suspendues, nous vous recommandons Selvatura dans la réserve de Santa Elena.

Équitation

Le cheval est, avec la marche à pied, le moyen de locomotion le plus utilisé dans les campagnes. Il est économique, propre et tout terrain. Les Ticos ont vite compris qu'ils pouvaient en retirer de substantiels revenus, de ce fait les propositions de balades à cheval sont monnaie courante dans le pays. Compter en moyenne 10 US$ de l'heure par personne et de 30 à 60 US$ pour une journée. Des agences se sont spécialisées dans cette activité et proposent des circuits aventure qui permettent de découvrir des endroits reculés et magnifiques. L'élevage de chevaux est réputé au Costa Rica ; le Pure race espagnole, élevé dans les frontières costaricaines, a bonne cote.

Pêche sportive

La situation géographique du Costa Rica, bordé par le Pacifique et par la mer des Caraïbes, permet de disposer de nombreux espaces de pêche et offre une grande diversité de prises. Ce pays a acquis une réputation internationale dans le domaine de la pêche au gros.

Spots de surf

Côte caraïbe

Manzanillo : une vague de plage très rapide.

Puerto Viejo : la Salsa Brava est une puissante vague tubulaire qui prend forme en profondeur.

Playa Negra, Cahuita : une bonne vague de plage assez peu fréquentée.

Westfalia : entre Limón et Cahuita, une suite de vagues de plage intéressantes.

Isla Uvita, au large de Limón : une bonne vague de gauche.

Playa Bonita, nord de Limón : une forte vague dangereuse.

Portete, près de Playa Bonita : moins forte que la précédente.

Tortuguero : bonnes vagues.

Golfo Dulce et péninsule d'Osa

Bahía Drake : longue vague puissante. Les spécialistes essaieront également les vagues de l'embouchure du río Sierpe.

Pavones : une longue vague de gauche considérée comme la plus longue du monde.

Matapaló : bonne vague de droite.

© STEPHANE SAVIGNARD

Dominical est un spot de surf réputé au Costa Rica.

Pacifique Centre

Boca Barranca : une longue vague de gauche à l'embouchure d'une rivière.

Puerto Caldera : une bonne vague de gauche.

Playa Tivives, au sud de Puntarenas : vagues de bonne qualité.

Playa Escondida : de très bonnes vagues.

Jacó : vagues très fréquentées, même si ce ne sont pas les meilleures.

Roca Loca : belles vagues autour de rochers.

Playa Hermosa : très belles vagues puissantes.

Esterillos Este, Esterillos Oeste, Bejuco et Boca Damas : belles vagues.

Quepos : à l'embouchure d'une petite rivière.

Manuel Antonio : bonnes vagues de gauche et de droite.

Playa El Rey : bonnes vagues de gauche et de droite.

Playa Dominical : une belle vague puissante.

Péninsule de Nicoya

Potrero Grande : rapides vagues de droite.

Playa Naranjo : une des meilleures vagues, surtout entre décembre et mars quand les vents balaient la côte.

Playa Grande : vague de plage.

Tamarindo : deux bonnes vagues, à Pico Pequeño et à Bel Estero (embouchure d'une rivière). La vague de la plage est très bien pour les néophytes.

Playa Langosta : deux belles vagues à l'embouchure d'une rivière.

Playa Avellanas : belles vagues de gauche et de droite.

Playa Negra : vagues rapides de droite, parmi les meilleures du pays.

Playa Nosara : vagues de plage.

Playas Coyote, Manzanillo et Malpaís : belles vagues variées.

Manèges sur la plage de Puerto Limón pendant le carnaval.

Les poissons rois du Pacifique sont le marlin bleu ou noir, l'espadon voilier (*pez vela*). Il est également courant de rapporter à bord des thons jaunes ou des pargos, des snappers, des barracudas, des wahoos et des bonites. Les principaux centres de pêche sont Ocotal, Flamingo, Tamarindo, Quepos, et Bahía Drake sur la péninsule d'Osa. Le tarpon ou « grandes écailles », à la réputation de redoutable combattant, fréquente les eaux des Caraïbes près de Barra del Colorado où l'on peut pêcher des spécimens atteignant les 100 livres.

Plongée

De très belles plongées sont à faire au Costa Rica, malheureusement les courants transversaux dans certains secteurs, la visibilité qui n'est pas toujours au rendez-vous, les fortes houles et les pluies violentes rendent la plongée pas évidente du tout. Mais les professionnels qui proposent cette activité ont pour la plupart leurs spots cachés qui vous permettront de rencontrer une raie manta ou un banc de barracudas. Playa Coco et Hermosa offrent de bons sites, et Isla Tortuga est un must. Le récif de Cahuita sur la côte caraïbe et Isla del Caño au large de la péninsule d'Osa sont également de bons spots. Le rêve parmi les raies et les requins – donc très cher – reste la Isla del Coco.

Rafting

Le pays, aux nombreuses montagnes et vallées, présente un relief extrêmement favorable à sa pratique. Entre les ríos Pacuare (classe III), Reventazón (classe III) et Sarapiquí, les possibilités sont nombreuses. Les mois les plus sportifs correspondent logiquement à ceux de la saison des pluies de juin à décembre, mais cette activité est praticable toute l'année et en toute sécurité. Le rafting est l'un des moyens de locomotion qui autorise la traversée de la jungle pure dans des conditions, certes humides, mais également des plus confortables. Un seul problème : la vulgarisation de l'activité. Nous vous recommandons de bien vous informer avant le départ du nombre de participants. En effet, nous nous sommes retrouvés à plus de quinze rafts sur un tronçon, ce qui crée des embouteillages et gâche un peu le charme de l'expédition. Les différentes agences qui organisent des tours s'entourent de multiples précautions (kayaks d'accompagnement, guides chevronnés, cours théoriques avant le départ). La journée coûte de 75 à 100 US$, le transport, le petit déjeuner et bien sûr la descente du río compris. Pour ceux qui désirent séjourner au bord de l'eau et en pleine jungle, des packages de deux jours sont organisés (environ 250 US$ par personne).

Voile et planche à voile

La planche à voile se pratique sur le lac Arenal ou dans la baie de Salinas, à l'extrême nord-ouest du pays.

Enfants du pays

Laura Chinchilla

Politologue de 51 ans, Laura Chinchilla est la première femme à accéder à la présidence du Costa Rica. Héritière et ancienne vice-présidente du président sortant Oscar Arias, elle l'a emporté dès le premier tour en février 2010, reconnue victorieuse avant même l'annonce des résultats, par ses deux principaux concurrents. Fille d'un influent ex-inspecteur général des Finances, elle s'est vouée très jeune à la politique, obtenant une maîtrise dans cette discipline à l'université de Georgetown, aux Etats-Unis, après une licence au Costa Rica. La politique de son gouvernement est axée sur la lutte contre l'insécurité, la protection de l'environnement, la création de nouveaux emplois, notamment dans la construction, et l'extension de la couverture médicale aux populations les plus démunies.

Franklin Chang Díaz

Astronaute. Il a volé sept fois dans une des navettes de la Nasa. On le voyait à la télévision jonglant avec des tortillas, mets qu'il avait imposé à bord. Il travaille actuellement à l'élaboration de nouveaux moteurs de lanceurs, revient souvent au Costa Rica pour suivre des projets éducatifs et a « marché » pour la première fois dans l'espace en mai 2002 pour réparer l'un des bras de la station spatiale internationale.

Claudia Poll Ahrens

Sportive costaricaine. Claudia Poll a remporté trois médailles olympiques et battu plusieurs records internationaux (1996) en natation. Médaille d'or au 200 m nage libre au Jeux olympiques d'Atlanta, le 21 juillet 1996. Aux Jeux de Sydney, en 2000, elle a remporté deux médailles de bronze (200 m libre et 400 m libre). Quelques piscines portent aujourd'hui son nom.

Oscar Arias Sánchez

Economiste et politicien. Economiste de formation, il entra rapidement en politique avec le soutien de « Don Pepe ». Elu président de la République en 1986. Rejetant le modèle économique libéral pour son caractère « individuel et égoïste », partisan del Estado del bienestar (l'Etat-providence), il fut à l'origine d'un renouveau économique et social du pays. Sur le plan international, il est l'initiateur d'un plan global de paix dans la région incluant le Guatemala, le Honduras, le Salvador et le Costa Rica, et négocia le traité de paix Esquipulas II, « fiable et durable pour l'Amérique centrale », entre ces différents pays. Pour cela, il reçut le prix Nobel de la paix en 1987. Il a été élu président de la République en mai 2006 pour un deuxième mandat. C'est Laura Chinchilla, une de ses fidèles supportrices, qui lui succède à la Présidence du Costa Rica en 2010.

Fontaine dans le parc central à Turrialba.

Communiquer en espagnol

Aborder une langue est aussi approcher un peuple : sa culture, son système de valeurs, sa façon d'organiser la vie, ses normes, ses sentiments... en un mot : son âme.
Ainsi, même si votre séjour est court ou que vous partez encadré (voyage organisé ou autre) mais que vous voulez goûter vraiment au pays, partez en explorateur curieux, profitez de chaque occasion pour aller à la rencontre des « gens du pays ».
***Attention :** la prononciation donnée dans ces quelques pages est celle de l'espagnol ibérique, c'est-à-dire du castillan d'Espagne. Dans les pays d'Amérique latine, il existe quelques différences de prononciation, comme celle du **z** et du **c** (devant **e** et **i**) qui sont prononcés ss. Côté grammaire, vous trouverez également quelques petites différences dans la conjugaison de la 2e personne du pluriel des verbes (« vous »), ainsi que dans le vocabulaire de certains mots locaux (plantes, animaux et autres américanismes), mais cela ne vous empêchera pas de vous faire comprendre.*

DÉCOUVERTE

Cette rubrique est réalisée en partenariat avec 

La prononciation

Voici les lettres et combinaisons de lettres dont la prononciation diffère du français (chaque voyelle se prononce distinctement) :

- **e** toujours *é*
- **u** toujours *ou*, sauf dans les combinaisons **gue, gui** et **qu** (où il est muet)
- **c** devant **e** ou **i,** comme le *s* de *serpent* fortement zozoté ; devant les autres voyelles, comme en français
- **d** en fin de mot, se prononce à peine ou même pas du tout
- **g** comme en français dans les combinaisons **gue** et **gui ;** devant **e** ou **i** voir prononciation de **j**
- **j** son guttural ressemblant à un raclement de gorge, il sera transcrit *H*
- **ll** comme le *l* mouillé français dans *million*, il sera transcrit *y*
- **ñ** comme *gn* en français
- **r** roulé doux s'il est simple, entre voyelles ou en fin de mot
  très roulé s'il est initial, doublé ou placé après **l, n** ou **s**
- **s** toujours *ss*
- **v** pratiquement comme **b**
- **y** comme en français dans *yaourt* ; *i* quand il est seul, en fin de mot ou de syllabe
- **z** comme le *s* de *serpent* fortement zozoté, il sera transcrit *Z*

La grammaire

La phrase

La structure de la phrase espagnole est très proche de la française. Vous n'aurez en général aucune difficulté à vous exprimer correctement en partant des modèles français. Rappelons toutefois quelques détails :

L'interrogation

Pour les questions simples auxquelles votre interlocuteur pourra répondre par **si,** *oui,* ou par **no,** *non,* il vous suffira de faire une phrase affirmative ou négative.

Il faudra lui donner une intonation interrogative à l'oral, ou au moyen de la ponctuation adéquate (¿...?) à l'écrit :

Te llamas Carlos.
té yamass carloss
Tu t'appelles Carlos.

¿Te llamas Carlos?
té yamass carloss
(Est-ce que) tu t'appelles Carlos ?

Bien entendu, tout n'est pas aussi simple et vous serez également amené à poser des questions ouvertes avec des mots interrogatifs auxquelles les réponses ne seront pas *oui* ou *non*. Voici quelques mots qui vous aideront à formuler des questions :

¿qué?	*qué*	que ?, quoi ?, qu'est-ce que ?
¿quién? ¿quiénes?	*quié'n / quiénéss*	qui ? (sing. / pl.)
¿cuál?	*coual*	lequel, laquelle ?
¿cómo?	*como*	comment ?
¿por qué?	*por qué*	pourquoi ?
¿cuánto?	*coua'nto*	combien ? (invariable devant un verbe)
¿cuánto, a, os, as?	*coua'nto, a, oss, ass*	combien de ? (se rapportant à un nom)
¿cuándo?	*coua'ndo*	quand ?
¿dónde?	*do'ndé*	où ?
¿de dónde?	*dé do'ndé*	d'où ?
¿adónde?	*ado'ndé*	(vers) où ?

La négation

No équivaut à la fois à *non* et à *ne... pas*. Dans une phrase négative, **no** précède toujours le verbe.

¿No quieres comer?
no quiéréss comér
Tu ne veux pas manger ?

nada	*nada*	rien
nadie	*nadié*	personne
ni	*ni*	ni
ninguno	*ni'ngouno*	aucun
nunca / jamás	*nou'nca / Hamass*	jamais
tampoco	*ta'mpoco*	non plus

Le verbe

En espagnol, il y a trois groupes de conjugaisons :

- premier groupe : verbes en **–ar,** comme **hablar** *ablar,* parler ;
- deuxième groupe : verbes en **–er,** comme **comer** *comér,* manger ;
- troisième groupe : verbes en **–ir,** comme **vivir** *bibir,* vivre.

Mais il existe aussi un certain nombre de verbes irréguliers qui comptent parmi les plus courants.

Le verbe espagnol n'a pas besoin d'être accompagné du pronom personnel.

• Le présent des verbes réguliers

- hablar (groupe en **-ar**)

hablo	*ablo*	je parle
hablas	*ablass*	tu parles
habla	*abla*	il / elle parle / vous parlez (vouvoiement sing.)

hablamos *ablamoss* nous parlons
habláis *ablaïss* vous parlez (tutoiement pl.)
hablan *ablan* ils / elles parlent ou vous parlez (vouvoiement pl.)

- **comer** (groupe en **-er**)

como *como* je mange
comes *coméss* tu manges
come *comé* il / elle mange ou vous mangez (vouvoiement sing.)
comemos *comémoss* nous mangeons
coméis *coméïss* vous mangez (tutoiement pl.)
comen *comé'n* ils / elles mangent ou vous mangez (vouvoiement pl.)

- **vivir** (groupe en **-ir**)

vivo *bibo* je vis
vives *bibéss* tu vis
vive *bibé* il / elle vit ou vous vivez (vouvoiement sing.)
vivimos *bibimoss* nous vivons
vivís *bibiss* vous vivez (tutoiement pl.)
viven *bibé'n* ils / elles vivent ou vous vivez (vouvoiement pl.)

• **Le verbe avoir**

- **tener** *ténér*, avoir (posséder)

tengo *té'ngo* j'ai
tienes *tiénéss* tu as
tiene *tiéné* il / elle a ou vous avez (vouvoiement sing.)
tenemos *ténémoss* nous avons
tenéis *ténéïss* vous avez (tutoiement pl.)
tienen *tiéné'n* ils / elles ont ou vous avez (vouvoiement pl.)

• **Les deux verbes « être » : « ser » et « estar »**

- **Ser**

soy *soï* je suis
eres *éréss* tu es
es *éss* il / elle est ou vous êtes (vouvoiement sing.)
somos *somoss* nous sommes
sois *soïss* vous êtes (tutoiement pl.)
son *so'n* ils / elles sont ou vous êtes (vouvoiement pl.)

On emploie **ser** pour :
• exprimer une caractéristique liée à la nature d'une personne ou d'une chose :

Isabel es muy simpática.
issabél éss mouï si'mpatica
Isabel est très sympathique.

• indiquer la profession, la nationalité, la religion ;
• identifier une personne, indiquer l'appartenance, la provenance.

- **Estar**

estoy *éstoï* je suis
estás *éstass* tu es
está *ésta* il / elle est ou vous êtes (vouvoiement sing.)
estamos *éstamoss* nous sommes
estáis *éstaïss* vous êtes (tutoiement pl.)
están *ésta'n* ils / elles sont ou vous êtes (vouvoie pl.)

On emploie **estar** pour :
- situer dans l'espace ;
- exprimer un état d'esprit, une humeur, un état physique momentané ;

Estoy muy contento.
éstoï mouï co'nté'nto
Je suis très content.

Un « petit truc » : chaque fois que vous pourrez remplacer le verbe *être* par *se trouver*, il conviendra d'employer **estar.**

• Quelques mots autour du passé
Comme le français, l'espagnol connaît plusieurs manières d'exprimer le passé.

- Le passé composé

En espagnol, le *passé composé* de tous les verbes se construit avec l'auxiliaire **haber,** *avoir*, + le participe passé du verbe correspondant qui, lui, reste invariable en toute circonstance. Vous n'aurez donc aucun mal à vous en servir spontanément.

haber *abér*, avoir (auxiliaire)

he	*é*	j'ai
has	*ass*	tu as
ha	*a*	il / elle a ou vous avez (vouvoiement sing.)
hemos	*émoss*	nous avons
habéis	*abéïss*	vous avez (tutoiement pl.)
han	*a'n*	ils / elles ont ou vous avez (vouvoiement pl.)

- Le participe passé

La terminaison en **-ado** caractérise tous les participes passés des verbes en **-ar.**
La terminaison en **-ido** est celle que prennent tout aussi bien les verbes en **-er** que les verbes en **-ir** (à l'exception de ceux qui sont irréguliers).

• Exprimer un futur proche
Il existe, bien entendu, en espagnol un « vrai » futur mais le plus simple pour débuter est de vous servir du « futur proche ». Dans ce cas, généralement on utilise **ir,** *aller*, **+ a.**

Vamos a tomar un café.
bamoss a tomar ou'n café
Nous allons prendre un café.

Il existe bien sûr un vrai futur ; il se forme en ajoutant à l'infinitif du verbe que l'on souhaite employer les terminaisons du présent de **haber,** *avoir*, (+ l'accent qui correspond) : **é, ás, á, emos, éis, án** ; pratique, n'est-ce pas ?
Ces terminaisons sont valables pour les verbes des trois conjugaisons.

La conversation

Quelques mots utiles

Avez-vous un dépliant avec les horaires ?
¿Tiene un folleto con los horarios?
tiéné ou'n foyéto co'n loss orarioss

À quelle heure ouvrent les magasins / les banques... ?
¿A qué hora abren las tiendas / los bancos...?
a qué ora abré'n lass tié'ndass / loss ba'ncoss

Savez-vous où il y a une cabine téléphonique / une station de taxis / un hôpital... ?
¿Sabe dónde hay una cabina telefónica / una parada de taxis / un hospital...?
sabé do'ndé aï ouna cabina téléfonica / ouna parada dé taxiss / ou'n ospital

- Y a-t-il quelqu'un qui parle allemand / français / anglais / italien...?
  ¿Hay alguien que hable alemán / francés / inglés / italiano...?
  aï alguié'n qué ablé aléma'n / fra'nZéss / i'ngléss / italiano

- Où se trouve le commissariat de police ?
  ¿Dónde está la comisaría de policía?
  do'ndé ésta la comissaria dé poliZia

- Où se trouve le consulat de... ?
  ¿Dónde está el consulado de...?
  do'ndé ésta él co'nsoulado dé...

- Où se trouve l'ambassade de... ?
  ¿Dónde está la embajada de...?
  do'ndé ésta la é'mbaHada dé

- Où sont les toilettes ?
  ¿Dónde están los servicios / aseos?
  do'ndé ésta'n loss sérbiZioss / asséoss

- J'ai besoin de...
  Necesito...
  néZéssito

Vous n'avez rien compris ? Essayez ça !

- Je ne parle pas bien espagnol.
  No hablo bien español.
  no ablo bié'n éspagnol

- Parlez-vous français ?
  ¿Habla (usted) francés?
  abla (oustéᵈ) fra'nZéss

- Comment avez-vous / as-tu dit ?
  ¿Cómo ha / has dicho?
  como a / ass ditcho

- Comment dit-on... en espagnol ?
  ¿Cómo se dice... en español?
  como sé diZé é'n éspagnol

- Qu'est-ce que ça veut dire ?
  ¿Qué quiere decir esto / eso ?
  qué quiéré déZir ésto / ésso

- Excusez-moi, je n'ai pas compris.
  Perdone, no he entendido.
  pérdoné, no é é'nté'ndido

- Pouvez-vous répéter, s'il vous plaît ?
  ¿Puede repetir, por favor?
  pouédé répétir, por fabor

- Plus lentement, s'il vous/te plaît.
  Más despacio, por favor.
  mass déspaZio, por fabor

- Pourriez-vous / pourrais-tu me l'écrire ?
  ¿Podría / podrías escribírmelo?
  podria / podriass éscribirmélo

- Comment vous dites ?
  ¿Cómo dice?
  como diZé

- Je comprends. / Je ne comprends pas.
  Entiendo. / No entiendo.
  é'ntié'ndo / no é'ntié'ndo

- Que signifie... ?
  ¿Qué significa...?
  qué sig'nifica

Questions et phrases de base

- Avez-vous / As-tu... ?
  ¿Tiene / Tienes...?
  tiéné / tiénéss

- Savez-vous / Sais-tu... ?
  ¿Sabe / Sabes...?
  sabé / sabéss

- Y a-t-il... ?
  ¿Hay...?
  aï

- Je cherche...
  Busco...
  bousco

- J'ai besoin de...
  Necesito...
  néZéssito

- Je veux...
  Quiero...
  quiéro

- Je voudrais...
  Quisiera...
  quissiéra

- Combien coûte(nt)... ?
  ¿Cuánto cuesta(n)...?
  coua'nto couésta('n)

- Où est / Où se trouve... ?
  ¿Dónde está...?
  do'ndé ésta

- Emmenez-moi à...
  Lléveme a...
  yébémé a

- S'il vous plaît, pouvez-vous m'aider ?
  Por favor, ¿puede ayudarme?
  por fabor, pouédé ayoudarmé

Les indispensables

oui / non	**sí / no**	*si / no*
s'il vous/te plaît	**por favor**	*por fabor*
merci	**gracias**	*graZiass*
merci beaucoup	**muchas gracias**	*moutchass graZiass*
de rien	**de nada**	*dé nada*
d'accord	**vale / de acuerdo**	*balé / dé acouérdo*
Salut !	**¡Hola!**	*ola*
Bonjour !	**¡Buenos días!**	*buénoss diass*
Bon après-midi ! / Bonsoir !	**¡Buenas tardes!**	*bouénass tardéss*
Bonsoir ! / Bonne nuit !	**¡Buenas noches!**	*bouénass notchéss*
Au revoir !	**¡Adiós!**	*adioss*
À bientôt !	**¡Hasta pronto!**	*asta pro'nto*
À tout à l'heure !	**¡Hasta luego !**	*asta louégo*
Pardon.	**Perdón.**	*pérdo'n*
Excusez-moi. / Excuse-moi.	**Perdone. / Perdona.**	*pérdoné / pérdona*
Je regrette. / Je suis désolé(e)	**Lo siento (mucho).**	*lo sié'nto (moutcho)*
Ce n'est rien.	**No ha sido nada.**	*no a sido nada*
À l'aide ! / Au secours !	**¡Ayuda! / ¡Socorro!**	*ayouda / socorro*
Enchanté/e.	**Encantado/a.**	*é'nca'ntado/a*
Ça va ? / Comment ça va ?	**¿Qué tal?**	*qué tal*
Comment vas-tu/allez-vous ?	**¿Cómo estás/está?**	*como éstas / ésta*
bien / mal	**bien / mal**	*bié'n / mal*
Allô ?	**¿Diga? / ¿Sí?**	*diga / si*
Bon appétit !	**¡Buen provecho!**	*boué'n probétcho*
Bon voyage !	**¡Buen viaje!**	*boué'n biaHé*

Panneaux, affiches et autres instructions... « à suivre » !

À louer	**Se alquila**	*sé alquila*
À vendre	**Se vende**	*sé bé'ndé*
Baignade interdite	**Prohibido bañarse**	*proïbido bagnarsé*
Caisse	**Caja**	*caHa*
Chaud	**Caliente**	*calié'nté*
Complet	**Completo**	*co'mpléto*
Danger	**Peligro**	*péligro*
Entrée	**Entrada**	*é'ntrada*
Entrée interdite	**Prohibida la entrada**	*proïbida la é'ntrada*
Fermé	**Cerrado**	*Zérrado*
Interdit de fumer	**Prohibido fumar**	*proïbido foumar*
La poste	**Correos**	*corréoss*
Libre	**Libre**	*libré*
Messieurs / Dames	**Señores / Señoras**	*ségnoréss / ass*
Occupé	**Ocupado**	*ocoupado*
Ouvert	**Abierto**	*abiérto*
Passage interdit	**Prohibido el paso**	*proïbido él passo*
Plage	**Playa**	*playa*

Pousser	**Empujar**	*é'mpouHar*
Sortie	**Salida**	*salida*
Toilettes	**Servicios / Aseos**	*sérbiZioss / asséoss*

Se déplacer

Je voudrais un billet pour Barcelone, s'il vous plaît.
Quisiera un billete para Barcelona, por favor.
quissiéra ou'n biyété para barZélona, por fabor

À quelle heure part le car pour... ?
¿A qué hora sale el autobús para...?
a qué ora salé él aoutobouss para

Combien coûte le voyage à Tolède ?
¿Cuánto cuesta el viaje a Toledo?
coua'nto couésta él biaHé a tolédo

Où puis-je acheter les billets ?
¿Dónde puedo comprar los billetes?
do'ndé pouédo co'mprar loss biyétéss

aéroport	**aeropuerto**	*aéropouérto*
arrêt, station	**parada**	*parada*
arrivée	**llegada**	*yégada*
avion	**avión**	*abio'n*
bagages	**equipaje**	*équipaHé*
bateau	**barco**	*barco*
billet	**billete**	*biyété*
aller retour	**ida y vuelta**	*ida i bouélta*
aller simple	**sólo ida**	*solo ida*
couchette	**litera**	*litéra*
départ / sortie	**salida**	*salida*
gare de chemins de fer	**estación de trenes**	*éstaZio'n dé trénéss*
	estación de ferrocarril	*éstaZio'n dé férrocarril*
	estación de RENFE	*éstaZio'n dé rré'nfé*
gare routière	**estación de autobuses**	*éstaZio'n dé aoutoboussés*
guichet	**ventanilla**	*bé'ntaniya*
métro	**metro**	*métro*
port	**puerto**	*pouérto*
prix (coût)	**precio**	*préZio*
quai	**andén**	*a'ndé'n*
quai (d'un port)	**muelle**	*mouéyé*
réservation	**reserva**	*rrésséba*
sac à dos	**mochila**	*motchila*
siège, place assisse	**asiento**	*assié'nto*
taxi	**taxi**	*taxi*
terminus (cars) aérogare (avions)	**terminal**	*términal*
valise	**maleta**	*maléta*
voie	**vía**	*bia*
voiture-lit	**coche cama**	*cotché cama*
vol	**vuelo**	*bouélo*

Savez-vous où il y a une pompe à essence ?
¿Sabe (usted) dónde hay una gasolinera?
sabé (oustéd) do'ndé aï ouna gassolinéra

DÉCOUVERTE

- Savez-vous où il y a une station-service ?
  ¿Sabe (usted) dónde hay una estación de servicio?
  sabé (ousté[d]) do'ndé aï ouna éstaZio'n dé sérbiZio

- Le plein, s'il vous plait.
  Lleno, por favor.
  yéno, por fabor

- Y a-t-il un garage près d'ici ?
  ¿Hay un garaje por aquí cerca?
  aï ou'n garaHé por aqui Zérca

autoroute à péage	**autopista de peaje**	*aoutopista dé péaHé*
batterie	**batería**	*batéria*
carte routière	**mapa de carreteras**	*mapa dé carrétérass*
essence	**gasolina**	*gassolina*
gas-oil	**gasóleo / gasoil**	*gassoléo / gassoïl*
huile	**aceite**	*aZéïté*
panne (avoir une / être en ~)	**avería (tener una ~)**	*ténér ouna abéria*
pompe à essence	**gasolinera**	*gassolinéra*
sans plomb	**sin plomo**	*si'n plomo*
super	**súper**	*souper*
travaux	**obras**	*obrass*
voie rapide	**autovía**	*aoutobia*
voiture	**coche**	*cotché*

Pour s'orienter

- Excusez-moi, pour aller à la gare ?
  Perdone, ¿para ir a la estación?
  pérdoné, para ir a la éstaZio'n

à côté de	**al lado de**	*al lado dé*
à droite	**a la derecha**	*a la dérétcha*
à gauche	**a la izquierda**	*a la iZquiérda*
ambassade	**embajada**	*é'mbaHada*
après	**después**	*déspouéss*
au bout de	**al final de**	*al final dé*
au fond	**al fondo**	*al fo'ndo*
avenue	**avenida**	*abénida*
centre	**centro**	*Zé'ntro*
d'abord	**primero**	*priméro*
église	**iglesia**	*igléssia*
ensuite	**luego**	*louégo*
ici / là / là-bas	**aquí / ahí / allí**	*aqui / aï / ayi*
loin	**lejos**	*léHoss*
mairie	**ayuntamiento**	*ayou'ntamié'nto*
parc	**parque**	*parqué*
place	**plaza**	*plaZa*
plage	**playa**	*playa*
plan de ville	**mapa de la ciudad**	*mapa de la Ziouda[d]*
pointe (cap)	**punta**	*pou'nta*
près	**cerca**	*Zérca*
quartier	**barrio**	*barrio*
route	**carretera**	*carrétéra*
rue	**calle**	*cayé*
tout droit	**todo recto**	*todo rrécto*

Français	Espagnol	Prononciation
village	**pueblo**	*pouéblo*
ville	**ciudad**	*Ziouda[d]*

L'hébergement

Français	Espagnol	Prononciation
auberge	**albergue**	*albérgué*
appartement	**apartamento**	*apartamé'nto*
camping	**camping**	*ca'mpi'ng*
pension de famille	**casa de huéspedes / pensión**	*cassa dé ouéspédess pé'nsio'n*
gîte rural	**casa rural**	*cassa roural*
une chambre	**una habitación**	*ouna abitaZio'n*
petit hôtel	**hostal**	*ostal*
hôtel	**hotel**	*otél*
avec bain	**con baño**	*co'n bagno*
avec douche	**con ducha**	*co'n doutcha*
avec deux lits	**con dos camas**	*co'n doss camass*
un grand lit	**una cama de matrimonio**	*ouna cama dé matrimonio*
demi-pension	**media pensión**	*média pé'nsio'n*
pension complète	**pensión completa**	*pé'nsio'n co'mpléta*
laverie automatique / pressing	**lavandería**	*laba'ndéria*

Avez-vous une chambre libre, s'il vous plaît ?
¿Tienen una habitación libre, por favor?
tiéné'n ouna abitaZio'n libré, por fabor

Boire et manger

Français	Espagnol	Prononciation
Restaurant	**Restaurante**	*rréstaoura'nté*
Brasserie	**Cervecería**	*ZérbéZéria*
Bar où l'on écoute de la musique	**Bar musical**	*bar moussical*
Bar à cocktails	**Coctelería**	*coctéléria*
Club	**Club**	*cloub*
Discothèque	**Discoteca**	*discotéca*
Pub	**Pub**	*pab*

Garçon, s'il vous plaît...
Camarero, por favor...
camaréro por fabor

Je peux voir la carte ?
¿Puedo ver la carta?
pouédo bér la carta

Avez-vous...?
¿Tiene (usted)...?
tiéné (ousté[d])...

Je voudrais... / Nous voudrions...
Quisiera... / Quisiéramos...
quissiéra / quissiéramoss

L'addition, s'il vous plaît.
La cuenta, por favor.
la coué'nta, por fabor

Gardez la monnaie.
Quédese con la vuelta.
quédéssé co'n la bouélta

petit déjeuner	**desayuno**	*désayouno*
apéritif	**aperitivo**	*apéritibo*
déjeuner	**comida / almuerzo**	*comida / almouérZo*
goûter	**merienda**	*mérié'nda*
dîner / souper	**cena**	*Zéna*
eau plate	**agua (mineral) sin gas**	*agoua (minéral) si'n gass*
eau gazeuse	**agua (mineral) con gas**	*agoua (minéral) co'n gass*
boisson	**bebida**	*bébida*
café noir	**café (solo)**	*café (solo)*
café au lait /café crème	**café con leche**	*café co'n létché*
bière	**cerveza**	*ZérbéZa*
chocolat	**chocolate**	*tchocolaté*
limonade	**gaseosa**	*gasséossa*
thé	**té**	*té*
vin rouge / blanc	**vino tinto / blanco**	*bino ti'nto / bla'nco*
jus d'orange	**zumo de naranja**	*Zoumo dé nara'nHa*
jus de pomme	**zumo de manzana**	*Zoumo dé ma'nZana*
jus de raisin	**zumo de uva**	*Zoumo dé ouba*

Faire des achats

la boîte aux lettres	**el buzón**	*él bouZo'n*
bon marché	**barato**	*barato*
boutique / magasin	**tienda**	*tié'nda*
boulangerie	**panadería**	*panadéria*
bureau de tabac	**estanco**	*ésta'nco*
la carte postale	**la (tarjeta) postal**	*la (tarHéta) postal*
cher	**caro**	*caro*
l'enveloppe	**el sobre**	*él sobré*
la lettre	**la carta**	*la carta*
librairie	**librería**	*libréria*
marché	**mercado**	*mércado*
pharmacie	**farmacia**	*farmaZia*
le timbre	**el sello**	*él séyo*

- Avez-vous...?
  ¿Tiene (usted)...?
  tiéné (ousté[d])
- Combien ça coûte ?
  ¿Cuánto cuesta?
  coua'nto couésta
- Celui-ci me plaît / ne me plaît pas.
  Éste me gusta / no me gusta.
  ésté mé gousta / no mé gousta
- Quel est son prix ?
  ¿Qué precio tiene? / ¿Cuánto vale ?
  qué préZio tiéné / coua'nto balé

Le temps qui passe

après	**después**	*déspouéss*
après demain	**pasado mañana**	*passado magnana*
aujourd'hui	**hoy**	*oï*
avant	**antes**	*a'ntéss*
avant-hier	**antes de ayer / anteayer**	*a'ntéss dé ayér / a'ntéayer*
demain	**mañana**	*magnana*

hier	**ayer**	*ayér*
maintenant	**ahora**	*aora*
plus tard / après	**más tarde / luego**	*mass tardé / louégo*
plus tôt	**más pronto**	*mass pro'nto*
souvent	**a menudo**	*a ménoudo*
tard	**tarde**	*tardé*
tôt	**pronto**	*pro'nto*
toujours	**siempre**	*sié'mpré*
la matinée	**la mañana**	*la magnana*
l'après-midi	**la tarde**	*la tardé*
le soir / la nuit	**la noche**	*la notché*
un jour	**un día**	*ou'n dia*
une semaine	**una semana**	*ouna sémana*
un mois	**un mes**	*ou'n méss*
un an / une année	**un año**	*ou'n agno*

- **L'heure**

Quelle heure est-il ?
¿Qué hora es?
qué ora éss

Il est une heure. / Il est deux, trois, quatre... heures
Es la una. / Son las dos, las tres, las cuatro...
éss la ouna / so'n lass doss, lass tréss, lass couatro

Il est une heure cinq.
Es la una y cinco.
éss la ouna i Zi'nco

moins	**menos**	*ménoss*
et quart	**y cuarto**	*i couarto*
moins le quart	**menos cuarto**	*menoss couarto*
et demie	**y media**	*i média*
pile, juste, précises	**en punto**	*é'n pou'nto*

Il est midi.
Son las doce ou Son las doce de la mañana.
so'n lass doZé / so'n lass doZé dé la magnana

Il est minuit.
Son las doce ou Son las doce de la noche.
so'n lass doZé / so'n lass doZé dé la notché

- **Les jours de la semaine**

lundi	**lunes**	*lounéss*
mardi	**martes**	*martéss*
mercredi	**miércoles**	*miércoléss*
jeudi	**jueves**	*Houébéss*
vendredi	**viernes**	*biérnéss*
samedi	**sábado**	*sabado*
dimanche	**domingo**	*domi'ngo*

- **Les mois et la date**

janvier	**enero**	*énéro*
février	**febrero**	*fébréro*
mars	**marzo**	*marZo*
avril	**abril**	*abril*

mai	**mayo**	*mayo*
juin	**junio**	*Hounio*
juillet	**julio**	*Houlio*
août	**agosto**	*agosto*
septembre	**septiembre**	*séptié'mbré*
octobre	**octubre**	*octoubré*
novembre	**noviembre**	*nobié'mbré*
décembre	**diciembre**	*diZié'mbré*

Les nombres

0	**cero**	*Zéro*
1	**uno**	*ouno*
2	**dos**	*doss*
3	**tres**	*tréss*
4	**cuatro**	*couatro*
5	**cinco**	*Zi'nco*
6	**seis**	*séïss*
7	**siete**	*siété*
8	**ocho**	*otcho*
9	**nueve**	*nouébé*
10	**diez**	*diéZ*
11	**once**	*o'nZé*
12	**doce**	*doZé*
13	**trece**	*tréZé*
14	**catorce**	*catorZé*
15	**quince**	*qui'nZé*
16	**dieciséis**	*diéZisséïss*
17	**diecisiete**	*diéZissiété*
18	**dieciocho**	*diéZiotcho*
19	**diecinueve**	*diéZinouébé*
20	**veinte**	*béi'nté*
21	**veintiuno**	*béi'ntiouno*
22	**veintidós**	*béi'ntidoss*
23	**veintitrés**	*béi'ntitréss*
24	**veinticuatro**	*béi'nticouatro*
25	**veinticinco**	*béi'ntiZi'nco*
26	**veintiséis**	*béi'ntisséïss*
27	**veintisiete**	*béi'ntissiété*
28	**veintiocho**	*béi'ntiotcho*
29	**veintinueve**	*béi'ntinouébé*
30	**treinta**	*tréi'nta*
40	**cuarenta**	*couaré'nta*
50	**cincuenta**	*Zi'ncoué'nta*
60	**sesenta**	*séssé'nta*
70	**setenta**	*sété'nta*
80	**ochenta**	*otché'nta*
90	**noventa**	*nobé'nta*
100	**cien(to)**	*Zié'n(to)*
200	**doscientos / -as**	*dosZié'ntoss / -ass*
300	**trescientos / -as**	*trésZié'ntos / -ass*
1 000	**mil**	*mil*
2 000	**dos mil**	*doss mil*
1 000 000	**un millón**	*ou'n miyo'n*

SAN JOSÉ

Exposition de vaches sur la Plaza de la Cultura.

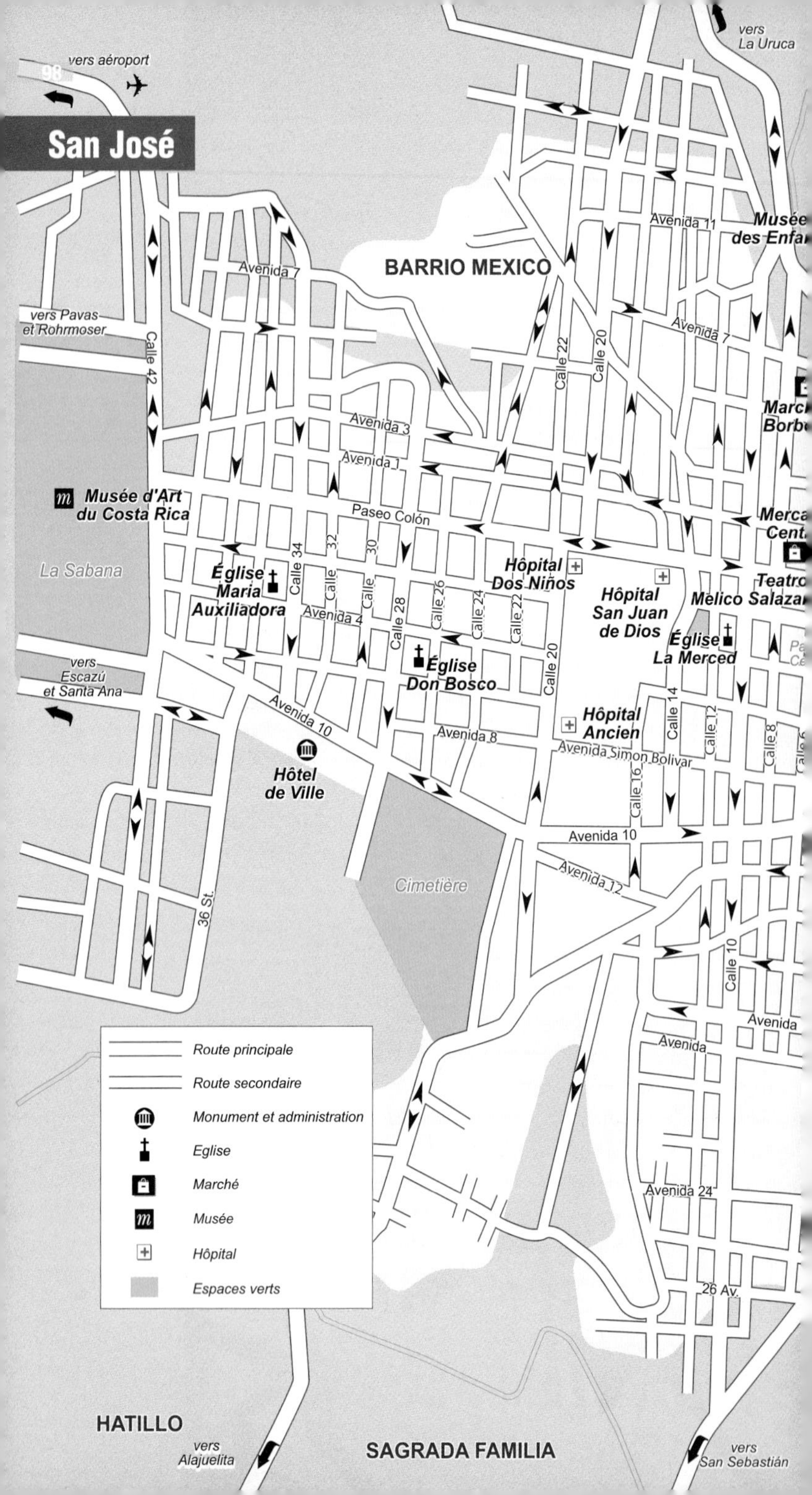
San José
vers aéroport
vers La Uruca
vers Pavas et Rohrmoser
vers Escazú et Santa Ana
vers Alajuelita
vers San Sebastián
BARRIO MEXICO
HATILLO
SAGRADA FAMILIA
Avenida 11
Avenida 7
Avenida 3
Avenida 1
Paseo Colón
Avenida 4
Avenida 8
Avenida 10
Avenida 12
Avenida Simon Bolivar
Avenida 24
Avenida
26 Av.
Calle 42
Calle 34
Calle 32
Calle 30
Calle 28
Calle 26
Calle 24
Calle 22
Calle 20
Calle 16
Calle 14
Calle 12
Calle 10
Calle 8
36 St.
Musée d'Art du Costa Rica
La Sabana
Église Maria Auxiliadora
Église Don Bosco
Hôpital Dos Niños
Hôpital San Juan de Dios
Hôpital Ancien
Église La Merced
Hôtel de Ville
Cimetière
Melico Salazar
Route principale
Route secondaire
Monument et administration
Eglise
Marché
Musée
Hôpital
Espaces verts

vers Guápiles Limón
CALLE BLANCOS
Centre commercial El Pueblo
vers Guadalupe
Parque Bolivar
BARRIO AMON
Calle Central
Avenida 9
Calle 15
Avenida 11
Ministère des Affaires étrangères
Hôpital Calderon Guardia
Avenida 13
Avenida 7
INS
Presidente Roosevelt
Avenida 5
Correo Central
Bibliothèque nationale
Église Sta. Teresita
Avenida 3
Parque Morazán
Avenida 3
Calle 3
Avenida 1
Calle 1
Parque Nacional
Calle 23
Calle 37
Plaza de la Cultura
Assemblée législative
Teatro Nacional
Avenida Central
Avenida 2
Plaza de la Democracia
Museo Nacional
Centre commercial San Pedro
ICT Museo del Oro
Cathédrale de San José
Avenida 4
Avenida Central
Église la Soledad
Calle 15
Calle 17
Calle 19
Calle 21
Plaza de las Garantias
Avenida 6
Avenida 8
Cour Suprême
Paseo de los Estudiantes
Église la Dolorosa
Avenida 10
Avenida 12
Avenida 10 bis
LOS YOSES
Avenida 14
Clinica Biblica
Avenida 12 Bis
17
Calle 5
Calle 7
Calle 11
Calle 13
Avenida 16
Calle
Avenida 18
vers Zapote
Avenida 20
Avenida 18 Bis
Avenida 18
Plaza Gonzalez Viquez
Avenida 22
San José
vers Zapote et Cartago
N
0
300 m
vers Paso Ancho

San José

352 366 hab. (1,9 million avec l'agglomération soit près de 30 % de la population du Costa Rica), 1 150 m d'altitude. La province de San José se situe au cœur même du pays, au cœur de la Vallée centrale, et sa capitale est le centre de la vie sociale, économique, culturelle et, bien sûr, politique du Costa Rica. Les Josefinos et Josefinas, les habitants de San José, vivent sous un climat printanier toute l'année. C'est l'éternel printemps dû à la combinaison des tropiques et de l'altitude ; il fait en moyenne 25 °C de décembre à avril (saison sèche) et 22 °C de mai à novembre (saison de pluies).

San José, ville assez récente, surprend souvent le visiteur fraîchement débarqué. On trouve si peu d'immeubles « modernes » de plus de cinq étages dans le centre que la taille des plus hauts edificios sert de repère. La tour de l'Instituto Costarricense de Electricidad (ICE), celle de l'Instituto Nacional de Seguros (INS), l'Aurola Hotel et le Banco Nacional sont incontournables. Ces tours sont entièrement grises et leur intérieur (sauf pour l'Aurola qui défend son standing), plus proche de la cave que du centre d'affaires, exhibe des murs non peints et des plafonds bruts. Tout semble encore en cours de construction, comme si on attendait que la terre cesse de s'agiter pour vraiment s'installer. Les autres bâtiments sont de béton ou de style néoclassique ou colonial... Mais ne vous attendez pas à la beauté architecturale d'anciennes villes coloniales comme La Havane, vous seriez terriblement déçu ; San José est certainement la ville la plus laide de tout le Costa Rica ! Heureusement, de tous les points de la ville, on peut voir les montagnes bleues à force d'être vertes, du vert des plantations de café. Cette proximité donne un petit air provincial à la cité qui semble avoir été construite en hâte, à la campagne. Les rues, pas vraiment propres, sont très colorées. Tous les magasins sont signalés par des enseignes et, au premier abord, il est difficile de les identifier. Même les bureaux

Les immanquables de San José

- **Le musée de l'Or,** une des plus belles collections d'objets d'Amérique latine.
- **Le musée de Jade,** qui présente une magnifique collection.
- **Le Musée national,** pour un aperçu général du Costa Rica ; ne pas oublier le *mariposario* (volière à papillons).
- **Le centre-ville.** Se promener tout le long de l'avenida Central (piétonne et se reposer autour du Théâtre national sur la plaza de la Cultura).
- **Le Théâtre national.** Participer à une visite guidée.
- **Les quartiers Amón et Otoya.** Flâner dans les vieux quartiers historiques qui ont gardé beaucoup de charme.
- **Le quartier de Escazú.** Dîner et s'y balader pour humer l'atmosphère.
- **Le musée d'art contemporain et de design,** le plus important musée d'art contemporain d'Amérique centrale.
- **Déjeuner dans un soda au Mercado Central** et y acheter des souvenirs en tous genres.
- **Faire la fête dans les bars de San Pedro** en fin de semaine.

sont signalés par une enseigne sur la rue. Les restaurants ou sodas portent les armes de l'une ou l'autre marque nationale de cigarettes ou de bières, plus faciles à déchiffrer que le nom de l'établissement écrit en tout petit sous la publicité. Mais ne vous perdez pas dans la lecture de tous ces noms parce que les trottoirs sont défoncés : regardez où vous mettez les pieds, surtout la nuit. Les trous ou les caniveaux sont plus profonds qu'ils ne le paraissent. La ville est basse et mal aérée, sauf en période alizéenne. La pollution est de plus en plus préoccupante et de louables efforts sont entrepris par le gouvernement pour y remédier. Malheureusement les règles sont loin d'être respectées ; de nombreux Costaricains utilisent encore des engins plus pollueurs qu'utiles.

Histoire

Peu de bâtiments dépassent les cent ans d'âge. San José est jeune. Après une éruption particulièrement destructrice de l'Irazú, en 1723, les colons de la Vallée centrale prirent des précautions pour l'avenir en fondant de nouvelles cités sur des sites plus calmes. C'est ainsi que naquit, en 1737, Villanueva de la Boca del Monte (« Nouvelle ville à la porte de la montagne ») qui deviendra San José, à peu près en même temps que ses voisines Heredia et Alajuela.

Petit guide de survie pour s'orienter dans San José

- ***Calle*** : rue.
- ***Avenida*** : avenue.
- ***Cuadra*** : 100 m ou distance entre deux rues ou deux avenues (*block* aux Etats-Unis).
- ***Sur*** : sud.
- ***Oeste*** : ouest.
- ***Norte*** : nord.
- ***Este*** : est..

Il existe deux méthodes pour se repérer en ville :

- **La première méthode** consiste à se référer aux numéros des rues et des avenues. Cela ressemble à une partie de bataille navale (A3/C12 par exemple). Les rues et les avenues se croisent à angle droit, elles portent un numéro selon leur position par rapport au centre ; les avenues sont orientées ouest/est et les rues nord/sud... On formule les adresses d'après les rues (ou avenues) qui délimitent le pâté de maisons. Si l'adresse notée sur le bout de papier que vous avez entre les mains se lit ainsi : « calles 11 y 13, avenida Central, San José », il faudra vous rendre sur l'avenida 0 ou Central, entre les rues 11 et 13 pour y trouver le Teatro del Angel de San José.
- **La deuxième méthode :** plus en pratique. Les Ticos se servent plus souvent des distances et des points cardinaux pour s'orienter à partir de lieux connus de tous ou de bâtiments plus grands que les autres (la cathédrale, le parc central, le magasin X, la cabine téléphonique, mais aussi l'arbre Y et il y a même parfois des repères qui n'existent plus mais que tous les Ticains ont encore en tête...). Si vous sentez que vous vous perdez, demandez votre chemin en essayant d'obtenir un maximum d'indications concrètes (les habitants ont tendance à rester assez flous dans leurs explications) : c'est le moyen le plus sûr de ne pas perdre trop de temps.

Rue du centre de la capitale.

En 1821, le Costa Rica, sous l'impulsion du Guatemala qui venait de se détacher de l'Espagne, crée un gouvernement autonome. L'autoproclamé empereur du Mexique, le général Iturbide, exhorte ses voisins à rejoindre son empire. Cartago, alors capitale du Costa Rica, et Heredia adhèrent d'emblée, tandis qu'Alajuela et San José refusent net. Une courte guerre civile oppose les deux partis et ce sont finalement les indépendantistes qui l'emportent en 1823. La capitale est logiquement déplacée à San José.

QUARTIERS

Les quartiers (*barrios*) de San José sont récents, les plus anciens datent en effet du XIXe siècle. A la simple consultation du plan de la ville, il est apparemment très simple de s'orienter dans San José. Quelques principes de base peuvent vous y aider. Les *avenidas* traversent la ville d'est en ouest (les horizontales sur un plan) et les *calles* du nord au sud (les verticales). Au sud de l'avenida Central (ou 0, paseo Colón), les avenidas portent des nombres pairs et, au nord, des nombres impairs. Le même système s'applique aux calles dont les numéros vers l'est sont impairs et vers l'ouest, pairs. Les bâtiments sont numérotés, mais de façon anarchique : on passe du n° 1551 au n° 1555 sans qu'aucun n° 1553 n'existe. Se repérer sur un plan semble simple, tout devient plus compliqué quand il s'agit de trouver une adresse précise (les noms de rues sont très rarement indiqués). Commencez par téléphoner à la personne que vous devez rencontrer parce que les adresses postales n'indiquent que le numéro de la boîte postale et rarement l'adresse du lieu. Ensuite, l'adresse en main, prévoyez un certain temps pour trouver l'endroit exact. Il faudra vous habituer aux points cardinaux ; c'est comme cela que les Joséfinos s'y retrouvent. Ainsi le bureau de votre ami sera à 100 m vers le sud et à 500 m après le magasin d'électroménager, à gauche (*a mano izquierda*). Au début, attendez-vous à perdre un peu de temps et, si malencontreusement vous vous égarez, sachez que la ville n'est pas bien grande et que les Ticos sont prêts à vous aider. C'est pourquoi il ne faut jamais hésiter à demander son chemin, même plusieurs fois.

Le centre

▶ **Au centre,** le marché central (Mercado Central) et le marché Borbón (marché aux charrettes) sont effectivement centraux ; ils sont situés entre l'avenida 0 (Central) et les calles 6 et 7. On trouve des vêtements, des fleurs, l'artisanat et les plats traditionnels, tandis que le marché Borbón étale fruits, légumes, viandes et poissons. Sans vouloir vous effrayer, il est bon de rester vigilant et de garder un œil sur vos affaires. Comme partout, la masse a tendance à attirer les parasites !

▶ **Le quartier de la Coca-Cola** (du nom de sa gare routière) continue par des marchés. A éviter la nuit pour les risques que peut encourir une personne seule mais encore une fois, comme dans toutes les gares du monde, les risques sont les mêmes et ne sont pas propres à San José.

▶ **Le barrio Amón,** derrière l'immeuble de l'INS, est le plus central et le plus ancien. Les magnifiques demeures de style espagnol, que l'on peut longer entre les calles 0 et 7 et les avenidas 5 et 13, sont pour la plupart devenues des bureaux, ou des commerces, qui se reconvertissent peu à peu en hôtels colorés.

▶ **Le barrio Otoya** (de la calle 7 à la calle 15 et entre les avenidas 7 et 11), de la même époque que le barrio Amón, est fréquenté pour son parc zoologique Simón Bolívar aux imposants arbres centenaires, son musée de Jade (dans l'immeuble de l'INS), peut-être pour l'ambassade du Mexique et pour la Maison jaune (Casa Amarilla) qui abrite le ministère des Affaires étrangères en bordure du Parque España ou l'Edificio Metálico, dont les pièces métalliques ont été importées de Belgique.

▶ **Le barrio Aranjuez** (entre les calles 15 et 23 et les avenidas 7 et 15) est reconnaissable à ses petites maisons en bois construites dans les années 1930.

▶ **Au sud de l'avenida Central,** les quinze pâtés de maisons qui entourent la cathédrale de San José entre les avenidas 0 et 10 et les calles 0 et 9 sont simplement appelés Catedral. Les immeubles sont bas et l'un d'eux abrite le premier lycée fondé à San José, en 1888, pour l'enseignement des jeunes filles. L'église de la Solitude a donné son nom au quartier suivant, La Soledad, qui s'étend entre les avenidas 4 et 6 et les calles 9 et 15. Peu d'habitat dans ces maisons mais beaucoup de bureaux et de boutiques en vogue.

© STÉPHANE SAVIGNARD

Maison colorée du centre-ville.

Autour de la Cour suprême de justice, entre les avenidas 2 et 10 et les calles 15 et 29, s'étend le quartier appelé La Corte (la Cour). Une agréable promenade entre les maisons basses et colorées permet d'imaginer un autre San José.

La Merced, appelé ainsi en référence à l'église Notre-Dame de la Merced, court entre les calles 0 et 10 et les avenidas 2 et 10. La sphère de pierre, dans le parc devant l'église, est l'une des grandes sphères précolombiennes (dont on ignore totalement l'usage) trouvées à Isla del Caño au large de la péninsule d'Osa.

L'Hospital, où se trouve l'hôpital Saint-Jean-de-Dieu, s'étend entre les calles 14 et 26 et le paseo Colón et l'avenida 10, au nord des deux cimetières de San José (*cementerío obreros* – cimetière ouvrier et *cementerío general* – cimetière général) dont la visite est intéressante pour leurs mausolées.

San Pedro et le Nord

San Pedro est universitaire et résidentiel. Les jardins des facultés sont accessibles à tout un chacun et hautement recommandés. C'est aussi le quartier très prisé de la jeunesse qui s'y retrouve pour boire un verre et se détendre. Ces dernières années, le quartier tend à devenir plus dangereux le soir cependant : on vous recommande donc d'éviter de vous y promener à pied tard dans la soirée.

Le barrio Escalante (entre les calles 23 et 37 et les avenidas 5 et 15) est plus récent que les précédents et plus vert : les maisons y sont souvent entourées de jardins.

Le barrio Los Yoses (de la calle 37 à San Pedro) est le quartier résidentiel de San José : il abrite la plupart des ambassades et les résidences des vieilles familles costaricaines.

Le barrio Francisco Peralta débute calle 29 et devient Los Yoses Sur, au sud du Yoses précédent. C'est un quartier assez récent, des années 1960, comme tous les quartiers de cette périphérie de San José.

Escazú et l'Ouest

Escazú est une banlieue chic formée de trois communes San Rafael de Escazú, Escazú Centro et San Antonio de Escazú, installées sur et autour d'une colline qui domine San José. En bas de la colline se trouve San Rafael de Escazu : c'est une zone très commerçante où se trouvent malls, fast-foods, boutiques de marque, restaurants, mais aussi des lotissements ; on se croirait presque aux Etats-Unis... Escazú Centro est plus typique avec ses petites ruelles et restaurants de quartier. Tout en haut de la colline, la résidentielle San Rafael de Escazú concentre de superbes maisons à la vue époustouflante.

Les barrios San Bosco et San Francisco se trouvent entre les calles 26 et 42, le paseo Colón et l'avenida 10.

Les barrios La Nunciatura et Rohrmoser tiennent leur nom l'un du nonce apostolique qui y réside, l'autre de la plantation qui s'y trouvait avant son urbanisation. Maintenant, c'est le quartier des « nouveaux riches » de San José.

SE DÉPLACER

L'arrivée

Avion

AÉROPORT INTERNATIONAL JUAN SANTAMARIA
Alajuela
✆ +506 2437 2400 – +506 2437 2424
✆ +506 2437 2626 – www.aeris.cr
Accès wi-fi gratuit au niveau des embarquements.
A 17 km du centre de San José, l'aéroport Juan Santamaría est bien équipé : magasins, cafétérias, loueurs de voitures et point d'informations touristiques dans la salle des bagages, etc. Le jour de votre vol retour, arrivez une heure à l'avance à l'aéroport afin de vous acquitter de la taxe de sortie obligatoire d'un montant de 26$; la queue est souvent longue... Pour vous faire gagner du temps, certains hôtels vous proposent de la régler directement chez eux (pour quelques dollars de plus) et vous délivrent le récépissé à présenter aux autorités douanières. Renseignez-vous à la réception de votre hôtel pour savoir s'ils proposent ce service. Pour rejoindre le centre-ville, plusieurs options :

- **Taxi.** Ils se trouvent à gauche en sortant de l'aéroport. Vous serez de toute façon assailli. Ne vous précipitez pas parce que, selon l'hôtel que vous avez réservé si vous l'avez fait, des navettes sont à disposition, c'est le cas notamment pour le Mariott, etc. Pour rejoindre le centre-ville de San José, prendre un taxi officiel (taxis de couleur bordeaux, compter 15 $) ou, plus économique, le bus urbain (520 colones).

- **Les bus** se trouvent en face de la sortie, mais pour accéder à l'arrêt il faut contourner par la gauche la rampe qui permet aux voitures de faire le tour. Les billets s'achètent à bord, compter 520 colones et une demie heure de trajet. Le terminal se trouve Parque de la Merced.

- **Voiture.** Plusieurs agences de location à l'aéroport. Les tarifs sont raisonnables, comptez selon le modèle et l'assurance choisie entre 25 et 45 US$ par jour.

AÉROPORT TOBIAS BOLAÑOS
Pavas ✆ +506 2232 2820
Aéroport des vols intérieurs qui voit atterrir et décoller les vols des compagnies Nature Air et Sansa.

AVIANCA
✆ +506 2233 3066 – www.avianca.com

CONTINENTAL AIRLINES
✆ +506 2296 4911
www.continental.com

COPA AIRLINES
✆ +506 2222 6640 – www.copaair.com
reembolso@copaair.com

CUBANA DE AVIACION
✆ +506 2221 7625
www.cubana.cu
informacion.cliente@cubana.avianet.cu

DELTA AIRLINES
✆ +506 2256 7909 – www.delta.com

GRUPO TACA
✆ +506 2299 8222 – www.taca.com

IBERIA
✆ +506 2431 5633 – www.iberia.com

Taxis rouges dans le centre-ville de San José.

NATURE AIR
Aéroport Tobias Bolaños
À Pavas ✆ +506 2299 6000
www.natureair.com
reservations@natureair.com
Compagnie nationale.
74 vols par jour vers 16 destinations dans le pays et Bocas del Toro, au Panamá. Nature Air est le premier transporteur aérien, au niveau mondial, à avoir compensé 100 % de ses émissions de carbone par le biais d'un programme d'indemnisation certifié. La compagnie a choisi de soutenir des programmes de reboisement et de conservation pour aider à lutter contre les effets de la déforestation au Costa Rica.

SANSA
✆ +506 2290 4100 – www.flysansa.com
infosansa@taca.com
Compagnie nationale.

Bus

Si vous voulez visiter le pays en bus, vous devrez passer par San José qui est en fait le centre névralgique du réseau de bus du pays ; vous trouverez peu de dessertes de province à province... Il faut presque toujours repasser par la capitale. Les bus partent de la gare routière dite Terminal Coca-Cola. Evitez d'y traîner le soir car c'est le quartier de la gare, appelé Coca-Cola par extension, et malfamé. De manière générale, les vols sont rapides et fréquents dans les bus du réseau national : ne vous endormez pas et gardez bien toutes vos affaires sur vous. Ne mettez jamais vos bagages en soute : ils disparaissent à la vitesse de l'éclair lors des arrêts.

INTERBUS
De la Fuente de la Hispanidad
A 100 m à l'est et 25 m au nord,
San Pedro, Montes de Oca
✆ +506 2283 5573
Fax : +506 2283 7655
www.interbusonline.com
reservations@interbusonline.com
Aller simple entre 30 $ et 50 $ en moyenne selon le trajet.
Il s'agit de la compagnie de transport privé numéro un du pays. Attention, vous ne pourrez cependant pas aller partout : c'est un service de shuttle entre les différents spots touristiques et endroits du pays. Le site Web de la compagnie est tellement bien fait que vous pouvez réserver en ligne votre parcours en entrant les dates et les visites souhaitées sans vous soucier du reste. Idem pour les transferts avec les aéroports. Autre avantage des bus de cette compagnie : contrairement aux bus du réseau national, les risques de vols sont quasi nuls. Recommandé.

Voiture

ADOBE RENT A CAR
Bureau n° 10. Centre commercial Plaza Aventura ✆ +506 2542 4800
Fax : +506 2221 9286
www.adobecar.com – info@adobecar.com
Derrière le cimetière principal
La société Adobe dispose de tous les véhicules souhaitables ici au Costa Rica : petits modèles, 4x4 (indispensables dans certaines régions avec les grosses pluies) et minibus. Elle offre d'excellents services : assistance 24h/24h dans tout le pays, téléphone portable (6 US$ par jour), assurance complète, livraison du véhicule dans tout le pays, et... certains membres de l'équipe apprennent le français. Elle dispose aussi d'un réseau de partenariat avec de nombreuses stations-service dans tout le pays. Les 4x4 sont nickels, changés tous les deux ans au maximum, avec climatisation, GPS (un gros plus), radio, etc. A recommander.

AUTO ESCAPE
✆ 0892 46 46 10
Fax : +33 4 90 09 51 87
www.autoescape.com
relation-clients@autoescape.com
En ville, à la gare ou dès votre descente d'avion. Cette compagnie qui réserve de gros volumes auprès des grandes compagnies de location de voitures vous fait bénéficier de ses tarifs négociés. Grande flexibilité. Pas de frais de dossier, pas de frais d'annulation, même à la dernière minute. Des informations et des conseils précieux, en particulier sur les assurances.

MAPACHE RENT A CAR
Paseo Colón
✆ +506 2586 6363 – +506 2586 6300
Fax : +506 2586-6358
www.mapache.com
mapache@racsa.co.cr
Compagnie 100 % costaricaine. Location de tous types de véhicules, du petit modèle jusqu'au minibus (15 personnes) en passant bien entendu par les 4x4, très utiles ici au Costa Rica (surtout en saison verte, la saison des pluies). Services personnalisés de location de voitures depuis et jusqu'à l'hôtel (urgence 24h/24, petite pharmacie à bord, assurance totale, téléphone portable, localisation GPS si disponibilité). Les véhicules sont dans un excellent état. Il y a des agences à San José (Paseo Colón), Alajuela (aéroport), Liberia (aéroport), Tamarindo, Jacó, La Fortuna. A recommander.

Evitez la société MEIR qui a la mauvaise habitude de gonfler fortement les factures CB de ses clients qui, évidemment, ne s'en rendent compte qu'à leur retour…

TARGET RENT A CAR
✆ +506 2238 0745 – +506 2431 4200
✆ +506 8818 4627
www.targetcarrental.com
info@targetcarrental.com
A 5 minutes de l'aéroport,
sur la rue parallèle
à la route panaméricaine
Du Suzuki Jimny au Toyota Prado, spécialistes du 4x4, de tous types pour tous budgets, de 340 à 660 $ la semaine selon la saison et le modèle.
Au delà de la location pure et simple d'un véhicule, Erika et Jorge seront toujours là pour répondre à vos besoins si nécessaire. GPS gratuit à votre disposition.

Circulation et parkings à San José

Bon courage ! Les sens de circulation ne suivent aucune logique. En principe, dans une rue sur deux on circule dans un sens, et dans la suivante dans l'autre sens, mais la réalité est tout autre et il arrive souvent que l'on soit obligé de faire plusieurs fois le tour du même quartier avant de trouver la rue qui mène à bon port. Les priorités n'obéissent à aucune loi, si ce n'est celle du plus rapide. On dit d'ailleurs que si les Ticos sont assez calmes au volant, ils sont en revanche très imprévisibles. Prudence donc ! Pour se garer dans le centre de San José, il faut laisser votre véhicule dans l'un des nombreux parkings gardés (*parqueo público*), moyennant selon le quartier jusqu'à 700 colones de l'heure ! Choisissez donc bien votre zone de parking, sinon cela peut facilement vous revenir très cher.

TOUTCOSTARICA
Paseo Colon ✆ +506 8656 4260
www.toutcostarica.com
info@toutcostarica.com
Pour votre réservation de véhicule (spécialiste 4x4), pas de n° de carte bleue à communiquer, pas d'avance de versement, et une assistance téléphonique 24h/24 en français vous est proposée pour la durée du séjour. GPS gratuit !
Une référence pour les francophones dans l'organisation et la réussite de leur séjour. ToutCostaRica vous apporte la garantie des prix annoncés et la qualité des véhicules proposés. Vous pouvez prendre la livraison de votre véhicule « Chez Pierre » ; la maison d'hôte appartient à l'organisation, elle est située à quelques minutes de l'aéroport international (Alajuela).

TRICOLOR CAR RENTAL
✆ +506 2440 3333
Fax : +506 2443 5555
www.tricolorcarrental.com
info@tricolorcarrental.com
Tricolor est spécialisé dans les voitures à quatre roues motrices et les véhicules standard. Service personnalisé et amical. Forte de quinze ans d'expérience, l'agence propose des véhicules en très bon état de la Suzuki Alto à la Nissan Xtrail en passant par les minibus pour les familles nombreuses. Leur devise : « Pour être le meilleur, de jour en jour, grâce à l'amitié et au service ».

En ville

Bus

Le bus est le moyen le plus pratique, avec le taxi, pour visiter les environs de San José, comme Alajuela, Heredia ou Escazu. Ils se prennent à divers endroits de la capitale. Le Mercado Central est l'un des terminaux. Pour aller à l'aéroport, il faut prendre le bus au Parque de la Merced.

Taxi

Il y en a partout, même dans les coins les plus reculés de la capitale. En raison du défaut de signalisation déjà évoqué, de nombreux chauffeurs de taxi auront des difficultés à trouver les rues et avenues pour vous reconduire à votre hôtel de nuit. Avant de monter dans un taxi, bien faire préciser au chauffeur qu'il connaît bien le lieu où vous résidez, sinon refusez de payer le supplément car certains chauffeurs sont capables de vous faire visiter la ville à contresens.
Assurez-vous également que le véhicule possède un compteur (appelé *la maría*) en état de marche dès que vous montez dans le véhicule ; certains chauffeurs refusent de le mettre en route pour arnaquer les touristes ! Si vous vous retrouvez dans cette situation, demandez au chauffeur de mettre en route son compteur. Si jamais il refuse en prétextant qu'il connaît le montant de la course, surtout ne le croyez pas (prix doublé ou triplé en général), demandez alors gentiment à descendre du taxi (vécu !) ; vous en trouverez rapidement un autre plus honnête et avec compteur en marche car tous les chauffeurs ne sont pas malhonnêtes, heureusement ! Enfin, méfiez-vous des taxis qui prétendent travailler au forfait (trois fois plus chers).

JOHNNY ALPIZAR
✆ +506 8964 9584
Chauffeur de taxi.
Un chauffeur de taxi sérieux dont nous avons testé les services. Il travaille aussi régulièrement pour le Costa Rica Backpackers. Johnny met son compteur et connaît San José comme sa poche. Seul inconvénient : victime de son succès, il n'est pas toujours disponible... Mais si vous le prévenez une heure ou deux à l'avance, il arrive en général à se libérer.

À pied

Parcourir le centre de San José à pied est le meilleur moyen de le découvrir. En se perdant, en revenant sur ses pas et en reconnaissant les rues peu à peu, on apprend plus facilement à se repérer. Mais dès qu'on s'éloigne du centre, les trottoirs sont de plus en plus défoncés, voire inexistants, et on se retrouve rapidement sur les grands axes où les camions et les bus pollueurs sont rois... On vous recommande donc de visiter seulement le centre-ville à pied. Si en journée les promenades sont relativement sûres – à condition de ne pas avoir d'objets de valeur voyants ou de gros sacs –, le centre est vraiment dangereux dès que la nuit tombe... Vers 17h-18h, on vous déconseille vivement tout déplacement à pied. Prenez un taxi pour rentrer ou aller au restaurant : les rues sont dangereuses le soir et les agressions de touristes (et de locaux) fréquentes.

Un petit conseil pratique : regardez toujours où vous mettez les pieds et arrêtez-vous lorsque vous voulez admirez, observer ou prendre des photos parce que les trottoirs sont criblés de trous !

PRATIQUE

Tourisme

INSTITUTO COSTARRICENSE DE TURISMO (ICT)
Plaza de la Cultura. Côté est du pont Juan Pablo II, sur l'avenue General Canas
✆ +506 2299 5800
Fax : +506 2222 1090
www.visitcostarica.com
info@visitcostarica.com
Ouvert du lundi au samedi de 9h à 17h. Le bureau ferme pendant le déjeuner.
L'équipe souriante et dynamique vous reçoit dans les locaux de San José pour répondre à vos questions. L'institut participe activement aux projets touristiques écodurables dont le Costa Rica s'est fait une spécialité. Le site Web dispose d'une version française très utile, vous y trouverez des informations générales et pratiques.

Représentations – Présence française

ALLIANCE FRANÇAISE
C5, a7 ✆ +506 2222 2283
✆ +506 2257 1438 – info@afsj.net
A 200 m à l'ouest de l'INS
Dans une jolie maison « coloniale » du barrio Amón.

AMBASSADE DE FRANCE
Apartado 10177
Quartier de Curridabat ✆ +506 2234 4167
Fax : +506 2234 4196
www.ambafrance-cr.org
san-jose.consulat@diplomatie.gouv.fr
A 200 m au sud et 25 m à l'ouest de l'agence de location de voitures Mitsubishi
Ouvert au public du lundi au vendredi de 8h30 à 12h et l'après-midi sur rendez-vous.

Argent

Les banques sont en général ouvertes de 8h30 à 15h30 du lundi au vendredi. La banque de l'aéroport ouvre entre 6h30 et 17h en semaine et de 7h à 13h les samedis, dimanches et jours fériés. On peut retirer des dollars ou des colones directement avec la carte Visa ou MasterCard aux distributeurs. A l'aéroport, le taux de change n'est bien évidemment pas des plus intéressants, il peut néanmoins vous dépanner si vous ne disposez d'aucune liquidité locale. Le bureau de change se situe en face du tapis qui vous délivrera vos bagages.

Stèle à la mémoire de Leon Cortés.

SAN JOSÉ

BANCO DE COSTA RICA
A2, c6 ✆ +506 2287 9000
www.bancobcr.com
serviciosbancaelectronica@bancobcr.com

BANCO NACIONAL
A3, c2/4 ✆ +506 2212 2000
www.bncr.fi.cr

BANCO POPULAR
C1, a2 ✆ +506 2211 7000

CIA FINANCIERA LONDRES LTDA
C0, a0/a1, au 2e étage de l'Edificio Cosiol
✆ +506 2258 3003
foreignexchange@financerialondres.fi.cr
Change les euros, les dollars canadiens et les francs suisses.

WESTERN UNION
Coopealianza, A2
✆ +506 2222 4594
Sur la partie sud
de la place de la Démocratie
Pour pouvoir se faire envoyer de l'argent ou en recevoir !

Postes et télécom

Pour téléphoner, il vous suffit d'acheter une carte téléphonique (*tarjeta telefónica*). Les cabines téléphoniques publiques pullulent dans tout le pays, malgré le développement fulgurant de la téléphonie mobile. En général, il vous faudra composer le 197 ou le 199 selon la carte que vous vous serez procuré. Ensuite, grattez le code à 12 chiffres, puis le numéro de votre correspondant. Même démarche pour les appels internationaux, mais demandez alors la *tarjeta telefónica internacional.*

POSTE PRINCIPALE
C2, a2/a3 ✆ +506 2223 9766
www.correos.go.cr
Ouvert de 8h à 18h du lundi au vendredi et de 8h à 12h le samedi.

Internet

Il est facile de trouver un cybercafé à San José. Rendez-vous dans un *locutorio*, vous y trouverez certes des cabines téléphoniques, mais aussi des points Internet. Selon le quartier, compter entre 0,50 et 1 US$ de l'heure. La plupart des auberges, pensions et hôtels offrent un espace Internet à leurs clients et/où mettent à disposition une connexion wi-fi gratuitement.

LAS ARCADAS
A2, c1/3, 2e étage ✆ +506 2233 3310
A 100 m au sud du Théâtre national,
à côté de l'école de jeunes filles.
Ouvert tous les jours de 7h30 à 21h. 200 colones les 30 minutes, 300 colones l'heure.
Un cybercafé en plein centre qui a l'avantage de faire laverie également ; on peut donc surfer pendant que le linge tourne. Excellente connexion pour la dizaine d'ordinateurs sur place.

Urgences

CIMA
Escazú
✆ +506 2208 1144 – +506 2208 1000
www.hospitalsanjose.net
cima@hospitalcima.com
Près du centre commercial Multiplaza
A 10 minutes du centre de San José
Un service d'urgences 24h/24.

Poste centrale sur Calle central.

CLINICA BIBLICA
a14, c0/c1
✆ +506 2522 1030 – +506 2522 1000
www.clinicabiblica.com
info@clinicabiblica.com

DR LUIS DIEGO CALZADA
Bâtiment Tepeyac, Guadalupe; Près de la clinique Biblica ✆ +506 2224 3356
Pédiatre, généraliste.
Un médecin attentif et parlant parfaitement le français.

DR OSCAR VARGAS
Desamparados ✆ +506 2259 1219
www.estheticdentistrycr.com
oscarvargas@estheticdentistrycr.com
Route principale près de El Lagar.
Dentiste. Soins dentaires classiques et esthétiques.

DR TELMA RUBINSTEIN
✆ +506 2291 5151
www.prismadental.com
A 300 m à l'est de la Plaza Mayor
Dentiste. L'un des meilleurs dentistes de la capitale selon certains.

PHARMACIE 24H/24
Clinica Biblica, a14, c0/c1
✆ +506 2522 2058

POLICE
✆ 117 – 127

POMPIERS
✆ 118

URGENCES
✆ 911

Adresse utile

LAS ARCADAS
A2, c1/3, 2e étage
✆ +506 2233 3310
A 100 m au sud du Théâtre national, à côté de l'école de jeunes filles.
Lavage à 1 500, 200 colones pour une dose de lessive. Séchage à 500 colones pour 30 minutes, 1 300 colones pour 1 heure.
En plein centre de San José, cette laverie fait aussi cybercafé, ce qui permet de ne pas voir le temps (de la lessive) passer.

SAN JOSÉ

SE LOGER

Au Costa Rica, les hôtels ne sont pas répartis selon un classement par étoiles (en réalité cela se met en place petit à petit). Ils sont assez chers, voire très chers, par rapport au niveau du pays, avec les avantages et les inconvénients inhérents à leur classe de prix. A San José, le choix est relativement vaste, mais dans les catégories dites moyennes. S'ils peuvent tous porter la mention « confort », peu d'entre eux ont un réel charme. Néanmoins, la tendance s'inverse et de nombreux établissements se sont agrandis et modernisés. Dans la catégorie inférieure, si les hôtels ne sont « pas chers du tout », attendez-vous souvent à « pas terribles du tout ». Afin d'éviter les mauvaises surprises, n'hésitez pas à vous montrer exigeant et visitez plusieurs chambres pour pouvoir comparer, à moins que tout ne soit complet, ce qui est fréquent à l'approche des principales fêtes de Noël et de Pâques. A noter, pour en profiter, que la plupart des hôtels offrent quelques minutes, voire la totalité, des appels locaux... Les prix sont la plupart du temps indiqués en dollars américains, mais certaines auberges ou hôtels de petite catégorie présentent leurs tarifs en colones.

Rappel : la haute saison s'étale de début décembre à fin avril (avec juillet et août), la basse saison du début mai à fin novembre (sauf juillet et août).

Locations

Les *apartoteles* (appart-hôtels) sont des chambres meublées, agrémentées d'une kitchenette équipée avec vaisselle à disposition, télévision et salle de bains. La literie et les serviettes de toilette sont fournies. On peut les louer à la journée, à la semaine ou pour plus longtemps (forfaits).

APARTMENTS SCOTLAND
C27, a1
✆ +506 2223 0833
Fax : +506 2257 5317
www.hotels.co.cr/scotland.html
donaldwblair@gmail.com
A l'est de la ville, à neuf blocs du centre. 25 appartements au prix de 250 à 350 US$ la semaine et de 650 à 900 US$ le mois. Cuisine, téléphone, TV par câble (anglais), accès Internet, véranda ou jardin privé.

APARTOTEL COLAYE
Sabana Sur
✆ +506 2231 2324
www.colayehotel.com
Au sud-ouest de Controlaría.
24 chambres et 36 appartements avec cuisine. Pour une chambre (1-4 pers.) : 69 US$/jour ; pour un studio (1-4 pers.) : 69 US$/jour ; pour un appartement (1-4 pers.) : 85 US$/jour. Taxes non incluses. Piscine, restaurant et parking. Wi-fi.

LA SABANA APARTOTEL
Sabana Norte
✆ +506 2220 2422
Fax : +506 2231 7386
www.apartotel-lasabana.com
info@apartotel-lasabana.com
A 150 m au nord du restaurant Rostipollos
Chambres et appartements. Par jour pour une semaine : 60 US$ (chambre), appartement de 75 US$ (studio) à 110 US$ (famille), petit déjeuner traditionnel compris, taxes non incluses. Piscine et sauna, cafétéria, transferts aéroport-hôtel gratuits dans les deux sens (réserver 48 heures auparavant). Wi-fi. Les appartements, bien situés, sont proches du grand parc de La Sabana.

EL SESTEO APARTOTEL
c42, Sabana Sur
✆ +506 2296 1805
Fax : +506 2296 1865
www.sesteo.com – sesteo@racsa.co.cr
A 150 m au sud
de la librairie de l'université
Chambres et appartements. Prix par jour : 60 US$ (chambre), 71 US$ (appartement 1-2 pers.), 115 US$ (appartement 1-4 pers.). Petit déjeuner compris, taxes non incluses. Les prix sont dégressifs, selon que vous y résidez une semaine, deux semaines ou un mois : 1 234 US$ la chambre et de 1 356 à 2 794 US$ l'appartement. Piscine, jardin. Chambres avec ventilateur, TV câblée et wi-fi inclus.
Confortable et fonctionnel, l'idéal en cas de séjour familial prolongé.

Le centre

Bien et pas cher

ARANJUEZ
C19, a11/13
✆ +506 2256 1825
Fax : +506 2223 3528
www.hotelaranjuez.com
info@hotelaranjuez.com
A 200 m à l'ouest de l'église Santa Teresita
A pied, longez l'hôpital Calderón Guardia (il doit se trouver sur votre droite), remontez la rue et prenez la troisième à gauche : vous êtes dans la calle 19. Chambre standard avec ventilateur : 30 US$ (simple),45 US$ (double), 54 US$ (triple). Chambre standard avec air climatisé : 34 US$ (simple), 49 US$ (double), 57 US$ (triple). Chambre catégorie supérieure : 37 US$ (simple), 43 US$ (double), 49 US$ (triple), petit déjeuner (l'un des meilleurs de la ville) compris. Egalement des chambres avec salle de bains à partager : 22 US$ la simple et 27 US$ la double. Un ordinateur connecté à Internet en libre accès. Wi-fi gratuit.
Hôtel simple et cosy situé tout près du centre-ville. Les chambres sont spacieuses et bien ventilées ; celles de catégorie supérieure sont plus grandes et avec TV câblée (écran plat). Un jardin verdoyant très agréable rend l'atmosphère d'autant plus zen. C'est de loin le meilleur établissement de la catégorie. Réservez à l'avance.

CASA LEON
A6, C13/15
✆ +506 2221 1651
✆ +506 2222 3246
www.hotelcasaleon.com
info@hotelcasaleon.com
A une rue de la place de la Démocratie
9 chambres : 7 chambres et 2 dortoirs dont une avec salle de bains partagée (convient bien pour un groupe). Les prix sont les mêmes toute l'année. Dortoir avec salle de bains partagée : 15 US$ (1 pers.) et 30 US$ (2 pers.). Chambre avec salle de bains privée : 27 US$ et 30 US$ (1 pers.), 33 US$ et 38 US$ (2 pers.). Petit déjeuner : 5 US$. L'hôtel dispose d'un livingroom, TV, terrasse, accès Internet gratuit, lave-linge, eau chaude, kitchenette équipée et café gratuit.
Hôtel bien pour les petits budgets, situé tout près du centre, calme, propre et clair. Ambiance chaleureuse grâce à l'accueil du propriétaire Patrick, un Suisse originaire de Zurich. A voir : les deux canards mascottes installés dans la cour de l'hôtel depuis un an.

CINCO HORMIGAS ROJAS B&B
Calle 15, avenida 9 y 11 Bis
Quartier Otoya
✆ +506 2255 3412
Fax : +506 2257 8581
www.cincohormigasrojas.com
info@cincohormigasrojas.com

A 100 m à l'ouest de l'hôpital Calderón Guardia puis 50 m au sud

B&B avec 6 chambres, 2 avec salle de bains privée, les autres avec salle de bains partagée. Chambre doubles de 30 à 50 US$ (TV câble, minibar, radio, lecteur de CD, sèche-cheveux).

Situé dans le beau quartier d'Otoya, très près du centre-ville, les Cinq Fourmis rouges se nichent au fond d'un jardin aux allures de forêt vierge, aménagé par la propriétaire artiste peintre Mayra Guell. Dans la maison, vous pourrez d'ailleurs apprécier les peintures de cette grande fan de Frida Kahlo. Calme et chants des oiseaux sont les touches de ce B&B original, décoré par la propriétaire elle-même, avec papier mâché et mosaïques. Une atmosphère unique qui plaît ou dérange mais, vu le bon rapport qualité-prix, les voyageurs au budget serré y trouveront leur compte.

COSTA RICA BACKPACKERS

Avenida 6
Calle 21 et 23
✆ +506 2221 6191
✆ +506 2223 2406
Fax : +506 2222 9761
www.costaricabackpackers.com
costaricabackpackers@gmail.com

Si vous venez en taxi, dites « De la esquina noreste de la corte suprema de San Jose, 100 metros al este ». 32 US$ la chambre simple ou double privée et 13 US$ en dortoir de 4 personnes au maximum. Eau chaude, piscine, jardin, Internet gratuit avec des ordinateurs à disposition, wi-fi, et cuisine (café gratuit), casiers avec cadenas. Bar sympa près de la piscine ouvert le soir. Possibilité de s'acquitter de la taxe de départ (26 US$) du Costa Rica à la réception.

L'établissement est très prisé par les jeunes avec une équipe francophone très sympa aux commandes. Une véritable oasis en plein cœur de San José avec piscine et un grand jardin tropical, sans oublier le bar-restaurant La Mochila, réputé pour ses concerts live reggae et soirées animées. Une aubaine pour rencontrer les voyageurs du monde entier dans une ambiance décontractée. De loin la meilleure auberge de jeunesse à San José !

HOSTEL EL MUSEO

a2 ✆ +506 2221 7515
www.hostelelmuseo.com
info@hostelelmuseo.com
En face du Musée national.

Nuit en dortoir mixte de 10 à 15 US$ par personne. 35 US$ la seule et unique chambre double (avec salle de bains privée). Petit déjeuner inclus. Wi-fi gratuit.

7 dortoirs mixtes : 4 au rez-de-chaussée et 3 en sous-sol. Rassurez-vous, le sous-sol est clair, moderne et bien aménagé malgré l'absence de fenêtres. Les dortoirs n° 4 et n° 7 ont une salle de bains privée. La cuisinette commune est parfaitement équipée. Cette auberge de jeunesse construite en 2010 n'a qu'un seul vrai défaut : la voie ferrée proche qui peut provoquer des réveils matinaux... Mais vu le petit prix des chambres, les voyageurs aux budgets serrés s'en contentent et se protègent du bruit avec de bonnes boules Quies.

HÔTEL KAP'S PLACE
A11/13, c19
✆ +506 2221 1169
Fax : +506 2256 4850
www.kapsplace.com
info@kapsplace.com
23 chambres de 15 US$ (salle de bains à partager) à 60 US$ (salle de bains privée). 85 US$ la chambre double avec Jacuzzi (la seule et l'unique). Petit déjeuner inclus. Des appels téléphoniques gratuits vers les fixes de plus de 60 pays dont la France, le Canada et la Belgique (à certaines tranches horaires).
Karla, tout à fait charmante, vous reçoit chez elle dans des chambres ou un studio pour 4 personnes avec kitchenette (bien pratique pour un long séjour à San José). On se sent immédiatement bien grâce à l'atmosphère cosy que créent les murs aux couleurs vives et le joli jardin. Une très bonne adresse.

PENSION DE LA CUESTA
A1, c11/15 ✆ +506 2256 7946
Fax : +506 2255 2896
www.pensiondelacuesta.com
costaricahotel@gmail.com
Chambres et appartements avec salle de bains commune. 22 US$ (chambre simple), 28 US$ (chambre double) et 45 US$ (l'appartement) et 269 US$ la semaine, taxes et petit déjeuner compris.
Etablissement très coloré : vous ne pouvez pas manquer la devanture rose ! Sanitaires sommaires, mais propres. Une bonne adresse.

Confort ou charme

BALMORAL
A0, c7/9 ✆ +506 2222 5022
Fax : +506 2221 7826
www.balmoral.co.cr
info@balmoral.co.cr
112 chambres et suites. A partir de 99 US$ la chambre double, 129 US$ et 169 US$ (suite) et 189 US$ (suite présidentielle), buffet du petit déjeuner compris, mais taxes non incluses. Compter 30 US$ par personne supplémentaire.
Etablissement bien tenu à la décoration sobre situé en plein centre-ville, tout confort. Très bel hôtel.

COSTA RICA GUESTHOUSE
A6, c21/23 ✆ +506 2223 7034
www.costaricaguesthouse.com
costaricaguesthouse@gmail.com
Compter 49 US$ la chambre avec salle de bains privée avec lit king size et 39 US$ avec

2 lits simples. Les chambres petit budget sont à 32 US$ avec salle de bains commune et 19 US$ le lit simple avec salle de bains privée. Eau chaude, parking, Internet, wi-fi, café et petit déjeuner gratuits. Visa et MasterCard acceptées.

Cette récente et belle guesthouse compte 22 chambres très spacieuses et propres, avec lit king size. Elle est située dans un belle bâtisse datant de 1904 et tenue par Vincent, un Français qui connaît San José et le Costa Rica comme sa poche. C'est une très bonne adresse pour se poser en arrivant au Costa Rica, à deux pas du centre-ville (possibilité de transfert aéroport pour 25 US$). Vous êtes accueilli par une équipe sympa, professionnelle et francophone, qui vous aide et vous conseille sur les activités à faire dans le coin ou dans le pays (circuits possibles). Vous pourrez profiter, en traversant la rue, du bar et du restaurant du Costa Rica Backpackers.

FLEUR DE LYS

C13 ✆ +506 2223 1206
✆ +506 2257 2621
Fax : +506 2221 6310
www.hotelfleurdelys.com
reservaciones@hotelfleurdelys.com
A 600 m au nord-est du cimetière

Hôtel de 31 chambres réparties de la standard à la master suite supérieure. Les prix en haute saison : 88 US$ (1 pers.), 96 US$ (2 pers.), 136 US$ (junior suite), 166 US$ (master suite), 20 US$ par personne supplémentaire. Gratuit pour les enfants de moins de 12 ans. En basse saison : 78 US$, 86 US$, 126 US$, 156 US$.

L'hôtel au cadre victorien, charmant et confortable, est situé dans un quartier très tranquille tout près du centre (place de la Démocratie). Les chambres, décorées différemment, ont chacune leur salle de bains, téléphone, télévision (câble), ventilateur, sèche-cheveux, parking gardé à proximité. L'hôtel met à votre disposition deux accès Internet et une boutique de souvenirs. Il dispose aussi d'un restaurant, l'Obélisque, d'un bar (ouvert de 14h à 22h) et d'une agence de voyages. A recommander.

Autre adresse : pour l'agence de voyages, contacter Eduardo ✆ +506 2258 3858.

GRAN HOTEL COSTA RICA

A2, c1/3 ✆ +506 2221 4000
Fax : +506 2221 3501
www.grandhotelcostarica.com
info@grandhotelcostarica.com

Situé en face du Teatro Nacional et de la plaza de la Cultura, à proximité immédiate du musée de l'Or. 95 chambres et suites de 75 à185 US$ (taxes non incluses) pour deux personnes, petit déjeuner buffet compris.

Le plus ancien hôtel de San José ! Construit en 1930, il bénéficie d'un emplacement idéal et d'un cadre historique. Son charme désuet est très prisé des touristes comme des Costariciens qui s'y donnent rendez-vous à toute heure, dans le bar abrité sous la galerie à l'ancienne particulièrement agréable en fin de journée, pour faire une pause lors de la visite de la ville ou prendre un verre, ou encore sur la terrasse. Les 102 chambres de différentes catégories, rénovées ces dernières années, disposent toutes du wi-fi gratuit, de la TV câblée et d'un minibar. Les chambres avec vue sur la place sont les plus agréables. Parmi les autres services de l'hôtel, notons le parking privé, le business center avec ordinateurs gratuits, le gymnase bien équipé. L'hôtel compte également un bar, un piano-bar, un casino avec machines à sous, un salon bibliothèque et un restaurant élégant, le 1930. Le personnel attentif est un autre atout de cet hôtel charmant.

HÔTEL COLONIAL

C11, A2/6 ✆ +506 2223 0109
Fax : +506 2223 1443
www.hotelcolonialcr.com
info@hotelcolonialcr.com

11 chambres. De 57 à 66 US$ la chambre simple, de 68 à 77 US$ la double, et de 96 à 111 US$ la suite. 15 US$ par personne supplémentaire. Petit déjeuner inclus. Une piscine, terrasse extérieure agréable. Toutes les chambres ont la TV câblée et le téléphone.

Petit hôtel dans une très belle maison coloniale, il est situé dans un quartier calme près du centre-ville.

HÔTEL DOÑA INES

C11, A2/6
✆ +506 2222 7443 – +506 2222 7553
Fax : +506 2223 5426
www.donaines.com
hoteldonaines@racsa.co.cr

22 chambres. Prix en haute saison : 60 US$ (chambre double) et 75 US$ (chambre triple), petit déjeuner et taxes compris. En basse saison, respectivement 55 US$ et 70 US$. Accès Internet, bureau d'informations touristiques. Chambres avec TV, téléphone et baignoire.

Petit hôtel dans une grande maison de style colonial (avec deux patios très agréable), il est situé dans un quartier très calme, tout près du centre-ville.

HÔTEL DORAL

A4, c6/8 ✆ +506 2233 9410
✆ +506 2233 0665
Fax : +506 2233 4827
www.hoteldoralcr.com
reservas@hoteldoralcr.com
42 chambres. 36 US$ (simple), 50 US$ (double), 63 US$ (triple), taxes non incluses. TV et téléphone dans les chambres. Restaurant-bar.
Cet hôtel aux chambres confortables est une adresse sûre.

HÔTEL EL CASTILLO

C9, A9 Barrio Amon
✆ +506 2221 5141
Fax : +506 2223 2357
www.hotelcastillo.biz
hotelcastillo@racsa.co.cr
Comptez de 51 à 97 US$ selon la saison et la catégorie, petit déjeuner compris. Ordinateur avec connexion Internet en libre accès. Wi-fi gratuit.
L'hôtel, une ancienne maison bourgeoise, est situé dans un quartier calme et résidentiel du barrio Amón, à deux pas des principaux centres d'intérêt de la capitale. Il compte 22 chambres et suites vastes et confortables sur deux niveaux, qui frangent et dominent un jardin intérieur agréable. Le restaurant attenant La Palma sert une bonne cuisine internationale aux parfums péruviens. On peut être servi en salle ou dans un agréable patio. Ordinateurs et Internet à disposition dans le salon. Personnel charmant.

HÔTEL SANTO TOMAS

A7, c3/5 ✆ +506 2255 0448
Fax : +506 2222 3950
www.hotelsantotomas.com
info@hotelsantotomas.com
A environ 225 m de l'INS
20 chambres élégantes toutes non-fumeurs. A partir de 50 US$ la chambre double, petit déjeuner tropical compris, taxes incluses. Restaurant-bar, jardins, piscine, salle de gym, Jacuzzi. Accès Internet dans le lobby et wi-fi gratuit. Un B&B où le bois est partout de bon goût dans une plantation centenaire…

POSADA DEL MUSEO

C17, A2
✆ +506 2258 1027 – +506 2258 8904
Fax : +506 2257 9414
www.hotelposadadelmuseo.com
posadadelmuseo@racsa.co.cr
9 chambres (y compris 2 suites). De 68 à 90 US$ pour une double, taxes non incluses.

Gratuit pour les enfants de moins de 10 ans. Toutes les chambres ont la TV câblée et le wi-fi. Un ordinateur connecté à Internet dans le lobby (accès gratuit).

Tout petit hôtel de style colonial victorien, il est situé dans un quartier très calme (allée piétonne), qui dispose d'un café avec quelques plats sympas le midi.

RINCON DE SAN JOSE

A l'angle de l'avenida 9 et de la calle 15
Barrio Otoya
✆ +506 2221 9702
Fax : +506 2222 1241
www.hotelrincondesanjose.com
info@hotelrincondesanjose.com

42 chambres, toutes spacieuses et différentes, dotées de salle de bains privées, de ventilateurs et de téléphone. Double vitrage pour celles qui donnent sur la rue. Belle terrasse au dernier étage, et petit déjeuner copieux inclus dans le prix. A partir de 53 US$ pour une chambre simple, de 67 à 71 US$ pour une double, de 85 à 88 US$ pour une triple et de 100 à 110 US$ pour une quadruple, taxes non incluses. Un ordinateur à disposition et wi-fi gratuit.

L'intérieur est verdoyant, le patio et les couloirs sont plantés de palmiers, de crotons et de yuccas. Membre de la chaîne Charming and Nature Hotels of Costa Rica, l'hôtel est accueillant et offre certaines chambres (notamment la 25) très stylées. Bar ouvert de 15h à 23h, servant snacks et boissons. Un espace réservé aux fumeurs. Une très bonne adresse !

Luxe

DAYS HOTEL SAN JOSÉ

Avenida 3, Calle 38 y 40
✆ +506 2547 2323
Fax : +506 2547 2324
www.dayshotelsanjose.com
info@dayshotelsanjose.com

82 chambres standard (double : queen ou king), 4 junior suites et 12 suites. Compter 129 US$ la chambre standard, 159 US$ la junior et 179 US$ la suite. Gratuit pour les moins de 12 ans. 20 US$ par personne supplémentaire. Petit déjeuner continental. Taxes de 13% non incluses.

Inauguré en novembre 2010, cet hôtel 4-étoiles situé juste derrière le Paseo Colon est idéalement situé pour se rendre à l'aéroport en 20 minutes, on est également près des centres d'intérêt de la ville (visite, shopping). On se sent bien dans ce grand ensemble chic où le moderne côtoie le classique. Accueil très pro avec une réelle bonne ambiance dans le personnel. Salle de sport avec appareils et écran plat, bar et restaurant, le Sepia, à la cuisine internationale où est servi le petit déjeuner. Hôtel non-fumeurs dans les parties internes, les chambres minimalistes sont spacieuses et très propres – le matelas épais de très bonne qualité invite à la détente. Café à disposition, fer à repasser, coffre-fort, climatisation, grand écran plat, connexion Internet gratuite et surtout appels téléphoniques locaux et internationaux (mobiles et fixes) gratuits depuis votre chambre... chose rarissime. Un établissement imbattable dans sa catégorie.

PRESIDENTE

A0, c7/9
✆ +506 2010 0000
Fax : +506 2221 1205
www.hotel-presidente.com
info@hotel-presidente.com

100 chambres. Les prix (toujours pour occupation double) : 85 US$ (studio), 101 US$ pour une chambre standard, 142 US$ (chambre Spa), 135 US$ (junior suite), 165 US$ (suite Spa) et 390 US$ (master suite avec living-room et Jacuzzi, possible 2 couples), taxes non incluses, petit déjeuner compris.

Equipé d'une salle de gym, d'un café, d'un bar et d'un restaurant, il est situé en plein cœur de San José. Les chambres de cet hôtel de luxe sont bien sûr très confortables et spacieuses. C'est un bel hôtel de centre-ville.

San Pedro et le Nord

Bien et pas cher

RESIDENCIA SAINT PIERRE

✆ +506 2283 1526
Fax : +506 2253 0602
www.residenciasaintpierre.com
info@residenciasaintpierre.com
100 m au nord et 50 m
à l'est de la Banco Popular de San Pedro

7 chambres avec salle de bains privée et eau chaude pour une ou deux personnes. 38 US$ la chambre simple et 48 US$ la double.

L'hôtel Résidence est situé à 300 m de l'université du Costa Rica, dans une petite rue tranquille sans issue. Bâti suivant un concept européen, moderne et fonctionnel, il a été conçu pour ceux qui souhaitent résider près des commerces, dans un cadre paisible.

Confort ou charme

LE BERGERAC
Los Yoses, Calle 35
Entre Avenida Central et Avenida 8
✆ +506 2234 7850 – +506 2225 9103
www.bergerachotel.com
reservaciones@bergerachotel.com
26 chambres entre 90 et 145 US$ selon la catégorie, Standard, supérieure, luxe ou grande pour deux, petit déjeuner compris. Toutes les chambres ont salle de bains, TV câble, ventilateur, sèche-cheveux. Parking couvert.
Dans le quartier calme des ambassades, à l'est de San José, Le Bergerac, grande maison bourgeoise, est un lieu de détente avec ses grandes chambres élégantes, toutes différentes, dont les balcons donnent pour certaines sur un jardin privé intime. Pour le petit déjeuner, vous aurez le choix entre le restaurant et la terrasse arborée. Salon de lecture, salle de réunion, café en terrasse, service de laverie, consigne à bagages, transferts aéroports et surtout personnel francophone. Le restaurant de l'hôtel Cyrano's est réputé pour sa cuisine raffinée de spécialités latines.

D'GALAH HOTEL & SPA
✆ +506 2280 8092
Fax : +506 2224 4961
www.dgalah.com/enmain.php
dgalah@racsa.co.cr
Au nord-est du campus
de l'université de San Pedro
60 US$ la chambre standard simple et 70 US$ la double. 70 US$ la chambre supérieure simple, 80 US$ la double et 85 US$ la triple. 80 US$ la suite avec kitchenette pour une personne et 90 US$ pour deux personnes (10 US$ par personne supplémentaire). Wi-fi et appels locaux gratuits.
Un établissement agréable au style à la fois ancien et moderne. Piscine, spa, parking, cours d'espagnol.

Escazú et l'Ouest

CASA DE LAS TÍAS
San Rafael de Escazú ✆ +506 2289 5517
Fax : +506 2289 7353
www.hotels.co.cr/casatias.html
casatias@kitcom.net
À 100 m est du restaurant Cerutti.
Chambre simple à 80 US$, doubles à 82 US$ et 92 US$, triples à 97 US$ et 107 US$, taxes non incluses. Petit déjeuner copieux compris. Wi-fi gratuit.
Au bout d'un chemin tranquille, une belle maison ancienne dans un grand jardin. Ce B&B peut être un très bon premier contact avec le Costa Rica d'autant plus qu'on y parle français ! Belles chambres pleines de bonnes petites attentions.

COSTA VERDE INN
Centre d'Escazú ✆ +506 2228 4080
Fax : +506 2289 8591
www.costaverdeinn.com
inn@costaverde.com
De 55 à 65 US$ la double, de 65 à 75 US$ la triple et de 75 à 85 US$ l'appartement pour 4 personnes. Petit déjeuner compris, taxes non incluses.
Situé tout prés de San José, au calme, une maison qui rappelle la campagne. Piscine, Jacuzzi, tennis. Très bel hôtel, excellent rapport qualité-prix.

SE RESTAURER

A San José, vous pourrez manger à tous les prix et vous trouverez aussi bien des plats typiques que toutes les cuisines du monde (ce qui ravira les voyageurs qui n'en peuvent plus du *gallo pinto* tous les matins). Les meilleures tables sont dans le centre mais aussi à Escazú.

Le centre

Sur le pouce

Pas de problème pour trouver à manger pour une somme modique, bon et quasiment à toute heure du jour et de la nuit. Entrez sans crainte dans les *sodas*, ces petits restaurants ouverts où tout le monde mange sur le pouce, mais confortablement installé, car la pause déjeuner est sacrée au Costa Rica ! Quelques-unes de ces *sodas*, centrales et établies depuis un bon bout de temps, jouissent d'une solide renommée. Pour encore moins cher et pour son ambiance chaude et « typique », le Mercado Central est tout indiqué, notamment pour de fameux *ceviches* et de délicieuses glaces. N'hésitez pas à vous y rendre, sauf en soirée : tout y est fermé !

MERCADO CENTRAL
C6, a0
Du lundi au samedi de 6h à 18h.
Ce marché, spécialisé dans la vente de souvenirs, est sans aucun doute le meilleur endroit pour manger à petits prix des plats traditionnels, grâce aux nombreuses sodas sur place. Faire également un petit détour par le mercado Borbón, un marché alimentaire à proximité du Mercado Central.

Bien et pas cher

CAFE MUNDO
A9, c15, Barrio Otoya
✆ +506 2222 6190
Ouvert du lundi au jeudi de 11h à 22h30, le vendredi jusqu'à 23h30 et le samedi de 17h à minuit. Fermé le dimanche. Environ 10 000 colones le repas.
Vous y viendrez pour dévorer une excellente pizza, apprécier l'un des nombreux plats très savoureux, ou simplement boire un verre à tout moment de la journée, dans une belle maison victorienne en bois. Il possède une terrasse ombragée et diffuse de la bonne musique ! Les prix sont raisonnables et le service est chaleureux. Le soir, son côté cosmopolite, son ambiance à la fois informelle et à la fois sophistiquée lui donnent ce cachet « salon culturel » si agréable. Une excellente adresse à recommander vivement.

MACHU PICCHU
Paseo Colón
✆ +506 2222 7384 – +506 2255 1717
Fax : +506 2255-2243
www.restaurantemachupicchu.com
info@restaurantemachupicchu.com
125 m nord du KFC
Ouvert du lundi au samedi de 10h à 22h et le dimanche de 11h à 18h. Compter 15 000 colones le repas. Wi-fi gratuit.
Cuisine péruvienne, dont le ceviche qui diffère de celui préparé au Costa Rica. Le restaurant de San Pedro dispose d'une arrière-cour avec quelques tables.

Autre adresse : San Pedro, 125 m au sud de Ferreterias el Mar ✆ +506 2283 3679.

NUESTRA TIERRA
A2, c15
✆ +506 2258 6500 – +506 2221 8767
Ouvert 24h/24. Compter 20 US$ le repas.
Cuisine tica dans une ambiance qui se veut rustique. Un restaurant sympa pour manger typique et pas cher sur des planches de caféier ou des feuilles de bananier, sous un garage avec tresses d'oignons et de bananes qui pendent du plafond.

SHAKTI
A8, c13
✆ +506 2222 4475
Ouvert en semaine jusqu'à 19h et le samedi jusqu'à 18h. Fermé le dimanche.
Belle carte de plats végétariens, du burger au soja en passant par les salades variées. Egalement d'excellents petits déjeuners accompagnés de jus bien frais. Le tout dans un cadre agréable qui respire la nature.

SODA CHELLES
A0, c9
✆ +506 2221 1369
Ouvert 24h/24. Entre 2 000 et 3 000 colones le plat.
Le rendez-vous des noctambules, du portier d'hôtel au musicien. Aussi beaucoup de clients bien éméchés, autant vous prévenir.... Gros sandwichs pour récupérer de la fête.

SODA TAPIA
C42, a2/4, Sabana Este
✆ +506 2222 6734
www.sodatapia.com
info@sodatapia.com
Face au stade national.
Ouvert du dimanche au jeudi de 6h à 2h du matin, et 24h/24 vendredi et samedi. Entre 2 000 et 3 000 colones le plat.
La terrasse accueille depuis de longues années des Ticos exténués par une journée de bureau. C'est un peu plus cher que la soda Chelles, mais la clientèle est moins alcoolisée. Quant aux plats, ils peuvent se montrer originaux et les salades de fruits sont énormes.

WHAPIN'
A13, c35/37, Barrio Escalante
✆ +506 2283 1480 – +506 2524 3103
www.whapin.com
info@whapin.com
Ouvert du lundi au jeudi de 8h à 14h30 et de 18h à 22h, le vendredi de 8h30 à 14h30 et de 18h à 23h30, le samedi de 11h30 à 14h30 et de 18h à 22h. Compter 5 000 colones le repas.
L'un des rares restaurants de cuisine caraïbe. Musique *en vivo* les mercredi et vendredi soir. Vaut le détour.

Bonnes tables

DON WANG
C11, a6/8 ✆ +506 2233 6484
www.donwangrestaurant.com
donwang@ice.co.cr
Ouvert du lundi au jeudi de 11h à 15h30 puis de 17h30 à 22h, le vendredi jusqu'à 23h, le samedi de 11h à 23h, le dimanche de 11h à 22h. Compter 10 000 colones le repas.
Juste à côté du restaurant Tin-Jo, Don Wang offre une bonne présentation et une cuisine chinoise, japonaise et thaïe. Deux cartes : l'une pour « picorer » différents petits plats, l'autre plus classique avec une partie végétarienne. Spécialités : mariscada Don Wang (langouste, calamars…) et fondue chinoise. Très bon rapport qualité-prix.

LA ESQUINA DE BUENOS AIRES
c11, a4 ✆ +506 2223 1909
http://laesquinadebuenosaires.com
laesquina@ice.co.cr
Derrière l'église la Soledad.
Ouvert tous les jours : du lundi au jeudi jusqu'à 22h30, vendredi et samedi jusqu'à 23h et le dimanche jusqu'à 22h. Compter 30 US$ en moyenne pour un repas. Réservation recommandée en fin de semaine.
Amateurs de viandes grillées argentines onctueuses et de bons vins, vous voici à la bonne adresse. Installé dans une petite maison restaurée datant de la fin du XIXe siècle, dans un quartier calme de San José, ce restaurant tenu par un Argentin depuis sept ans est de loin une des meilleures tables de la capitale. Le propriétaire Javier Peire a voulu recréer l'ambiance des restaurants argentins des années 1940, et c'est très réussi ; la décoration rétro, les photos de personnalités argentines en noir et blanc (Julio Cortazar, Maradona et même Mafalda) ainsi que l'éclairage aux bougies vous plongent immédiatement dans une autre époque au cœœur du Buenos Aires d'antan. Une atmosphère délicieusement cosy et romantique que viennent amplifier des airs de tango. Côté plats, on vous recommande la punta de cuadril, une belle viande grillée de 400 g que vous pouvez partager pour seulement 10 500 colones à deux ; demandez la sauce

Vente de fruits dans le centre-ville.

BONS PLANS

roquefort pour l'accompagner : c'est bon à se damner ! Et si en fin de repas vous voulez parler avec Javier, il en sera plus que ravi car il adore discuter avec ses clients. Vous l'aurez compris, c'est une excellente adresse et notre restaurant coup de cœur à San José.

LUBNAN
Paseo Colón, c22/24
En face de la tour Mercedes-Benz
✆ +506 2257 6071 – www.lubnancr.com
Ouvert du mardi au samedi de 11h à 15h et de 18h à minuit. Plats principaux de 5 000 à 8 000 colones. Entrées libanaises typiques (houmous, falafel, etc.) à 4 000 colones en moyenne. Mezze pour 2 personnes à 18 696 colones.
Derrière une façade peu attractive se cache un excellent restaurant libanais à la réputation solide. Deux salles : l'une assez classique et l'autre sous une voute de pierres plus intime avec tables basses et poufs. Les photos du Liban au mur et la musiques orientale vous feront voyager au pays des Cèdres. Et grâce aux plats délicieux, vous vous y croirez ! C'est la meilleure cuisine libanaise de San José. Pour prolonger la détente après le repas, allez faire un tour au bar à l'arrière du restaurant. Le mercredi, c'est soirée électronique animée par le DJ français Sweet Bo et, le jeudi, vous aurez droit à un spectacle de danse orientale de 20h30 à 21h30. Une très bonne adresse.

OBELISCO
C13, a2/6 ✆ +506 2223 1206
✆ +506 2257 2621
Ouvert tous les soirs sauf le dimanche. Restaurant de l'hôtel Fleur de Lys. Environ 30 US$ le repas.
Dans un cadre calme aux lumières douces comme la musique, il propose une cuisine internationale avec des touches tropicales et méditerranéennes. La carte est très équilibrée avec des salades, des viandes, des poissons et aussi des plats végétariens. Parmi les spécialités du chef : le lomito aux figues. Et pour les desserts : la fondue au chocolat au véritable chocolat suisse, les sorbets sont faits maison. La carte des vins est tout aussi équilibrée. Les prix sont très raisonnables. Une bonne table à recommander.

RESTAURANT 1930
Gran Hotel Costa Rica
✆ +506 2221 4000
www.restaurante1930.com
Ouvert tous les jours midi et soir. 20 000 colones le repas en moyenne.
Logé au rez-de-chaussée du Gran Hotel Costa Rica, le restaurant, largement ouvert et aéré, donne sur la galerie de l'hôtel et la place de la Culture. Il arbore un décor soigné et élégant, où le verre voisine avec le fer forgé, donnant une touche d'actualité à un décor classique. De vieilles photographies de la capitale ornent les murs, rappelant les années d'antan. La carte de cuisine internationale est longue, avec des spécialités de poissons (ceviche, carpaccio de saumon), des viandes (filet mignon), des pâtes et des desserts onctueux ; la carte des vins est, quant à elle, fournie et intéressante. Un pianiste anime les repas de 12h30 à 14h30 et de 17h à 21h.

TIN JO
C11, a6/8
✆ +506 2221 7605 – +506 2257 3622
www.tinjo.com – hola@tinjo.com
Ouvert du lundi au jeudi de 11h30 à 15h puis de 17h30 à 22h, vendredi et samedi jusqu'à 23h et le dimanche de 11h30 à 22h. Environ 15 000 colones le repas.
Tin Jo, qui signifie « le meilleur », justifie sa réputation par sa cuisine plusieurs fois récompensée par la presse gastronomique costaricaine. C'est un grand restaurant composé de cinq salons décorés et meublés différemment, chacun dédié à une cuisine (chinoise, indonésienne, indienne, thaïlandaise et japonaise). Des spécialités classiques de chaque cuisine (curry indien, canard laqué chinois, sushi japonais) et une spécialité particulière : le Tin-Jo, plat de viandes et de coquillages dans une corbeille en yuca (corbeille qui se mange). Egalement des plats végétariens. Ambiance très agréable, service de qualité, très bon rapport qualité-prix.

San Pedro et le Nord

Bien et pas cher

BEIRUT LIBANO
Los Yoses
✆ +506 2234 2056 – +506 8920 0161
restaurantebeirutlibano@hotmail.com
hisham67_3@yahoo.com
A côté du bar Río
A 10 minutes à pied du mall San Pedro
Ouvert tous les jours de 11h à 22h et le dimanche de 13h à 20h. Repas à 5 000 colones en moyenne.
Un tout nouveau restaurant libanais très simple pour manger de bons petits plats typiques à prix doux. Bonne cuisine et accueil convivial du patron Hisham.

EL COCORICO VERDE
San Pedro ✆ +506 2224 9744
A 75 m au sud du Banco Popular
Ouvert du mardi au vendredi de 11h30 à 14h30 et de 18h30 à 22h, le samedi de 12h à 16h et de 18h30 à 22h, le dimanche de 12h à 16h. Environ 5 000 colones le repas.
Très bonne crêperie. Une terrasse couverte.

EL CUARTEL DE LA BOCA DEL MONTE
A1, c21/23, San Pedro
✆ +506 2221 0327
Ouvert du lundi au vendredi de 11h30 à 14h et de 18h à 1h du matin, le samedi et le dimanche de 18h à 1h du matin uniquement. Environ 7 500 colones pour un repas.
L'un des lieux où rencontrer le tout San José qui s'y donne rendez-vous depuis longtemps. Si, la nuit, le long bar et la scène sont très populaires auprès des étudiants, le restaurant de la première salle au décor campesino est tout à fait appréciable à midi (sauf le week-end) ou le soir. Bonne cuisine tica (*gallo pinto, arroz con pollo, bocas*...).

IL POMODORO
San Pedro ✆ +506 2224 0966
100 m nord de l'église
Ouvert du jeudi au dimanche de 11h30 à 23h, vendredi et samedi jusqu'à minuit. Fermé le lundi. Compter 7 500 colones pour un repas.
De très bonnes pizzas dans un restaurant agréable et bien fréquenté. Aéré et spacieux, il sert de bons vinos de la casa, des foccacias et des salades. Service efficace et souriant.

OMAR KHAYYAM
Calle de la Amargura, San Pedro
✆ +506 2283 8455
100 m à gauche de Banco Popular
Ouvert du lundi au samedi de 11h à minuit. Environ 5 000 colones le repas.
Dans la rue la plus fréquentée du quartier de l'université, entre le bar et la soda, on y sert tout un choix de petits plats du Moyen-Orient et persans. Terrasse très agréable le soir où le meilleur apéritif est de détailler les passants.

VEGGIE HOUSE
San Pedro ✆ +506 2280 9949
www.facebook.com/veggie.house
Au sud-ouest du Mall de San Pedro, à côté d'Optica Salas
Ouvert du lundi au samedi de 10h à 18h. Compter 3 700 colones le plat.
Comme l'indique son nom, ce petit restaurant sert des spécialités végétariennes : des salades variées délicieuses, de bons hamburgers au soja et des plats du jour créatifs. Sans oublier les smoothies et les jus de fruits frais. Une bonne adresse pour vos papilles et votre estomac. Ou comment manger sainement et à prix doux.

Escazú et l'Ouest

Pause gourmande

BAGELMEN'S
San Rafael de Escazú. Près du Rolex Plaza.
✆ +506 2228 4460 – +506 2289 4616
www.bagelmenscr.com
Ouvert jusqu'à 21h. Wi-fi gratuit.
La mode des bagels (petits pains ronds originaires d'Europe de l'Est) a gagné le Costa Rica, via New York et Montréal, et ceux-ci sont parmi les meilleurs de la ville. Autre adresse à Los Yoses, dans la rue principale.

Autre adresse : Los Yoses, a0 ✆ +506 2224 2432.

GIACOMIN
Escazú, centre ✆ +506 2288 3381
www.pasteleriagiacomin.com
On y sert d'excellentes pâtisseries et de délicieux chocolats faits maison.

Autre adresse : Los Yoses, près du supermarché Automercado ✆ +506 2288 3381.

Bien et pas cher

LA CASCADA
Escazú ✆ +506 2228 0906
Fax : +506 2289 6731
www.lacascadasteak.com
reservaciones@lacascadasteack.com

A 600m à l'ouest du pont de Los Anonos, à côté de la station essence Shell
Ouvert du lundi au vendredi de 11h30 à 15h et de 18h à 22h, le samedi de 12h à 22h et le dimanche de 12h à 21h. Compter 15 000 colones pour un repas.
Très bonne adresse depuis plusieurs années pour ce restaurant qui propose d'excellentes grillades et une belle cuisine d'inspiration européenne.

CASSAVA GRILL
Escazú centre
✆ +506 2228 1645
www.facebook.com/cassava.grill
A 150m à l'est de l'ancienne station Shell
Ouvert du lundi au samedi de 13h à minuit. Entre 6 000 et 9 000 colones le repas.
Un bar-restaurant cosy et agréable installé sur une grande terrasse. Plusieurs écrans géants pour diffuser des clips ou retransmettre des matchs. Côté plats, on a le choix entre une cuisine tex-mex ou américaine avec de nombreuses grillades et hamburgers. La nourriture n'est pas exceptionnelle, mais en soirée l'ambiance festive vous donnera envie de rester jusqu'à la fermeture.

PRINCESA MARINA
Sabana Oeste ✆ +506 2296 7667
www.princesamarina.com
info@princesamarina.com
A 150 m au sud de Canal 7 (la TV nationale)
Ouvert tous les jours de 11h à 22h, le dimanche jusqu'à 21h. Environ 7 500 colones pour un repas.
Bon rapport qualité-prix propre à satisfaire les envies iodées, mais pas seulement ! Beau choix d'entrées, de pâtes et de viandes également.

SABOR A LEÑA
Centre commercial Plaza Mayor
San Rafael de Escazú
✆ +506 2296 2435 – +506 88804256
Ouvert du lundi au vendredi de 11h30 à 19h30 et jusqu'à 20h samedi et dimanche. Environ 7 000 colones le repas.
Pizzas cuites au feu de bois et cuisine italienne. Plus de 40 pizzas au menu !

Bonnes tables

BRASSERIE L'ÎLE DE FRANCE
Hotel Marriott Residence inn, 1er étage
Avenida Escazu ✆ +506 2289 7534
Fax : +506 2289 7673
www.liledefrance.cr
reservaciones@liledefrance.net
Lundi à samedi ouvert de midi jusqu'à 23h30. Le dimanche de midi jusqu'à 17h. Entre 30 US$ et 50 US$ le repas.
Ce restaurant très renommé dans la capitale, a été créé il y a trente-trois ans par un chef français ; il propose une excellente cuisine française servie dans un cadre élégant et traditionnel. Parmi les spécialités, citons le pâté de lapin au poivre vert et cognac, la soupe à l'oignon gratinée et la bisque de fruits de mer au cognac, ainsi que le canard à l'orange, le filet au poivre vert, ou la fricassée de saumon et crevettes au basilic. Parfait si vous êtes nostalgique de la gastronomie française. Il est prudent de réserver, surtout en fin de semaine.

LE MONASTÈRE RESTAURANT ET CAVE
San Rafael de Escazú ✆ +506 2228 8515
Fax : +506 2228 8516
www.monastere-restaurant.com
reservations@monastere-restaurant.com
Au-dessus du Multicentro Paco, entre Escazú et Santa Ana
Ouvert le soir, fermé le dimanche.
Vincent Kempgens, jeune propriétaire de ce surprenant restaurant panoramique, vous invite à passer dans son établissement une soirée qui peut se révéler mémorable. Le cadre, un ancien monastère perché sur les hauteurs d'Escazú, offre une vue époustouflante sur la Vallée centrale. La carte est variée et de qualité. Trois ambiances : le bar romantique, situé à l'entrée, d'où l'on profite de la vue magnifique ; le restaurant qui vous offre une cuisine française raffinée accompagné des meilleurs vins du continent et de métropole ; et la Cava (cave) en sous-sol qui vous attend pour finir la soirée avec un récital de musique du mardi au samedi. Une excellente idée pour terminer son séjour au Costa Rica, la veille du départ ou faire plaisir à des autochtones. Mieux vaut réserver.

SAMURAI FUSION
Plaza Itzkatzú, San Rafael de Escazú
✆ +506 2203 8111
Ouvert du lundi au vendredi de 12h à 15h et de 18h à 23h, de 11h à 23h le samedi et jusqu'à 22h le dimanche.
Les restaurants japonais sont de plus en plus nombreux et le Samurai en est l'un des meilleurs représentants. Les sushis sont généreusement servis, suffisamment du moins pour avoir l'impression que le prix, élevé, est justifié.

SORTIR

Dans le centre de San José, dès la nuit tombée (18h), vous n'aurez aucun mal à trouver une table où vous accouder. Le meilleur quartier reste sans aucun doute celui de l'université, San Pedro. C'est le quartier général des étudiants du coin. Dans ce dédale, vous trouverez à coup sûr votre ambiance de prédilection, en recherchant en premier dans la calle de la Amargura (la rue de l'Amertume), certainement la plus animée les vendredis et samedis soir. Attention cependant : comme dans le centre de San José, il faut être prudent dès la nuit tombée et se déplacer en taxi essentiellement ; faites-vous donc déposer devant le bar de votre choix et évitez de vous balader à pied longtemps. Les bars les plus sympathiques sont souvent situés dans de vieilles maisons de bois entourées de jardins. De nombreux lieux nocturnes sont aussi situés sur le Paseo Colón, à Escazú et Santa Ana. Pour compléter la liste de ceux que nous avons visités, il faut dénicher le petit guide gratuit *San José Volando* qui liste les établissements et les événements, à la manière d'un *Officiel des spectacles*. Enfin, on vous parlera peut-être des bars du centre commercial El Pueblo (barrio Tournon) généralement animés en fin de semaine, mais nous vous déconseillons formellement d'y aller car la zone est devenue dangereuse et particulièrement mal fréquentée ; de nombreux malfrats vont y régler leurs comptes ou chercher la bagarre, n'hésitant pas à dégainer une arme...

Cafés – Bars

Le centre

AREA CITY
c21, a0/a2 La California
www.myspace.com/areacity
Ouvert tous les soirs jusqu'à 2h du matin.
Musique underground et des années 1980. Fans de rock et hipsters se cotoient indifféremment. Le seul vrai bar alternatif de San José.

BAR EL MORAZÁN
Est du parque Morazán ✆ +506 2256 5110
Ouvert de midi à minuit.
Bel établissement en briques rouges du début du siècle. C'est le bar-repaire des jeunes bobos de San José qui y vont pour boire un verre ou danser sur des rythmes électroniques. Des DJ célèbres viennent mixer au Morazán tout au long de l'année. Pour les petites faims, grand choix d'en-cas.

CAFE DEL CORREO (MESETA COFFEE-SHOP)
Poste centrale ✆ +506 2257 3670
Ouvert de 9h à 19h du lundi au vendredi et de 10h à 17h le samedi. Fermé le dimanche. Café entre 1,50 US$ et 3 US$. Sandwiches et plats du jour entre 3US$ et 4US$.
Partie intégrante de la poste centrale, on y sert d'excellents espressos et cappuccinos. Pour les petites faims à midi, également de bons sandwiches et des plats du jour.

CAFE DEL TEATRO
a2, c3/5 ✆ +506 2221 3262
A l'intérieur du Teatro Nacional
Ouvert du lundi au vendredi de 9h à 17h et le samedi de 9h à 12h30 puis de 13h30 à 17h30. Fermé le dimanche. Plats de 3 000 à 4 500 colones.
Pause très agréable, entre toiles d'artistes locaux et conversations mondaines. A fréquenter spécialement lorsque la chaleur du centre-ville vous accable. Des plats simples à prix accessibles en cas de petit creux.

CAFÉ PARISIEN
Gran Hotel Costa Rica
A2, c3 ✆ +506 2221 4000
Ouvert 24h/24. Café à 1 000 colones.
Le plus populaire pour les rendez-vous l'après-midi, mais aussi le plus fréquenté par des touristes exténués après la séance de marchandage sur la plaza de la Cultura. Grande terrasse protégée des marchands ambulants par des cordons.

EL BOCHINCHE
C11, a10/12, Barrio la Soledad
✆ +506 2221 0500
Ouvert du mercredi au samedi.
Bar et restaurant gay d'inspiration mexicaine.

EL STEINVORTH
c1, a0/1
✆ +506 2221 0318
www.elsteinvorth.com
A 200 m au nord puis 200 m à l'ouest du Théâtre national
Ouvert de 17h à minuit du lundi au mercredi, de 17h à 2h jeudi et vendredi, de 21h à 2h le samedi.
Dans un édifice d'Art nouveau (El Steinvorth) récemment réhabilité, un grand loft très design (c'est aussi une galerie d'art contemporain) sert de cadre à un bar branché agréable qui

© STÉPHANE SAVIGNARD

Spectacle folklorique au Musée national.

accueille régulièrement de bons DJ de la scène électro de San José. Clientèle de 20 à 35 ans.

LATINO ROCK CAFÉ
a0, c21, La California
✆ +506 2222 4719 – +506 2221 3223
www.latinorockcafe.com
Près de la pompe à essence La Primavera.
Ouvert tous les soirs à partir de 20h, mercredi et jeudi jusqu'à 2h, vendredi et samedi jusqu'à 6h. Concerts de 1 000 à 2 000 colones par personne. Egalement un service de restauration : pour un repas, compter 3 500 colones par personne.
Un bar avec des concerts live tous les soirs. Tous styles de musique. Pour les affamés, des sandwiches et des plats simples dans le restaurant sur place.

MOCHILA BAR
Bar de l'auberge de jeunesse Costarica Backpackers. Avenida segunda Costado sur de Intaco, Barrio la California
✆ +506 2221 6191 – +506 2223 2406
www.mochilabar.com
mochilabar@gmail.com
Ouvert du lundi au samedi de 16h à 2h du matin, happy-hour de 17h à 19h.
Lieu de rencontre de la jeunesse locale et des touristes autour d'une bière ou d'un cuba libre. Possibilité de manger sur place. Reggae night avec DJ tous les vendredis et samedis : ambiance garantie !

RAFA'S
a1, c21
Ouvert tous les jours de 11h à minuit, jusqu'à 2h vendredi et samedi. Un service de restauration rapide avec des plats autour de 1 000 colones.
Petit bar essentiellement fréquenté par les étudiants. Les boissons sont vraiment bon marché et l'ambiance est bon enfant.

San Pedro et le Nord

JAZZ CAFE
Shopping Center, Calle Real
San Pedro
✆ +506 2253 8933
✆ +506 2288 4740
www.jazzcafecostarica.com
Tout près de Banco Popular.
Ouvert tous les jours à partir de 18h30 jusqu'à 1h30 environ. Programme des concerts dans la plupart des hôtels.
Dans un cadre superbe à la lumière tamisée, on vient ici pour écouter les meilleurs musiciens de jazz du moment. Au mur, des sculptures des grandes figures musicales costariciennes, le tout dans une ambiance feutrée. Le meilleur endroit de San José pour écouter du jazz en vivo (après 22h le mardi et vendredi) et, accessoirement, pour dîner.

Autre adresse : une deuxième adresse a ouvert à San Rafael de Escazú.

MOSAIKOS
Calle de la Amargura, San Pedro
✆ +506 2280 9541
L'un des rares endroits alternatifs de San José, avec une programmation de rap en général.

Escazú et l'Ouest

CAFE DE ARTISTAS
San Rafael de Escazú
✆ +506 2288 5082
www.cafe-de-artistas.com
raschris@comcast.net
A 100 m derrière la plaza Rolex
Ouvert du lundi au samedi de 8h à 18h et le dimanche de 8h à 16h. Brunch le dimanche.
En cas de réveil très tardif, courir ici pour prendre un petit déjeuner (servi toute la journée) ou choisir un sandwich au nom de peintre dans un cadre artistique raffiné.

MAS T'KILA
Centre commercial, Plaza Itskatzu
San Rafael de Escazú
✆ +506 2228 1815
Un bar chic pour faire la fête tard dans une ambiance mexicaine et avec de la tequila bien sûr. Musique live vendredi et samedi.

Clubs et discothèques

En général, l'entrée est payante. Les soirées à thème sont annoncées dans le journal *La Nación* du mardi ou dans l'anglophone *Tico Times* qui paraît le jeudi.

LA AVISPA
c1, a8/10, Barrio La Catedral
✆ +506 2223 3758
Rendez-vous gay et lesbien plutôt latino. Deux pistes, trois bars dont un avec billard et salle de concert.

CLUB VERTIGO
Paseo Colón, c38/40, La Sabana
✆ +506 2257 8424
www.vertigocr.com
Ouvert de 22h au petit matin. De 4 000 à 7 000 colones l'entrée.
LE club de musique électro à San José avec de très bons DJ. Entre house et transe. Vous danserez jusqu'au bout de la nuit au milieu d'une foule de Ticains branchés.

RAPSODIA LOUNGE
La Sabana ✆ +506 2248 1720
www.rapsodiacr.com
A l'ouest de la banque BCR
sur le Paseo Colón
Ouvert du jeudi au samedi : jeudi et vendredi jusqu'à 3h et le samedi jusqu'à 6h. 10 US$ l'entrée.
Un club chic et design où vient festoyer la jeunesse dorée de San José. Les fêtards apprécieront !

Spectacles

Pour obtenir des infos sur les spectacles de la semaine ou la programmation des cinémas, procurez-vous le quotidien national *La Nación* (en espagnol) ou le *Tico Times* (en anglais). Les films sont quasiment toujours en version originale et sous-titrés en espagnol. Les séances ont souvent lieu en fin d'après-midi et le soir. Vous trouverez des salles de quartier dans le centre et des multiplexes en périphérie, dans les centres commerciaux de San Pedro et d'Escazú.

Le centre

CINE MAGALY
c23, a0/a1,
Barrio California
✆ +506 223 0085
Grand cinéma (1 000 places) dans un style rétro.

CINE VARIEDADES
Dans le centre, c5, a0/1
✆ +506 2222 6108
Un des plus vieux cinémas de San José. C'est une ancienne salle de spectacle construite au XIXe siècle qui a été transformée en cinéma.

LITTLE THEATER GROUP – TEATRO LAURENCE OLIVIER
C28, a2
✆ +506 8858 1446
www.littletheatregroup.org
info@littletheatregroup.org
Pièces de théâtre anglophones. Sur place, également un coffee-shop et une galerie d'art.

SALLE GARBO
c28, a2
✆ +506 222 1034
Cinéma d'art et d'essai qui passe régulièrement des films français sous-titrés en espagnol.

TEATRO ARLEQUIN
Plaza de la Democracia
✆ +506 2221 5485
✆ +506 8873 0820
www.facebook.com/teatroarlequincr
teatroarlequincr@gmail.com

A l'ouest de la place,
à 50 m du Musée national
Représentations de vendredi à dimanche.
Créations contemporaines (en espagnol).

TEATRO MELICO SALAZAR
A2, c0/2
✆ +506 2233 5424 – +506 2233 4604
www.teatromelico.go.cr
Melico Salazar était le ténor qui remplaça Caruso à la Scala de Milan. Le théâtre, construit au début du siècle, fut rénové dans les années 1970 et 1980. Avec ses 2 000 places, c'est le deuxième théâtre de la ville après le Nacional. Représentations éclectiques. Les soirs de première sont très élégants. Café agréable au rez-de-chaussée.

TEATRO NACIONAL
Plaza de la Cultura, c5, a0/2
✆ +506 2221 5341
www.teatronacional.go.cr
solanos@teatronacional.go.cr
Dans un décor baroque, du théâtre et des concerts classiques de haute qualité donnés par l'orchestre symphonique national. La saison commence en avril et se termine en novembre.

San Pedro et le Nord

EUGENE O'NEILL THEATER ET CENTRE CULTUREL NORD-AMERICAIN
A1, c37, Barrio Dent ✆ +506 2207 7554
www.centrocultural.cr/arte_detalle.php
info@centrocultural.cr
Concerts de musique de chambre.

Casino

Pratiquement tous les hôtels de la plus haute catégorie ont une salle de jeu. Les Ticos viennent dépenser leur salaire de la semaine en compagnie des *gringos* de passage. Chaque casino a sa particularité : certains recherchent une ambiance soft comme le Cariarí, le Camino Real ou le Corobicí, d'autres l'apparence comme l'Aurola Holiday Inn, et d'autres encore l'ambiance chaude et bruyante des saloons comme l'hôtel Del Rey... Cette dernière adresse est à éviter car le casino del Rey est fréquenté régulièrement par des malfrats et la prostitution y est coutumière. Enfin, la tradition veut que les établissements de jeu au Costa Rica offrent les consommations et les cigarettes. Attention tout de même aux empreintes de cartes de crédit qui sont parfois réutilisées.

À VOIR – À FAIRE

Visites guidées

CAMINANDO COSTA RICA
Barrio Amon
✆ +506 2221 7033
✆ +33 6 20 41 53 28
Fax : +506 2258 0350
www.caminandocostarica.com
contact@caminandocostarica.com
Agence ouverte du lundi au vendredi de 8h à 17h, le samedi de 9h à 12h.
Cette agence de tourisme dirigée par une équipe franco-costaricienne et spécialisée dans les voyages naturalistes, le tourisme rural et communautaire possède une connaissance approfondie du terrain et de toutes les régions du pays. Elle vous propose des prestations sur mesure de qualité, que vous soyez en couple, en famille ou en groupe. Son réseau de prestataires triés sur le volet (hôtels et lodges de toutes catégories, transporteurs, tourisme rural...) lui permet de confectionner des itinéraires personnalisés correspondant aux aspirations de chacun dans une philosophie de tourisme responsable.

COSTA RICA DÉCOUVERTE
Santa Ana
✆ +506 2282 7543
www.costarica-decouverte.com
agence@costarica-decouverte.com
À 100 m à l'est de Ceviche del Rey
et à 600 m à droite
de Casa Ladrillo
Costa Rica Découverte est une agence française spécialisée sur le pays, elle propose des circuits et des séjours sur mesure. L'écotourisme, l'aventure et les séjours entre amis ou en famille sont les bases des circuits qu'elle propose. Découverte et nature seront au rendez-vous de leurs offres et, ce, à des prix sans aucun intermédiaire. Des Caraïbes au Pacifique en passant par les volcans, les parcs nationaux, vous partirez pour une expérience nature hors du commun. Au-delà des circuits que propose l'agence, Costa Rica Découverte est impliquée dans le pays en matière d'environnement : membre de la Fondation Corcovado, compensation de votre voyage en reforestation, soutien aux populations indigènes...

ERIC GAY – INTERNATURA

✆ +506 2244 1074 – +506 83 48 86 33
www.internatura-frcr.com
veloforet@yahoo.fr

Eric, installé au Costa Rica depuis six ans, propose des circuits divers et variés dans tout le pays. Passionné de voyages, il a parcouru le monde à vélo pendant plusieurs années avant d'élire le Costa Rica comme terre d'accueil. Une valeur sûre donc ! Certains circuits sont thématiques comme les tours randonnée, ou à VTT, il y aussi un tour pour les amateurs d'orchidées, un tour dédié au volcan, un autre s'intéressant aux communautés indigènes, un autre encore qui se déroule en forêt tropicale… Bref, il y en a pour tous les goûts et tous les niveaux, certains sont même plutôt réservés à de bons marcheurs ou à des sportifs aguerris. Dans tout les cas, son point fort réside dans sa flexibilité et sa parfaite connaissance du milieu tropical. En groupe de maximum 12 personnes, il peut se charger de toute votre petite famille pendant une dizaine de jours pour vous garantir le meilleur du Costa Rica ! Il ne fait d'ailleurs appel qu'à des familles costariciennes et tente à travers sa petite entreprise de faire travailler les locaux ! Une rencontre authentique donc ! N'hésitez pas à lui parler de votre projet, il étudie toutes les possibilités et ne rate pas une occasion de répondre à de nouvelles demandes.

GEORGES NAON – VISTA NOSARA

✆ +506 2260 3368 – +506 8839 2041
Fax : +506 2560 1147
http://georges.costarica.free.fr
georgesnaon@hotmail.com

Consulter par email pour les tarifs, autour de 200 US$ par jour tout compris (transport, excursions et nourriture) pour 4 personnes au maximum et les valises. Au-delà une option microbus est possible de 5 à 7 personnes conduite et guidée par Georges. Logement proposé à Heredia dans sa maison d'hôte avec une remise sur les circuits pour les clients des chambres.

Cet ancien chef d'entreprise francophone est un guide national officiel au Costa Rica et c'est aussi un naturaliste. Georges est un sympathique Français marié à une Colombienne charmante, il travaille aussi pour les agences du pays et saura vous conseiller selon vos interêts. Il connaît le pays comme sa poche et vous invite à sillonner les parcs, forêts et volcans du pays à bord de son 4x4 Galoper.

NATURE COSTA TOUR

✆ +506 8323 7753
www.naturecostatour.com

Nicolas Chtepenko, le fondateur de l'agence, est un passionné de voyages découverte. Il vous propose des circuits pour approcher – comme il dit – « une nature extraordinaire, une population locale très chaleureuse, une grande diversité de paysages grâce à ses chaînes montagneuses du nord au sud du pays et une double culture caraïbe et pacifique ». Parmi les tours vedettes, retenons le circuit de 8 jours et 7 nuits, celui de 14 jours et 13 nuits, des circuits multi-activités de 1 à 2 semaines et des séjours plus sportifs. Programme à la carte, mais aussi des activités ponctuelles pour pratiquer la rando, le surf, le

VTT, l'accrobranche et des animations nature. Un Français de Gwada vraiment attachant qui met toute sa passion et son amour à votre service. Profitez-en, ces qualités se font rares…

QUIRIEN JEAN
qjflo@yahoo.fr
Guide naturaliste et spécialiste du Costa Rica, sur place depuis plus de douze ans. De formation botaniste, il connaît parfaitement la flore du pays et saura satisfaire votre curiosité quant à la faune. Les us et coutumes costariciens n'ont plus grand secret pour lui, il les partagera d'ailleurs avec enthousiasme et vous promet un séjour enchanteur à travers monts, volcans et forêts. Il est particulièrement passionné par les treks et il ne faut pas hésiter à le contacter très longtemps à l'avance tant il est demandé !

TRIO DE TURISMO
Plaza Colonial, Escazu
✆ +506 8823 9574
Fax : +506 2288 0156
www.triodeturismo.com
info@triodeturismo.com
Installée au Costa Rica depuis 1998, l'agence est reconnue dans le domaine de la création et l'organisation de voyages sur mesure pour les particuliers. L'expérience du pays et sa connaissance font de cette équipe française une bonne référence pour organiser des voyages à la carte pour des particuliers ou des séjours tout inclus pour des groupes.

TUCAYA
✆ +506 2234 1639
✆ +506 8832 2963
✆ +506 8861 1072
Fax : +506 2234 1639
www.tucayacostarica.com
costarica@tucaya.com
200 m au sud de Plaza del Sol
de Curridabat et 100 m à l'ouest
Spécialiste en Amérique latine depuis bientôt quinze ans, l'agence Tucaya propose tout type de séjours et circuits à travers le Costa Rica : montagnes et vallées, plages, volcans et tourisme communautaire sont au programme. L'équipe de francophones dirigée par Delphine s'est fixée l'objectif de répondre rapidement à vos demandes et de vous proposer les circuits et séjours adaptés à vos souhaits. Le site Web permet de trouver en ligne un voyage sur mesure par thématique.

Le centre

MUSÉE D'ART CONTEMPORAIN ET DE DESIGN

CENAC, ancienne fabrique de liqueurs
a3, c15/17 ✆ +506 2257 7202
Fax : +506 2257 8702
www.madc.ac.cr

Ouvert du lundi au samedi de 9h30 à 17h. Adultes 3 US$, étudiants 500 colones (sur présentation de la carte). Enfants et retraités : gratuit. Lundi : entrée gratuite pour tous.

Entrée libre. Dans l'un des plus anciens bâtiments de San José (1840), une distillerie reconvertie en centre culturel, lieu d'exposition et théâtre. En février, festival d'art et manifestations libres d'accès.

MUSÉE DE L'OR PRÉCOLOMBIEN (MUSEO DEL ORO PRECOLOMBINO)

Plaza de la Cultura, a0, c5
✆ +506 2243 4202
Fax : +506 2243 4220
www.museosdelbancocentral.org
museoro@racsa.co.cr

Entrée : 5 500 colones, 3 500 colones pour les étudiants. Gratuit le mercredi pour les résidents. Ouvert du lundi au dimanche de 9h15 à 17h. Bureau d'informations à l'entrée, brochures en espagnol et en anglais. Boutique de souvenirs dont des reproductions des musées.

Sous la plaza de la Cultura, sur trois niveaux, ce musée est la partie la plus importante du complexe culturel ouvert depuis 1975 et restauré en 1985. L'entrée est signalée par un ensemble de tuyauteries qui rappelle une certaine usine culturelle parisienne (côté est de la place). Ce complexe, assez impressionnant, s'habille d'une architecture toute bétonnée. Pas d'ornements superflus, ici on aime le gris brut et uniforme. Un gigantesque escalier mène aux sous-sols et au musée complètement réaménagé en 2002. Vous pourrez parfaire vos connaissances sur l'histoire américaine précolombienne de 2 000 av. J.-C. à 1 500 apr. J.-C., ou contempler une parure de guerrier, de celles-là mêmes qui firent croire aux compagnons de Christophe Colomb que le paradis aurifère ne devait plus être loin puisque tout un chacun pouvait arborer ces magnifiques ornements. Les explications sont en espagnol et en anglais et les dessins qui accompagnent l'exposition sont suffisamment éloquents. Vous remarquerez une série de disques d'or, jadis directement cousus sur les vêtements, de diadèmes, de pinces à épiler, d'hameçons (l'or ou le cuivre servaient à tout) et différents bijoux ou accessoires de la vie courante, dont beaucoup étaient destinés aux rites funéraires. Plusieurs vitrines protègent des grelots qui, selon Fray Pedro Simón (XVIe siècle), étaient accrochés aux branches des arbres près des sanctuaires religieux. Les techniques de fabrication de tous ces objets sont abondamment expliquées. Ce musée a été décidé en 1950 quand El Banco Central de Costa Rica a commencé une collection d'objets précolombiens en vue de préserver l'héritage du pays. C'est un très beau musée, riche, très bien tenu et documenté. Un des plus beaux musées d'or d'Amérique latine ; c'est un incontournable de San José. A recommander. Dans le même complexe, un petit musée numismatique intéressant.

MUSÉE DES ENFANTS (MUSEO DE LOS NIÑOS)

c4, a9 ✆ +506 2258 4929
www.museocr.com

Entrée : 2 US$ pour les adultes, 1,50 US$ pour les enfants. Période scolaire : ouvert du mardi au vendredi de 8h à 16h30 et de 9h30 à 17h les samedi et dimanche. Pendant les vacances scolaires : ouvert du lundi au vendredi de 9h à 17h et de 9h30 à 17h les samedi et dimanche. Ateliers les samedi et dimanche matin et pendant les vacances scolaires.

Peut-être que depuis votre arrivée à San José vous vous demandez ce qu'est cet énorme bâtiment aux couleurs shocking, digne de la Belle au Bois Dormant, parfois surmonté de ballons, de drapeaux et autres banderoles. C'est une prison, ou plutôt l'ancien pénitencier de San José transformé il y a quelques années en musée pour les enfants. Histoire, sciences, société… En plus de la visite, les enfants ne doivent pas bouder les ateliers où ils apprendront à construire une maison précolombienne ou à fabriquer des bijoux de style bribrí.

MUSÉE DU JADE (MUSEO DEL JADE MARCO FIDEL TRISTAN)

Rez-de-chaussée de l'immeuble INS
A7, c9/9b
✆ +506 2287 6034
http://portal.ins-cr.com
museodeljade@ins-cr.com

Entrée : 8 US$, gratuit pour les enfants de moins de 12 ans et les étudiants (sur présentation de la carte). Ouvert du lundi au vendredi de 8h30 à 15h30, le samedi de 9h à 13h.

La plus grande collection de jade de tout le continent américain présente des objets religieux, décoratifs ou ornementaux en jade et également des ustensiles de cuisine en céramique de 500 av. J.-C. jusqu'à 800 apr. J.-C. De nombreuses pièces sont rétro-éclairées afin d'en apprécier la transparence, signe de pureté des pierres. Il y a aussi d'autres pièces exposées en céramique, en or. C'est dans ce musée, au onzième étage (vue sur la ville) de l'immeuble de l'Instituto Nacional de Seguros, que l'on peut voir les fameuses tables à moudre le maïs (*metates*) des tribus chorotegas du nord, et, accessoirement, disposer d'une très belle vue sur la Vallée centrale. Un des plus beaux musées d'Amérique latine. A recommander.

MUSÉE DU RAIL (MUSEO DEL FERROCARRIL)

A3, c19

Ouvert du mardi au dimanche de 14h à 21h.

Ce musée qui a du mal à trouver sa « voie » se trouve dans la gare même d'où partaient les trains en direction de l'Atlantique et du terminus de Limón. Les expositions de photographies retracent l'histoire de cette voie ferrée dont le trafic s'est arrêté en 1990.

MUSÉE NATIONAL (MUSEO NACIONAL)

C17, a1/2

✆ +506 2257 1433 – +506 2233 7427

www.museocostarica.go.cr

Adultes 8 US$, étudiants 4 US$ (sur présentation de la carte), gratuit pour les enfants de moins de 12 ans. Ouvert du mardi au samedi de 8h30 à 16h30, de 9h à 16h30 le dimanche.

Classé Monument national en 1984, ce bâtiment jaune qui surplombe les immenses marches de la place de la Démocratie accueille depuis son réaménagement en 1989 (date du centenaire de la Démocratie) des collections consacrées à la civilisation costaricaine. Fondé en 1887, le musée était à l'origine un fonds de recherche scientifique et n'a été ouvert au public qu'à partir de 1930. Ce n'est qu'en 1948 que la collection intégra les murs de cette ancienne caserne Bellavista construite au début du siècle (on peut encore voir les impacts de balles de la courte guerre civile de 1948 sur les tours à l'arrière de l'édifice). Les collections, allant de l'art sacré précolombien aux documents marquant le début de la première République (1821), sont fort riches. De nombreuses pièces précolombiennes venant du site de Guayabo, dans le parc les sphères précolombiennes du sud-ouest (Osa), des objets d'or précolombien et aussi des pièces plus récentes d'histoire contemporaine composent les très belles collections de ce musée. Il édite aussi des revues et des livres. Si la visite ne vous intéresse pas, allez quand même faire un tour de ce côté vers 18h, avant le coucher du soleil. Le bâtiment jaune devient alors flamboyant et si, par chance, il pleut et que le ciel est encore noir de nuages, le spectacle devient grandiose. Pour ceux qui n'en ont pas vu lors de périples dans le pays, vous pouvez voir un *mariposario* (jardin à papillons) en sous-sol. Ce très beau musée mérite votre visite. A recommander.

MUSÉE PHILATÉLIQUE (MUSEO FILATELICO Y NUMISMATICO)

Au premier étage de la poste (Correo central)

c3, a1/3 ✆ +506 2223 9766

Ouvert du lundi au vendredi de 8h à 16h45. Entrée libre.

L'histoire du Costa Rica à travers l'édition de timbres et d'antiques postes de télégraphie depuis 1849.

MUSEO DR. RAFAEL ANGEL CALDERÓN GUARDIA

A11/13, c25/27, barrio Escalante

✆ +506 2222 6392

Ouvert du lundi au samedi de 9h à 17h. Entrée libre.

Une belle maison ancienne où vécut la famille du Dr Calderón Guardia, le président réformiste des années 1940. Expositions temporaires et galerie d'arts. Ce musée revient largement sur la réforme sociale menée entre 1940 et 1944 par ce même président, l'un des plus importants leaders politiques de l'histoire du pays.

PARQUE CENTRAL

Parque Central

Situé sur la seconde avenue, il est le cœur de San José. Le plus grand kiosque du pays (offert par le Nicaragua) qui en marque le centre est l'un des points de rendez-vous les plus connus des Costaricains. A l'est se trouve la Catedral Metropolitana qui a reçu la visite de Jean-Paul II au début des années 1980 et au nord le théâtre Melico Salazar.

PARQUE DE LA MERCED

Il doit son nom à l'église qui est située à proximité. Son véritable nom est Braulio Carrillo, celui d'un ancien président de la République.

PARQUE MORAZAN

A3, c7

Il porte le nom de Francisco Morazán, un partisan hondurien de l'unité centraméricaine du milieu du XIXe siècle. En son centre un belvédère qui se nomme pompeusement Temple de la musique. Il a conservé son aspect original avec ses jardins et ses bancs d'une seule pièce, mais quelque peu décrépits.

PARQUE NACIONAL

A1/3, c15/19

La place est l'une des plus belles de San José. Elle comporte deux statues : l'une est un hommage aux combats livrés par l'Amérique centrale contre l'aventurier William Walker et sculptée par un disciple de Rodin, l'autre représente le héros national, Juan Santamaría. En bordure du parc se trouvent l'Assemblée législative et la Bibliothèque nationale.

PARQUE ZOOLOGICO SIMON BOLÍVAR

Dans le parc Simón Bolívar
a11, c7, barrio Otoya ✆ +506 2256 0012
www.fundazoo.org
info@fundazoo.org

Ouvert tous les jours de 9h à 16h30. Adultes 2 100 colones, enfants de 3 à 12 ans 1 400 colones, gratuit pour les moins de 3 ans.

Plus de 400 espèces d'animaux et 150 espèces de plantes du Costa Rica. Une aire est dédiée aux enfants, mais dans l'ensemble le parc est mal entretenu et peut être décevant.

PLAZA DE LA CULTURA

Plaza de La Cultura

En plein centre de San José, elle est bordée par le Théâtre national, le musée de l'Or précolombien, son voisin l'Institut du tourisme et par une rangée de fast-foods. Le Théâtre national en est le phare. Les touristes et les Ticos s'y donnent rendez-vous, le plus souvent sous les arcades du Gran Hotel Costa Rica. C'est le lieu idéal pour regarder les passants, pour sentir le pouls de la ville.

PLAZA DE LA DEMOCRACIA

Entre les avenidas 0 et 2
et les calles 17 et 19

Cette place est en partie composée de gigantesques escaliers menant au Museo Nacional. Une statue y célèbre don Pepe Figueres. En bas des escaliers, une petite maison bleue abrite la Fondation pour la paix créée par Oscar Arías Sánchez. Elle n'a rien de remarquable et son état est un peu triste. Elle abrite un marché artisanal en plein air.

TEATRO MELICO SALAZAR

A2, c0/2
✆ +506 2233 5424
✆ +506 2233 4604
www.teatromelico.go.cr

Melico Salazar était le ténor qui remplaça Caruso à la Scala de Milan. Le théâtre, construit au début du siècle, a connu une histoire mouvementée parfois bien éloignée des jeux de l'esprit. Tout d'abord *cabildo* (mairie) puis quartier général de l'armée où fut composé l'hymne national en 1852, il devint lycée de garçons en 1913 avant d'être fermé en 1924. En 1926, il devint pour la première fois un théâtre où se jouaient zarzuelas et opérettes. Détruit en 1967 par un incendie, le théâtre Raventos devient enfin le Melico Salazar en 1976 et est rénové dans les années 1980. Avec ses 2 000 places, c'est le deuxième théâtre de la ville après le Nacional. Au rez-de-chaussée, le café Bohemia, agréable, vient d'être réaménagé.

THÉÂTRE NATIONAL (TEATRO NACIONAL)

C5, a0/2 ✆ +506 2222 8239
www.teatronacional.go.cr

Ouvert du lundi au samedi de 9h à 16h45. Visite guidée en espagnol et en anglais : 7 US$.

La plus grande salle du pays – et la fierté des Costaricains – est classée par les Monuments historiques depuis 1965. Elle accueille les troupes les plus prestigieuses, nationales et internationales, de théâtre et de danse, d'opéra, d'opéra-comique et de zarzuela, aussi bien que les événements publics importants. Son existence résulte de la défection d'une des plus fameuses cantatrices de la fin du XIXe siècle, Adelina Patti, pour cause d'absence de salle adéquate au Costa Rica. Au début de 1890, un groupe d'agriculteurs et de négociants en café se cotisa pour permettre la construction de ce théâtre. Le président de l'époque, José Joaquín Rodríguez, s'émut de ce don et accepta le projet en mai 1890, le financement étant assuré par un apport de l'Etat et un impôt spécial sur les exportations de café. La conception et la mise en œuvre furent confiées à des architectes belges et la décoration à des Italiens (Andreoli, Serra, Ferrando, Guevander, Ferrario et Fontana). La direction des travaux resta entre les mains de Costaricains (Miguel Angel Velásquez, Luis Matamoros et Nicolás Chavarría) secondés par des architectes d'origine allemande (Pedro et Fernando Reigh), le maître d'œuvre étant Antonio Varela.

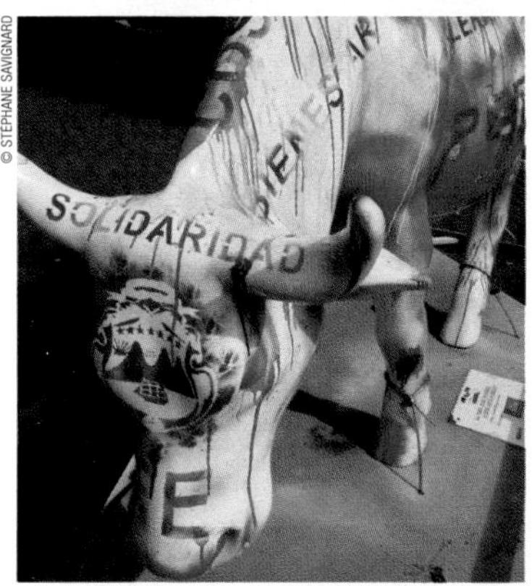

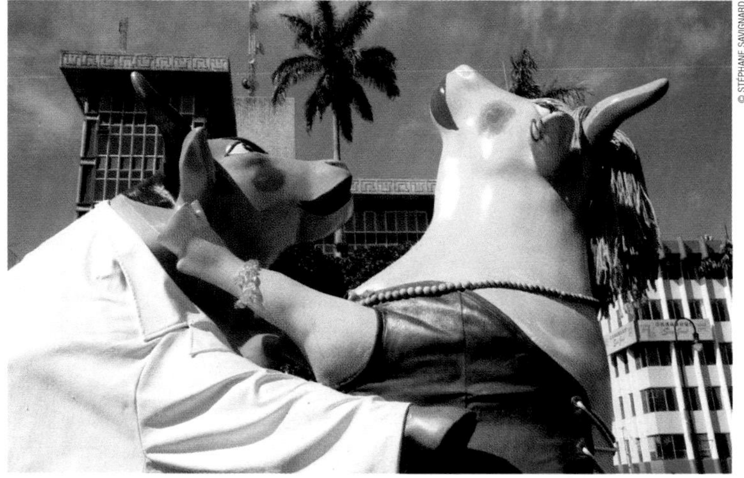

Exposition de vaches dans le centre-ville.

Collection de pièces précolombiennes au Musée national.

Pièce précolombienne au Musée national.

Pièces précolombiennes au Musée national.

Musée de l'or précolombien.

Le Théâtre national fut inauguré par le président Rafael Iglesias le 19 octobre 1897, après sept ans de travaux. La première représentation fut le *Faust* de Gounod. La façade Renaissance du théâtre, dans la droite ligne du style architectural alors en vogue en Europe et en Amérique latine, rappelle la façade de l'Opéra-Comique de Paris. Les trois allégories (la Musique, la Danse et la Renommée) qui ornaient le tympan, sculptées par l'Italien Bulgarelli, sont malheureusement abîmées par la pollution. Les génies de la Littérature et de la Musique, sous les traits de Pedro Calderón de la Barca (poète dramatique espagnol) et de Beethoven, encadrent le portique d'entrée. Le vestibule, l'escalier d'honneur, le foyer et la salle ne sont que marbre et or ciselés. Dans les allégories peintes par des artistes italiens sur les murs et les plafonds courent et s'entremêlent toutes les muses de la Création. Après le violent tremblement de terre du 22 avril 1992, le théâtre, très endommagé, a dû être restauré.

San Pedro et le Nord

JARDIN DE PAPILLONS SPIROGYRA

✆ +506 2222 2937
50 m est et 150 m sud de l'entrée
du centre commercial El Pueblo
Ouvert tous les jours de 8h à 16h. Adultes 7 US$, enfants 3 US$.
Collection de papillons et de colibris, à une quinzaine de minutes du centre de San José.

MUSÉE DES INSECTES (MUSEO DE INSECTOS)

Bâtiment de l'école de musique (RDC)
de l'université San Pedro
✆ +506 2207 5647
www.miucr.ucr.ac.cr
À l'est du centre-ville
Ouvert seulement l'après-midi de 13h à 17h du lundi au vendredi. Adultes 1 000 colones, enfants 500 colones.
Ce musée, qui existe depuis 1962, était à l'origine le fonds d'étude privé de la faculté. On peut y découvrir tous les aspects du monde très riche des insectes recensés au Costa Rica. Le mimétisme adopté comme défense aux maladies transmises par les insectes ainsi que l'utilité « agricole » des petites bêtes font l'objet d'une ample documentation. Possibilité de suivre une visite guidée.

Escazú et l'Ouest

MUSÉE D'ART COSTARICAIN (MUSEO DE ARTE COSTARRICENSE)

✆ +506 2222 7155 – www.musarco.go.cr
macprensa@musarco.go.cr
Est du parque La Sabana
Entrée : 5 US$, entrée libre le dimanche. Ouvert du mardi au vendredi de 9h à 17h, le samedi et dimanche de 10h à 16h.
A l'extrémité ouest du paseo Colón, le terminal de l'ancien aéroport de San José, reconverti en parc métropolitain de La Sabana, présente depuis 1978 une intéressante collection de 2 300 peintures et sculptures d'artistes costaricains du XVIIIe au XXe siècle. Deux galeries sont réservées à des expositions temporaires.

MUSÉE HISTORIQUE AGRICOLE (MUSEO HISTORICO AGRICOLA)

Santa Ana, à 200 m au nord du lycée
dans la calle Ross
✆ +506 2233 6701 – +506 2256 0012
Ouvert du lundi au vendredi de 8h à 16h, et le samedi et le dimanche de 9h à 16h. Adultes 1 000 colones, enfants de 3 à 7 ans 750 colones, gratuit pour les moins de 2 ans.
Autour d'une maison vieille de 250 ans, une exposition de machines agricoles retraçant la culture du café, de la canne à sucre et de la banane.

MUSÉE LA SALLE DES SCIENCES NATURELLES (MUSEO DE CIENCIAS NATURALES)

✆ +506 2232 1306 – www.lasalle.ed.cr
lasalle@lasalle.ed.cr
Au sud-ouest du parque La Sabana : entrée par le ministère de l'Agriculture et de l'Elevage. Ouvert du lundi au samedi de 7h30 à 16h, le dimanche de 9h à 17h. Adultes 500 colones, enfants 400 colones.
Plus de 70 000 espèces en exposition, principalement des oiseaux, mais aussi des reptiles, des poissons et des mammifères, sont répertoriées dans ce musée réaménagé, dont beaucoup que vous ne verrez jamais : elles ont disparu depuis bien trop longtemps. Egalement une section dédiée à la paléontologie et la géologie.

PARQUE DE LA SABANA

A l'ouest de San José, il occupe le terrain de l'ancien aéroport international du Costa Rica. Il abrite des courts de tennis, différents terrains de basket, de volley, de base-ball. C'est un des endroits où les Ticos se détendent, font leur jogging ou leur partie de football entre les eucalyptus.

SHOPPING

Le centre

Cadeaux

LA CASONA
A0/1, c2 ✆ +506 2222 7999
Ouvert de 9h à 19h.
Sur plusieurs niveaux, on y vend beaucoup de tee-shirts et de souvenirs : hamacs, bijoux, sacs tissés, timbres, monnaies, cigares... Les vendeuses sont très sympathiques. En panne d'inspiration, c'est ici qu'il faut vous rendre même si les prix ne sont pas moins élevés qu'ailleurs...

LA IGUANA
A1, c11 ✆ +506 2222 4413
Ouvert de 9h30 à 18h30, jusqu'à 17h30 le dimanche.
Entre autres souvenirs, des graines de plantes tropicales très difficiles à trouver ailleurs.

MERCADO CENTRAL
C6, a0
Du lundi au samedi de 6h à 18h.
Sans aucun doute le meilleur endroit pour acheter la plupart des souvenirs tels que les tee-shirts, les sacs en toile ou en cuir, les chaussures ou les hamacs, et à des prix beaucoup plus intéressants que ceux des marchés dits artisanaux. On peut également y manger à petits prix grâce aux nombreuses sodas sur place. Faire également un petit détour par le mercado Borbón, un marché alimentaire à proximité du Mercado Central.

Artisanat

GALERIA NAMU
A7, c5/7 ✆ +506 2256 3412
www.galerianamu.com
info@galerianamu.com
En face de l'Alliance française
Ouvert de 9h à 18h30 du lundi au samedi et le dimanche en saison de 11h à 17h.
La boutique d'Aisling French est certainement le meilleur espace de vente d'art indigène et folklorique du Costa Rica. C'est en tout cas la seule galerie spécialisée dans l'art de huit tribus autochtones du pays. Splendides peintures afro-caribéennes et reproductions d'amulettes de l'époque précolombienne en jade authentique. La collection de masques est unique, bien différente de ce que l'on peut trouver au Guatemala. Le site Internet permet d'acheter en ligne, la galerie s'occupe de tout, emballage sécurisé et envoi à domicile. Peu importe s'il s'agit d'une pièce fragile, la galerie expédie dans le monde entier.

MARCHÉ ARTISANAL
Plaza de la Democracia
Ouvert tous les jours du matin au soir.
Se situe dans la portion attenante de l'avenida Central.
Incontournable dans le centre de San José, c'est le plus fréquenté par les touristes qui y achètent tee-shirts, hamacs, bijoux, sacs tissés ou en cuir... Peu d'originalité dans ces modèles que l'on peut trouver un peu partout

Marché artisanal.

Moravia

Il faut prendre la route qui traverse Guadalupe pour arriver à San Vincente de Moravia. Vous avez également la possibilité de prendre les bus 40, 40A ou 42 (a3, c3/5). A 7 km au nord-est de San José, faisant presque partie de sa banlieue, Moravia, autrefois centre caféier, s'est consacré à l'artisanat du cuir, de la céramique et du bois, bien que l'on y trouve également des bijoux. Pour les plus pressés, rendez-vous au Mercado de Artesanías Las Garzas, un ensemble de magasins et de petits restaurants, ouvert tous les jours de 8h30 à 18h, sauf le dimanche de 9h à 16h. Pour flâner un peu plus à la recherche de la bonne affaire, allez voir le magasin Caballo Blanco, qui a commencé en vendant des accessoires en cuir pour le cheval en bordure du parque Central, puis les boutiques Artesania Bribrí, La Tinaja, etc.

dans le monde. L'une des boutiques les plus intéressantes au niveau du rapport qualité-prix est sans doute celle d'Aydée qui se trouve dans le milieu de l'allée centrale, au stand n° 35. Elle propose de jolis paréos et d'autres tissus à encadrer ou à accrocher. Idéal pour ramener un petit souvenir à chacun sans se ruiner

MERCADO INTERNACIONAL DE ARTESANIA
Antiguo Periódico Excelsior
✆ +506 2253 3613
Fax : +506 2225 7320
www.mercadoartesania.com
1 km à l'est de l'Indoor Club Curridabat
Ouvert tous les jours sauf le lundi, de 9h à 18h, 21h les vendredis et samedis.
Plus de 125 boutiques d'artisanat du pays et de l'Amérique latine avec expositions de peintures, meubles, restaurants, bars et spectacles folkloriques.

Librairies

LIBRERIA INTERNACIONAL
✆ +506 2257 2563
www.libreriainternacional.com
libinter@racsa.co.cr
A 75 m à l'ouest de la Plaza de La Cultura

Autre adresse : Barrio Dent, Multiplaza Mall à Escazú, Rohrmoser, Zapote et Alajuela.

LIBRERIA LEHMANN
A0, c1/3
✆ +506 2223 1212
Fax : +506 2233 6270
www.librerialehmann.com
lehmann@libreria.com
C'est la plus centrale, donc la plus pratique, des librairies de San José. Egalement à San Pedro. L'une des rares à proposer des cartes routières.

LIBRERIA UNIVERSAL
Avenida central ✆ +506 2222 2222
Fax : +506 2222 2992
www.universalcr.com
Bonne sélection de livres.

Autre adresse : à Sabana Sur, Zapote et barrio California.

San Pedro et le Nord

LIBRERIA FRANCESA
Curridabat ✆ +506 2283 4242
http://libreriafrancesa.net
info@libreriafrancesa.net
25 m au sud de l'Indoor Club
Assez bien fournie en livres français, notamment en guides. Vous y trouverez quelques BD et des livres d'occasion. En revanche le personnel ne parle qu'espagnol !

Escazú et l'Ouest

BIESANZ
Bello Horizonte, Escazú
✆ +506 2289 4337
Fax : +506 2228 6184
www.biesanz.com
Ouvert de 8h à 17h du lundi au vendredi et le samedi de 9h à 15h. Fermé le dimanche.
L'une des boutiques d'artisanat les plus sélects de la capitale. C'est ici que se fournissent les officiels, c'est dire… Les pièces sont presque toutes fabriquées à partir de bois issu des plantations gérées par le magasin.

PLAZA ESMERALDA
Sabana Norte ✆ +506 2296 0312
info@plaza-esmeralda.com
À 800 m au nord de Jack's à Pavas
Un complexe touristico-mercantile où on peut trouver de tout, surtout des bijoux, contemporains ou répliques de pièces précolombiennes.

SPORTS – DÉTENTE – LOISIRS

PISCINE DU PARC PLAZA VELASQUEZ

Sud de San José © +506 2256 6517

Ouverte au public les week-ends.

Cette piscine est souvent surpeuplée et au milieu d'un rond-point ce qui n'est pas franchement très agréable... Mais c'est mieux que rien si vous avez vraiment envie de vous rafraîchir. Les vrais fans de baignade pourront toujours se loger aux hôtels Corobicí, Radisson et Cariarí où les piscines sont très agréables.

PISTES DE PATINAGE ET ROLLER

La Sabana, angle nord-est

© +506 2233 9696

Impossible de faire du roller sur les trottoirs défoncés de San José, mais pour pousser un peu du mollet, rien de tel qu'une patinoire ! Vous en trouverez deux à San José : l'une à San Pedro et l'autre à La Sabana.

Autre adresse : Salon Patin Music, Mall San Pedro.

SALON DE BEAUTÉ WINNIE

1er étage, Mall San Pedro

© +506 2234 1176

© +506 2234 1182

juste derrière la banque Banco nacional.

Ouvert du lundi au samedi de 10h à 20h et le dimanche de 12h à 19h. Manucure de 4 500 à 5 000 colones, pédicure de 6 500 à 7 000 colones, shampooing-brushing de 6 500 à 7 000 colones.

Avez-vous déjà rêvé de vous faire masser pendant qu'on vous faisait une pédicure tout en consultant vos mails ? Impossible de tout faire en même temps, pensez-vous ? Faux : le salon de beauté Winnie, niché au bout du couloir du premier étage du centre commercial de San Pedro, le fait. La responsable de ce salon Wen Ching Chen Chen a eu l'excellente idée de faire installer des fauteuils massants (très efficaces) équipés de tablettes avec des ordinateurs portables connectés à Internet. Le fauteuil massant et l'accès au Net sont des services entièrement gratuits et illimités ! Conclusion : non seulement on se détend mais, grâce à la connexion Internet illimitée, on ne sent pas le temps passer pendant une pédicure ou une manucure. Le salon de beauté fait aussi un salon de coiffure donc libre à vous d'aller vous faire coiffer si vous le souhaitez avant ou après votre soin des ongles. Café et pâtisseries offerts. Excellent rapport qualité-prix pour l'ensemble des prestations. Le lieu idéal pour se couper de la folie urbaine de San José et se refaire une beauté.

STADE SAPRISSA

San Juan de Tibás

à 3,5 km au nord de San José

Rendez-vous le dimanche matin au stade Saprissa (la plus grande pelouse synthétique d'Amérique centrale) même si vous ne connaissez pas les équipes locales.

LES ENVIRONS

© STÉPHANE SAVIGNARD

Habitant plein de couleurs.

En partant de San José, visitez le volcan Irazú le matin, déjeunez sur le versant d'arrivée de la vallée d'Orosí, puis descendez dans la vallée pour visiter les ruines d'Ujarrás ; faites le tour du lac et revenez par Cartago. Vous aurez ainsi pu découvrir une région variée et charmante sans courir comme des fous et en prenant le temps de vous arrêter.

Si vous disposez de plus de temps, nous vous conseillons de dormir une nuit à l'entrée du parc de Tapanti, près de la vallée d'Orosí. Cet endroit, peu fréquenté, présente un intérêt indéniable pour l'observation des oiseaux. Toujours en partant tôt le matin pour bénéficier d'un ciel dégagé sur les sommets, vous pouvez également commencer par le volcan Poás,

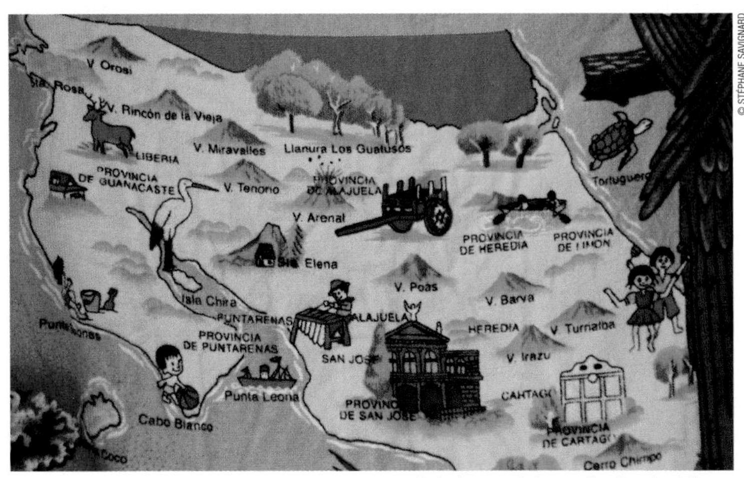

Carte du pays et de ses attractions touristiques.

vous arrêter à la chute de La Paz, à quelques kilomètres sur la route de San Miguel. Au cours de l'après-midi, vous pouvez redescendre par Barva, adorable petit village, et Heredia. Le volcan Barva est également attrayant. Bien qu'éteint, son ascension vaut le détour. C'est une balade superbe qui peut s'effectuer en deux heures. Il y a peu de touristes et de Costaricains durant la semaine. Une nature exubérante et verte vous attend. Vous pouvez partir tôt le matin vers 7h et revenir vers 13h ou 14h pour déjeuner dans une petite auberge située un peu avant l'entrée du parc. En une journée vous pouvez découvrir les petits villages de Grecia, de Sarchí, de Naranjo, de Zarcero et de San Ramón et revenir par l'Interamericana. Près d'Alajuela, à La Garita (sortie La Garita sur l'Interamericana), de nombreux horticulteurs ont élu domicile. Les pépinières se suivent et méritent un arrêt.

Dans tous les cas, si vous disposez d'un peu de temps, n'hésitez pas à vous lancer sur les petites routes de montagne qui partent dans les collines au-dessus d'Escazú et de Santa Ana, seulement en 4x4. Les chemins sont superbes et mènent aux crêtes, d'où vous pouvez avoir de superbes vues sur la vallée. En fin d'après-midi, il faut monter vers Aserrí et vous arrêter dans l'un des bars ou restaurants qui dominent la vallée pour assister à un coucher de soleil époustouflant (si le temps est dégagé) ou simplement attendre que la nuit tombe pour voir la ville scintiller au loin. Du centre de San José (A6, c14 derrière l'hôpital San Juan de Dios), un bus suit un itinéraire très agréable en direction du village de Bebedero.

FOSSIL LAND

Patarrá, près de Desamparados
✆ +506 2276 6060
www.fossillandcr.com
A partir 45 US$ par personne pour un circuit de 3 heures.
Un parc d'attractions tourné vers l'univers de la préhistoire, au sud-est de San José. Une bonne façon d'apprendre en s'amusant pour les petits et grands. Randonnées, accrobranche, visite de cavernes... font partie des différentes activités proposées. Plusieurs formules au choix.

PARC D'ATTRACTIONS PUEBLO ANTIGUO

Parque Nacional de Diversiones, La Uruca
✆ +506 2242 9200
Fax : +506 2296 2212
Ouvert à partir de 9h mais avec des jours de fermeture vraiment variables : pour plus d'informations, regardez le site Internet régulièrement mis à jour. Tarifs en fonction des spectacles. Compter en moyenne 30 US$ par personne.
Parc d'attractions qui fut créé au bénéfice de l'hôpital des enfants. Il y a d'un côté des manèges et d'autre part un village reconstitué avec bâtiments coloniaux, huttes indiennes, maisons typiques. A 10h, un spectacle bilingue (espagnol-anglais) retrace en musique et en costumes l'histoire du pays depuis la conquête espagnole. Les vendredis et samedis soir, Noches Costarricenses.

Vente de fruits sur la route en direction du parc national du volcan Poás.

© STÉPHANE SAVIGNARD

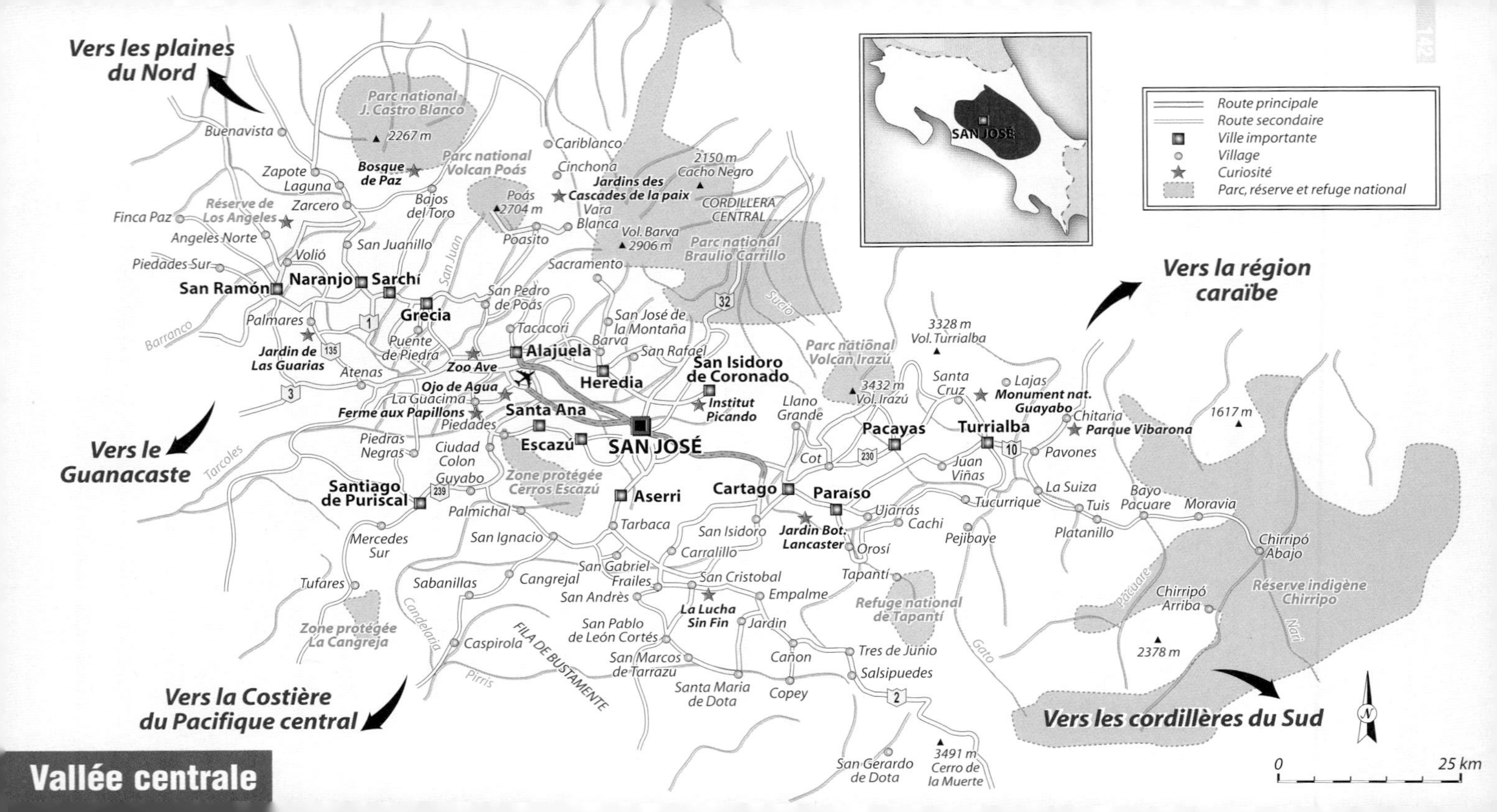
Vallée centrale
Vers les plaines du Nord
Vers le Guanacaste
Vers la Costière du Pacifique central
Vers la région caraïbe
Vers les cordillères du Sud
Route principale
Route secondaire
Ville importante
Village
Curiosité
Parc, réserve et refuge national
SAN JOSÉ
Parc national J. Castro Blanco
2267 m
Bosque de Paz
Parc national Volcan Poás
Poás 2704 m
Poasito
Buenavista
Zapote
Laguna
Zarcero
Finca Paz
Réserve de Los Angeles
Angeles Norte
Volió
Piedades Sur
San Ramón
Naranjo
Sarchí
Grecia
San Juanillo
Bajos del Toro
San Juan
Palmares
Jardin de Las Guarias
Barranco
Atenas
Puente de Piedra
San Pedro de Poás
Tacacorí
Alajuela
Zoo Ave
Ojo de Agua
La Guacima
Ferme aux Papillons
Piedades
Santa Ana
Escazú
Heredia
Barva
San José de la Montaña
San Rafael
San Isidoro de Coronado
Institut Picando
Cariblanco
Cinchona
Jardins des Cascades de la paix
Vara Blanca
Vol. Barva 2906 m
Sacramento
2150 m Cacho Negro
CORDILLERA CENTRAL
Parc national Braulio Carrillo
Sucio
Parc national Volcan Irazú
3432 m Vol. Irazú
3328 m Vol. Turrialba
Llano Grande
Cot
Pacayas
Santa Cruz
Lajas
Monument nat. Guayabo
Turrialba
Chitaria
Parque Vibarona
1617 m
Pavones
Juan Viñas
La Suiza
Tucurrique
Tuis
Bayo Pacuare
Moravia
Platanillo
Chirripó Abajo
Réserve indigène Chirripo
Nari
Chirripó Arriba
Pácuare
2378 m
Gato
Pejibaye
Cachi
Ujarrás
Orosí
Tapantí
Refuge national de Tapantí
Paraíso
Jardin Bot. Lancaster
Cartago
San Isidoro
Carralillo
San Cristobal
Empalme
La Lucha Sin Fin
Jardin
Cañon
Copey
Tres de Junio
Salsipuedes
San Gerardo de Dota
3491 m Cerro de la Muerte
Santa Maria de Dota
San Marcos de Tarrazu
San Pablo de León Cortés
San Andrès
Frailes
San Gabriel
Aserri
Tarbaca
San Ignacio
Cangrejal
Sabanillas
Caspirola
FILA DE BUSTAMENTE
Pirris
Candelaria
Zone protégée La Cangreja
Tufares
Mercedes Sur
Santiago de Puriscal
Palmichal
Guyabo
Ciudad Colon
Piedras Negras
Zone protégée Cerros Escazú
Tarcoles
0
25 km

Nord de la Vallée centrale

Dominé par le volcan Barva (2 906 m), abritant l'un des plus beaux parcs nationaux du Costa Rica, le parc national Braulio Carrillo, le nord de la Vallée centrale est un havre de nature à l'état pur. Heredia, l'ancienne capitale du café, est la première étape de la route du nord de la Vallée centrale.

ALAJUELA

Beaucoup préfèrent séjourner à Alajuela qui, malgré ses 70 000 habitants et sa place de deuxième ville du pays, est beaucoup plus tranquille que San José et moins polluée. A seulement 3 km de l'aéroport international, c'est aussi un bon point de chute pour la première ou dernière nuit au Costa Rica. Ville agréable et ombragée, Alajuela, fondée en 1782, figure au programme touristique pour son musée Juan Santamaría (le jeune héros national, né ici) aménagé dans l'ancienne prison. Sur l'esplanade, au sud-est du Parque Central, s'élève depuis 1890 la statue du jeune héros, torche à la main. Chaque 11 avril, on fête Juan Santamaría, l'enfant de la cité, avec des défilés et diverses commémorations de la bataille menée contre Walker au siècle dernier. Loger à Alajuela est également pratique si on souhaite se rendre au volcan Poás qui est à seulement 1 heure de route. Ce volcan possède le plus grand cratère au monde et il est toujours en semi-activité. La végétation de son parc national permet d'observer un type de flore sèche voisine de celle des forêts tropicales humides.

Transports

En voiture, de San José, suivre la route qui mène à l'aéroport et surveiller les indications de sortie pour la ville d'Alajuela.

BUS

✆ +506 2222 5325 – +506 2442 6900

A partir de San José, toutes les 10 minutes entre 4h30 et 23h (a2, c12/14 et a2 au nord de l'église de la Merced) ou toutes les 30 minutes à partir de 12h (a2 au nord de l'église de la Merced).Pour quitter Alajuela, l'arrêt de bus se situe près du terminal pour les villes des environs (c8/10, a1). Pour l'aéroport situé à 3 km de Alajuela, il suffit de prendre un bus pour San José et de descendre en vue du terminal.

La Vallée centrale

Elle n'a de vallée que le nom. On devrait plutôt appeler cette région « les Hauts Plateaux » ou « la Meseta Central » car son altitude moyenne approche les 1 000 m ; elle est bordée par la cordillère centrale avec plusieurs volcans entre 2 700 m et 3 400 m. Ce trapèze de 65 km sur 30 km est le cœur historique, économique et culturel du Costa Rica. La capitale San José se trouve en son centre. Pour profiter de la meilleure vue sur l'ensemble, ou presque, de la Vallée centrale, il faut se rendre à Aserrí au sud de San José, dépasser la petite ville et continuer à monter (en voiture). Au fur et à mesure des virages, vous découvrirez un paysage de plus en plus grandiose. Au début, on mesure l'espace aux collines mauves de l'horizon puis, sans transition, c'est San José qui se déroule tout entier à nos pieds. On s'arrête au bord de la route pour retrouver les repères connus, les tours de l'INS, de l'Aurola ou de l'ICE. Les fenêtres scintillent sous le soleil, un nuage dépose son ombre entre les avenues qui quadrillent l'espace. On ne se lasse pas de deviner la rumeur de la ville et de ses banlieues. D'autres points de vue, aussi intéressants, sont accessibles depuis le volcan Barva, également excellent point de départ pour une superbe balade à pied au volcan Irazú (à l'est) qui domine la vallée de ses 3 432 m ou à partir des petites collines autour d'Escazú. Quant au climat, comme cette région est en altitude, les soirées sont plutôt fraîches, voire froides sur les pentes des volcans (chambres chauffées) ; les températures oscillent entre 20 et 25 °C de décembre à avril (saison sèche) et de 17 à 22 °C de mai à novembre (saison des pluies).

Les immanquables de la Vallée centrale

- **Visiter** la vallée d'Orosí, Paraíso, le jardin botanique Lankester, Ujarrás (vieille église), le lac de Cachí, la Casona del Cafetal.
- **Monter** voir les cratères des volcans Irazú, Turrialba, et Poás.
- **Visiter** le monument précolombien de Guayabo.
- **Faire** une visite à Cartago, basilique Notre-Dame de los Angeles, la Negrita.
- **Descendre** la rivière Pacuare en raft.
- **Aller** voir les cascades de La Paz.
- **Visiter** une plantation de café.
- **Faire** une visite à Sarchí pour y voir la plus grande charrette du monde.

Se loger

Alajuela regroupe pas mal d'hôtels de bonne qualité. Voici quelques hôtels, parmi les plus agréables, pour se reposer avant d'attraper son avion ou échapper à l'atmosphère de San José.

Bien et pas cher

HÔTEL PARADISE ALAJUELA
✆ +506 2431 2541 – +506 8353 4025
www.hotelparadisealajuela.com
info@hotelparadisealajuela.com
A 75 m à l'est du siège de la Poste du Costa Rica
Chambre double à 35 US$, triple à 40 US$ (TV et salle de bains). Avec salle de bains à partager : 25 US$ la simple et 30 US$ la double. 2 petits dortoirs de 2 à 3 lits à 15 US$ par personne. Wi-fi gratuit.
En plein centre d'Alajuela, c'est un des hôtels les moins chers de la ville. Les murs colorés, le grand jardin où se trouve la cuisine commune et l'accueil de la propriétaire Ana Ruth vous raviront. Chaleureux et familial, cet hôtel

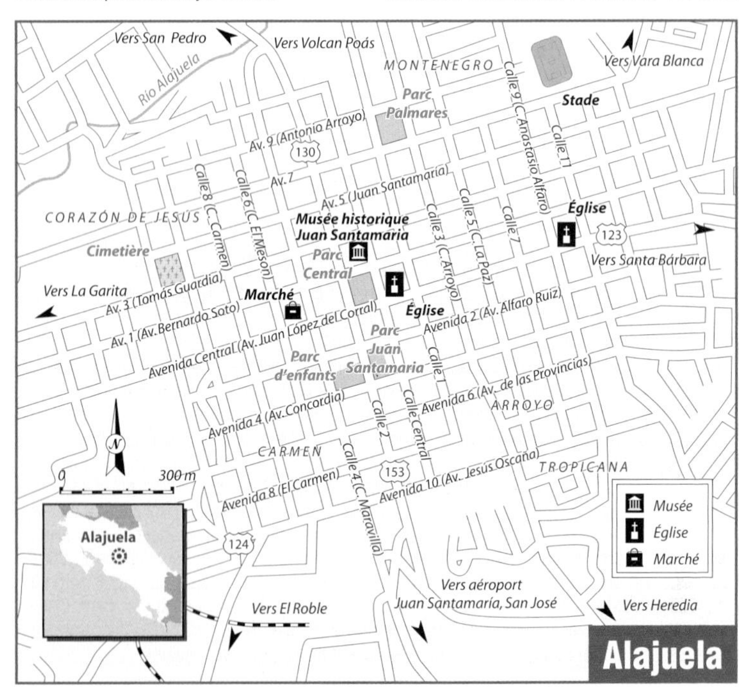

manque cependant un peu de lumière, mais vu le prix des chambres – toutes propres et assez confortables – on s'en accommode.

PENSION ALAJUELA

Calle Ancha (a9, c0/2)
✆ +506 2443 1717
Fax : +506 2440 2247
www.pensionalajuela.com
En face du palais de justice
12 chambres avec salle de bains privée ou partagée. Les prix : avec salle de bains privée de 45 US$ (2 pers.) à 60 US$ (4 pers.), avec salle de bains partagée de 35 US$ (2 pers.) à 50 US$ (3 pers.). Cuisine à disposition, wi-fi et bar. Petit déjeuner inclus. Cartes de crédit acceptées.
Un hôtel agréable avec des chambres au confort très correct pour le prix.

Confort ou charme

HÔTEL 1915

A 275 m au nord du Parc central
✆ +506 2441 0495
✆ +506 2440 7163
Fax : +506 2441 0495
www.1915hotel.com
Doubles de 55 à 110 US$. Avec air conditionné, à partir de 65 US$ la chambre. Petit déjeuner inclus. Wi-fi gratuit.
Un bel établissement installé dans une ancienne maison coloniale. Les chambres sont cosy et le salon installé dans le patio est particulièrement agréable. La chambre la plus chère se situe au dernier étage ; elle dispose d'une terrasse privée qui conviendra aux amateurs de bronzette (mais la vue sur les toits en taule n'a aucun intérêt).

HÔTEL BUENA VISTA

Pilas de Alajuela
✆ +506 2442 8595
✆ +506 2442 8605
Fax : +506 2442 8701
www.hotelbuenavistacr.com
bvista@racsa.co.cr
Sur la route de Fraijanes
A 15 minutes de l'aéroport international (prendre la direction Volcan Poas Alajuela jusqu'au panneau Hotel Buena Vista, 9 km, transfert gratuit). De 84 à 100 US$ selon la saison pour 1 à 2 personnes en chambre standard, de 100 à 120 US$ la chambre luxe avec balcon, 118 US$ et 145 US$ la junior suite, villas deluxe à 160 US$. Taxes non incluses de 13 %.
Charmant hôtel façon maison coloniale de 25 chambres et 5 villas, dont des junior suites. Restaurant, bar, magasin de souvenirs et piscine. Sur une colline, à 1 300 m d'altitude, entouré de plantations de café, l'hôtel dispose d'ailleurs d'un hectare pour votre promenade et offre une vue imprenable sur trois volcans, San José et la Vallée centrale. On y parle également français. L'hôtel est certifié en tourisme durable, ce label « CST » est un produit de l'Institut du tourisme (ICT) décerné à ce jour à seulement 94 établissements sur les 3 000 existant dans le pays.

HÔTEL LOS VOLCANES

a3, c0/2
✆ +506 2441 0525
Fax : +506 2440 8006
www.hotellosvolcanes.com
losvolcanes@racsa.co.cr
46 US$ la simple, 60 US$ la double, 74 US$ la triple. Avec salle de bains partagée : 35 US$ la simple, 46 US$ la double, 60 US$ la triple. Chambres supérieures : 64 US$ la simple et 74 US$ la double. TV câblée et téléphone dans toutes les chambres. Petit déjeuner continental inclus. Wi-fi et parking gratuits. Navette aéroport offerte pour le vol retour.
Beaucoup de charme pour cet hôtel installé dans une ancienne maison coloniale. 11 chambres dont 4 avec une salle de bains commune. Air conditionné et écran plat pour les chambres supérieures. Un très joli patio ombragé avec une belle fontaine.

ORQUIDEAS INN

✆ +506 2433 9346 – +506 2433 7128
Fax : +506 2433 9740
www.orquideasinn.com
info@orquideasinn.com
5 km nord-ouest d'Alajuela,
sur la route de Grecia
19 chambres, 6 suites et 2 chambres « Geodesic Dome » pour familles ou groupes. Pour les chambres : de 82 à 99 US$ suivant lesquelles ; pour les suites : de 129 à 150 US$ suivant le type et l'exposition ; pour les chambres « Geodesic Dome » : 160 US$, petit déjeuner compris, taxes de 13 % non incluses. Bar et restaurant. Un service de massage de 30 à 60 US$, manucure à 20 US$ et pédicure à 25 US$. Agence de voyage sur place.

Une maison dans le style espagnol de l'époque coloniale. Les chambres sont spacieuses et le parquet est agréable même sous ces latitudes. Le grand jardin tropical est superbe ; vous apprécierez également la piscine et le Jacuzzi qui y sont installés. Pour déguster un bon cocktail, asseyez-vous au bar de l'hôtel dont la décoration est entièrement consacrée à Marilyn Monroe (photos, objets collector...) ; l'ancien patron du bar était un fan et ça se voit... Même le chien du bar s'appelle Marilyn !

CHEZ PIERRE

Tuetal Norte ✆ +506 8656 4260
www.toutcostarica.com/hotel-costa-rica.html
hotelchezpierre@gmail.com
Compter 50 à 60 US$ par chambre, toutes avec salle de bains. Terrasses privatives avec vue. Gratuit pour les moins de 5 ans. 15 US$ par personne supplémentaire. Un appartement pour une famille de 6 personnes est disponible. Petit déjeuner inclus. Table d'hôte. Wifi gratuit, TV coffre, parking sécurisé. Navette aéroport sur demande.

Pas besoin de paiement anticipé pour réserver ! A seulement 6 km de l'aéroport international, il est situé sur la route du Poas, dans un quartier tranquille et verdoyant, 8 chambres et un grand appartement 6 personnes tout confort vous accueillent au sein d'un grand jardin tropical soigné avec vue dégagée sur le volcan Poas et les magnifiques couchers de soleil. L'accueil francophone est chaleureux et le légendaire briefing du petit déjeuner permet aux arrivants de rencontrer les voyageurs en fin de séjour, de fignoler son parcours et d'échanger des infos pratiques et utiles devant un bon café. Si vous louez un véhicule il peut être livré à l'hôtel ou à l'aéroport. En terrasse, restauration conviviale de type table d'hôte. Wifi gratuit, TV coffre, parking sécurisé. Navette aéroport sur demande.

TACACORI ECOLODGE

Calle Burios ✆ +506 2430 5846
✆ +506 8895 2101 – www.tacacori.com
contact@tacacori.com
500 m au nord-est de l'hôtel Xandari
Compter de 85 à 120 $ en bungalow avec petit déjeuner. De 65 à 100 $ pour la familiale (15 $ par personne supplémentaire et par nuit). Accès wi-fi, coffre-fort et parking.

A 20 minutes de l'aéroport international et plus précisément dans un quartier résidentiel appelé Tacacori, une bonne adresse francophone pour commencer ou finir son voyage. Ce paisible et tranquille petit bourg est situé à proximité d'un grand nombre de commerces et d'attractions touristiques. L'hôtel a su conserver une ambiance intime et personnalisée, il vous accueille dans l'une de ses 4 villas privatives ou 1 grande chambre, dans un environnement naturel préservé. L'utilisation de matériaux naturels comme le bambou, le rotin, le coton ou la soie sont à l'honneur. Les villas disposent d'une terrasse privée et offrent une jolie vue sur le parc. Comprenant salon de jardin et hamac, l'endroit est idéal pour des siestes. Chaque chambre possède un grand lit queen size, une salle de bains spacieuse avec douche et cabinet de toilette. La chambre familiale plus traditionnelle dispose de 4 couchages pour 2 adultes et 2 enfants. Un lit pour bébé est à votre disposition.

Luxe

XANDARI PLANTATION RESORT & SPA
Tacacorí ✆ +506 2443 2020
Fax : +506 2442 4847
www.xandari.com – info@xandari.com
A 4 km au nord d'Alajuela
22 villas de grand luxe. Les prix en haute saison : de 299 à 598 US$ suivant la villa (personne supplémentaire 25 US$).
Situé à une dizaine de kilomètres de l'aéroport, cet hôtel d'un design surprenant offre une superbe vue sur la Vallée centrale. L'architecture et les jardins, qui se confondent avec la plantation et le confort des habitations, en font un must. La suite est inoubliable. Les prix sont justifiés.

Se restaurer

Bien et pas cher

CEVICHE BETHEL
A 10 minutes en voiture du centre d'Alajuela, sur la route calle las Americas, entre Desemparados de Alajuela et Santa Barbara. Ouvert tous les jours au déjeuner. Ceviche à 4 500 colones. Après avoir passé Desemparados de Alajuela, vous verrez au bord de la route un petit écriteau avec l'inscription « ceviche de calidad ». Arrêtez-vous et dégustez un ceviche ; c'est la délicieuse spécialité de ce petit restaurant très typique, surtout fréquenté par les locaux. Si vous tombez sur Eduardo, le patron, il sera ravi de discuter du pays avec vous. C'est un personnage qui égaiera votre repas de poèmes, de chansons et d'anecdotes en tous genres.

LA JARRA GARIBALDI
Calle de la Feria ✆ +506 2441 6708
Ouvert tous les jours de 11h à 2h du matin. De 2 000 à 3 000 colones le plat.
Bonne cuisine locale à des prix raisonnables. Très fréquenté le soir : on danse les mercredis, vendredis et samedis soir.

LA MANSARDA
Calle central/parque central
✆ +506 2441 4390
À 50 m dans une rue
en contrebas de la cathédrale
Ouvert du lundi au jeudi de 11h à 22h30 et du vendredi au dimanche de 11h à 23h. Compter entre 7 et 10 US$ pour un repas.
Agréable adresse bon marché pour échapper aux fast-foods et profiter de la terrasse.

Bonnes tables

CHUBASCOS
En montant vers le volcan Poás
✆ +506 2482 2280 – Fax : +506 2482 2069
www.chubacsos.co.cr
info@chubascos.co.cr
Ouvert tous les jours : du lundi au vendredi de 10h à 17h30, le samedi de 9h30 à 21h et le dimanche de 9h30 à 17h30. De 3 000 à 4 000 colones le plat.
Un restaurant populaire pour son menu simple et local dans lequel on retrouve les habituels casados et gallos. Ne pas manquer de goûter aux refrescos de fresas ou de moras. Un délice !

INKA'S HOUSE
Centre-ville, à 150 m de l'Antiguo Seguro
✆ +506 2441 2264 – +506 8378 1343
inkashouse@gmail.com
Ouvert tous les jours de 11h30 à 22h. Compter 20 US$ pour un repas.
Tenu par des Péruviens, ce restaurant est réputé pour ses spécialités de fruits de mer mais surtout son excellent ceviche.

MIRADOR DEL VALLE
Route du volcan Poás, à 5,5 km
au nord du Palais de justice d'Alajuela
✆ +506 2441 7318
www.miradordelvalle.info
miradordelvalle@gmail.com
Ouvert du lundi au samedi de 12h à 23h et le dimanche de 11h à 23h. En moyenne 20 US$ pour un repas. Comme le suggère son nom, ce restaurant offre une vue imprenable sur la vallée. Bonne cuisine à la fois ticaine et américaine.

LE MIRAGE
A 200 m au nord-ouest de la cathédrale
✆ +506 2443 1706
Ouvert de 6h30 à 19h, fermé le dimanche.
Pâtisseries, tamales et bon café pour le petit déjeuner.

À voir – À faire

MARCHÉ MAYOREO
Plaza de la Feria
Chaque vendredi soir et samedi toute la journée. Ce marché rassemble des producteurs de fruits et de légumes locaux et des étals de tout et n'importe quoi dans une ambiance festive.

Les amis des oiseaux

Ara dans la gigantesque volière de La Paz Waterfall Garden.

Après avoir bourlingué de nombreuses années à travers le monde, Richard et Margot Frisius, américains, se sont établis au Costa Rica en 1980. Eternels amoureux et respectueux de la nature, principalement des oiseaux, et aviculteurs avertis, ils ont été séduits par les aras rouges (scarlet macaw) et les aras verts (great green macaw), appelés aussi aras de Buffon, présents au Costa Rica mais en danger d'extinction (les aras rouges ne sont plus maintenant qu'un petit millier d'individus éparpillés, vivant dans des sites isolés). En 1990, Richard entreprend de mettre en œuvre son rêve : la sauvegarde de ces majestueux oiseaux. Le centre Amigos de los Aves prend naissance en 1992. Dès lors, les oiseaux blessés de tout le pays sont systématiquement amenés au centre par les autorités officielles (MINAE) du pays pour y être soignés. Le but de Richard et de Margot est la réintroduction dans le milieu naturel, but atteint à partir de 1998. Les oiseaux soignés, les études scientifiques entreprises, les échanges d'individus pour garantir la diversité génétique, les nombreuses naissances, etc., justifient l'intérêt et l'importance de ce centre, mais la réintroduction de ces animaux dans la nature est l'objectif majeur de Richard. Aujourd'hui, il y a un peu plus d'une centaine d'aras rouges au centre dont, en moyenne, 25 bébés qui sont pratiquement tous réintroduits. La constitution de couples et la naissance de nouveaux bébés en milieu naturel, observés et « surveillés », font le succès de ces programmes de réintroduction. Depuis le le décès de sa femme Margot en 2008, Richard et sa fille Carol continuent de contribuer activement à la survie de cette espèce à travers ce centre de protection.

AMIGOS DE LOS AVES
Alajuela, 600 m au nord
de Super Santiago río Segundo de Alajuela
✆ +506 2441 2658 – mlf@cnnw.net
Visite guidée possible (en espagnol ou en anglais) sur réservation uniquement. Il vous sera demandé une participation de 20 US$ par famille.
C'est un centre de secours et de soins spécialisé pour les aras rouges et les aras verts, créé par un couple d'Américains Richard et Margot Frisius. Depuis le décès de Margot Frisius en 2008, c'est désormais son mari Richard, aujourd'hui âgé de 91 ans, et sa fille Carol qui s'occupent du centre. De nombreuses naissances témoignent de l'importance de ce centre. Les oiseaux – les jeunes et les autres qui ont été soignés – sont ensuite réintroduits dans leur milieu naturel.

Toucan dans la gigantesque volière de La Paz Waterfall Garden.

MUSÉE HISTORIQUE JUAN SANTAMARÍA
100 m nord du Parque central
C0/2, a3
✆ +506 2441 4775
www.museojuansantamaria.go.cr
Ouvert du mardi au dimanche de 10h à 17h30. Entrée gratuite.
Ce musée, qui porte le nom du jeune héros national, présente une reconstitution de la bataille contre William Walker qui envahit le pays en 1856. Expositions temporaires de peintures, de portraits, d'armes…

PARQUE CENTRAL
La place, agréable et fraîche, grâce à la présence de nombreux manguiers, avoisine la cathédrale dans un quartier datant du XIXe siècle. En face de la cathédrale, endommagée lors du tremblement de terre de 1991, la Casa de Cultura qui date de 1914.

RANCHO SAN MIGUEL
La Guácima
✆ +506 2220 4060
Fax : +506 2296 0767
Spectacle seul à 25 US$, 37 US$ avec le dîner inclus, 42 US$ avec transfert et dîner. Spectacle mardi, jeudi et samedi, à 20h.
Magnifiques spectacles de chevaux organisés en tenue castillane d'une durée de 80 minutes. Le décor est bien fait et l'ambiance agréable.

Visites guidées

DOKA COFFEE TOUR
San Luís de Sabanilla,
route du volcan Poás
✆ +506 2449 5152
www.dokaestate.com
info@dokaestate.com
20 US$ la visite guidée d'une heure. Boutique ouverte du mardi au vendredi de 8h à 17h, samedi et dimanche de 8h à 16h.
Bonne alternative au très fréquenté Britt Tour pour tout connaître du café et de la transformation des cerises en poudre odorante. Ici on est loin du spectacle mis en place au Britt Tour, chez Doka on veut vous montrer la vraie histoire du café de A à Z. Les plantations de la famille Doka exportent du café bio à destination de la chaîne Starbucks.

TERRA CARIBEA COSTA RICA
100 Norte y 25 Este de la Iglesia Católica
San Joaquín de Flores
✆ +506 2265 1020
✆ +33 9 70 40 74 73
Fax : +506 2265 7780
www.costarica-voyage.com
www.terra-explora.com
contact@terra-caribea.com
Français passionnés d'Amérique latine, Laurence et Jérôme Sans sont installés au cœur de l'Amérique centrale (bureaux au Costa Rica et au Panamá). Tête de pont du groupe Terra Explora au Costa Rica, l'agence bénéficie également du réseau d'agences tissé pas à pas depuis des années sur le continent : Argentine, Bolivie, Brésil, Chili, Panamá, Pérou, Mexique… Spécialiste au rayon d'action étendu, Terra Caribea propose donc mille et une formules de voyages dans les terres tropicales. « A la carte », c'est presque la devise de l'agence : une découverte des volcans avec un guide spécialisé ? Un trek dans les plus beaux parcs nationaux ou hors des sentiers battus ? Un voyage participatif au sein d'une communauté amérindienne ? Un stage de surf ou un combiné Panamá-Costa Rica-Nicaragua-Guatemala ? Vos envies et votre budget seront les seules limites !

HEREDIA

Fondée en 1706, elle fut l'ancienne capitale du café et l'on peut encore visiter aujourd'hui la finca Britt, l'une des usines de torréfaction les plus présentes en rayon. La ville est si proche de San José qu'on peut la considérer comme l'une de ses banlieues, mais c'est là une banlieue jeune et charmante, connue aussi comme la ville des fleurs (même si elles ne sont pas plus visibles ici qu'ailleurs) et reconnue, depuis les années 1990, comme capitale des technologies de pointe notamment en matière de microprocesseurs.

Transports

Comment y accéder et en partir

Pour aller à Heredia en voiture, quitter San José par le nord avant de traverser Tibás et Santo Domingo. Pour aller plus vite (pas si sûr !), autoroute General Cañas, sortir à droite à la hauteur de l'aéroport Tobias Bolaños. Si vous n'êtes pas véhiculé, sachez qu'il n'existe pas de gare routière à Heredia, mais que les bus pour s'y arrêtent. A Heredia, ils arrivent et partent non loin du marché central ou du Parque Central. Nombreux départs également pour d'autres villes de la Vallée centrale.

- **Pour Barva :** prendre le bus au sud du marché central (calle central, a1/a3 – 3 départs par jour de 6h25 à 15h55, 1 heure 45 de trajet). Mais sachez que le terminus de ce bus est à 10 km avant l'arrivée au volcan. Pour arriver au niveau du volcan, il faut alors prendre le bus qui va à San José de la Montaña (calle 1, a4/a6 – départs à 5h25, 6h25, 12h et 16h du lundi au vendredi et à 6h40, 11h et 16h le week-end).
- **Pour Alajuela,** départ toutes les 20 minutes et 400 colones. Le trajet dure environ 30 minutes. Le départ s'effectue à l'angle de l'avenida Central et de la calle 9 de 6h à 22h.
- **Pour San José,** rendez-vous dans l'avenida 8 entre la calle Central et 1. Départ toutes les 20 minutes, de 4h40 du matin à 23h (300 colones).

BUS DEPUIS SAN JOSÉ
✆ +506 2261 7171 – +506 2233 8392
Depuis San José, un bus part toutes les 10 minutes (a2, c8 ou c1, a7/9). Durée 30 minutes.

Se déplacer

En ville, privilégiez la voiture ou vos pieds. Pas de bus municipal.

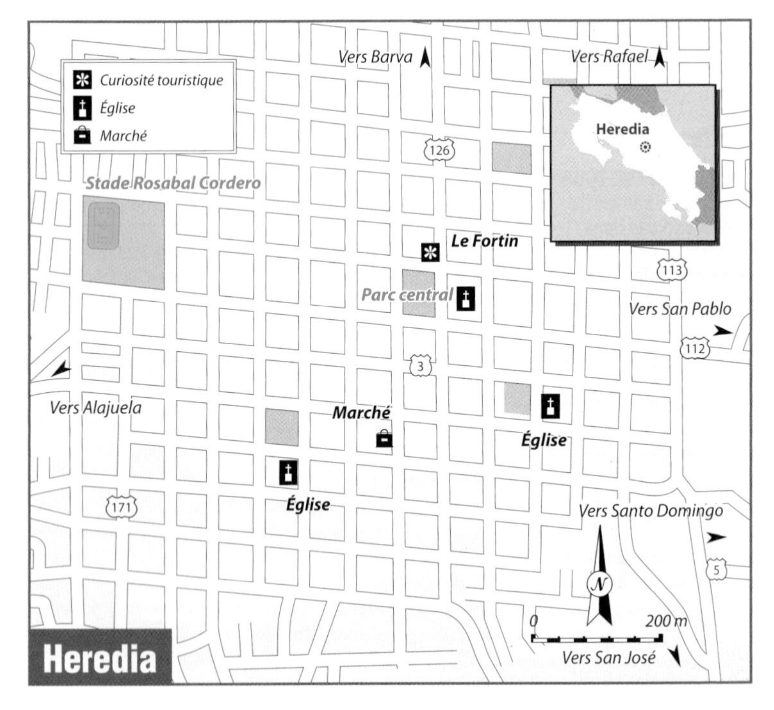

Pratique

BANQUE SCOTIABANK

En plein centre. a4, c0/c 2

Ouverte de 8h à 17h, le samedi jusqu'à 16h.

Possibilité de changer ses dollars et de retirer au distributeur automatique.

HÔPITAL SAN VICENTE DE PAUL

Avenida 8, c14/c16

✆ +506 2562 8100

www.hospitalheredia.sa.cr

POSTE

Avenida central, à l'angle de la calle 2

Se loger

HÔTEL AMERICA

Centre Heredia, c0, a2/4

✆ +506 2260 9292

Fax : +506 2260 9293

www.hotelamericacr.com

au sud du Parque central

42 chambres. 58 US$ (2 pers.) et 68 US$ (3 pers.), taxes incluses.

Hôtel confortable. Bon rapport qualité-prix. Le restaurant El Rincon Tico sert de bons steaks.

HÔTEL VALLADOLID

Centre Heredia, a7, c7

✆ +506 2260 2905

Fax : +506 2260 2912

www.hotelvalladolid.net

contactenos@hotelvalladolid.net

11 chambres pourvues de salle de bains, de télévision câblée, de coffre-fort et d'air conditionné. 86 US$ la chambre double et 110 US$ pour la suite. Petit déjeuner contiental inclus.

Petit hôtel de charme dans le centre de Heredia. Sauna et Jacuzzi. Bar au dernier étage.

Se restaurer

Bien et pas cher

SODA COSTA AZUL

A côté du mercado Florence

Tenue par deux femmes souriantes, la soda est spécialisée dans le poisson. Très propre et peu onéreux.

VISHNU MANGO VERDE

A0/1, c7 ✆ +506 2237 2526

près de l'Université.

Ouvert de 9h à 18h. Fermé le dimanche. Comptez environ 3 500 colones pour un plat.

Menus végétariens. Grandes et belles salades. Cadre plaisant.

Bonnes tables

EL CAMPEON

C0, a2/4

✆ +506 2262 3647 – +506 2237 4631

en remontant vers le Parque central.

Ouvert tous les jours, midi et soir. Compter 6 000 colones le repas.

Ce restaurant chinois dispose d'une carte très fournie. Bon marché et, comme d'habitude, très copieux.

LA LLUNA DE VALENCIA

San Pedro de Barva

✆ +506 2269 6665

www.lallunadevalencia.com

info@lallunadevalencia.com

A 30 minutes du centre-ville d'Heredia

Un peu au nord de la pulpería La Máquina

Ouvert du lundi au samedi jusqu'à 22h. Fermeture à 17h le dimanche. Entre 10 000 et 15 000 colones le repas.

Restaurant de spécialités de Valencia (Espagne), dont de réjouissantes paellas.

MARISQUERÍA SANTA BARBARA

Complejo Tica Linda ✆ +506 2262 9681

marisqueriasantabarbara@hotmail.es

Est de la ville. A 800 m

du mall Paseo de las Flores

Ouvert tous les jours de 11h30 à 22h. Plats à 40 00 colones en moyenne.

Très bonne cuisine à base de poisson et de fruits de mer.

LA RUSTICA

Marché central, c2, a6/a8

Ouvert de 6h à 18h. De 2 000 à 3 000 colones le plat.

Dans le marché central de Heredia, au sud-ouest du Parque Central. Si vous voulez manger typique, bien et pas cher.

À voir – À faire

Quelques monuments méritent une visite autour du Parque Central : le Fortín, une ancienne forteresse espagnole et symbole de la ville, l'église coloniale (la Inmaculada Concepción) datant de 1768, et un édifice du XVIIe siècle qui offre ses jardins et ses couloirs aux visiteurs. La fontaine en acier, au centre du Parque Central, a été fondue en Angleterre. On peut également se promener sur le petit campus de l'université.

Sports – Détente – Loisirs

VISTA NOSARA

San Fransisco de Heredia
Casa 3 P, à 1,5 km du centre
✆ +506 2260 3368 – +506 8839 2041
✆ +506 8839 2041
http://georges.costarica.free.fr
georgesnaon@hotmail.com
Pour 195 US$ par jour tout compris (transport, excursions et nourriture) pour 4 personnes au maximum et valises, un chauffeur-guide vous fait sillonner les parcs, forêts et volcans du pays à bord d'un 4x4 Galoper. Au-delà de 4 personnes, une option minibus avec chauffeur est possible.
Georges, un Français propriétaire des chambres d'hôtes de Vista Nosara, est chauffeur-guide et vous propose de découvrir tous les sites intéressants de la Vallée centrale (et même les autres du Costa Rica) comme les volcans Poás et Irazú, la vallée de Tapantí, les villes de Cartago, d'Orosí, les jardins de Lankester, une finca de café.... En 4x4, cinq places sont disponibles. Il peut vous prendre en charge dès l'aéroport.

SANTO DOMINGO DE HEREDIA

Si le village de Santo Domingo, à mi-chemin entre San José et Heredia, est avant tout connu pour l'Inbioparque, un grand jardin botanique à vocation pédagogique, c'est aussi un charmant village à l'architecture coloniale relativement bien préservée. Les amateurs de balades et de beaux édifices apprécieront de flâner dans les ruelles du village. Si vous êtes sur place un samedi, allez faire un tour au marché paysan, vous y trouverez beaucoup de produits régionaux frais et typiques.

CEVICHE DEL REY

Face à la bibliothèque municipale
✆ +506 2244 2985
http://cevichedelreycr.com
Ouvert du lundi au dimanche de 11h30 à 22h. Ceviche à 4 550 colones.
Restaurant péruvien où déguster un ceviche préparé différemment.

INBIOPARQUE

✆ +506 2507 8116
Fax : +506 2507 8271 – www.inbio.ac.cr
A 500 m au sud de la Croix-Rouge de Santo Domingo puis à 250 m à l'est
Fermé du lundi au jeudi. Ouvert le vendredi de 8h à 17h (dernière admission à 15h), le samedi et le dimanche de 9h à 17h30 (dernière admission à 16h). Visites guidées du vendredi au dimanche sur réservation : à 9h, 11h et 14h. Visite guidée : 4 100 colones pour les adultes, 3 400 colones pour les retraités, 3 000 colones pour les enfants de 4 à 12 ans. Visite non guidée : 3 550 colones pour les adultes, 2 900 colones pour les retraités, 2 450 colones pour les enfants de 4 à 12 ans.
Plus qu'un jardin botanique, c'est un grand complexe écotouristico-pédagogique géré par l'Instituto Nacional de Biodiversidad où l'on peut avoir un premier et très large aperçu des écosystèmes du Costa Rica (forêts de la Vallée centrale, humide et sèche, vidéo, insectarium, serres, jardin de papillons, etc.). La visite doit se terminer au magasin de souvenirs qui présente une bonne sélection d'outils pédagogiques, notamment des albums à colorier pour les enfants. Egalement hors de l'enceinte payante, le centre d'informations touristiques est l'un des meilleurs du pays.

SANTA LUCÍA DE HEREDIA

Sur la route pour vous rendre au volcan Barva, vous passerez par le petit village Santa Lucia de Heredia. Il respire la tranquillité rurale comme nombre de villages de la province d'Heredia, mais c'est le seul à posséder un musée. Pittoresque, le musée des Cultures populaires vous permettra d'en apprendre plus sur les traditions costaricaines. Une bonne pause culturelle au milieu des vallées verdoyantes.

MUSEO DE CULTURA POPULAR

Sur la route du volcan Barva
✆ +506 2260 1619
www.pdmuseologia.una.ac.cr
mcp@una.ac.cr
Ouvert du lundi au vendredi de 8h à 16h, le samedi de 8h à 15h, le dimanche de 10h à 16h. Entrée : 700 colones.
Dans une maison d'adobe datant de la fin du XIXe siècle, autant dire l'Antiquité pour les Costaricains d'aujourd'hui, on a tenté de préserver le décor quotidien de l'époque. Quelques meubles et objets sont ainsi exposés. Il n'y a pas grand-chose entre un four de terre et un moulin à café modèle industriel entreposés dans l'appentis au fond du jardin, mais il est agréable de s'asseoir devant la maison et de s'imaginer propriétaire, aisé, de ce petit coin de terre. Une brochure illustrée, de style scolaire, relate l'histoire de la famille du président Alfredo González Flores Zamora qui vivait ici. Vous remarquerez le petit bureau au fond de la

maison : le secrétaire ne contient que des livres en français, sûrement un fonds de brocante. Possibilité d'y déjeuner le week-end.

SAN ISIDRO DE HEREDIA

Le canton de San Isidro est très rural. La culture du café, des fruits et légumes ainsi que la production de lait sont les principales ressources de cette zone. Une bonne façon de vous immerger dans la ruralité de la vallée donc, mais peu de visites à faire... La petite bourgade de San Isidro, à une heure d'Heredia à l'ouest, possède cependant une superbe église gothique qui mérite qu'on s'y arrête. Si vous partez d'Heredia pour vous rendre au parc Braulio Carrillo, profitez-en pour faire une halte à San Isidro qui est sur la route.

MONTE DE LA CRUZ

A 12 km au nord-est de Heredia en passant par San Rafael de Heredia, le lieu-dit Monte de la Cruz est un peu le pendant nord d'Aserrí (au sud de San José). C'est de ce point élevé que l'on peut jouir de la meilleure vue sur la Vallée centrale. Montez jusqu'au Paradero del Monte de la Cruz, puis admirez le panorama depuis le parc. L'air est pur, les montagnes verdoyantes, c'est une pause bien agréable qu'on vous recommande de transformer en pique-nique sur l'herbe si vous arrivez en fin de matinée.

AÑORANZAS

San Rafael, sur la route de Monte de la Cruz
✆ +506 2267 7406
www.restauranteanoranzas.com
A 4km au nord de l'église de San Rafael
Fermé le lundi. Ouvert du mardi au jeudi de 12h à 22h, vendredi et samedi de 12h à 23h30 et le dimanche de 12h à 18h30.De 2 000 à 6 000 colones le plat.
Spécialisé dans les plats costaricains, ce restaurant ne manque pas de charme avec sa déco à l'ancienne et bénéficie d'un point de vue appréciable.

PARC NATIONAL BRAULIO CARRILLO

Braulio Carrillo était le nom du troisième président de la République du Costa Rica ; c'est maintenant celui d'un immense parc national se trouvant au nord-est de San José. C'est le plus proche de la capitale, mais l'un des moins connus, parce que, la plupart du temps, on ne fait que le traverser en se rendant à Limón ; de plus, si le ciel est bas, la perspective d'aller voir au-delà de la barrière de brouillard ne vous effleure même pas l'esprit. Alors vous vous contentez de jeter un coup d'œil aux fougères et aux incroyables feuilles des gunneras (le « parapluie du pauvre » sous lequel une famille entière pourrait se protéger de la pluie) qui dégringolent vers la route. Dommage, car ce parc est fort intéressant. Il a été fondé en 1978 pour faire face aux risques de dégradation des *cloudforests* et *rainforests* entraînés par la construction de l'autoroute – qui permit le désenclavement de la région Caraïbe du pays – et pour renforcer la barrière naturelle qui protège la Vallée centrale. Actuellement, 47 600 hectares dont 90 % de forêt primaire sont protégés, couvrant une surface suffisamment grande et variée entre vallées de basse altitude et montagnes (jusqu'à 2 900 m au volcan Barva), pour permettre le développement d'au moins cinq sortes d'habitat selon le classement Holdridge. Dans cette incroyable biodiversité, on a recensé près de la moitié de la flore du Costa Rica. Le tunnel Zurquí marque la transition entre les versants Pacifique et Atlantique. L'entrée principale du parc se trouve à une vingtaine de kilomètres de la sortie du tunnel. De là, trois courts sentiers permettent de pénétrer la forêt et de découvrir enfin le ceibo, l'arbre qui domine la forêt tropicale humide du haut de sa cinquantaine de mètres.

Transports

En bus. Le plus simple est de prendre à San José un bus qui dessert la côte caraïbe et de demander au chauffeur de vous déposer là où vous le désirez sur le bord de la route, si possible à la station de gardiens, à une vingtaine de kilomètres de San José, juste après le péage, au niveau du secteur Quebrada González. Mais les chauffeurs refusent quelquefois de perdre quelques secondes, choisissez alors plutôt un jour de semaine quand les bus sont moins bondés. Comme cette route est très fréquentée, il n'est pas impossible de trouver une voiture particulière qui acceptera de vous avancer un peu. En passant par San José de la Montaña, à 14 km de l'entrée sud-ouest du parc, il suffit de prendre un bus pour Sacramento (6h25, 11h45 et 15h55 à Heredia) qui passe à proximité de la route menant au volcan Barva. Pour le retour, le bus est censé passer vers 17h, mais faites-vous confirmer l'horaire par le chauffeur, on ne sait jamais, surtout durant la saison verte...

En voiture. A partir de San José, le nord de la ville étant moins bien signalisé que le Sector Sur (sud), le plus simple est de suivre la calle 3 jusqu'aux panneaux indiquant Guápiles ou Limón. Une fois sur l'autoroute, prudence ! Le trafic est chargé, encombré de camions fous qui rallient la côte caraïbe ou en reviennent, vous empêchant de doubler celui qui se traîne vraiment trop. A ces poids lourds s'ajoute le brouillard très épais qui baigne presque en permanence la zone de Braulio Carrillo, après le tunnel Zurquí. On appréciera tout de même les panneaux « Disfrute del paisaje » (Admirez le paysage) ! Depuis San José, comptez 20 minutes pour arriver au parc.

Pratique

Plusieurs agences organisent des tours à l'intérieur du parc. La plupart de ces tours conduisent leurs clients sur les flancs du volcan Barva, mais n'hésitez pas à leur demander quels sont leurs circuits dans le parc même.

INFORMATIONS PARC NATIONAL BRAULIO CARRILLO
✆ +506 2268 1038
✆ +506 2268 1039
www.sinac.go.cr
Ouvert de 8h à 15h30. Entrée : 10 US$.

Se loger

CASA RÍO BLANCO ECOLODGE
A 1 km du pont du río Blanco
Fax : +506 2710 4124
www.casarioblanco.com
info@casarioblanco.com
Chambres, cabines pour 2 à 4 pers. à 75 US$ (2 pers.), 93 US$ (3 pers.) et 104 US$ (4 pers.), petit déjeuner compris.
Un endroit à ne pas manquer même s'il est difficile à repérer en venant de Guápiles ! Des Hollandais y ont aménagé un lodge tout confort et impeccablement tenu. De jolies cabanes sont perchées à près de 20 m de hauteur et vous permettent de voir quelque 300 espèces d'oiseaux.

À voir – À faire

BAMBU
10 km après l'Aerial Tram, après le río Blanco
✆ +506 2710 1958 – www.brieri.com
rieri99@yahoo.com
Visite de la plantation : 25 US$ par personne.
Les Erickson organisent sur rendez-vous la visite de leur plantation de bambous. Monsieur fabrique également des meubles à partir de la graminée et Madame peint des toiles.

RAINFOREST AERIAL TRAM
✆ +506 2257 5961
www.rainforestram.com
infous@rainforestadventure.com
Ouvert de 7h à 16h. Adultes 55 US$, enfants et étudiants 27,50 US$.
Sur la route San José-Limón, à l'extrémité du parc, juste après avoir traversé le río Sucio. L'idée de faire monter quelques personnes au-dessus de la forêt en compagnie d'un guide naturaliste n'est pas tout à fait nouvelle... Mais, cette fois-ci, le projet est de mettre ce moyen d'observation à la portée de tous, et non plus seulement d'un groupe de privilégiés. La petite réserve en bordure du parc Braulio Carrillo est ouverte depuis l'automne 1994 et, depuis, on y a construit un auditorium, un restaurant et un magasin de souvenirs. Pour la balade, une vingtaine de « voitures », accessibles aux handicapés, entièrement ouvertes sur l'extérieur mais protégées des intempéries par un toit, parcourent un trajet d'une durée de 45 minutes dans un silence absolu pour ne pas effrayer la faune. Malheureusement, l'accroissement du nombre des visiteurs rend presque impossible l'observation animale. Le prix est élevé pour une telle expérience, qui peut s'avérer assez ennuyeuse pour les amateurs de canopy tours. Malgré tout, cela reste un bon moyen de se sentir au cœur de la forêt quand on est accompagné de tout-petits ou qu'on estime avoir passé l'âge de grimper aux arbres. Venir le plus tôt possible le matin.

VOLCAN BARVA

A l'est du parc national Braulio Carrillo, le volcan Barva n'est pas des plus simples à découvrir, mais son ascension est si gratifiante que les difficultés s'oublient dès qu'on en atteint le sommet. Même s'il faut penser, un peu, à la descente... La randonnée commence à l'entrée du parc sur la route de San José de la Montaña, puis ce sont six heures de marche aller-retour à travers une forêt constamment arrosée par la pluie (avec un peu de répit entre décembre et avril). En conséquence, prévoyez de bonnes chaussures pour les sentiers boueux et de bons vêtements contre l'humidité et la fraîcheur ambiante. A Sacramento (nord de Heredia), informez les gardiens du poste de vos intentions de randonnée. Si les conditions météorologiques ne sont pas excellentes, ils le sauront. Quoi qu'il en soit, prévoyez de partir le plus tôt possible dans la journée pour devancer les brouillards de l'après-midi et ne pas vous retrouver complètement cerné, ne voyant rien. En haut, il est possible de camper sur les terrains prévus à cet effet aux abords des trois lacs (Danta, Barva, et Copey) moyennant environ 1 500 colones, mais cela implique que vous ayez pensé au matériel et aux provisions nécessaires et notamment à l'eau. Pour descendre le versant nord, il vaut mieux être entraîné, bien équipé, avoir une boussole et une bonne carte topographique des lieux. Comptez quatre bonnes journées pour atteindre les abords de la réserve de La Selva, à l'extrême nord du parc Braulio Carrillo. Prévenez quelqu'un si vous tentez l'aventure.

Transports

En bus. Prendre le bus pour Sacramento à Heredia (6h25, 11h45 et 15h55 – c0, a3, près du Mercado Central). Le chauffeur vous déposera au début du sentier qui grimpe pendant 13 km jusqu'à l'entrée du parc (6 heures pour accéder au cratère). N'oubliez pas l'heure de retour du bus (17h).

En voiture. Par le parc national Braulio Carrillo : prendre l'autoroute de la côte caraïbe (bus de Limón ou de Puerto Viejo), descendre 2 km avant l'Aerial Tram avant de suivre à pied le sentier (45 minutes).

Pratique

INFORMATIONS PARC NATIONAL VOLCAN BARVA

✆ +506 2266 1883 – www.sinac.go.cr
Entrée : 10 US$.

Se loger

CABINAS LAS ARDILLAS RESORT SPA

Guacalillo, San José de la Montaña
✆ +506 2266 0046
Fax : +506 2237 4119
http://grupoardillas.com
info@grupoardillas.com
À 6 km du volcan Barva.
80 US$ le bungalow pour deux, 120 US$ le bungalow pour quatre, petit déjeuner compris. Sauna et Jacuzzi.
Des bungalows dans le style « Ma cabane au Costa Rica » mais grand confort au fond de la forêt avec bains d'eau soufrée, cuisine au feu de bois et excursions guidées dans les environs. Le restaurant est conseillé, de préférence pour un dîner au coin de l'âtre, accompagné de la musique du pays. Les prix sont raisonnables.

CABINAS LAS MILENAS

80 US$ le bungalow pour deux, 120 US$ le bungalow pour quatre, petit déjeuner compris. Sauna et Jacuzzi.
Le propriétaire possède aussi les Cabinas Las Ardillas Resort Spa. Possibilité de réserver un package incluant les repas et l'accès au spa et Jacuzzi.

À voir – À faire

CAFÉ BRITT'S COFFEE TOUR

Au pied du Barva ✆ +506 2260 2748
www.coffeetour.com
salescoffeetour@cafebritt.com
58 US$ par personne avec entrée, déjeuner et transport inclus (visite guidée à 11h tous les jours). Circuit Coffee Tour et ferme des papillons, Perfect Combination, à 75 US$/personne, transport et déjeuner compris (visite guidée à 8h45 tous les jours). Accès : au départ d'Heredia, prendre la route qui va au volcan Barva et suivre les panneaux.
Pour ceux que le café intéresse et pour les autres, l'entreprise de torréfaction Café Britt, outre son excellent café, propose un Coffee Tour qui présente l'histoire, la culture et la récolte de cette graine tant appréciée. Loin de l'image des grands complexes industriels, le Café Britt vous accueille au pied des volcans dans un cadre champêtre où les fleurs abondent. Dès votre arrivée, un café frío annonce le début de la visite. Le maître des lieux, pointilleux, recherche la perfection pour notre plus grand plaisir. Les moyens sont là ! Une scène, des acteurs, des costumes et vous voilà au théâtre. Des acteurs trilingues (espagnol, anglais, français) vous accompagnent entre les rangs des caféiers et avec humour et compétence, enseignent les secrets des semis, des plantations et de la récolte. Pour terminer, une séance de dégustation permet à chaque visiteur de goûter, de reconnaître les arômes et d'apprécier le café comme un bon vin en véritable gourmet.

Retrouvez l'index général en fin de guide

VOLCAN POÁS

Le volcan Poás (2 705 m) est l'un des volcans les plus actifs, donc très observé, du Costa Rica. Sa première éruption date de 1828 et il en est actuellement à sa quatrième période éruptive après quelque trente ans de repos. Mais avant de prendre la route, essayez de savoir quel temps vous attend là-haut : si le ciel est couvert, vous ne verrez rien. Si vous y allez en bus, demandez au chauffeur. Le mieux est, comme pour la plupart des volcans du pays, de s'y rendre tôt le matin. Malheureusement, pour des raisons administratives, le parc ouvre depuis 2011 à 9h30 (alors qu'auparavant il ouvrait à 8h) ce qui, pendant la saison des pluies, réduit fortement vos chances d'avoir un ciel dégagé en arrivant. Il se peut même que vous ne voyez que les nuages en étant au niveau des cratères ! Il faudra alors faire travailler votre imagination en observant le plan du volcan à proximité... De décembre à avril, soit pendant la saison séche, vous ne devriez pas avoir de problèmes pour les observer car le ciel est bleu la plupart du temps.

Transports

- **En bus.** Depuis San José, tous les matins à 8h30 (c12/14, a2/4). Comptez 4 US$ de San José. Le bus du retour quitte le parc à 14h30. Durée : 1 heure 30. D'Alajuela, le bus part à 8h30 (c8/a1) et repart du parc à 14h. Durée 1 heure 30.
- **En taxi.** Pour éviter la foule sur le belvédère et le parking (1 500 colones), il est peut-être préférable de prendre un taxi (100 US$ au départ de San José et moins cher au départ d'Alajuela).
- **En voiture.** D'Alajuela, prenez la direction de Grecia à l'ouest, puis tournez à droite dans San Pedro de Poás.

EXPEDICIONES TROPICALES

a11/a13, c3bis, Barrio Amon, à San José
✆ +506 2233 5151 – +506 2257 4171
Fax : +506 2233 5284
www.expedicionestropicales.com
info@expecionestropicales.com
Excursions au volcan Poás de 44 US$ (sur une demi-journée) à 67 US$ ou 92 US$ (sur une journée avec d'autres visites incluses).
Cette agence très sérieuse organise plusieurs circuits qui incluent la visite du volcan Poás. Nous vous recommandons le Combo Tour à 92 US$ qui comprend : la visite du volcan mais aussi celles de la plantation Doka et du parc La Paz Waterfall Garden. Le transport aller-retour depuis votre hôtel, le guide bilingue (anglais-espagnol), le petit déjeuner, le déjeuner buffet et les billets d'entrée aux différents sites sont tous inclus dans le tarif. Excellent rapport qualité-prix et parfait pour les voyageurs qui n'ont pas beaucoup de temps dans la région, car le tour est très complet, même si on ne passe qu'une heure et demie au volcan. Départ de San José à 7h30 et retour à 17h30.

Pratique

INFORMATIONS PARC NATIONAL VOLCAN POÁS

✆ +506 2482 2424, 192
Entrée : 10 US$. L'administration du parc, l'auditorium et le petit musée sont ouverts au public de 9h30 à 16h, sauf le lundi.

Se loger

PEACE LODGE

A Vara Blanca
✆ +506 2482 2720
Fax : +506 2482 1094
www.waterfallgardens.com
Cet hôtel de grand charme comprend 8 chambres standard, 8 deluxe et une villa pour 5 personnes. Compter selon la saison de 270 à 315 US$ la double standard, de 295 à 425 US$ la double deluxe et de 295 à 495 US$ la villa.
Situé au cœur du parc des cascades de La Paz, cet établissement de luxe se veut en communion avec sa situation (forêt de nuages à 1 600 m). Les chambres spacieuses et la villa sont décorées avec un goût certain, cheminée à gaz, lit king size, minibar, TV satellite, lecteur de CD et DVD, balcon… Salle de bains reproduisant une grotte avec bain à remous et cascade pour les chambres deluxe. Parking gardé et accès à toutes les commodités du parc.

POAS VOLCANO LODGE

Près du croisement Sarapiquí/volcan Poás/Alajuela
✆ +506 2482 2194
www.poasvolcanolodge.com
info@poasvolcanolodge.com
De de 70 à 95 US$ la simple, de 100 à 115 US$ la double. Suites à 175 US$ (occupation simple) et de 200 à 250 US$ (occupation double). Petit déjeuner compris, taxes non incluses. Les personnes supplémentaires paient de 25 à 50 US$ suivant le type de chambre. Wi-fi. Restaurant excellent pour le dîner.

Cratère du volcan Poás rempli d'eau sulfureuse.

11 chambres réparties en standard, junior suites et master suites avec chauffage (altitude), cafetière et sèche-cheveux. Cadre très chaleureux : grande cheminée, pierres apparentes, bois, lumières douces... Des activités sont organisées : sentier à travers la finca, transport au volcan, promenade à cheval, bicyclette... A 1 900 m d'altitude et avec la vue sur le volcan, vous êtes dans l'un des plus confortables hôtels des alentours, l'un des plus beaux aussi. Excellente étape près du Poás à recommander vivement.

Se restaurer

Les quelques villages qui précèdent l'arrivée sur le volcan offrent tous la possibilité de faire halte dans un des restaurants à la cuisine familiale. Essayez d'éviter cependant ceux devant lesquels sont garés des minibus « turismo »... A l'entrée du parc, vous pouvez vous restaurer à la cafétéria.

EL CHURRASCO

Poasito ✆ +506 2482 2135
✆ +506 8861 0902
http://elchurrascocr.com
10 km avant le volcan Poás,
au croisement de Vara Blanca
Ouvert du mardi au dimanche de 10h à 20h. Fermé le lundi (sauf les lundis fériés). De 6 000 à 8 000 colones le repas.
Spécialisé en viandes et cuisine typique. Accueil très sympathique, clientèle locale.

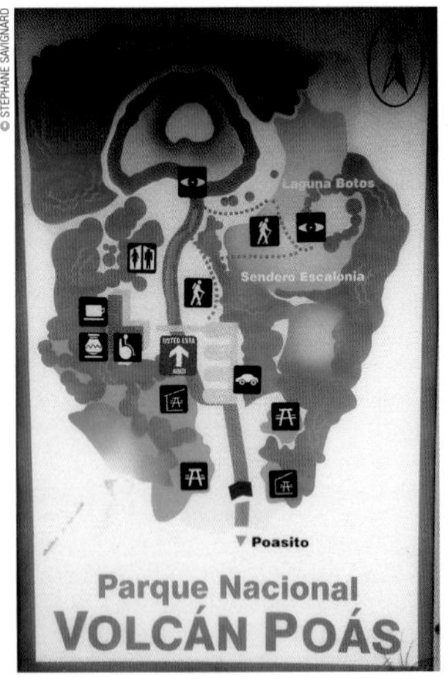

Sentiers de randonnée du parc du volcan Poás.

COLBERT RESTAURANT CAFE

Varablanca ✆ +506 2482 2776
www.colbert.co.cr
joel@colbert.co.cr
15 km avant le volcan Poás.
Ouvert du vendredi au mercredi de 12h à 21h. Plats de 2 600 colones à 8 500 colones.
Les propriétaires de la pâtisserie française Boudsocq de San José ont monté ce restaurant ouvert en 2002. Cuisine française familiale.

À voir – À faire

CRATÈRES

Il faut voir les cratères tôt le matin (le parc ouvre à 9h30) pour apprécier au mieux les manifestations gazeuses sur fond de ciel bleu et de perspectives sur les vallées. Le premier des deux cratères, profond de 300 m, mesure plus de 1 km de diamètre. Un lac d'eau chaude sulfureuse occupait son fond il y a encore quelques années, mais l'intensification de l'activité du volcan en a accéléré l'évaporation et il n'en reste plus grand-chose. A l'intérieur même de ce cratère en a surgi un autre, minuscule, dernier-né de la plus récente éruption (1953). Le second cratère, quant à lui, est rempli d'eau froide. Les nuages de vapeur et les fumerolles sont aisément observables d'une plate-forme aménagée sur le bord sud de l'immense cratère. De plus, une route en excellent état et surplombant les magnifiques paysages de la Vallée centrale mène directement à l'administration du parc national de Poás (le poste d'observation est 600 m plus loin). Sur le trajet que l'on suit à pied, on peut voir l'évolution des dégâts sur la végétation environnante dus aux pluies acides, elles-mêmes provoquées par le volcan. Des trous défigurent les « parapluies du pauvre » (la *sombrilla del pobre* dont les feuilles, évoquant celles de la rhubarbe, sont idéales pour se protéger de la pluie), et les cultures de café sont un peu moins belles autour du volcan que dans le reste de la vallée. D'ailleurs, l'expédition n'est pas recommandée aux personnes souffrant de problèmes respiratoires ou ayant les yeux un peu sensibles. Pour les autres, ne restez pas plus de 20 minutes au bord du cratère ; de toute façon, vos paupières commenceront à brûler avant ce délai. Les émissions sont quelquefois tellement importantes que le parc ferme ses portes pour quelques jours. S'il est ouvert et que vous craignez les gaz sulfureux, un mouchoir imbibé d'eau vinaigrée devrait vous permettre d'approcher le cratère et de marcher jusqu'au lac Botos, à 20 minutes à pied du premier cratère. En redescendant vers le parking, deux sentiers sur la gauche s'enfoncent dans la forêt qui s'épaissit en s'éloignant des cratères et rejoignent l'aire de pique-nique du parc. Il faut compter 45 minutes de marche pour le premier sentier et 20 minutes pour le second. Tous les deux sont balisés de poèmes célébrant la beauté, la vie ou la force de la forêt. En outre, les fumées ne réchauffent pas et il peut faire froid en altitude par rapport aux douces températures de San José, pensez donc à prendre une petite laine et un imperméable si c'est la saison des pluies.

LA PAZ WATERFALL GARDENS
À Vara Blanca
✆ +506 2482 2720
✆ +506 2482 2100
www.waterfallgardens.com
Ouvert de 8h à 17h. Adultes 35 US$, enfants (de 3 à 12 ans) 20 US$. Déjeuner buffet au restaurant Colibries pour 12 US$ par adulte et 6 US$ par enfant.
Un superbe parc tropical luxuriant avec 3,5 km de sentiers balisés et cinq magnifiques cascades dont la catarata de la Paz qui a donné son nom au lieu. C'est la plus haute et une des plus célèbres du Costa Rica. Un parc animalier sur place également avec des toucans, un jaguar, des paresseux, un ocelot, des perroquets, des singes, des grenouilles, des papillons... Sans oublier la reproduction d'une ferme traditionnelle costaricaine des années 1900. Petits et grands en prendront plein les yeux ! Une bonne entrée en matière pour découvrir la faune et la flore du Costa Rica. Prévoir une demi-journée pour une visite complète.

LA GARITA

A La Garita, ZooAve est un endroit très prisé des Ticos mais un peu moins fréquenté par les touristes. C'est sans doute l'un des plus grands zoos aviaires d'Amérique centrale.

Transports

- **Bus.** Prendre le bus au terminal d'Alajuela, comptez 30 minutes de trajet et 750 colones. De San José, les bus vont seulement à Atenas.

- **Voiture.** Prendre la direction d'Atenas à l'ouest d'Alajuela (sur votre gauche en venant de San José).

Se loger

MARTINO RESORT & SPA
✆ +506 2433 8382
Fax : +506 2433 9052
www.hotelmartino.com
martino@racsa.co.cr
A 2 km au nord d'Alajuela
et à 15 minutes de l'aéroport
Resort de luxe avec casino comprenant 35 suites de luxe, 2 master suites et des villas. De 160 à 175 US$ (les suites) et de 210 à 225 US$ la villa (avec kitchenette). En basse saison respectivement : 145 US$, 160 US$, 195 US$ et 210 US$. Restaurant, spa et casino.
Le climat de La Garita n'est pas pour rien dans la localisation de cet établissement de thermes luxueux. En effet, La Garita est reconnue pour bénéficier d'un climat doux et plus sec que le reste de la Vallée. Un peu cher, mais quand on veut retrouver une seconde jeunesse... et qu'on y croit...

À voir – À faire

OJO DE AGUA
A San Antonio de Belen ✆ +506 2439 1497
o.alvarado70@hotmail.com
Ouvert toute l'année de 7h30 à 16h30. 1 000 colones/adulte. Prendre l'autoroute du General Cañas (celle de l'aéroport), tourner à gauche après l'hôtel Cariarí vers San Antonio de Belén, la suite est indiquée. Un bus quitte San José toutes les heures de c18/20, a1 – Heredia c6, a6.
Il s'agit d'un parc aquatique distribué autour d'un lac artificiel (*ojo de agua* ou « source ») très populaire avec aires de pique-nique, espaces verts, restaurant, pédalos...

ZOOAVE
✆ +506 2433 8989
Fax : +506 2433 9140
zoo@racsa.co.cr
La Garita, sur la route d'Atenas
à 10 km à l'ouest d'Alajuela
Ouvert tous les jours de 9h à 17h. Adultes 15 US$, enfants 13 US$. Prendre le bus pour Alajuela, descendre au terminal et monter dans le bus Dulce Nombre.
Singes, crocodiles, tortues et oiseaux (quelque 60 espèces) sont présents. Un zoo complet avec une touche locale. Quelques animaux sont élevés en vue d'être réintroduits dans leur environnement naturel. C'est le plus intéressant des « ornithoparcs ». Visite recommandée quand on est coincé à San José.

LA GUÁCIMA

La Guácima est l'un des tout premiers lieux à avoir accueilli un élevage de papillons au Costa Rica.

Transports

En bus. A San José, l'arrêt est située c8, a2/4. Les bus partent à 7h et 8h tous les jours. Durée du trajet : 40 minutes. D'Alajuela, un bus toutes les heures de 8h30 à 19h30, arrêt à l'est de Palí del Pacifico. Pour un trajet plus personnalisé, mais plus onéreux, essayez d'attraper l'un des bus de la Butterfly Farm qui passent devant les hôtels principaux vers 8h, 10h et 14h les lundi, mardi et jeudi. N'hésitez pas à appeler la station de bus d'Alajuela pour vous faire confirmer les horaires.

En voiture. De San José, sur l'autoroute General Cañas, prendre la sortie San Antonío de Belén, juste après l'hôtel Cariarí.

À voir – À faire

BUTTERFLY PARADISE
✆ +506 2438 0400
www.butterflyfarm.co.cr
butterfly@westnet.com
La Guacima, à 500 m au sud et 100 m à l'est du Club Campestre Los Reyes
Visites à 8h30, 11h, 13h et 15h. Durée de la visite : 2 heures. Adultes 19 US$, enfants (de 4 à 11 ans) 12,50 US$.
Cette ferme, qui a ouvert en 1990, est l'un des plus grands lieux d'élevage du monde et l'un des premiers centres d'exportation. On peut y suivre le processus, de la chrysalide jusqu'aux ailes déployées multicolores des très beaux spécimens présentés. Des guides naturalistes vous font parcourir l'exploitation et vous expliquent avec force détails le processus de croissance des papillons. Mais, forte de son succès et de son savoir-faire en matière de communication, la Butterfly Farm reçoit de nombreux visiteurs et en haute saison c'est parfois éprouvant...

GRECIA

A l'ouest d'Alajuela, s'arrêter à Grecia pour changer de bus pour Sarchí (la ville des *carretas*). Profitez-en pour faire une petite pause devant l'église rouge sombre, dont les pièces métalliques ont été apportées de Belgique en 1890. Vous verrez aussi que Grecia est charmante et proprette. Elle a été déclarée « ville la plus propre d'Amérique latine », et ses habitants en sont particulièrement fiers.

Transports

En bus. Toutes les 30 minutes au départ de San José (a5/7, c18/20), à partir de 5h35 et jusqu'à 22h10. Durée : 1 heure. Le terminal de Grecia se situe derrière le marché central, à 400 m au sud de l'église.

En voiture. Après une trentaine de kilomètres sur l'Interamericana, sortir à droite à la hauteur des « ruines » grecques.

Se loger

HÔTEL TAMBOR
Tambor de Alajuela
✆ +506 2433 5727 – +506 8923 8967
http://hoteltambor.com
À 1,8 km du bar La Veranera, calle Vargas, route vers Sabanilla
A 15 minutes de Grecia. 40 US$ la chambre simple et 60 US$ la double. Petit déjeuner inclus. Wi-fi gratuit.
Un petit hôtel au milieu de la campagne, parfait pour se reposer. Les 7 chambres, simples et propres, offrent un confort correct. La propriétaire salvadorienne est accueillante. Vous vous sentirez chez vous.

VISTA DEL VALLE PLANTATION INN
4 km avant Sarchí ✆ +506 2451 1165
www.vistadelvalle.com
Très belles chambres et villas. Tarifs selon la saison : pour les chambres, de 90 à 100 US$ (standard) et de 144 à 175 US$ (supérieure) ; pour les villas, de 166,50 à 185 US$; petit déjeuner compris, taxes non incluses. Restaurant.
Un bel hôtel de luxe avec un bon rapport qualité-prix. La véranda du restaurant peut faire l'objet d'une belle pause : cuisine traditionnelle classique face à de beaux panoramas.

À voir – À faire

LOS TRAPICHES
✆ +506 2444 6656
www.haciendalostrapiches.com
lostrapiches@springerscr.com
A gauche, après l'église de La Grecia, en direction de San Gertrudis Sur
Ouvert tous les jours de 8h à 22h. Tarifs de la visite guidée : adultes 2 000 colones, retraités 1 500 colones, enfants (de 3 à 12 ans) 1 500 colones.
Une étape artisanale moins connue que Sarchí où se fabrique le *tapa de dulce*, le sucre roux d'Amérique centrale (*trapiche* signifie « moulin », du nom des bœufs qui entraînaient

la roue). Vous pourrez tout apprendre sur la fabrication du sucre à partir des cannes à sucre.

MUNDO DE LOS SERPIENTES (MONDE DES SERPENTS)
✆ +506 2494 3700
snakes@sol.racsa.co.cr
A la sortie de Grecia sur la route d'Alajuela
Ouvert de 8h à 16h. Entrée : 11 US$.
Deux copains passionnés ont réuni 250 espèces de reptiles. Vous pourrez y observer le terciopelo (particulièrement impressionnant) qui peut sauter deux fois sa longueur et la petite vipère jaune qui peut atteindre 25 cm.

SARCHÍ

Voilà le berceau de la *carreta*, cette traditionnelle charrette colorée, tirée par des bœufs, et que vous avez déjà dû apercevoir dans des vitrines de restaurants ou sur des pelouses. L'origine de cet artisanat vient de la prolifération des tracteurs et autres véhicules dans les campagnes. Courant à la ruine, les fabricants de charrettes eurent l'idée de miniaturiser leur savoir-faire et lancèrent la mode de cet ornement. Sarchí est le centre de cette production et de l'artisanat du bois en général.

Transports

En bus. A San José (c18, a5/7), un bus par jour en direction de Grecia (du lundi au vendredi à 12h15 et à 12h le samedi. Pas de service dimanche), puis le bus Alajuela-Sarchí (c8, a0) de 6h à 22h20. Durée : 1 heure 30.

En voiture. A 15 minutes au nord de Grecia (une seule route, la 118).

BUS
✆ +506 2258 2004 – +506 2494 2139

Orientation

Sarchí est divisé en deux parties. On distingue, d'une part, Sarchí Norte où se trouve le centre-ville et la zone résidentielle et, d'autre part, Sarchí Sur qui concentre les boutiques d'artisanat et les vendeurs de carretas. Une route de 2 km les relie.

Se loger

VILLA SARCHI LODGE
Calle Rodriguez, Sarchí Norte
✆ +506 2454 5000 – Fax : +506 2454 3029
http://sarchihotel.webs.com
hotelvillasarchi@ice.co.cr
A 1 km au nord de la station-service Shell
35 US$ la chambre double, petit déjeuner compris.
Chambres confortables en cas de grande fatigue. TV câblée et petite piscine.

Se restaurer

Pour vous restaurer lors de votre frénésie d'achats, vous pouvez vous arrêter sans crainte dans l'un des restaurants de la plaza de Artesanía.

SUPER MARISCOS
Sarchí Norte, à 200 m
au nord-est du parc central
✆ +506 2454 4330
Ouvert du mardi au dimanche de 11h à 22h. Plats entre 3 000 et 6 000 colones.
Un très bon restaurant pour les amateurs de fruits de mer. Bon rapport qualité-prix.

À voir – À faire

COOPERATIVA DE ARTESANIA
Sarchí Norte ✆ +506 2454 4196
À 200 m au nord du terrain de football
Ouvert du lundi au vendredi de 8h à 18h et du samedi au dimanche à partir de 9h.
Nombreuses boutiques d'artisanat et de souvenirs.

ÉGLISE
Sarchí Norte
Voyez l'intérieur multicolore de cette église à deux tours. On y retrouve la plupart des motifs peints sur les objets en bois des magasins de Sarchí.

PLAZA DE ARTESANIA
Sarchí Sur
Boutiques ouvertes de 9h à 18h.
La rutilante plaza de Artesanía ne se distingue que par son parking aménagé et ses arcades modernes. Vous y trouverez des boutiques vendant toutes sortes de souvenirs et beaucoup d'artisanat local : bijoux, objets en céramique, tableaux...

Shopping

FABRICA JOAQUIN CHAVERRI
Sarchí Sur
✆ +506 2454 4411
www.sarchicostarica.net
oxcart@sol.racsa.co.cr
Ouvert tous les jours de 8h à 18h.
Ouvertes depuis 1903, c'est une des plus grandes fabriques de carretas du pays. Carreta rouge en guise d'enseigne.

NARANJO

Naranjo se situe à 44 km de San José. Cette petite ville, à 1 000 m d'altitude, offre de nombreux points de vue superbes sur la vallée et les champs de café. La ville, qui compte environ 35 000 habitants répartis sur 126 km², doit son nom à ses nombreux orangers au XIXe siècle (*naranjo* signifie « orange »). Par la suite, ils ont cependant été largement remplacés par les caféiers.

Transports

- **En bus.** D'Alajuela, toutes les 30 minutes, de 5h à 22h. Durée : 1 heure. De San José, toutes les 30 minutes, de 5h25 à 22h15 à partir du terminal Coca-Cola. Durée : 1 heure 15.
- **Voiture.** A 10 minutes au nord-ouest de Sarchí, avant de rejoindre l'Interamericana. Au départ de San José, suivre l'autoroute jusqu'au km 46.

BUS
✆ +506 2494 2139 – +506 2256 2300
✆ +506 2451 0235

Se restaurer

EL RANCHO MIRADOR DE SAN MIGUEL
A San Miguel
✆ +506 2450 3857
En venant de San José : à 1 km après le carrefour à l'entrée de Naranjo puis à droite au niveau du pont.
Ouvert tous les jours pour le dîner à partir de 17h.
Haut de gamme et cuisine fine. Très belle vue. Un petit casino sur place.

Sports – Détente – Loisirs

Avant Naranjo, le río Colorado est traversé par un vieux pont dont la hauteur (75 m) attire les amateurs de saut à l'élastique. Cet ancien pont a été construit à la fin des années 1940 pour permettre le passage des chargements de café et de canne à sucre.

TROPICAL BUNGEE
✆ +506 2248 2212 – +506 8980 5757
Fax : +506 2221 4944
www.bungee.co.cr
info@bungee.co.cr
Compter 75 US$ le premier saut, 30 US$ le second.Pour s'y rendre, prendre le bus pour Puntarenas (c12, a7) et demander au chauffeur de vous déposer au « Salón los Alfaros » puis marcher un peu vers le nord jusqu'à l'autre pont. En voiture, direction Puntarenas : 1,5 km après le pont Rafael Iglesias, tourner à droite, encore à droite puis une dernière fois à gauche. Transport aller-retour inclus à partir de San José.
Ce club de sauts à l'élastique, qui a fêté ses 20 ans en 2011, vous propose de sauter du pont du río Colorado.

SAN RAMÓN

Pour les visiteurs se rendant sur la côte pacifique, San Ramón est une étape agréable. Pour les Ticos, la petite ville tranquille est la cité des présidents et des poètes. En effet, plusieurs anciens présidents de la République, dont Pepe, le père de José Figueres, sont originaires de San Ramón. Certains y résident même. Quant aux poètes, tous les gens que vous croiserez le sont un petit peu.

Transports

- **En bus.** Les bus pour cette ville partent toutes les 45 minutes de c16, a10/12 à San José, de 5h50 à 22h. Durée : 1 heure 15 min.
- **En voiture.** Après Sarchí, la route bifurque à Naranjo. En prenant à gauche, vous rejoindrez l'Interamericana Norte, continuez encore une quinzaine de kilomètres (65 km de San José).

BUS
✆ +506 2222 0064

Se loger

HÔTEL LA POSADA
Centre-ville
✆ +506 2445 7359 – +506 2447 3131
Fax : +506 2447 2021
www.posadahotel.net
laposada@ice.co.cr
À 400 m au nord de l'église puis à 50 m à l'est
Chambres simples à 35 US$ et doubles à 60 US$. Petit déjeuner inclus. Parking et wi-fi gratuits.
34 chambres décorées dans un style victorien (un peu kitsch) avec TV câblée, salle de bains avec baignoire, frigidaire. Bon rapport qualité-prix.

À voir – À faire

MUSEO HISTORICO JOSÉ FIGUERES FERRER
Au nord de l'église ✆ +506 2447 2178
www.centrojosefigueres.org
ccehjff@ice.co.cr

Ouvert du lundi au samedi de 10h à 19h. Entrée libre. Un petit musée installé dans la maison où est né, en 1906, José Figueres qui fut deux fois président du Costa Rica. C'est lui qui abolit l'armée et donna le droit de vote aux femmes. Le musée abrite également le centre culturel.

PALMARES

Palmares, au sud de San Ramón, de l'autre côté de l'Interamericana, est réputé pour ses festivités annuelles – las Fiestas de Palmares – qui durent une dizaine de jours et commencent à la mi-janvier. Comme dans une immense kermesse, les familles se pressent autour de stands divers. De nombreuses animations s'y déroulent : un défilé costumé, une corrida (où le taureau ne sera jamais tué ni même blessé), des feux d'artifices, des concerts... Ces festivités peuvent rassembler jusqu'à 10 000 personnes et sont retransmises par la télé nationale. En dehors de cette période, Palmares est un petit village calme.

Transports

- **En bus.** De San José, un bus du terminal Coca-Cola, en moyenne toutes les heures de 5h à 20h.
- **En voiture.** A 10 minutes de San Ramón et à 1 heure de San José par l'Interamericana.

BUS
✆ +506 2256 8445 – +506 2453 3808

BOSQUE NUBOSO DE LOS ANGELES

Cette forêt (Bosque Nuboso de Los Angeles) est appelée et classifiée ; en français, forêt des Brouillards. Les 800 hectares de forêt appartiennent à un ex-président, Rodrigo Carazo, qui y a aménagé des sentiers parfaits pour d'agréables balades à cheval ou à pied, seul ou accompagné par un guide expérimenté. Randonnées récompensées par de pures chutes d'eau. Idéal pour ceux qui ont peu de temps, en tout cas pas assez pour aller jusqu'à Monteverde, plus au nord. Idéal, également, pour les « touristophobes » qui, ici, ne risquent pas de croiser un groupe de congénères en short kaki et en imperméable bleu électrique.

- **Entrée :** 20 US$, 30 US$ la visite guidée. Ajouter 20 US$ de l'heure pour une visite à cheval. Tour de canopy à 45 US$ par personne.

Transports

- **En voiture.** A 20 km au nord de San Ramón par la route de La Fortuna. Si vous ne voyez pas de panneau pour Los Angeles, guettez ceux de l'hôtel Villablanca, tout proche de la réserve.

Se loger

HÔTEL VILLABLANCA
Dans la réserve ✆ +506 2401 3800
Fax : +506 2461 0302
www.villablanca-costarica.com
information@villablanca-costarica.com
Très bel hôtel spa. Les prix en haute saison : 170 US$ (supérieur), 192 US$ (luxe), 215 US$ (lune de miel), petit déjeuner compris, taxes non incluses. En basse saison, respectivement 140 US$, 160 US$ et 175 US$.
Enfoui dans la verdure, cet hôtel a été construit selon le modèle colonial : murs chaulés et tuiles brun rouge. Les bungalows aux murs de brique sont très accueillants : salle de bains, réfrigérateur, bouilloire électrique et cheminée pour se souvenir que les nuits peuvent être fraîches. Les chambres, tout comme le restaurant, sont dans le bâtiment central. Les groupes peuvent bénéficier de tarifs avantageux en logeant en dortoir, mais il faut prévenir lors de la réservation (recommandée). L'hôtel fait partie du groupe Greentique Hotels of Costa Rica, comme le Sí Como No de Manuel Antonio.

Canard dans la volière de La Paz Waterfall Garden.

ZARCERO

Dernière bourgade au nord du périple d'une journée au départ d'Alajuela, Zarcero fait en réalité partie de la province du nord. A 1 700 m, elle bénéficie d'un climat parfois un peu frais, ce qui n'est pas désagréable en pleine saison sèche. La ville est plutôt jolie et agréable à visiter. Allez voir son église gothique toute blanche dont l'intérieur est coloré ainsi que le parc central aux arbres étonnamment taillés.

Transports

En bus. Prendre le bus au terminal Coca-Cola de San José (tous les jours à 9h15, 12h20, 16h20 et 17h20) ou à c12, a7/9 (toutes les 30 minutes entre 5h et 19h30). Le trajet dure 1 heure 30. Les bus arrivent (et repartent) au nord-ouest du Parque Central. Si vous souhaitez vous arrêter à Alajuela sur le chemin du retour, demandez au chauffeur s'il est dans ses habitudes de le faire.

En voiture. De l'Interamericana, tourner à droite vers Naranjo (17 km, 52 km de San José).

BUS
✆ +506 2451 4080 – +506 2255 4300

Se loger

BOSQUE DE PAZ
Bajos del Toro
✆ +506 2234 6676
Fax : +506 2225 0203
www.bosquedepaz.com
info@bosquedepaz.com
Lodge comprenant 12 chambres et junior suites. Pour les chambres : 168 US$ (1 pers.), 125 US$/personne (2 pers.) et 116 US$/ personne (3 pers.). Formule tout compris (logement, 3 repas et entrée dans la réserve privée). Un peu cher, mais ça le vaut et le dépaysement est garanti.

À voir – À faire

Les jardiniers de cette petite ville agricole de montagne ont le ciseau créatif et, plutôt que de faire la sieste, sculptent les cyprès qui entourent la belle petite église en forme d'animaux, de personnages ou d'on ne sait plus trop quoi (on y a même deviné un hélicoptère). Dans un tout autre domaine, les confitures et les fromages locaux sont excellents. De quoi enrichir votre petit déjeuner du lendemain !

BOSQUE DE PAZ (BAJOS DEL TORO)
Entre Zarcero et Bajos del Toro
✆ +506 2234 6676
www.bosquedepaz.com
info@bosquedepaz.com
Pour s'y rendre au départ de Zarcero, prendre vers le nord-est en direction de Río Cuarto et de San Miguel via Palmira. Entrée : 45 US$ pour la journée de visite guidée avec repas inclus (réservation obligatoire). La forêt de la Paix est une réserve écologique privée qui vient renforcer le couloir vert entre les parcs nationaux du volcan Poás et Juan Castro Blanco. Il faut réserver la visite des ces 600 hectares de forêt tropicale humide et nuageuse.

ATENAS

Le petit village charmant d'Atenas présente peu d'intérêt touristique mais c'est là que vous trouverez le climat le plus agréable de la vallée centrale. Sur la route entre La Garita et Atenas, admirez les magnifiques panoramas sur la vallée qui se déploient sous vos yeux.

Transports

En bus. A San José, prendre le bus au terminal Coca-Cola (toutes les heures de 5h40 à 22h). Durée : 1 heure 15.

En voiture. A l'ouest d'Alajuela, prendre la route 3 qui mène au Pacifique (direction Jacó, Quepos).

BUS ✆ +506 2446 5767

Se loger

EL CAFETAL INN
Santa Eulalia d'Atenas ✆ +506 2446 5785
Fax : +506 2446 7028
www.cafetal.com – cafetal@cafetal.com
Selon la saison : chambres simples de 35 à 55 US$, doubles de 55 à 65 US$. Triples et suites à 75 US$ toute l'année. Petit déjeuner et taxes incluses. Wi-fi gratuit. Restaurant, piscine, jardins, parking.
Hôtel de charme qui occupe une agréable maison dans une plantation de café, situé à Santa Eulalia d'Atenas, petite cité à l'ouest de la capitale, présentant la particularité d'être considérée par une étude du *National Geographic* comme le lieu dont le climat est le meilleur au monde ! Tenant davantage de la maison que d'un hôtel classique, cet établissement offre de jolies vues sur la campagne environnante et présente plusieurs catégories de chambres au charme réel.

Est et sud de la Vallée centrale

A l'ombre de deux colosses volcaniques, cette région – ô combien fertile ! – assurait déjà aux populations précolombiennes leur prospérité. Et c'est sans doute pour cela que les populations primitives s'y étaient installées. Aujourd'hui, toujours aussi riche, elle est la terre du café, de la canne à sucre et du macadamia. La province de Cartago, au sud-est de San José, peut se parcourir en une journée au départ de la capitale, qu'on choisisse d'aller jusqu'au volcan Irazú qui domine les vallées verdoyantes, de visiter les jardins Lankester, Turrialba et le río Pacuare ou le monument national Guayabo. Il faudra cependant un peu plus de temps pour s'aventurer jusqu'au parc national Tapantí-Macizo de la Muerte.

CARTAGO

Cartago a été la capitale et le berceau culturel du Costa Rica pendant la période de souveraineté espagnole (jusqu'en 1823). Elle en est maintenant la capitale religieuse et, plus prosaïquement, une des capitales provinciales à l'ambiance plutôt rurale. Fondée en 1563 par Juan Vásquez de Coronado, le conquérant du centre du Costa Rica, la ville ne conserve pas grand-chose de son prestigieux passé : en 1841 et en 1910, de terribles tremblements de terre ont en effet détruit tout ce qui en faisait une cité historique.

Transports

En bus. Départs tous les jours de San José : toutes les 10 minutes de 5h à 23h. Les heures de retour sont les mêmes. Durée : 45 minutes (c5, a10 – après 18h, a2/c1/3, face au Théâtre national). Les bus pour Turrialba passent par Cartago toutes les 45 minutes de 5h45 à 17h45 en semaine (c13, a6/8). Le week-end, les passages sont beaucoup moins nombreux. Durée : 1 heure 30.

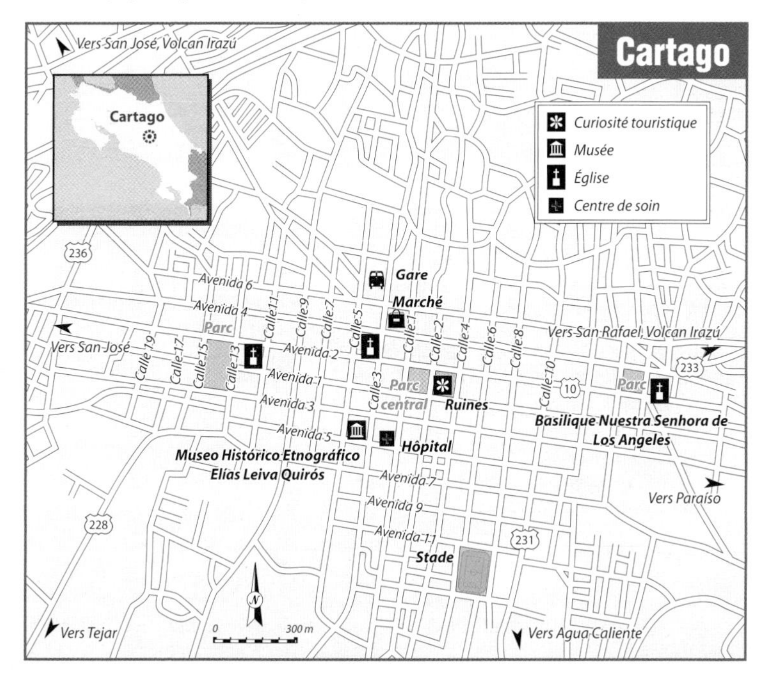

Centre de Cartago.

Plaza Mayor et ruines de l'église Santiago Apóstol à Cartago.

Étal de fruits au marché central de Cartago.

En voiture. En partant de San José, il faut suivre l'avenida Central vers l'est jusqu'à l'autopista Florencio del Castillo, tronçon de l'Interamericana (péage : 95 colones). Cartago se trouve à 20 km de San José, mais le trafic est souvent assez encombré.

BUS
✆ +506 2537 2320 – +506 2556 0073

Pratique

Tourisme

De nombreuses agences proposent des excursions à la demi-journée au volcan Irazú en partant de San José. Le prix par personne oscille entre 40 et 60 US$ selon les prestations incluses (petit déjeuner, déjeuner...).

Argent

BANCO NACIONAL
A l'angle de l'avenida 4 et de la calle 5
Ouvert du lundi au vendredi de 8h30 à 15h45, le samedi de 9h à 13h.
Pour changer ses dollars.

Internet

INTERNET ALTA VELOCIDAD
Calle 1 entre les avenidas 1 et 3
Ouvert jusqu'à 19h du lundi au samedi et jusqu'à 18h le dimanche. Comptez 500 colones de l'heure.

Se loger

On ne se rend pas à Cartago avec l'idée d'y passer la nuit, à moins d'être très imprévoyant ou de ne pas retrouver le chemin de San José. Si besoin était, vous trouverez cependant facilement un hôtel bon marché pour vous loger sur place.

FINCA AGROECOLOGICA TROPICAL Y ESCUELA DE IDIOMAS LA FLOR DE PARAISO
La Flor ✆ +506 2534 8003
www.la-flor.org
Association pour le développement de la conscience environnementale et humaine. 33 places. 35 US$/pers. (1 jour et 1 nuit avec petit déjeuner), 50 US$/pers. (2 jours et 1 nuit) ; repas compris. Restauration végétarienne (produits organiques) et au feu de bois.
Activités proposées : cette ferme étant à l'origine d'un projet communal de développement durable, y loger c'est passer du temps au plus près de la communauté rurale de cette vallée des environs d'Orosí (découverte de la culture organique, des plantes médicinales, de la reforestation ou de l'artisanat). Les volontaires peuvent se joindre à la ferme-école et profiter des cours d'espagnol ou de biologie également dispensés.

LOS ANGELES LODGE
Centre-ville ✆ +506 2551 0615
Face à la basilique, côté nord
6 chambres à partir de 35 US$ par personne, petit déjeuner compris. Réception au restaurant la Puerta del Sol.
Un B&B honorable à l'accueil enthousiaste. Juste au-dessus du restaurant La Puerta del Sol ; ce sont les mêmes propriétaires.

Se restaurer

RESTAURANT 1910
Sur la route de l'Irazú, à 5 km de Cartago
✆ +506 2536 6063
http://restaurant1910.com
reservations@restaurant1910.com
Ouvert du lundi au jeudi de 11h30 à 21h, vendredi et samedi jusqu'à 22h, le dimanche de 11h30 à 18h30. Plats de 3 000 à 5 000 colones.
Le nom rappelle le terrible tremblement de terre du début du siècle dernier qui marque encore la cité. Et pour mieux l'évoquer, le restaurant est aménagé dans le style de l'époque (déco, meubles, couverts...) et expose une centaine de photos de la catastrophe. Cuisine traditionnelle et vue sur la vallée d'Orosí.

RESTAURANT LA PUERTA DEL SOL
Centre-ville ✆ +506 2551 0615
Face à la Basilique, côté nord.
Ouvert de 8h30 à 20h. De 3 000 à 5 000 colones le plat.
De bons *casados* et des sandwiches consistants.

À voir – À faire

Seules les ruines (*las ruinas*) inaccessibles de la parroquia Santo Bartolomeo (a2, c2), fondée en 1575 et dont la reconstruction fut interrompue après le séisme du 4 mai 1910, rappellent les splendeurs d'autrefois.

BASILICA DE NUESTRA SEÑORA DE LOS ANGELES
A l'est du centre-ville, la basílica est l'église la plus célèbre du Costa Rica, le sanctuaire où les pèlerins rendent hommage à la sainte patronne du pays, Notre-Dame des Anges (en version originale : Nuestra Señora de los Angeles), plus simplement appelée « la Negrita ».

Basilique Nuestra Señora de Los Angeles à Cartago.

Une statuette de la Negrita fut découverte en 1635 par une jeune paysanne, et les guérisons miraculeuses qui suivirent furent à l'origine du pèlerinage qui, chaque année le 2 août, voit des centaines de fervents marcher de San José à la basílica de Cartago (22 km) et parcourir les derniers mètres à genoux. Dans ce sanctuaire de style byzantin hispano-mauresque reconstruit en 1926, des médailles en forme du membre guéri, exposées dans des vitrines en guise d'ex-voto, témoignent de la réalité des miracles accomplis par la Negrita. Il faut jeter un coup d'œil sur l'intérieur en bois chaleureusement orné de la basilique, et si possible durant une célébration quelconque, afin d'admirer les vitraux et le jeu de couleurs épaissi par l'encens généreusement brûlé.

MUSÉE INDIEN KURITI D'HISTOIRE NATURELLE

Tobosí del Guarco ✆ +506 2573 7113

Entrée : 500 colones. Ouvert de 9h à 17, fermé le mardi.

Ce centre culturel retrace l'histoire des Indiens de la région, leurs coutumes, leur connaissance des plantes, leurs légendes ou leur cuisine. Très intéressant.

MUSEO MUNICIPAL DE CARTAGO

A6/c2 ✆ +506 2552 8058

www.cartagovirtual.com/museomunicipal

Ouvert du mardi au samedi de 9h à 16h, le dimanche de 9h à 15h. Entrée libre. Ouvert en 2010, ce musée est installé dans un édifice historique militaire datant du début du siècle et récemment réhabilité. On peut y visiter des expositions sur l'histoire de la ville, mais également y découvrir les œuvres d'artistes locaux. A l'étage, notez la superbe fresque murale face à vous dans la cour : elle met en scène des moments historiques importants du Costa Rica, notamment l'arrivée de Christophe Colomb et sa rencontre avec les Indiens.

Visites guidées

EXPEDICIONES TROPICALES

Barrio Amón, San José

✆ +506 2233 5151

www.expedicionestropicales.com

44 US$ la visite guidée du volcan. Réservation sur le site internet ou par téléphone.

Cette agence très sérieuse vous récupère à votre hôtel à San José à 6h30 du matin pour une visite guidée du volcan. Retour à San José vers 12h. Transport aller-retour, guide bilingue anglais-espagnol et entrée au parc sont inclus dans le tarif.

VOLCAN IRAZÚ

A 31 km au nord-ouest de Cartago, l'Irazú, qui culmine à 3 432 m d'altitude, est un volcan actif au lourd passé éruptif. Ses éruptions sont accompagnées de nuages de vapeur et de lourds jets de cendres, de scories ou de pierres plus ou moins grosses. La terre tremble et émet des grondements sourds. La première éruption connue remonte à 1723 et la dernière, qui date de 1963, a commencé le jour même où le président Kennedy vint rendre visite au Costa Rica. Ensuite, les habitants de la région ont dû se protéger pendant deux ans des cendres crachées par le volcan. Ses derniers sursauts datent de 1991 et 1994 lorsqu'un pan s'est effondré en direction du río Sucio. Seules quelques fumerolles sont actuellement visibles, encore faut-il pouvoir les différencier des cendres balayées par le vent. Au sommet de l'Irazú, on trouve cinq cratères : le principal présente un paysage lunaire sur 1 050 m de diamètre, le Diego de la Haya ; le second abrite un lac sulfureux ; et les autres, de moindre importance, sont situés de chaque côté du cratère principal. Le terrain autour du volcan est dénudé, seul le myrte pousse dans les environs immédiats des cratères. La faune est tout aussi pauvre en dehors du *volcano junco*, un oiseau qui niche dans les buissons qui couvrent le cratère Playa Hermosa. Le parc national de 2 309 hectares a été créé en 1955 pour protéger la faune et la flore déjà fragilisées par les retombées de cendres. On peut cependant apercevoir des lapins, des coyotes, des porcs-épics ou des tatous et, parmi les oiseaux, la chouette brune, entre autres.

L'ascension jusqu'aux lugubres cratères vaut vraiment la peine et vous ouvrira de superbes vues sur la Vallée centrale. A partir du parking, au sommet du volcan, un sentier longe le premier cratère et mène aux plus petits. Par beau temps, il serait possible d'apercevoir les deux océans, mais à moins de s'y rendre à la pointe du jour, entre janvier et avril, l'occasion est rare. Prévoyez des vêtements pour vous protéger des cendres, de la pluie (2 158 mm de précipitations par an) et pour échapper à la sensation de froid quand vous sortirez de la voiture (température moyenne : 7,30 °C). Nous sommes à près de 3 500 m d'altitude et le vent est violent. De la route sur votre gauche, en descendant du volcan, vous pourrez admirer le volcan Turrialba – à condition que le ciel soit dégagé, ce qui est, encore une fois, assez rare.

Piste de la vallée d'Orosí.

Transports

En bus. Des autocars jaunes partent tous les matins de San José (8h). Pour le retour, rendez-vous à 12h30 au sommet. De Cartago, bus pour Tierras Blancas à 8h45 près des ruines de la cathédrale, retour à 12h30.

En voiture. A partir de San José, suivez l'Interamericana est jusqu'à Taras, continuez tout droit à l'intersection (celle des trois colonnes) qui mène à Cartago, puis prendre la première route à gauche. Continuez encore à gauche quand vous rencontrez le grand Christ blanc, ensuite le trajet est indiqué. Autre solution, vous pouvez emprunter la route 8 depuis la basílica de Cartago, puis continuer tout droit.

BUS
✆ +506 2272 0651

Pratique

CENTRE D'INFORMATION DU PARC NATIONAL DU VOLCAN IRAZÚ
✆ +506 2200 5025
Fax : +506 2268 8096 – www.sinac.go.cr
Ouvert tous les jours de 8h à 15h30. Entrée : 10 US$. Parking 600 colones. Cafétéria.

Se restaurer

LINDA VISTA
Sur la route du volcan Irazú
✆ +506 2710 8317
Ouvert en journée uniquement. Environ 3 000 colones le plat.

Il est recommandé pour sa vue, ses petits déjeuners servis très tôt et pour les faims post-volcaniques à petits prix. Remarquez les centaines de cartes de visite accrochées par les visiteurs au niveau du bar : c'est une tradition qui dure depuis l'ouverture du restaurant, soit depuis plus de trente ans. Si vous avez une carte de visite sur vous, vous savez ce qu'il vous reste à faire...

PARAÍSO ET LA VALLÉE D'OROSÍ

La vallée d'Orosí, dont le fond est noyé sous un lac de retenue fermé par le barrage de Cachí, au sud-est de Cartago, est une merveille. La végétation, dominée par le vert lumineux inimitable des caféiers, s'ordonne d'elle-même à force d'exubérance et de variété en un véritable jardin. La petite ville de Paraíso, à 8 km au sud-est de Cartago, en est la porte d'entrée.

Transports

Bus. Au départ de Cartago (une rue à l'est et trois rues au sud des ruines), bus toutes les 5 minutes entre 4h30 et 22h tous les jours. Comptez 15 minutes de trajet. Retour toutes les 5 minutes entre 4h30 et 22h.

Voiture. Tournez à droite sur la place de Paraíso. Poursuivez vers Orosí, Tapantí et le barrage de Cachí (Presa de Cachí) avant de revenir sur Paraíso. Pour Ujarrás, même route avec une bifurcation à gauche.

Se loger

Bien et pas cher

MONTAÑA LINDA B&B
Orosí ✆ +506 2553 3640
✆ +506 2533 1292
www.montanalinda.com
info@montanalinda.com
En dortoir : 8,50 US$/pers ; la chambre privée : 15 US$ (1 pers.), 22 US$ (2 pers.) et 30 US$ (2 pers. avec vue, salles de bains, ventilateur et serviettes de toilette) ; le camping : 3 US$/pers. et 4 US$ (avec location de la tente) ; petit déjeuner non compris, mais on peut se servir de la cuisine commune moyennant 1 US$.
Ce B&B, au centre de la région du café de la vallée d'Orosí, est aussi une école de langues (les cours d'espagnol sont à 30 US$ pour 3 heures de classe) et organise des excursions dans les environs. Montaña Linda (Belle Montagne) propose divers styles d'hébergement rustique, mais à ce prix...

Confort ou charme

OROSÍ LODGE
Orosí ✆ +506 2533 3578
Fax : +506 2533 3578
www.orosilodge.com
info@orosilodge.com
Près des piscines thermales Balnearios de Aguas Termales Orosí
6 chambres. Salle de bains, kitchenette, frigo. 53 US$ (2 pers.) et 63 US$ (3 pers.), taxes non incluses. En basse saison : 48 US$ et 58 US$. Un chalet équipé avec 3 chambres : de 75 US$ (2 pers.) à 120 US$ (3 pers.) en basse saison ; compter 10 US$ de plus en haute saison. Wi-fi gratuit. Cartes de crédit acceptées.
Petit hôtel de style colonial à un prix raisonnable (il y a une petite cuisine dans les chambres) où l'on vit près de la nature et de ses bienfaits. Possibilité de se restaurer à moindre coût dans la cafétéria attenante (Cafeteria Orosí ouverte de 7h à 19h qui expose quelques œuvres d'artistes et propose le wi-fi).

SANCHIRI MIRADOR LODGE
Paraíso, route d'Orosí ✆ +506 2574 5454
Fax : +506 2574 8586
www.sanchiri.com
sanchiri@racsa.co.cr
20 chambres dont certaines en bungalow, toutes avec salle de bains. 12 chambres ont une très belle vue sur la vallée grâce à une immense baie vitrée près du lit. 65 US$ (1 pers.), 82 US$ (2 pers.), 94 US$ (3 pers.) et 10 US$ par personne supplémentaire, petit déjeuner et taxes compris. Carte de crédit acceptée.
Des chambres confortables dans un grand lodge en pleine nature. L'hôtel a un restaurant, le Mirador, d'où le point de vue sur la vallée est admirable. Egalement une boutique d'artisanat et une ferme avec de nombreux animaux (cochons, vaches, poules) qui fera le bonheur de petits et grands puisque les clients peuvent la visiter. Les produits laitiers et la viande consommés sur place sont bio et proviennent directement de la ferme. Enfin, ce lodge est bien situé pour rayonner dans la vallée d'Orosí.

TETEY LODGE
Orosí ✆ +506 2533 1335
Fax : +506 2533 1112
www.teteylodge.com
info@teteylodge.com
9 chambres. Pour la chambre standard : de 57 à 65 US$ (2 pers.) et de 73 à 83 US$ (3 pers.) ; pour la chambre avec kitchenette : de 67 à 76 US$ (2 pers.) et de 85 à 96 US$ (3 pers.) ; taxes et petit déjeuner compris. Wi-fi gratuit et accès gratuit à deux ordinateurs connectés à Internet.
Très joli petit hôtel situé dans la vallée d'Orosí (vallée de la Paix) bénéficiant de tout le confort, le calme et le charme voulus.

Pont dans la vallée d'Orosí.

Luxe

HÔTEL RÍO PERLAS RESORT & SPA*****

Route Paraíso-Orosí ✆ +506 2533 3341
Fax : +506 2533 3085
www.rioperlasspaandresort.com
info@rioperlasspaandresort.com
69 chambres. Doubles : de 99 à 111 US$ (standard), de 111 à 124 US$ (supérieur), de 124 à 139 US $ (junior suite), de 153 à 175 US$ (master suite) et de 174 à 196 US$ (présidentielle), petit déjeuner et taxes compris ; personne supplémentaire : 30 US$. Il y a aussi 21 bungalows en bois près de la partie boisée. Les chambres ont l'air conditionné, la TV satellite, un minibar, une terrasse. L'hôtel dispose de deux restaurants, de deux piscines (une tiède et une à 40 °C alimentée par une cascade à 55 °C), des services spa, sauna, solarium.
Cet hôtel 5-étoiles se trouve à 4 km d'Orosí, 2,5 km depuis le pont noir, dans un cadre exceptionnel de 110 hectares de bois et de forêts – dont une partie est forêt primaire – traversés par le río Perlas. En son centre a été construite la réplique de l'antique chapelle coloniale d'Orosí (la deuxième plus ancienne). Il offre tous les services d'un spa de luxe et convient parfaitement au repos et à la récupération. Au centre d'une région d'un grand intérêt touristique – avec le parc national de Tapantí (15 km), le volcan Turrialba (30 km), le río Pacuare –, l'hôtel Río Perlas est un véritable joyau de nature, de tranquillité et de beauté.

Se restaurer

BAR CHICHARONERA PISO TIERRA

Centre-ville ✆ +506 2574 6598
A 400 m du parc central.
Ouvert seulement vendredi, samedi et dimanche ; de 18h à minuit vendredi et samedi, de 11h à minuit le dimanche. Compter 5 US$ le plat.
Un bar-restaurant installé sous un grand rancho. Le sol n'est pas carrelé, il est recouvert de terre. Bienvenue au Farwest tico ! L'ambiance est en effet très typique et les lieux sont fréquentés essentiellement par des cow-boys costaricains. La nourriture, traditionnelle bien sûr, n'est vraiment pas chère. Musique live tous les vendredis et samedis soir ; le dimanche c'est karaoké du déjeuner à la fermeture. Quant aux patrons, Lisa Pereira et Jorge Bonilla, ils sont très accueillants et sont toujours ravis de recevoir des touristes pour les initier à leur culture. Une bonne adresse.

BAR EL GRAN ZEPELIN

Centre d'Orosí ✆ +506 8653 7274
Ouvert tous les jours de 11h à minuit. Repas pour moins de 3 000 colones.
Un bar-restaurant à fréquenter à midi ou dans la soirée quand l'ambiance se réchauffe. Plats et sandwichs basiques mais à prix très doux.

LA CASONA DEL CAFETAL

A 2 km à l'est du village de Cachí
✆ +506 2577 1414
www.lacasonadelcafetal.com
Ouvert tous les jours de 11h à 18h. Entrées de 2 000 à 3 000 colones, plats de 7 000 à 13 000 colones.
Restaurant costaricain. Le cadre – une plantation de café – est agréable et la cuisine de qualité. Excellente halte et belle vue reposante sur un bras du lac.

MARISQUERIAS EL PUENTE ET LA MARINA

Entre Orosí et Cachí, à 3 km du centre, juste après le pont d'Orosí
✆ +506 2533 3738
Ouvert tous les jours de 10h à 18h. Compter de 6 000 à 7 000 colones pour un repas.
Spécialités de poissons de la région, de truites surtout. Le plat à succès du restaurant est le ceviche de poissons ou mixte (poissons et fruits de mer) : c'est un régal, on a testé et on confirme ! Le restaurant tenu par une famille accueillante est avant tout fréquenté par les locaux, et peu connu des touristes, donc vous serez dans une ambiance typique.

À voir – À faire

BALNEARIOS TERMALES OROSÍ

Dans Orosí même
✆ +506 2533 2156
Ouvert tous les jours de 7h30 à 16h et le soir de 18h à 22h (sauf le dimanche). Entrée : 1 500 colones.
Possibilité de se baigner dans trois piscines extérieures alimentées par des eaux thermales. Un parc et un restaurant sur place.

CASA DEL SOÑADOR

Route entre le río Palomo et le village Cachí
✆ +506 2577 1047
Cette « maison du rêveur » est celle rêvée par le sculpteur Macedonio Quesada, artiste renommé mort en 1995. Arrêtez-vous pour discuter avec ses fils et ses petits-fils qui

ont repris le flambeau. Vous découvrirez à cette occasion d'étonnantes sculptures dans cette petite maison en bois qui fait office de galerie d'art.

ÉGLISE D'OROSÍ

Centre-ville

Contrairement à Cartago, et malgré les tremblements de terre, la petite ville d'Orosí dont le nom vient d'un chef huetar de l'époque de la conquête, a conservé quelques-uns de ses anciens édifices. Son église coloniale San José du début du XVIIIe siècle en est un exemple admirable ; c'est l'une des plus anciennes églises encore en service.

JARDINS BOTANIQUES LANKESTER

Route de Paraíso ✆ +506 2511 7949
Fax : +506 2511 7937
www.jbl.ucr.ac.cr

Pour s'y rendre au départ de Cartago, bus pour Paraíso tous les jours (sud de l'église Capuchinos, ouest du Mercado Central) toutes les demi-heures entre 5h et 22h. Les horaires de retour sont les mêmes. Demandez l'arrêt au chauffeur qui vous déposera à l'entrée des jardins signalée par une pancarte sur la droite. Jardins ouverts tous les jours de 8h30 à 16h30. Entrée : 7,50 US$. Visite guidée possible à partir de 2 personnes et sur réservation la veille : 20 US$. Visite recommandée durant les mois de floraison (février-mars ou avril).

Le très connu jardin botanique Lankester a été conçu afin d'aider à la conservation des plantes épiphytes tropicales du Costa Rica. Créé dans les années 1950 par le naturaliste anglais Charles Lankester, il appartient maintenant à l'Université du Costa Rica. Sur les 10,7 hectares de jardin, vous découvrirez orchidées, broméliacées, aracées (philodendrons), cactées, zingibéracées (gingembres et costus), musacées (bananiers), bambous ou fougères. La palme revient tout spécialement aux orchidées : les jardins Lankester en comptent plus de 800 espèces différentes sur les 1 400 connues au Costa Rica. Possibilité de suivre de courts stages pour apprendre à reconnaître et à prendre soin des orchidées.

LAC ARTIFICIEL DE CACHÍ

Sur la route entre le río Palomo
et le village de Cachí

Le barrage date de 1962. Le lac artificiel créé par ce barrage permet de produire l'électricité de San José et d'une grande partie de la Vallée centrale.

MIRADORS D'OROSÍ ET D'UJARRAS

Route vers la vallée d'Orosí
A 3 km de Paraíso

Ouvert tous les jours de 8h à 16h30. Entrée libre. Toilettes, parking.

Il ne faut pas manquer de s'arrêter au moins quelques minutes aux miradors d'Orosí ou d'Ujarrás, avec vue sur la vallée d'Orosí. Des aires de pique-nique aménagées permettent de déjeuner sur place et de profiter plus longtemps de la vue.

MUSÉE D'ART RELIGIEUX D'OROSÍ

✆ +506 2533 3051

Ouvert du mardi au dimanche de 9h à 17h. Adultes 500 colones, enfants 250 colones.

A côté de l'église, ce petit musée présente des objets religieux du XVIIe et XIXe siècle. Il est installé dans les locaux d'un ancien monastère franciscain construit entre 1743 et 1766.

Route de la vallée d'Orosí.

Église de San José d'Orosí.

MUSÉE DE PARAÍSO

✆ +506 2574 7368

Ouvert de 9h à 12h et de 14h à 17h, du jeudi au dimanche. En rénovation jusqu'à une date indéterminée lors de notre passage.

Près de l'église de Paraíso, ce petit musée regroupe des objets rappelant la petite église d'Ujarrás et les Indiens de la région.

RUINES DE L'ÉGLISE D'UJARRÁS

Ouvert tous les jours de 8h à 16h30. Entrée libre. Pour s'y rendre, prendre le bus de Cachí. Les ruines de la plus ancienne église du Costa Rica sont à Ujarrás, à 7 km à l'est de Paraíso, sur la route avant d'arriver à Orosí, au nord du lac.

La construction de l'église a débuté en 1570, suite à une apparition de la Vierge sur les rives du río Reventazón qui aurait permis de repousser une bande de pirates venus se perdre à l'intérieur des terres, et elle fut reconstruite entre 1681 et 1693, avant d'être abandonnée en 1833 à la suite d'inondations qui dévastèrent le village. Elle fut déclarée Monument national en 1920 et restaurée en 1975. Devant la beauté du paysage escarpé, on ne peut s'empêcher d'admirer la clairvoyance des missionnaires dans le choix de l'emplacement des lieux de culte, même s'il n'y a pas grand-chose à découvrir au milieu des ruines de cette petite église, sinon la signature de précédents visiteurs. Le petit parc de l'église, adorable, est entretenu avec amour par le gardien et jardinier. Allez-y plutôt à l'heure du déjeuner quand les groupes de touristes sont attablés ailleurs. Le dimanche le plus proche du 16 avril, une procession quitte Paraíso pour porter la Vierge jusqu'aux ruines.

CERVANTES

A mi-chemin entre Cartago et Turrialba, ce petit village, niché au milieu des vallées verdoyantes, représente peu d'intérêt en lui-même mais il possède de bons restaurants où vous pourrez vous arrêter si vous faites route vers Cartago ou Turrialba. Quant au nom du village, on raconte que c'est un conquistador descendant de Cervantes (le célèbre écrivain espagnol auteur de *Don Quichotte*) qui le fonda et lui légua son nom. C'est ainsi qu'en référence à Don Quichotte, un restaurant de Cervantes s'appelle Les Moulins à Vent (Los Molinos de Viento).

Transports

Pas de bus pour se rendre directement à Cervantes. De San José, les bus ne vous emmènent qu'à Turrialba ou Cartago ; à partir de là, il faut une voiture pour rejoindre Cervantes par la route n° 10. Le trajet dure 25 minutes de route qu'on vienne de Cartago ou de Turrialba.

Se restaurer

BOCADITO DEL CIELO
Cervantes ✆ +506 2534 7272
Route vers Turrialba, 3 km
après avoir passé le centre de Cartago
Ouvert de 6h à 18h. Compter 2 000 colones pour le petit déjeuner et 6 000 colones pour le déjeuner.
Un restaurant avec un véritable mirador d'où la vue est époustouflante. Prix corrects malgré la situation exceptionnelle.

LOS MOLINOS DE VIENTO
Cervantes ✆ +506 2534 7474
Ouvert de 8h à 18h en semaine et de 8h à 18h le week-end. Compter 12 000 colones le repas.
Dans une ancienne grange, restaurant de spécialités locales (*casados* essentiellement).

POSADA DE LA LUNA
Cervantes
✆ +506 2534 8330 – +506 8928 4858
Ouvert du mardi au dimanche de 8h à 20h30. Compter 6 000 colones le repas.
Un drôle de lieu mi-restaurant mi-brocante. Spécialités : viandes grillées, fruits de mer et la fameuse *tortilla de queso*.

TURRIALBA

La petite ville florissante est le centre de ralliement des amateurs de rafting grâce au río Pacuare ; ce n'est pas par hasard que le Championnat du monde de rafting 2011 s'y est déroulé !

On recommande donc fort aux fans de rafting de profiter de leur visite de Turrialba pour en faire : l'expérience est inoubliable. Turrialba fait partie de la région géographique liée à la côte caraïbe. Mais comme elle peut faire l'objet d'une excursion d'une journée au départ de San José, nous avons sans vergogne modifié les frontières régionales pour l'inclure dans la Vallée centrale.

Transports

En bus. De San José (53 km), un bus toutes les heures de 8h à 20h (jusqu'à 19h le dimanche). Arrêt de bus : c13, a6/8. Durée : 2 heures 30. Retour : toutes les heures de 5h à 17h.
Pour rejoindre Siquirres, le bus est de 7h à 18h30, toutes les heures, avec la compagnie Transportes rojas. Durée : 1 heure 50. De Siquirres, possibilité ensuite de rejoindre Guapiles.

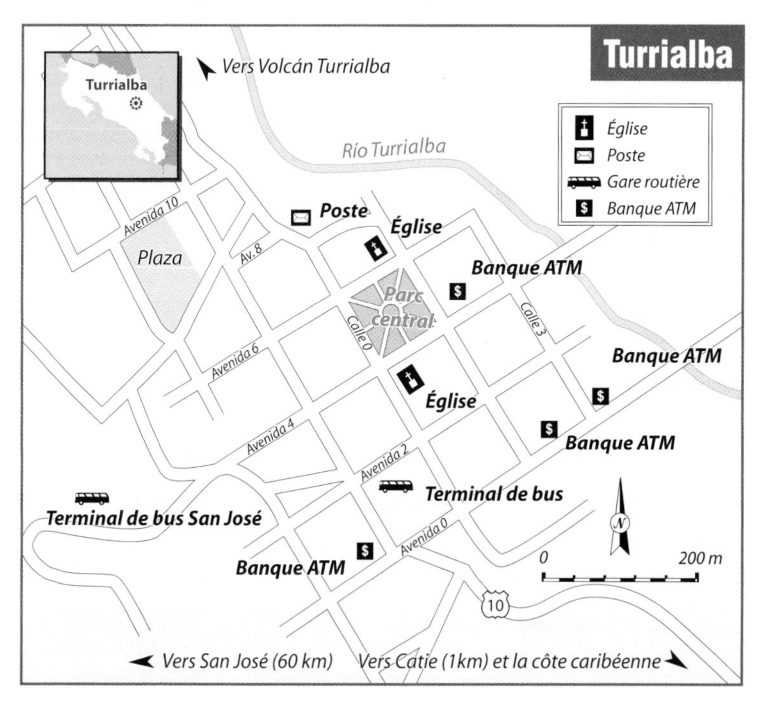

En voiture. Il faut passer par Cartago ou par l'autoroute de Limón. Pour atteindre ce joli coin du pays au départ de Cartago, il suffit de rallier Paraíso où il faut bifurquer à gauche en direction de Turrialba (65 km). Par l'autoroute, il faut tourner à gauche avant d'arriver à Siquirres, ou à droite si on vient de la côte caraïbe. Cette ancienne route de la côte est en très bon état, mais ses nombreux virages demandent toute l'attention du conducteur.

BUS
✆ +506 2556 4464 – +506 2256 4233

Pratique

Argent

BANCO POPULAR
A4 ✆ +506 2556 6098
A l'est de la soda Popo's
Banque ouverte de 9h à 16h30 du lundi au vendredi, de 8h15 à 11h30 le samedi. Elle dispose d'un guichet de retrait d'espèces.

Internet

Il est en libre accès et gratuit tout autour du Parque Central. Il suffit d'avoir son ordinateur portable ! Sinon, vous trouverez également des cybercafés.

@INTERNET
A4 ✆ +506 2556 2857
A côté de l'hôtel Wagelia
Ouvert du lundi au samedi de 8h30 à à 21h. 300 colones de l'heure. 16 ordinateurs. Bonne connexion.

Tourisme

EXPLORNATURA
✆ +506 2556 2070 – +506 8847 2582
www.explornatura.com
puravida@explornatura.com
L'agence propose de belles randonnées au volcan Turrialba (de 75 à 95 US$ avec le transfert de San José), des randonnées équestres (61 US$, départ Turrialba), des journées rafting et kayak (de 80 à 102 US$) – d'ailleurs, si vous souhaitez défier le río Pacuare, n'hésitez pas a les contacter. Ils peuvent venir vous chercher à San José. Nous avons testé pour vous le tour Vedette, qui combine canyoning, canopy et pont suspendu (96 US$ avec le transfert de San José, guide bilingue et lunch compris). Partez en route avec le minibus pour faire connaissance et écouter les instructions du chef. Arrivé sur le site, vivez trois bonnes heures de pur bonheur dans une nature exubérante, on ne vous en dit pas plus...
Beaucoup considèrent Turrialba comme la capitale du sport d'aventure au Costa Rica ; cette réputation n'est pas volée. C'est ici qu'est basé Massi Devoto avec son agence, personnage adorable, très professionnel, il déborde de projets et d'actions en faveur du tourisme d'aventure et des communautés locales du pays. Il est président de la Chambre du tourisme de la zone. Son campement est idéalement placé sur les hauteurs. L'équipe d'Explornatura qui a engagé une stagiaire francophone est bien rodée ; sécurité et plaisir sont les maîtres mots.

Se loger

En raison de l'afflux des visiteurs dans ce petit bout du monde, les hôtels sont nombreux mais un peu plus chers que la moyenne. Par conséquent, mieux vaut réserver si vous voulez bénéficier des meilleurs tarifs, surtout en haute saison.

Bien et pas cher

HÔTEL INTERAMERICANO
Avenida 1
✆ +506 2556 0142
Fax : +506 2556 7790
www.hotelinteramericano.com
hotelint@racsa.co.cr
22 chambres avec salle de bains privée ou partagée. Les prix avec salle de bains privée : 25 US$ (1 pers.), de 30 à 35 US$ (2 pers.), 50 US$ (3 pers.) et 65 US$ (4 pers.) ; avec salle de bains partagée : 12 US$ (1 pers.) 22 US$ (2 pers.), 33 US$ (3 pers.) et 44 US$ (4 pers.) ; taxes comprises.
C'est le meilleur hôtel pour les petits budgets (et les rafteurs le savent), même si l'eau est le plus souvent froide dans les salles de bains privées.

Confort ou charme

HÔTEL WAGELIA
A2 ✆ +506 2556 1566
Fax : +506 2556 1596
www.hotelwageliaturrialba.com
150 m à l'ouest du Parque Central
79,50 US$ la chambre simple, 99 US$ la double, 112,50 US$ la triple, 125,50 US$ la quadruple. Petit déjeuner et cocktail de bienvenue inclus. Wi-fi gratuit.
18 chambres confortables autour d'un agréable patio. TV câblée, téléphone, coffre et salle de bains avec eau chaude dans toutes les chambres. Restaurant, parking et agence de voyages sur place. Bon rapport qualité-prix.

TURRIALTICO LODGE
Route de Siquirres
✆ +506 2538 1111 – +506 2538 1311
Fax : +506 2538 1575
www.turrialtico.com
info@turrialtico.com
A 8 km du centre de Turrialba
Selon la saison : chambres de 52 à 68 US$ (1 à 2 pers.), de 80 à 85 US$ (3 pers.), de 92 à 98 US$ (4 pers.). Taxes et petit déjeuner compris. Bar, restaurant, parking surveillé.
Les chambres sont agrémentées de boiseries, ce qui donne un côté rustique qui, mélangé au confort moderne d'une salle de bains privée et douche chaude, en fait une adresse authentique où l'on se sent bien. Décoration colorée, couvre-lits élaborés par des artisans de la zone. Du balcon, il y a des vues imprenables sur le paysage, la vallée de Turrialba et son volcan jusqu'à la cordillère de Talamanca. Le restaurant ouvert au public sert en plein air de délicieux repas du cru.

Luxe

CASA TURIRE****
En bordure du lac Angostura
A 30 minutes de Turrialba.
✆ +506 2531 1111 – +506 2531 2244
Fax : +506 2531 1075
www.hotelcasaturire.com
info@hotelcasaturire.com
sales@hotelcasaturire.com

Les prix en haute saison : 145 US$ (standard double ou simple), 225 US$ (suite) et 350 US$ (master suite) ; 25, 35 ou 55 US$ par personne supplémentaire. En basse saison, respectivement : 130 US$, 225 US$ et 350 US$, taxes non incluses 13 %. Les enfants de 6 à 12 ans paient 20 US$. Hôtel certifié « Niveau 4 » au label CST « certificat de tourisme durablex ». Wi-fi gratuit.

L'hôtel comprend 12 chambres et 4 suites, chacune décorée différemment. Elles sont toutes équipées de grands lits (queen ou king size), ventilateur, TV satellite, téléphone, coffre-fort, sèche-cheveux et balcon privé. L'hôtel dispose des services de fax, d'Internet gratuit et de linge. L'hôtel dispose d'un restaurant de qualité. Casa Turire est une ancienne maison coloniale – de style Louisiane – située au bord du lac Angostura, dans la vallée de Turrialba, à 65 km de San José, au milieu de plantations de café et de canne à sucre. Les jardins aérés sont plantés d'arbres, de plantes et de fleurs tropicaux où piaillent les oiseaux, perroquets et toucans. Le bord du lac paisible lui donne cet écrin romantique indispensable à ce lieu. L'accueil d'Eduardo et de Jana (francophone), l'équipe qui dirige l'hôtel dans un esprit très convivial, voire familial, vous ravira. Des activités sont proposées (rafting, kayak, cheval – une grande écurie est attenante –, sentiers de découverte, visite des plantations…). Piscine et Jacuzzi à l'air libre. La beauté, la paix et le luxe font de cet établissement 4-étoiles l'un des plus charmants du Costa Rica.

VILLA FLORENCIA
✆ +506 2557 3536
www.villaflorencia.com
info@villaflorencia.com
A quelques kilomètres de Turrialba, sur la route de la Suiza. Un panneau vous indique de prendre à droite juste en face du jardin CATIE. 10 chambres dont 5 standard (129 US$ avec taxes et petit déjeuner), 1 suite avec une magnifique salle de bains en pierre et un Jacuzzi (226 US$), 1 familiale en duplex (185 US$) et 3 supérieures (159 US$). L'une des chambres est accessible aux personnes à mobilité réduite.

Toutes de bois et de briques, elles offrent des volumes intéressants, elles sont hautes de plafond, et toutes équipées de télévision câblée, d'une cafetière, d'un mini-frigo, d'une salle de bains privées et de toilettes. Jolie terrasse sur laquelle pendent quelques hamacs. Dans le jardin, des pins américains et des plantes exotiques accompagnent une promenade agréable. Accueil très sympathique. Pour le restaurant, un verger potager donne ce qu'il a de meilleur, et certaines chambres donnent sur des citronniers, des orangers et des caramboles. Possibilité de réserver des tours (volcans, rafting, café et jardin CATIE), de contrôler ses mails grâce à un ordinateur connecté et en libre accès. Parking gardé.

Se restaurer

CAFÉ GOURMET
Centre-ville. Près du parc central
Ouvert en journée uniquement. Sandwiches à environ 2 000 colones.

Idéal pour les pauses-café et la restauration légère.

DON PORFI
Sur la route de Santa Cruz
✆ +506 2556 9797
À 4 km au nord du centre-ville
Ouvert de 11h à 23h. Environ 10 US$ le plat. Réservation conseillée.

Spécialiste des fruits de mer. Egalement de bonnes grillades. Une bonne adresse très populaire chez les locaux.

RESTAURANT ET PIZZERIA EL PARQUE
À 25 m à l'ouest de l'église
✆ +506 2556 6113
✆ +506 2556 5452
Ouvert tous les jours de 10h à 22h. Pizzas de 2 550 à 3 995 colones, pâtes de 2 995 à 3 395 colones, plats de viande ou de poulet à 4 000 colones.

Des plats bien cuisinés, consistants et à prix correct. Le restaurant, décoré sobrement, est installé à l'étage où se trouve une petite terrasse, bien agréable quand il fait chaud. Au rez-de-chaussée, une petite boucherie qui est la meilleure de la ville selon les habitants de Turrialba. Service attentionné. Une bonne adresse en plein centre-ville.

SODA POPO'S
Face au Parc central, côté est
✆ +506 2556 0064 – +506 2557 2600
spopos@ice.co.cr
Ouvert tous les jours de 7h à 23h. Formules fast-food de 1 000 à 1 500 colones.

La soda la plus célèbre de Turrialba, et c'est justifié : bon sandwiches, service efficace, propreté irréprochable. Et pour de si petits prix, il serait dommage de s'en priver !

Le café

Le sol acide d'origine volcanique et l'altitude de la Vallée centrale sont deux conditions favorables à la culture du café du type arabica (*Coffea arabica* de la famille des rubiacées). Introduit au Costa Rica en 1791 et exporté dès les années 1810, le café a joué et joue toujours un grand rôle dans l'économie du pays. Les cerises de café sont prêtes à être cueillies (à la main, ce qui est un gage supplémentaire de qualité) lorsqu'elles sont rouges, entre octobre et janvier. La récolte est ensuite collectée dans les *centros de acopio* de chaque village où elle est nettoyée de toute saleté. On sépare ensuite les cerises rouges des vertes, traitées pour autre chose. On enlève la pulpe des cerises rouges avant de laver soigneusement les graines pour empêcher toute contamination. Séchées, elles perdent alors jusqu'à 80 % de leur humidité. Une fois secs, les grains de café sont triés selon trois niveaux de qualité puis empaquetés avant d'être acheminés vers les centres de torréfaction et les distributeurs. Dans les magasins, mieux vaut acheter du café estampillé Café Puro, le Café Traditicional contenant jusqu'à 10 % de sucre.

Sortir

Turrialba est assez animée le soir. Si vous logez dans le centre-ville, inutile de prendre le taxi pour sortir : en vous déplaçant à pied vous trouverez facilement plusieurs bars ouverts. La ville étant assez sûre, vous pourrez également regagner votre hôtel à pied et vous ne serez pas obligé de prendre le taxi pour des raisons de sécurité, comme à San José à la nuit tombée.

CHARLIE'S BAR

Passage Rojas Cortes

Avenida central ✆ +506 2557 6565

Fermé le lundi. Ouvert du mardi au jeudi de 17h à 2h, le vendredi jusqu'à 5h et le samedi jusqu'à 6h. Plats rapides à 4 000 colones en moyenne.

Le Charlie's est une institution à Turrialba. Tout le monde connaît et tout le monde y va... Surtout les jours de match, car ils sont retransmis sur grand écran. En fin de semaine, vers 22h, un DJ s'installe aux platines et on y danse jusqu'au bout de la nuit ! Bonne carte de cocktails. Le jeudi soir, c'est Ladie's Night (boissons gratuites pour les filles !). Pour les petites ou les grosses faims, le bar propose aussi des sandwichs et des plats tex-mex.

À voir – À faire

Etape importante sur l'ancienne route menant à la mer, Turrialba (650 m d'altitude) a failli tomber dans l'oubli après la construction de l'autoroute San José-Limón. Cette ville de tradition agricole de 30 000 habitants, également connue pour sa manufacture de balles de base-ball, est heureusement située à proximité du río Pacuare, une rivière découverte par les pionniers des sports en eau vive. Depuis, la région est devenue un centre international d'entraînement. L'autre attrait de Turrialba est d'être au pied du volcan du même nom et à proximité du lago Angostura, un lac artificiel récent. Tout près, le chantier archéologique, malheureusement fermé au public, met au jour des traces d'habitat humain remontant à plus de 11 000 ans, alors que d'autres sites précolombiens ont été noyés sous les eaux.

GOLDEN BEAN COFFEE TOUR

✆ +506 2289 3671 – +506 8920 7489

Fax : +506 2228 5789

www.goldenbean.net

info@goldenbean.net

A 1 km de l'hôtel Casa Turire

Ouvert de 8h à 15h tous les jours. Tours à 9h et 14h (32 US$ par personne) et un tour de nuit qui débute à 17h incluant un repas au restaurant de l'hôtel Turrialtico et le transfert depuis votre hôtel (comptez 57 US$, ou 45 US$ avec le dîner mais sans transport). La visite de la plantation dure 2 heures quelle que soit la formule choisie. Réservation recommandée pour toutes les visites. La boutique est ouverte de 8h à 15h pour ceux qui souhaitent faire des achats sans visiter la plantation.

Cette finca de café, gérée par Jorge, un charmant Costaricien, vous donnera tous les secrets de ce nectar que l'on met deux minutes à déguster et qui pourtant nécessite une attention toute particulière, une récolte soignée et une sélection appropriée. Située à une dizaine de kilomètres de Turrialba (suivre les panneaux de la casa Turrire, elle se situe non loin), vous saurez tout sur cette boisson si appréciée dans nos contrées et vous vous rendrez ainsi compte du travail de fourmi qu'il a fallu pour que vous puissiez la déguster.

CATIE, la mémoire génétique des végétaux

Le Costa Rica, pays tropical qui a construit son développement économique sur l'agriculture avec le café (*el grano de oro*) et la banane, puis le cacao, le coco, la macadamia, l'ananas, etc., se devait de capitaliser et de faire fructifier ses richesses agricoles. C'est ainsi qu'est né le CATIE (Centro Agronómico Tropical de Investigación y Enseñanza) près de Turrialba. Ce centre scientifique pour l'agriculture et la gestion des ressources naturelles a pour mission le développement durable et la réduction de la pauvreté en Amérique tropicale. Pour la remplir, elle le fait à travers trois axes : la recherche, la coopération technique et l'éducation. La recherche concerne la connaissance biologique, les nouvelles technologies, la gestion et la conservation des ressources naturelles, etc., mais aussi les conséquences environnementales comme les changements climatiques. Elle se pratique en réseau à travers une quinzaine de pays latino-américains membres et avec des universités et laboratoires nord-américains ; la France participe aussi avec le CIRAD de Montpellier. L'enseignement supérieur tient un rôle important. En effet, parmi les 5 000 formations dispensées par le CATIE, 1 700 spécialistes de tout pays ont été formés et ont obtenu des maîtrises et des doctorats, la coopération technique allant de pair avec la recherche et la formation. Mais ce qui distingue le plus ce centre, c'est sa mémoire biologique. Les végétaux, comme tout être vivant, évoluant constamment, le centre a pris la décision de conserver la trace génétique de certaines plantes. Ainsi, il conserve dans ses laboratoires 4 400 empreintes génétiques « hors du temps », dont 160 d'arbres tropicaux. De cette façon, pour les végétaux qui auront complètement disparu de la nature dans x années, l'homme possèdera son empreinte, prête à être réactivée. Pour le café et le cacao – deux des principales ressources agricoles du pays –, les jardins comportent une zone de 10 hectares où poussent 760 types de cacao, et une autre de 10 hectares, également avec 9 000 plants de café, dignes représentants de la diversité naturelle de cette plante.

CENTRO AGRONOMICO TROPICAL DE INVESTIGACION Y ENSEÑANZA (CATIE)

© +506 2556 2700

Fax : +506 2556 2703

www.catie.ac.cr

comunicacion@catie.ac.cr

A 5 km à l'est de Turrialba sur la route de Siquirres, l'ancienne autoroute vers Limón. Ouvert tous les jours, de 6h à 16h. Visites guidées toutes les heures de 7h à 14h. Adultes 10 US$, étudiants et retraités 8 US$, lycéens et collégiens 6 US$. Téléphoner pour réserver la visite. C'est un centre de recherche et d'application, mondialement reconnu et financé par une dizaine de pays d'Amérique latine, sur les cultures tropicales dans les meilleures conditions environnementales possibles.

Fèves de cacao au centre CATIE.

© STÉPHANE SAVIGNARD

Caféier dans la région de Turrialba.

Après un rapide tour de la finca et quelques précieuses explications sur l'utilité de chacune des plantes présentes aux alentours des caféiers, direction la finca elle-même pour approcher les subtilités des différents « grains d'or ». Tous les moyens de désherber, d'enrichir la terre, d'éloigner les parasites sont abordés... Puis, une fois près des machines, le guide Guillermo (ou Tyrone) vous en apprendra de belles sur l'ingéniosité des Costariciens qui ont inventé les machines servant à sélectionner, à trier, à laver et à sécher les grains avant de les griller. Evidemment, dégustation en suivant, et visite de la boutique pour s'apercevoir qu'avec du café on fait aussi bien du parfum, du papier que de la liqueur ou des bougies !

Autre adresse : pour réserver ✆ +506 2531 2008 – +506 2531 1989.

MUSÉE RÉGIONAL OMAR SALAZAR OBANDO

✆ +506 2558 3615

Ouvert du lundi au vendredi de 8h30 à 12h et de 13h à 16h30. Entrée libre.

Les amateurs d'artisanat précolombien aimeront ce musée géré par l'université du Costa Rica et installé dans l'enceinte de l'université de Turrialba. Une exposition permanente est consacrée au monument national Guayabo dans deux salles. Egalement, une exposition temporaire qui change tous les six mois. Joli patio avec un agréable jardin au milieu du musée.

Sports – Détente – Loisirs

CASA TURIRE

En bordure du lac Angostura
A 30 minutes de Turrialba.
✆ +506 2531 1111 – +506 2531 2244
Fax : +506 2531 1075
www.hotelcasaturire.com
info@hotelcasaturire.com
sales@hotelcasaturire.com

Excursion à cheval de 2 heures : 45 US$. Téléphoner à l'hôtel la veille pour réserver. Le jour de l'excursion, rendez-vous à la réception de l'hôtel (à 30 minutes de Turrialba).

Accompagné d'un guide à cheval, vous ferez une superbe balade, que vous soyez débutant ou pro en équitation. Si vous n'en avez jamais fait, ne vous inquiétez pas, le guide vous trouvera un cheval au caractère docile et vous montrera quelques rudiments pour le conduire. C'est très facile : on a testé pour vous ! La promenade se fait autour de la propriété de la Casa Turire. On est en pleine nature, au milieu des champs de caféiers et de canne à sucre. On monte aussi au sommet de deux petites vallées d'où le panorama sur la région et le lac Angostura est sublime. Pendant la randonnée, vous serez certainement accompagné de trois chiens qui vous suivront à la trace : ils adorent faire la balade car ils s'entendent particulièrement bien avec les chevaux (sourires et rires assurés). Quant au guide Enrique, il connaît la région par cœur et aura beaucoup d'histoires à vous raconter. Une excursion qu'on vous recommande vivement !

Sur les hauts plateaux de la route n° 10 en direction de la Vallée centrale et de Turrialba.

Volcan Turrialba et lac Angostura.

Pont sur une rivière de la Vallée centrale.

Route de la Vallée centrale.

VOLCAN TURRIALBA

Voisin de l'Irazú, il mesure 3 328 m. Il n'est pas actif au sens propre, mais il s'en dégage en permanence des fumerolles et de l'air chaud chargé de souffre. Trois cratères, le premier – le plus ancien – est complètement bouché ; le second est recouvert au fond d'une couche blanchâtre, un peu bleutée, de sédiments et de sel. Il s'en dégage de l'air chaud. Le troisième, d'où se dégagent beaucoup de fumerolles, est interdit à la visite. L'ensemble comprend un chaos de roches et de pierres dont quelques-unes sont composées de plusieurs minéraux. Les trois cratères du volcan Turrialba, entouré d'un parc peu fréquenté, semblaient profondément assoupis depuis sa dernière éruption en 1866, mais on y enregistre depuis peu une faible activité. Qu'importe, il y a toujours de très belles promenades à faire sur ses flancs ! Il est alors recommandé de partir du Volcan Turrialba Lodge (5 heures à cheval, puis la fin de la balade à pied, départ à 8h du matin).

VOLCAN TURRIALBA LODGE
En montant vers le volcan Turrialba (exclusivement en 4x4)
© 273 4335 – 273 0194
Fax : 273 0703
www.volcanturrialbalodge.com
info@volcanturrialbalodge.com
Sur la route qui mène au volcan, passez la Pastora, allez vers la finca La Central, la fin de la route n'est accessible qu'en 4x4. Il faut compter au moins 45 minutes de Turrialba. Chambre double : 25 US$ par personne ; triple : 20 US$ par personne. Déjeuner à 10 US$, déjeuner et dîner à 12 US$. Taxes non incluses. Attention : au moment de notre visite, pendant l'été 2011, cet hôtel était fermé à cause du mauvais état de la route pour plusieurs mois... On vous recommande donc de téléphoner avant de vous y rendre.
Le lodge, à 2 800 m d'altitude, comprend 28 chambres rustiques chauffées au poêle à bois avec salle de bains, eau chaude, petite terrasse privée et banc en bois. Le Turrialba Lodge fait penser à un beau refuge alpin auquel sont ajoutées une écurie et une laiterie. C'est la base idéale pour l'exploration du volcan et de ses environs. L'accueil de Llety, et de tous, est très chaleureux. Un bar et un restaurant chauffés avec un fourneau à bois complètent le lodge. La cuisine (*casera*) de la maison est d'un grand réconfort et l'ambiance est très conviviale surtout quand on mange tous ensemble le soir près du feu. Parmi les activités : visite du volcan à cheval (4 heures 30), balades guidées à pied ou à cheval (2 heures 30). Les amateurs de colibris et de photos seront comblés par les nombreux colibris qui virevoltent toute la journée (photographes, à vos appareils !) devant le lodge. Attention, l'air est frisquet ! Ce lodge, incontournable pour le volcan, est à recommander dans tous les cas.

GUAYABO

Situé à 19 km au nord de Turrialba en direction de Santa Cruz et de Pacayas, le site archéologique de Guayabo est protégé depuis les importantes découvertes archéologiques qui y ont été faites. Certains archéologues n'hésitent pas à les comparer aux vestiges de la civilisation de Copán au Honduras. Entre l'an 1 000 avant notre ère et au plus tard 1 400 apr. J.-C., date à laquelle la ville fut abandonnée, Guayabo devait compter quelque 5 000 habitants répartis autour de son centre, actuellement dégagé. Aujourd'hui, on peut voir des sortes de monticules qui servaient de fondations aux maisons, des gradins et des plans inclinés qui mettaient à niveau les chaussées et les planchers des habitations, des trottoirs pavés et un réseau d'aqueducs en partie à ciel ouvert (et encore en état de fonctionnement). Sur les pierres, des sculptures animalières, bien conservées, représentent des félins ou des oiseaux de la forêt alentour. Un belvédère offre une vue d'ensemble des fouilles, mais il faut beaucoup d'imagination pour reconstituer la cité telle qu'elle devait exister et la visite peut s'avérer décevante !

Notre conseil. Faites la visite accompagné d'un des guides touristiques que vous trouverez à l'entrée du parc ; pour quelques dollars de plus, vous aurez une vision bien plus intéressante et plus juste du site archéologique.

Transports

En bus. Des bus desservent le site au départ de Turrialba : du lundi au samedi à 11h15, 15h10 et 17h30 et le dimanche à 9h, 15h et 18h30. Dans l'autre sens, ils partent à 5h15, 6h30, 12h30 et 16h du lundi au samedi et le dimanche à 6h30, 12h30 et 16h. Les horaires sont variables : il faut donc bien les vérifier avant de partir. Le bus pour Lajas, la petite localité au nord du site, peut vous déposer à l'intersection, à peu près 4 km avant l'entrée du monument.

Piste de la Vallée centrale.

En voiture. Comptez une heure de route en pleine montagne : il faut sortir au nord de Turrialba puis tourner à droite après le pont métallique et suivre les panneaux. La route n'est pas goudronnée à l'approche du site, on vous recommande donc d'y aller en 4x4. En taxi, comptez 9 000 colones la course.

Pratique

RENSEIGNEMENTS

✆ +506 2259 1220

Ouvert tous les jours de 8h à 15h30. Entrée : 7 US$.

RÍO PACUARE

Le Pacuare est LE lieu des sports en eau vive, et le plus sportif. Mais là aussi, tout dépend encore de la saison. En fin de saison sèche, la tendance est plutôt à l'échouage. En revanche, en fin de saison des pluies et au début de la saison sèche, le rafting peut être un sport spectaculaire avec nombre de décharges d'adrénaline. Les paysages traversés par le río Pacuare y sont tout aussi impressionnants (si on a le temps d'y prêter attention entre les épreuves infligées par les courants quelquefois de classe IV). Fort heureusement, de temps à autre, les eaux se calment. Il n'y a plus alors que vous et les parois des canyons, les débordements de la forêt pluvieuse et le bleu du ciel, loin au-dessus et si calme. Du fait de la difficulté d'accès, il vaut mieux prévoir plusieurs jours pour vivre l'expérience. L'hébergement est assuré sous des tentes en bordure de la rivière. Pour ceux qui s'y connaissent, les mois compris entre juin et octobre sont les meilleurs du fait de l'amplitude des précipitations. Les prix des agences vont de 100 US$ pour une journée à 300 US$ pour deux jours et une nuit, avec les transferts aller-retour depuis San José. En partant de Turrialba, la journée revient à 85 US$. Il faut attendre qu'un groupe d'au moins six personnes soit constitué pour que le départ soit annoncé : réservez donc votre voyage quelques jours avant la date souhaitée – sachez qu'il y a foule durant la haute saison : le problème est alors inverse. Cependant, certains lecteurs nous ont fait part du côté « machine à touristes » des excursions à la journée, au départ de San José, où l'on fait le tour de la ville à l'aube en minibus afin de le remplir et partir. Certaines agences proposent heureusement de prendre en charge les touristes individuellement de San José et constituent des groupes de rafting restreints, ce qui permet de mieux profiter de la journée mais c'est légèrement plus cher (environ 40 US$ de plus). Renseignez-vous au moment de la réservation.

COSTA RICA EXPEDITIONS

San José ✆ +506 2257 0766
www.expeditions.co.cr
webmaster@costaricaexpeditions.com
Cette agence organise des excursions rafting à la journée, à partir de San José avec un transport individuel aller-retour depuis la capitale jusqu'au río Pacuare. Compter 149 US$ par personne. Sont inclus dans le prix : les repas, le guide, la sortie rafting et la location de l'équipement, le CD photos de la sortie ainsi qu'un cocktail. Très bon rapport qualité-prix.

PACUARE LODGE

Au cœur de la rivière
✆ +506 2225 3939 – +506 2224 0505
Fax : +506 2253 6934
www.pacuarelodge.com
Forfaits proposés : forfait 1 (2 jours/1 nuit) 375 US$ en bungalow, 464 US$ en junior suite et 535 US$ en suite lune de miel ; forfait 2 (3 jours/2 nuits) 547 US$ en bungalow, 710 US$ en junior suite et 838 US$ en suite lune de miel. Inclus dans les forfaits : le guide, les repas, le tour de rafting, les boissons chaudes et les transferts aller-retour depuis San José.
Très joli lodge rustique avec beaucoup de charme au cœur du la rivière Pacuare véritablement faite pour le rafting. Nombreuses activités : canopy (40 US$), visite des Indiens cabecar (30 US$), massage santé (40 US$) et promenade à cheval (50 US$).

RÉGION CARAÏBE

Plage de la côte caraïbe.

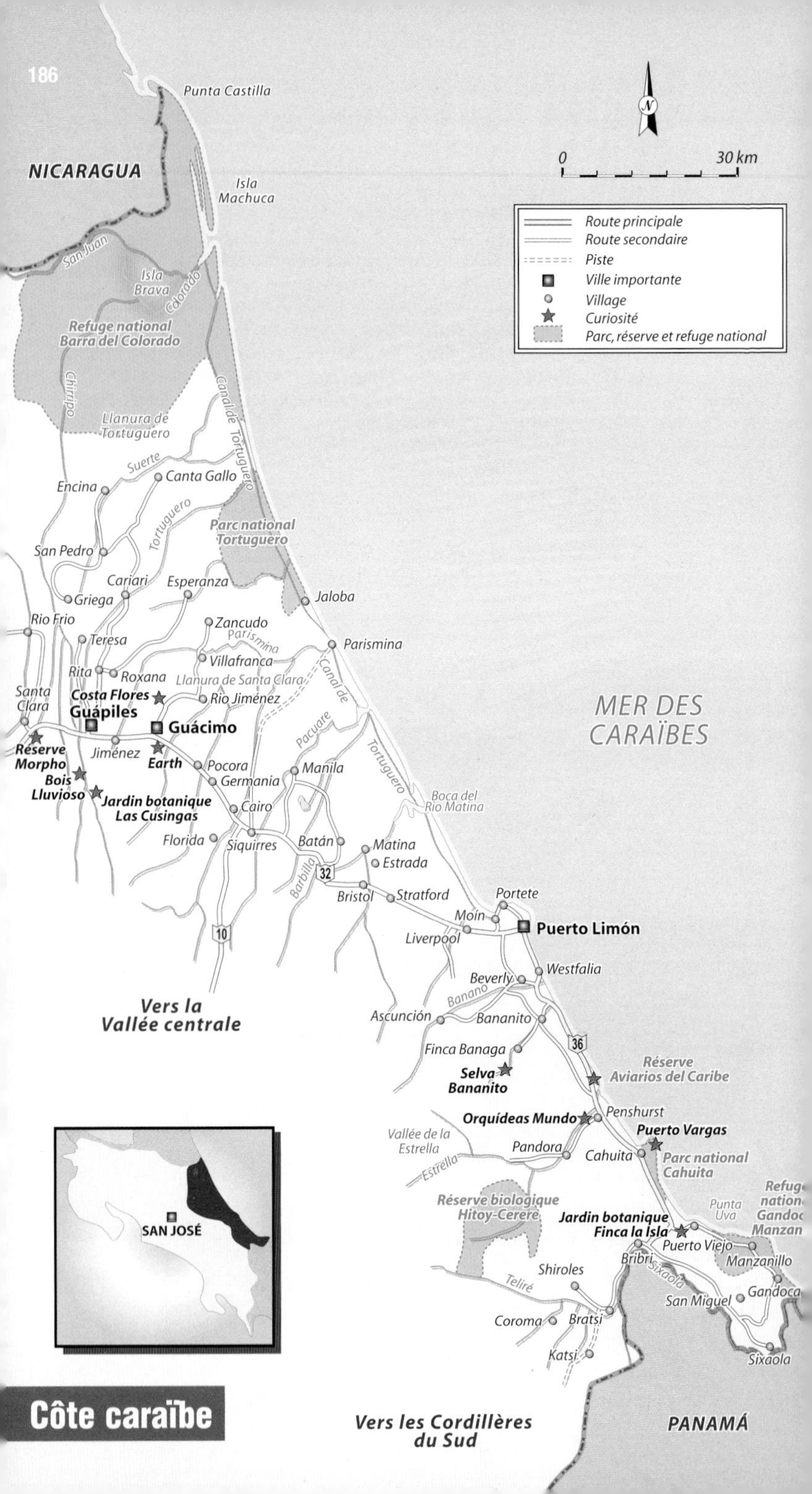
Punta Castilla
NICARAGUA
0
30 km
Isla Machuca
Route principale
Route secondaire
Piste
Ville importante
Village
Curiosité
Parc, réserve et refuge national
San Juan
Isla Brava
Colorado
Refuge national Barra del Colorado
Chirripo
Canal de Tortuguero
Llanura de Tortuguero
Suerte
Encina
Canta Gallo
Tortuguero
Parc national Tortuguero
San Pedro
Cariari
Esperanza
Griega
Jaloba
Rio Frio
Zancudo
Teresa
Parismina
Parismina
Villafranca
Rita
Roxana
Llanura de Santa Clara
Canal de
Santa Clara
Costa Flores
Guápiles
Rio Jiménez
Guácimo
MER DES CARAÏBES
Réserve Morpho
Jiménez
Earth
Pacuare
Pocora
Tortuguero
Bois Lluvioso
Germania
Manila
Jardin botanique Las Cusingas
Cairo
Boca del Rio Matina
Florida
Siquirres
Batán
Matina
Estrada
32
Barbilla
Bristol
Stratford
Portete
Moín
Puerto Limón
10
Liverpool
Westfalia
Beverly
Vers la Vallée centrale
Banano
Ascunción
Bananito
36
Finca Banaga
Selva Bananito
Réserve Aviarios del Caribe
Orquídeas Mundo
Penshurst
Vallée de la Estrella
Puerto Vargas
Pandora
Cahuita
Parc national Cahuita
Estrella
Réserve biologique Hitoy-Cerere
Punta Uva
Jardin botanique Finca la Isla
Puerto Viejo
Bribri
Manzanillo
Shiroles
Sixaola
Teliré
Gandoca
San Miguel
Coroma
Bratsi
Sixaola
Katsi
SAN JOSÉ
Côte caraïbe
Vers les Cordillères du Sud
PANAMÁ

Région caraïbe

Une côte plate, rectiligne et sablonneuse de près de 200 km du Nicaragua (au nord) au Panamá (au sud), telle apparaît physiquement la région Caraïbe. La forêt tropicale, en partie vierge, descendant des flancs orientaux de la cordillère de Talamanca, prospère jusqu'au bord du littoral notamment au nord (Tortuguero) et au sud. La population noire, originaire des proches îles Caraïbes, venue lors de la mise en valeur de cette région il y a plus d'un siècle, lui a apporté une culture différente, offrant une touche exotique métissée unique au Costa Rica. Au niveau du climat, la région Caraïbe est naturellement humide (2 400 mm de précipitations par an) plus que la côte pacifique. Durant la saison sèche, les températures varient de 28 à 30 °C (de décembre à avril) et elles sont entre 22 et 25 °C pendant la saison des pluies (de mai à novembre).

LA CÔTE NORD

La région qui s'étend au nord de Limón, à peu près à partir de Boca del río Pacuare (embouchure du río Pacuare), fait partie de la « fosse du Nicaragua », une vaste plaine alluviale inondée par les deltas des rivières qui y aboutissent. Les précipitations (plus de 6 000 mm/an) représentent l'une des plus fortes pluviométries du monde. Les vagues reliefs qui séparent les canaux sont les restes d'un archipel d'origine volcanique. C'est donc en bateau que l'on se déplace dans une région presque complètement dépourvue de routes. Si certaines voies navigables secondaires ont toujours existé, on a creusé à partir de 1974 d'autres canaux pour les relier et pour mieux desservir cette région reculée ; il a fallu attendre 1982 pour qu'un générateur fournisse en électricité le secteur. Un canal, formé de lagunes et de fleuves, quitte Moín en longeant la côte, sur 120 km, jusqu'à l'embouchure du río Colorado, juste avant Barra del Colorado, dernier village avant le Nicaragua, et dessert Parismina, Caño Blanco – l'embarcadère pour ceux qui viennent par « la route » – et la ville de Tortuguero. Il croise tous les fleuves et les rivières qui se jettent dans la mer à leur embouchure, comme Boca del río Matina, Boca del río Pacuare, Boca del río Parismina, Boca del río Tortuguero et enfin Boca del río Colorado. C'est un spectacle de voir ces *bocas* affronter les rouleaux de l'océan.

BARRA DEL COLORADO

Barra del Colorado, avec ses 92 000 hectares, est le plus grand refuge – presque un parc –, mais reste très peu connu du fait de son éloignement et de ses centres d'intérêt moins spectaculaires que ceux de son puissant voisin Tortuguero.

Les immanquables de la région caraïbe

- **Visiter Tortuguero,** le village et le parc national, voir une ponte de tortues la nuit, découvrir la lagune en barque.
- **Visiter** Cahuita, le village, le parc national et sa belle Playa Blanca, et faire du snorkeling dans les récifs coralliens.
- **Manger** un *rondón* ou un poisson sauce *caribeña*, typique de la région.
- **Visiter** Puerto Viejo, le village (la nuit festive), Playa Cocles, en emprunter à vélo la route (piste) jusqu'à Manzanillo.
- **Dîner** d'un pargo sauce Puerto Viejo sur le « port » à Puerto Viejo.
- **Découvrir** la culture amérindienne, avec les indigènes Bribrí et Kekoldi.
- **Aller** à Penshurst, visiter Orquideas Mundo et Aviarios del Caribe (refuge des paresseux).
- **Surfer** sur la Salsa Brava, une tubulaire pour les surfeurs très aguerris.

Les zones nord et sud du refuge sont les plus fréquentées. La première, les environs d'Isla Calero, est accessible de Puerto Viejo par bateau en suivant le río Sarapiquí puis le San Juan ; la seconde jouxte et se confond presque avec le parc national de Tortuguero. Les alentours du village de Barra del Colorado, à l'embouchure du río Colorado (d'où son nom), sont connus des pêcheurs qui viennent ici pour le tarpon. La zone occidentale est sujette à discussions entre les partisans de son développement, notamment des voies de communication, et ceux qui préféreraient qu'on l'épargne. Actuellement, un semblant de route relie Puerto Lindo sur le río Colorado à Cariarí.

Transports

En bus. C'est un peu compliqué, mais faisable s'il n'a pas trop plu. Il faut d'abord se rendre tôt le matin à Cariarí (départ de San José c0, a11/13), de là prendre le bus à midi pour Puerto Lindo ou celui de 14h30 pour La Pavona puis un bateau-taxi pour Barra del Colorado. Cependant, s'il a beaucoup plu, la route n'est parfois pas praticable car c'est un chemin de terre jusqu'à Puerto Lindo et il est très vite inondé... Par conséquent, pour savoir si vous pourrez poursuivre votre route une fois à Cariarí, appelez au ✆ +506 2710 7120 – +506 2710 6592.

En bateau. Le mieux est de partir de Tortuguero où l'on peut louer des bateaux pour plusieurs personnes (1 heure 30, entre 50 et 100 US$ selon la saison). Mais peut-être trouverez vous beaucoup moins cher avec un batelier ou un pêcheur du cru ? Le voyage est aussi possible au départ de Puerto Viejo de Sarapiquí.

BUS
✆ +506 2767 6139

NATURE AIR
✆ +506 2220 3054
www.natureair.com – info@natureair.com
120 US$ l'aller-retour. Les vols décollent tous les jours de San José vers 7h, retour à 7h45.

SANSA
✆ +506 2221 9414
Vols réguliers vers Barra del Colorado : mardi, jeudi et samedi à 6h, retour à 6h50 (30 minutes de vol).

Se loger

CABINAS TARPONLAND
✆ +506 8818 9921
30 US$ la chambre. Chambre en pension complète et sortie de pêche : 300 US$/pers. Pas de cartes bancaires.
Bien qu'assez sommaire, l'hôtel est presque agréable ; c'est aussi le moins cher (à un prix plus bas, vous ne trouverez qu'un bout de terrain où planter la tente). Les *cabinas* sont pleines durant la saison du homard qui attire des bandes de pêcheurs chevronnés et bruyants.

SILVER KING LODGE
✆ +506 2794 0139 – +1 877 335 0755
www.silverkinglodge.com
info@silverkinglodge.com
Pour les prix des forfaits (lodge, pêche, repas), consulter le site Internet ou demander un devis par e-mail. C'est le moins « américanisé » de la région. Vous serez agréablement surpris par ce lodge tenu par une Portoricaine francophone. Tout confort et très accueillant.

TORTUGUERO

Tortuguero, c'est à la fois un village afro-caribéen et un parc national magnifique. Accessible seulement par voie aérienne ou maritime, cette zone est particulièrement préservée ; vous apprécierez la sensation d'être « au bout du bout du monde ». Difficile de ne pas tomber sous le charme de cette nature à la biodiversité stupéfiante et de ne pas adorer ce village où tout rappelle la Jamaïque. Venir au Costa Rica sans visiter Tortuguero serait une grave erreur. C'est une destination du pays à ne manquer sous aucun prétexte. *Tortuguero* signifie mot à mot « là où pondent les tortues », tout simplement car le parc national de Tortuguero a de tous les temps été une terre où les tortues venaient pondre. Quatre espèces viennent enterrer leurs œufs sur les plages de Tortuguero : les tortues leatherback (celles d'Ostional) entre février et juillet, les vertes et les hawksbill entre juillet et octobre. Toutes, et particulièrement les vertes, sont observables dans les canaux proches de la mer. Au XVIIe siècle, quand les Espagnols cultivaient le cacao sur cette côte, la viande de tortue était utilisée pour nourrir les marins pendant la traversée de l'Atlantique. Au début du XXe siècle, la mode des soupes à la tortue et des objets en écaille causa un tort immense à l'espèce, qui avait presque disparu au début des années 1950.

A cette époque, le fondateur de la Caribean Conservation Corporation, Archie Carr, s'émut du sort de la tortue verte qui, chaque année, venait entre juillet et décembre pondre sur ces plages. Son travail aboutit finalement à la création de la zone de protection de l'espèce devenue, depuis 1970, le parc national de Tortuguero. En plus d'une administration, Carr établit un programme d'éducation de la population locale qui vivait jusque-là de la pêche des tortues. Les pêcheurs devinrent guides et experts pour repérer la faune et suivre son évolution et, aujourd'hui encore, leurs descendants le remercient car les habitants de la région vivent essentiellement du tourisme et n'ont guère d'autres pistes d'emplois dans une région où le chomage est élevé.

Mais Tortuguero, ce n'est pas que les tortues... Une biodiversité unique en son genre se concentre dans ce parc national. Sillonner quelques canaux, surtout les secondaires, s'avère très intéressant tant pour le calme qui règne sur ces lieux vierges que pour la quantité d'animaux que l'on peut apercevoir dans un environnement préservé : petits crocodiles qui se confondent avec les débris de bois, singes paresseux qui, suspendus aux branches, ne s'émeuvent de rien, oiseaux multicolores qui s'envolent au moindre son... La flore n'est pas moins riche et variée que la faune. Tortuguero abrite 11 habitats différents avec, en termes de biodiversité végétale, plus de 2 000 espèces de plantes et 400 d'arbres. Concernant les animaux peuplant ce parc, on trouve 309 espèces d'oiseaux, 111 de reptiles, 57 d'amphibiens, enfin 60 de mammifères.

Le parc national de Tortuguero est un immense domaine lacustre. Son enchevêtrement de canaux, de marais et de rivières en fait une petite Amazonie, en plus des 35 km de plage. Côté climat, Tortuguero étant une zone de forêt tropicale humide, la moyenne annuelle des précipitations est de 6 000 mm et les mois les plus secs sont février, mars, avril et septembre (température moyenne : 26 °C). Malheureusement, l'explosion touristique de ces dernières années fait qu'en haute saison on risque fort de se retrouver coincé au milieu d'un véritable embouteillage d'embarcations chargées « jusqu'à la gueule » de pauvres touristes trempés, assourdis et asphyxiés par le bourdonnement et l'odeur des moteurs et aveuglés par les projections d'eau...

Transports

Comment y accéder et en partir

▶ **En avion.** La piste d'atterrissage se trouve à 4 km au nord du village de Tortuguero, près de la Casa Verde. Compter 115 US$ le vol aller-retour depuis San José avec les deux seules compagnies à effectuer cette rotation (Nature Air et Sansa).

▶ **En voiture.** Au départ de San José, prendre la route de Limón (route n°32) jusqu'à Guápiles. Avant de passer les montagnes, vous traversez Guápiles. Il faut alors prendre à droite au niveau de la station-service. Continuez tout droit pendant 8 km et tournez à gauche juste avant la voie ferrée. Au bout de 700 m, tournez à droite et continuez tout droit pour rejoindre Cariari.

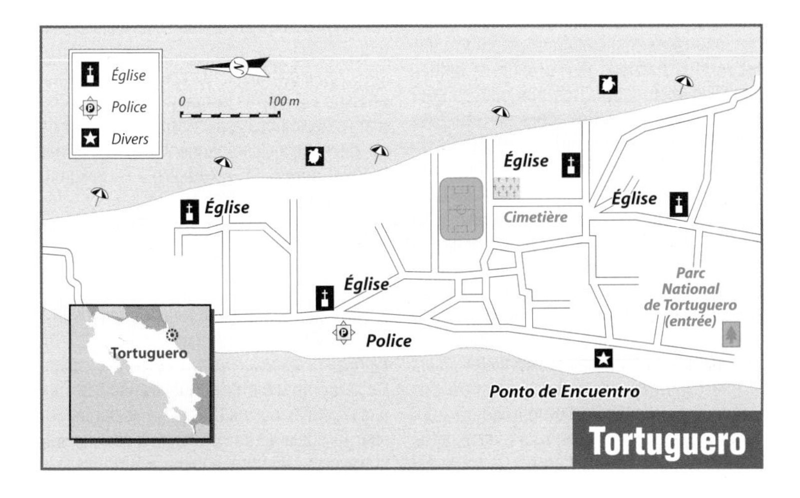

Samoa Lodge dans le parc de Tortuguero.

A Cariari, suivez successivement les directions suivantes ; ce sont des villages par lesquels vous devez passer : Campo Cinco, Campo Dos, La Esperanza, Cuatro Esquinas, Mora, Palacios, et vous arriverez finalement à La Pavona où se trouve l'embarcadère. Le trajet San José-Cariari prend environ 2 heures et il faut ensuite 1 heure pour aller de Cariari à La Pavona. Vous pourrez laisser votre voiture sur le parking surveillé de l'embarcadère (pas de ferry et donc impossible de faire traverser votre véhicule), mais il vous en coûtera 10 US$ la nuit.

▶ **En bus.** L'itinéraire le moins cher en partant de San José est le combiné bus public et bateau public. Il faut aller jusqu'à Cariari en bus, puis rejoindre l'embarcadère, situé à une heure à La Pavona, pour prendre le bateau direction Tortuguero. Des bus publics pour Cariari partent tous les jours de San José (c0/a15, terminal del Caribe) à 6h30, 9h ou 10h30 (compter de 2 heures 30 à 3 heures et 1 170 colones). D'autres partent plus tard dans la journée, mais si vous les prenez vous risquez d'arriver trop tard à Cariari pour prendre le dernier bateau pour Tortuguero, à La Pavona. Le bus vous déposera à la gare routière au sud de Cariari. A partir de là, marchez 500 m (ou prenez un taxi) pour vous rendre au terminal Caribeño (ou Estacion Vieja) : c'est là que vous pourrez prendre un autre bus qui vous emmenera à l'embarcadère pour Tortuguero, baptisé Rancho la Suerte, situé à La Pavona (durée : 1 heure). Ce trajet est assuré par une seule et unique compagnie de bus : Coopetraca. Ticket : 1 200 colones. La compagnie privée Viajes Bananeros est la seule compagnie à vous emmener de Moín à Tortuguero, mais on vous déconseille de passer par Moín car c'est beaucoup plus long, et plus cher (35 US$ le ticket de bateau), que de passer par Cariari pour prendre le bateau à La Pavona.

▶ **La lancha (bateau à moteur).** Une fois arrivé à Cariari, il faut donc aller (en bus ou en voiture) jusqu'à l'embarcadère de La Pavona pour faire la traversée jusqu'à Tortuguero. Billet à 1 600 colones en lancha publique pour rejoindre le village de Tortuguero. Renseignez-vous sur les horaires, mais lors de notre passage une lancha partait à 7h30, 13h et 16h. Durée du trajet : 45 minutes en moyenne et jusqu'à 2 heures pendant la saison sèche (car l'eau est trop basse à certains endroits ce qui ralentit considérablement la lancha). Pour le trajet retour, de Tortuguero à La Pavona : bateaux à 6h, 11h30 et 15h.

CLIC CLIC

Terminal Caribeño, Cariari
✆ +506 2709 8155
2 600 colones le trajet depuis Cariari jusqu'à Tortuguero. Départ du bateau à 7h30, 13h et 16h.
Cette compagnie publique transporte des passagers en bus de Cariari à l'embarcadère pour Tortuguero à La Pavona, puis elle effectue la traversée en bateau jusqu'à Tortuguero.

COOPETRACA
Terminal Caribeño, Cariari
✆ +506 2767 7137
1 200 colones le trajet en bus de Cariari à La Pavona. Départs du bus Cariari-La Pavona à 6h, 11h30 et 15h. Durée : 1 heure.
Cette compagnie publique transporte des passagers en bus de Cariari à l'embarcadère pour Tortuguero, le Rancho de la Suerte à La Pavona.

NATURE AIR
✆ +506 2220 3054 – +506 2299 6000
www.natureair.com
reservations@natureair.com
Le bureau se trouve à côté du magasin de souvenirs du village. Vol à 6h15 tous les jours au départ de San José. Compter 30 minutes de vol pour parcourir les 225 km. Le retour est à 7h.

SANSA
✆ +506 2221 9414
Vol à 6h15 tous les jours au départ de San José. Compter 30 minutes de vol pour parcourir les 225 km. Le retour est à 7h.

Se déplacer

Dans le petit village de Tortuguero, on se déplace aisément à pied. Dans le parc national, on circule en bateau sur les canaux. Si on souhaite se déplacer en dehors des circuits organisés, on peut faire appel aux bateaux-taxis. La course du village à un des hôtels du parc revient en moyenne à 1 500 colones.

BATEAUX-TAXIS
Station près du bar La Culebra
✆ +506 8344 3885 – +506 8992 0471
✆ +506 8869 4639

Pratique

La plupart de ceux qui visitent Tortuguero s'adressent à une agence : c'est certainement moins fatiguant et plus pratique que de s'y rendre par ses propres moyens. Certes, c'est un peu plus cher... L'acheminement prévu de San José (trajet d'une durée de 3 heures au minimum en minibus sur de mauvaises routes) ainsi que les repas coûtent environ 80 US$ pour une journée, et aller à Tortuguero pour une journée est un très mauvais plan. Ces agences organisent également des séjours de deux ou trois jours. Ces forfaits sont plus avantageux que de se débrouiller seul et ils vous assurent le logement dans une région où les hôtels sont vite complets. Les tours sont relativement bien organisés, mais évitez ceux qui vous semblent un peu racoleurs et qui emmènent des groupes de plus de 10 personnes. Pour caser tout le monde, ils font appel à de plus gros bateaux dans lesquels vous ne verrez rien d'autre que l'appareil photo de votre voisin (le plus souvent braqué sur le chargement de touristes qui arrive en face, proue en l'air). Ces embarcations vont vite, cherchent le rendement et, quand on vous prévient qu'un paresseux vient de remuer – même dans sa lenteur naturelle –, il est déjà trop tard. Pour peu qu'il pleuve, entre les gerbes d'eau et la pluie, vous aurez la désagréable impression de vous être fait rouler, alors qu'il y a tant de choses à voir à Tortuguero, à condition de prendre son temps.

Tourisme

SEA TURTLE CONSERVANCY
✆ +506 2710 0547 – www.cccturtle.org
stc@conserveturtles.org
L'association de protection des tortues marines fondée par le Dr. Archie Carr.

STATION DE RANGERS RENSEIGNEMENTS
Au nord du parc ou au sud du village
✆ +506 2709 8086
Entrée au parc : 10 US$. On peut acheter ses billets entre 5h30 et 7h, de 7h30 à 12h et après 12h45.
Trois stations de rangers au total dans le parc, mais c'est à cette station qu'on achète son entrée au parc (si on n'a pas pris un package avec une agence depuis San José ou un des nombreux hôtels au bord du fleuve). C'est aussi là que les rangers vous donneront des cartes et tous les renseignements nécessaires pour la découverte du parc. Pour une sortie avec guide sur la plage des tortues, il faut s'adresser à ce bureau : la visite a lieu seulement à 8h ou entre 16h et 18h.

Autres adresses : station d'Agua Fria à l'ouest du parc • Station de Jalova à l'entrée sud du parc, au bord du canal principal.

Argent

En raison de l'absence de distributeurs à Tortuguero, pensez à emporter suffisamment d'espèces au préalable.

Postes et télécom

BUDDA CAFÉ
Village de Tortuguero ✆ +506 2709 8084
buddacafetortuguero@gmail.com
Ce bar agréable propose le wi-fi, une bonne alternative quand on dispose de son propre ordinateur.

Orientation

Tortuguero, c'est à la fois un village et un parc national. Se repérer dans le village est un jeu d'enfants car c'est vraiment tout petit. Pas de noms de rues, mais tout le monde connaît tout le monde donc renseignez-vous auprès des passants si vous cherchez une adresse. Quant au parc national, on y circule en canoë. Si vous souhaitez vous déplacer en dehors des circuits organisés, vous pouvez prendre un bateau-taxi. A titre indicatif, le prix de la course d'un hôtel du parc au village revient en moyenne à 1 500 colones.

Se loger

Les hôtels sont relativement nombreux dans cette région reculée mais vite complets, surtout en haute saison. Il est donc préférable de réserver. Les hébergements en dehors du village et en bordure de la lagune sont généralement de grands complexes hôteliers de charme ou de luxe. On peut les réserver via des agences ou en les contactant directement. La plupart de ces hôtels proposent des packages avec transferts aller-retour depuis San José, les repas et les tours. C'est en général de bon rapport qualité-prix car la concurrence féroce les oblige à être compétitifs. Ils proposent aussi presque tous un service de spa, mais attention ne vous faites jamais masser à l'extérieur : vous seriez victime immédiatement des piqûres de moustiques qui sont voraces (vécu au spa du Pachira Lodge qu'on vous déconseille, d'autant plus que même si vous avez été dévoré par les moustiques, on ne vous remboursera pas). Enfin, la plupart de ces hôtels, pourtant plutôt haut de gamme, n'ont pas la climatisation mais uniquement des ventilateurs (assez efficaces) par respect pour l'environnement. Si vous avez un budget restreint, sachez que les hébergements les moins chers se trouvent tous dans le village de Tortuguero et qu'ils sont dans l'ensemble de bonne qualité. Cependant, faites attention à vos affaires dans les petits hôtels trop isolés ou qui ne sont pas surveillés, les vols n'y sont pas rares...

Bien et pas cher

CABINAS MISS MIRIAM 2
✆ +506 2709 8107
rojasmaurizio45@yahoo.com
A l'est de l'église adventiste.
Chambre simple à 20 US$, double à 25 US$, triple à 30 US$. Wi-fi gratuit.
Des chambres basiques mais avec tout le confort nécessaire. Une terrasse agréable d'où l'on voit bien la mer. Le bar de la terrasse n'est ouvert qu'en haute saison. L'hôtel est un peu isolé du village mais le couple de propriétaires, Maurizio et Anabel, habitent juste à côté, ce qui est rassurant.

CABINAS PRINCESA
✆ +506 2709 8131 – +506 8335 9067
15 US$ par personne toute l'année. Chambres climatisées.
Un hôtel simple sur deux étages face à la mer. Une petite piscine pour se rafraîchir en prime et c'est la seule de tout le village !

CABINAS TORTUGUERO
✆ +506 2709 8114 – +506 8839 1200
cabinas_tortuguero@hotmail.com
Avec salle de bains commune : 10 US$ la chambre simple et 16 US$ la double. Avec salle de bains privée : 20 US$ la chambre simple et 25 US$ la double. Petit déjeuner très complet pour 5 US$.

Dans un jardin bien tenu, hébergement dans des bungalows. 11 belles chambres simples et propres, hamacs. Seul bémol, il y a du bruit le soir (discothèque Culebra).

CASA MARBELLA
✆ +506 2709 8011 – +506 8392 3201
En face de l'église
Doubles avec salle de bains privée de 40 à 65 US$. Une double avec salle de bains commune à 35 US$. Wi-fi gratuit.
Ce B&B assez récent propose quatre chambres très agréablement aménagées donnant sur le fleuve et la forêt, ou sur la mer. Bons conseils sur la zone. Coin cuisine et bon accueil.

LA CASONA TORTUGUERO
✆ +506 2709 8092
lacasonadetortuguero@yahoo.com
Dans le centre du village.
Comptez 15 US$ pour une personne et 25 US$ pour une cabine double. Petit déjeuner à 2 400 colones. Wi-fi gratuit et ordinateurs connectés à Internet en accès libre.
Un joli jardin abritant une terrasse pour le petit déjeuner invite au calme. Les cabinas sont colorées et propres, l'établissement est on ne peut plus central. Hamacs à disposition et possibilité de louer des canoës. Les deux fils de la patronne, Andres et David, sont guides certifiés ; on vous recommande leurs services si vous souhaitez faire une visite guidée.

HÔTEL MISS JUNIE
✆ +506 2709 8102 – +506 2709 8029
Fax : +506 2231 6803
Chambre simple à 45 US$, 50 US$ la double. Petit déjeuner inclus.
Chambres simples mais propres dans des bungalows. Bon restaurant de cuisine créole qu'on peut venir goûter même si on loge ailleurs. Cloied Taylor, un des fils de Miss Junie (la propriétaire de l'hôtel), est un excellent guide dont nous avons testé les services. N'hésitez pas à faire appel à lui pour une visite guidée.

TAYLOR'S PLACE
✆ +506 8319 5627
raytaylor@hotmail.com
A 600 m du bar la Taberna et près des cabinas Tortuguero.
Chambre double à 35 US$, la triple/quadruple à 55 US$. Deux chambres bénéficient de la climatisation, les autres ont seulement un ventilateur.
Trois chambres simples et confortables. Le charmant Ray Taylor, le patron, est également serveur au Budda Café. C'est aussi le fils de Miss Junie qui a elle-même un hôtel dans le village. Eh oui, le monde est tout petit à Tortuguero !

Confort ou charme

BAULA LODGE
✆ +506 2709 8041 – +506 8951 8951
www.labaulalodge.com
Au nord-ouest du parc national de Tortuguero
45 chambres toutes identiques (3 places) en bungalows avec ventilateur. Package 2 jours-1 nuit en tout-inclus avec transferts aller-retour depuis San José et circuits, à partir de 240 US $ pour une chambre simple, 198 US$ pour une double et 177 US$ pour une triple. Wi-fi gratuit et ordinateur connecté à Internet en accès libre.
Les différentes terrasses disposent d'une belle vue sur le fleuve, les ranchos sont aérés, et le restaurant est de bonne facture. Une petite piscine entourée de chaises longues permet aussi une sieste appréciable après une marche dans le parc. L'hôtel est un des rares établissement à proposer un tour de canopy (8 câbles et de 9 plates-formes) ; cette excursion est assurée par un prestataire extérieur (transfert en bus aller-retour prévu). Nombreux packages possibles de différentes durées. Les activités classiques à Tortuguero sont proposées (visite des canaux, village, parc national). On retrouve les mêmes packages que dans les autres lodges, mais avec cette différence que l'on se sent faire partie de la maison ! Le personnel est tout à fait charmant, souriant et se rend toujours disponible tout en étant discret. Une adresse charmante.

CABINAS RANA ROJA
Parc national de Tortuguero
✆ +506 2223 1926 – +506 2709 8260
✆ +506 8867 5091
www.tortugueroranaroja.com
ventas.ranaroja@gmail.com
De 70 à 120 US$ la double avec petit déjeuner. Pas de packages possibles mais des circuits de pêche et de canopy sont proposés. Accès Internet.
Un lodge récent au cœur de la forêt tropicale et au plus près des animaux qui y vivent. 5 bungalows et un édifice de 12 chambres construits entièrement en bois, en harmonie avec le paysage. Ici on est au calme pour se ressourcer tranquillement dans des chambres particulièrement confortables. Une grande piscine, un restaurant et un spa.

Départ pour une excursion en bateau depuis Tortuguero.

ILAN ILAN LODGE
En bordure de la laguna de Tortuguero, au sud de l'aéroport
✆ +506 2296 7378 – +506 2296 7502
Fax : +506 2296 7372
www.mitour.com/Frances/caribe/frtortuguero.html – info@mitour.com
Prix des forfaits (par personne) : 2 jours et 1 nuit 160 US$, 3 jours et 2 nuits 215 US$; transferts, repas et visites guidées compris. Forfaits pour 8 jours tout compris : sur demande.
Chambres moyennes mais confortables dans un beau jardin.

LAGUNA LODGE
Au nord du parc national de Tortuguero
✆ +506 2272 4943
www.lagunatortuguero.com
110 chambres en bungalows avec ventilateur et tout le confort. Les prix en haute saison : 2 jours et 1 nuit à 263 US$/personne (sur la base de 2 pers.), 3 jours et 2 nuits à 330 US$/pers. (2 pers.), 4 jours et 3 nuits à 466 US$/pers. (2 pers.), en formule tout compris (transferts, repas, taxes et visites guidées). Piscine et canoës. Deux restaurants avec une superbe vue sur la lagune, salle de conférence et de concert. Musique en vivo en haute saison, de 18h à 19h, avant de passer à table…
Situé du côté du village en bordure du lagon, en retrait et tranquille, le lodge a un accès direct à la mer. Il dispose aussi d'un jardin à papillons et de sentiers de promenade. Activités classiques (parc national, village, canaux). Lodge confortable, bien que très grand donc souvent bondé.

MAWAMBA LODGE
Parc national de Tortuguero
✆ +506 2709 8090
✆ +506 2709 8181
✆ +506 2293 8181
Fax : +506 2709 8080
www.grupomawamba.com
info@grupomawamba.com
58 chambres par bungalows de 4 chambres. Les prix dépendent des forfaits, en haute saison : 2 jours et 1 nuit à 262 US$/personne (sur la base de 2 pers.), 3 jours et 2 nuits à 329 US$/pers. (2 pers.), 4 jours et 3 nuits à 464 US$/pers. (2 pers.), 5 jours et 4 nuits à 598 US$/pers. (2 pers.) ; forfaits incluant transferts bus-bateau, repas, visites guidées et taxes. Piscine et salle de conférences.
Le Mawamba est peut-être le mieux situé par rapport au village et l'un des hôtels les plus confortables. Ils ont récemment développé le Mawamba Park qui est un petit zoo où on peut voir la plupart des espèces endémiques du Costa Rica : des iguanes, des tortues, des papillons et même la fameuse petite grenouille aux yeux rouges. Un petit sentier privé permet d'accéder par la plage, en 15 minutes à peine, au village de Tortuguero, ce qui est bien pratique si on veut faire un peu de shopping ou, tout simplement, le visiter sans être obligé de reprendre le bateau. Dernière originalité de cet hôtel : le restaurant flottant qui se transforme en bateau-croisière le soir venu... On peut y dîner aux chandelles lors du Sunset Tour et c'est romantique à souhait (prix du dîner non inclus dans le package).

TORTUGA LODGE AND GARDENS

Parc national de Tortuguero
✆ +506 2709 8034
www.expeditions.co.cr
lalpizar@expeditions.co.cr

Packages en forfaits tout-inclus : 2 jours-1 nuit, 3 jours-2 nuits, 4 jours-3 nuits. Tarifs des packages disponibles auprès de l'agence Costa Rica Expeditions. De multiples circuits proposés.

27 chambres doubles, triples ou quadruples réparties dans des bungalows. Hôtel agréable très écolo, alimenté à 80 % par l'énergie solaire et avec une piscine sans chlore. Les chambres confortables disposent toutes d'une grande salle de bains particulièrement moderne et cosy, avec un sèche-cheveux. Egalement un restaurant. Cet établissement géré par l'agence Costa Rica Expeditions, basée à San José, est une bonne affaire.

Luxe

HOTEL FLOR DE TORTUGUERO

Parc national de Tortuguero
✆ +506 2222 3927
Fax : +506 2222 3948
www.hotelflordetortuguero.com
reservas@hotelflordetortuguero.com

32 chambres (standard et bungalows), toutes ont ventilateur, minibar, sèche-cheveux. Jardin tropical, 5 km de sentiers dans la jungle, piscine, restaurant, bar, laverie. Les prix en haute saison : 2 jours-1 nuit à 213 US$/personne (sur la base de 2 pers.), 3 jours-2 nuits à 289 US$/pers (2 pers.), 4 jours-3 nuits à 368 US$/pers. (2 pers.). En basse saison, respectivement : 155 US$, 220 US$ et 285 US$. Transferts bus-bateau de San José, repas, visites guidées et taxes compris. Des transferts en avion sont possibles (demander par mail). De nombreuses activités sont proposées : visite des canaux à la découverte de la faune et la flore, promenade sur les sentiers, visite du village de Tortuguero, sortie pour voir pondre les tortues la nuit.

L'hôtel Flor de Tortuguero est situé en pleine forêt tropicale humide au bord de la lagune de Tortuguero. Ce lieu mystérieux et magique, la faune et la flore si riches pour seuls voisins, la culture caribéenne vous donneront une petite idée du paradis. Juan Miguel, le gérant, et son équipe seront aux petits soins avec vous.

MANATUS HOTEL

Parc national de Tortuguero
✆ +506 2239 4854
✆ +506 2709 8197
Fax : +506 2239 4857
www.manatuscostarica.com
info@manatuscostarica.com

12 chambres identiques, confortables et spacieuses, avec 2 lits queen size, air conditionné, TV satellite, grande salle de bains, minibar, coffre-fort, terrasse ou solarium privé, avec douche extérieure. Les repas sont compris dans le prix de la chambre, soit de 314 à 420 US$ par personne en formule 2 jours-1 nuit et 383 à 541 US$ les 3 jours-2 nuits, le prix varie en fonction de la saison et de l'effectif.

Beaucoup de charme pour cet hôtel à dimension humaine, calme et en harmonie avec la nature, dans un jardin magnifique, où l'on croise paresseux, singes et crabes de terre géants... tout cela au bord même de la lagune, avec des sentiers pour se « perdre » dans la nature. Une bouffée de nature hautement recommandée. L'équipe de l'hôtel est particulièrement gentille et agréable. Piscine très sympa sur le canal. Le restaurant Ara Macao est à retenir absolument, avec un service de grande classe, les repas sont copieux. On vous recommandera particulièrement le coryphène et la soupe de poisson, absolument délicieux. Nombreuses activités proposées : pêche, canopy, kayak, vélo aquatique, observation de la faune et de la flore. Spa, salle de gym, Internet, exposition de tableaux, transfert gratuit.

Keith, le train de la Banane et la Pieuvre

C'est en réalité le café qui est à l'origine du développement de la banane au Costa Rica. Dès son succès vers 1840, le café était acheminé par chars à bœufs vers Puntarenas sur la côte pacifique. De là, il était chargé sur des bateaux qui, pour rejoindre l'Europe, devaient descendre les côtes du Pacifique vers le sud, doubler le cap Horn et remonter tout l'Atlantique jusqu'en Europe... Un voyage qui durait cinq mois quand tout allait bien. Suite à l'augmentation des exportations de café, il devenait indispensable de relier la Vallée centrale, terres de production, à l'Atlantique. En 1871, le gouvernement décida la construction d'un chemin de fer reliant le centre du Costa Rica à Limón. On fit appel au constructeur américain de lignes ferroviaires au Pérou et au Chili, Henry Meiggs. Cependant, malgré ses expériences passées et les prêts consentis par la Grande-Bretagne, ce fut un grave échec. Après seulement 40 km réalisés (sur 150), ayant coûté la vie de 5 000 ouvriers et englouti les prêts, il n'y avait plus d'argent dans les caisses pour continuer. C'est alors qu'intervint Minor C. Keith, un jeune Nord-Américain de 23 ans travaillant déjà sur le chantier. Il proposa au gouvernement de continuer le projet de chemin de fer jusqu'à Limón, en échange de 8 % des terres ; il obtint gain de cause. Il prit en main le projet et, comme les travailleurs libres refusaient de risquer leur vie sur ce chantier colossal, il fit appel à de la main d'œuvre étrangère : des esclaves jamaïcains déportés, des Chinois et même des bagnards nord-américains. S'étant aperçu que la banane poussait très bien sous ce climat et afin de nourrir à bon compte tous ces travailleurs, il eut l'idée, en 1878, de planter des bananes tout le long des voies. Le gouvernement accepta, en échange des dettes, de lui céder les terres bordant la future voie ferrée et lui accorda même une exemption d'impôts pour vingt ans. En 1890, soit dix-neuf ans plus tard, le train entrait en gare de Limón, mais à quel prix ! Une fois le chemin de fer terminé, le café put être chargé sur les bateaux à Limón et s'exporter facilement en Europe, avec tout le succès que l'on sait. Keith, lui, eut l'idée de développer la culture bananière et de profiter du chemin de fer pour l'exporter aux Etats-Unis. La banane était à l'époque inconnue des Américains. Le succès fut immédiat : la banane s'imposa facilement sur toutes les tables américaines, et Keith en profita pour s'étendre dans toute l'Amérique centrale et même en Colombie.

Le succès grandissant, Keith fonda en 1899 l'United Fruit Company qui devait être de première importance dans le développement socio-économique (et politique) de plusieurs pays d'Amérique centrale et source de très vives controverses. En effet, l'United Fruit Company – connue sous le nom de El Pulpo (la Pieuvre) –, multinationale tentaculaire, joua un rôle déterminant dans l'histoire de tous les pays d'Amérique centrale. Pendant ce temps, de nombreuses manifestations d'ouvriers, inscrits au parti communiste, contre les conditions de travail se terminèrent dans le sang (lire Gabriel García Márquez) et des épidémies vinrent détruire les plantations de ces fragiles plantes, justifiant l'utilisation massive de pesticides dont les conséquences sur la santé des populations locales furent catastrophiques. Les bénéfices ne profitaient qu'à des étrangers. La Pieuvre exerça beaucoup de pression auprès des gouvernements, des classes dirigeantes « faciles à convaincre », intervint dans nombre de financements pour des projets publics ou occultes. Elle est impliquée, par exemple, dans le coup d'Etat mené par la CIA en 1954 contre le président J. Arbenz, pourtant élu démocratiquement au Guatemala. Aujourd'hui, exit la Pieuvre, l'United Fruit Company n'existe plus ; d'autres multinationales nord-américaines – Chiquita Brands, Dole – ont néanmoins pris le relais, mais les choses se sont heureusement arrangées pour les populations ouvrières même si l'Europe prend des distances avec la « banane-dollar » et si les cours ont tendance à s'effondrer. Quant aux ex-Jamaïcains, débarqués sur la côte caraïbe, ils y sont restés et ont fondé une communauté – la seule communauté noire du Costa Rica – encore très présente aujourd'hui.

Retrouvez le sommaire en début de guide

PACHIRA LODGE
Parc national de Tortuguero
✆ +506 2256 6340 (bureau San José)
✆ +506 2709 8222 (sur place)
✆ +506 8830 9956 (mobile urgence)
Fax : +506 2223 1119
www.pachiralodge.com
sales@pachiralodge.com
info@pachiralodge.com
88 chambres tout confort. Les prix : 2 jours-1 nuit à 209 US$/pers. (sur la base de 2 pers.), 3 jours-2 nuits à 289 US$/pers. (2 pers.), transferts bus-bateau, repas, taxes et les visites guidées (selon programme) compris. Trois restaurants superbes en bambou et palmes.
A quelques minutes du parc national, ce luxueux lodge très charmant et bien intégré dans la forêt propose principalement des packages de quelques jours, de quoi profiter au mieux des merveilles de Tortuguero accompagnés de guides expérimentés. L'accueil à l'hôtel est agréable, les chambres type bungalow en bois à la déco soignée disposent de ventilateurs, on est au cœur de jardins tropicaux où cohabitent les oiseaux et les singes. Pour le confort s'ajoute une piscine, entourée d'une végétation exubérante et en forme de tortue, dont l'une des pattes est destinée aux enfants et la tête au Jacuzzi. N'hésitez pas à demander un guide francophone. Depuis le lodge, des sentiers de randonnées sont accessibles. Adresse recommandée.

TURTLE BEACH LODGE
Au nord du parc national de Tortuguero
✆ +506 2248 0707
Fax : +506 2257 4409
www.turtlebeachlodge.com
Forfaits : 2 jours-1 nuit-2 tours à 210 US$ pour 2 personnes ; 3 jours-2 nuits-3 tours à 288 US$ pour 2 personnes ; 4 jours-3 nuits-3 tours à 358 US$ pour 2 personnes ; repas, transferts bus-bateau, tours et taxes compris.
Le lodge dispose de son propre canal et d'une plage qui font partie de la réserve privée qui entoure les bâtiments. Un très bel endroit où tout revient à la tortue, jusqu'à la piscine... Et c'est très bien ainsi. Lodge à recommander.

Se restaurer

BUDDA CAFE
Dans le village, non loin de la poste
✆ +506 2709 8084
buddacafetortuguero@gmail.com
Ouvert tous les jours de 12h à 20h30. Comptez un peu plus de 4 200 colones pour une petite pizza, ou 8 000 colones pour une grande. Pour une salade, compter 3 600 colones. En prime, connexion wi-fi !
C'est dans une petite salle aux couleurs chaudes ou en terrasse joliment aménagée sur pilotis au-dessus de l'eau, que vous pourrez commander des plats simples, mais bons et copieux. Au menu : pizzas, salades mais aussi lasagnes et crêpes (qui n'ont rien de nos crêpes bretonnes mais qui sont délicieuses quand même), des spaghettis et quelques vins. Les lieux à la fois chic et cosy sont parfaits pour siroter un cocktail en fin de journée face au coucher de soleil sur la lagune, en se laissant bercer par une douce musique électro-lounge. L'accueil très charmant est en accord avec l'atmosphère harmonieuse de cet établissement.

LA CASONA TORTUGUERO
✆ +506 2709 8092
lacasonadetortuguero@yahoo.com
Dans le centre du village.
Ouvert tous les jours de 7h à 21h. Plats à 3 600 colones.
Dans l'hôtel du même nom, un restaurant dans un cadre simple et rustique. Des plats simples et consistants avec de jolies surprises comme l'excellent riz aux langoustines ou les lasagnes aux cœurs de palmier.

RÉGION CARAÏBE

MISS JUNIE

Village ✆ +506 2709 8102
✆ +506 2709 8029

Ouvert de 7h à 19h, de 11h30 à 14h30 et de 18h à 21h. De 5 à 7 US$ le petit déjeuner, plats entre 9 et 14 US$, cocktails de 5 à 6 US$. Taxes non incluses.

Ce restaurant est le premier à avoir ouvert à Tortuguero. Il suffit de voir toutes les photos en noir et blanc suspendues aux murs pour se rendre compte que ces lieux sont porteurs de l'histoire de Tortuguero. Vous pourrez discuter avec la propriétaire Miss Junie (qui possède l'hôtel du même nom) dont la maman, Miss Sibella Martinez, a été une des première habitantes caribéennes de Tortuguero et connaissait personnellement Archie Carr. Le fils de Miss Junie, guide professionnel, vous en dira tout autant ; c'est une encyclopédie sur Tortuguero à lui tout seul. Côté cuisine, c'est tout simplement délicieux : on vous recommande les fruits de mer cuisinés à la caribéenne. Bon rapport qualité-prix pour ce petit restaurant familial.

Sortir

On vous déconseille de sortir à la nuit tombée au village de Tortuguero, car certains touristes se sont fait détrousser et d'autres ont été victimes d'agressions plus graves. Evitez tout particulièrement d'aller au bar-discothèque La Culebra, très malfamé le soir, où des bagarres de locaux alcoolisés ont lieu régulièrement ; lors de notre passage, une bagarre a rassemblé plus de cent locaux et ils ont réglé leurs comptes à coups de bouteilles en verre... Si vous avez pris un package dans un des hôtels en dehors du village, sachez par ailleurs que des animations et des concerts y ont généralement lieu le soir, surtout en haute saison. Enfin, si Tortuguero n'est pas une ville de fête c'est parce qu'ici c'est la nature qui est à l'honneur et il vaut mieux réserver votre énergie pour vous lever à 5h du matin et admirer les oiseaux sur la lagune.

À voir – À faire

A Tortuguero, il faut impérativement faire une ou deux visites guidées dans le parc national, que ce soit en canoë à la découverte de la biodiversité stupéfiante de la zone, ou à pied dans la jungle (ne vous y aventurez pas seul en raison du terrain glissant et des serpents au poison mortel ; partez avec un guide et le bon équipement). Si vous êtes à Tortuguero à la bonne saison (juillet-août), vous pourrez aussi faire LA sortie, avec guide, pour assister à la ponte des tortues sur la plage. La visite du village afro-caribéen de Tortuguero est à faire absolument : dépaysement garanti. Enfin, sachez que la plage de Tortuguero n'est absolument pas indiquée pour la baignade ni le surf. Les vagues sont puissantes et « désordonnées », et l'on y a aperçu des requins. On peut marcher sur la plage pendant 5 km vers le nord ou pendant 32 km vers le sud. Pour les moins courageux, quelques petits sentiers, aménagés, plus qu'entretenus, partent de la station dans la verdure.

CARIBBEAN CONSERVATION CORPORATION

A 200 m au nord du village de Tortuguero
✆ +506 2710 0547 – +506 2709 8091
www.cccturtle.org
stc@conserveturtles.org

Entrée sur donation : 1 US$. Pour vous y rendre, prenez un bateau vers le nord ou suivez le sentier qui longe la mer (4 km).

C'est la station de recherches autour de laquelle tout tourne, si vous souhaitez en savoir plus sur les tortues vertes. Elle fut fondée en 1954 par Archie Carr, qui fait autorité en matière de protection de cette espèce autrefois menacée. Une fois sur place, vous pourrez planter votre tente ou dérouler votre sac de couchage sous l'abri ou sur l'une des couchettes du dortoir. Il est préférable de téléphoner au préalable. Les places sont destinées en priorité aux chercheurs et aux étudiants. Sachez tout de même que les volontaires payent 1 890 US$ pour 15 jours, tout compris au départ de Miami.

VILLAGE DE TORTUGUERO

www.tortugerovillage.com

A la limite nord du parc national de Tortuguero, sur le bras de terre entre le canal principal et la mer, ce petit village de 1 800 habitants, dont la plupart ont des origines jamaïcaines, organise (lui aussi) sa vie autour des tortues et de la plage. Presque tous les habitants vivent du tourisme, de la pêche ou du parc sans aucun excès désagréable et il semble que tout aille pour le mieux dans cet arrangement orchestré par la nature.

Visites guidées

A Tortuguero, il faut impérativement faire une ou deux visites guidées que ce soit en canoë à la découverte de la faune et la flore, ou à pied dans la jungle. Si vous êtes à Tortuguero à la bonne saison (juillet-août), vous pourrez aussi faire LA sortie pour assister à la ponte des tortues sur la plage, mais faites-la accompagné d'un guide car errer sur la plage tard peut être dangereux et on ne tombe pas sur une tortue qui pond comme ça (il faut s'y connaître un

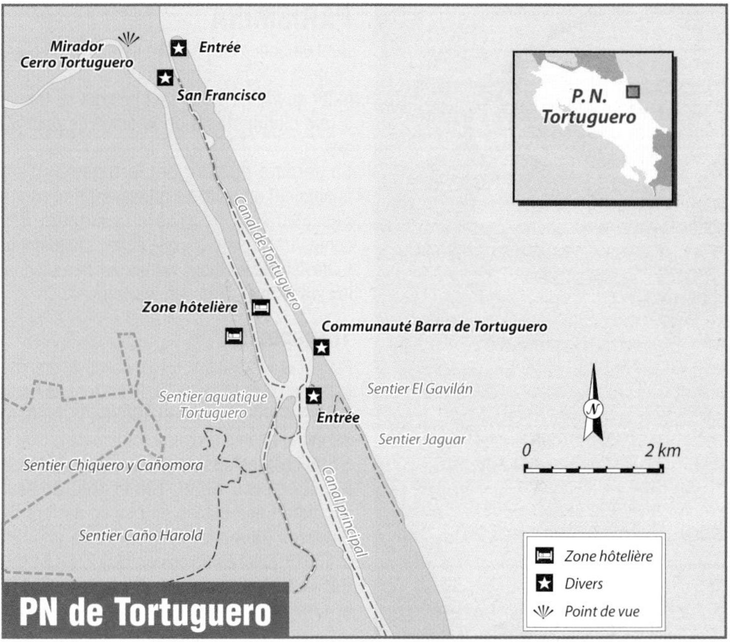

PN de Tortuguero

minimum, donc le guide est indispensable). Si vous n'avez pas pris de package avec une agence ou un hôtel, vos visites guidées n'étant pas déjà programmées, vous allez être assailli par des guides proposant leurs services au village de Tortuguero. On vous recommande vraiment la plus grande vigilance ! Ne partez pas à n'importe quel prix et avec n'importe qui sous prétexte que ce n'est pas cher : certains guides cassent les prix et vous proposeront des visites à 5 US$ (le tarif d'une visite guidée est en moyenne à 15 US$), mais en réalité ce ne sont pas des guides, juste des arnaqueurs, voire des alcooliques... Beaucoup de ces rabatteurs n'ont en réalité absolument aucune expérience et vous raconteraient n'importe quoi pour gagner quelques dollars. Rappelez-vous que le taux de chômage est élevé dans la région et que le tourisme est la seule source de revenu, donc certaines personnes peu scrupuleuses et en situation de précarité sont prêtes à tout... Ne tombez pas dans le panneau et exigez de voir le certificat de votre guide. Pour éviter toute arnaque, ne louez pas les services d'un guide croisé dans la rue, allez en réserver un à la réception d'un hôtel car ils travaillent avec des guides sérieux et accrédités toute l'année. Nous en avons référencé de très bons, mais vous conseillons de les réserver au moins une semaine à l'avance, surtout en haute saison.

ERNESTO TOURS

Village de Tortuguero
✆ +506 2709 8070
✆ +506 8815 1407

Ernesto, un guide naturaliste, organise des tours : canoë dans la jungle (3 heures.), Cerro Tortuguero (3 heures), pêche, observation des tortues marines (2 heures).

GUIDE CLOIED TAYLOR MARTINEZ

Village de Tortuguero. Hôtel Miss Junie
✆ +506 2709 8029
✆ +506 8932 8115
cloiedtaylor1@yahoo.com

Visites guidées de 3 heures à 20 US$ par personne. Réservation par mail, téléphone ou directement à l'hôtel Miss Junie.

Un des meilleurs guides de Tortuguero. Sa famille vit là depuis plusieurs générations et ce jeune Caribéen est une encyclopédie vivante aussi bien sur l'histoire de Tortuguero que sur la faune et la flore du parc national. Il propose tous les circuits classiques (balade dans la jungle, sortie pour voir la ponte des tortues, observation des animaux sur la lagune...) mais aussi un circuit « spécial plantes médicinales » et un autre baptisé Tour Coconut où on apprend entre autres à cuisiner avec du lait de coco (miam-miam !).

Végétation sur la plage de Tortuguero.

GUIDE OWEN LACKWOOD ESCORCIA
Village de Tortuguero
✆ +506 2709 8146 – +506 8317 0865
http://tortuguerovillage.com/owentour
owen242009@hotmail.com
Visites guidées de 15 à 40 US$. Réservation par mail ou par téléphone.
Un guide sérieux qui a beaucoup d'expérience mais aussi beaucoup d'humour. Nombreux circuits possibles.

GUIDES ANDRES ET DAVID
Village de Tortuguero
La Casona Tortuguero
✆ +506 2709 8047 – +506 2709 8092
✆ +506 8816 8491
lacasonadetortuguero@yahoo.com
Visites guidées de 2 à 3 heures. De 15 à 20 US$ par personne la visite.
Les deux fils de la propriétaire de l'hôtel La Casona sont guides certifiés. Ils ont pour spécialité le kayak mais font également des sorties pour observer les tortues, entre autres. Ils sont dynamiques et chaleureux ; vous passerez un agréable moment en leur compagnie.

PARISMINA

Sur l'embouchure de la rivière du même nom, ce petit village est bien souvent la première halte quand on arrive de Moín qui se trouve à une cinquantaine de kilomètres plus au sud.
En bordure du parc de Tortuguero, c'est également un point de ralliement très connu des pêcheurs de rivière, amateurs des combatifs tarpons. Ici, on pêche pratiquement toute l'année les thons jaunes, les barracudas, les wahoos et, bien sûr, les tarpons.

Transports

Pour aller à Parismina, on est obligé de prendre le bateau. Les bateaux-taxis partent de Caño Blanco à 6h30, 13h30 et 16h30 : ils mettent 20 minutes pour arriver à Parismina (ticket à 1 500 colones). Bateau-retour, de Parismina à Caño Blanco, 5h30, 13h et 16h. On peut rejoindre Caño Blanco en bus en partant de Siquirres (durée : 1 heure). Bus à 4h, 12h et 15h15, billet à 900 colones (✆ 2768 8172). Bus de Caño Blanco vers Siquirres à 6h, 14h et 17h.

Pratique

En raison de l'absence de distributeurs à Parismina, pensez à emporter suffisamment d'espèces au préalable.

Se loger

Les lodges des environs de Parismina louent tout le matériel de pêche nécessaire et organisent des sorties en mer ou sur les rivières.

ESMERALDA LODGE
A 4km au nord de Barra del Parismina
✆ +506 8395 3663
www.esmeraldalodge.com
13 US$ par personne la nuit. Des sorties de pêche organisées pour 20 US$ par personne (durée : 4 heures). Pour arriver à l'hôtel : prendre le bateau à Caño Blanco, descendre à Parismina centre (ticket à 3 US$) puis prendre un autre bateau qui va au lodge (ticket à 15 US$). Autre possibilité : réserver, à l'avance, un transfert aller-retour en bateau (pas besoin de changer de bateau) auprès de l'hôtel pour 40 US$.
Dans chacun des 3 châlets : 2 chambres séparées et une salle de bains. Un confort basique mais de loin le meilleur rapport qualité-prix de Parismina. Les fans de pêche à petit budget s'y sentiront comme des poissons dans l'eau.

DANS LES TERRES

C'est la partie agricole de la région caraïbe. On y cultive abondamment les bananes et les ananas depuis des générations. Avant tout résidentielle et rurale, cette zone respire l'authenticité. Cependant elle manque vite d'intérêt touristique et on visite l'essentiel en deux jours. Si vous allez vers Limón, vous pouvez vous contenter de n'y faire étape qu'une seule journée. Sachez aussi que, pendant la saison sèche, il fait particulièrement chaud dans ces contrées assez éloignées de la mer. Les amateurs de jardins tropicaux et de fermes agricoles sont de loin ceux qui apprécieront le plus de s'attarder dans l'arrière-pays caribéen du Costa Rica. Quant aux fans de plage et de bronzette, ils feront vite cap vers la côte.

GUÁPILES

Cette ville d'environ 16 000 habitants, installée dans les collines au pied de la Cordillera Central, a une économie avant tout basée sur l'agriculture. Très rurale et loin du tourisme de masse, la ville respire l'authenticité et vous apprécierez très certainement son petit centre et sa place principale. Pour ce qui est de la périphérie, très résidentielle, elle ne présente que peu d'intérêt touristique. Tout autour de Guápiles, et quasiment partout, poussent des bananiers sur leur monticule de terre. A la base de chaque tronc, vous remarquerez un autre tronc pourrissant : le bananier ayant produit un régime de bananes est aussitôt remplacé par un nouvel arbre. Les sacs bleus qui entourent chaque régime les tiennent au chaud, tout en les protégeant des insectes et en conservant l'éthylène dégagé par la maturation des fruits. Au moment de la récolte – qui intervient bien avant que le fruit ne soit mûr –, les régimes, encore enveloppés de leur sac bleu, sont chargés sur des plateaux tirés par des petits tracteurs puis amassés sur des aires spéciales avant d'être envoyés vers la côte. Les plantations de bananes ont toujours occupé une place prépondérante dans l'économie costaricaine, mais les compagnies fruitières sont de plus en plus critiquées par les ligues écologistes, après avoir été attaquées par les syndicats ouvriers. Trop de terres ont été défrichées pour faire place aux bananiers et les planteurs usent et abusent d'insecticides pour augmenter la production au mépris de l'environnement et de la santé. Il semble qu'un changement se dessine, sensible depuis certaines discussions internationales qui pourtant n'arrangent pas les affaires bananières du Costa Rica (accords de l'OMC).

Exploitation de bananes dans la région de Guápiles.

Transports

En bus. Sur la route San José-Limón. Bus quotidiens toutes les 30 minutes environ entre 5h et 22h (terminal Caraïbes c0, a11/13 ✆ 221 2596). Compter 1 heure 30 de voyage et 1 140 colones. De Guápiles, possibilité de se rendre à : Puerto Viejo de Sarrapiqui en moins d'une heure (500 colones), Puerto Limón via Guacimo et Siquirres (2 heures) et Cariari (20 minutes et 300 colones). Pour Tortuguero, s'armer de patience, mais le trajet se fait. Il faut dans un premier temps vous rendre à Caño Negro (environ 2 heures de trajet sur un chemin), puis prendre une lancha au quai d'embarquement. Tentez de vous y rendre en milieu de matinée.

En voiture. A partir de San José, suivre l'autoroute Braulio Carillo (route n° 32) vers le nord. Attention, les conditions de circulation peuvent être difficiles, surtout l'après-midi quand la concentration en nuages au-dessus de la montagne est à son comble...

Pratique

OFFICE DE TOURISME DE LA RÉGION CARIBÉENNE
✆ +506 2710 7516 – +506 1711 0098
ictguapiles@ict.go.cr
Ce bureau de l'Institut costaricain du tourisme vous fournira toutes les informations nécessaires sur la région caribéenne. Brochures et cartes à votre disposition.

Se loger

A 62 km au nord-est de San José, dans les contreforts de la cordillère centrale, la ville de Guápiles est avant tout un point de passage obligé pour le transport des bananes qui sont acheminées du río Frío vers Limón ou San José. Encore peu touristique, elle dispose cependant d'hôtels à prix correct.

COUNTRY CLUB SUERRE
Est de Guápiles ✆ +506 2713 3000
Fax : +506 2710 6376 – www.suerre.com

L'association ANDAR

« Caminante, no hay camino, se hace camino al andar » (Marcheur, il n'y pas de chemin, le chemin se fait en marchant – *andar* signifie « marcher » en espagnol). Cette ONG, créée en 1989, a pour but d'améliorer la qualité de vie des familles pauvres vivant en milieu rural et urbain, portant une attention toute particulière aux femmes. C'est en 1997 qu'elle acquit une ferme de 15 hectares dont 12 hectares forment la réserve biologique de forêt primaire et secondaire, le reste étant réservé à la culture de plantes médicinales. Son objectif : développer la culture de plantes médicinales biologiques et conserver le milieu tropical. Situé entre Guápiles et Cariarí, la finca se trouve à 70 m d'altitude et se lotit entre deux des plus importants parcs nationaux : Tortuguero et Braulio Carrillo. L'ECO FINCA propose différents tours parmi lesquels visite de la ferme en une journée, qui débute par la dégustation d'un jus de canne à sucre avec explication sur ses bienfaits et tout un historique permettant de remonter aux ancêtres qui voyaient dans le sucre de canne une sécurité alimentaire vitale. Après cette dégustation, visite guidée et balade dans toute la finca, avant le déjeuner préparé par les femmes de la communauté. Ensuite, retour à la nature, mais cette fois dans la forêt humide pour admirer diverses espèces de grenouilles et de mammifères. Le tour se termine en général aux alentours de 15h et, selon l'époque, vous pourrez repartir avec quelques légumes « du jardin » afin de continuer votre éducation « bio » et cuisiner les spécialités locales. L'ECO FINCA organise de nombreux autres tours, comme la balade à cheval, qui dure environ 3 heures, incluant baignade dans le río Suerte que vous longerez pendant environ une heure, puis déjeuner campagnard dans la nature. Vous préférez la bicyclette ? ECO FINCA y a aussi pensé et vous offre la possibilité de découvrir différents villages comme Santa Rosa, La Linea, Iztarú, Ticaban... D'autres tours concernent l'observation ou la découverte d'oiseaux, ou tour nocturne dans la forêt. Enfin, il est aussi possible d'y loger, sur réservation. Et les volontaires bénévoles peuvent aussi contacter cette ferme écologique pour apprendre l'espagnol ou en savoir un peu plus sur les sols, les plantes médicinales et tous les secrets botaniques qui éveillent intérêt et curiosité. Un bien beau projet auquel il ne faut pas hésiter à contribuer.

INFORMATIONS
✆ +506 8381 9893 – +506 2272 1024 – www.andarcr.org

98 chambres de catégorie différente : standard, junior suites et suites. Chambres à 113 US$ (2 pers.), pour la junior suite 141,25 US$ et pour la master suite 226 US$, petit déjeuner et taxes non compris (22,60 US$ par personne supplémentaire). Piscine, sauna, Jacuzzi et installations sportives.
Des chambres grandes, fonctionnelles et confortables. Le tout manque un peu de charme tout de même, mais vous n'aurez rien de plus chic dans les environs.

ESTACIÓN BIOLOGICA EL ZOTA
La Rita de Pococí,
au nord de Guápiles (accès en 4x4)
✆ +506 2716 5015 – +506 2200 3250
www.elzota.org – info@elzota.org
Petits chalets individuels ou à partager. 40 US$ par personne. Sont inclus dans le prix les repas et une randonnée guidée.
Un jardin tropical à ciel ouvert où la faune et la flore sont étudiées et préservées dans un but écologique et pédagogique. Et comme on peut y dormir pour un petit prix, c'est vraiment une bonne adresse. Du tourisme communautaire comme on en rêve !

LOMAS DEL TORO
3 km avant Guápiles ✆ +506 2710 2934
Fax : +506 2710 2932
Chambres doubles de 15 US$ et 25 US$. Wi-fi gratuit.
En surplomb du río Toro, un petit hôtel propose des chambres propres et relativement spacieuses avec salle de bains privée. Bon restaurant ouvert jusqu'à 23h, petite piscine et parking.

GUÁCIMO

A une dizaine de kilomètres à l'est de Guápiles, au bord de l'autoroute n° 32, cette petite ville d'environ 6 000 habitants est surtout connue des automobilistes pour sa station-service ouverte en permanence, pour son école d'agriculture tropicale EARTH réputée dans toute l'Amérique latine ainsi que pour son magnifique jardin tropical Costa Flores.

EARTH
Pocora. A 10 km au sud de Guácimo
par la route 32 ✆ +506 2713 0000
Fax : +506 2713 0001 – www.earth.ac.cr
45 US$ la nuit. Cette école d'agriculture tropicale est fréquentée par des étudiants originaires de tous les pays d'Amérique latine concernés par le climat spécifique des tropiques. Elle possèdes chambres très confortables et une cantine convenable.

FINCA RIO PERLA
Village La Perla,
à l'entrée d'Alegria de Siquirres
✆ +506 2765 2003 – +506 2765 1896
Chambres avec salle de bains partagée de 20 à 30 US$ la nuit en fonction du type de maisonnette et du type de chambre. Nombreuses activités (payantes) et des packages possibles : équitation, randonnée, pêche... Entre 6 US$ et 10 US$ le repas.
Des maisonnettes charmantes, avec des chambres cosy, disposées dans un très beau domaine, en pleine nature. Une grande ferme où le bio est roi : légumes, fromages et laitages des repas sont tous produits sur place.

JARDIN TROPICAL COSTA FLORES
A 3 km au nord du rond-point de Guácimo
Route vers Río Jiménez ✆ +506 2716 6430
✆ +506 8391 9852 – ventas@aslcr.com
Ouvert du lundi au vendredi, de 6h à 15h30. Visite guidée de 90 minutes sur réservation : 19,50 US$ par personne.
L'une des plus grandes exploitations au monde : on y cultive 600 variétés de fleurs destinées à l'exportation. Evidemment, il est possible d'acheter des graines ou des oignons de fleurs. La visite guidée n'a pas lieu en cas de pluie.

SIQUIRRES

Avec environ 15 000 habitants, Siquirres est une ville résidentielle au milieu des plaines et des champs de bananes. Au croisement des routes n° 32 et n° 10, c'est avant tout une ville carrefour qui connut son heure de gloire à l'époque de sa gare ferroviaire mais elle a fermé depuis 1991 en même temps que la ligne qui la desservait. Vous l'aurez compris, Siquirres a peu d'intérêt, mais vous pouvez toutefois y faire une halte pour retirer de l'argent si vous allez à Parismina (pas de distributeurs là-bas). Si vous avez un peu de temps, allez quelques kilomètres plus loin visiter la réserve indigène Nairí Awarí ou voir le spectacle du « Tarzan tico » de las Tilapias (uniquement le dimanche).

Transports

- **En bus.** De San José (c0, a15, terminal del Caribe ✆ 2222 0610/7990), des bus directs vont tous les jours à Siquirres de 6h30 à 18h, en moyenne toutes les heures. Durée : 1 heure 30. De Limón, un départ presque toutes les heures de 5h à 19h du lundi au samedi, et de 8h à 19h le dimanche.
- **En voiture.** En partant de San José, suivre la route n° 32 en direction de Limón.

Se loger

CENTRO TURISTICO PACUARE

A 600 m à l'est de l'entrée de Siquirres
✆ +506 2768 8111
www.centroturisticopacuare.com
info@centroturisticopacuare.com
Chambres simples à 10 000 colones, avec climatisation à 13 000 colones. Doubles à 13 000 colones et 16 000 colones avec climatisation. Des circuits de rafting, canopy et VTT sont proposés dans la région.
Des chambres agréables et très confortables avec TV câblée. Restaurant, piscine, bar-karaoké avec tables de billard.

Se restaurer

EL PRIMO

La Herediana de Siquirres
Au bord de la route n°32,
en direction de Limón ✆ +506 2765 4507
Ouvert tous les jours de 5h à 23h. Plats entre 2 300 et 2 600 colones.
Un restaurant populaire, très typique, juste avant d'arriver à Siquirres quand on vient de San José. Sol en ciment, tables rustiques, le tout sous une grande hutte avec une épicerie vendant des fruits et légumes non loin : un décor étonnant à l'image de cette région rurale. Les plats sont bien sûr traditionnels et consistants. On mange comme à la maison et l'accueil est chaleureux. Pour preuve, le patron a baptisé le restaurant El Primo (le cousin) parce qu'il considère tous les clients comme ses cousins.

Végétation tropicale dans le parc de Tortuguero.

À voir – À faire

CENTRO TURISTICO LAS TILAPIAS

A 2 km au nord de Siquirres
San Martín de Siquirres
✆ +506 2768 9293 – +506 8927 2097
www.chitotarzantico.com
lastilapias@gmail.com
Spectacle de Chito et Pocho tous les dimanches à 16h. 15 US$ par personne.
Un grand domaine marécageux où se tient un spectacle animalier étonnant tous les dimanches à 16h. Le dresseur Chito joue avec le crocodile Pocho (de 4 m de longueur et 2 m de largeur). Chito est donc devenue une star locale, et internationale, grâce à ses exploits : dans la région, on le surnomme le « Tarzan tico ».

REFUGE NATUREL PACUARE

Près du village La Matina, à l'écart
de la route n° 32 en direction de Limón
✆ +506 2233 0508
Fax : +506 2221 2820
www.rainforest.org.uk
Le refuge naturel Pacuare protège sur 800 hectares des plages où viennent pondre et nidifier des tortues luth entre mars et juin et des tortues vertes entre juin et août. Séjours d'une semaine au minimum et possibilité de participer à un programme de bénévolat.

RESERVA INDIGENA NAIRÍ AWARÍ

A 10 km de Siquirres,
au nord-ouest du parc national Barbilla
✆ +506 8713 0398 – + 506 8397 7594
www.jameikari.com
vistorjameikari@yahoo.es
Excursion à la journée avec transport aller-retour (depuis Siquirres ou Turrialba), la visite du musée, une sortie rafting et les repas. Package de 2 jours avec transport aller-retour (depuis Siquirres ou Turrialba), les repas, la visite du musée et une sortie rafting : 180 US$.
Non loin de la rivière Pacuare, entourée de montagnes, cette superbe réserve vous permettra de découvrir un village indigène reconstitué ainsi que l'artisanat, la cuisine et les danses des Indiens cabecar, l'une des huit communautés indiennes du Costa Rica.

LA RÉGION DE PUERTO LIMÓN

Cette région caribéenne est occupée par le port de Limón et son extension Moín. C'est ici, à l'île La Uvita, que Christophe Colomb débarqua le 18 septembre 1502, faisant de Limón – si l'on excepte le site précolombien de Guayabo – le plus ancien territoire du Costa Rica. Limón la nonchalante semble endormie, quelque peu oubliée de tous. Il est vrai qu'elle offre une allure urbaine sans originalité, peu attrayante pour les voyageurs. Puerto Limón souffre en outre d'une réputation de dangerosité pas toujours justifiée, sauf si bien sûr vous sortez seul à la tombée de la nuit, mais à San José c'est pire ! La ville est enfin à proximité de la jolie plage Playa Bonita, un bon spot de surf, et de Portete, un village de pêcheurs pittoresque.

MOÍN

A 8 km de Puerto Limón, Moín est une banlieue portuaire. C'est d'ailleurs uniquement son port qui vous a attiré jusqu'ici. Moín est aussi un point de départ pour se rendre à Tortuguero ; la traversée dure de 3 à 5 heures. Il faut cependant savoir que partir de Cariari pour aller à Tortuguero revient moins cher et reste plus rapide. Dans les années 1970, de vieux rafiots longeaient la côte jusqu'aux embouchures des rivières, puis des barques prenaient le relais pour desservir la région parcourue par une multitude de canaux naturels. En 1974, de nouvelles voies d'eau furent creusées pour relier les anciens canaux et en faire un véritable réseau navigable. Venise avant les palais...

Pour embarquer sur un bateau qui remonte vers Tortuguero, on peut se présenter le jour-même et prendre une lancha car il n'y a pas d'horaires fixes de départs. Ce sont des compagnies privées ou des particuliers qui embarquent les touristes mais ce n'est pas donné... Compter de 30 à 40 US$ par personne l'aller-simple. L'embarcadère Japdeva (pour Tortuguero) se trouve au bout du port, sur la gauche en arrivant, près d'un poste de gardiens. On vous proposera certainement des excursions à la journée pour Tortuguero. On vous les déconseille car non seulement la traversée est longue, fatigante (de 3 à 5 heures l'aller simple) mais vous n'aurez pas le temps d'apprécier la nature sublime de Tortuguero où il est bon de se reposer et de prendre son temps ; restez au moins 2 jours et 1 nuit sur place pour vraiment en profiter.

PLAYA BONITA

Sur la pointe entre Limón et Moín, belle plage de sable balayée par de puissantes vagues idéales pour le surf, mais qui rendent la baignade dangereuse. Elle est d'ailleurs le théâtre d'un championnat annuel recherché.

PORTETE

Installé sur une baie, le petit village de pêcheurs se trouve sur la gauche avant Playa Bonita. Pittoresque et typique, il mérite qu'on y flâne une heure ou deux.

Transports

- **En bus.** De Limón, des bus partent toutes les 30 minutes (arrêt face au Radio Casino, c4, a4).
- **En voiture.** En venant de San José, bifurquer à gauche au niveau de la Recope, avant d'arriver à Limón.

PUERTO LIMÓN

Population : 60 000 habitants. Puerto Limón, tout simplement appelé Limón, est une ville colorée et nonchalante à l'extrême. Elle est très différente des autres villes du Costa Rica. Ici, le reggae s'échappe des sodas et le salut devient « hi » ou « all right ». Les descendants des Jamaïcains, qui étaient venus en masse au XIXe siècle pour travailler sur le chantier du chemin de fer ou dans les bananeraies, continuent à parler anglais, mais un anglais très mâtiné d'espagnol et plutôt informel.

Transports

- **Avion.** La piste d'atterrissage est à 5 km au sud de Limón entre la route pour Cahuita et la mer.
- **Bus.** Au départ de San José, tous les bus partent du terminal del Caribe (c0, a15 ✆ 2222 0610). Pour Limón, un bus toutes les heures de 5h à 19h et jusqu'à 20h vendredi et dimanche.
- **Voiture.** Comptez 2 heures 30-3 heures, de trajet par l'autoroute San José-Limón. Au plus simple, suivez la calle 3 vers le nord jusqu'à rencontrer une indication « Limón ». La route, l'une des plus récentes du Costa Rica, est plutôt agréable. Dès les premiers kilomètres, le temps change pour devenir plus sec que dans la capitale.

Mais tout se gâte aux alentours de Braulio Carrillo. S'il a beaucoup plu, informez-vous de l'état des routes : les glissements de terrain sont fréquents, principalement dans la région du parc que la route traverse pendant 23 km. En raison des brouillards épais, arrangez-vous pour quitter de bonne heure San José afin que le paysage magnifique ne se résume pas à une carte postale scotchée sur votre tableau de bord. Attention ! La sortie du tunnel Zurquí est souvent le théâtre d'accidents mortels. Un autre itinéraire, bucolique mais un peu plus long, passe par Turrialba. L'ancienne route de Limón est en bon état, mais attention aux virages et aux énormes camions qui profitent du faible encombrement pour gagner du temps. Au départ de San José, suivez l'avenida Central vers l'est puis les indications San Pedro, Cartago, Paraíso et Turrialba où l'on arrive après avoir longé le lac de retenue de Cachí. A Turrialba, prenez la direction de CATIE ou de Siquirres-Limón. Comptez environ 5 heures. A proximité de Moín, les panneaux « Hotel Matama » ou « Maribú Caribe », sur votre gauche, sont les seules indications pour vous diriger vers le nord en évitant Limón (jetez donc un œil sur le cimetière sur le bord de la route). Pour le sud, c'est à droite au premier carrefour de Limón, juste après la Recope. Pour Cahuita, c'est encore à droite. Et maintenant, pendant 45 minutes, la route est droite et en assez bon état. Puerto Viejo est à 19 km au sud de Cahuita. Cette portion est appelée « côte de Talamanca ».

NATURE AIR
✆ +506 2299 6000
www.natureair.com
reservations@natureair.com
5 vols par semaine au départ de San José, à 13h. Compter 50 minutes de vol pour parcourir les 380 km. Il existe deux sauts de puce pour Golfito à 7h05 et 16h15 (10 minutes de vol !).

Pratique

Le bureau d'immigration au nord du Parque Vargas régularisera votre situation si vous arrivez par mer, mais ne délivrera pas d'extensions de visas à ceux qui en ont besoin : tout se fait à San José. Tant que vous êtes à Limón, profitez-en pour changer ou retirer de l'argent. La plupart des banques se situent dans l'avenida 2, entre le Mercado Central et la mer (Scotia Bank, Banco Nacional, Banco

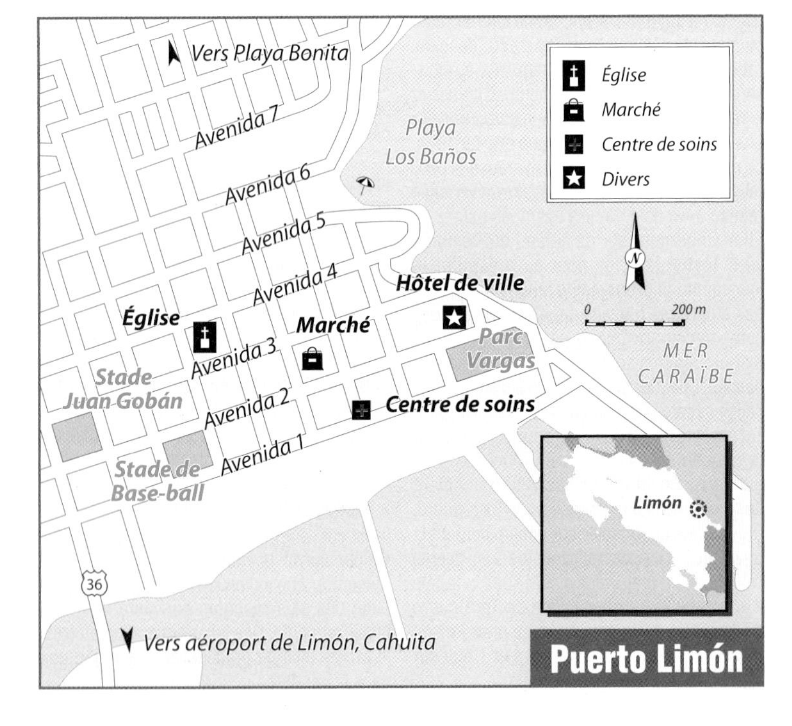

Parque Vargas à Puerto Limón.

de San José, etc.). Pensez également à faire le plein de carburant aux stations a6 ou c8 près de la gare, parce qu'une fois dans le sud il n'y a plus que les bonbonnes d'essence vendues dans les bars ou les pulperías et un poste d'essence à Penshurts (la Bomba, comme on l'appelle ici) ou à Pandora.

BUREAU DE POSTE (CORREO)
A2, c4
Ouvert du lundi au vendredi de 8h à 17h30, le samedi de 7h30 à 12h.
Construit dans les années 1950 dans un style caraïbo-baroque, il abrite un petit musée historique au deuxième étage.

Se loger

A Limón, les hôtels les moins chers peuvent être plus proches du bouge que de la sympathique pension familiale au personnel aimable. Si c'est pour une nuit, vous pourrez peut-être supporter la radio de votre voisin, les cris du petit dernier de la femme irascible qui vous a « accueilli » en traînant les pieds, les insectes de toute nature qui vous transforment en champ de courses et le mince filet d'eau noire coulant d'une vague robinetterie qui tombe de fatigue. Cependant, si vous comptez passer quelques jours à Limón, soyez plus prudent dans votre choix. Il est évident qu'une fille seule ferait mieux d'éviter ce genre d'établissement. Les hôtels que nous vous recommandons sont presque supportables, parce que fréquentés par d'autres touristes !

HÔTEL MARIBÚ CARIBE
Punta Piuta, Playa Bonita
✆ +506 2795 2543 – +506 2795 2553
maribu@racsa.co.cr
56 chambres dans 17 jolis bungalows circulaires et couverts de palmes (comme des cases antiques), avec air conditionné, petit frigo, TV câble et téléphone. 78 US$ (2 pers.), 88 US$ (3 pers.) et 112 US$ (famille, 4 pers.), petit déjeuner compris, taxes non incluses, gratuit pour les enfants de moins de 12 ans. Accès Internet. Visites organisées. Parking gardé.
La tranquillité du site et la vue sur la mer risquent de vous faire garder la chambre (superbe), à moins que vous ne préfériez celle du restaurant (spécialités des Caraïbes). Piscine, deux restaurants dont un ranchito. Le meilleur hôtel sur Limón.

HÔTEL MIAMI
A2, c4/5, 50 m à l'ouest de la Poste
✆ +506 2758 0490
Fax : +506 2758 0490
35 chambres avec TV, air conditionné ou ventilateur. De 25 à 35 US$ (chambre avec AC) et de 20 à 25 US$ (chambre avec ventilateur). Parking privé. Bon hôtel propre et sûr.

MAR Y LUNA
Moín. Face à l'embarcadère pour Tortuguero ✆ +506 2795 1132
Fax : +506 2795 4828
A partir de 30 US$ la nuit.
Un hôtel fonctionnel idéal pour attendre le bateau pour Tortuguero.

Brasserie open-air
lors du carnaval de Puerto Limón.

Se restaurer

Pas de tables gastronomiques à Limón, mais beaucoup d'endroits pour manger bon et pas cher. Si vous ne connaissez pas la nourriture caribéenne, vous verrez que même les plats les plus simples et les moins chers sont vraiment délicieux. Pour environ 1 500 colones, n'hésitez pas à vous attabler dans l'une des sodas du centre-ville ou dans l'enceinte même du marché couvert où les plats sont suffisamment variés pour vous permettre d'y revenir. Dans le marché, on pourra goûter pour la première fois aux spécialités des Caraïbes, le *pan bon* ou *patí* (pâté à la viande) et le célèbre *rice and beans.*

LE MARIBÚ

Punta Piuta, Playa Bonita
Plats à 4 500 colones en moyenne.
C'est le restaurant de l'hôtel. En fait il y a deux restaurants, l'un avec une superbe vue sur la mer où l'on peut manger en terrasse à la bougie, l'autre à l'extérieur près de la piscine sous un toit de palmes. La cuisine repose sur trois bases : *los mariscos* (les produits de la mer), le bœuf (*lomito*) et le poulet. Spécialités de spaghettis avec des sauces d'ici. Les prix sont très abordables. La tranquillité est garantie.

SODA EL PATTY

Centre-ville, face au bureau de Coopejap
✆ +506 2798 3407
Ouvert du lundi au samedi de 7h à 19h.
450 colones le patí.
C'est là que vous dégusterez les meilleurs patís de la ville et si les locaux font souvent la queue devant, ce n'est pas par hasard !

À voir – À faire

Les avis sont très partagés sur les qualités touristiques et l'intérêt de Limón et la plupart des guides recommandent de l'éviter. Néanmoins, vous pouvez y faire un petit tour et découvrir le mercado, la rue centrale – piétonne et bien animée –, la place Vargas et ses grands arbres, le point de contact avec la mer avec quelques aspects de décrépitude.

Promenez-vous le long de la digue qui longe la mer. De quoi sentir un autre Costa Rica avec un petit quelque chose de plus chaleureux que la côte pacifique, mais qui peut aussi être plus inquiétant. On parle d'agressions, de trafics en tout genre, de prostitution, de saleté... C'est vrai, les baraques de bois à quelques centaines de mètres du marché couvert et les entrées d'immeubles dans le centre-ville sont un peu décrépies. Mais la peinture ne tient pas longtemps sous ce climat chaud et surtout humide. Et il fait si chaud, précisément... Tout cela fait le charme de Limón, si éloignée de la propreté pimpante des villages de la Vallée centrale. On retrouve la même indolence dans l'organisation de la ville. Les rues sont très rarement marquées. Et, si quelquefois elles le sont, les plaques ne sont pas des plus fiables ; elles semblent avoir été posées là, histoire de meubler un coin de rue. Pour se repérer, le mieux est de prendre comme point de départ le mercado, un marché couvert très vivant autour duquel tout se passe.

L'avenida 2, très commerçante et animée, s'étend entre le marché et le Parque Vargas aux palmiers géants. Du parc, une digue, le boulevard ou paseo Juan Santamaría, longe la côte rocheuse jusqu'au nord-ouest de Limón. Ne cherchez plus le petit musée ethno-historique (a2, c4, au-dessus du Correos), il n'existe plus. Et c'est dommage, c'était le seul musée de Limón... En fait, Limón est très fréquentable de jour, même très calme, surtout en ville. Il ne se passe rien. En revanche, dès que la nuit tombe, une autre faune peuple les rues. Les étrangers sont très sollicités par tous types de marchands de produits... très exotiques. Pour les femmes seules, il vaut mieux s'abstenir de promenades le soir près de la mer et de la place Vargas.

LA CÔTE SUD

Arriver en vue des eaux caraïbes, c'est un peu changer de pays, encore une fois. Tout devient plus touffu, exubérant, voire désordonné. Cela peut être un choc après un séjour sur la côte pacifique, mais on trouve bien vite ses repères dans ce nouveau monde. La région est l'une des plus métissées du Costa Rica, des Indiens bribrí aux pâles Européens qui s'y installent en masse, attirés par la « cool attitude ». Mais ce sont surtout les Jamaïcains, arrivés pendant la première moitié du XIXe siècle, qui ont imprimé leur marque sous les cocotiers et les bananiers. Du fait de son isolement et du manque d'infrastructures, la région sud de la côte caraïbe est longtemps restée à l'écart des destinées du Costa Rica. Il a fallu attendre la fin des années 1970 pour qu'une route la relie à Limón, 1986 pour que la fée électricité fasse briller les ampoules, et il n'y avait qu'un téléphone public par village jusqu'à la fin de 1996. C'est certainement pour cette raison que la culture afro-caraïbe y est restée si forte. Il n'y a pas si longtemps – avant une campagne d'hispanisation, il y a à peine trente ans, et l'arrivée massive d'ouvriers hispanophones dans les plantations –, Puerto Viejo s'appelait encore Old Harbour (Vieux Port) ; Punta Uva, Grape Point ; et Manzanillo, Manchineel. Les cent vingt premiers Jamaïcains sont arrivés au milieu du XIXe siècle. Appelés à travailler sur les plantations qui commençaient à se développer grâce au chemin de fer qu'il fallait terminer, ils sont arrivés par le Panamá. D'origine africaine, ils ont apporté avec eux, et conservé, leur culture (alimentation, religion, etc.) teintée d'habitudes anglaises (langue ou musique) et ont développé la culture du cacao, de la noix de coco et des agrumes. Quant aux Indiens – Bribrí, Cabecar et Kekoldi – qui appartiennent tous au bassin culturel amazonien, on les rencontre plutôt à l'intérieur des terres, près de Puerto Viejo (Kekoldi) ou plus loin dans la vallée de Talamanca. Pour conserver au mieux leur culture, ils se sont regroupés au sein d'associations écotouristiques.

BANANITO

Un arrêt pour les aventuriers est à prévoir au río Bananito quand on longe le village de Bananito et en effectuant une quinzaine de kilomètres en 4x4 (obligatoire). Vous arriverez, exténué, au Selva Bananito Lodge ; le dépaysement est alors total.

SELVA BANANITO LODGE

Village Bananito, à 15 km de la route
✆ +506 2253 8118
Fax : +506 2280 0820
www.selvabananito.com
www.conselvatur.com
reservas@selvabananito.com

15 chambres dont 4 grandes (pour 4 personnes). Il n'y a pas d'électricité, salle de bains avec eau chaude solaire, lampe à gaz. Pour une chambre standard : 152 US$/pers./nuit (1 pers.), 130 US$/pers./nuit (sur la base de 2 pers.). Pour une chambre supérieur : 172 US$/pers./nuit (1 pers.), 140 US$/pers./nuit (2 pers.). Taxes non incluses. Sont inclus : le transport depuis le village de Bananito, les 3 repas, les jus de fruit et les tours correspondants (un séjour de 2 nuits vaut 1 tour, un séjour de 3 nuits vaut 2 tours).

C'est un endroit complètement perdu dans la cordillère de Talamanca, au pied du Cerro Muchilla, qui par son éloignement permet de se noyer dans la nature pratiquement vierge. Sur les terres d'une grande exploitation implantée au début des années 1970 par Rudi Stein, les bungalows de Selva Bananito sont le témoignage d'un véritable écotourisme voulu et entretenu par son fils Jürgen Stein.

En savoir plus sur la région

Un dépliant en anglais, *Welcome to Costal Talamanca*, et le livre en espagnol *Cuidando los regalos de Dios* (Veillant sur les cadeaux de Dieu) ou en anglais (*Taking care of Sibo's gifts : an environmental treatise from Costa Rica's Kekoldi Indigenous Reserve*) sont disponibles et presque indispensables pour appréhender les traditions culturelles, restées très vivaces dans la vallée. Encore en anglais, le livre *What happen*, de Paula Palmer, recueille les souvenirs et les contes et légendes racontés par les plus vieux habitants de la région (épuisé, on peut cependant le télécharger sur www.greencoast.com dans la rubrique « Histoire et culture »). Pour les mordus de cette côte et de son histoire, *History of Cahuita since 1880*, de David Kayasso, devrait combler leur soif de connaissance.

Carnaval

C'est certainement l'une des premières raisons de se rendre à Puerto Limón... Historiquement, l'origine du carnaval remonte aux fêtes saturnales de l'Empire romain. La célébration du carnaval date de la conquête espagnole, époque où les colonisateurs l'importèrent en Amérique. A l'origine, les deux périodes de sa célébration correspondaient aux jours précédents le Carême et le solstice d'été. Aujourd'hui, les dates coïncident avec le 12 octobre, fête de Christophe Colomb (el Día de la Raza). Le carnaval est avant tout une fête populaire où l'improvisation collective joue un grand rôle. Toutes les classes de la société y participent. L'atmosphère de fête qui règne en permanence dans tout le pays y trouve son apothéose. Les masques et les costumes rappellent les traditions et les coutumes du passé, un passé aux racines africaines et espagnoles dont les différences culturelles se reflètent dans les groupes, ou *comparsas*, qui défilent devant vous. Les habitants de la ville et les visiteurs venus de tout le pays paradent dans les rues, vêtus de costumes scintillants et vivement colorés, et marchent au rythme des grosses caisses, des tambourins, des maracas, des sifflets, des casseroles et des poêles... Tout ce qui peut faire du bruit d'une façon un tant soit peu harmonieuse est bien accueilli. Ici, la salsa ou tout autre rythme caraïbe mènent la danse de ces réjouissances qui peuvent durer plusieurs jours. Attention : les hôtels sont pleins la semaine du 12 octobre.

Les bungalows de style caraïbe sont tous indépendants et confortables, les salles de bains superbes et inattendues dans un tel endroit. Au restaurant, bonne cuisine rustique à la lumière des bougies. Pour les amoureux de la nature, le Selva Bananito est incontournable et mérite que l'on s'y pose 2 ou 3 jours (recommandé). En effet, les alentours sont boisés de forêts primaires jalousement gardées par Jürgen qui organise des tours dans la jungle (canopy, tree-climbing, découverte de la forêt tropicale humide, promenade à cheval, etc.). Parmi les activités, il est aussi possible de faire de la plongée (récif de Cahuita, Isla del Cano, Isla Catalinas...) et de combiner plongée et aventure (rafting). Demander un devis par e-mail. Même s'il pleut beaucoup dans cette région, le temps change vite et un proverbe local dit « matin obscur, après-midi plus sûr ». Si vous y allez par vos propres moyens, attention à la piste qui traverse à gué quelques rivières, surtout s'il a plu auparavant.

AVIAROS DEL CARIBE

Un arrêt est recommandé au refuge naturel Avarios del Caribe, à 31 km au sud de Limón. Il s'agit d'une petite île de 88 hectares, rattachée à la rive du río Estrella depuis le tremblement de terre de 1991. Près de 320 espèces d'oiseaux y ont été recensées et c'est là que se trouve un magnifique refuge pour les paresseux, à voir absolument.

B&B SLOTH SANCTUARY
À 35 km au sud de Limón
et 11 km au nord de Cahuita
✆ +506 2750 0775
Fax : +506 2750 0325
www.slothrescue.org
slothsanctuary@gmail.com

Transat Jacques Vabre : cap sur le Costa Rica !

Aussi appelée « Route du café », cette course transatlantique se déroule tous les deux ans depuis 1993 ! Les marins en compétition rejoignent, depuis Le Havre, Puerto Limón sur la côte caraïbe. Départ de la 10e édition : le 30 octobre 2011. Roxana Pinto, ambassadrice du Costa Rica en France, a d'ailleurs déclaré à ce sujet « Je suis ravie de savoir que cette année la Transat Jacques Vabre ira du Havre à Limón, un port sur la côte caribéenne du Costa Rica. C'est un voyage commémoratif d'une route qui relie le Costa Rica avec la France depuis 1852, quand le port de Limón fut aménagé en port de commerce et que les précieux grains de café du Costa Rica voyageaient exclusivement par cette route. Cette compétition sera une preuve d'amitié entre nos deux pays, et aussi un voyage vers l'été perpétuel des tropiques, la nature exubérante et les plages du sable brûlant que Christophe Colomb a vu pour la première fois en septembre 1502. »

www.jacques-vabre.com

Paresseux au centre Aviarios del Caribe.

De 113 à 146,90 US$ la double, 101,70 US$ la simple, 39,55 US$ la personne supplémentaire. Petit déjeuner inclus. 6 chambres pour 2 pers. (lit king size, salle de bains, ventilateur, mais pas de TV ni de téléphone.) et une chambre pour 3 pers.

Le refuge pour paresseux abrite un B&B adorable et aussi attrayant que la faune alentour. Les murs ont été peints par une artiste sensible aux papillons. Les chambres sont très propres et confortables.

SLOTH SANCTUARY OF COSTA RICA (REFUGE POUR PARESSEUX)

A 31 km au sud de Limón,
sur la route en direction de Cahuita
✆ +506 2750 0775
Fax : +506 2750 0725
www.slothrescue.org
slothsanctuary@gmail.com

Ouvert tous les jours de 8h à 15h30, mais les visites guidées ont lieu seulement à 8h et 14h30. Visite du refuge en 1 heure 30 : 15 US$ par personne. Visite de 3 heures avec canoë : 25 US$ (inclut aussi la visite du refuge à pied de 1 heure 30). Demi-tarif pour les enfants de 5 à 10 ans. Gratuit pour les moins de 4 ans.

C'est un refuge pour les paresseux (non pas les grands, mais ces petits mammifères si touchants). Ce refuge créé par Judy et Luís (hélas décédé en mai 2011) est reconnu : en effet, les gens aux alentours amènent des bébés paresseux orphelins et voués à la mort. Judy, son petit-fils et des bénévolesles soignent et les nourissent. Plusieurs excursions sont proposées. La plus complète (d'une durée de 3 heures) s'effectue en canoë – les plus avertis pourront se servir de kayak – avec un guide qui saura attirer leur regard sur les merveilles de la nature dont les nombreux paresseux. Quelle que soit la visite guidée choisie, vous verrez dans tous les cas les bébés paresseux de la nurserie qui sont vraiment craquants !

Possibilité d'être bénévole sur place (envoyer sa candidature au moins un mois à l'avance). Pas de salaire, mais les bénévoles sont nourris, logés pour 30 US$ par jour.

PENSHURST

Le village reculé de Penshurst reçoit rarement la visite de touristes. Il se trouve en pleine nature, à deux pas de la superbe réserve biologique Hitoy-Cerere, elle aussi méconnue des voyageurs mais dont l'impressionnante biodiversité est un trésor. Heureusement, la région n'est pas boudée par tous les voyageurs et les passionnés de faune et flore viennent volontiers visiter Penshurst et son parc. C'est ainsi qu'un Français amoureux de la nature environnante a eu l'idée d'installer une ferme de fruits tropicaux et de cacao dans le coin ; on vous en recommande la visite.

FINCA PIEDMONT (FERME DE FRUITS TROPICAUX ET DE CACAO)

✆ +506 2750 0789

Visites guidées entre 10 et 15 US$. Uniquement sur réservation, au minimum la veille. Un restaurant sur place où on mange pour 12 US$ en moyenne (ouvert seulement les jours de visite). Le propriétaire vous donnera toutes les indications pour l'accès en voiture au moment de la réservation de la visite par téléphone.

Une superbe ferme tropicale qui appartient à un Français qui fait lui-même les visites guidées. Deux visites à thème possibles : une sur le cacao et une sur les fruits tropicaux.

PARC HITOY-CERERE

✆ +506 2206 5516

Ouvert de 8h à 16h tous les jours. Entrée : 10 US$. Tournez à droite (en venant de Limón) juste après le village de Penshurst et le pont en courbe qui traverse le fleuve. La route, en assez bon état, traverse d'immenses bananeraies et des plantations d'ananas. Il est aussi possible de venir en train, le seul qui circule encore. Ce petit train, auparavant destiné au transport de marchandises, dessert Pandora au départ de Limón. Les trains quittent la gare (c8, a1/2) à 4h et à 15h, retour de Banana Fincas à 5h50 et à 16h50.Egalement un bus qui part de Limón dans une rue au nord du Mercado Central : plusieurs départs par jour, renseignez-vous sur les horaires dans la soda à proximité. Une fois à Pandora, des taxis tout-terrain parcourent les 15 km restants. La réserve biologique Hitoy-Cerere est peu connue, peu accessible et donc peu visitée. Sa situation la rend pourtant très intéressante. C'est certainement l'un des endroits les plus humides du Costa Rica – Hitoy (« laine » en langue indienne bribrí, à cause des mousses couvrant les pierres) et Cerere (« eaux claires »). La réserve a la particularité d'abriter une faune très riche et un peu moins timide que dans d'autres parcs plus visités. Mais armez-vous de patience, les spécimens les plus incroyables vivent dans les hauteurs de la forêt et restent par conséquent difficiles à observer.

CAHUITA

Vers 1830, Cahuita n'était qu'un camp de base sur le chemin du Panamá, un peu plus au sud du site actuel. Plus tard, le campement s'est agrandi quand une poignée de Jamaïcains est venue s'y installer. Peu à peu, ces premiers habitants ont émigré vers le nord, jusqu'à l'actuelle Cahuita, devenue depuis quelques années un centre touristique vivant. Sa physionomie s'en est trouvée modifiée, sans trop perdre au change cependant. Cahuita, avant de n'être qu'une ville de bord de mer parmi d'autres, a d'abord été un petit village aux sentiers herbeux.

On peut retrouver cette atmosphère en s'y rendant hors saison, quand les plages sont désertées et que la vie locale reprend le dessus entre rastas et pêcheurs, qui sont souvent les mêmes. Et en plus, il fait toujours beau (ou presque) dans cette partie du monde protégée des pluies.

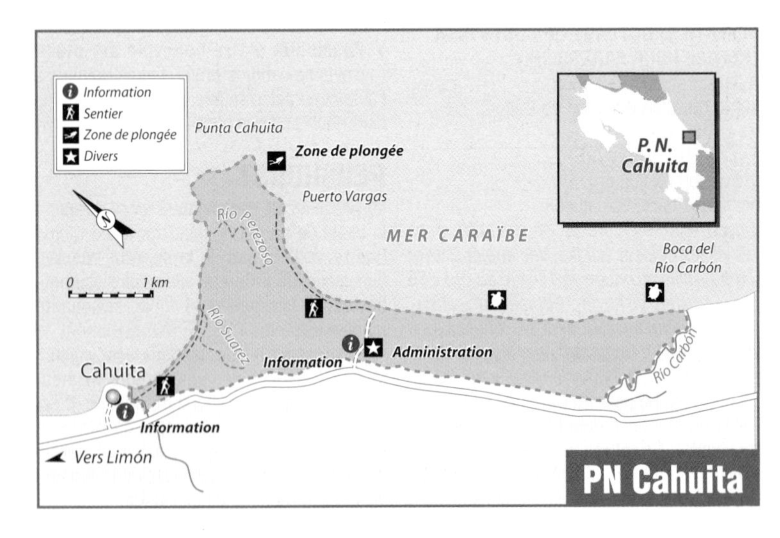

Entrée du parc national de Cahuita.

Transports

Comment y accéder et en partir

Bus. De San José, départs (Terminal del Caribe – c0, a15 ✆ 2257 8129) à 6h, 10h, 14h et 16h. Durée : 4 heures. Mieux vaut acheter sa place à l'avance pendant la haute saison et les week-ends. Retour à partir de 7h30 puis toutes les 2 heures jusqu'à 16h30, depuis le croisement dans le centre de Cahuita. A Limón, prendre le bus pour Sixaola (arrêt face à Radio Casino – un bus toutes les heures entre 5h et 18h). Pour le retour, même arrêt que pour les bus de San José et un bus par heure de 6h30 à 20h. Durée : 3 heures.

Voiture. Cahuita se trouve à 45 km au sud de Limón par la route n° 36 qui est belle et en bon état.

Pratique

Tourisme

CAHUITA TOURS
Dans la rue principale
✆ +506 2755 0000
Fax : +506 2755 0082
cahuitat@racsa.co.cr
Location de matériel de plongée, service taxi, change (Western Union) et téléphone public. Et excursions bien sûr.

WILLIE'S TOUR
Centre de Cahuita ✆ +506 8843 4700
www.willies-costarica-tours.com
williestours@gmail.com
Renseignements, Internet et organisation de tours dans la région.

Argent

BANCO DE COSTA RICA
À la gare routière
Ouvert du lundi au vendredi de 9h à 16h.
Pour changer euros et dollars. Certains autres établissements (de tourisme) changent les dollars en colones.

Adresses utiles

Pulperías (petites épiceries) et autres *abastecedores* (grandes épiceries) dans le centre.

NURIA CAMPS-COURS D'ESPAGNOL
Cabinas Caribe Luna
Playa Chiquita au début de Playa Negra
✆ +506 8893 6960
www.caribeluna.com
camps.salatnuria@gmail.com
La propriétaire des bungalows Caribe Luna donne des cours de français aux gens du village, et d'espagnol aux visiteurs. Elle vous reçoit chez elle, les tarifs sont doux comme l'accueil. C'est l'occasion pour vous ou vos enfants d'apprendre la langue de Cervantes dans une ambiance décontractée.

Se loger

Plutôt bon marché, les hôtels de Cahuita sont très souvent bondés durant la saison sèche. Il est préférable d'appeler quelques jours avant votre venue afin de prendre vos dispositions.

Bien et pas cher

CABINAS ALGEBRA
Sur le chemin qui longe la côte
✆ +506 2755 0057
www.cabinasalgebra.com
cabinasalgebra@yahoo.com
3 cabinas. Pour 2 personnes, de 18 à 33 US$ suivant la chambre (5 US$ par personne supplémentaire).
Les chambres ayant un coin cuisine, le lieu est idéal pour les longs séjours (se renseigner par mail pour les tarifs à la semaine et au mois).

CABINAS ARRECIFE
Centre de Cahuita
A 100 m à l'ouest du poste de police
✆ +506 2755 0081 – +506 8835 2940
Fax : +506 2755 0081
www.cabinasarrecife.com
12 cabinas pour 2 personnes à partir de 30 US$. Parking.
Face à la mer mais déjà dans la forêt, *cabinas* agréables. Bar en plein air. Piscine avec une jolie vue sur la mer.

CABINAS JENNY
Près de l'arrêt des autocars
✆ +506 2755 0256 – www.cabinajenny.com
info@cabinasjenny.com
Selon la saison : de 22 à 60 US$ la chambre double et de 28 à 66 US$ la triple. Salle de bains privée. Hôtel le plus ancien dont les chambres donnent sur la mer. Décontracté.

CABINAS SMITH
Près de l'école, dans le centre de Cahuita
✆ +506 2755 0068
25 US$ la chambre simple, 31 US$ la double, 36 US$ la triple, 46 US$ la quadruple. Air climatisé, eau chaude, TV et frigo dans toutes les chambres. Parking.
6 chambres propres et confortables. Un hôtel agréable et pas trop éloigné de l'arrêt de bus, bon point pour les sacs à dos lourdement chargés.

LE COLIBRI ROUGE
Puerto vargas, à 350 m au nord de l'entrée principale du parc national
✆ +506 2755 0431
www.lecolibrirouge.com
lecolibrirouge@gmail.com
20 US$ par personne, quant à la petite maison compter 80 US$ pour 2 à 4 personnes, petit déjeuner non inclus, mais il y a toujours du café à disposition. Les chambres sont disposées devant un agréable jardin, une piscine à la déco originale pour se rafraîchir.
Une adresse comme on aime, pas chère, décontractée et un couple de Français charmant aux petits soins. Parking privé et sécurisé. Idéal si vous êtes véhiculé, autrement Sandra peut vous emmener sur Cahuita tous les jours, vous êtes tout proche, et elle peut même vous réserver votre transfert depuis San José.

ECO-FINCA
Santa Rosa, à 600 m,
au nord-est du cimetière
✆ +506 2272 1024 – +506 2271 3864
Fax : +506 2271 3865
www.andarcr.org
andarcr@racsa.co.cr
L'association Andar, gère des chambres dans son programme de développement rural de

nature bio. A partir de 20 US$ par personne pour le logement et les 3 repas. Hébergement dans une maison individuelle ou chez l'habitant. Restauration à base de produits de la ferme.
A faire : visite guidée de l'écoferme, plantes médicinales, fabrication de pesticides et d'engrais organiques, initiation aux énergies renouvelables et à l'aménagement des zones protégées, forêt tropicale humide, participation aux travaux de la ferme, activités sportives. Prix imbattables.

SOL Y MAR
A l'entrée du parc
✆ +506 2755 0418 – +506 2755 0237
www.solymarcr.com
inquiries@solymarcr.com
Cabinas réparties en grandes et petites chambres avec salle de bains privée, ventilateur. Pour les petites chambres : 22 US$ (2 pers.), 16 US$ (3 pers.) et 20 US$ (4 pers.). Pour les grandes chambres : 20 US$ (2 pers.), 25 US$ (3 pers.) et 30 US$ (4 pers.). Très bon petit déjeuner local à 5 US$ avec le fameux gallo pinto. Possibilité de louer une petite maison à Playa Negra pour 350 US$/mois.
Les chambres sont bien aérées, bien équipées (frigo, eau chaude, ventilateur, cafetière) et situées au-dessus du restaurant.

Confort ou charme

Si vous ne rêvez que verdure et vagues venant mourir à vos pieds, préférez les établissements éloignés du centre. Mais le paradis a son revers : il faut marcher pour y accéder. La plupart des cabinas étant construites sur le terrain de propriétés privées, elles offrent la possibilité de rencontrer des Ticos ou des Indiens qui ne demandent qu'à vous faire apprécier la vie de leur communauté.

BUNGALOWS MALU
Sur le chemin qui longe la côte, à 1 km au nord du centre
✆ +506 2755 0114
8 chambres (dont 2 avec kitchenette) avec air conditionné et ventilateur. Tarifs selon la saison : de 95 à 100 US$ la chambre simple, de 105 à 110 US$ la double, de 110 à 115 US$ la triple, de 117 à 122 US$ la quadruple, de 128 à 129 US$ la chambre pour 5 personnes. Wi-fi gratuit.
Dans un beau jardin tranquille, la décoration de ces bungalows en forme de hutte en bois est très originale, intégrant aux meubles des morceaux d'épaves et de bois flotté. Chambres confortables, toutes avec la TV câblée.

CABINAS CARIBE LUNA
Playa Chiquita au début de Playa Negra, juste derrière El Encanto
(à 100 m au nord du village)
A seulement 10 minutes
du parc national de Cahuita
✆ +506 2755 0131 – +506 8893 6960
www.caribeluna.com
camps.salatnuria@gmail.com
Bungalows pour 2 à 8 personnes, salle de bains privée, ventilateur. Différents prix selon le nombre de personnes, vos préférences et la durée du séjour. Prix des bungalows : de 43 à 80 US$ (1, 2 pers.), 60 à 120 US$ (3 pers.), 72 à 150 US$ (4 pers.) et pour le grand bungalow de 5 à 8 personnes compter de 130 à 208 US$. Accès Internet gratuit, parking. Site Web en français.
L'hôtel est situé à 3 minutes de Playa Chiquita et à 5 minutes de Playa Negra. Depuis la terrasse des bungalows, on peut écouter le chant d'une grande variété de perroquets, voir des groupes de singes hurleurs sautant d'arbre en arbre et observer les paresseux. Nuria, d'origine catalane, vous accueille dans une ambiance décontractée. Elle parle français et est toujours partante pour développer des projets communautaires.

RÉGION CARAÏBE

Elle est passionnée de plantes médicinales. On trouvera d'ailleurs quelques spécimens très intéressants dans son jardin. Elle donne également des cours d'espagnol. Son fils qui s'occupe très bien également de la gestion se fera un plaisir de vous affronter au tennis de table.

CASA CALATEAS

www.casacalateas.com
casacalateas@yahoo.com
Casa Calateas est localisée dans la communauté rurale de Carbón Dos dans les montagnes en hauteur du parc national de Cahuita. L'auberge se compose de six chambres dont trois chambres triples et un chalet avec deux chambres triples, le tout avec une capacité d'accueil de 16 personnes. Les repas sont préparés à partir d'ingrédients cultivés localement : fruits tropicaux, lait de coco et des produits de la pêche.

Activités proposées. Les touristes ont la possibilité de se promener dans la réserve privée de l'association ou de visiter d'autres aires protégées de la zone. L'auberge se situe à 8 km du parc national Cahuita, à une vingtaine de kilomètres du refuge de vie sylvestre Gandoca Manzanillo et à 40 km de la réserve biologique Hitoy-Cerere. Il est possible également de visiter des territoires indigènes : le territoire indigène Bribrí, le territoire indigène Cabécar et le territoire indigène Kekoldi. Des plates-formes d'observation de la migration des rapaces ont été installées, et de nombreux sentiers ont été aménagés sur la côte caribéenne du Punta Mona jusqu'au parc national de Cahuita et les belles forêts tropicales de la Talamanque (de septembre à janvier). Les visites se font par groupe de 3 à 4 personnes.

Minimisation de l'impact. Les déchets sont séparés en trois groupes selon qu'ils sont recyclables pour être envoyés dans un centre de recyclage ; organiques qui seront convertis en fumier pour les plantes du jardin ; et les autres ordures qui sont envoyées à la décharge municipale.

Population locale. 6 personnes de la population locale travaillent à temps partiel dans l'entreprise. Possibilité de connaître trois cultures différentes : les Afro-Caribéens, les indigènes et les paysans. L'auberge appartient à l'Association de conservation et de développement de Carbón Dos (ASODECC), une association d'agriculteurs qui habitent la communauté de Carbón Dos de Cahuita. L'ASODECC souhaite mettre en place un développement durable de la communauté afin d'améliorer les conditions socio-économiques de la population locale. Pour ce faire, l'association développe des activités de gestion alternative des forêts, d'éducation environnementale, d'agriculture organique (production de bananes organiques), d'amélioration de la production d'élevage, d'achat de terres pour la conservation et reforestation des forêts, et de tourisme communautaire. Des activités d'éducation environnementale pour les enfants et les jeunes de la communauté sont réalisées dans la réserve privée de 85 ha de l'association.

Autre adresse : l'ATEC (✆ 750 0398 – Fax : 750 0191 – www.greencoast.com/atec.htm – atecmail@racsa.co.cr).

HÔTEL COLON CARIBE

Route vers Cahuita. Playa Negra
A 20 minutes de Cahuita.
✆ +506 2200 5101 – +506 2200 5102
www.coloncaribe.com
coloncaribe@colon.co.cr
43 chambres. Selon la saison : chambres doubles de 68 à 113 US$ avec petit-déjeuner

© TOM PEPEIRA – ICONOTEC

Enseignes des hôtels-restaurants du parc national de Cahuita.

inclus. Gratuit pour les enfants de moins de 8 ans. Compter 21 US$ par enfant de plus de 8 ans. Air conditionné, TV par satellite. Dans la journée des activités sont proposées (une piscine pour adultes et une pour enfants, football, tennis, kayak). Une boutique de souvenirs.

La plage, en face de l'hôtel, n'est pas très recommandée : les courants sont généralement forts (se renseigner à la réception avant d'aller se baigner). Un restaurant avec une carte complète (locale et internationale) est ouvert aussi aux voyageurs de passage. Enfin le parking est gardé, la sécurité assurée 24h/24. C'est un bel hôtel moderne, un peu isolé, mais qui convient parfaitement pour se reposer, et il n'y a rien d'autre à faire le soir.

MAGELLAN INN

A 2 km au nord du centre de Cahuita
sur le chemin qui longe la côte
A 200 m de Playa Grande
✆ +506 2755 0035 – +506 8858 1140
Fax : +506 2755 0035
www.magellaninn.com
hotelmagellaninn@yahoo.com

6 bungalows avec terrasses privées. La chambre double avec ventilateur va de 69 à 89 US$ selon la saison, de 89 à 109 US$ avec air conditionné (20 US$ le lit supplémentaire). Taxes non incluses (+ 13 %). Petit déjeuner inclus. Internet à la réception et sur votre terrasse. Wi-fi en libre accès partout. TV satellite et petits frigidaires en prime.

Tenus par une francophone, les bungalows en bois exotique sont agréables, bien équipés et suffisamment isolés les uns des autres dans un magnifique jardin orné d'une piscine. On parle anglais, français, espagnol et allemand, la douceur de vivre et la discrétion de Terry vous met tout de suite à l'aise. Le soir, dans une ambiance *Out of Africa,* avec de la bonne musique, le punch planteur a une saveur exquise. On s'y sent bien, un très bel établissement.

SAMASATI LODGE

Entre Cahuita et Puerto Viejo,
à Hone Creek ✆ +506 2756 8015
www.samasati.com
samasati@samasati.com

Des chambres en maison d'hôte et des bungalows. En maison d'hôte : 115 US$ (1 pers.) et 98 US$/pers. (2 pers.). En bungalow : 185 US$ (1 pers.), 135 US$/pers. (2 pers.) et 115 US$/pers. (3 pers.). Les prix comprennent 3 repas végétariens et les taxes.

Très bel hôtel de grand charme situé à 200 m d'altitude avec vue sur la mer. Idéal pour repos, santé, relaxation (cours de yoga).

SUIZO LOCO LODGE HOTEL & RESORT
A 2 km nord du village
A 300 m à gauche après la pulpería
Playa Negra, ou entrée par la Plaza Viquez
première entrée à gauche
✆ +506 2755 0349
Fax : +506 2755 0493
www.suizolocolodge.com
info@suizolocolodge.com
8 chambres type maison-bungalow, une suite junior avec son Jacuzzi extérieur, lit king 2x2 m, minibar, TV (DVD) et téléphone, une suite familiale dans une petite maison privée pouvant recevoir aisément 3 personnes. Toutes les chambres disposent d'une terrasse privée, d'une machine à café, d'un ventilateur, d'un coffre-fort et d'un sèche-cheveux. Une chambre est habilitée pour les personnes à mobilité réduite. En basse ou haute saison : compter 84 ou 98 US$ pour deux (chambre standard), 110 ou 120 US$ (suite junior ou familiale), petit déjeuner inclus, taxes de 13 % à régler (40 US$ par personne supplémentaire). Piscine, bar-restaurant, accès Internet, parking privé et même un fumoir à jambon et à bacon (pour agrémenter les petits déjeuners) complètent les atouts de cet hôtel.
Accueil avec le sourire de Bernadette, une francophone qui a quitté ses fonctions de manager d'un très bel hôtel à Turrialba pour reprendre en main cet établissement déjà réputé. Pour l'attribution du niveau 4 au label CST (tourisme écologique), elle a préféré retarder la cérémonie de protocole pour offrir une fête en l'honneur de tous ses employés, un geste de respect qui en dit long sur son professionnalisme et sa personnalité. Le lodge, très bien situé près de Cahuita et tout près de la plage, se trouve dans un cadre aéré et reposant. C'est un petit univers suisse aux Caraïbes qui reflète parfaitement la légendaire tranquillité de ce pays, mais sous un autre climat. A recommander. Le restaurant Don Pelon propose une cuisine qui combine les saveurs tropicales du Costa Rica et les spécialités européennes dans une atmosphère intime.

Se restaurer

Les bonnes tables ne manquent pas à Cahuita ! Vous vous régalerez de cuisine caribéenne pour des prix vraiment corrects.

Bien et pas cher

RELAX
Route principale, à 300 m
de l'entrée de Cahuita
✆ +506 2755 0322 – +506 8818 4547
Ouvert de 17h à 22h et le dimanche de 12h à 22h. Fermé le mardi. Plats de 10 à 12 US$. Wi-fi gratuit.
C'est l'ancien Relax qui était situé dans le centre du village. Cet agréable restaurant tenu par un couple italo-mexicain est connu pour ses spécialités de poissons, de viande

et bien sûr de spaghettis. Les plats préférés : le *ceviche*, le *lomito a la pimienta* (steak au poivre : 12 US$), les crevettes à la *caribeña* (11 US$) et le poulet sauce piquante (10 US$). Les prix sont très raisonnables. Le chef Serafino, qui parle français, sera aux petits soins avec vous.

Bonnes tables

CORAL REEF
Centre-ville, à côté de Coco's Bar
✆ +506 2755 0133
Ouvert de 13h à 21h. Fermé le jeudi. Plats de 3 400 colones à 8 000 colones (fruits de mer).
De délicieux plats caribéens dans un cadre cosy. On vous recommande de manger au premier étage où la terrasse est bien agréable avec une vue sur la rue principale. Bon accueil.

MISS EDITH
Entre le bureau de police et la mer
✆ +506 2755 0248
Ouvert tous les jours de 7h à 20h. Plats de 4 000 à 7 000 colones.
C'est le restaurant auquel vous ne pouvez pas échapper. Il y a quelques années, Miss Edith concoctait de délicieux ragoûts antillais à l'intention des pêcheurs locaux, puis de hardis touristes vinrent s'asseoir à sa table et revinrent avec des amis. La réputation était lancée. Actuellement, le restaurant de Miss Edith ne désemplit plus, du petit déjeuner (à partir de 7h) à 20h ou 22h pendant la haute saison. Mais il semble que le service en pâtisse, dommage ! Un régal : le filet de marlin sauce *caribeña* (tomate, oignons, curry, crème de coco, *chile*). Et pour goûter au délicieux rondón local, il faut prévenir à l'avance.

ROBERTO
Centre de Cahuita ✆ +506 2755 0117
Ouvert jusqu'à 22h.
Plats du jour caraïbes, sous une paillote à 100 m de l'arrêt de bus. Bon restaurant local.

SOBRE LAS OLAS
✆ +506 2755 0109
sobreolasv8@gmail.com
Ouvert de 12h à 22h. Fermé le mardi. Plats de 5 700 à 12 500 colones.
Excellente cuisine italienne et de fruits de mer. Marco, le chef, est italien. Très bonne situation au bord de la plage. Un des meilleurs restaurants de Cahuita, mais un peu cher tout de même.

La « pipa » ou les vertus de l'eau de coco

Vous entendrez souvent dans la rue vous proposer « pipa ! pipa !... » Il s'agit en réalité d'*agua pipa*. Qu'est-ce que c'est ? La traduction directe est « eau de jeune coco », que beaucoup n'hésitent pas à qualifier de « boisson de la vie ». Diable ! Une boisson de la vie ? A-t-elle vraiment tant de vertus cette *agua pipa* ? Une jeune noix de coco est un filtre naturel parfait tout au long de sa croissance, soit entre 6 et 9 mois. Elle contient alors entre 750 ml et 1 litre d'eau. La composition de l'eau de coco est identique à celle du plasma du sang humain. D'ailleurs, pendant la guerre du Pacifique, les Américains et les Japonais utilisaient régulièrement l'eau de coco pour les transfusions des soldats blessés. L'eau de coco présente des caractéristiques naturelles très intéressantes :

- **Elle est totalement stérile** car elle est en permanence en processus naturel de filtration.
- **Elle est plus nutritive** que le lait, elle a moins de graisse, sans cholestérol.
- **Elle est meilleure** que les laits pour bébé du commerce, car elle contient de l'acide laurique, acide qui est présent dans le lait maternel.
- **Elle est plus saine** que le jus d'orange et plus pauvre en calories.
- **D'après la FAO** (United Nation's Food & Agriculture Organisation), l'eau de coco est une véritable source de la nature, biologiquement pure, complète en sucres naturels, et contient ce qu'il faut en sels et en vitamines pour combattre la fatigue. C'est ainsi qu'elle se positionne dans le marché des boissons énergétiques, car plus efficace que les boissons dites « sportives ».
- **Elle contient** plus de potassium (294 mg) que les boissons « sportives » (117 mg), moins de sodium (25 mg) au lieu des 41 mg (certaines boissons « sportives » en ont jusqu'à 200 mg !), 5 mg de sucres naturels au lieu des 10 à 25 mg de sucres de synthèse (même pas naturels !).
- **Elle est très riche** en chlorure (118 mg) au lieu des 39 mg des autres boissons.

Alors que diriez-vous d'une *pipa* ?...

© STÉPHANE SAVIGNARD

Plage sauvage du parc national de Cahuita.

© STÉPHANE SAVIGNARD

Crabe multicolore.

© STÉPHANE SAVIGNARD

Plage sauvage du parc national de Cahuita.

VISTA DEL MAR
A l'entrée du parc
✆ +506 2755 0008
Ouvert tous les jours de 7h à 22h. Plats à 2 500 colones environ.
Un bon plan si vous appréciez l'Asie (bonne cuisine, rapide, copieuse et pas chère).

À voir – À faire

MARIPOSARIO DE CAHUITA
✆ +506 2755 0361
Sur la route de Limón à Sixaola, 200 m à l'ouest de l'entrée principale de Cahuita
Du lundi au vendredi de 9h à 15h30, samedi et dimanche seulement sur rendez-vous. Entrée : 6 US$. Visite guidée : 15 US$.
Françoise et Alfonso, un couple franco-espagnol, ont créé ce *mariposario* (ferme à papillons) où ils élèvent une vingtaine d'espèces de papillons, dont le célèbre et très médiatique morpho bleu métallisé (*Morpho peleides*). Ils ont reproduit un petit espace naturel composé d'une zone d'ombre et une autre de lumière, avec les espèces de plantes et de fleurs pour que chaque espèce se développe naturellement. L'eau est omniprésente, fontaine de type humidificateur... Ils vous feront découvrir tout le cycle de vie d'un papillon (qui vit entre deux semaines et trois mois suivant les espèces, sauf un qui ne vit que trois jours car il ne s'alimente jamais) et vous verrez même des accouplements. On parle français. Alfonso est artiste dans l'âme – regardez ses œuvres de bois. Une petite boutique vous propose entre autres son artisanat, quelques livres et objets divers. Le cadre, d'une grande sérénité, vous fera passer un moment agréable avec des gens passionnés par leur métier et les papillons.

PARC NATIONAL DE CAHUITA
Entrée principale à Puerto Vargas, 5 km au sud de Cahuita
✆ +506 2755 0461
✆ +506 2755 0302
www.sinac.go.cr
Entrée : 10 US$. Ouvert tous les jours de 8h à 16h.
Pour lutter contre la défiguration des côtes, une loi interdit de construire à moins de 150 m de la mer, et la pointe au sud de Cahuita est devenue parc national en 1978, à l'instar de toute la région au sud de Limón classée refuge faunique. Au sein de cet environnement, les habitants ont su préserver leur mode de vie, loin des autres Ticos qui n'y viennent d'ailleurs jamais. C'est ce qui fait la différence entre le sud-est du pays et les autres côtes beaucoup plus fréquentées. C'est le seul parc du pays qui soit géré par la communauté et dont le droit d'entrée est un apport volontaire de chaque visiteur. Le parc national de Cahuita commence à l'extrémité sud du village, à l'endroit appelé « Kelly Creek », et couvre 1 067 hectares sur terre et 22 400 hectares en mer. C'est l'un des plus beaux sites du pays avec ses plages de sable blanc, ses cocotiers inclinés vers la mer comme sur une carte postale et ses eaux relativement calmes. L'attrait principal de ce parc réside dans le récif corallien qui entoure la Punta Cahuita ; il est malheureusement menacé par les sédiments (en provenance des bananeraies) et les pesticides que dépose le río Estrella au nord de Cahuita. On pourra observer sur ce récif éventails de mer, oursins et poissons colorés (poissons perroquets, isabelitas ou anges de mer), cornes d'élans et cérébriformes.

Sur terre, on remarquera singes hurleurs, blaireaux ou coatis, ibis verts, hérons nocturnes ou chocuaco. Les singes hurleurs mâles (singes congo) poussent un cri inquiétant la première fois qu'on l'entend. Un os dans le larynx leur permet cette résonance si particulière, qui pourrait ressembler à un aboiement de très gros chien, voire à un rugissement, audible à plusieurs centaines de mètres. C'est l'une des particularités du parc de Cahuita : se promener dans le parc tôt le matin pour apercevoir ou entendre l'un de ces animaux.

Plongée. Il est possible de plonger (avec tuba) autour du récif de corail en vous faisant accompagner en bateau par quelqu'un du coin. Mais souvenez-vous que la pluie trouble l'eau...

À l'entrée du parc, un sentier très agréable vous mène à la pointe jusqu'à la jungle (4 km).

Sports – Détente – Loisirs

Les plages, entre les parties rocheuses, sont magnifiques. Mais impossible de faire trempette dans les cinq cents premiers mètres au sud de Cahuita, à moins de souhaiter suivre les courants pour visiter le reste de l'Amérique ! Pour se baigner, il faut aller sur la célèbre Playa Negra. Cahuita est l'exemple même du village caraïbe. L'ambiance est rasta et nous transporte dans les îles caraïbes.

PLAYA BLANCA

Elle est située au sud du village et commence à l'entrée du parc national. C'est une grande plage de sable blanc qui forme un grand U, d'environ 4 à 5 km et qui se termine à la Punta Cahuita. La plage est très belle, mais elle est dangereuse (drapeau rouge en permanence) à cause des courants. On peut néanmoins se baigner, mais sans aller au large.

PLAYA NEGRA

www.playanegra.cr

Située au nord du village, elle s'étend sur plusieurs kilomètres jusqu'à l'embouchure du río Tuba. C'est une plage de sable noir. Elle convient bien à la baignade. Toutes les vagues sont appréciées par les surfeurs de plus en plus nombreux à Cahuita.

PLAYA VARGAS

Dans la continuité de Playa Blanca, après Punta Cahuita, elle est longue d'environ 1,5 km. Baignade conseillée suivant les drapeaux vert ou rouge.

PUERTO VIEJO DE TALAMANCA

Puerto Viejo est la patrie des Indiens Bribrí, Kekoldi et Cabécar qui côtoient les agriculteurs d'origine jamaïcaine parlant un anglais hispanisant difficile à comprendre, ainsi que les descendants des Espagnols. Petit village de pêcheurs agréable, avec un centre qui s'anime le matin et en fin d'après-midi, Puerto Viejo s'étend sur plusieurs centaines de mètres le longueur de plages de rêve vers le sud. Puerto Viejo pâtit un peu de son succès. Si le charme est encore présent, malheureusement sa réputation amène certains jours une cohue qui vous fait rapidement déserter le centre. Mais la bourgade s'étend sur plusieurs kilomètres et c'est en allant vers le sud que l'on découvre tous ses trésors cachés.

Village de Puerto Viejo.

Transports

- **Bus.** De San José (Terminal del Caribe – c0, a15 ✆ 2257 6859), un bus tous les jours à 6h30, 7h30, 10h, 11h30, 13h30, puis toutes les heures jusqu'à 18h30. Un peu plus de 4 heures de route. De Limón, les bus partent du même arrêt que pour Cahuita entre 5h et 18h. Tous les bus à destination de Sixaola s'arrêtent à Puerto Viejo. L'arrêt de bus se trouve dans ce qui paraît être le centre de Puerto Viejo, dans la rue incurvée qui longe la côte rocheuse après la plage de sable noir, près des bureaux jaunes de Mepe. Mieux vaut acheter sa place à l'avance pendant la haute saison et les week-ends.
- **Voiture.** La route est goudronnée entre Cahuita et Punta Uva au sud de Puerto Viejo (24 km) et en assez bon état presque jusqu'à Manzanillo, à 6 km de là.

Se déplacer

Vous vous déplacerez sans problèmes en voiture, mais louer un vélo est aussi une bonne idée car les routes sont assez étroites et la circulation peu dense. Dans la plupart des hôtels vous pouvez louer un VTT pour 3 000 à 4 000 colones la journée. Vous pourrez aller à vélo jusqu'à Punta Uva et Manzanillo sans aucun problème ; compter de 20 à 30 minutes en roulant tranquillement.

Pratique

Tourisme

ATEC

Rue principale

✆ +506 2750 0191 – +506 2750 0398

www.greencoast.com – www.ateccr.org

atecmail@gmail.com

Ouvert tous les jours de midi à 18h.

L'Asociación Talamanqueña de Ecoturismo y Conservación (ATEC) est née dans les années 1980, en même temps que les communautés indiennes de la vallée de Talamanca prenaient conscience de l'extension du tourisme. Aujourd'hui, l'association se consacre à l'information des touristes, propose randonnées ou logements chez l'habitant et forme des guides capables de transmettre leur culture ou au moins d'en donner un aperçu convaincant. Les membres de cette association active organisent des excursions dans la forêt et les réserves indigènes alentour et donnent des conférences dans leur bureau situé dans la rue principale de Puerto Viejo. N'hésitez pas à vous adresser à eux.

Argent

BANCO NACIONAL DE COSTA RICA
A 200 m au sud de l'arrêt de bus
✆ +506 2284 6600
Ouvert du lundi au vendredi de 8h à 16h et le samedi de 8h à midi.
Distributeur 24h/24.

Adresses utiles

Pulpería Violeta (épicerie) à l'entrée de la ville, Abastecedor Central (grande épicerie) ou Pulpería León sur la route qui longe la mer dans le centre-ville.

SURF CYCLERS
Route principale de Puerto Viejo
Centre-ville ✆ +506 2750 1909
Ouvert tous les jours de 8h à 17h30. Location de vélo à 5 US$ la journée et 35 US$ la semaine. Location de scooter à 40 US$ la journée.
Une bonne adresse pour se procurer un vélo qui est un bon moyen de circuler dans Puerto Viejo et les environs. Ils louent aussi des scooters, mais faites attention car vous ne serez couvert par aucune assurance (ils n'en ont pas), donc c'est à vos risques et périls ! Egalement du matériel de plongée, masque-tuba en location : 12 US$ pour le set complet.

Se loger

Les hôtels et les cabinas sont nombreux, mais souvent pleins durant la haute saison. Réservez ou arrivez très tôt le matin, de préférence en semaine. Si vous êtes déjà au Costa Rica, téléphonez à l'ATEC qui est généralement au courant de tout. Autre recommandation concernant les hôtels bas de gamme : prévoyez tout d'abord une « arme » contre les insectes qui pullulent dans la contrée. La plupart du temps, un ventilateur ou une moustiquaire suffisent, mais il arrive qu'il n'y ait rien du tout, même pas de vitres aux fenêtres. Mieux vaut s'en apercevoir avant la fermeture des épiceries... Pour loger chez l'habitant et si le nombre de pancartes « Rooms for rent » vous effraie, demandez auprès de l'ATEC la liste des hôtels recommandés. Sachez enfin que la plupart des établissements suivants baissent leurs prix de façon très significative hors saison.

Bien et pas cher

CABINAS MONTE SOL
A la sortie de Puerto Viejo
en direction de Manzanillo
✆ +506 2750 0098
Fax : +506 2750 0098
www.montesol.net – info@montesol.net
Chambres avec salle de bains privée ou partagée, bungalow et une maison. 30 US$ (salle de bains privée), de 25 à 40 US$ (salle de bains partagée), de 40 à 60 US$ (bungalow). La maison se loue 300 US$ (1 semaine, 2 pers.), 400 US$ (1 mois, 4 pers.). Pour le bungalow : 600 US$ (1 semaine, 2 pers.), 800 US$ (1 mois, 4 pers.). Petit déjeuner buffet : 6 US$.
Chambres agréables avec moustiquaires, ventilateur et salle de bains propre. Wi-fi dans l'établissement. Tom propose des excursions sympathiques.

CABINAS MOR
Près du restaurant Miss Sam
✆ +506 2750 0145
✆ +506 2750 0911
mor_solutions@yahoo.com
De 50 à 60 US$ la chambre double, selon la saison. Egalement une maison entièrement équipée pour 4 personnes : de 60 à 80 US$ la nuit. Wi-fi gratuit. TV câblée dans toutes les chambres.
Légèrement à l'écart du centre-ville, des chambres confortables au calme dans une petite propriété avec jardin. La maison peut être une bonne affaire si on vient à plusieurs.

CABINAS TROPICAL
Centre de Puerto Viejo,
près de l'hôtel Casa Verde
✆ +506 2750 0283 – +506 8841 0289
Fax : 750 0645
www.cabinastropical.com
infocabinastropical@gmail.com
A partir de 40 US$ la nuit. TV câblée dans toutes les chambres. Wi-fi gratuit.
L'une des meilleures adresses (et des mieux situées) de Puerto Viejo. Très jolies cabinas équipées d'air conditionné et de frigo, avec hamacs en terrasse dans chacune d'entre elles. Thé et café gratuit toute la journée. Et cerise sur le gâteau : les patrons, Rolf et Juana Blanke, sont biologistes et organisent régulièrement des visites guidées dans la nature.

Cabina de l'hôtel Monte Sol à Puerto Viejo.

HOSTAL PAGALU
✆ +506 2750 1930
www.pagalu.com – info@pagalu.com
Compter 10 US$ en dortoir, et entre 24 et 28 US$ pour une double avec ou sans salle de bains. Wi-fi gratuit.
Très bel établissement, au calme parce qu'à quelques centaines de mètres de l'agitation de Puerto Viejo. Ouvert depuis trois ans seulement, il est déjà très prisé ; on comprend vite pourquoi : de beaux dortoirs de 4 personnes, joliment décorés, des salles de bains propres et design à la fois, des espaces communs colorés et spacieux, deux ordinateurs connectés à Internet à disposition des résidents entre 7h et 23h, une cuisine commune bien équipée et bien tenue, s'ajoute à cela un accueil des plus aimables, bref, une bonne adresse de Puerto Viejo !

HÔTEL PURA VIDA
Près du cimetière ✆ +506 2750 0002
Fax : +506 2750 0296
www.hotel-puravida.com
Des chambres de 28 à 52 US$ la chambre, certaines avec salle de bains à partager. Wi-fi gratuit.
Grandes chambres qui s'articulent autour d'une jolie structure de bois accueillant de nombreuses plantes vertes et quelques hamacs. Décoration sobre, mais soignée. Luis, le maître des lieux est tout à fait charmant et est amoureux de la France, il parle donc notre langue avec un bel accent chilien. Dans l'enceinte de l'hôtel, centre de langues et de yoga. Une bien belle adresse !

MARITZA
Dans la rue qui longe la mer,
proche de l'arrêt de bus
✆ +506 2750 0003
Fax : +506 2750 0313
14 chambres à partir de 20 US$.
Un bon prix pour les chambres simples. Très propre, confortable, bien situé et plutôt calme. Membre des auberges de jeunesse.

ROCKING J'S
A 600 m au sud de l'arrêt de bus
✆ +506 2750 0665 – +506 2750 0657
www.rockingjs.com
Tentes (abritées) à 4,52 US$ par personne, hamac à 5,65 US$ par personne, dortoir à 7,91 US$ par personne, chambre simple à 22,60 US$, double à 22,60 US$ par personne, triple à 33,90 US$ par personne, suite (4 pers.) à 56,50 US$ par personne. Maison (6 pers.) à 350 US$ la nuit. Wi-fi gratuit. Laverie, circuits organisés.
Un auberge de jeunesse unique en son genre à Puerto Viejo, à l'image de son patron Djay's qui est un artiste original. Il a décoré son établissement de superbes mosaïques colorées et vous en verrez même une avec un cœur où est inscrit « Merci » (ce serait le message d'une fan). Des hamacs et des tentes sont diposés dans une grande cour intérieure et

le tout est plutôt bien aménagé. La clientèle est jeune, fêtarde et finalement très proche de l'esprit rasta de Puerto Viejo... Tant et si bien que beaucoup y perdent leurs affaires ou leurs papiers d'identité : Djay's a donc eu l'idée de mettre tous leurs documents perdus sous le verre d'une grande table et c'est devenu une œuvre d'art. Côté animation, tous les soirs vous aurez droit à un grand feu de bois avec musique live sur la plage et une fois par mois à la Full Moon Party (une très grande fête avec DJ pendant la pleine lune). Lors de notre passae, Djay's avait même commencé à mettre en place « une arche anti-tsunami » à l'arrière de l'auberge, en hauteur, dans un grand container industriel. Rassurez-vous les tsunamis sont quasi impossibles dans la mer des Caraïbes, mais ne le dites pas à Djay's car, lui, il y croit ! Une bonne adresse, insolite certes, mais parfaite si on veut faire la fête.

SUNRISE BACKPACKERS HOSTEL
En plein centre, à deux pas de l'arrêt de bus et à 100 m de la Bank of Costa Rica
✆ +506 2750 0028
www.sunrisepuertoviejo.com
info@sunrisepuertoviejo.com
Cet établissement propose une solution des plus économiques : matelas en tentes (à l'intérieur) 4 US$ par personne, en dortoir 5 US$ par pers., 14 US$ pour une chambre double avec salle de bains commune, ou 25 US$ pour avoir sa propre salle de bains.
L'établissement dispose de très nombreux ordinateurs (500 colones les 30 minutes), d'un café bar et restaurant, d'un centre de plongée et de pêche. Personnel disponible.

Confort ou charme

BUNGALOWS CALALU
A 300 m au sud-ouest de Salsa Brava
✆ +506 2750 0042
www.bungalowscalalu.com
16 bungalows (10 standard et 6 supérieur pour 4 à 6 personnes) avec ventilateur, coffre-fort et hamac à l'extérieur. Bungalow standard : 40 US$ (1 pers.), 46 US$ (2 pers.), 57 US$ (3 pers.). Bungalow à 2 étages : 60 US$ (de 1 à 2 pers.), 70 US$ (3 pers.), 80 US$ (4 pers.), 90 US$ (4 pers.). Bungalow avec cuisine et TV : 57 US$ (de 1 à 2 pers.), 69 US$ (3 pers.), 80 US$ (4 pers.). Petit déjeuner compris.
Les bungalows sont répartis dans un beau jardin tropical avec piscine. Un cadre magnifique et relaxant tenu par un couple franco-espagnol.

CARIBLUE BUNGALOWS
1,5 km au sud de Puerto Viejo
Playa Cocles
✆ +506 2750 0057
Fax : +506 2750 0057
www.cariblue.com
cariblue@racsa.co.cr
16 bungalows (10 standard et 6 supérieurs pour 4 à 6 personnes) avec ventilateur, coffre-fort et hamac à l'extérieur. Les prix en haute saison : 110 US$ (standard) et 125 US$ (suite). En basse saison, respectivement : 95 US$ et 110 US$. Petit déjeuner et taxes non inclus. Belle piscine et Jacuzzi. Aire d'activités pour les enfants. Parking gardé.
Ce sont de charmants bungalows dans un cadre de jardin tropical à 150 m de la plage. Restaurant de cuisine internationale et caribéene ouvert toute la journée, même aux personnes extérieures. Location de VTT. Hôtel à recommander.

CASA VERDE LODGE
En face de la Soda Bela
✆ +506 2750 0015
Fax : +506 2750 0047
www.cabinascasaverde.com
info@cabinascasaverde.com
Le lodge (des bungalows comprenant 14 chambres,) situé à 80 m de la célèbre plage de surf Salsa Brava, possède des cabinas dont certaines ont une salle de bains privée, d'autres une salle de bains partagée. De 36 à 65 US$ (2 pers.), de 42 à 84 US$ (3 pers.) et 89 US$ (4 pers.), petit déjeuner non compris. Wi-fi gratuit.
Lodge très agréable. Chambres spacieuses et accueillantes, décorées individuellement avec terrasses privatives et hamac. Jardin et ferme de grenouilles. Une boutique d'artisanat indigène. Mieux vaut réserver, en toute saison. Très bon rapport qualité-prix.

LA COSTA DE PAPITO
Punta Cocles, à 1,5 km de Puerto Viejo
✆ +506 2750 0080
Fax : +506 2750 0080
www.lacostadepapito.com
Bungalows de différentes tailles. Les prix en haute saison : avec salle de bains partagée de 54 à 59 US$ (2 pers.), avec salle de bains privée de 84 à 89 US$ (2 pers.) (15 US$ par personne supplémentaire). Wi-fi gratuit et 3 ordinateurs connectés à Internet en libre accès. Bungalows en bois, très joliment pensés dans un jardin proche de la rainforest luxuriante.

© STÉPHANE SAVIGNARD

Cabina de l'hôtel Monte Sol à Puerto Viejo.

ESCAPE CARIBEÑO
face à la Salsa Brava
Puerto Viejo ✆ +506 2750 0103
Fax : +506 2750 0103
www.escapecaribeno.com
bungalows@escapecaribeno.com
Bungalows climatisés avec vue sur le jardin de 65 à 80 US$ suivant le nombre de personnes, avec vue sur la mer de 75 à 90 US$ suivant le nombre de personnes. Coffre-fort dans les chambres. Wi-fi gratuit.

14 bungalows équipés d'une salle de bains et d'un réfrigérateur (préférez l'un des deux bungalows les plus proches de la mer). La propriétaire italienne parle le français.

LA KUKULA LODGE
Playa Chiquita
✆ +506 2750 0653
www.lakukulalodge.com
De 75 à 85 US$ la chambre double. Petit déjeuner inclus. Wi-fi gratuit.
Installé au milieu de la forêt tropicale, à 10 minutes de la plage, La Kukula Lodge est un endroit magique et design à la fois, très bien pensé par son jeune propriétaire espagnol Pepo. Les 8 chambres sont dans trois jolies maisonnettes en bois dont l'architecture est en harmonie avec le paysage. Tous les matériaux proviennent du recyclage jusque dans les plus petits détails décoratifs. Les chambres ont été construites de manière à être bien ventilées, donc ici pas besoin de climatisation si nocive pour la nature. Les douches ont vue sur le jardin et l'eau coule comme le ferait un petit ruisseau, on se croirait dans la forêt. Ici, la nature est reine et, sur les sentiers de la propriété, vous apercevrez facilement des singes, des paresseux et même des grenouilles. Vous l'avez compris : on adore La Kukula Lodge ! Une excellente adresse.

SHAWANDHA LODGE
Playa Chiquita
✆ +506 2750 0018
✆ +506 2750 0243
Fax : +506 2750 0037
www.shawandhalodge.com
shawandha@racsa.co.cr
info@shawandhalodge.com
12 chambres avec ventilateur, les chambres sont suffisamment bien ventilées naturellement et une climatisation serait de trop, sèche-cheveux, coffre-fort. Compter 120 US$ le

bungalow pour deux en haute saison, 95 US$ en basse saison, petit déjeuner tropical américain compris, taxes de 13 % non incluses, 25 US$ par personne supplémentaire.
Des bungalows tout en bois, très joliment décorés par les propriétaires, propres à faire rêver les plus blasés. En respectant l'esprit et l'organisation d'un village primitif, la direction franco-espagnole a su aménager un des plus beaux endroits de la côte en soignant les détails de chaque recoin. Les salles de bains, décorées de mosaïques précolombiennes aux douces harmonies de couleurs, sont particulièrement réussies. Curiosité : il y a un *ceibo* (fromager) de 60 m de hauteur. Le restaurant de l'hôtel, ouvert le soir, est situé dans un cadre superbe et dépaysant. La spécialité de la maison : la langouste fraîche agrémentée ou non de la sauce du jour, selon vos souhaits. Un espace privé dédié à l'Internet vous est réservé si besoin et une piscine parfaitement intégrée dans l'environnement invite à la détente.

TREE HOUSE
Playa Chiquita
✆ +506 2750 0706
www.costaricatreehouse.com
reservations@costaricatreehouse.com
Maisons de location entièrement en bois. Prix de la maison de la forêt : par jour, de 225 US$ (2 pers.) à 385 US$ (6 pers.). Prix de la maison de plage : par jour, de 200 US$ (2 pers.) à 320 US$ (5 pers.). Prix pour la suite de la plage : par jour, de 350 US$ (2 pers.) à 470 US$ (6 pers.). Jacuzzi et barbecue en terrasse.
Les maisons ont 2 chambres, kitchenette, air conditionné, terrasse. Elles sont situées dans un cadre luxuriant. Cher, mais absolument magnifique. Soucieux de protéger leur environnement, les propriétaires de l'établissement ont récemment mis en place un petit parc où vivent 120 iguanes ; c'est un petit centre de reproduction destiné à réhabiliter l'espèce menacée par sa forte commercialisation au Costa Rica. Visite gratuite pour les clients mais payante pour les personnes extérieures (entrée : 5 US$).

Se restaurer

Les restaurants familiaux sont une des particularités de Puerto Viejo. Mieux qu'une soda ou un restaurant d'hôtel, ces tables d'hôtes locales sont un charmant moyen de goûter à une cuisine caraïbe locale plus savoureuse que la cuisine tica traditionnelle.

La cuisine de Puerto Viejo, la cuisine des Miss

En fait c'est de la cuisine de la côte caraïbe dont il faut parler, même si Puerto Viejo peut revendiquer une certaine paternité. Elle est très différente des autres régions du Costa Rica, car son apport est particulier. C'est une cuisine « importée » de Jamaïque par les familles noires qui ont travaillé à la construction du chemin de fer San José-Limón à la fin du XIXe siècle. Les produits ne sont pas tellement différents de ceux des autres régions, mais l'accommodement, le savoir-faire et le tour de main font la différence. Le poisson, toujours frais, est un élément indispensable de la cuisinière. Le marlin, le *mahi mahi* (dorade coryphène), le thon, les crevettes jumbo, la langouste, le *pargo* (pagre ou daurade rose), le poulpe, les calamars et bien sûr tous les *mariscos* (fruits de mer) sont les principaux acteurs de la cuisine des Miss – au fait, pourquoi Miss ? Parce que les mamas de la région ont gardé ce « titre » des îles anglo-caribéennes de leurs lointaines origines. Pour les légumes, on trouve bien sûr le riz, les *frijoles* (haricots noirs ou rouges), les *plátanos* (bananes plantains), les *patacones* (plantains écrasés frits), le *yuca* (racine blanche, type manioc, pomme de terre), les tomates, les oignons... Mais le plus marquant de cette cuisine sont les sauces comme la *salsa caribeña* (curry, tomate, crème de coco, oignons et un peu de *chile*), la sal*sa Puerto Viejo* (tomate, huile de coco, oignons, chile et un peu de rhum), la *salsa al ajillo* (huile, ail, quelquefois un soupçon de tomate), la *salsa a la reina* (sauce blanche, champignons, oignons). Les spécialités se nomment : la *langousta caribeña*, le *pargo salsa Puerto Viejo*, le *rondón* (ragoût de bœuf ou de poisson), les *patís* (petits pâtés farcis de viande épicée) et pour accompagner ces plats le *rice and beans*, les *patacones* et le *yuca*. Pour les desserts, le *pan bon*, le flan de coco et bien sûr les bananes ou ananas flambés. Enfin parmi les boissons, on distingue les *batidos* (lait et jus de fruits battus, boisson sans alcool) et les cocktails tropicaux qui sont ceux de toutes les Caraïbes : rhum *sunrise*, *coco loco* (rhum coco), punch planteur, piña colada, *sexo en la playa*, *cuba libre*...

Bien et pas cher

PAN PAY

Au bord de la mer, à l'entrée
de Puerto Viejo, près de la route principale
✆ +506 2750 0081
javierpanpay@yahoo.es

Ouvert de 7h à 17h. Petit déjeuner à 2 500 colones en moyenne. Sandwiches de 1 900 à 4 000 colones.

Tenu par Javier, un Catalan installé là depuis des années, ce restaurant en bord de mer est l'adresse idéale pour prendre un petit déjeuner consistant, tout en se réveillant doucement, bercé par les vagues.

PUERTO VIEJO BAKERY

Route vers Manzanillo.
A 200 m au sud-est du restaurant Stanford
✆ +506 2750 0511

Ouvert du lundi au dimanche de 7h à 19h. Smoothies à 1 500 colones, croissants à 500 colones, cafés à 700 colones.

Une très bonne adresse pour le petit déjeuner. Vous trouverez même des croissants !

SEL ET SUCRE

Centre-ville. A 100 m de l'arrêt de bus
✆ +506 2750 0636
seletsucre@gmail.com

Ouvert de midi à 21h30. Crêperie et bar à fruits, fermé le lundi. Crêpes salées de 2 700 à 3 300 colones et à partir de 1 600 colones les crêpes sucrées. Wi-fi gratuit.

Beau cadre. L'ambiance musicale ajoute un plus au charme de l'établissement, et les assiettes font honneur à la Bretagne ! Rien d'étonnant à ce que ce soit un couple de Saint-Malo qui tienne cet établissement car les crêpes sont aussi bonnes qu'en Bretagne. Il y a aussi des gaufres, des salades, des fondues au chocolat avec morceaux de fruits à tremper, des jus de fruits naturels.

Bonnes tables

AMIMODO (A MI MODO)

A la sortie sud de Puerto Viejo
sur la gauche
✆ +506 2750 0257

Ouvert tous les jours de 12h à 22h30. Menu à 5 500 colones.

Un bon restaurant italien à prix correct. Les propriétaires sont italiens et il y a de tout, y compris des pâtes aux fruits de mer très bien préparées. Essayez les raviolis à la langouste (prix du plat : 9 200 colones).

BAR SALSA BRAVA

Au bord de mer, juste
avant la sortie de Puerto Viejo
Centre-ville
✆ +506 2750 0241 – +506 8919 3179
valeriesalsabrava@hotmail.com

Ouvert du mercredi au dimanche de 12h à 22h. Fermé lundi, mardi et pendant tout le mois de juin. Plats de 3 000 à 6 000 colones, grandes salades de 4 000 à 7 500 colones, sandwiches de 4 500 à 6 500 colones, pâtes de 7 500 à 8 000 colones.

La propriétaire Valérie est québécoise et l'ambiance caribéenne. Installé au bord de l'eau, ce petit restaurant est agréable pour siroter un cocktail à l'heure du coucher de soleil ou pour dîner. Bon rapport qualité-prix et accueil chaleureux de la patronne et de Greivin, son mari costaricain, qui fait d'excellents cocktails. Mention spéciale pour la musique jazzy ou latine, douce ou festive, mais toujours en harmonie avec l'atmosphère.

CAFÉ VIEJO

Centre-ville
Route principale de Puerto Viejo
✆ +506 2750 0817 – +506 8883 0304

Ouvert du mardi au dimanche de 18h à 23h. Plats de 5 000 à 11 000 colones.

Un bar-restaurant cosy installé dans une grande salle aux couleurs chaudes, avec une musique lounge pour fond sonore. Sur les murs, des photos de films de Fellini car le grand-père des deux frères italiens, propriétaires de l'établissement, allait à l'école avec M. Federico Fellini ! Côté cuisine, les pâtes sont délicieuses et nombre de produits de la carte sont *made in Italia*. C'est un peu cher mais la qualité a un prix.

CHILE ROJO

Centre-ville. Centre commercial
Puerto Viejo Shops, 2e étage
✆ +506 2750 0025 – +506 8988 3360
www.bestchilerojo.com
footbuffalo@yahoo.com

Ouvert de 12h à 22h, jusque 23h le week-end. Fermé le mercredi. Plats de 6 à 16 US$.

Un restaurant qui fusionne la cuisine thaïe et japonaise. Un sushi bar avec un buffet illimité fonctionne tous les matins de 6h à 10h, pour seulement 600 colones par personne. Musique live et danse orientale le samedi soir. Vous apprécierez l'espace lounge qui se prête parfaitement à la dégustation d'un cocktail.

LA PECORA NERA
Playa Cocles, en face de la casa Camarona
✆ +506 2750 0490
pecoranera@racsa.co.cr
Ouvert du mardi au dimanche de 17h30 à 23h. De 10 à 28 US$ le plat.
Un restaurant italien haut de gamme qui peut se montrer fantaisiste. Mieux vaut réserver. Ilario, le maître des lieux, parle français.

SODA MISS SAM
Deux rues au sud de l'hôtel Pura Vida
✆ +506 2750 0108
Ouvert de 11h à 21h. Fermé le dimanche. Plats de 3 000 à 6 000 colones.
On y sert une cuisine locale et des *casados* (*rice and beans*, comme on dit ici) délectables.

Sortir

Pour aller prendre un verre dans un bar en bord de mer ou en centre-ville, vous aurez l'embarras du choix à Puerto Viejo.

MARITZA BAR
Centre-ville ✆ +506 8663 0327
Ouvert de 11h à 23h.
Un bar simple avec une bonne ambiance. Discothèque le samedi soir.

À voir – À faire

CACAO TRAILS
Hone Creek, à 2 km du carrefour de la route vers Limón ✆ +506 2756 8186
www.cacaotrails.com
25 US$ la visite de 2 heures. 12 US$ par enfant.
Visite d'une plantation bio de cacao : retour sur l'histoire du cacao et explication du processus de fabrication du chocolat. Egalement un musée afro-caribéen et indigène avec plusieurs pièces anciennes originales.

CENTRO DE RESCATE JAGUAR (PARC ANIMALIER ET REFUGE)
Playa Chiquita ✆ +506 2750 0710
www.jaguarrescue.com
jaguar.resc@gmail.com
Visites guidées du lundi au samedi à 9h30 et 11h30 seulement, le reste du temps le parc est fermé au public car le personnel soigne les animaux et entretient le parc.
Un centre de sauvetage pour animaux créé par Encar et Sandro, un couple de biologistes passionnés par la faune du Costa Rica. Aidés de bénévoles, ils sauvent et réintroduisent de nombreux animaux qu'on leur apporte blessés : singes, grenouilles, paresseux, félins... Toutes les entrées au parc servent à la protection de ces animaux et à leur réintroduction. Vous en apprendrez beaucoup sur les problèmes que rencontrent différentes espèces au contact de l'homme ou des chiens errants assez nombreux dans la région. Une visite passionnante ! Vous pouvez prendre des petits singes dans vos bras à la fin de la visite ; c'est sans danger pour eux (et pour vous) ; la biologiste vous expliquera pourquoi. Il est aussi possible de rejoindre l'équipe de bénévoles si vous êtes disponible trois semaines d'affilée ; envoyez un mail au centre pour proposer votre candidature et connaître toutes les modalités pratiques.

KEKÖLDI WA KA KONEKE
Terre indigène kekoldi,
sur la route entre Cahuita et Puerto Viejo
✆ +506 2751 0076
deyedi@costarricense.com
Entre février et avril, et septembre et novembre : observation des oiseaux, découverte de la culture kekoldi, élevage d'iguanes verts destinés à être réintroduits, vente d'artisanat. Restauration locale sur réservation.

Sports – Détente – Loisirs

Entre les plages, la plongée, le surf et la multitude de circuits organisés possibles, impossible de s'ennuyer à Puerto Viejo.

REEF RUNNER DIVERS
Pas loin de Johnny's Place
✆ +506 2750 0480
www.reefrunnerdivers.com
info@reefrunnerdivers.com
Les plus sérieux pour faire de la plongée sous-marine à Puerto Viejo et aux environs.

TERRA AVENTURAS
A 100 m au sud de l'arrêt de bus
✆ +506 2750 0750
Fax : +506 2750 0757
www.terraventuras.com
Propose des tours à cheval sur la plage et tout un tas d'autres activités, comme un tour de canopée (55 US$ par pers.), un tour dans la jungle (110 US$ pour la journée, avec transfert aller-retour depuis l'hôtel), du canyoning (105 US$ par pers. Tour incluant l'équipement, le transfert depuis l'hôtel, le déjeuner et l'assurance, il faut être au moins 2), du rafting (100 US$ pour toute la journée) et du snorkeling dans le parc national de Cahuita (49 US$ par pers. avec le transfert).
Une agence locale sérieuse avec un grand choix de tours proposés.

Café local à Puerto Viejo.

Puerto Viejo est un spot de surf réputé.

Bateaux de pêcheurs à Puerto Viejo.

VANESSA PETIN
✆ +506 8329 2272
Compter 50 US$ pour un tour de 2 heures, 70 US$ pour 3 heures et 80 US$ à la demi-journée.
Pour un tour en français, c'est avec cette Française passionnée qu'il faut prendre rendez-vous.

Détente

Aller à Puerto Viejo sans aller faire trempette dans les eaux cristallines de l'une de ses plages serait vraiment dommage, pour ne pas dire criminel. Installez-votre serviette et détendez-vous. Puerto Viejo est aussi un bon spot pour les surfeurs. Les adeptes, expérimentés, connaissent déjà souvent (du moins de réputation) les vagues qui déferlent au-delà du récif de Puerto Viejo, en face du restaurant Stanford, dans la zone appelée Salsa Brava. Les vagues y sont tellement bonnes qu'une compétition internationale s'y déroule de décembre à avril, les meilleurs mois pour pratiquer ce sport. Mais attention ! Ne soyez pas téméraire, les vagues sont dangereuses. Si vous hésitez, allez sur des plages où les vagues sont moins fortes, à Playa Cocles ou à Punta Uva, l'une des plus belles plages des Caraïbes.

PLAYA CHIQUITA
4 km. A 2 km de Playa Cocles, idéale pour les sportifs. De chaque côté du chemin, des pancartes indiquent des hôtels, des restaurants, des bars, des chambres à louer, etc. Difficile de s'y retrouver dans ces noms plus étonnants les uns que les autres.

PLAYA COCLES
2 km. Entre deux escarpements rocheux d'environ 2 km de longueur de sable gris brun, baignade facile, plage surveillée par des sauveteurs.

PLAYA PUERTO VIEJO
Devant Puerto Viejo, en plein centre, la plage est occupée par des barques de pêcheurs et autres. Elle est de sable gris, noir sur le côté nord, plage paisible qui est protégée des vagues par des rochers plats devant le port.

PUNTA COCLES
La plage des surfeurs qui occupent toutes les chambres à louer des environs. Le choix n'est pas terrible, allez ailleurs si vous ne surfez pas.

Shopping

LULUBERLU CARIBBEAN GALLERY
Centre-ville, à 50 m du Megasuper, face à l'hôtel Guarana
✆ +506 2750 0394
natifrench@gmail.com
Ouvert de 9h à 21h du lundi au dimanche.
Galerie d'art, vêtements et bijoux de créateurs locaux à tous les prix, souvenirs écolos, lampes originales, créations sur mesure... La boutique appartient à Natacha Nokin, une artiste belge francophone, très sympahique qui connaît la France par cœur.

REGGAELAND
Centre-ville, centre commercial Puerto Viejo Shops
✆ +506 2750 2096
Ouvert de 10h à 21h.
Au milieu de la galerie du petit centre commercial de Puerto Viejo, une boutique insolite où absolument tout ce qui s'y vend est lié au reggae et aux roots jamaïcaines. Souvenirs et vêtements originaux à acheter. Prix corrects et musique reggae pour l'ambiance bien sûr.

BRIBRÍ

Sur la route de Sixaola que l'on emprunte sur la droite avant Puerto Viejo, Bribrí est souvent mentionnée par les guides, peut-être parce qu'elle a un petit côté bout du monde quand on regarde la carte du Costa Rica. Ce petit village qui porte le nom des Indiens de la région est peu intéressant en soi pour les touristes ; c'est avant tout un centre administratif et agricole pour les Amérindiens. Si vous voulez en apprendre plus sur les communautés indiennes qui vivent là, c'est cependant une étape enrichissante. Beaucoup louent une chambre aux touristes et c'est un bon moyen d'entrer en immersion dans leur culture.

Transports

- **Bus.** De Puerto Limón (arrêt face au Casino ✆ 2759 1572), un bus par heure tous les jours de 5h à 18h. De Bribrí, un bus part toutes les heures, de 6h à 19h, pour Puerto Limón. De San José (Terminal del Caribe – C0/a15 ✆ 2257 8129), les départs se font à 6h, 10h, 14h et 16h. Le retour de Bribrí se fait à 6h30, 8h30 10h30 et 15h30.
- **Voiture.** La petite route qui mène de Puerto Viejo est goudronnée et en bon état. Compter 15 minutes de route.

Bar de plage lors du carnaval de Puerto Limón.

Se loger

ALBERGUE ECOTURISTICO BUENA VISTA
À 9 km au nord de Bribrí
✆ +506 2751 0076
acodefo@hotmail.com
Association pour la conservation et le développement forestier. 8 chambres avec salle de bains. Restauration locale et internationale. Compter 15 US$ la nuit.
Balades à dos de buffle ou de cheval, observation des oiseaux, visite des villages indigènes, immersion dans la culture rurale locale.

ALBERGUE FINCA EDUCATIVA
Shiroles, réserve indigène de Talamanca
✆ +506 2272 4181
anaicr@racsa.co.cr
Association pour le développement de Talamanca. 12 chambres de 4 lits. Restauration. Compter 15 US$ par personne la nuit.
A faire : découverte des activités des communautés Amubri, Yorquín et Cachabri, des plantes médicinales, danses folkloriques, théâtre, détente et balades. Accessible depuis Bribrí.

PUNTA UVA

C'est après Puerto Viejo que l'on commence à vraiment se sentir ailleurs. La route, ou plutôt le chemin, est tout à coup plus étroite, presque sablonneuse et aussi plus malaisée. La prudence est recommandée. De temps en temps, un sentier s'échappe sur la gauche pour déboucher sur des plages isolées et sublimes (Playa Pirikikí, Playa Chiquita ou Punta Uva), les cocotiers penchés vers l'eau, les rochers à fleur de sable, les vagues, les nuées d'oiseaux qui piaillent de branche en branche. Des gargotes se trouvent à quelque trois mètres de la plage, sous les arbres... Un petit coin de paradis ! Il faut cependant rester vigilant. Plusieurs attaques à main armée ont été reportées par les autorités locales sur Playa Chiquita et ses environs.

Se loger

En sortant de Puerto Viejo, nombreuses sont les possibilités d'hébergement ; de la cabina simple au lodge plus confortable, il ne faut pas hésiter à visiter avant de faire son choix. Les hôtels entre Puerto Viejo et Manzanillo sont reliés à la plage par des sentiers imperceptibles au creux de la végétation, et si un véhicule passe en slalomant sur la route pour la traverser vous saluerez le chauffeur ou le cavalier... Pourtant les amoureux de cette région redoutent le développement du tourisme qui ne peut s'effectuer sans mal en changeant un peu (un tout petit peu) les mentalités.

HÔTEL-BAR-RESTAURANT ARRECIFE
Sur la gauche, après la pulpería
et juste après le panneau
Punta Uva Dive Center
✆ +506 2559 9200 – +506 8822 2782
✆ +506 8725 8884

www.arrecifepuntauva.net
arrecifepuntauva@gmail.com
Comptez de 50 à 60 US$ la cabina pour 2 personnes avec petit déjeuner inclus.
Idéal pour passer un moment d'exception dans un site d'exception, sur le sable, ou dans l'un des nombreux hamacs suspendus entre deux cocotiers. Il y a dans cet établissement quelque chose de spécial, outre la situation, sur cette plage paradisiaque, l'ambiance y est typique des Caraïbes, avec musique reggae en fond sonore, et restaurant servant tous les plats de la région (demandez à Davis qu'il vous concocte son rondón aux poissons !).

KORRIGAN LODGE
✆ +506 2759 9103 – +506 8853 4535
www.korriganlodge.com
info@korriganlodge.com
Sur la droite, après la pulpería,
en direction de Manzanillo
et 600 m avant l'hôtel Suerre
Comptez de 80 à 100 US$ la nuit pour 2 personnes avec le petit déjeuner, et 20 US$ par personne supplémentaire, si vous êtes seul 10 US$ de moins. La 7e nuit est offerte.
Quatre bungalows confortables équipés d'une salle de bains aux tons écrus, avec eau chaude ; la chambre équipée d'un matelas orthopédique fait la part belle au bois brut. Ventilateurs, et moustiquaires à toutes les ouvertures, les bungalows disposent d'un hamac sur la petite terrasse où il fait bon se reposer au cœur d'un jardin tropical de 5 000 m².

Se restaurer

REFUGIO GRILL
Juste après le panneau du Korrigan lodge, sur la droite ✆ +506 2759 9007
Ouverts tous les jours de 13h à 21h, sauf les mercredis. Plats de 3 000 à 7 000 colones.
Une agréable terrasse couverte, et quelques tables seulement. Il ne faut donc pas hésiter à réserver ! Cuisine internationale avec pour commencer quelques cocktails du type piña colada ou caipirinha, verre de vin... Ses viandes sont de très bonne qualité et la carte change chaque jour. Parmi les spécialités du chef, thon rouge, bife argentino, poulet curry, crêpe aux épinards, guacamole... Belle alternative au restaurant d'hôtel ou à la soda, si vous désirez manger différemment !

SELVIN'S
Punta Uva. A côté du restaurant Arrecife
Ouvert de 12h à 20h vendredi, samedi et dimanche. Plats de 3 000 à 8 000 colones.
Le petit restaurant prépare des plats caraïbes. Egalement bar. Adresse très prisée.

MANZANILLO

Un joli village sur un site préservé qui fait partie du parc Gandoca-Manzanillo. Randonnée, kayak, plongée et bien sûr baignade sont les activités que vous pourrez pratiquer dans ce petit coin de paradis.

Transports

- **Bus.** De San José (Terminal del Caribe – c0, a15 ✆ 2257 8129), un bus par jour, à 12h, jusqu'à Manzanillo même. De Limón (face au casino ✆ 2758 1572), bus à 5h30, 6h, 10h30, 15h et 18h et retour à 5h, 7h, 8h30, 10h30, 12h45 et à 17h15. Ce bus s'arrête à Puerto Viejo et à Cahuita mais ne fera aucune difficulté pour vous déposer où vous voulez.
- **Voiture.** De Puerto Viejo, on met environ 20 minutes pour accéder à Manzanillo. La route est plutôt en bon état.

Se loger

Peu de choix en matière d'hébergement, le développement hôtelier de Manzanillo étant encore balbutiant.

ALMONDS AND CORALS LODGE
En arrivant à Manzanillo
✆ +506 2272 2024
Fax : +506 2272 2220
www.almondsandcorals.com
info@almondsandcorals.com
A partir de 300 US$ la nuit.
Les chambres sont en fait sur pilotis, aménagées dans un style colonial, avec Jacuzzi dans chaque chambre, beaux tissus, belles salles de bains. Sont compris tous les repas, la visite du parc et le transport depuis San José. Tout en bois, il s'agit d'un village de tentes camouflé dans la jungle bordant la mer des Caraïbes. L'idée est originale, l'accueil cordial, le dépaysement assuré.

CABINAS MAXI
S'adresser au restaurant Maxi
Centre de Manzanillo
✆ +506 2759 9042
23 000 colones la double avec ventilateur et 25 000 colones la double avec climatisation. Des chambres propres et confortables qui disposent toutes de la TV câblée et d'un petit frigo.

Plage de la côte caraïbe.

CABINAS SOMETHING DIFFERENT

✆ +506 2759 9014 – 758 2469

10 chambres doubles à partir de 35 US$.

Etablissement aux murs chaulés et aux chambres propres portant toutes un nom d'animal : homard, cheval, tortue… très bien tenu par une famille costaricienne. Certaines chambres ont une petite terrasse avec chaises et table basse.

CAMPING MANZANILLO

A l'entrée du village,
sur la droite après le panneau
✆ +506 2759 9008

Comptez 2 500 colones par personne.

Terrain plutôt vague permettant de poser une tente sous des toits de taule en cas de pluie ou pour s'abriter de la chaleur. Sanitaires très sommaires, emplacement pour faire son barbecue… Une alternative qui peut être intéressante, en fin de voyage lorsque le budget n'est plus ce qu'il était !

Se restaurer

BATIK CAFÉ

Juste après l'entrée de Manzanillo,
sur la droite ✆ +506 8854 4253

Ouvert du jeudi au lundi de 7h à 19h. Petit déjeuner à 2 800 colones en moyenne, sandwiches et grandes salades de 2 000 à 3 000 colones.

Un café écolo où tout est recyclé. A l'intérieur, ou plutôt dans les jardins tout autour, une galerie d'art où une association de jeunes artistes fabrique des objets à base de matériaux récupérés : vous pourrez admirer leurs œuvres, et pourquoi pas en acheter certaines. Côté nourriture, tout est bio et frais. Vous mangerez sainement et à prix doux. Une bonne adresse.

RESTAURANT MAXI

Centre de Manzanillo ✆ +506 2759 9073

Ouvert tous les jours de 12h à 22h. Plats caribéens de 4 100 à 9 100 colones. Grillades de 3 500 à 6 000 colones. Taxes non incluses.

Une bonne adresse pour manger des grillades et des spécialités caribéennes. C'est un peu cher mais c'est tellement délicieux que ça vaut bien un petit sacrifice financier ! Maxi, le patron d'origine jamaïcaine, a ouvert ce restaurant il y a 50 ans. Il tient aujourd'hui cet établissement avec ses fils et sera ravi de discuter avec vous si vous le croisez.

PARQUE NACIONAL GANDOCA-MANZANILLO

A Manzanillo, 73 km au sud de Limón. Avec une surface de 5 013 hectares terrestres et 4 436 hectares marins, ce refuge national de vie sylvestre, créé en 1985, protège 9 km de plage de sable blanc et une barrière de corail. La faune est principalement celle d'habitats aquifères d'eau douce et d'eau de mer. Gandoca-Manzanillo est le refuge d'espèces menacées comme l'huître de palétuvier qui se développe dans une mangrove unique en son genre au Costa Rica. La forêt de la lagune fait partie des forêts tropicales humides et son importance est d'autant plus grande qu'elle est la seule de cette partie de la côte. Derrière les cocotiers qui longent la plage, la forêt primaire abrite des spécimens rares dont certains sont en voie de disparition. Aux alentours de l'embouchure du río Gandoca, on peut observer des tapirs, des caïmans, des lamantins, des crocodiles et, par centaines, des oiseaux aussi plaisants que les perruches, les toucans ou les perroquets. Sachez enfin que quatre espèces de tortues, dont la baula, viennent pondre sur cette plage, surtout en début d'année.

AQUAMOR

Manzanillo ✆ +506 2759 9012
http://www.greencoast.com/aquamor.htm
De 20 à 60 US$ l'excursion dans le parc, en fonction des activités.
Sorties plongée et kayak dans le parc Gandoca-Manzanillo.

ATEC

✆ +506 2750 0398 – +506 2750 0191
www.ateccr.org – ateccr@gmail.com
Visites guidées de 45 à 50 US$ par personne.
Les guides de Manzanillo, spécialisés en serpents, oiseaux ou plantes, vous emmèneront sur le labyrinthe de sentiers qui sillonnent le refuge. Excursions à la demi-journée ou à la journée complète.

BUREAU D'INFORMATIONS DU PARC GANDOCA-MANZANILLO

✆ +506 2759 92100 – +506 2759 0600
Ouvert de 8h à 16h.
Une petite maisonnette à l'entrée du parc met des cartes à disposition et vous donnera tous les renseignements nécessaires.

SIXAOLA

C'est le dernier village avant de franchir la frontière avec le Panama. Il n'a rien de spécial et il est même assez moche comme c'est souvent le cas des villes-frontières. Si vous souhaitez vous rendre au Panama, sachez que le poste des douanes est ouvert de 7h à 17h mais l'attente est souvent longue en voiture.

Transports

Bus. De San José (c0/a13 ✆ 2257 8129), un bus part tous les jours à 6h, 10h, 14h et 16h. De Sixaola, le retour se fait à 6h, 8h, 10h, 15h. Durée : 6 heures. De Limón (face au casino ✆ 2758 1572), un bus part pour Sixaola tous les jours et toutes les heures, de 5h à 18h. Le retour se fait aux mêmes horaires. Durée : 3 heures.

Voiture. Il faut aller jusqu'à Bribrí puis suivre le río Sixaola en 4x4 car la route est moins bonne après Bribrí.

Pour aller jusqu'au Panamá, à Bocas del Toro par exemple, les bus de la compagnie Mepe partent de Limón à 5h, 7h et 8h ; de Cahuita à 5h45, 7h45 et 8h45 ; de Puerto Viejo à 6h15, 8h15 et 9h15 (dernier retour à Puerto Viejo à 15h, à San José à 14h30 et à Limón à 17h). Pour franchir la frontière, vous devrez pouvoir produire votre passeport et votre ticket de bus retour au Costa Rica dans le cas d'un très court séjour à Bocas del Toro, mais achetez un visa pour un séjour plus long (10 US$). Pensez également à emporter quelques dollars qui ont cours au Panamá pour prendre un bateau-taxi pour Boca del Toro (4 US$/pers, 30 minutes) ou le ferry (1 US$, 1 heure 45 de traversée).

Se loger

ALBERGUE CASACODE

San Miguel de Sixaola
✆ +506 2754 2261
corrbiol@racsa.co.cr
Association de conservation et de développement. 24 places. Presque dans le parc Gandoca-Manzanillo. Restauration maison à base de produits locaux.
A faire : balades guidées et rencontres autour du développement durable, la culture organique et le traitement des eaux usées à l'aide de végétaux « dépollueurs ». Plages à proximité. Artisanat.

RÉGION CARAÏBE

Délicieux plats des Caraïbes dans le petit restaurant de Miss Edith.

CORDILLÈRES DU SUD-EST

Cordillères du Sud-Est

Vers la région caraïbe
Parc National Cahuita
Punta Cahuita
Bonifacio
Tuba Creek
Río Estrella
Pandora
Cahuita
LIMÓN
Cerro Bobocara
R. B. Hitoy Cerere
Hone Creek
Manzanillo
Bribí
Puerto Viejo
R. V. S. Gandoca Manzanillo
Suretka
36
Daytonia
Amubri
Bratsi
Sixaola
Katsi
Parc National Internacional La Amistad
Cerro Durika
Cerro Dika
Cerro Kamuk
PANAMÁ
Buenos Aires
Brujo
Térraba
Paso Real
Z. P. Las Tablas
Río Coto Brus
Curré
Vueltas
Jabillo
Villa Colón
Venecia
Unión
San Vito
Río Sierpe
Chacarita
San Rafael
Piedras Blancas
Agua Buena
Vila Briceño
Parc National Piedras Blancas
Río Clara
Golfito
Neily
Abrajo
Parruja
Corredor
Golfo Dulce
Trenzas
Puerto Jiménez
Punta Zancudo
Zancudo

Cordillères du Sud-Est

L'épine dorsale de l'isthme central-américain – la cordillère de Talamanca – est la région des cordillères (hautes montagnes) comprise entre le centre sud et le sud-est du pays. Cette région, de tradition agricole (café, pommes, cerises ou mûres en altitude...), frontalière avec le Panamá, est peu développée, peu urbanisée et assez peu affectée par le tourisme malgré son fort potentiel en richesses naturelles. Hautes montagnes et vallées se succèdent offrant ainsi le cadre de la plus grande réserve naturelle (le parc international La Amistad) partagée entre Costa Rica et Panamá, et qui est reconnu biosphère par l'Unesco. L'état du réseau routier du sud-est du Costa Rica est de qualité très diverse. Nous pouvons dire qu'il y a une bonne route, c'est l'Interaméricaine, et ce jusqu'au Panamá. Quelques trous non bouchés subsistent, mais son état est très correct même quand la route monte dans les brouillards permanents du col du Cerro de la Muerte (mont de la Mort) à plus de 3 300 m. De cette route pour rejoindre San Vito et Neily, la route est asphaltée mais non entretenue, ce qui fait qu'il y a d'énormes trous (si bien que l'expression « nids-de-poule » ne convient pas trop ici) et que la plus grande vigilance doit être de rigueur, même si la vitesse moyenne chute considérablement.

PARC NATIONAL TAPANTÍ

Créé en 1992 à une cinquantaine de kilomètres de San José, il a été agrandi en 2000 par l'adjonction de la réserve forestière Río Macho pour ainsi devenir l'une des plus grandes forêts protégées du pays. Entre les 700 m d'altitude de Tapantí et les 3 491 m du Cerro de la Muerte, les températures varient beaucoup, les écosystèmes aussi. Le parc occupe une zone considérée comme l'une des plus humides du Costa Rica avec près de 8 000 mm de précipitations annuelles. Il protège une grande richesse écologique au sein de cinq zones : les forêts humides et pluvieuses de basse altitude, la forêt pluvieuse de moyenne montagne, la forêt d'altitude et le *páramo*. La végétation spécifique à la montagne tropicale permet l'habitat d'espèces animales qui profitent de l'immense corridor biologique formé par l'ensemble des parcs et réserves qui s'étendent au sud jusqu'au Panamá. Les réserves hydrologiques sont également énormes et garantissent à près de 50 % l'approvisionnement en eau de l'agglomération de San José. Sur un plan purement pratique, le parc est encore peu développé et on ne peut en profiter réellement que dans le secteur de Tapantí ou à sa périphérie, comme aux abords de la Reserva Forestal Río Macho au nord de Cañón. Cette dernière, fondée en 1946, est l'une des plus anciennes zones protégées du Costa Rica. En ce qui concerne le logement à proximité, voir Orosí et Paraíso dans la Vallée centrale. La Reserva Biológica Cerro Las Vueltas, sur l'Interamericana vers le km 70, ne fait pas partie du parc national Tapantí-Cerro de la Muerte, mais est remarquable par le fait qu'elle constitue la limite septentrionale du paramó andin.

La Reserva Forestal Los Santos est une grande zone protégée à l'ouest de l'Interamericana le long de la portion appelée « la route des saints ». Elle couvre près de 80 % du canton de Dota, dont le nom viendrait du cacique quepos Ota, l'un des premiers à avoir entrepris la traversée de la cordillère. Cette région a très fortement souffert de la déforestation et c'est ici qu'on rencontre le plus de motivation et d'implication dans les mouvements consacrés

Les immanquables des cordillères du Sud-Est

- **Observer** les quetzals à partir du lodge de Valle Savegre dans la forêt des Nuages.
- **Visiter** les jardins de Wilson, près de San Vito.
- **Faire** l'ascension du Cerro Chirripó, pour les plus courageux et entraînés.
- **Faire** une randonnée dans le parc de La Amistad.

au développement durable. Côté climat, il faut prévoir beaucoup de précipitations dans cette région avec des températures fraîches à cause de l'altitude (de 10 à 25 °C de décembre à avril et de 6 à 17 °C de mai à novembre).

Pratique

CENTRE D'INFORMATIONS TOURISTIQUES

Interamericana, km 56
✆ +506 2206 5615
Ouvert de 6h à 16h. Entrée du parc : 10 US$.
Importante station biologique et centre d'informations qui nous a gentiment renseignés sur la région. N'hésitez pas à faire appel à eux pour y organiser un séjour d'étude.

Se loger

KIRI LODGE

300 m avant l'entrée du parc de Tapantí
✆ +506 2284 2024 – +506 2257 8065
Prix toute saison : 40 US$ (1 ou 2 pers.), petit déjeuner compris, 10 US$ par personne supplémentaire, gratuit pour les enfants de moins de 12 ans.
Charmant petit refuge qui invite à la tranquillité, à la pêche à la truite et aux randonnées. Pourvu d'un restaurant qui pourra préparer les truites pêchées dans l'étang qui jouxte le lodge, il pourra aussi vous servir un plat de la carte moyennant environ 5 US$.

MONTE SKY

Sur la route du PN Tapantí-Macizo de la Muerte
✆ +506 2228 0010 – +506 2231 3536
Fax : +506 2228 0010
A partir de 50 US$. Hébergement pour groupes dans une petite réserve privée (mirador écologique) de 536 hectares (290 espèces d'oiseaux). Dispose aussi d'un camping.

TAPANTI LODGE

Entrée de la réserve de Tapantí
5 US$/personne.
C'est vraiment le lodge à l'ancienne, pas un 5-étoiles. N'oubliez pas votre sac de couchage ! Dans la pure tradition du refuge de montagne.

EL TOUCANET

Au km 58, à Copey de Dota
✆ +506 2541 3045 – www.eltoucanet.com
reserve@eltoucanet.com
Chambre simple de 52 à 57 US$, de 69 à 76 US$ la double, de 80 à 88 US$ la triple et de 90 à 100 US$ la quadruple. Petit déjeuner inclus. Possibilité de pension complète pour un supplément de 20 US$ par personne en moyenne.
On y a aménagé de jolies chambres avec vue sur la *cloudforest*. Le petit plus ? Peut-être le Jacuzzi en plein air pour délasser les corps qui ont passé la journée à courir le quetzal.

À voir – À faire

CASA DEL REFUGIO DE OJO DE AGUA

Interamericana, km 78
La bicoque, déclarée monument national, témoigne de la colonisation et de ces temps héroïques au cours desquels les territoires n'appartenaient à personne avant d'être revendiqués. Avec l'indépendance du Panamá qui s'est affranchi de la Colombie en 1903, le Costa Rica avait cru pouvoir explorer/exploiter paisiblement les montagnes au nord de la nouvelle frontière. Mais les incursions panaméennes continuant, le gouvernement a décidé la construction de refuges pour promouvoir l'exploration puis la colonisation de la zone quasi vierge. Chaque refuge, séparé du précédent par une dizaine d'heures de marche, devait marquer l'occupation de la Valle del General. Quand on sait qu'il fallait au minimum une semaine de marche pour rallier Santa María de Dota à San Isidro… Ceux qui réussissaient à rejoindre un refuge s'y abritaient du froid et se réchauffaient avec le bois coupé par les précédents occupants.

GENESIS II

Pour s'y rendre, il faut bifurquer à droite au niveau de l'église de Cañón. Les 4 km qui suivent ne sont praticables qu'en 4x4. Genesis II, petite réserve privée (38 hectares) à l'est de Cañón, mérite le détour. Son exceptionnelle situation (2 360 m d'altitude) permet le développement d'une forêt composée de chênes et d'arbres à feuilles persistantes, couverts de broméliacées épiphytes, de mousses, de lichens ou de fougères, qui donnent cet aspect un peu magique aux forêts de type tropical humide montagneux. 200 espèces d'oiseaux y ont été recensées (dont le quetzal, magnifique oiseau ébouriffé au plumage d'un surprenant mélange émeraude turquoise). 20 km de sentiers sont aménagés, mais n'oubliez pas qu'il peut pleuvoir à n'importe quel moment et qu'il fait toujours un peu froid sous une voûte aussi dense. Prévoyez des vêtements en conséquence, si possible imperméables.

Randonnée dans la vallée.

Les colibris butinent dans tous les jardins de la vallée.

Randonnée à cheval à San Gerardo de Dota,

Sports – Détente – Loisirs

La truite fut introduite dans les cours d'eau de la cordillère en 1927. Aujourd'hui, les pêcheurs se donnent rendez-vous dans ces montagnes entre décembre et mars. En fait, on pêche surtout dans des retenues d'eau artificielles et il faut compter 2 000 colones/kg de poisson pêché. Les meilleurs endroits se trouvent entre le km 40 et le km 80 (San Gerardo de Dota).

Visites guidées

GUIDE FRANCOPHONE QUIRIEN JEAN
gjflo@yahoo.fr
Guide naturaliste et spécialiste du Costa Rica, sur place depuis plus de douze ans. De formation botaniste, il connaît parfaitement la flore du pays et saura satisfaire votre curiosité quant à la faune. Les us et coutumes costariciens n'ont plus grand secret pour lui, il les partagera d'ailleurs avec enthousiasme et vous promet un séjour enchanteur à travers monts, volcans et forêts. Particulièrement passionné par les treks, il ne faut pas hésiter à le contacter très longtemps à l'avance tant il est demandé !

SAN GERARDO DE DOTA

Au km 80 de l'Interamericana, tournez à droite juste après le panneau annonçant la commune. Le « village » ou plutôt les établissements touristiques qui nous intéressent sont à plus de 7 km de l'embranchement : ne comptez pas trop sur vos jambes pour vous y porter. Le mieux est de demander à l'hôtel où vous avez pris soin de réserver de venir vous chercher, moyennant environ 3 500 colones. San Gerardo paraît idéal pour une retraite – une autre – au frais. Les hôtels et cabinas sont assez éloignés de tout et une fois sur place, n'espérez pas vous débrouiller seul en dehors des sentiers balisés. Il n'y a pas à proprement parler de centre du village, l'école et l'église étant isolées à plus de 8 km de l'Interamericana.

Se loger

Les chambres s'entendent avec salle de bains et toilettes privées, eau chaude.

CABINAS EL QUETZAL
✆ +506 2740 1036
Fax : +506 2740 1036
www.cabinaselquetzal.com
A partir de 40 US$/pers., repas compris. Un peu après le Trogón Lodge, sur la gauche en face du restaurant Los Lagos (possibilité de camping, 5 US$ ✆ 2740 1009), ces cabinas, hautement recommandables, isolées et bucoliques, sont la suite logique de la ferme construite en 1957 par don Efraím Chacón, une figure nationale qui a su adapter la culture des pommiers et autres arbres fruitiers qui manquaient au Costa Rica.
Des sentiers sont régulièrement entretenus dans la forêt attenante et pour avoir les meilleures chances d'apercevoir enfin un quetzal, n'hésitez pas à demander conseil à l'un des Chacón. En général, ils savent tout à propos de « leurs » oiseaux. Balades à pied ou à cheval.

DANTICA LODGE
✆ +506 2352 2761
www.dantica.com – info@dantica.com
A droite au km 80 de l'Interamericana, faire quelques kilomètres après une forte descente. C'est le premier établissement touristique sur la route. 5 chambres en 3 bungalows au prix de 126 US$ (2 pers.) à 187 US$ (en deluxe suite), petit déjeuner inclus, mais taxes non comprises.
Les bungalows sont très bien équipés, avec une kitchenette, et disposent d'une magnifique vue à travers de grandes baies vitrées. Nombreuses possibilités de balades guidées ou non à travers les sentiers dans un bois privé. Découverte de la forêt et des oiseaux. Restaurant, galerie d'artisanat latino-américain.

LOS RANCHOS
À 7 km de l'Interamericana
✆ +506 2740 1023
A partir de 15 US$ (l'emplacement de camping) et 35 US$ (3 repas compris).
Beau camping au bord de la rivière Savegre. Il y a bien des *cabinas* mais elles sont souvent louées à moyen et long terme.

SAVEGRE HOTEL DE MONTAÑA
À 9 km de l'Interamericana
✆ +506 2740 1028
Fax : +506 2740 1027
www.savegre.co.cr
A environ 9 km de l'Interamericana. 25 chambres et 10 junior suites. Pour une chambre standard : de 125 US$ (1 pers.) à 236 US$ (3 pers.) ; pour une junior suite : de 182 US$ (1 pers.) à 346 US$ (3 pers.) ; les 3 repas, les taxes et les entrées à la réserve sont compris. Bar-restaurant et salon-cheminée.
Magnifique hôtel de montagne dans un cadre de pleine nature à 2 200 m d'altitude, avec rivière, torrent, parc très bien entretenu et colibris.

Artisanat du Costa Rica.

Il appartient à la famille Chacón. Les chambres, en bungalows, sont confortables, très bien équipées et bien adaptées aux rigueurs de la région – certaines ont une cheminée. Le site est idéal pour l'observation des oiseaux et surtout du quetzal. Marino, le guide, vous les montrera et vous donnera toutes les explications sur eux (habitat, nourriture, mode de vie...). On y trouve aussi moult activités de montagne : 35 km de sentiers, trekking, cascades, pêche à la truite, promenade à cheval... Nous recommandons vivement cet hôtel pour sa nature intacte et l'observation des quetzals (garantie).

SAN ISIDRO DEL GENERAL

Avec 40 000 habitants, San Isidro, qui doit son développement aux plantations de café et aux cultures fruitières de la région, est l'étape importante sur la route du sud. Son nom est celui du saint patron des agriculteurs ; les récoltes sont bénites le jour de sa fête le 15 mai. D'autres réjouissances de nature agricole ont lieu fin janvier et début février et sont l'occasion d'expositions diverses, horticoles entre autres, dans toute la ville. San Isidro est une cité commerciale, animée et proprette où l'on s'arrête forcément avant de prendre la route pour le parc national de Chirripó, les plages du Pacifique, la péninsule d'Osa ou encore le Panamá.

Transports

- **Bus.** Prendre le bus à San José, c5, a18/20 (Tuasur ✆ 2221 4214) toutes les heures entre 5h et 18h30. Autre départ de San José, c0, a22/24, de 5h30 à 17h30 toutes les heures. Le trajet dure 3 heures. Les bus pour San José partent entre 5h et 20h30.
- **Voiture.** De San José, on arrive via l'Interamericana en 2 heures environ.

Pratique

Au cours de cette halte, vous pouvez changer de l'argent dans les banques de la calle Central ou en bordure du Parque Central. Vous pourrez aussi prendre tous les renseignements nécessaires au bureau d'informations touristiques qui se trouve au nord-ouest du Parque Central.

CIPROTUR (OFFICE DE TOURISME)
✆ +506 2770 9993
Ouvert de 8h à midi et de 13h à 16h, fermé le week-end.

Se loger

La région n'est pas en reste, vous trouverez aisément de quoi vous loger et tous les budgets trouveront de quoi être satisfaits.

HÔTEL CHIRRIPO
Sud du Parque central
✆ +506 2771 0529
22 chambres. A partir de 22 US$ la double et jusqu'à 39 US$ selon le confort de la chambre, petit déjeuner non compris. Des chambres modernes et assez confortables. Cartes de crédit acceptées.

HÔTEL-RESTAURANT MIRADOR VISTA DEL VALLE
Km 119, 15 km avant San Isidro
✆ +506 8384 4685
www.vistadelvallecr.com
admin@valledelgeneral.com
1 cabina et 7 chambres bien équipées avec mirador pour observer les oiseaux. A partir de 55 US$ (2 pers.), 70 US$ (3 pers.), petit déjeuner et taxes compris.
Comme son nom ne l'indique pas, panorama sur San Isidro del General. Le patron José est charmant et vous propose une cuisine tica très appréciable. Vous y découvrirez également un jardin d'orchidées. Possibilité d'excursions au parc national Cerro de la Muerte.

Le quetzal resplendissant

Cet oiseau est considéré comme l'un des plus beaux oiseaux tropicaux du monde, les Mayas en ont fait leur dieu Quetzalcoatl (le serpent à plumes), les scientifiques l'ont appelé *Pharomachrus moccinno* : c'est le quetzal resplendissant. Oiseau de 30 cm (un gros pigeon), le mâle arbore une poitrine d'un pourpre brillant qui contraste avec le vert émeraude irisé de son corps et une queue de 60 cm aux longues plumes, à la couleur émeraude et turquoise métallisée. Ces attributs colorés sont indispensables à ses parades amoureuses. Sa tête couronnée par une houppette hérissée lui donne l'air d'une peluche. Les quetzals sont présents uniquement en Amérique centrale. On en trouve dans la Sierra Madre au sud du Mexique (réserve de la biosphère El Triunfo), au Guatemala (réserve de la Sierra de Las Minas), au Honduras dans certaines petites réserves, au Nicaragua et enfin au Costa Rica dans le parc national de Monteverde et dans le nouveau parc national des Quetzals (massif du Cerro de la Muerte, vallée de Savegre). Il réside dans la forêt des Nuages (ou forêt des Brouillards) entre 1 500 et 3 000 m d'altitude. Comme son habitat n'est pas facile d'accès et qu'il est très craintif, il est très difficile à observer (certainement l'un des oiseaux les plus difficiles). La chance et la patience sont les seules clés de succès pour son observation. Le régime alimentaire des adultes est un fruit, el aguacatillo, un petit avocat dont ils mangent l'extérieur et rejettent le noyau. Les jeunes sont nourris avec des insectes, des petits lézards et des petites grenouilles. Dès sa naissance, le quetzal est en danger : en effet moins de 20 % des quetzals atteignent l'âge adulte, 80 % des jeunes meurent avant d'avoir leurs plumes à cause des prédateurs et de l'eau froide de la pluie qui tombe sur leur nid.

Symbole de richesse, de position sociale et d'abondance agricole, les resplendissantes plumes du quetzal couronnaient la coiffe des chefs aztèques et mayas. Au cours de ces règnes, les plumes de quetzal se donnaient et s'acceptaient comme un précieux tribut ; les anciens peuples attribuaient plus de valeur aux plumes du quetzal qu'à l'or. Elles étaient arrachées des quetzals attrapés, lesquels étaient ensuite libérés pour que de nouvelles plumes repoussent. En revanche, tuer un quetzal était présage de mort. Le quetzal est le symbole de la liberté ; il ne survit pas en captivité. Le premier coup de grâce fut donné au XIXe siècle, quand on envoya en Europe des quetzals empaillés pour leurs admirateurs. C'est la diminution de son espace de vie qui le met en danger, surtout au Mexique et en Amérique centrale. Aujourd'hui les protecteurs luttent pour sauver son habitat qui est converti en terre de cultures, de pâturages et d'exploitations forestières. Au Costa Rica, avec les deux parcs de Monteverde et des Quetzals (vallée de Savegre), la diminution dramatique de la population s'est arrêtée depuis une dizaine d'années et, grâce à la reforestation en aguacatillo, il semble que la tendance soit en légère hausse. Auparavant vénéré religieusement, le quetzal est aujourd'hui l'emblème de la préservation de la richesse naturelle des forêts et l'icône de l'écotourisme.

Le quetzal peuple la vallée de San Gerardo de Dota.

À voir – À faire

NEW DAWN CENTER

Au nord-est du centre de San Isidro
http://thenewdawncenter.info
thenewdawncenter@yahoo.com
Découverte d'une ferme bio et des plantes médicinales. Pour les étudiants, hébergement possible, repas et cours d'espagnol. Il s'agit également d'un centre d'apprentissage de la culture bio et de l'usage des plantes médicinales cultivées sur place.

RIO CHIRRIPÓ

A proximité presque immédiate de la ville, le río Chirripó est très apprécié des amateurs de rivière. Costa Rica Expeditions y organise des excursions de niveau IV, de trois à quatre jours, entre juin et décembre, la meilleure période. Comptez environ 450 US$ pour quatre jours (comme toujours, il faut s'y prendre à l'avance pour composer un groupe et faire baisser les tarifs). Il est possible également de naviguer sur le río General, mais là c'est à vous d'organiser votre promenade parce qu'aucune agence ne s'en charge.

PARC NATIONAL CHIRRIPÓ

A partir de San Isidro, on se rend généralement à San Gerardo de Rivas, à 8 km au sud de San Isidro, qui est l'entrée principale du parc national Chirripó.
A 1 350 m d'altitude, c'est un village plaisant aux abords duquel il est possible de profiter des avantages de certaines parties du parc, sans escalader la montagne. Le propriétaire des Cabinas del Descanso – par ailleurs une très bonne idée de logement – peut vous donner une foule de détails sur la faune et la flore de la région.

Transports

Bus. Les bus pour San Gerardo de Rivas quittent San Isidro à 5h30 du Parque Central et à 14h du terminal. En cas d'arrivée après 13h et pour se rendre à San Gerardo de Rivas, afin d'être à pied d'œuvre tranquillement pour l'ascension du lendemain, un taxi 4x4 peut vous conduire à l'entrée du parc en un quart d'heure et pour environ 15 US$.

Voiture. Quittez San Isidoro par le sud et, 300 m après le río Jilguero, empruntez la petite montée sur votre gauche, en face du panneau avec le poulet. L'entrée du parc est à 18 km (1 km avant le village de San Gerardo de Rivas) et la route est praticable en voiture de tourisme.

Pratique

POSTE DE GARDES FORESTIERS

✆ +506 2200 5348
Droit d'entrée de 2 jours au parc : 15 US$ par personne, 10 US$ par jour supplémentaire. Ouvert de 6h30 à 12h.
Si l'on souhaite gravir le Chirripó, il faut se présenter au poste de gardes forestiers la veille afin de payer le droit d'entrée et réserver sa place au refuge.

Se loger

Quelle que soit la période, il faut réserver son hébergement longtemps à l'avance, d'autant plus que le camping sauvage n'est pas permis à l'intérieur même du parc.

ALBERGUE DE LA MONTAÑA PELICANO

San Gerardo de Rivas ✆ +506 8390 4194
Fax : +506 2770 3526
www.hotelpelicano.net
info@hotelpelicano.net

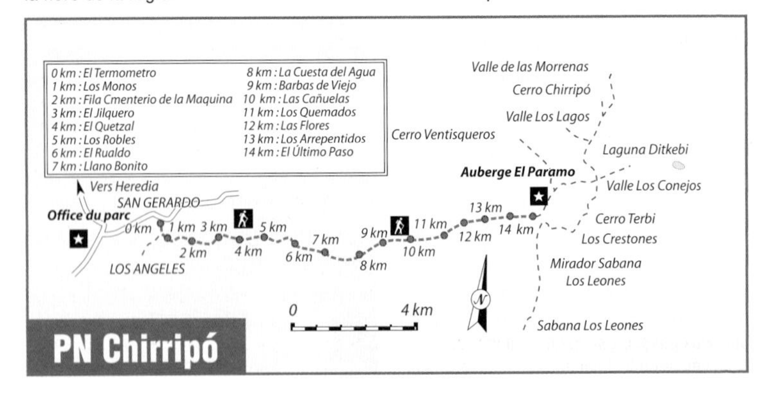

11 chambres avec salle de bains partagée, 1 bungalow avec salle de bains privée et 1 autre avec cuisine, frigo, salle de bains privée et TV. 30 US$ (le bungalow) et 60 US$ (le bungalow équipé).
Une très agréable idée de logement dans des chambres toutes décorées de bois (le propriétaire est un passionné de sculpture sur bois). Piscine, promenades dans la forêt primaire.

CAMPING CHIRRIPÓ
Au pied du Cerro Urán, Paso de los Indios
✆ +506 2771 3155
15 US$. Il vaut mieux réserver au minimum un mois à l'avance.

ESCUELA AMBIENTAL MONTAÑA VERDE
Rivas de Pérez Zeledón, à 8 km à l'est de San Isidro del General en direction du PN Chirripó
✆ +506 2771 8431
De 10 à 20 US$/pers. Hébergement pour une vingtaine de personnes, énergie solaire et récupération d'eau. Restauration locale et organique.
Découverte de la culture des plantes médicinales et d'ornement, sentier botanique, baignade dans la quebrada, randonnée à cheval, artisanat et café organique en vente.

RANCHO LA BOTIJA
A l'entrée de San Gerardo en venant de San Isidro
✆ +506 2770 2146
✆ +506 2770 2147
Fax : +506 2770 2147
www.rancholabotija.com
A partir de 52 US$. Restaurant, piscine.
Chambres bien équipées. Organisation de randonnées avec pour but la découverte de pétroglyphes. Lac de tilapias, pêche.

À voir – À faire

PARQUE NATIONAL CHIRRIPÓ
✆ +506 2200 5348 (poste de gardiens)
Avant votre départ, il est obligatoire d'acheter un ticket d'entrée (15 US$ pour 2 jours et 10 US$ par jour supplémentaire) et votre droit d'entrée au refuge (10 US$). Pour cela, rendez-vous au poste de gardiens du parc.
C'est le plus grand parc national du Costa Rica, si l'on excepte La Amistad, à cheval sur deux pays. C'est également le plus élevé, avec une altitude moyenne de 2 500 m et trois sommets de plus de 3 800 m, dont le Chirripó qui marque traditionnellement l'extrémité nord des Andes. Plusieurs itinéraires partent du poste des gardiens, le choix dépendra de votre condition physique et de la fréquentation qui peut être élevée pendant la saison sèche et, plus précisément, durant les vacances de Pâques. Attention à la surcharge dans les refuges. Il faut prévoir au moins cinq jours pour cette expédition au départ de San José, dont seulement un jour au sommet. Le premier sentier, le plus utilisé, est long de 16 km et demande entre 7 heures et 16 heures d'ascension. C'est pourquoi il vaut mieux partir très tôt le matin. Tous les 2 km, un panneau vous renseigne sur l'altitude à parcourir et sur le nombre de kilomètres qu'il vous reste à souffler et à transpirer avant de vous écrouler au sommet.

La montée est fantastique malgré la difficulté. Elle commence en traversant des pâturages, puis une végétation tropicale de moyenne altitude. La *rainforest*, très épaisse, vient ensuite avec son lot de troncs épaissis par les plantes épiphytes et les fougères d'où émergent de temps à autre des chênes élancés qui peuvent atteindre 50 m de hauteur. La faune est étonnante par sa variété et, encore une fois, il faut savoir faire preuve de patience (et de discrétion) pour apercevoir une minuscule grenouille ou un écureuil plus difficiles à surprendre que la chenille jaune citron à longs poils soyeux. Le chant d'oiseau que vous entendez le plus distinctement est celui d'un chardonneret qui ne vit que dans les hauteurs des forêts tropicales humides, le jilguero. Après quelques heures de marche, juste après le lieu-dit Llano Bonito et au début de la plus longue côte, un petit ruisseau permet de se ravitailler en eau, mais il risque d'être à sec en période sèche : ne comptez donc pas trop sur lui. La première montagne s'appelle Monte Sin Fé (ou « montagne sans foi »), peut-être à cause de l'ascension pénible. La forêt change petit à petit, la végétation se raréfie et les mousses apparaissent sur les arbres, signifiant la transition climatique due à l'altitude. Les grandes éclaircies dans la végétation datent d'un incendie qui a détruit plus de 2 000 hectares de forêt en 1992. Cet incendie ayant probablement été provoqué par l'imprudence de campeurs, redoublez de vigilance et observez les règles élémentaires à respecter en forêt (en fait, en ne jetant absolument rien à terre).

Vallée de San Isidro del General.

Après une marche d'environ une heure et demie, une grotte permet d'abriter cinq ou six personnes en cas de pluie violente ou pour la nuit. Un peu plus loin, une étrange manifestation naturelle semble avoir plié en éventail une formation rocheuse qui domine les trois huttes promises depuis le début. Elles sont équipées d'un plancher de bois et d'un fourneau pour l'usage duquel un tas de bois mort est normalement mis à disposition, mais il vaut mieux prévoir son petit réchaud. Prévoyez également un bon sac de couchage, car les nuits sont très fraîches, voire froides, à 3 500 m d'altitude. Le sommet est à 4 km, après la Valle de los Conejos (vallée des Lapins) d'où il est possible de partir à l'assaut du second plus haut sommet, le Cerro Ventisqueros, ou d'autres pics assez facilement accessibles. Au refuge Los Crestones, vous serez accueilli par des gardiens en tenue polaire. Les dortoirs sont de six à huit lits superposés. Prenez un lit du bas afin d'éviter les gouttes qui filtrent à travers quelques fuites. L'architecte des lieux a construit un refuge-grotte où la nuit il fait plus froid qu'à l'extérieur, de 0 à 2 °C en août. Les couvertures se louent au prix de 250 colones. Pensez à apporter vos provisions. Il vous reste à atteindre le sommet et cela se fait facilement. Compter entre une heure et une heure et demie. Du sommet du Chirripó, on dit qu'il est possible de voir les deux océans, à l'est et à l'ouest, mais seulement par beau temps et avec tout de même de bons yeux. Si vous faites partie des chanceux, signalez-le donc en signant le livre d'or enfermé dans un petit coffre de métal habituellement inséré entre deux rochers. C'est comme trouver le trésor de la chasse !

▸ **Pour redescendre,** la plupart des randonneurs choisissent de suivre le même chemin que celui qu'ils ont pris pour monter. Mais il est possible de descendre par le versant nord, celui qui domine la vallée inondée de Las Morenas et se dirige vers le Cerro Urán et El Camino de los Indios qui, comme son nom l'indique, est depuis toujours fréquenté presque uniquement par des Indiens autochtones. En dehors de ces sentiers peu fréquentés, quelques autres sont signalés sur les cartes détaillées, vendues à l'entrée du parc et hautement recommandées. Mais ces sentiers sont moins bien entretenus et ne sont pas balisés : ne vous y aventurez que si votre guide les connaît parfaitement.

▸ **Pour préparer l'ascension,** il faut prévoir des vêtements chauds, mais légers, un bon sac de couchage, de l'eau, de la nourriture énergétique, un réchaud parce qu'il est interdit d'allumer un feu dans le parc, des jumelles (indispensables pendant les haltes d'observation), une boussole et une bonne carte, ou plutôt quatre si vous préférez les cartes topographiques (qui ne sont pas si nécessaires), parce que, hasard de la cartographie, le site de Chirripó est découpé entre quatre planches topographiques ; les plans vendus à l'entrée du parc sont suffisants. Pour porter cet équipement, il est possible de louer une mule (en même temps qu'un guide) pour environ 30 US$ en s'adressant aux gardiens du parc. Les précipitations annuelles varient de 2 700 à 6 000 mm ; les températures de 5 à 19 °C.

BUENOS AIRES

A partir de San Isidro, vous pouvez prendre la route pour Playa Dominical en passant par San Juan (*voir le chapitre sur la côte pacifique*), mais vous pouvez tout aussi bien continuer sur l'Interamericana. Le premier arrêt d'importance est Buenos Aires, un petit village à 65 km au sud de San Isidro, sur la gauche de la route, au milieu des plantations d'ananas. A partir de ce point d'entrée dans le parc international La Amistad, vous pouvez « visiter » les réserves indiennes de Boruca (au sud), de Salitre, d'Ujarrás et de Cabraga. Bien que les trois dernières ne soient pas les plus accueillantes, il est possible de les traverser en voiture en empruntant la petite route (non revêtue) parallèle à l'Interamericana et qui passe par Buenos Aires.

ALBERGUE Y RESERVA BIOLOGICA DURIKA (FONDATION DURIKA)
Sur l'Interamericana,
17 km avant Buenos Aires
✆ +506 2730 0657 – www.durika.org
info@journeysouth.com
A partir de 35 US$/pers., les 3 repas et tours compris. Réservation indispensable. 34 places dans des cabinas rustiques.
A faire : découverte de la communauté (un exemple de durabilité et d'autosuffisance), excursion de 3 jours vers le Cerro Dúrika ou de 7 jours à travers la cordillère de Talamanca, visite de l'élevage de chèvres et d'autres activités locales, culture d'orchidées en voie d'extinction, centre de naturopathie, etc. On y parle également le français.

BORUCA

La réserve indigène de Boruca est beaucoup plus accessible aux touristes qui peuvent facilement se faire héberger par des gens du coin, en demandant à la pulpería de Boruca ou tout simplement en allant à la rencontre des Indiens. C'est le seul moyen de rester plusieurs jours dans cette magnifique vallée où la terre est rouge et la végétation luxuriante... Les raisons sont nombreuses de s'oublier un peu dans la région : se balader, rencontrer les Borucas originaires du sud du pays, s'initier à l'artisanat local (le tissage et la sculpture). Mais c'est vers le 31 décembre que le séjour peut devenir franchement animé. Les Borucas fêtent alors leur victoire sur les conquistadores. La fiesta de los Diabolitos (petits diables) dure trois jours : les Indiens portent des masques de diable (sculptés par les artisans locaux) et se battent contre un homme déguisé en taureau qui représente la force espagnole. Le simulacre se déroule sur une colline au son des tambours et des flûtes et est suivi par une visite nocturne des maisons du village. Une fête identique a lieu dans le village de Curré (fin janvier et début février).

Transports

Les bus partant de San Isidro vers le sud peuvent vous déposer à Entrada de Boruca, 2 km après Curré qui fait partie d'une autre réserve, après Paso Real, sur la route de Palmar. Ensuite, il vous faudra marcher 8 km pour atteindre Boruca. Entre mars et novembre, vous pouvez profiter du service de ramassage scolaire : le bus quitte Buenos Aires entre 13h et 13h30 et arrive à Boruca deux heures plus tard.

PARC INTERNATIONAL LA AMISTAD

Le parc international La Amistad (l'Unesco le reconnaît comme Réserve de la biosphère) est le plus grand espace de protection animale et végétale d'Amérique centrale. Pourquoi ce nom La Amistad ? En fait, sous un même nom, il regroupe plusieurs parcs costaricains dont celui de Chirripó au nord-ouest, le refuge de Tapantí près de Cartago, le parc Hitoy-Cerere du côté Atlantique, quelques réserves indigènes et son prolongement naturel au Panamá. Sous la surveillance d'une administration commune à l'aire de conservation La Amistad-Talamanca, secondée par quelques organisations internationales,

Sous-bois humide de la vallée de San Gerardo de Dota.

193 900 hectares sont strictement protégés, et rien ne peut y être entrepris, pas même une route d'accès. En tout, ce sont près de 400 000 hectares – 40 fois la superficie de Paris –, avec le rajout du côté panaméen, qui sont en quelque sorte une zone de transition où sont étudiés des projets de développement comme l'exploitation hydroélectrique des rivières de la cordillère de Talamanca ou l'implantation d'aires de culture écologique dans le respect le plus total de l'équilibre des écosystèmes. Il comprend neuf des douze écosystèmes reconnus par le Système Holdridge (Analyse et classification des systèmes naturels de la planète). Déclaré Réserve de la biosphère en 1982 par l'Unesco, puis Patrimoine mondial l'année suivante, cet immense espace, essentiellement couvert de forêts tropicales, présente l'intérêt majeur d'être dans un relatif bon état. On a même pu y observer des traces intactes des mouvements telluriques de l'ère glaciaire (- 35 000). Quel bel exemple d'entente entre nations (Costa Rica et Panamá) sur un sujet « non commercial », entente intelligente s'il en est, puisqu'il s'agit du pont biologique physique et intemporel entre l'Amérique du Nord et l'Amérique du Sud ! Le parc s'étage entre 1 000 m d'altitude (frontières approximatives du parc) et presque 4 000 m. En fait, il comprend de nombreux sommets de plus de 3 000 m (le Cerro Chirripó 3 819 m – le plus haut du Costa Rica –, le Cerro Terbi 3 760 m, le Cerro Kámuk 3 554 m, le Cerro Cuericí 3 394 m, le Cerro Urán 3 333 m, le Cerro Dúrika 3 280 m). Il n'y a aucun volcan actif. On rencontre une multitude d'habitats dont la variété tient à la topographie, à la nature des sols et aux climats. Le *paramó* de type andin en est certainement l'exemple le plus remarquable. Cette forêt basse, qui ne pousse qu'à partir de 3 000 m d'altitude, est ici principalement constituée d'une variété de bambou, le batamba. Plus bas, les forêts tropicales de type mixte abritent des chênes (trois ou quatre variétés), des cyprès et des cèdres, les plus hauts. Les ceibas (les fromagers) atteignent 50 m et plus, perçant comme des cheminées d'aération la voûte épaisse de la forêt humide. Dans les zones les plus humides comme les vallées creusées par les rivières, la végétation, déjà quasi impénétrable, est épaissie par la sombrilla del pobre, « les parapluies du pauvre », qui ressemblent à une feuille de rhubarbe, en beaucoup plus grand. La faune regroupe plus des deux tiers des animaux recensés au Costa Rica, en particulier ceux qui ont besoin d'un grand territoire pour chasser, tels le puma ou le jaguar et autres félins des tropiques comme l'ocelot, le jaguarundi ou le margay. On trouve ainsi près de 500 espèces d'oiseaux (beaucoup plus que dans toute l'Europe), 263 espèces d'amphibiens, 220 espèces de reptiles et plus de 100 espèces de poissons. 50 des 500 espèces d'oiseaux observées ne vivent que dans ces montagnes. Malheureusement, il est presque impossible de profiter de ces merveilles : le parc international n'est accessible qu'aux abords immédiats des postes de gardiens et à la réserve Las Tablas, près de Progreso.

Si vous vous sentez l'âme d'un aventurier avec une très bonne condition physique et disposez, surtout, de beaucoup de temps et de patience, sachez qu'il y est très difficile de rencontrer les animaux qui sont beaucoup plus sensibles à la présence humaine que dans n'importe quel autre parc du pays. Dame Nature, dans toute sa splendeur et ses mystères, est ici dans une forteresse. Pourvu qu'elle le reste !

- **Précipitations annuelles :** de 3 000 à 8 000 mm.
- **Température moyenne annuelle :** de 6 à 25 °C.

Transports

Rien de mieux que de partir de San Vito. Prendre un des bus pour Las Mellizas ou Las Tablas à l'un des deux terminaux au nord de la ville et demander l'arrêt de Progreso, le quartier général des gardiens du parc. A partir de Progreso, il faut parcourir 9 km jusqu'à Las Tablas, un site aménagé par la famille Sandí, ou trouver un 4x4 qui vous déposera au bord du río Cotón, à quelques centaines de mètres de la réserve. Mais c'est déjà toute une aventure de trouver un chauffeur qui veuille bien le faire ou, pire, de se lancer seul sur ce chemin dans un tout-terrain de location.

Pratique

CENTRE D'INFORMATIONS
San Isidro
✆ +506 2200 5355 – +506 2771 4836

Se loger

Pour trouver un coin de couverture, peu de possibilités sinon dans les petites villes proches du parc comme San Vito. Las Tablas est une zone de protection aménagée par la famille Sandí qui pourra vous accueillir quelques heures, vous et votre tente, vous fournir un guide (✆ 506 2773 3955) ou vous réconforter avec leurs fruits cultivés sur place.

SAN VITO

Après la vallée de Coto Brus, la petite ville de San Vito, à quelques kilomètres de la frontière panaméenne, est une étape agréable dans une vallée fraîche située à plus de 900 m d'altitude, entre le parc La Amistad et le jardin botanique Wilson. La petite ville en pente est récente puisqu'elle a été fondée en 1950 par un groupe d'Italiens dont la présence est encore nettement perceptible. Outre que l'on peut y réviser son italien, San Vito est le seul endroit à partir duquel on peut facilement rayonner dans la région.

Transports

Comment y accéder et en partir

Bus. A San José, prendre le bus à l'arrêt c5, a18/20. Ils partent tous les jours à 6h, 8h15, 12h et 16h (trajet d'une durée de 7 heures). Retour à 4h, 6h, 8h30 et 15h, tous les jours. À San Isidro, les bus partent à 5h30 et à 14h pour San Vito. Retour à 6h et 12h15, tous les jours.

Voiture. Environ 25 km au sud de Buenos Aires, il faut quitter l'Interamericana à la hauteur de Paso Real (si vous venez du sud, en direction de San Vito) et emprunter le pont pour traverser le río Térraba. Depuis Neily, la route, construite par les Américains pendant la dernière guerre pour protéger le canal de Panamá, passe par Agua Buena. Cet itinéraire demande un peu de prudence. La route, très escarpée, est souvent envahie par les brumes inévitables au Costa Rica dès que l'on monte en altitude.

Pratique

Vous trouverez de l'essence à l'ouest et au nord de la ville, et des banques dans la rue principale.

Se loger

CABINAS RINO
Sur la route principale ✆ +506 2773 3071
Compter de 15 à 20 US$ la nuit.
Chambres basiques mais confortables.

FINCA CANTAROS
Près des jardins Wilson
✆ +506 2773 3760
www.fincacantaros.com
info@fincacantaros.com
Emplacement de camping : 5 US$.
C'est en fait une espèce de petit centre d'activités, mais il est possible d'y planter sa tente.

Se restaurer

Pour manger, rien à craindre des sodas du centre, toujours bondées. Egalement, de très bonnes pizzerias.

PIZZERIA LILLIANA
✆ +506 2772 3080
Ouvert de 10h30 à 22h. De 3 000 à 4 500 colones la pizza.
D'excellentes pizzas avec une jolie vue sur la montagne en prime.

PIZZERIA LILLIANA
✆ +506 2772 3080
Ouvert de 10h30 à 22h. De 3 000 à 4 500 colones la pizza.
D'excellentes pizzas avec une jolie vue sur la montagne en prime.

À voir – À faire

JARDINS BOTANIQUES WILSON
À 6 km au sud de San Vito
✆ +506 2773 4004
Les bus pour Neily passent près de l'entrée du jardin, il suffit de demander au terminal quel est celui qui peut vous y déposer (le trajet coûte environ 150 colones de San Vito). Sinon, vous pouvez vous mettre en jambes en parcourant les 6 km à pied en montée sur la route goudronnée (suivre alors la rue principale, celle de l'église, vers le sud). Les jardins sont ouverts de 7h30 à 17h, fermés le lundi. Entrée : 8 US$ pour une journée, mais si vous n'y avez pas passé la nuit vous n'accéderez pas à la partie forêt primaire. Le détail qui tue ? On vous fera signer une décharge de responsabilité ! Attention donc où vous mettez les pieds, et les mains.
Ce jardin est né en 1963 à l'initiative d'un couple de naturalistes et, depuis 1983, il fait partie du parc La Amistad. Sur une propriété de 145 hectares, les 10 hectares de jardins proprement dits sont réservés à la culture de plantes tropicales dans un décor conçu par un horticulteur brésilien. Les espèces végétales en voie de disparition sont regroupées dans des serres. Ce complexe est à la base d'études sur la reforestation menées par des chercheurs et des étudiants qui viennent du monde entier.

Retrouvez l'index général en fin de guide

Quelque 6 km de sentiers qui portent le nom de certaines plantes cultivées (le sentier de la « colline aux Fougères » par exemple) ont été aménagés à travers la forêt qui entoure les jardins. Pour plus de commodité, il est conseillé de les parcourir durant la saison sèche, mais l'exubérance de la période humide (d'avril à décembre) met en valeur un plus grand nombre de plantes comme les orchidées, les fougères ou les plantes épiphytes dont les fabuleuses broméliacées.
Pour s'y retrouver parmi les 200 espèces présentes, n'hésitez pas à acheter la brochure que l'administration met à votre disposition. Très bien faite, elle pourra même constituer un excellent souvenir une fois de retour (il ne s'agit pas d'oublier tout ce que vous avez appris). Sachez qu'il est possible de s'y restaurer moyennant environ 12 US$.

CIUDAD NEILY

Neily, appelée aussi Ciudad Neily. Que l'on descende de San Vito ou que l'on suive l'Interamericana, la seule ville importante rencontrée est Ciudad Neily, plus simplement Neily, en plein cœur d'une zone de production de bananes et de palmiers africains. Neily est une petite ville tranquille, qui se laisse doucement bercer dans une moite torpeur dès les premiers rayons de soleil.

Transports

Avion. La plupart des visiteurs viennent en avion dans cette partie du Costa Rica. La compagnie Sansa a des vols réguliers entre San José et Coto 47 à quelques kilomètres au sud-ouest de Neily. Certains vols desservent Palmar Sur.

Bus. Les bus quittent San José à 5h, 13h, 16h30 et 18h30 (c5, a18/20) et vous déposent à la gare routière au nord-est de Neily. Les retours vers la capitale se font à 4h, 8h, 11h30 et 16h. De San Isidro, les bus partent à 4h45, 6h30, 12h30 et 15h. Les retours se font à 7h, 10h30, 13h15 et 15h30.

Se loger

Si vous décidez de vous y arrêter, vous pourrez trouver de nombreux petits hôtels simples, destinés à l'origine aux agriculteurs des environs lors de leur arrivée en ville. Ils sont tous situés vers la station-service et la Banco de Costa Rica, entre l'Interamericana et la Plaza.

CABINAS EL RANCHO
✆ +506 2783 3201
Dans la même rue que la station-service.
15 US$/personne.
Bon rapport qualité-prix puisqu'on dispose d'une salle de bains et de ventilateurs (non négligeables, il fait chaud à Neily). Mais pensez à réserver, c'est souvent complet.

CANOAS

Paso Canoas est le point frontalier qui relie le Costa Rica au Panamá. Le voyageur ne s'y attardera pas car la ville présente peu d'intérêt si ce n'est de prendre le bus pour passer au Panamá.

Transports

Bus. Depuis San José (c5, a18/20) à 5h, 13h, 16h30 et 18h30 mais, attention, ils sont pris d'assaut les veilles de week-end et de vacances. Pour revenir, les bus partent du terminal à l'ouest de la ville à 8h, 11h30 et 16h30. Les bus pour Neily partent toutes les heures entre 5h et 18h de la parada (arrêt de bus), juste avant la poste et le poste frontière.

Pratique

Tourisme

Seule ville sur la frontière avec le Panamá, Canoas est le principal point de passage entre les deux pays. C'est en tout cas le plus fréquenté. En effet, c'est à Canoas que de nombreux Ticos viennent faire leurs « courses » et s'approvisionnent en électroménager, en produits cosmétiques et autres biens habituellement importés qui, ici, traversent la frontière et sont vendus avant d'être taxés – alors que même à Golfito les produits prétendument « détaxés » sont taxés par l'Etat qui gère le port franc. Les magasins sont du côté costaricain, dans la rue parallèle à la frontière.

Argent

Profitez-en pour changer vos derniers colones avant de passer la frontière parce qu'à moins de revenir au Costa Rica il vous sera impossible de les changer plus tard. Les bureaux de change dans la zone commerciale ont l'air d'avoir des taux plus avantageux que ceux de la Banco Anglo Costarricense (dans la rue qui prolonge l'Interamericana, ouverte le matin du lundi au vendredi), mais acceptent rarement les chèques de voyage (presque jamais d'autres monnaies que le dollar).

GOLFO DULCE ET PÉNINSULE D'OSA

Oiseau de paradis.

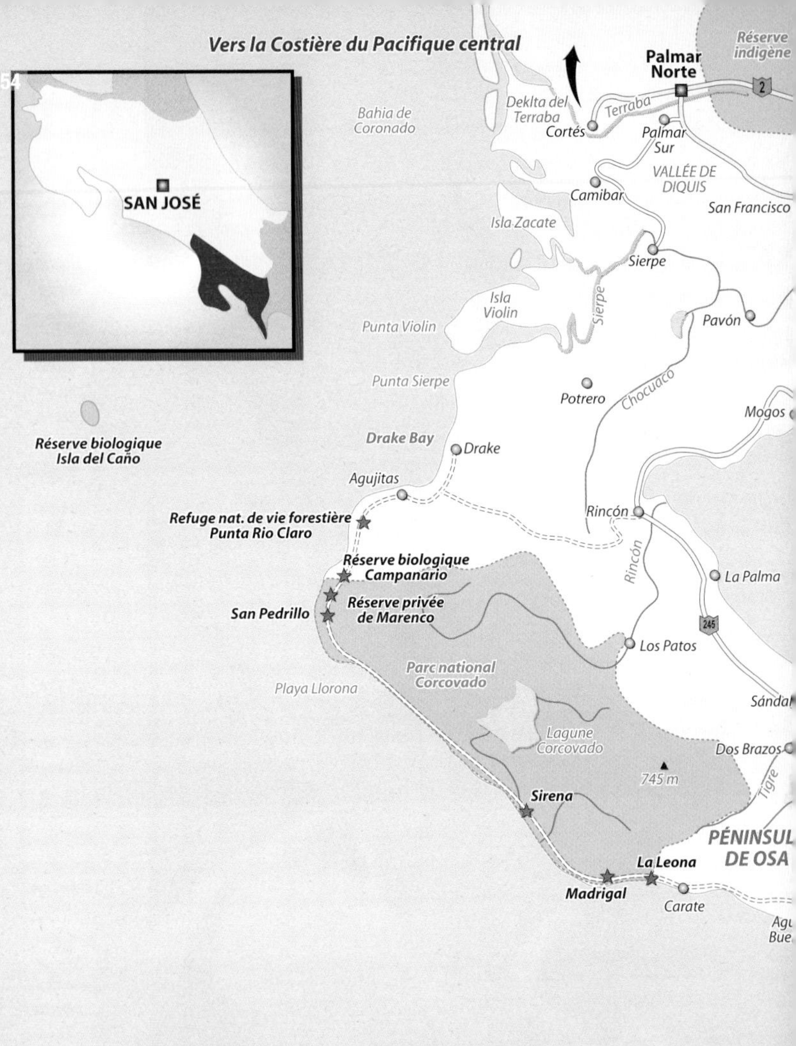

Vers la Costière du Pacifique central
SAN JOSÉ
Réserve indigène
Palmar Norte
Bahia de Coronado
Deklta del Terraba
Terraba
Cortés
Palmar Sur
VALLÉE DE DIQUIS
Camibar
San Francisco
Isla Zacate
Sierpe
Isla Violin
Punta Violin
Pavón
Punta Sierpe
Potrero
Chocuaco
Mogos
Réserve biologique Isla del Caño
Drake Bay
Drake
Agujitas
Refuge nat. de vie forestière Punta Rio Claro
Rincón
Réserve biologique Campanario
Réserve privée de Marenco
San Pedrillo
La Palma
Los Patos
Parc national Corcovado
Playa Llorona
Lagune Corcovado
Dos Brazos
745 m
Tigre
Sirena
La Leona
Madrigal
Carate

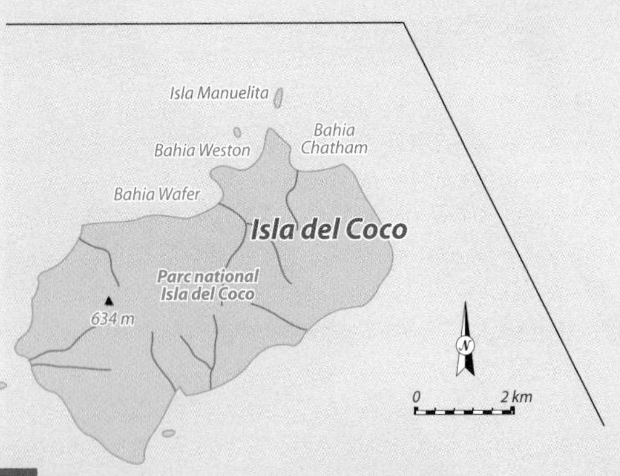

Isla Manuelita
Bahia Chatham
Bahia Weston
Bahia Wafer
Isla del Coco
Parc national Isla del Coco
634 m
0
2 km

Golfo Dulce

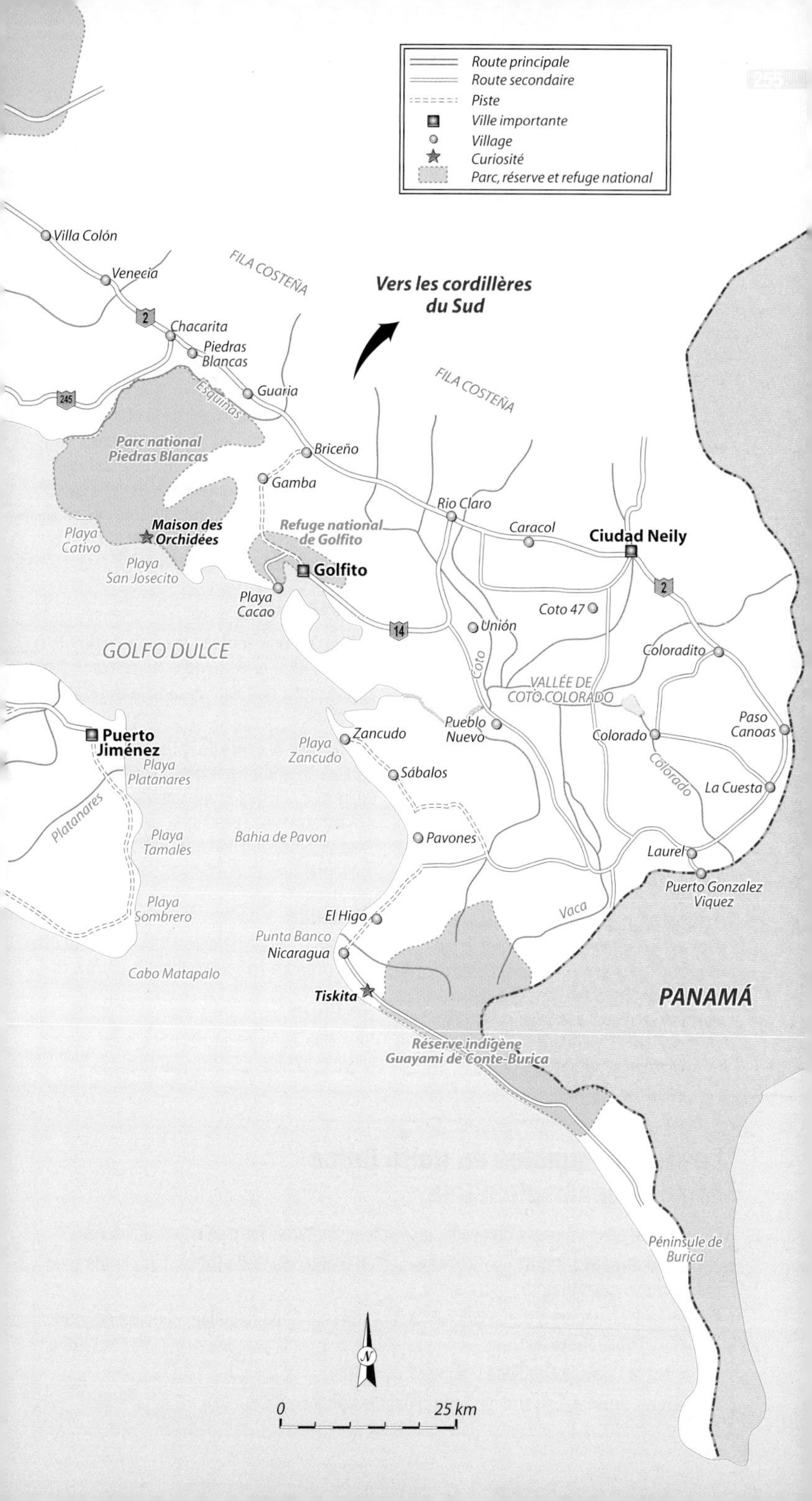

Route principale
Route secondaire
Piste
Ville importante
Village
Curiosité
Parc, réserve et refuge national
Villa Colón
Venecia
FILA COSTEÑA
Vers les cordillères du Sud
2
Chacarita
Piedras Blancas
245
Esquinas
Guaria
FILA COSTEÑA
Parc national Piedras Blancas
Briceño
Gamba
Rio Claro
Playa Cativo
Maison des Orchidées
Refuge national de Golfito
Caracol
Ciudad Neily
Playa San Josecito
Golfito
Playa Cacao
Coto 47
14
Unión
GOLFO DULCE
Coto
Coloradito
VALLÉE DE COTO COLORADO
Puerto Jiménez
Playa Platanares
Zancudo
Playa Zancudo
Pueblo Nuevo
Colorado
Paso Canoas
Sábalos
Colorado
La Cuesta
Platanares
Playa Tamales
Bahia de Pavon
Pavones
Laurel
Puerto Gonzalez Viquez
Playa Sombrero
Vaca
El Higo
Punta Banco
Nicaragua
Cabo Matapalo
Tiskita
PANAMÁ
Réserve indigène Guayami de Conte-Burica
Péninsule de Burica
N
0
25 km

Golfo Dulce et péninsule d'Osa

Comprise entre la partie méridionale de la côte pacifique, à peu près au sud de Dominical, la frontière panaméenne et, à l'est, les hautes montagnes de la cordillère de Talamanca, cette région maritime du sud du Costa Rica est composée d'un grand golfe d'eau douce et d'une péninsule. De tradition agricole – à l'origine la banane –, elle abrite le parc national Corcovado qui est considéré comme ayant l'une des plus grandes biodiversités de la planète. Les sites naturels étant d'une exceptionnelle beauté, le tourisme s'y installe doucement. Le réseau routier de la péninsule d'Osa est vraiment précaire... Longtemps isolée, la route de Chacarita à Puerto Jiménez est un véritable calvaire : une moitié goudronnée avec d'énormes nids-de-poule (on peut même dire des nids d'autruche sans aucune exagération), puis une seconde moitié sans goudron mais avec toujours autant de nids. Il faut compter entre 2 heures 30 et 3 heures (en plus il y a la pluie) pour faire les 75 km. La route pour aller à Bahía Drake, depuis Rincón, est une petite aventure, car c'est la piste avec traversées de ríos dont les deux derniers sont impressionnants en saison des pluies. Il faut compter 1 heure 15 et 1 heure 30 pour faire les 30 km. Mais il paraît que l'isolement de Bahía Drake est volontaire... Côté climat, c'est l'une des régions les plus humides du Costa Rica (le parc national Corcovado dans la péninsule d'Osa en détient le record) et il y fait assez chaud (en moyenne : 30 °C pendant la saison sèche et 25 °C pendant la saison des pluies).

PAVONES

A une dizaine de kilomètres au sud de Zancudo, Pavones est constitué de deux plages : Playa río Claro et Punta Banco qui sont les meilleures plages de la côte pacifique pour le surf, selon les plus chevronnés de la planche. Malheureusement, les plus belles vagues se manifestent au début de la saison des pluies, en mai. Il faut montrer une réelle envie de surfer pour parcourir le chemin qui mène à la baie de Pavones.

Transports

- **Bus.** Un bus quitte tous les jours Golfito à 10h et à 15h, près du quai. Au retour, il part de Pavones, non loin du rancho Burica à 5h et 12h30.
- **Voiture.** A Zancudo, prenez la route qui va vers le sud et tournez à droite au grand carrefour. Comptez 45 minutes de route : 4x4 indispensable pendant la saison des pluies. Trajet Golfito-Pavones en taxi à 80 US$ en moyenne.

Pratique

Attention, pas de banque à Pavones. Il faudra donc prendre vos précautions auparavant !

Se loger

Sur place, diverses possibilités d'hébergement, outre le simple camping sur la plage.

Les immanquables du Golfo Dulce et de la péninsule d'Osa

- **Visiter** le parc national Corcovado, un des parcs naturels les plus riches du monde.
- **Puerto Jiménez,** faire la petite traversée en barque du Golfo Dulce, faire la route en 4x4 jusqu'au cap Matapalo et à Carate.
- **Passer** 2 ou 3 jours à Bahía Drake, visiter la Isla del Caño (plongée) et de Bahía Drake le parc national en barque.
- **Visiter** la Casa de Orquideas, au nord de Golfito.
- **Surfer** à Pavones, au sud de Golfito, pour les plus aguerris.

Paréos colorés du Costa Rica.

CABINAS MIRA OLAS
A 300 m du terminus du bus
en provenance de Gofito
✆ +506 2776 2006 – www.miraolas.com
miraolaspavones@yahoo.com
De 35 à 45 US$ la chambre.
Des bungalows confortables avec un coin cuisine, au milieu de la jungle et à quelques encâblures du centre-ville.

RANCHO BURICA
À la fin de la route
(8 km sud de Pavones) à Punta Banco
✆ +506 2776 2223
www.ranchoburica.com
info@ranchoburica.com
5 cabañas disposant de 7 chambres. A partir de 27 US$/pers. avec petit déjeuner et dîner inclus. Hamacs disséminés ici et là. Remise pour les séjours de longue durée.
Un tout petit hôtel tenu par des Hollandais qui se sont épris de ce bout de nature et s'emploient à faire partager leur passion. Bon séjour au calme en perspective. L'endroit reste fréquenté par les surfeurs.

TISKITA JUNGLE LODGE
✆ +506 2296 8125
www.tiskita-lodge.co.cr – info@tiskita.com
16 chambres dans de très beaux bungalows en bois et 9 cabinas, avec tout le confort possible. Package de 3 nuits au minimum (avec les 3 repas, 2 visites guidées, café/thé/jus de fruits à volonté et les taxes incluses) : 570 US$/pers. (sur la base de 2 pers.), 370 US$/enfant de moins de 12 ans.
A 5 km au sud de Pavones, le Tiskita est situé au sein d'une réserve biologique privée de 160 hectares sur la pointe Banco. Les deux tiers de cette réserve sont constitués d'une rainforest totalement vierge. Le reste abrite un verger expérimental où Peter Aspinall cultive des fruits qu'il fait venir du monde entier pour les adapter au climat de cette région. Vous pourrez visiter ce verger ainsi que la lisière de la forêt en suivant les sentiers aménagés et en vous reposant sur les descriptions de la brochure imaginée par les propriétaires du lodge. Du côté de la plage, c'est tout un monde à découvrir dans des bassins naturellement formés par la marée. Le logement est assuré dans 16 beaux bungalows et 9 cabinas assez rustiques qui ont toutes vue sur la mer ; comble du dépaysement, les douches communes donnent sur la jungle.

ZANCUDO

Zancudo est avant tout célèbre pour sa plage. Envahie de mangrove des rivières Conte et Colorado, Playa Zancudo est la plage la plus proche de Golfito. Quasi déserte, cette plage de sable noir est la première sur laquelle il est possible de se baigner et de surfer, en partant de Golfito qui est à 15 km. On peut aussi aller se promener au village de Zancudo, situé à l'est de la plage ; il est particulièrement paisible et reposant. Quant à la plage, elle est parfaite pour l'observation des oiseaux, la pêche, la baignade ou le surf, à moins que vous ne préfériez le farniente total.

Transports

Bus. Les bus partent de la gare routière de Ciudad Neilly tous les jours à 14h15 (✆ 2783 3227). Retour de Zancudo à 5h, tous les jours. Durée du trajet : 3 heures.

Voiture. Prenez la route qui va au sud de Río Claro. Au bout de 10 km, vous arrivez à un croisement où vous prendrez à gauche, puis continuez tout droit. Au bout d'une dizaine de kilomètres, vous allez traverser le pont du Río Coto, il suffit ensuite de suivre les panneaux. Compter 1 heure de route.

Bateau. De Golfito, prendre le bateau qui part tous les jours du quai de l'hôtel Samoa à 12h. Retour tous les matins à 7h. Durée : 30 minutes. Prix de la traversée : 2 200 colones.

Se loger

Des hôtels se construisent d'année en année à Zancudo, devant la popularité grandissante de sa longue plage de sable noir mais, attention, si vous voyagez seul et arrivez en pleine haute saison (de décembre à mars), vous aurez peu de chance de dénicher une chambre simple, à moins de payer presque trois fois le prix d'une chambre double... C'est une pratique courante à Zancudo (et sur d'autres plages).

CABINAS LOS COCOS
Playa Zancudo ✆ +506 2776 0012
www.loscocos.com
loscocos@loscocos.com
5 maisons et des cabinas dans des bungalows près de la plage, tout confort avec salle de bains privée et cuisinette. 65 US$ la cabina, taxes non incluses (- 15 % pour un mois, - 10 % pour les séjours d'une semaine). Pour les maisons : de 550 à 1 000 US$ la semaine. Restaurant italien.
Des cabinas et une maison confortables au milieu d'un magnifique jardin tropical. L'hôtel organise également des excursions de pêche et de plongée (circuits de 50 à 75 US$). Navette possible entre Golfito et Zancudo (20 US$ par personne).

CABINAS SOL Y MAR
Près des Cabinas Los Cocos
✆ +506 2776 0014
Fax : +506 2776 0015
www.zancudo.com
solymar@zancudo.com
A louer une maison et des cabinas. De 25 à 50 US$ pour les cabinas selon la saison. Location de la maison : 850 US$/mois (- 25 % en basse saison, de juin à novembre). Taxes non incluses. Restaurant et bar. Wi-fi gratuit.
De belles *cabinas* et une très jolie maison avec toit de palmes dans un jardin tropical. Un endroit calme et confortable au sud de la plage où le séjour peut être enrichi par les multiples conseils des Hara, les propriétaires. Location de chevaux et organisation de tours.

GOLFITO

Golfito est une étape quasi obligée et le principal pôle de développement de la région. La cité est pourtant de taille très moyenne, recroquevillée entre une colline aux pentes si abruptes qu'elle pourrait être une falaise (le refuge de vie sylvestre), la jungle et l'océan. Mais elle doit son statut actuel de port à l'intense trafic bananier qui animait ses quais jusqu'en 1985, date à laquelle l'United Fruit Company ferma ses portes, faute de rentabilité au sein du marché économique mondial. Depuis, les 4x4 ont succédé aux cargos et les visiteurs aux ouvriers agricoles et aux marins. Golfito s'est agrémentée d'une zone de libre commerce (Depósito Libre) où l'électroménager et autres fantaisies sont moins taxés que dans le reste du pays, mais encore chers. Ce sont pourtant les affaires qui attirent le plus gros des visiteurs à Golfito. On vient y passer un week-end, un après-midi sur la plage et on repart avec une, voire deux chaînes hi-fi. Ce flux permanent fait vivre les hôtels, les restaurants et les bars.

Transports

Avion. L'aéroport est à 5 km au nord de Golfito, il y a une navette. Sansa et Nature Air font des vols quotidiens de/vers San José.

Bus. Les bus partent de San José (c5, a18/20 ✆ 2221 4214) à 7h, 15h30 et 22h15 (le vendredi seulement). Le retour de Golfito (✆ 2775 0365, terminal situé en face du muelle Bananero) s'effectue à 5h et à 13h30. Compter 8 heures de bus. Pour réserver (c'est conseillé), les bureaux sont ouverts le matin de 6h à 11h30 et l'après-midi de 13h30 à 16h du lundi au samedi, et de 7h à 11h les dimanche et jours fériés. Les bus pour les plages partent de Muellecito mais, comme leur fréquence est fantasque (quand elle ne dépend pas du temps et de l'état des routes), soyez à l'affût d'un départ inattendu. Durant la saison humide, il vaut mieux compter sur les bateaux.

Voiture. Le voyage est relativement aisé depuis San José (340 km). Il suffit de suivre l'Interamericana vers le sud.

Bateau. Au sud de Golfito, le quai principal – pourtant appelé Muellecito (« petit quai ») – voit partir les bateaux en direction des plages du Golfo Dulce. Les bateaux-taxis partent plutôt du quai Muelle Bananero au nord de la ville. Pour Puerto Jiménez, un ferry part à 6h et 10h de Muellecito (comptez 3 000 colones par personne) mais les horaires étant variables, renseignez-vous sur place. Le bac ne transporte que les piétons et leurs bagages (incluant réfrigérateurs et lave-linge). Toujours à Muellecito, des particuliers peuvent vous embarquer pour les plages au sud de Golfito (prix à la tête du client). De façon plus sûre, on peut demander un bateau-taxi à Muelle Bananero.

BATEAUX-TAXIS
Muelle Bananero
✆ +506 2775 0712 – +506 2775 0357

CAPITAINERIE ET BUREAU D'IMMIGRATION
En face du muelle Bananero
✆ +506 2775 0487
Fax : +506 2775 0487
Ouvert de 7h30 à 11h et de 12h30 à 16h du lundi au vendredi.

NATURE AIR
San José
✆ +506 2220 3054
✆ +506 2775 0210
www.natureair.com
reservations@natureair.com
Vols tous les jours depuis/vers San José.
Comptez 100 US$ l'aller depuis/vers San José.

SANSA
San José
✆ +506 2221 9414 – +506 2775 0303
www.flysansa.com – info@flysansa.com
Vols tous les jours depuis/vers San José.
Comptez environ 100 US$ le vol depuis/vers San José.

Pratique

Argent

BANCO NACIONAL
A quelques pas du terminal de bus
✆ +506 2775 1101
Distributeur 24h/24.

Postes et télécom

POSTE
Au nord du terrain de football
Ouvert du lundi au vendredi de 8h à 12h et de 13h à 16h30, le samedi de 8h à 12h.

Urgences

HÔPITAL DE GOLFITO
✆ +506 2775 0011
A 2 km au nord du Muellecito.
Un service d'urgences 24h/24.

Adresses utiles

LAVERIE AUTOMATIQUE
A côté de l'entrée de l'hôtel Delfina
Le linge apporté le matin vers 10h est rendu impeccablement plié le soir.

PRESSING
Nord-ouest de la Plaza
Suffisamment rare au Costa Rica pour être signalé.

Orientation

La ville est communément divisée par la route qui la traverse, parallèle à la côte. Au nord, à proximité du Depósito Libre, la Zona Americana, celle des riches, des Américains directeurs de l'United Fruit. C'est un quartier tranquille, résidentiel, aux maisons de bois d'un style colonial flagrant, entourées de jardins tropicaux aux hamacs tendus sous les vérandas. Le Pueblo Civil, au sud, est un port typiquement tropical. C'est ici que l'on trouve les bars, les agences (bancaires ou de voyages), les restaurants et les hôtels qui n'arrêtent pas de fleurir dans un secteur qui, de grâce, ne demande qu'un minimum de rénovation. Les peintures cloquent puis s'écaillent par plaques entières, les plantes s'aventurent entre les pierres et les boiseries, gorgées d'humidité saline, se déforment... Contraste avec les alentours de la Plaza, l'extrême sud de la ville a été rénové pour le cinéma en vue du tournage d'un film américain retraçant la vie et le combat de Chico Mendès, un seringueiro brésilien qui consacra une partie de sa vie à la protection de la rainforest. L'église de briques rouges et les bâtiments qui l'entourent ont été laissés en cadeau à Golfito par la production du film.

Se loger

Pour être sûr de trouver une chambre, mieux vaut arriver à Golfito en milieu de semaine, avant que les acheteurs du week-end ne débarquent par bus.

Bien et pas cher

Dans les ruelles qui partent de la rue principale, vous trouverez quantité de maisons qui louent des chambres, baladez-vous et guettez les panonceaux.

CABINAS EL TUCAN
A 50 m du Muellecito sur la droite
✆ +506 2775 0553
24 chambres. Comptez entre 10 US$ et 15 US$ si vous voulez la clim ou pas. Petit déjeuner non compris. Hébergement sommaire, mais très correct qui s'articule autour d'un patio.

Confort ou charme

BUENA VISTA LODGE
A 7 km au sud de Golfito ✆ +506 2665 7759
www.buenavistalodgecr.com
info@buenavistalodgecr.com
De 86 à 99 US$ la double, petit déjeuner et taxes compris. 25 US$ par personne supplémentaire. L'hôtel dispose d'une piscine, d'un service de laverie et d'un bar.
A l'intérieur d'une petite réserve, l'hôtel surplombe le golfe. Assez bon confort.

Luxe

GOLFO DULCE LODGE
Au nord de Golfito, Playa San Josecito
✆ +506 8821 5398
Fax : +506 2775 0573
www.golfodulcelodge.com
info@golfodulcelodge.com
Forfait unique de 4 jours-3 nuits. Les prix en haute saison : 300 US$/pers. (chambre standard sur la base de 2 pers.), 360 US$ (chambre standard, 1 pers.), 360 US$/pers. (bungalow de luxe, 2 pers.), 285 US$ (bungalow de luxe, 3 pers.) et 420 US$ (bungalow de luxe, 1 pers.) ; les taxes et les 3 repas compris. Il faut ajouter une trentaine de dollars pour le transport en bateau. Belle piscine.
Dans un parc privé de 300 hectares, un magnifique lodge voué au confort, à la nature et à l'aventure. Idéal pour visiter le parc national de Piedras Blancas.

Se restaurer

Autant de choix pour se restaurer que pour se loger.

BUENOS DÍAS
En face du Muellecito
✆ +506 2775 1124
Ouvert de 6h à 22h. De 3 000 à 5 000 colones le plat.
Un bonne adresse pour prendre son petit déjeuner ou son déjeuner avant le bateau.

RANCHO GRANDE
A 3 km au sud de la ville
Ouvert de 7h à 22h. Plats de 3 000 à 5 500 colones.
Des plats traditionnels cuisinés au feu de bois dans un cadre rustique, dans un grand rancho.

À voir – À faire

CASA DE ORQUÍDEAS
✆ +506 2829 1247
Les tours guidés coûtent 80 US$ pour 4 personnes (transfert et snacks compris) et assurent des découvertes étonnantes. (durée : 3 heures. Fermé le vendredi). Attention, pour éviter la chaleur, le tour commence à 7h.Les bateaux des lodges des environs et Zancudo Boat Tours (bateaux de cabinas Los Locos à Zancudo) peuvent vous déposer.
Il y a plus de 25 ans, Ron et Trudy MacAllister sont venus s'installer ici par amour du climat et de la forêt. Dans leur élan de retour à la terre, ils ont planté quelques arbres fruitiers puis, emportés par la passion, ont agrandi leur jardin jusqu'à ouvrir leur petit paradis aux visiteurs. Les Mac Allister, botanistes amateurs à leurs débuts, sont devenus des pédagogues formidables qui ne ménageront pas leurs efforts pour vous communiquer leur enthousiasme et iront même jusqu'à vous faire goûter quelques-uns des fruits de leur production.

PLAYA CACAO

Trajet possible en voiture, la route n'est pas très bonne, mais praticable toute l'année. Pour cela, prendre la petite route qui quitte, vers la gauche, celle qui contourne le Depósito Libre de Golfito, puis continuer en longeant le nord de la baie. Le trajet est beaucoup plus rapide en bateau (moins de 10 minutes, 5 US$).

Petite plage sympathique à une dizaine de kilomètres de Golfito, Playa Cacao a le mérite d'être facilement accessible en toute période de l'année.

REFUGE NATIONAL DE GOLFITO

Entrée libre. Plusieurs chemins à suivre, à pied dans la plupart des cas. Des sentiers partent de la route principale de Golfito pour grimper – et c'est dur ! – vers le refuge. Le point de repère est la tour de communication. Une autre route qui mène également à cette tour (La Torre) peut être suivie en taxi. Dans tous les cas, comptez au moins deux heures de trajet. Il est recommandé de partir tôt le matin pour profiter au mieux du refuge. Le bureau d'administration se trouve à Golfito, sur la route de l'aérodrome juste après l'école.

Le véritable nom est « refuge national de la vie sylvestre de Golfito ». C'était une bonne idée de créer cette réserve au-dessus de Golfito. Du haut de 400 m d'altitude, 1 310 hectares de forêt primaire tropicale humide assurent à la ville un potentiel en eau toujours renouvelé et la sauvegarde de plus de 200 espèces végétales, dont certaines étaient franchement menacées. Une faille tectonique pourrait être à l'origine de l'escarpement de la colline qui isole le site de Golfito des plaines du sud-ouest. Malgré sa taille relativement réduite, le refuge accueille un grand nombre d'animaux, de mammifères ou d'oiseaux, facilement observables depuis les sentiers qui partent de La Torre.

Sports – Détente – Loisirs

La traversée du Golfo Dulce qui relie Puerto Jiménez à Golfito est une belle balade (si vous voulez la faire dans la journée, il faut que vous partiez de Puerto Jiménez à 6h du matin, pour un retour à 13h). La principale source de revenus de Golfito réside au Depósito Libre, au nord de la ville. Il s'agit d'une zone de libre-échange où tout est détaxé. Pour profiter de certaines bonnes affaires, il faut être muni de papiers d'identité et retirer un boleto au bureau d'accueil (ouvert du mardi au samedi jusqu'à 20h, le dimanche jusqu'à 16h30). Les achats sont limités à 500 US$. On peut pêcher toute l'année au départ de Golfito qui détient de nombreux records de pêche, mais quelques espèces de poissons marquent leur préférence pour certaines époques de l'année : de décembre à mai pour les marlins, de novembre à mai pour les voiliers et les daurades, de septembre à mars pour les wahoos. Juillet et août ne semblent pas faire partie de leur agenda.

BANANA BAY MARINA

✆ +506 2775 0838
Fax : +506 2775 0735
www.bananabaymarina.com
info@bananabaymarina.com
Elle affrète des bateaux de pêche.

PALMAR NORTE – PALMAR SUR

Les deux villes ne sont en fait qu'une seule cité, coupée en deux par le río Térraba. Au centre de la vallée du Diquis, dans une région de bananeraies, là où furent découvertes quelques sphères de pierre identiques à celles d'Isla del Caño, la ville est fréquemment animée par des groupes de touristes en train de préparer leur expédition vers la péninsule d'Osa.

Transports

Avion. Les compagnies Nature Air et Sansa ont des vols réguliers entre SanJosé et Palmar Sur (45 minutes).

Bus. De San José, les bus partent tous les jours pour Palmar Norte à 5h, 7h, 8h30, 10h, 14h30 et 18h30, de l'arrêt situé au c5, a18/20. Le trajet dure 5 heures. Retour vers la capitale à 4h30, 7h30, 8h, 12h, 11h30, 13h30 et 16h30. Durée : 6 heures. Pour Sierpe, les bus partent à 5h30, 8h30, 10h30, 12h30, 15h30 et 18h (parada en face du supermercado Térraba, comptez entre 30 et 45 minutes de trajet).

Voiture. L'Interamericana passe par Palmar et il faut bifurquer à droite pour rejoindre Cortés ou Sierpe. Si vous avez l'intention de suivre la côte depuis Dominical (33 km), vous emprunterez la route entre Uvita et Coronado.

NATURE AIR

✆ +506 2220 3054 – www.natureair.com
Comptez environ 100 US$ pour un aller simple et 40 minutes de vol.

SANSA

✆ +506 2221 9414 – www.flysansa.com

Comptez 100 US$ l'aller simple. Certains des vols font escale à Quepos.

Orientation

Au sud du fleuve, l'aéroport ; au nord, les hôtels, la gare routière et autres commodités.

Se loger

Pas grand-chose à faire à Palmar, donc il est peu probable que vous y passiez la nuit. Si pour une raison ou pour une autre, vous vous retrouviez coincé là-bas, vous n'aurez pas de mal à trouver des hôtels bon marché au nord de la ville.

HÔTEL VISTA AL CERRO

Palmar Norte ✆ +506 2786 6663

www.vistaalcerro.com

info@vistaalcerro.com

A partir de 45 US$ la chambre double. Wi-fi gratuit. Un hôtel familial avec des chambres au confort correct. Bon rapport qualité-prix.

À voir – À faire

SPHÈRES DE GRANIT

Héritées des civilisations précolombiennes, ces sphères mystérieuses sont assez nombreuses à Palmar. Vous en trouverez même à l'aéroport ! La plus facile à observer se trouve devant l'école sur l'Interamericana. Au moins, vous ne serez pas venu à Palmar pour rien car ces sphères en sont le seul intérêt...

SIERPE

On se rend à Sierpe pour prendre le bateau pour la péninsule d'Osa ou pour étudier la plus grande étendue de mangrove du Costa Rica, soit près de la moitié.

Transports

- **Bus.** De Palmar Norte, les bus partent chaque jour à 4h30, 7h, 9h30, 11h, 13h30, 14h30 et 17h. Comptez 45 minutes de trajet. Retour à 5h30, 8h30, 10h30, 12h30, 15h30 et 18h.

- **Bateau.** Pour Bahía Drake, la destination commune après Sierpe, vous pouvez organiser le trajet en bateau avec le lodge où vous avez réservé. Si vous n'avez pas pris cette précaution, il est possible de trouver un bateau au débarcadère, près du bar Vegas (au minimum 15 US$/pers.) en arrivant impérativement avant 11h30, heure du rassemblement des bateaux qui vous permettra de rejoindre la bahia plus facilement, en tout cas à meilleur prix. Dans tous les cas, en arrivant à Sierpe, faites savoir au Vegas que vous comptez vous rendre dans la Bahia de Drake le lendemain matin, de cette manière nombreux seront les hôteliers à venir vous proposer leur service, et c'est aussi le moyen pour négocier une chambre, les repas et le transfert en bateau.

Se loger

En attendant un bateau pour la baie de Drake, vous aurez peut-être à passer la nuit dans cette petite ville, la dernière avant la péninsule. Rassurez-vous, les hôtels bon marché ne manquent pas.

HÔTEL MARGARITA

Dans Sierpe même, face au terrain de foot

✆ +506 2786 7574

Comptez de 8 000 à 10 000 colones la double.

L'hôtel est très simple mais propre. L'accueil est chaleureux. Salle de bains privés ou commune, petite terrasse habitée de chaises longues donnant directement sur le terrain de foot... Une bonne solution.

RÍO SIERPE LODGE

Près de la rivière ✆ +506 8384 5595

Fax : +506 2786 6291

www.riosierpelodge.com

info@riosierpelodge.com

Packages à partir de 85 US$/pers., excursions et repas inclus.

C'est un lodge simple et agréable, qui a le mérite de pratiquer des prix plus accessibles que ses collègues de la baie de Drake. Des excursions pour le parc Corcovado et l'isla del Caño sont organisées ainsi que des « packages » à thèmes, couvrant tous les points d'intérêt de la région : découvrir la mangrove, faire de la plongée, de l'équitation ou observer les oiseaux, etc.

Se restaurer

Plusieurs possibilités allant de la soda à la pizzeria. Entre les deux, le restaurant Vegas propose une très bonne alternative.

BAR VEGAS

Il est ouvert tous les jours de 7h à 22h. De 3 000 à 4 500 colones le plat.

Le populaire bar Vegas vous renseignera sur les bateaux qui embarquent des passagers à destination de Drake (prononcez « Draké », à l'espagnole) et propose un large choix de snacks ou de plats plus consistants. Idéal aussi pour le petit déjeuner en attendant le bateau. Les pancakes sont fameuses ! L'accueil est chaleureux et le personnel soucieux de renseigner. Jorge (le patron, toujours derrière la caisse et au téléphone le plus souvent) vous renseignera aussi sur les excursions possibles (de pêche en mer, de tour de mangroves, de visite de l'isla del Caño ou autre balade maritime).

PÉNINSULE D'OSA

Tout au sud du Costa Rica, la patte postérieure de ce pays en forme de tortue est à elle seule l'une des plus grandes forêts tropicales d'Amérique centrale, longtemps isolée du reste du pays. Il a fallu qu'une compagnie forestière vienne s'installer dans la péninsule d'Osa pour qu'un semblant d'infrastructure apparaisse à l'ouest de l'Interamericana. Des campesinos à la recherche de nouvelles terres cultivables suivirent de peu les bûcherons installés au sud du río Térraba. Mais le défrichage forcené des agriculteurs condamne, à court terme, le sol qui sans la protection des arbres et la fertilisation par les déchets organiques se change en terre incultivable. La forêt risquait de subir le même sort que tant d'autres sous les tropiques. Après une campagne de sensibilisation menée par des scientifiques soucieux de conserver cet énorme réservoir de richesses (composants de médicaments telles la quinine ou la codéine ou « entretien » de l'oxygène par l'action de la photosynthèse), un parc de 42 hectares fut créé en 1975 à l'ouest de la péninsule, autour de la lagune de Corcovado. Cependant, les paysans ont continué à venir s'installer dans cette région difficile à surveiller. Les choses ne se sont pas arrangées quand on a découvert des filons d'or sur la péninsule. Il a suffi que quelques chercheurs de trésor s'infiltrent pour que le débat soit relancé. En 1986, la plupart des *precaristas* (les « squatteurs » comme on les appelle là-bas) ont été expulsés, mais cette mesure ne suffisant pas, depuis les années 1990, les autorités responsables du parc s'emploient à développer des projets de culture et d'emploi afin de canaliser l'énergie conquérante des nouveaux arrivants.
Le meilleur moyen de contrer les pires tentatives d'exploitation de la forêt était de destiner la péninsule au tourisme, à l'écotourisme de préférence. Voilà pourquoi Osa et ses merveilles sont en passe de devenir le nouveau pôle d'attraction du Costa Rica, et il est presque heureux que l'accès en soit encore un peu difficile. La péninsule d'Osa rassemble à elle seule la moitié des oiseaux aperçus au Costa Rica. De plus, c'est pratiquement le seul endroit où il est possible (avec de la patience) d'observer des tapirs, des jaguars ou des pumas. Le climat du sud-ouest, de fortes précipitations et des températures élevées permettent une diversité biologique similaire à celle des forêts amazoniennes.
Pour être plus précis : 1 513 espèces de plantes, 124 de mammifères, 375 d'oiseaux, 71 de reptiles et 48 espèces d'amphibiens ont été identifiées dans cette région... D'où l'importance de préserver cette richesse au sein de zones protégées dont le parc national Corcovado, celui plus récent et peu connu de Piedras Blancas à l'entrée de la péninsule, Marino Ballena, la réserve forestière du Golfo Dulce, la réserve biologique Isla del Caño, la réserve indigène Guaymi, le refuge de Golfito et la mangrove de Sierpe-Térraba. Mais, dans ce souci de conservation, il était impensable d'oublier la population locale isolée du reste du pays. Pour renforcer les liens des communautés entre elles et avec l'environnement exceptionnel, mais fragile, de la péninsule, la fondation Neotrópica organise des cours et des sessions de formation.

RENSEIGNEMENTS
✆ 2253 2130 – Fax : 2253 4210
www.neotropica.org

DRAKE BAY

Au nord-ouest de la péninsule d'Osa, cette petite baie enchanteresse fut probablement découverte par le grand navigateur Francis Drake en 1579. Des eaux calmes et très poissonneuses, un petit village tranquille aux enfants rieurs (Agujitas), la proximité de quelques-uns des plus beaux endroits du pays, dont le parc national Corcovado et l'Isla del Caño, et une infrastructure qui tend à se développer attirent de plus en plus de touristes. Que l'on se rassure cependant, ce ne sont pas encore les foules déferlantes des plages du Guanacaste, parce qu'il faut le vouloir pour venir jusque-là ! Mais quel ravissement une fois sur place...

Pour ce qui est de se distraire, aucune inquiétude : toutes les envies, ou presque, peuvent être satisfaites, du farniente le plus total aux expéditions en mer de quelques jours. Les hôtels établis autour de la baie se chargent de tout.

Transports

Avion. Deux vols par jour au départ de San José.

Bateau. Le bateau est le moyen de transport le plus rapide à partir de Sierpe. La traversée mouvementée de la Boca del Sierpe dure 1 heure 30 (45 minutes sur le fleuve, puis 45 minutes en mer) et mieux vaut l'arranger avec l'hôtel où vous avez réservé. Les « speedés » prendront le temps de demander à leur hôtel s'ils ne peuvent pas organiser le transport en avion jusqu'à la piste d'atterrissage près de Drake.

Voiture. On peut se rendre de Rincón sur le Golfo Dulce à Bahía Drake par la route. Pour effectuer ce trajet par vos propres moyens, prévoyez un 4x4 en toute saison pour traverser les quebradas. Comme cette route n'apparaît pas bien sur les cartes, guettez bien les panneaux « Bahía Drake Hoteles » et demandez votre chemin à chaque campesino. L'autre moyen, plus sportif, d'accéder à Bahía Drake est de venir à pied depuis Corcovado à marée basse (5 heures au minimum et si vous ne vous perdez pas, aventuriers d'un jour bonjour !). Les déplacements sur place sont un peu plus difficiles. Un semblant de route longe la côte : 4x4 en saison sèche ; rien ou les jambes en saison humide.

NATURE AIR
✆ +506 2299 6000 – www.natureair.com
reservations@natureair.com
Deux vols par jour à 8h20 et 11h30 au départ de San José, compter 40 minutes de vol pour parcourir les 330 kilomètres. Retour à 9h05 et 12h20.

Se loger

Les hôtels sont assez chers à Bahía Drake et vous trouverez les rares établissements bon marché en ville, à Agujitas. On paye en fait l'isolement des lieux car il est nécessaire pour les hôtels de presque tout faire venir par bateau de Sierpe.

Bien et pas cher

CABINAS MANOLO
A l'entrée d'Aguijitas,
non loin des cabinas Jade Mar
✆ +506 8885 9114
✆ +506 8825 4825
www.cabinasmanolo.com
manolobella@gmail.com
Plusieurs chambres de différentes tailles, bien tenues et au mobilier simple. Comptez 15 US$/pers. sans salle de bains et 20 US$/pers. avec salle de bains. Toutes les chambres disposent en revanche d'un ventilateur.
Devant les chambres, petit coin de terrasse avec hamac suspendu pour la sieste, et toute la journée thé et café gratuit en libre service. Accueil enthousiaste. Bonne option.

JADE MAR
À l'entrée d'Agujitas, sur la droite
en remontant la route qui vient de la plage
✆ +506 8384 6681
Fax : +506 2786 7366
A partir de 50 US$/pers. avec 3 bons repas, 30 US$ pour les étudiants qui souhaitent rester un moment. Doña Marta a fait aménager 5 chambres simples, avec salle de bains, ventilateur, hamacs sur le balcon et vue sur le jardin. Son mari Rafa pilote d'une main rassurante le petit bateau pour Corcovado ou Isla del Caño (100 US$ l'expédition, jusqu'à 5 personnes) ou pour Sierpe (15 US$).
Climatisation, salle de bains privative, vue sur la mer, restaurant à la carte et excursions... La famille loue également une petite maison pour 5 personnes. Chaudement recommandé.

Confort ou charme

JINETES DE OSA
✆ +506 2231 5806
✆ +506 8826 9757
Fax : +506 2231 5806
www.jinetesdeosa.com
www.costaricadiving.com
reservations@jinetesdeosa.com
9 chambres (5 standard et 4 supérieur) tout confort. Les prix en saison haute : 77 US$/pers. (standard, sur la base d'1 personne), 66 US$/pers. (standard, 2 personnes), 115 US$ (supérieur, 1 personne), 88 US$/pers.

(supérieur, 2 personnes) et 77 US$/pers. (3 personnes). Si vous êtes en voiture, allez jusqu'au bureau de Corcovado Expeditiones (on peut y garer sa voiture), ensuite longez la plage à pied pendant 5 minutes.
L'hôtel est au bord de l'eau, dans un cadre verdoyant, partagé par quelques singes et Jesucristos bien sympathiques. Il y a un bar ouvert toute la journée et un restaurant pour les clients de l'hôtel. Le Jinetes de Osa est connu pour ses cours de plongée, son Original Canopy Tour (39 US$) et ses promenades à pied ou à cheval sans oublier, bien sûr, l'accompagnement au Corcovado. L'hôtel organise également des sorties plongée et snorkeling – à la Isla del Caño –, des cours PADI avec Costa Rica Adventure Divers. Ce petit lodge est idéal pour visiter le parc national Corcovado, l'Isla del Caño et surtout pour échapper à la vie moderne et artificielle des villes.

MIRADOR LODGE
✆ 214 2711
Fax : 254 0879
www.mirador.co.cr
info@mirador.co.cr
Sur les hauteurs d'Aguijitas, suivre le panneau ! A partir de 48 US$/pers., les taxes et les 3 repas compris.
Si le Jade Mar est complet, dommage ! Voilà une autre bonne possibilité avec un plus : la vue. Belles chambres spacieuses tout en bois. Le Mirador Lodge propose également de loger dans une maison (Bambú Sol) avec cuisine équipée.

Luxe

AGUILA DE OSA INN
En continuant le long de la plage, juste après Jinetes de Osa
✆ +506 2296 2190
www.aguiladeosa.com
info@hotelpelicano.net
13 chambres dont 2 suites en bungalow. Formule forfaits : de 567 US$/pers. (chambre standard, 2 nuits) à 1 287 US$/pers. (chambre standard, 5 nuits) et de 680 US$/pers. (master suite, 2 nuits) à 1 580 US$/pers. (master suite, 5 nuits). Sont compris tous les repas et les transferts.
Très beau site en pleine végétation et au bord de l'eau. Il dispose d'un petit môle avec des lanchas (embarcations), d'une boutique de pêche et de plongée. Du restaurant, superbe vue sur la baie. Il y a un accès Internet et une TV où l'on peut visionner ses films ou ses photos. Il convient bien aux groupes de pêcheurs. Bel accueil.

BAHÍA DRAKE WILDERNESS RESORT
✆ +506 2770 8012
Fax : +506 2770 8012
www.drakebay.com
drakebayresort@gmail.com
22 chambres. Prix en haute saison : formule forfaits à 790 US$/pers. (4 jours-3 nuits, 2 tours), à 985 US$/pers. (5 jours-4 nuits, 3 tours) et à 1 365 US$/pers. (7 jours-6 nuits, 5 tours). Sont compris les taxes, tous les repas et les tours. En basse saison : - 10 %.
Situé à l'extrémité de la baie de Drake, après le río Agujitas, sur la petite avancée dans la mer, dans un cadre magnifique, c'est l'un des plus anciens lodges installés dans le coin. Les chambres sont très confortables et bien équipées (ventilateur). Il est possible de visiter et d'exercer de multiples activités à partir de l'hôtel. Les séjours proposés comprennent souvent l'avion en provenance de San José (+ 258 US$). Leurs tours animés par des guides naturalistes incollables sont très sympathiques (75 US$/pers. pour Corcovado ou Isla del Caño). Les euros sont acceptés.

LA PALOMA LODGE
✆ +506 2293 7502
Fax : +506 2293 0954
www.lapalomalodge.com
info@lapalomalodge.com
4 casitas (petites maisons) et 7 chambres dans un rancho. Formule forfaits. Prix pour 2 personnes : de 1 155 US$ (standard, 3 nuits) à 1 460 US$ (standard, 5 nuits) ; de 1 350 US$ (luxe, 3 nuits) à 1 760 US$ (luxe, 5 nuits), et de 1 470 US$ (chambre coucher de soleil, 3 nuits) à 1 985 US$ (chambre coucher de soleil, 5 nuits). Sont compris tous les repas, tours guidés, transferts depuis Sierpe.
Perché sur la colline, il propose des chambres sur pilotis, des hamacs tendus sur les balcons, un restaurant, un service personnalisé. Vous y trouverez de nombreux oiseaux pas trop farouches, la forêt à vos pieds à perte de vue, la mer infinie et la calme plage de Cocalito en bas de la colline… Si cela ne vous suffisait pas pour trouver la sérénité, prenez des cours de yoga, l'établissement en propose et Katie saura certainement vous convaincre que votre corps a besoin d'être purifié !

Sports – Détente – Loisirs

CORCOVADO EXPEDITIONS
Sur la plage de Bahía Drake
✆ +506 8833 2384 – +506 8818 9962
www.corcovadoexpeditions.net
info@corcovadoexpeditions.net
Ouvert du lundi au samedi de 9h à 11h30 et de 13h à 19h. Le dimanche ouvert de 13h à 18h.
Organise des tours et des activités écologiques, de découverte et d'aventure dans la péninsule d'Osa et Bahía Drake. Tous les tours sont organisés par des guides spécialisés dans l'écotourisme. Sont proposées : observation de dauphins et baleines (85 US$), visite de la mangrove en kayak (95 US$), observation des oiseaux à 45 US$ (2 heures ou demi-journée). Dans leur bureau, on pourra trouver quelques ordinateurs pour se connecter à la toile, au prix de 1 000 colones de l'heure.

RÉSERVE DE MARENCO

L'ancienne station biologique de Marenco, au nord-ouest de Corcovado, est devenue une réserve censée protéger les abords du parc national. En exerçant ce rôle de tampon, elle contribue également à intégrer la population locale à l'effort de préservation en lui donnant l'occasion de travailler à l'entretien des forêts et à l'accueil des visiteurs, chercheurs, étudiants ou touristes.

Transports

A pied par le sentier qui longe la côte (4 km de Bahía Drake), mais la plupart du temps on y vient en bateau par l'intermédiaire de l'hôtel.

Se loger

Un peu après Marenco, à une bonne demi-heure de marche par le sentier qui suit la côte, se trouve San Josecito, une petite plage idyllique et bien aménagée (tables de pique-nique, hamacs, toilettes et douche). C'est en toute logique qu'à proximité immédiate se sont établis bon nombre d'hôtels. Sachez qu'ils sont généralement chers et haut de gamme.

PUNTA MARENCO LODGE
✆ +506 2222 3305
✆ +506 8877 3535
aFax : +506 2222 5852
www.puntamarenco.com
ventas@puntamarencolodge.com
Sur forfaits uniquement : 5 jours-4 nuits 570 US$/pers., 4 jours-3 nuits 500 US$/pers., 3 jours-2 nuits 339 US$/pers. Sont compris tous les repas, taxes, tours (parc national Corcovado, Isla del Caño) et transferts en bateau.
Le logement dans les cabinas ou les bungalows équipés de lits superposés est sommaire. Une bonne occasion d'appréhender la faune et la flore de Corcovado en suivant les 4 km de sentiers aménagés, seul et plongé dans la brochure éducative vendue à Marenco ou accompagné d'un guide naturaliste. On vous conseillera de suivre le río Claro, une petite rivière ponctuée de cascades et de bassins idéaux pour un bain tout à fait mérité.

RÉSERVE BIOLOGIQUE ISLA DEL CAÑO

A 17 km au large de Bahía Drake se trouve l'Isla del Caño, d'environ 330 hectares de verdure et de plus de 2 700 hectares sur l'océan. L'eau est nettement plus claire que le long du littoral et sa température avoisine celle du corps. L'Isla del Caño est le paradis des plongeurs qui passent des heures à batifoler parmi les poissons aux abords des rochers sous-marins et de quelques récifs coralliens où s'abritent de nombreuses variétés de végétaux – dont l'impressionnant concombre de mer – et de poissons tropicaux. Ceux qui ne supportent pas l'eau dans les oreilles peuvent profiter de la plage et des sentiers aménagés à travers la rainforest épaisse. La situation de l'île, à proximité de la côte, permet le développement d'une végétation mixte propre à ce climat tempéré par les brises marines (caoutchouc, figuiers, etc.). Un sentier permet d'atteindre le sommet de l'île, et près de celui-ci vous trouverez plusieurs sphères de granit d'origine précolombienne (voir le chapitre sur le musée national à San José) protégées par la forêt. Leur origine demeure mystérieuse, mais certains avancent qu'elles ont été sculptées par les Borucas pour représenter la terre ou la lune. Le cimetière archéologique est maintenant un peu décevant. Sur l'île peu d'espèces d'animaux en raison de sa petitesse, quelques espèces de végétaux intéressantes comme l'hévéa et l'arbre à lait. Au large de l'île, il n'est pas rare de voir des dauphins et des baleines. L'île est un très bel endroit pour passer la journée, pour plonger. Il n'est pas autorisé d'y camper en raison d'absence de commodités (seule une cabane où logent deux gardes ont des toilettes). L'accès se fait par l'intermédiaire d'un hôtel ou d'un loueur de bateaux de Bahía Drake (17 km, 45 minutes de navigation quelquefois sportive), voir avec Corcovado Expeditions ou les hôtels de Bahía Drake. On peut y aller de Sierpe (± 55 km) ou même du parc national Marino Ballena plus au nord.

PARC NATIONAL CORCOVADO

Couvrant une grande partie de la péninsule d'Osa et, depuis quelque temps, une portion de forêt entre Golfito et le nord du Golfo Dulce sur sa face sud-ouest, le parc national Corcovado protège en tout 54 500 hectares de terre et 2 500 hectares de mer. Il a été créé en 1975 à la suite de l'arrivée en masse de bûcherons et de campesinos dans la région à la recherche de nouvelles terres à défricher. Dans les années 1980, la (re)découverte de gisements aurifères menaça l'équilibre de la forêt. Depuis, les mineurs ont été officiellement expulsés, mais une surveillance constante doit être maintenue. Huit types d'habitat sont reconnus à l'intérieur du parc, entre les plaines marécageuses vers la lagune et les forêts de montagne, ce qui signifie plus de 500 espèces végétales, principalement des arbres. La forêt de Corcovado étant l'une des plus humides du Costa Rica, avec au moins 5 500 mm de pluies aux points les plus élevés, plus de la moitié du territoire est couverte par une forêt tropicale humide de type montagneux et nuageux, composée de chênes et de fougères arborescentes et de forêts marécageuses, inondées une grande partie de l'année. Cette flore d'une extraordinaire richesse permet le développement d'une faune non moins exceptionnelle qui, par bonheur, est largement observable des sentiers. On compte 140 espèces de mammifères – dont le tapir, le paresseux tridactyle ou bien encore les 6 espèces de félins recensées dans le pays –, 367 espèces d'oiseaux, 117 espèces de reptiles ou d'amphibiens, 40 espèces de poissons et pas moins de 6 000 insectes différents dont les redoutés purrajas, sorte de moustiques extrêmement voraces. 4 espèces de tortues marines sont également observables dans la zone de Playa Llorona.

Transports

Jusqu'à l'entrée du parc. Pour se rendre au parc national Corcovado, d'abord atteindre Carate (taxi collectif 7 US$ ou privé 60 US$), puis marcher environ 45 minutes jusqu'à l'entrée de La Leona. Un bus fait également le trajet trois fois par jour : départ de l'arrêt pour San José ou du Supermini El Tigre, 5h, 6h et 13h. Depuis que des ingénieurs nord-américains y ont mis la main, la route est relativement bonne sur une quarantaine de kilomètres (hors saison des pluies), jusqu'à Carate, au sud de la péninsule, juste avant le parc. On peut préférer prendre le bus pour La Palma (de 5h à 14h) et marcher une demi-heure le long de la rivière jusqu'à Los Patos. Les bons mollets choisiront San Pedrillo (6 heures de marche le long de la plage) s'ils n'ont pas le temps d'attendre le taxi collectif. La Sirena (poste de recherche biologique) est seulement accessible par bateau au départ de Bahía Drake. Si l'on se trouve de l'autre côté de la péninsule, à l'ouest, c'est par bateau ou à pied (compter de 2 à 3 heures entre Marenco et San Pedrillo au nord du parc) que l'on arrive à Corcovado.

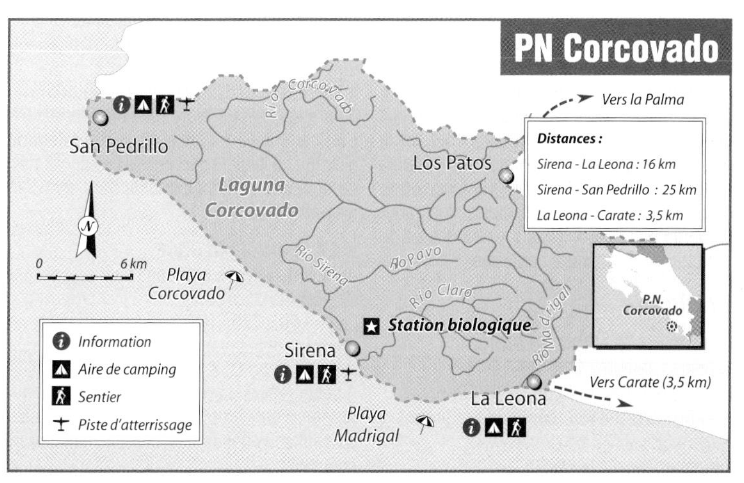

Entrées du parc. On peut entrer dans le parc à plusieurs endroits et de là emprunter différents sentiers bien aménagés. Au départ de Marenco, on suit la côte pour arriver une heure après à San Pedrillo (à 10 km de Bahía Drake) où se trouve le poste de gardien. De là, il faut compter de 8 à 10 heures pour atteindre le poste de recherche biologique La Sirena, distant de 23 km (c'est loin !), en passant par des plages superbes, le long d'une forêt tropicale dense. Au début, le sentier est assez escarpé avant de descendre vers la mer. Au spassage, petit arrêt au niveau de Playa Llorona et de la magnifique chute d'eau qui tombe directement sur la plage. En suivant la rivière, on arrive à un petit bassin où il est possible de nager. Vous devez traverser la rivière sur la plage de Llorona en vous dirigeant vers le sud. Deux ou trois heures plus tard, il faut franchir à gué le río Corcovado. Ces rivières, y compris le río Sirena, gonflent énormément durant la saison des pluies et il faut quelquefois remonter un peu en amont pour trouver un gué franchissable. Comme partout dans le parc, la faune est omniprésente. Vous serez embêté par les terribles moustiques qui ne vous lâcheront pas, prévoyez un puissant répulsif. A partir du sud, on arrive à Carate par voie de terre (la route est bonne, un taxi collectif quitte chaque matin Puerto Jiménez à 6h) ou par air. Le poste de La Leona n'est qu'à 45 min de marche. Puis comptez 5 heures pour La Sirena (16 km), à condition de partir à marée basse parce que les rochers et l'eau peuvent rendre le trajet beaucoup moins agréable. A certains endroits, des sentiers partent des plages pour se faufiler entre les arbres en contournant les pointes rocheuses. Profitez-en pour changer d'environnement et vous rapprocher de la faune qui ne fréquente pas forcément la plage de sable blanc. A l'est, une mauvaise route peu fréquentée relie La Palma (plusieurs bus quotidiens au départ de Puerto Jiménez, entre 4h et 14h) au lieu-dit Los Patos (30 minutes de marche). De là, un sentier s'enfonce entre les collines couvertes d'une épaisse forêt pour longer la lagune Corcovado, à 6-8 heures de marche, pour atteindre La Sirena.

Pratique

ADMINISTRATION DU PARC
A Puerto Jiménez tout près de la
Banco Nacional ✆ +506 2735 5036
✆ +506 2233 4160 (poste de La Sirena)
Fax : +506 2735 5572
Entrée du parc : 10 US$.

Il est conseillé de les appeler, non seulement pour les prévenir de votre séjour à l'intérieur du parc, mais aussi pour prévoir avec eux votre mode d'hébergement à La Sirena ou à La Leona où vous pourrez également camper pour moins de 5 US$ (espaces aménagés et sanitaires prévus, pour les repas prévenir à l'avance) ou être hébergés dans la réserve biologique à condition qu'il y ait encore de la place moyennant 10 US$ et 20 US$ pour un repas.

Se loger

Dans les cas les plus rustiques, apportez votre tente à Corcovado, c'est le meilleur moyen de vous protéger des moustiques, des taons et des purrajas, de petits moustiques agressifs et voraces.

CASA CORCOVADO JUNGLE LODGE
Quasiment à l'entrée
du parc national du même nom
✆ +506 2256 3181 – Fax : + 506256 8825
www.casacorcovado.com
corcovdo@racsa.co.cr
Complexe de toute beauté en pleine nature pour lequel il faut compter au minimum 300 US$ la nuit. Mais cela vaut la peine.
A l'entrée du parc national, cet établissement dispose de sa plage privée baignée de beaux rochers en lisière de la forêt, de sentiers aménagés, de cascades, d'un restaurant quasi gastronomique tant les mariages de saveur sont de qualité, d'un bar spécial pour admirer le coucher de soleil dans l'océan, et de très beaux bungalows dispersés sur un parc d'une vingtaine d'hectares. Chacun d'eux dispose de tout le confort : minibar, ventilateur de plafond, moustiquaire, salle de bains, dont deux ayant une salle de douche d'extérieur. Egalement piscine, salle de jeux, hamac et nombreuses activités proposés (snorkeling, équitation, pêche récréative ou sportive...). L'un des meilleurs choix de cette catégorie d'autant qu'il fait la part belle à l'écologie avec de nombreux aménagements pour recycler, trier et réutiliser !

LA LEONA ECOLODGE
Au sud du parc, à La Leona
✆ +506 2735 5705
Fax : +506 2735 5704
www.laleonaecolodge.com
A partir de 60 US$/pers., repas compris.
A la hauteur de la plage de La Leona (ce qui permet d'être au plus près du parc), hébergement sous des tentes-cabanes au confort sommaire.

LOOK OUT INN
1 km avant Carate
✆ +506 2735 5431
Fax : +506 2735 5431
www.lookout-inn.com
info@lookout-inn.com
Très jolies cabinas, un tiki (magnifique cabane dans les arbres toute ouverte) et une maison. 125 US$/pers. (tiki), 135 US$/pers. (chambre), 140 US$/pers. (cabina) et 150 US$/pers. La maison (occupation double pour les chambres), tous les repas compris, les boissons restent à votre charge.
Dispose de chambres spacieuses avec peintures animalières, ventilateurs, hamacs, piscine, restaurant organique et TV par satellite pour calmer les angoissés.

OLD GOLD MINING CAMP
Carate, au bout de la route
✆ +506 2225 9960
Chambres et emplacement de camping.
On a failli croire que le séjour dans le coin n'était réservé qu'aux poches bien pleines... Hébergement simple et accueil familial.

PUERTO JIMÉNEZ

Cette petite ville – la seule digne de ce nom dans la péninsule d'Osa – a connu sa plus grande période de développement après la découverte de filons d'or dans la région. Les mineurs et les commerçants ont afflué vers ce petit centre, à présent facilement accessible. Le mouvement de population a décru, les infrastructures sont restées. Le tourisme s'est suffisamment développé pour maintenant faire partie des projets de développement des 4 000 habitants, qui se souviennent, peut-être, qu'ils vivent sur une côte longtemps maudite. En effet, Puerto Jiménez aurait été fondé par un groupe de prisonniers envoyés ici avec ordre de ne jamais remettre les pieds sur ce que l'on appelle le continent. On parle encore de gens devenus fous sous ce climat... Aujourd'hui, c'est aussi le principal point d'entrée du parc national Corcovado, du moins pour les entrées de La Leona et de Los Patos.

Transports

Bus. Un bus part de San José tous les jours à 12h (c14, a9/11✆ 2771 4121). Retour à 5h, tous les jours. Le voyage dure environ 8 heures. De Ciudad Neily, les bus partent à 6h et 14h (✆ 2783 4293). Retour à 5h30 et 14h. Durée : 4 heures.

Voiture. En voiture, prenez la route vers le sud à la hauteur de Chacarita (repérable par une station-service ouverte 24h/24), avant ou après Palmar selon que vous arrivez du sud ou du nord. La route est un peu difficile et mieux vaut avoir un 4x4. Ce sont 45 km de route revêtue jusqu'à Rincón (embranchement pour Bahía Drake), puis 30 km de graviers jusqu'à Puerto Jiménez.

Bateau. De Golfito, il faut prendre le ferry (✆ 2735 5017 – 3 000 colones, durée 1 heure 30) à Muellecito à 6h et 10h, mais renseignez-vous sur ce service qui a déjà subi pas mal d'interruptions. Plus sûrs, les bateaux-taxis fonctionnent à la demande (✆ 2775 0712) à partir du quai Muelle Bananero, au nord, en face du bâtiment de l'ICE.

NATURE AIR
✆ +506 2735 5062
✆ +506 2299 6000
www.natureair.com
reservations@natureair.com
4 vols par jour au départ de San José à 6h, 8h30, 11h et 15h15. Compter 40 minutes de vol pour parcourir les 165 kilomètres. Retour à 7h, 9h30, 12h et 16h15. Autre vol direct pour Bocas del Toro, 5 fois par semaine en haute saison décollage à 13h40, arrivée à 15h10.

SANSA
✆ +506 2221 9414
✆ +506 2735 5062
www.flysansa.com

Pratique

BUREAU D'INFORMATION DE CORCOVADO
A côté de la Banco Nacional dans le centre
✆ +506 2735 5036 – +506 2735 5508
✆ +506 2735 5282
Il est très actif et participe au développement du sud de la péninsule, fort sensible au nouvel essor touristique. Ses agents vous fourniront de très bonnes informations.

Se loger

Si vous désirez passer une nuit ou plus à Puerto Jiménez, n'oubliez pas de vous y prendre à l'avance. Pendant les vacances de Pâques et les week-ends de la saison sèche (de février à avril), les hôtels sont pris d'assaut. Dans la catégorie « petit budget » vous disposez d'un grand choix.

CABINAS BOSQUE MAR
Centre de Puerto Jiménez
✆ +506 2735 5681
Fax : +506 2735 5681
A partir de 35 US$ la chambre double.
Chambres propres et bien situées.

CABINAS JIMENEZ
Centre de Puerto Jiménez
✆ +506 2735 5090
Fax : +506 2735 5152
www.cabinasjimenez.com
info@cabinasjimenez.com
Elles sont situées à l'entrée de Puerto Jiménez, au bord du Golfo Dulce, les pieds dans l'eau. 10 chambres avec tout le confort, air conditionné ou ventilateur, terrasse et wi-fi. 70 US$ (chambre standard, 2 pers.), 90 US$ (chambre luxe, 2 pers.), 110 US$ (cabine, 2 pers.), 15 US$ par personne supplémentaire, petit déjeuner compris, demi-tarif pour les enfants de moins de 7 ans. Parking privé.
Le site est très tranquille avec vue romantique le soir sur le golfe. Ces très belles cabines très propres – tenues par un couple d'Américains – vous enchanteront. Accueil très sympathique de Cristall. Un petit hôtel à recommander.

IGUANA LODGE
Playa Tamales/Platanares,
à 6 km de Puerto Jiménez
✆ +506 8848 0752 – +506 8829 5865
Fax : +506 2735 5436
www.iguanalodge.com
info@iguanalodge.com
En haute saison : 165 US$/pers. (sur la base de 2 pers., 2 repas), 135 US$/pers. (avec vue sur l'océan, 2 pers., 2 repas).
Chambres confortables, bon restaurant sur la plage, l'hôtel se présente comme « rustique luxueux »...

Se restaurer

En dehors des multiples sodas dans la rue principale de Puerto Jiménez, vous trouverez finalement peu de bonnes tables à Puerto Jimenez.

JADE LUNA
Au sud du village
A 5 minutes du centre,
sur la route longeant le golfe
✆ +506 2735 5739
Ouvert du lundi au samedi de 17h à 21h. Compter 25 US$ pour un repas.
Dans un beau cadre tranquille, ouvert sur l'extérieur, bien ventilé, ce restaurant tenu par Barbara, une Américaine, qui est aussi à la cuisine saura vous séduire. De très bonnes salades, des poissons (pour les amateurs : essayez le pargo grillé au beurre aromatisé d'herbes et de chile, un délice !) et des viandes (porc grillé à l'anis, poivre noir et café). Tous les produits sont frais et du pays. Les desserts ne sont pas en reste, avec notamment la feuille de biscuit avec crème glacée au coco ou à la banane nappée de chocolat noir ou blanc. Le cadre, le soir, est très romantique et l'ambiance très conviviale. C'est le meilleur restaurant de la région. Incontournable.

Visites guidées

OSA AVENTURA
✆ +506 2735 5670
www.osaaventura.com
info@osaaventura.com
Propose également des tours dans la péninsule : plongée, observation des oiseaux, recherche « pour rire » de l'or, Isla del Caño et rencontres animalières plus qu'intéressantes.

DOS BRAZOS

C'est un village légendaire où tous les chercheurs d'or entamaient leur périple le long du río Tigre pour aller fouiller le lit de la rivière ou percer des tunnels à la recherche de l'or. A l'époque de la fièvre de l'or, le village était fort vivant. L'ouverture du parc a transformé les orpailleurs en guides touristiques. Si l'activité qui y règne n'est plus aussi intense, l'atmosphère, l'éloignement et la gentillesse de ses habitants laissent un bon souvenir.

Transports

Pour s'y rendre, il faut bifurquer à droite avant d'arriver à Puerto Jiménez et suivre un chemin de terre jusqu'à Dos Brazos.

Se loger

BOSQUE DEL RÍO TIGRE LODGE
Dos Brazos
✆ +506 2735 5725 – +506 8705 3729
Fax : +506 2735 5045
www.osaadventures.com
info@bosquedelriotigre.com
A partir de 135 US$ par pers., en pension complète, taxes comprises.
Dans une petite réserve privée de 12 hectares tenue par deux biologistes, possibilité de découvrir les environs et d'en apprendre le plus possible sur la faune de Corcovado.

COSTIÈRE DU PACIFIQUE CENTRAL

Vente de produits et souvenirs sur la plage de Manuel Antonio.

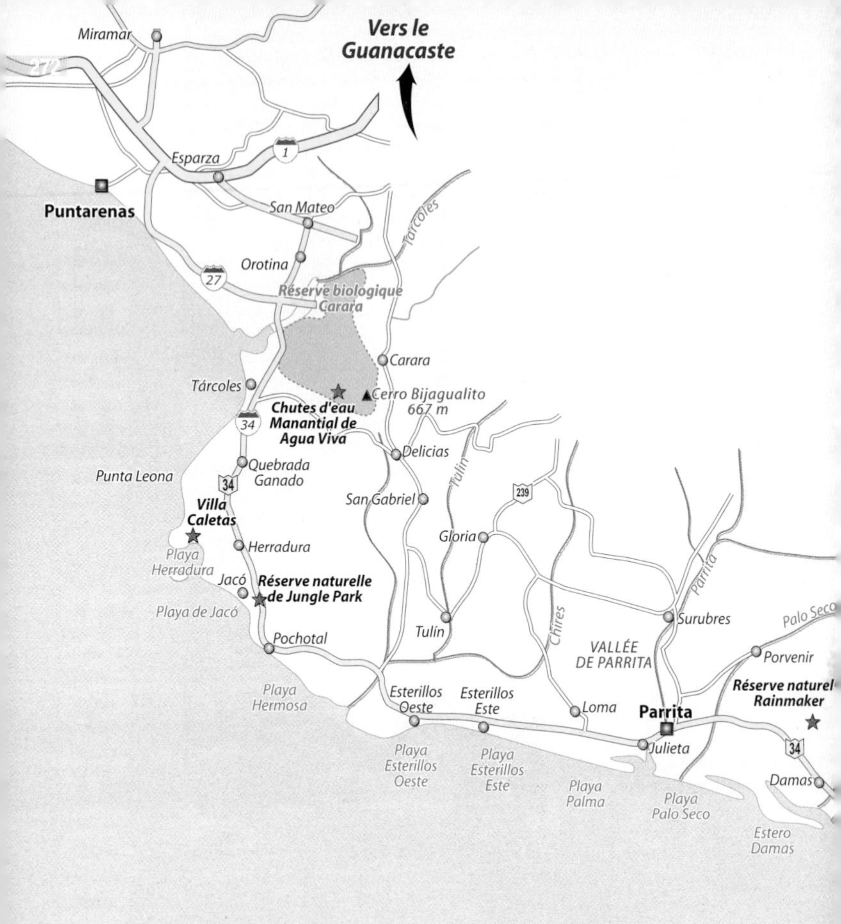

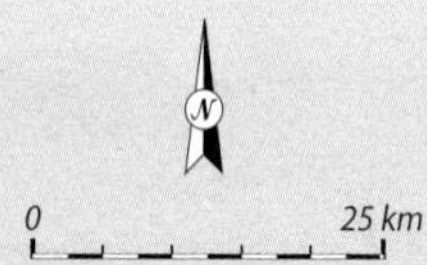

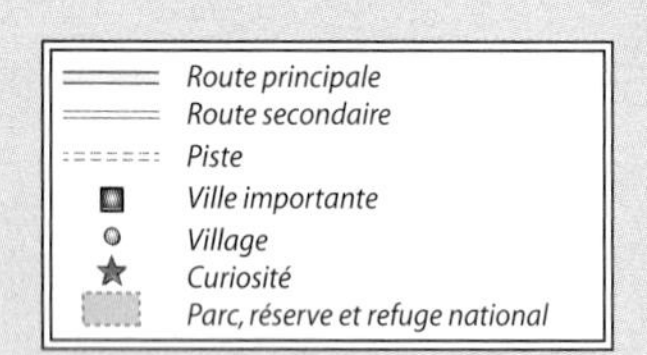

Costière du Pacifique central

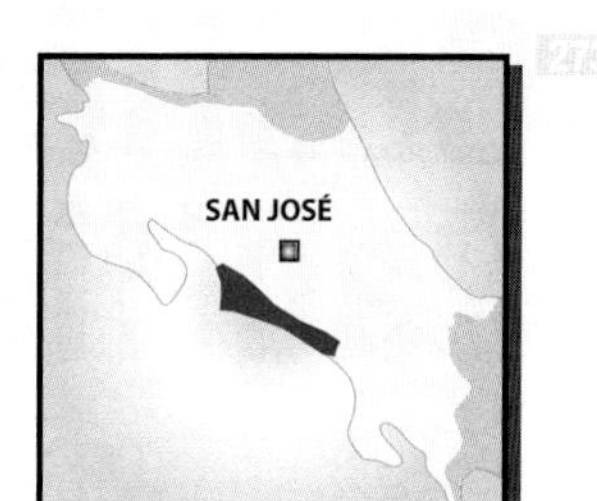
SAN JOSÉ

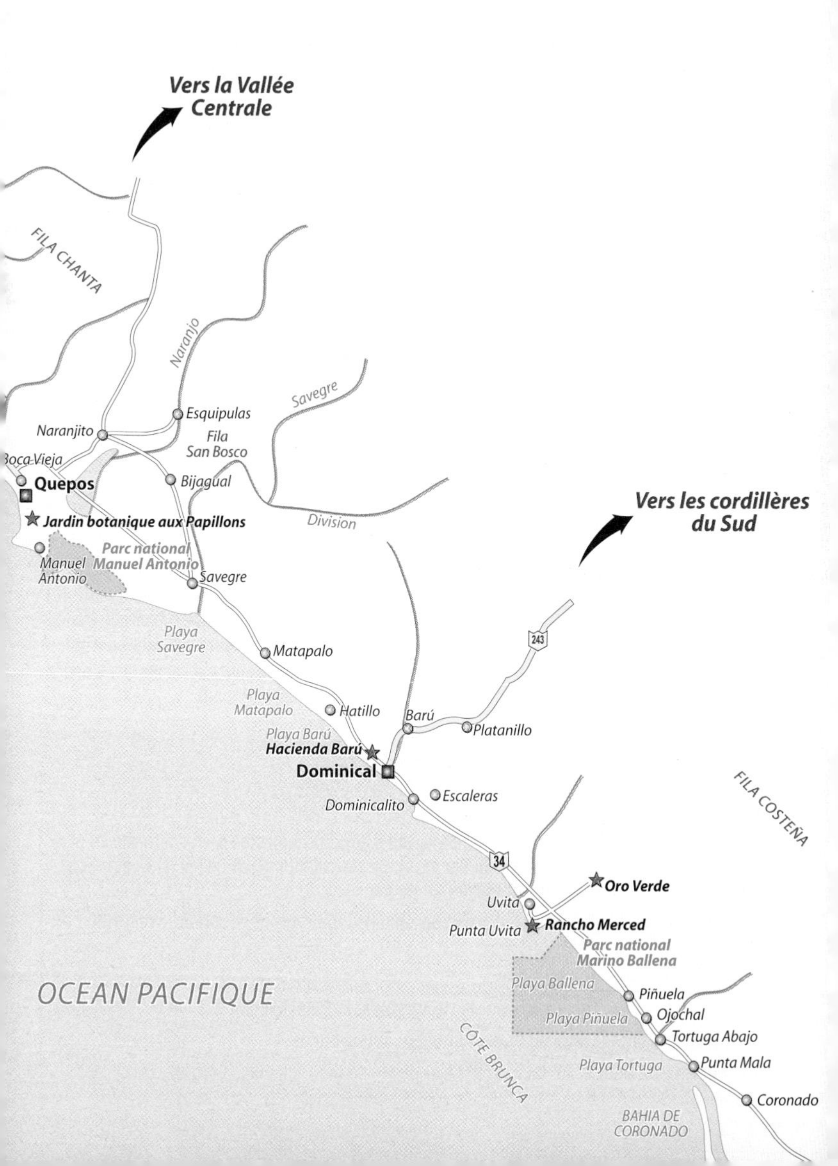
Vers la Vallée Centrale
Vers les cordillères du Sud
FILA CHANTA
Naranjo
Savegre
Esquipulas
Naranjito
Fila San Bosco
Boca Vieja
Quepos
Bijagual
Jardin botanique aux Papillons
Division
Parc national Manuel Antonio
Manuel Antonio
Savegre
Playa Savegre
Matapalo
243
Playa Matapalo
Hatillo
Barú
Platanillo
Playa Barú
Hacienda Barú
Dominical
Escaleras
Dominicalito
FILA COSTEÑA
34
Oro Verde
Uvita
Punta Uvita
Rancho Merced
Parc national Marino Ballena
Playa Ballena
OCEAN PACIFIQUE
Piñuela
Playa Piñuela
Ojochal
Tortuga Abajo
CÔTE BRUNCA
Playa Tortuga
Punta Mala
Coronado
BAHIA DE CORONADO

Costière du Pacifique central

Dénommée la costière du Pacifique central, c'est la région qui s'étend de Puntarenas au nord-ouest, jusqu'au parc national de Marino Ballena au sud-est et bordée par l'océan et les cordillères parallèles à l'océan. C'est une région maritime cohérente, fortement influencée par le Pacifique. Cette étroite bande de sable, pressée par la forêt tropicale, battue par les rouleaux de l'océan est une des régions les plus prisées des touristes. En son centre, l'incontournable parc national Manuel Antonio, entouré par une cinquantaine d'hôtels de bon et grand standing, est le joyau de cette costière. Les routes entre Puntarenas et Jacó (compter de 1 heure à 1 heure 15) et entre Jacó et Quepos sont en très bon état, et même s'il y a quelques ponts à voie unique qui ralentissent le trafic entre Jacó et Quepos, les 65 km se font en 1 heure 15. Ce n'est pas le même cas pour la route de Dominical à Quepos qui n'est pas encore revêtue. Elle est de terre et de pierres avec les éternels nids-de-poule et dans un état lamentable. Il faut bien compter 2 heures pour faire les 44 km. De Dominical vers le sud, la récente route Costanera est un véritable billard, et ce jusqu'à sa connexion avec l'Interamericana. Côté climat, il fait plutôt assez chaud dans la costière du Pacifique central, en moyenne de 30 à 34 °C pendant la saison sèche (de décembre à avril) et de 24 à 27 °C de mai à novembre.

LE SUD DE LA COSTIÈRE

C'est certainement l'une des plus belles régions du Costa Rica en raison des superbes parcs nationaux qui s'y trouvent. Le parc Marino Ballena mais surtout le célèbre parc Manuel Antonio sont de véritables merveilles naturelles de cette zone. Très prisée par les surfeurs chevronnés, cette partie du Costa Rica est aussi un trésor de bons spots. Sans oublier, les amateurs de baignade qui viennent se dorer la pilule sur les plage de Jacó ou Manuel Antonio... En conséquence, sachez que vous ne serez pas les seuls à visiter cette région, particulièrement en haute saison. Pensez donc à réserver vos hôtels au plus tôt afin d'avoir les meilleurs prix.

OJOCHAL

A une quinzaine de kilomètres au sud de Dominical, après Uvita. Vous aurez peut-être entendu parler de ce village (un village franco-canadien assez récent) par des opérateurs touristiques de la côte qui viennent s'y approvisionner en *pan francés*.

Les immanquables de la costière du Pacifique central

- **Visiter** le parc national Manuel Antonio (un incontournable des parcs naturels, le plus visité du Costa Rica) et se prélasser sur les plages du parc (les plus belles du Costa Rica) : Playa Espadillas Sur et surtout Playas Gemelas.
- **Assister** à un *atardecer* (coucher de soleil) depuis un bar-restaurant (17h30) de Manuel Antonio.
- **Visiter** le parc national Carara.
- **Faire** un tour « crocodiles » sur le río Tarcoles. Impressionnant !
- **Faire** une petite visite au Pueblo Antiguo, à Villa Lapas.
- **Surfer** à Dominical, à Jacó ou à Playa Hermosa pour les plus sportifs.

Paysage de la côte pacifique.

Transports

Pour s'y rendre, prendre le bus jusqu'à Cortès, puis le taxi (25 US$).

Se loger

HACIENDA DE LOS SUEÑOS

Rue Papagayo
✆ +506 2786 5051
http://haciendasuenos.com
info@haciendasuenos.com
55 US$ la cabina pour 2 personnes et 50 à partir de 7 jours de réservation. Piscine et restaurant.
Des bungalows agréables (certains avec coin cuisine) dans un beau jardin tropical. Les propriétaires sont québécois et particulièrement accueillants.

EL JARDIN TORTUGA

Ojochal, Playa Tortuga ✆ +506 2786 5059
www.theturtlesgarden.com
theturtlegarden@yahoo.com
3 cabinas ticas chacune avec 1 lit double et 3 lits individuels, avec ventilateur, hamac. 50 US$ (2 pers.), 10 US$ par personne supplémentaire. A la semaine : 150 US$ (1 pers.) et 300 US$ (2 pers.). Possibilité de faire du camping : 4 US$/pers. Restaurant avec four à bois.
Agréables chambres de style rancho dans de jolis jardins.

Se restaurer

RESTAURANT EXOTICA

Route principale d'Ojochal, à 9 km au sud d'Uvita ✆ +506 2786 5050
Ouvert seulement le soir. Fermé le dimanche. Compter 20 US$ le repas.
Cuisine franco-caraïbéenne légère, mais délicieuse.

PARC NATIONAL MARINO BALLENA

A 187 km au sud de San José (via San Isidro et Punta Uvita ou par la Costanera via Dominical), un parc de 50 hectares terrestres, 4 500 hectares marins en mer. Vous trouverez une pension près du parc, sinon un logement à San Isidro, à Quepos ou à Dominical, à 18 km au nord. Pas de sentiers balisés. Dans la baie de Coronado, au sud de Dominical (province de Puntarenas), ce parc récent (1989) protège des plages, des falaises, des îles et des récifs rocheux. Au large de la côte, le récif de corail poreux représente une zone importante d'habitat et de reproduction de la faune marine. C'est aussi l'un des sites les plus méridionaux pour la reproduction de la baleine jorobada (*Megaptera novaeangliae*) qu'on peut y apercevoir presque toute l'année. Autre curiosité : le parc abrite six espèces de mangrove dont une très rare.

Lors de votre visite, préférez la première entrée qui est assez discrète sur votre droite en venant de Dominical, à la hauteur de Bahía : elle est gérée par les habitants du village proche et les revenus sont entièrement redistribués à la communauté au sein de l'association Asoparque. Les gardiens sont fiers de leur responsabilité et ne savent quoi faire pour vous être agréables – demandez-leur la photo aérienne du parc et vous comprendrez l'origine de son nom. A l'intérieur du parc, profitez de la marée basse pour traverser la rivière et rejoindre le tombolo (avancée de sable). Près de l'entrée du parc, location de bateaux et de masques de plongée. Possibilité de camper sur place. Côté climat, le parc reçoit en moyenne 2 700 mm de précipitations chaque année et il y fait en moyenne 27,5 °C.

POSTE DE GARDES FORESTIERS – INFORMATIONS
✆ +506 2786 5392
✆ +506 2775 2110/2620
Ouvert du lever du soleil au crépuscule. Entrée 6 US$. Le poste de gardes forestiers se trouve à l'entrée du parc. C'est là qu'il faut payer son ticket d'entrée. On peut aussi y récupérer des cartes.

RÉSERVE HACIENDA BARU
Peu avant Dominical sur la gauche en arrivant de Quepos
✆ +506 2787 0003
Fax : +506 2787 0057
www.haciendabaru.com
info@haciendabaru.com
Ouvert tous les jours du lever du soleil au crépuscule. Entrée : 6 US$. Le refuge national de vie sylvestre Hacienda Barú conserve 330 ha d'habitats naturels, forêt pluvieuse et mangrove, ainsi que les espèces animales qui y vivent. On y trouve un mariposario (ferme à papillons) et un jardin d'orchidée.

PUNTA UVITA

A 17 km au sud de Dominical, toujours sur la Costanera Sur, la petite ville est encore dans l'ombre de sa grande sœur. Mais quand on voit le charme de ses plages et des alentours... On est tout de même sacrément impressionné ! C'est aussi un bon point de chute si on souhaite visiter le parc national Marino Ballena qui est juste à côté.

Transports

- **Bus.** De San José, des bus partent à 6h et 15h (Terminal Coca-Cola – a3, c16 ✆ 2223 5567) pour Uvita. Retours à 5h et 13h. Durée : 6 heures. De San Isidro del General, départs du Terminal Musoc (✆ 2771 4744) à 9h et 16h. Retours à 6h et 13h45. Durée : 2 heures. De Ciudad Cortés, un bus par jour à 5h à l'aller et 5h30 au retour (durée : 45 minutes).

Se loger

Ici, les chambres sont peu onéreuses et les établissements touristiques plutôt bien situés.

Bien et pas cher

CABINAS EL COCO TICO
✆ +506 2743 8032 – 389 0370
Fax : +506 2743 8174

40 US$ la chambre double, emplacement de camping : 5 US$. Dans une petite réserve privée. Confort sommaire.

Confort ou charme

CRISTAL BALLENA****

A 7 km au sud de Uvita ✆ +506 2786 5354
Fax : +506 2786 5355
www.cristal-ballena.com
info@cristal-ballena.com
19 suites et 4 chambres. De 79 à 105 US$ la chambre, de 165 à 219 US$ la junior suite et de 219 à 270 US$ la master suite ou suite famille, avec le petit déjeuner buffet top niveau. De 15 à 30 US$ par personne supplémentaire selon la chambre, taxes non incluses. Restaurant, piscine.
Ce bel hôtel peut s'enorgueillir de posséder les 4 feuilles du label CST pour le tourisme écologique. Situé dans un très beau cadre (12 hectares de jardin) sur une colline entre l'océan et la forêt tropicale. Vous êtes à proximité du parc national Marino Ballena. Chaque chambre donne sur l'océan. Un spa dans le parc propose des traitements aux arômes naturels. Salon de beauté, terrasse privée avec vue imprenable sur le Pacifique, hammam et Jacuzzi. Andreas, le fils du propriétaire, est un artiste peintre freelance très talentueux qui parle un peu le français. Hôtel avec beaucoup de charme, à recommander.

MAR Y SELVA ECOLODGE

A 30 km au sud de Dominical
A partir du km 170 de la région côtière
En direction du sud sur la route
✆ +506 2786 5670
✆ +506 8340 5132
Fax : +506 2786 5671
www.maryselva.com
info@maryselva.com
Bungalows jusqu'à deux personnes de 85 à 112 US$ et de 95 à 122 US$ avec le lit king size. 2 chambres peuvent s'unir grâce à une porte pour intégrer 4 personnes dans la même structure tout en gardant son indépendance. 10 bungalows très bien équipés, un bungalow étudié et homologué pour les fauteuils roulants.
Un hôtel écologique de montagne près des huits plages de la zone comme le souligne le slogan. Et ce n'est pas faux, nous avons été stupéfait par cet établissement original, préservé entre jungle et mer. Une base en pleine nature pour visiter Playa Ballena, Tortuga, Ventanas, etc. jusqu'à Dominical. Si vous avez de la chance, essayez d'obtenir une chambre située en bordure de nature pour profiter pleinement des singes. Le lobby est une pure merveille, style minimaliste et tropical, la vue est magique. Martha et son mari les créateurs de ce petit paradis sont francophones, ils estiment qu' « une piscine c'est fait pour nager » d'où un bassin officiel de 25 m. A disposition tapis pour le yoga, VTT et kayak (25 US$ par jour) de mer SVP ! Service de transport à San José, San Isidro, Dominical, Punta Uvita et Palmar Norte pour rejoindre Corcovado.

DOMINICAL

A 45 km de Quepos, sur la Costanera Sur, Dominical est une première étape vers le bout du monde, plus vierge et plus sauvage que Manuel Antonio. Le paysage fantastique et le parc national Marino Ballena, tout proche, attirent les touristes, mais ce sont surtout les Nord-Américains venus dans le cadre d'un programme gouvernemental de reforestation qui ont contribué au développement de la région en organisant des séjours « nature ». Les surfeurs connaissent bien le spot de Dominical. Mais, attention, comme toute plage de surf, celle-ci, pourtant magnifique, se montre dangereuse envers les baigneurs (éviter absolument l'embouchure de la rivière Barú au nord de la plage). A une petite demi-heure de là, on peut en revanche trouver de superbes petites criques désertes et propres à la baignade. Lors de randonnées équestres fortement recommandées, vous pourrez admirer quelques-unes des plus belles cataratas du Costa Rica, dont les plus connues sont Salto Diamante et Nauyaca.

Transports

Comment y accéder et en partir

▸ **Bus.** Au départ de San José (Terminal Coca-Cola – a3, c16 ✆ 2223 5567) à 6h et 15h (7 heures de trajet) Plus rapide : au départ de San Isidro del General à 9h et 16h (pour Uvita). Durée 2 heures. Retour d'Uvita à 6h et 13h45. De Dominical pour se rendre à Uvita, comptez une bonne demi-heure de trajet. Bus 4h45, 10h30 et 15h. Il continue jusqu'à Palmar Norte en faisant halte à Palmar Sur.

▸ **Voiture.** On arrive soit par la Costanera Sur qui devient très belle après Dominical soit par la montagne via San Isidro del General à 35 km de Dominical (une portion de la route est en piteux état).

Pratique

Argent

■ **BANCO DE COSTA RICA**
Ouvert du lundi au vendredi de 8h à 16h.
Distributeur 24h/24.

Postes et télécom

Il n'y a pas de poste, mais vous pouvez mettre vos enveloppes timbrées et acheter les timbres si vous n'en avez pas au supermarché Arena y Sol.

Internet

■ **ARENA Y SOL**
Face au bâtiment de l'ICE
Ouvert de 10h à 22h. 1 000 colones de l'heure.
Wi-fi et plusieurs ordinateurs avec une bonne connexion Internet.

Se loger

En plus de la possibilité de camper sur la plage ou dans les alentours, il y a l'embarras du choix pour trouver un bout de matelas. Dans la rue principale, vous trouverez des cabinas propres et confortables pour moins de 25 US$, et peut-être moins hors saison ou en négociant. Pour ceux qui seraient vraiment sans le sou, il est possible de camper « sauvagement » dans tous les sens du terme parce qu'il n'y a ni

Dominical, bungalow avec terrasse des Villas Rio Mar.

douche ni toilettes, seulement un robinet d'eau froide au bout de la route en direction de la rivière. Là, vous pouvez séjourner gratuitement et légalement au maximum trois jours. Seul hic, si vous n'avez pas de voiture, il faudra sans cesse surveiller vos effets personnels ! D'autres hôtels jalonnent la route qui mène à Uvita, à 17 km au sud de Dominical... Au lieu-dit Las Escaleras, quelques propriétaires ont osé défier le relief pour ouvrir les portes de leurs établissements.

Bien et pas cher

CABINAS SAN CLEMENTE

Juste en face du spot ✆ +506 2787 0026
Fax : +506 2787 0158
Simples à des tarifs « surf », c'est-à-dire entre 25 et 35 US$ la nuit selon le choix que vous ferez entre ventilateur et air conditionné. Pour les plus petits budgets, dortoir à 10 US$. Location de planches et laverie.
Une bonne affaire pour les surfeurs qui ont un petit budget. Le patron possède un restaurant mexicain avec billard, vidéo et ambiance planche.

CAMPING ET HOSTEL ANTORCHAS

✆ +506 2787 037 – +506 2771 0459
www.campingantorchas.net
Chambres en dortoir et location de tentes. Compter 10 US$ pour camper et 15 US$ pour partager l'une des chambres les plus économiques de type dortoir, et 20 US$ pour n'être que 4 au maximum. A quelques pas de la plage. Wi-fi gratuit.
Souvent complet, il vaut mieux penser à réserver. L'endroit est cependant bien tenu, propre, et le personnel est plutôt accueillant. C'est l'un des repaires des surfers de Dominical et des fêtards en tous genres. Une épicerie jouxte l'établissement, et c'est bien pratique puisqu'une grande cuisine assez bien équipée permet de se mitonner des petits plats et de faire de nombreuses rencontres.

Confort ou charme

CUNA DEL ANGEL

Puertocito à 9 km au sud de Dominical
✆ +506 2787 8012 – +506 2787 8015
Fax : +506 2787 8015
www.cunadelangel.com
info@cunadelangel.com
Membre du label « Small Distinctive Hotels of Costa Rica », évaluée 4-étoiles (feuilles) par le label CST (certificat de tourisme durable). Pour les chambres Jungle Room et Standard Supérieur : de 89 à 109 US$ en simple et double, 99 à 131 US$ en triple selon la saison. Pour les chambres Angel Deluxe : de 151 à 192 US$ la simple, 161 à 201 US$ en double et de 181 à 211 US$ si vous êtes trois. Les taxes et le petit déjeuner buffet sont compris. Possibilité de louer une villa de 2 à 4 personnes au maximum. Restaurant, piscine, spa.
L'hôtel est de style colonial tropical. Propreté, raffinement et qualité du service sont à l'honneur. Les chambres, spacieuses (30 m²) et très bien décorées donnent sur la piscine à débordement, un pur moment de bonheur après une journée à la plage. Les repas se prennent sur une terrasse élevée très agréable, autour de la piscine ou dans votre chambre. La cuisine et la carte des vins sont largement à la hauteur d'une très bonne table au Costa Rica. Les singes, toucans et paresseux s'y sentent bien alors pourquoi pas vous ? Nombreuses activités (surf, pêche au gros en mer, nature...). Le propriétaire polyglotte parle très bien le français. Le spa et le salon Cuna's Beauty sont parfaits pour se détendre et se refaire une beauté avant d'aller danser en ville. Du luxe à un prix raisonnable.

DIUWAK
Parallèle à la rue principale
à 50 m de la plage ✆ +506 2787 0087
Fax : +506 2787 0089
www.diuwak.com
reservaciones@diuwak.com
Plusieurs types de logement : 8 cabinas standard, 4 cabinas supérieures (maximum 5 pers.), 4 suites en bungalows avec coin cuisine et 2 bungalows famille (maximum 8 pers.). 75 US$ (cabinas, ventilateur), 80 US$ (cabinas, air conditionné), 90 US$ (cabinas de luxe, 5 pers.), 110 US$ (bungalow, 5 pers.), 140 US$ (suite, 4 pers.), 12 US$ par personne supplémentaire, taxes non incluses. En basse saison, respectivement : 70 US$, 65 US$, 80 US$, 100 US$ et 130 US$. Pour le bungalow famille, il faut se renseigner.
L'hôtel offre des chambres confortables, climatisées ou équipées d'un ventilateur de plafond, un restaurant le Tulu, une piscine extérieure et son bar. Ce complexe touristique géré par le président de l'association des hôteliers de la Costa Ballena propose tout un tas de services dont des informations touristiques précieuses et un petit supermarché.

HACIENDA BARÚ
Peu avant Dominical sur la gauche
en arrivant de Quepos ✆ +506 2787 0003
Fax : +506 2787 0057
www.haciendabaru.com
info@haciendabaru.com
Des cabines très bien tenues avec ventilateur, kitchenette équipée, frigo. Les prix commencent à partir de 40 US$ ou 50 US$ (2 pers.), jusqu'à 70 US$, 10 US$ par personne supplémentaire et 3 US$ la nuit pour les moins de 11 ans. Taxes et petit déjeuner compris ! Le restaurant propose des menus costaricains préparés à base de poisson ou de poulet (à partir de 5 US$ le plat). Flor qui est française vous reçoit avec le sourire et vous fera partager ses connaissances sur la faune et la flore de la zone.
C'est à l'origine une réserve privée – la réserve de Barú – qui protège depuis le début des années 1970 un morceau (330 hectares) de rainforest et de mangrove ainsi que les espèces animales qui y vivent. On y trouve un mariposario (ferme à papillons) et un jardin d'orchidées. Restaurant dans un rancho. Pour visiter cette réserve intéressante et bien présentée, mieux vaut prévenir les Ewing (!) quelques jours avant. On peut également passer la nuit sur place dans l'une des cabinas. Les 6 nouvelles cabines supérieures construites récemment disposent de l'air conditionné, et se trouvent face une nouvelle piscine purifiée à l'ozone, le soir c'est un pur bonheur de s'y glisser. De nombreuses activités sont proposées (randonnées, canopy, nuit dans la jungle...). Très bon rapport qualité-prix surtout pour les familles ou pour deux couples. Le propriétaire est un personnage attachant, il est l'auteur du livre « Monkeys are made of Chocolate, Exotic and Unseen Costa Rica » aux éditions PixyJack Press, 2005 (disponible en anglais). Tous les employés de l'Hacienda Barú sont costaricains (mise à part Flor) dont la grande majorité originaires d'un périmètre de moins de 40 km de l'hacienda. L'Hacienda Barú participe aux projets d'éducation et de santé des communautés locales avec des donations d'argent et de matériel.

Le restaurant Las Parcelas surplombe l'océan.

Luxe

VILLA HELENA
Las Casitas de Puertocito, Las Escaleras,
9 km au sud de Dominical
✆ +506 8393 4327
Fax : +506 2771 8841
www.rainforestvilla.com
Maison à 480 US$ les 3 nuits en basse saison et à 525 US$ en haute-saison. Réservation obligatoire de 3 jours au minimum.
Dans les collines, mais avec vue sur le Pacifique, cabinas bien entretenues avec mezzanine et ventilateur. Piscine avec cascades, solarium. Très calme. Les propriétaires sont italiens (Lara parle le français). La maison est un peu chère…

Se restaurer

On mange bien et pour tous les prix à Dominical.

CHAPY'S JUICE BAR SNACKS
A côté de l'église
✆ +506 2787 0283
Ouvert de 7h à 21h. De 2 000 à 3 000 colones le sandwich.
Les meilleurs sandwichs de Dominical, une institution rondement menée par Diego Sanchez. L'espace est petit et il y fait chaud mais une petite terrasse permet de se poser. Salades et sandwichs délicieux et copieux, c'est frais, très propre et plein de goût : petit faible pour le *turkey avocado* et le *vegetarian*.

LAS PARCELAS
Dominicalito, un peu après Dominical
✆ +506 2787-0241
Ouvert de 7h30 à 21h. Bien indiqué, sur la droite à la fin du village, à la hauteur de la pointe. Compter 25 US$ le repas.
Ce n'est pas le plus proche, mais on se refile l'adresse entre amis bien informés, et on comprend pourquoi. Perché au bout de la pointe, le restaurant est ouvert de tous côtés et le regard se perd vers le large tandis que l'on déguste un très bon poisson grillé.

SAN CLEMENTE
Centre de Dominical ✆ +506 2787 0055
Ouvert de 7h à 22h. Compter 20 US$ le repas.
Bar et grill des cabinas du même nom. Bonne cuisine tex-mex et poisson dans un décor et une ambiance « américaine » : TV géante et table de ping-pong agrémentent le lieu. Animation musicale le vendredi soir.

SODA NANYOA
En face de la Posada del Sol
✆ +506 2787 0164
Ouverte du lundi au samedi de 6h à 20h. Compter 3 000 colones le repas. Une soda qui peut se targuer d'exister depuis vingt ans ! Une valeur sûre, fréquentée aussi bien par les touristes qui attendent leur cours de surf (Dominical Surf Adventure a ses bureaux juste en face) que par les Ticos eux-mêmes. Beaux choix de jus de fruits frais et de milkshakes ainsi que plats propres aux sodas : *casados*, etc.

À voir – À faire

LAS CATARATAS NAUYACA
10 km au nord de Dominical
en direction de San Isidro
✆ +506 2787 0541 – +506 2787 0542
www.cataratasnauyaca.com
info@southerncostarica.biz
Randonnée guidée à cheval (durée : 2hh30) à 8h et 14h : 50 US$ par personne et réservation obligatoire. Débutants en équitation acceptés. Voitures interdites dans le parc.
Au milieu de la forêt primaire et secondaire : deux cascades de 20 et 45 m de hauteur et une piscine naturelle sur le río Barú. Accès à cheval avec guide.

Parcours de canopy à Dominical.

Paréos colorés sur la plage de Dominical.

Vente d'artisanat et de souvenirs sur la plage de Dominical.

Sports – Détente – Loisirs

DOMINICAL SURF ADVENTURES

Face à l'église dans le centre de Dominical
✆ +506 8897 9540 – +506 2787 0431
www.dominicalsurfadventures.com
info@dominicalsurfadventures.com
Cette petite entreprise propose un tas d'activités : VTT, surf, rafting. Le matériel, de qualité, est tout neuf, les accompagnateurs sont diplômés, locaux, jeunes et beaux ! Vous hésitez encore ? Allez y faire un saut parce qu'ils sauront vous convaincre. Après un peu de théorie (point trop n'en faut !), il délivre les secrets du positionnement parfait sur la *board* avant de vous montrer comment se mettre debout dessus. Cette école est idéale pour une initiation avec Henry, le responsable du centre qui est également instructeur de surf. Il n'hésite pas à se mettre à l'eau et accompagner ses élèves au pic pour prendre les vagues. Une fois que vous avez répété ces quelques mouvements, place à la pratique. Mais comme c'est une bonne école, il y a aussi l'échauffement, qui est primordial ! D'autant que certains muscles utilisés pour faire du surf n'ont justement pas servi depuis longtemps, alors on fait semblant de pagayer avec ses bras, dans l'air, avant de se jeter à l'eau. Une fois lancé, vous ne voudrez plus arrêter. Et c'est là tout l'avantage de choisir cette école : après le cours qui dure environ deux heures, vous pouvez garder la planche pour encore quelques heures, histoire de pratiquer, seul, mais avec de bonnes bases ! Entre les deux, un en-cas de fruits et d'eau fraîche est proposé, et c'est une pause bien agréable tant ce sport est physique. Si vous êtes déjà aguerri en surf, alors tentez une expérience rafting sur l'un des ríos encore peu pollués par les aventuriers en herbe, car avec Dominical Surf Adventures, c'est l'authenticité garantie ! Ajoutons à cela qu'Henry est aussi guide dans tout le Costa Rica et qu'il connaît donc le pays comme sa poche. Il vous conseillera judicieusement sur vos prochaines étapes si celles-ci ne sont pas encore définitivement arrêtées.

DON LULO'S

✆ +506 2787 0198
nauyaca@ns1.bruncanet.com
Il vous emmène à cheval découvrir sa région. Les circuits comprennent chevaux, guide, petit déjeuner et déjeuner en cours de route. Le départ est prévu vers 8h et le retour vers 15h, le tout pour 80 US$.

HACIENDA BARÚ

Peu avant Dominical
sur la gauche en arrivant de Quepos
✆ +506 2787 0003
Fax : +506 2787 0057
www.haciendabaru.com
info@haciendabaru.com
Parmi les activités proposées : canopy à 35 US$/personne, nuit dans la jungle 60 US$, expérience forêt tropicale 25 US$, observation des oiseaux 35 US$.
Hacienda Barú propose de nombreuses excursions la journée comme la nuit et l'observation des oiseaux de la réserve. Afin de limiter les impacts négatifs de la visite touristique, chaque activité est limitée en nombre de personnes. Lors des randonnées, le nombre maximum est de 8 personnes. La découverte de la canopée, à partir d'une plate-forme construite à 34 m de hauteur, est limitée à 3 personnes et l'escalade des arbres à 2 personnes. L'envol du toucan (el Vuelo de Toucan), activité consistant à glisser sur un câble à travers la forêt, est limité à 2 personnes.

Minimisation de l'impact. Tri des déchets : les déchets organiques sont transformés en fumier dans un compost. Les déchets inorganiques sont triés selon leur type, une partie est recyclée, et les déchets non recyclés sont dirigés vers la décharge municipale.

Conservation – Éducation. Hacienda Barú reçoit des groupes d'étudiants des écoles et collèges locaux pour assister à une conférence sur les thèmes environnementaux et visiter le refuge national de vie sylvestre.

Les baleines jorobadas

Bahia Coronado (Bahía Drake, Isla del Caño, Marino Ballena) a la particularité d'avoir des eaux chaudes, tièdes et froides avec peu d'oxygène, disposées en « mille-feuilles », ce qui lui donne les meilleures conditions pour abriter une importante vie marine, notamment des mammifères marins. C'est un lieu privilégié où vivent orques, rorquals, six espèces de baleines (dont la grande baleine bleue et la baleine à bosse), plusieurs espèces de dauphins et les tortues marines. Les baleines jorobadas (baleines à bosse) du Pacifique sud séjournent dans cette baie entre août et octobre (après avoir accompli la plus grande migration animale de la planète), et celles du Pacifique nord entre février et avril. Chaque année, elles viennent prendre leurs quartiers d'été dans les eaux chaudes du Pacifique afin de frayer, de mettre bas et d'élever leurs baleineaux. Elles appartiennent au groupe des grandes baleines. Leur nom leur a été donné en raison de la courbure de leur dos. Elles mesurent de 12 à 15 m et pèsent de 30 à 40 tonnes en moyenne, mais peuvent atteindre 18 m et 60 tonnes. Les baleines à bosse adultes sont noires ou gris foncé. Les taches blanches qu'elles portent sur les nageoires et la queue permettent de les identifier. Ces taches – l'équivalent de nos empreintes digitales – sont spécifiques à chaque animal. Ce sont les photographies prises lors des observations qui permettent de les recenser. Il est toutefois impossible de distinguer les mâles des femelles. Celles-ci accouchent d'un baleineau tous les deux ans après une gestation de 11 à 12 mois. A la naissance, le baleineau, aidé par sa mère, remonte rapidement à la surface de l'eau pour respirer. Il mesure alors 3 m et pèse déjà une tonne. L'allaitement dure environ 1 an et s'accompagne d'un sevrage progressif, mais dès l'âge de 2 mois, il est prêt à suivre sa mère dans son long voyage vers les régions froides pour trouver des eaux plus riches en nourriture.

Les baleines à bosse ne voient pas bien, mais elles possèdent une excellente ouïe. Très vives en temps normal, elles redoublent d'activité pendant la période des amours. Les mâles à la recherche d'une femelle sont particulièrement actifs. Ils exécutent alors une sorte de ballet de séduction, figures, sauts et joutes préalables à l'accouplement. Les mâles communiquent par des chants que les baleines peuvent entendre à plus de 30 km à la ronde. Le commandant Cousteau les a d'ailleurs surnommées les « Caruso des profondeurs ». Les femelles ne chantent pas mais produisent les sons classiques grâce auxquels les baleines communiquent entre elles. A la grande époque des chasses à la baleine, la population passa rapidement de 200 000 individus à moins de 10 000, soit 5 % de la population naturelle. En 1944, la Commission internationale de la chasse aux baleines (IWC) en interdit la chasse dans le monde entier, permettant ainsi à la population de se reconstituer. Cependant, ce n'est pas suffisant et la baleine à bosse est aujourd'hui considérée par les scientifiques comme une espèce menacée. Pour cette raison, elle compte désormais au nombre des espèces protégées. Une fondation a été créée (Foundación Vida Marina à Bahía Drake – www.vidamarina.org) pour protéger ce haut lieu de vie marine. Et un grand projet se dessine : celui de créer un sanctuaire marin dans cette région avec le Panamá.

Bord de mer de la côte pacifique.

Dominical est l'un des spots de surf les plus réputés du Costa Rica.

SOUTH WAVE SURF SHOP
✆ +506 2787 0260
www.southwave-surfshop.com
Au bout de la rue principale sur la droite. Ouvert tous les jours de 8h à 17h.
Jammany Eljuri, vénézuélien au grand cœur, est un des pionniers du surf à Dominical. Sa boutique, que vous ne pourrez pas rater, vend vos marques préférées : Quicksilver, Roxy, Billabong, Lost, Volcom, Reef, Fcs, Dakine, Dragon, Spy. Fringues, Wax, Leach, Pad... Location, vente, achat aussi et réparation de planches, le matériel est de bonne qualité. Allez tailler une bavette avec Jammany, il sera fier de vous montrer sa photo prise sur notre côte Atlantique... en compagnie du grand Tom Curren s'il vous plaît !

Autre adresse : nouvelle boutique dans le centre commercial San Clemente.

MATAPALÓ

Première étape importante sur la Costanera Sur, à une bonne heure de Quepos, Matapaló commence à être très connue dans la course aux nouveaux lieux de villégiature. Sa plage est immense (pas loin de 45 km !) et encore quasi déserte, et la montagne est déjà toute proche. La bourgade qui s'étire autour de la cancha de fútbol a longtemps été protégée par le mauvais état de la route entre Quepos et Dominical qui ressemble à ce qu'était toute la Costanera, il n'y a pas si longtemps. Les améliorations en cours dans tout le pays ouvriront peut-être la voie aux camions qui pourront bientôt rouler à tombeau ouvert, coupant ainsi Matapaló en deux et apportant avec eux – si ce n'est du confort pour les Matapaleños – des touristes jusque-là timides qui n'avaient pas osé prendre le bus Quepos-Dominical.

Pratique

PULPERÍA EL ESPIRAL
À droite de la route principale
après le terrain de foot et le pont
Fermée en début d'après-midi, à l'heure de la sieste.
Cette *pulpería* (épicerie) jaune, où l'on trouve de tout, doit être une de vos haltes entre les nids-de-poule. Saluez-y de notre part Philippe, un adorable Français qui s'est installé ici il y a une dizaine d'années.

Se loger

Confort ou charme

JUNGLE HOUSE
Bord de mer ✆ +506 2777 2748
www.junglehouse.com
65 US$ le bungalow ou la chambre double dans la « cane house ». 80 US$ la chambre double dans la maison sur la plage (réservation de 3 nuits au minimum).
Des chambres cosy et un bon accueil au milieu de la « jungle » et près de la plage. Bon rapport qualité-prix.

LAS NUBES NATURAL ENERGY RESORT
San Andres, Playa Matapaló,
entre Quepos et Dominical
✆ +506 8995 1204
www.lasnubescr.org
lasnubescr@gmail.com
De 200 US$ (2 pers.) à 340 US$ (4 pers.) pour la suite, petit déjeuner inclus. 16 clients au maximum, repas biologiques gourmets, service à la chambre, wi-fi, taxi, excursions, massages, watsu, reiki, yoga et méditation.
Las Nubes (« les nuages » en espagnol) est un petit bijou harmonieux à dimension humaine élégamment lové dans un écrin de nature préservée, loin du tourisme de masse. Un lieu de destination idéal pour les amateurs de voyages hors des sentiers battus qui préfèrent un service personnalisé. Un lieu de rencontre pour les gens en recherche de simplicité positive et de nouvelles façons de penser et d'agir. Le domaine s'étend sur 5 hectares et est situé dans une vallée entourée par la forêt primaire, un spectacle panoramique sur les plus hautes montagnes au cœur du Costa Rica et une vue grandiose donnant sur l'océan Pacifique. Las Nubes est tendance écotourisme sans compromis sur la qualité de votre séjour. L'ensemble du domaine est 100 % autosuffisant avec un jardin biodynamique. A Las Nubes, vous pouvez participer aux différentes activités organisées, pique-niques, thérapies et bien-être. Le luxe dans sa toute simplicité, la tête dans les nuages.

PARC NATIONAL MANUEL ANTONIO

Ce parc de 682 hectares qui porte le nom d'un conquistador enterré ici est l'un des plus fréquentés du Costa Rica. Pour vous y rendre, longez la route de la plage. Passez ensuite un petit ou grand cours d'eau, selon la marée, et vous arrivez à la cabane d'entrée du parc. Un sentier bien dégagé court à quelques mètres de la première plage (la plus agréable, les touristes vont plus loin se rouler dans le sable fin). Les abords sont propres, mais on sent bien que la vague de visiteurs en saison haute ne contribue pas à la conservation optimale des lieux. Heureusement que l'enchevêtrement végétal défend l'intégrité de la forêt et que les animaux sont assez aimables pour s'approcher : des sagouins, des oiseaux, des lézards, des crabes rouge sang et bleu nuit, des araignées jaunes au centre de toiles luisant au soleil, et des iguanes qui sortent des fourrés en fin d'après-midi et s'enfuient entre vos jambes. Par endroits, des percées ont été aménagées pour accéder aux plages et aux aires de pique-nique. On peut se baigner sans aucun problème. En continuant sur le sentier pendant une petite demi-heure, après la plage la plus fréquentée par les familles, on arrive à une petite crique rocheuse puis à Puerto Escondido, une faille dans la forêt secondaire qui borde un morceau de forêt primaire, la dernière. Ici, on est écrasé par la chaleur humide et l'escalade des « marches » est plus éprouvante au retour. De la seconde plage, un sentier conduit à la pointe Catedral qui, il y a bien longtemps, était une île (72 m de hauteur). Pendant environ cent mille ans, le sable s'est déposé entre l'île et la côte pour former ce qui aujourd'hui permet d'y accéder. Ce phénomène est appelé « tombolo », et le tombolo de la pointe Catedral serait l'un des plus remarquables du monde. Aux extrémités de la plage Manuel Antonio, on peut voir des pièges à tortues. Non, les gardiens de ce parc ne se sont pas transformés en vulgaires braconniers, ce sont des répliques des pièges traditionnels utilisés par les Indiens pour attirer les tortues mâles qui avaient l'habitude de venir ici attendre leurs femelles. Toutes ces longues plages de sable clair sont également parfaitement appropriées à l'observation des poissons qui abondent près de la côte. Il suffit pour cela d'une paire de palmes et d'un tuba. 12 hectares de mangrove viennent compléter la biodiversité du parc. Malgré, effectivement, une fréquentation élevée, le parc Manuel Antonio, par son isolement, rend plus facile l'observation des animaux qui voient leurs déplacements limités à l'intérieur de la réserve. Méfiez-vous des singes à face blanche, qui sont devenus assez familiers pour profiter de vos instants de détente dans l'eau pour dérober vos effets. Les paresseux à trois doigts sont souvent présents, mais très difficiles à apercevoir. Côté climat, vous aurez chaud car il fait en moyenne 30 °C toute l'année. Il pleut surtout pendant la saison verte (3 400 mm de précipitations par an).

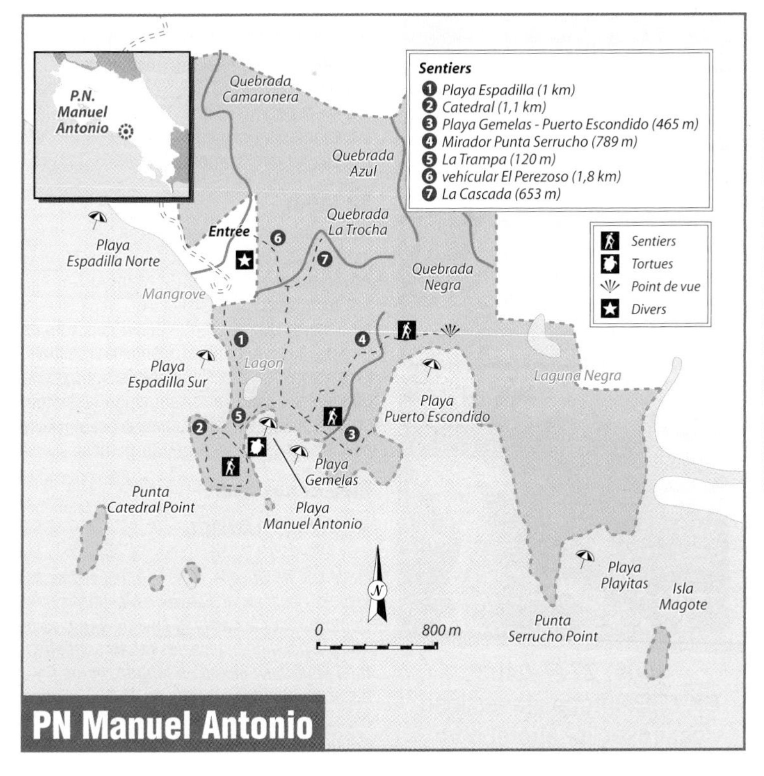

Transports

Comment y accéder et en partir

- **Les bus ou taxis** (bus à 210 colones et taxi à partir de 2 000 colones) couvrent les 7 km vers le sud qui séparent Quepos du parc. Il y a un bus toutes les 20 minutes en partance de Quepos (de 6h à 19h). Attention ! La route qui mène de Quepos à Manuel Antonio est en bon état, mais dangereuse. On y rencontre tout et n'importe quoi la prudence est donc de rigueur.
- **Parking :** au niveau du rond-point qui termine la route en venant de Quepos, un parking gardé vous coûtera 2 000 colones à la journée.

Pratique

CENTRE D'INFORMATIONS
A quelques mètres au sud du rond-point
✆ +506 2777 0644
Ouvert de 7h à 16h. Fermé le lundi. Entrée au parc : 10 US$. C'est là qu'on achète son ticket d'entrée et qu'on récupère les cartes auprès des rangers.

ESCUELA DE IDIOMAS D'AMORE
Manuel Antonio, près du Tulemar
✆ +506 2777 1143
www.edcostarica.com
info@edcostarica.com
L'espagnol par l'immersion.

Se loger

La plupart des hébergements se trouvent sur la route qui va de Quepos au parc Manuel Antonio, ou au village de Manuel Antonio (à 5 minutes du parc en voiture). Très peu sont aux abords du parc. Enfin, les hôtels sont en général de catégorie moyenne à luxueuse, rares sont les établissements pour petits budgets. Il faudra se serrer un peu la ceinture si votre budget est réduit, mais la beauté de ce site exceptionnel le mérite largement.

Bien et pas cher

CABINAS RAMIREZ
✆ +506 2273 7044
En venant de Quepos, dans le grand virage, sur la droite, juste avant d'arriver à Manuel Antonio. Comptez pour le camping environ 4 000 colones par personne, mais des rabais sont effectués pour des séjours de longue durée. Il y a aussi des chambres au prix de 45 000 colones, avec air conditionné. Pour le jet ski, il faudra débourser 85 US$ de l'heure !

L'un des endroits où il est possible à la fois de camper dans des conditions plutôt bonnes, s'il n'y a pas trop de monde, et de louer des jet ski.

HÔTEL MANUEL ANTONIO
Au niveau du rond point
✆ +506 2777 1237 – +506 2777 1351
✆ +506 2777 5331
hotelmanuelantonio@racsa.co.cr
Face à la plage, petites chambres avec air climatisé, eau chaude et TV et salle de bains sommaires mais propres. En saison basse : chambre simple à 62,15 US$, double à 74,58 US$, triple à 87,01 US$, quadruple à 99,04 US$. Compter 20 % de plus en haute saison. Restaurant de 6h à 22h. Parking gratuit. Wi-fi gratuit (accès dans le lobby). Un ordinateur connecté à Internet (1 US$ pour 30 minutes).
Bon accueil et restaurant font de cet établissement une bonne option pour bien commencer la visite du parc.

Confort ou charme

CASITAS ECLIPSE
Km 5, route du Parc National
✆ +506 2777 0408 – +506 2777 1728
Fax : +506 2777 0822
www.casitaseclipsehotel.com
www.restaurantegatonegro.com
fanny@casitaseclipsehotel.com
eclipseh@racsa.co.cr
Chambre standard de 106 à 140 US$ pour une à deux personnes, 135 à 168 US$ pour trois, petit supplément le jour de l'an. Suite pour 2, 3 et 4 personnes de 135 à 235 US$ et de très belles villas « Casita » jusqu'à 6 personnes pour 224 à 360 US$. Petit déjeuner buffet compris, ajouter les taxes.
L'hôtel, situé sur la colline, affiche un style résolument méditerranéen avec ses façades blanches et ses terrasses en dénivelé. Ses 33 chambres et villas sont élégantes et intimes, pleines de charme et bien équipées (TV câblée, téléphone, séchoir à cheveux, coffre-fort, cafetière, balcon et terrasses, réfrigérateur) et cernées de jardins tropicaux. Trois piscines agrémentées de chaises longues invitent à la détente. L'hôtel exploite un système inédit de recyclage des eaux usées et d'aménagement de sentiers grâce au recyclage de pneus et une petite balade dans les jardins vous permettra de découvrir les installations. Le restaurant de l'hôtel, El Gato Negro, est excellent et le bar Tutu ouvert tard le soir. Le spa propose toutes sortes de soins de remise en forme et en beauté. Accueil francophone avec Fanny la propriétaire originaire de Nîmes, aujourd'hui figure emblématique de la scène politique locale, elle a créé une école pour les enfants de la zone et se positionne pour devenir la mairesse du canton... Fanny est également une grande spécialiste de la salsa ! Une personne adorable et atypique, très appréciée ici.

HÔTEL SAN BADA
A l'entrée du Parc ✆ +506 2777 5333
Fax : +506 2777 3948
info@hotelsanbada.com
Selon la saison : chambre double standard de 150 à 235 US$, double supérieure de 180 à 270 US$, double deluxe de 250 à 350 US$, suites de 500 à 550 US$. Taxes non incluses mais petit déjeuner compris. Restaurant, bar, wi-fi gratuit.
A deux minutes à pied de l'entrée du parc, cet hôtel flambant neuf, ouvert en décembre 2010, a tout pour plaire. Une belle architecture orientalisante (qu'on doit aux propriétaires coréens), la plus grande piscine de Manuel Antonio (avec de jolies cascades aménagées), un Jacuzzi, et des chambres ultra-modernes avec des vues sublimes sur le parc. Quant au personnel, il est aux petits soins ; ici, on veut que vous vous sentiez chez vous et ça marche. Le gérant, Dante Kim Jun, est d'une gentillesse telle avec ses clients que vous aurez l'impression de le connaître depuis toujours. Une très bonne adresse qu'on vous recommande.

TRES BANDERAS

Route Quepos-Manuel Antonio
A mi chemin entre Puerto Quepos
et le Parc National
✆ +506 2777 1871
✆ +506 2777 1284
Fax : +506 2777 1478
www.hoteltresbanderas.com
banderas@racsa.co.cr

L'hôtel Tres Banderas (Trois Drapeaux) comprend 17 chambres et 1 appartement (4 pers.). Les prix par chambre en basse et haute saison : 55 ou 80 US$ (standard), 100 US$ (luxe), 100 ou 120 US$ (suite, 2-3 pers.), et 200 ou 250 US$ (l'appartement). Gratuit pour les moins de 12 ans. Ajouter les taxes. Toutes les chambres disposent d'air conditionné, ventilateur, TV câblée et balcon privé. Petit déjeuner et accès Internet wi-fi compris. Belle piscine sur une vaste terrasse et Jacuzzi, restaurant, parking gardé.

Sur la route de Quepos à Manuel Antonio, légèrement en retrait, cet hôtel charmant et très tranquille est bien placé pour visiter la région. Des activités sont organisées (canopy, rafting, kayak, pêche sportive…). Accueil très sympathique du propriétaire originaire de Pologne ; attention monsieur est passionné de Charles Aznavour, Jacques Brel et surtout de pêche au gros, il a même reçu Lech Walesa en personne ! Un bon rapport qualité-prix qui en fait un hôtel à recommander.

VELA BAR

Près de l'entrée du parc Manuel Antonio
✆ +506 2777 0413
Fax : +506 2777 1071
www.velabar.com
velabar@velabar.com

Des chambres (AC, ventilateur) et appartement (kitchenette et terrasse). 40 US$ (1 pers.), 52 US$ (2 pers.) et 63 US$ (3 pers.). En basse saison, respectivement : 40, 45 et 58 US$.

Petit hôtel accueillant dans un cadre de végétation tropicale. Restaurant cuisine tica, spécialités de poissons et plats végétariens.

VERDE MAR

Corniche de Manuel Antonio
✆ +506 2777 1805 – +506 2777 2122
Fax : +506 2777 1311
www.verdemar.com
verdemar@racsa.co.cr

22 belles chambres. 90 US$ (économique), 100 US$ (standard), 110 US$ et 120 US$ (suite), 95 US$ (loft), taxes non incluses. Toutes les chambres, très joliment décorées, ont l'air conditionné et un ventilateur. Les suites disposent d'une kitchenette (avec frigo, toaster) et d'un living room. Piscine.

Ce petit hôtel, au confort nord-américain, est situé non loin du parc national et donc de la mer. De la piscine, vous pourrez aisément observer les singes s'amuser. Hôtel de charme à recommander.

VILLAS MYMOSA

Route de Manuel Antonio, côté montagne
✆ +506 2777 1254
Fax : +506 2777 2454
www.villasmymosa.com
info@villasmymosa.com

Des villas de catégorie junior, spring et deluxe, avec kitchenette, 2 chambres, air conditionné, ventilateur, TV câblée. Les prix pour 2 personnes en saison basse : 70 US$ (villa junior), 80 US$ (villa spring), 100 US$ (villas de luxe). En saison haute : 120 US$ (villa junior), 135 US$ (villa spring), 170 US$ (villas de luxe). 12 US$ par personne supplémentaire. Taxes non incluses. Wi-fi gratuit. Restaurant de 7h à 22h.

Un hôtel constitué d'appartements avec cuisine équipée, autour d'une piscine et avec vue sur mer.

VILLAS NICOLAS

Route de Manuel Antonio,
4 km de Quepos, 3 km de la plage
✆ +506 2777 0481
Fax : +506 2777 0451
www.villasnicolas.com
sales@villasnicolas.com

19 chambres réparties en chambres standard (lit queen size, minibar, cafetière) et en suites (kitchenette tout équipée, salon, chambre, balcon et hamac). Les prix en basse et haute saison selon la vue (océan et forêt) et la capacité : de 85 à 145 US$ la chambre standard pour deux personnes, 120 à 165 US$ jusqu'à trois personnes, 165 à 310 US$ la suite de 4 à 5 personnes, petit déjeuner non compris. Prix avantageux pour la semaine. Il est possible de relier une suite avec une chambre standard pour une famille ou deux couples. Enfants moins de 6 ans non acceptés.

Villa Nicolas est un petit hôtel privé conçu pour le voyageur indépendant. Toutes les chambres (sauf deux) ont une vue fantastique sur la forêt et l'océan, une décoration personnalisée et sont disposées de façon à garantir le plus d'intimité à leurs occupants. Piscine, Jacuzzi, restaurant en forme de rancho – ouvert uniquement en haute saison – sont situés dans un jardin tropical. Sheryl la gérante québécoise vous reçoit en français et Julio, un Tico adorable et très pro à la réception, est aux petits soins depuis huit ans, tout concourt à une grande convivialité. On se croirait presque chez soi ! Une très bonne adresse très joliment aménagée à recommander vivement.

Luxe

MAKANDA BY THE SEA

Manuel Antonio
✆ +506 2777 0442
Fax : +506 2777 1032
www.makanda.com – info@makanda.com

A droite de la route de la corniche, à 500 m en descendant. Villas et studios avec cuisine, TV câblée, téléphone, air conditionné, ventilateur, chaîne hi-fi. Les prix en haute saison : 265 US$ (le studio), 400 US$ (la villa) et 1 015 US$ (la grande villa, 8 pers.). En basse saison, respectivement : 200, 300 et 765 US$. Taxes non incluses.

Un bijou dans un écrin de verdure. L'architecte a utilisé le terrain et la végétation, et l'ensemble est d'une parfaite cohérence. Les chambres disséminées dans le parc sont superbes, il n'y a rien à critiquer. Elles ont toutes vue sur la mer avec coucher de soleil. Accès à la plage privée par un sentier dans la végétation. Le plus beau : le restaurant à côté de la piscine et sa vue unique sur le Pacifique soulignée de voilages violets du plus bel effet. Extrêmement romantique, idéal pour une lune de miel, mais très cher.

LA MANSION INN

Manuel Antonio
✆ +506 2777 3489
Fax : +506 2777 0002
www.lamansioninn.com

Magnifiques chambres et suites. 195 et 250 US$ (chambres), 325 US$ (suites), 650 et 750 US$ (penthouse, pour 4 pers.), 650 US$ (la suite Romanoff avec un minimum de 4 nuits) et 1 500 US$ (la suite présidentielle), petit déjeuner compris, mais taxes non incluses.

Rien que pour le plaisir de le citer ! C'est encore plus luxueux et plus cher que El Parador ! Chambres de style colonial, salles de bains en marbre, restaurant gastronomique, extraordinaire vue sur l'océan…

© STÉPHANE SAVIGNARD

Apéritif dans un petit restaurant de Manuel Antonio.

© STÉPHANE SAVIGNARD

Chambre d'hôtes Villa Roca à Manuel Antonio.

© STÉPHANE SAVIGNARD

Chambre d'hôtes Villa Roca.

LA MARIPOSA

Prendre après le restaurant Barba Roja à mi-parcours le chemin indiqué sur la droite qui descend
Route de Manuel Antonio
✆ +506 2777 0355 – +506 2777 0456
Fax : +506 2777 0050
www.lamariposa.com
info@hotelmariposa.com

Compter pour deux de 155 US$ en basse saison pour une chambre standard vue jardin et 215 US$ en haute saison, respectivement 175 et 235 US$ avec vue sur l'océan ; de 250 à 315 US$ la chambre contemporaine vue mer et de 315 à 400 US$ la chambre communicante idéale pour les familles ou groupes d'amis. Petit déjeuner copieux et raffinée compris.

Les chambres contemporaines Premier Ocean View construites en 2006 au style très chic et épuré ont une vue imprenable sur la baie, au même titre que les chambres au style plus classique très lumineuses également. La Mariposa, géré par un francophone au grand cœur, est un des hôtels pionniers de Manuel Antonio, il s'est délicatement posé à l'aplomb de la corniche et possède sans conteste une vue des plus spectaculaires. C'est un véritable enchantement que de prendre son petit déjeuner avec ce panorama à 360° sur la côte, ses îlots rocheux et le parc Manuel Antonio. Les chambres de différentes catégories possèdent un style méditerranéen et sont toutes vastes et bien équipées (wi-fi, coffre-fort, Jacuzzi pour les plus luxueuses), extrêmement confortables ; certaines offrent une vue à couper le souffle. Le petit déjeuner est servi sous forme d'un généreux buffet. Trois piscines pour se détendre, un bar le Sunset Terrace d'où il fait bon admirer le coucher de soleil votre cocktail à la main dans la piscine, et un restaurant interne de cuisine internationale, le Papillon, et une nouvelle table depuis début 2011 située dans les jardins de l'hôtel et reprise récemment par Guy le chef français reconnu sur la place. Poste Internet à disposition, service de transport au parc national, parking gardé.

SI COMO NO

Juste après les Villas Nicolas et la boutique Regalame, sur la droite
✆ +506 2777 0777
Fax : +506 2777 1093
www.sicomono.com
information@sicomono.com

Cet hôtel dispose de chambres et de suites diversement aménagées. Les prix en haute saison : 210 US$ (standard), 250 US$ (supérieur), 265 US$ (luxe), 305 US$ (suite) et 340 US$ (suite « lune de miel »). Ces prix sont pour une occupation double, 30 US$ par personne supplémentaire. Sur la droite de la route de la corniche.

Grand confort et vue superbe. Piscine avec toboggan, cinéma et un Serenity Spa qui reste la référence au Costa Rica.

Se restaurer

Les possibilités de se restaurer sont nombreuses aux abords du parc : petites sodas ou café-restaurant plus classique, vous ne mourrez pas de faim dans cette contrée.

CAFÉ MILAGRO

Manuel Antonio
✆ +506 2777 0794
www.cafemilagro.com
info@cafemilagro.com

Café Milagro, qui a séparé ses établissements dans le centre de Quepos, a uni ici magasin de souvenirs, de café à un restaurant-bar. Bons petits déjeuners.

Bar sur les hauteurs de Manuel Antonio avec vue sur l'océan.

Plat de poulpe version Pacifique.

Vue de Quepos.

EL GATO NEGRO
Restaurant de l'hôtel Casitas Eclipse
Km 5, sur la gauche de la route
qui mène au parc national
✆ +506 2777 1728
Fax : +506 2777 0822
www.restaurantegatonegro.com
Comptez de 3,50 US$ la bruschetta Gato Negro (tomates, champignons et basilic) jusqu'à 20 US$ les crevettes aux jambon de parme pour démarrer, de 14 à 17 US$ les plats de pâtes, 15 à 27 US$ les poissons et les viandes et 50 US$ le plat de fruits de mers au grill. Accès wi-fi pour les clients du restaurant et piscine.
Situé dans la partie haute de l'hôtel, le restaurant bénéficie d'une belle vue sur le Pacifique. La cuisine aux accents méditerranéens tire le meilleur parti des produits locaux et les assiettes séduisent l'œil avant de conquérir les papilles. On savourera une excellente salade César, des huîtres grillées, un sauté de moules au vin ou un carpaccio de poisson, des plats italiens, spaghettis aux fruits de mer en papillote, un plateau de fruits de mer ou une langouste, sans oublier les spécialités de fruits flambés ou la fondue au chocolat, le tout au son de la musique *en vivo*. Carte de vins très fournie. Prix très corrects compte tenu de la qualité.

Sortir

MONKEY BEACH
Une discothèque, face à la mer, au premier étage du centre commercial qui abrite le glacier (*heladería*). Elle ouvre seulement pendant la haute saison.

Sports – Détente – Loisirs

LA MARIPOSA
Prendre après le restaurant Barba Roja
à mi-parcours le chemin indiqué
sur la droite qui descend
Route de Manuel Antonio
✆ +506 2777 0355 – +506 2777 0456
Fax : +506 2777 0050
www.lamariposa.com
info@hotelmariposa.com
Au départ de l'hôtel des activités de plein air sont proposées. Départ à 7h ou 10h pour une sortie canopy à 65 US$ par pers. (5 heures). Rafting départ à 7h30, 70 US$ la demi-journée, 95 US$ la journée complète. Sorties équestres départ 8h30 ou 13h30 à 65 US$ et pêche sportive (les contacter pour les tarifs).

Visites guidées

GUIDE
✆ +506 2777 0562
mansuelle@gmail.com
Pour une visite guidée en français, n'hésitez pas à demander à votre hôtel qu'il contacte Estelle Mansuelle, ou contactez-la directement par mail. La visite n'en sera que plus riche, d'autant plus si votre anglais ou votre espagnol n'a pas été pratiqué depuis longtemps !

QUEPOS

La première personne à découvrir la côte de Quepos et Manuel Antonio fut Hernán Ponce de León, le découvreur de la Floride, en 1519. Mais ayant eu peur des Indiens attroupés le long du rivage, il ne débarqua point ses troupes. Ce n'est qu'en 1563 que Juan Vásquez de Coronado, à la recherche des chimériques sept cités de Cibola, osa poser le pied à Quepos. Il noua des relations de paix et d'amitié avec les indigènes qui vivaient à l'embouchure du río Naranjo après les avoir tirés d'affaire contre les Indiens Coto. Le nom de Quepos vient de la tribu indienne Quepoa – des Borucas originaires de Colombie – qui vivait ici et disparut à la suite de la conquête espagnole. Fins tisserands, les Indiens confectionnaient des vêtements élégants pendant que les femmes surveillaient les cultures. Les hommes chassaient, pêchaient, bâtissaient et participaient aux rituels dirigés par un chaman. Tous ensemble, ils passaient des collines au bord de mer en fonction des saisons. C'est le prêtre Martín de Bonilla qui persuada Coronado de solliciter auprès du roi Philippe II la charge de créer au Costa Rica la première mission catholique à Quepos. Etablie en 1570 par le frère Juan Pizarro deux cents ans auparavant, la première mission de Californie, la communauté cléricale San Bernardino de Quepo, dut cesser ses activités en 1746. Quelques ruines de la mission ont été redécouvertes en 1974. La légende, développée par le corsaire anglais John Clipperton, dit qu'un fabuleux trésor a été enterré ou immergé dans les environs de Quepos. Les Indiens de Quepos avaient tous disparu après deux cent vingt années de présence espagnole.
Ancien port bananier, la ville est surtout un point de départ pour la visite du parc Manuel Antonio ou pour les pêcheurs. Les surfeurs et les inconditionnels de la plage devront se déplacer pour pratiquer leur sport car la plage de Quepos n'est pas la plus agréable.

La pêche est de loin l'activité la plus pratiquée au large de Quepos. Marlins, dorades, wahoos ou thons jaunes se battent pour votre bout de ligne entre décembre et avril. De nombreux séjours sont organisés par des agences locales ou par votre voyagiste préféré. Après la création du parc national, les infrastructures touristiques se sont développées très rapidement aux environs de celui-ci et en direction de Quepos. Aujourd'hui, dès que vous quittez la ville pour emprunter la corniche, vous circulez à flanc de colline, entre les hôtels et les restaurants de Manuel Antonio. Ce quartier est devenu le centre touristique. On y dort et l'on s'y active dans la journée sur les plages ou dans le parc. Quand la fraîcheur de la nuit se fait plus sensible et descend doucement sur la région, les touristes font de même et se retrouvent dans les endroits animés de Quepos.

Transports

Avion. Plusieurs vols aller-retour quotidiens depuis San José sont assurés par les deux compagnies aériennes locales, Nature Air et Sansa.

Bus. 8 départs par jour de San José (Terminal Coca Cola, c16/18, a1/3 ✆ 2223 5567) via Jacó entre 6h et 19h30 ; retour entre 6h et 19h30. Compter 4 heures 30 min pour les bus non directs et 3 heures 45 pour les directs. La compagnie Interbus propose également 2 départs par jour depuis San José (www.interbusonline.com ✆ 2283 5573). Plusieurs bus quittent chaque jour Quepos pour Matapaló, Dominical, San Isidro et Uvita plus au sud ; les horaires sont variables (renseignez-vous sur place).

Voiture. Soit par la route classique, Atenas, Orotina et Jacó (de 2 heures 30 à 3 heures 30 de trajet), soit par Cartago et San Isidro del General, qui est plus longue (de 4 à 5 heures de route). Cette dernière est un bon compromis pour le retour sur San José. Si vous n'avez pas déjà loué une voiture à San José, c'est une bonne idée de le faire ici pour descendre plus au sud.

ALAMO
Centre-ville
✆ +506 2777 3344
www.alamo.com
Agence de location de voitures.

NATURE AIR
✆ 22220 3054 – +506 2299 6000
www.natureair.com
reservations@natureair.com
Compter 80 US$ l'aller simple depuis ou vers San José.

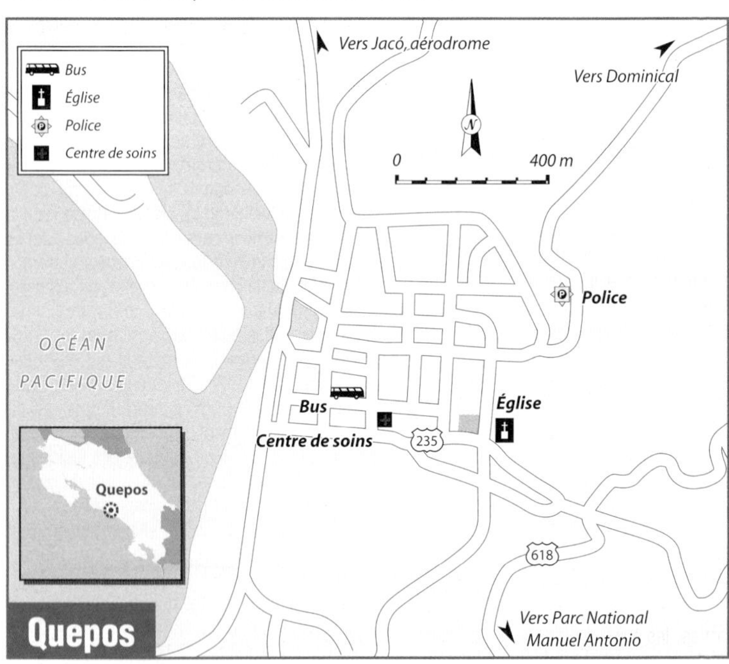

En haute saison, 3 vols par jour au départ de San José, à 9h10, 14h et 16h20. 25 minutes de vol pour parcourir les 208 kilomètres. Un autre vol direct, pour Palmar Sur, pour le reste escale à San José en règle générale.

SANSA
✆ +506 2777 0676/83
www.flysansa.com
Compter 80 US$ l'aller simple depuis ou vers San José.
Plusieurs vols aller-retour par jour depuis San José. Fréquence variable en fonction de la saison.

TAXIS
✆ +506 2777 0425

Pratique

Tourisme

INFORMATIONS PARC NATIONAL MANUEL ANTONIO
✆ +506 2777 0644

LYNCH TRAVEL
Centre de Quepos, rue principale
face au restaurant Dos Locos
✆ +506 2777 0101
✆ +506 2777 1170
Fax : +506 2777 1571
www.lynchtravel.com – lyntur@racsa.co.cr
L'une des plus anciennes agences touristiques établies à Quepos par un couple d'Italiens francophones qui met en œuvre n'importe quel type de service, du simple transfert au séjour complet dans la région. L'agence travaille avec la compagnie Interbus.

OFFICE DE TOURISME DE LA ZONE PACIFIQUE CENTRALE
Bâtiment Coopaza, quai de Quepos
✆ +506 2777 4217
A 25 m au sud d'Incop
Ce bureau de l'Institut costaricain du tourisme vous fournira toutes les informations nécessaires sur la région pacifique centrale. Brochures et cartes à votre disposition.

QUEPOLANDIA
✆ +506 2777 3635
Fax : +506 2777 3635
www.quepolandia.com
info@quepolandia.com
Le mensuel gratuit incontournable ! Il dispense de précieuses informations concernant les sorties, les événements ponctuels, les bars qui proposent diverses soirées, les activités à faire dans la région, bref, une précieuse source de renseignements.

Argent

Cinq banques à Quepos et trois distributeurs (plus un guichet Promerica à Manuel Antonio) qui n'acceptent pas toutes les cartes. Essayez en priorité la nouvelle Banco de San José qui reste ouverte plus tard, tout comme la Banco Popular, notamment le samedi. Toutes se trouvent dans le centre de Quepos.

Postes et télécom

POSTE
Au nord du terrain de foot
✆ +506 2777 1471

Internet

Presque tous les hôtels disposent d'une connexion wi-fi gratuite ou d'un ordinateur connecté à Internet en libre accès pour les clients. Donc rassurez-vous, vous n'aurez pas de mal à consulter vos mails ou votre compte Facebook.

INTERNET PUBLI QUEPOS
Centre de Quepos, face au Super Yordis
✆ +506 2777 2161
www.publiquepos.com
Ouvert de 8h à 18h. 600 colones de l'heure.

Urgences

HÔPITAL DE QUEPOS
Sur la Costanera Sur,
en direction de l'aéroport
✆ +506 2777 0200
Un hôpital d'assez bonne tenue pour les bobos courants.

POLICE
✆ 117

URGENCES
✆ 911

Se loger

Sur les 7 km qui mènent au parc national Manuel Antonio, pas moins de 2 000 chambres se cachent dans la végétation qui couvre la corniche au-dessus de la mer. Peu d'entre elles sont bon marché, mais presque tous les établissements proposent des excursions à pied, à vélo, en kayak, en 4x4, à cheval..., mais nombre d'hôtels baissent fortement leurs tarifs en basse saison (jusqu'à - 50 % !). Sachez profiter de ces réelles bonnes affaires.

Bien et pas cher

CABINAS ANA

Centre de Quepos, en face de l'INS
✆ +506 2777 0443
Des cabinas avec ventilateur à 16 US$, ou à 20 US$ avec air conditionné et TV.
Des chambres simples et propres, parfaites pour les petits budgets.

CABINAS HELEN

Centre de Quepos, à 100 m ouest du terrain de foot ✆ +506 2777 0504
Comptez 12 000 colones la chambre double et 15 000 colones la chambre triple, sans petit déjeuner. Chambres avec frigo, ventilateur, salle de bains. Parking.
Ambiance familiale. Une bonne adresse gérée de mains de maître par un Don Domingo, un charmant Costaricien, qui vous racontera, si vous lui demandez, comment a évolué Quepos. Surprises garanties !

HÔTEL SANCHEZ

En face du banco de Costa Rica
✆ +506 2777 0491
www.hotelsanchezcr.com
Compter 5 000 colones par personne (avec salle de bains commune) ou 20 000 colones pour une chambre double avec air conditionné (15 000 colones avec ventilateur).
Cet hôtel hyper central et bien tenu constitue une belle alternative, car il se situe à deux pas de la gare routière. Idéal donc si l'on veut être sur le pied de guerre pour partir tôt au parc de Manuel Antonio ou si l'on doit arriver tard à Quepos. La soda du même nom qui jouxte l'établissement propose d'excellents plats typiques à prix très raisonnables. Bon accueil.

Confort ou charme

LA COLINA B&B

A mi-chemin entre Quepos et Manuel Antonio
✆ +506 2777 0231 – www.lacolina.com
lacolina07@gmail.com
Cet hôtel comprend 5 chambres, 6 suites dont 4 avec vue sur l'océan, et une casita (petite maison). Les prix en haute saison : 105 US$ (vue sur l'océan), 100 US$ (el pescador), 65 US$ (vue sur la jungle) et 90 US$ (la casita). Taxes non incluses. Eau chaude, ventilateurs, TV et coffre-fort dans toutes les chambres, piscine, spa, restaurant.
Comme un chalet suisse surplombant le Pacifique, c'est aussi l'un des meilleurs rapports qualité-prix.

EL PLINIO

Route de Manuel Antonio, à la sortie de Quepos ✆ +506 2777 0055
www.hotelplinio.com
info@hotelplinio.com
12 chambres. Pendant la saison basse : doubles à 25 US$ (ventilateur) et de 35 à 55 US$ (air conditionné). En haute saison : respectivement 40 US$ (ventilateur) et de 50 à 100 US$ (air climatisé). 15 US$ par personne supplémentaire. Taxes et petit déjeuner non compris. Wi-fi gratuit.
Un hôtel très agréable, en pleine nature, de bon rapport qualité-prix et avec une piscine en prime. Les chambres sont toutes installées dans de charmants chalets rustiques sur la colline ; il faut grimper un peu pour y accéder, mais la vue sur la forêt y est absolument superbe. C'est l'établissement idéal pour se reposer et se ressourcer. Sur place également : une agence qui offre une grande variété de circuits organisés.

VILLA ROMANTICA

Sortie de Quepos, route de Manuel Antonio à 8 minutes de voiture du parc
✆ +506 2777 0037
Fax : +506 2777 0604
www.villaromantica.com
villarom@racsa.co.cr
Tarifs en saison basse : chambre double à 85 US$ et 25 US$ par personne supplémentaire. Tarifs en saison haute : 115 US$ la double et 30 US$ par personne supplémentaire. Wi-fi gratuit. Un ordinateur connecté à Internet en libre accès.
De très jolies chambres dans une propriété charmante installée à la lisière de la forêt et à 5 minutes à pied du centre-ville de Quepos. Le jardin tropical est superbe et l'établissement tout entier décoré avec beaucoup de goût par son adorable patron Wolfgang. On adore la piscine nichée en haut de la propriété et perdue dans les feuillages : on se croirait dans un mini-lac au milieu de la jungle et on s'y repose à souhait. Une très bonne adresse.

Luxe

TULEMAR

Route de Manuel Antonio, 3 km de Quepos
✆ +506 2777 0580
Fax : +506 2777 1579
www.tulemar.com – info@tulemar.com
13 bungalows et villas. Les prix en haute saison : de 270 à 389 US$ (bungalow pour 2 personnes) et villas (pour 2 personnes) de 425 à 675 US$. Villas de 8 à 10 personnes :

de 680 à 1260 US$. Petit déjeuner compris, taxes non incluses, 30 US$ par personne supplémentaire. Plage privée, piscine, piste d'atterrissage pour hélicoptères.
Dans une grande propriété très bien située, hébergement dans de luxueux bungalows de forme hexagonale avec vue sur la mer. Une excellente étape… très chère.

Se restaurer

Presque tous les hôtels ont leur restaurant, mais on peut avoir envie de sortir un peu, non ? Dans le centre même de Quepos, de nombreux restaurants sont qualifiés de « gringos ». On les reconnaît à leur menu tex-mex, aux écrans de TV et à la musique qui s'en échappe...

EL ANGOLO

Centre de Quepos ✆ +506 2777 4129
Ouvert de 8h à 22h. Compter 5 000 colones le repas.
Le petit italien « du coin » où la plupart des Français et des Québécois se retrouvent pour déguster les meilleurs sandwichs et plats de pâtes de la ville. Vente de produits importés par les propriétaires italiens. Excellents choix de fromages et de charcuteries, bons verres de vins… Un Italien en somme !

ESCALOFRIO

Centre de Quepos ✆ +506 2777 0833
escalofriocostarica@hotmail.com
Ouvert de 14h30 à 22h30. Fermé le lundi. Pizzas de 4 400 à 7 900 colones, pâtes de 4 800 à 9 400 colones. Wi-fi gratuit.
Pizzas cuites au feu de bois et cuisine italienne dont de fameuses glaces.

MARCHÉ COUVERT

Centre de Quepos, dans l'avenue principale
Tous les jours sauf dimanche.
Pour ceux qui aiment les ambiances authentiques et les petites sodas qui servent des casados bien de chez eux. On risque rarement de se tromper. Chaque samedi, un marché aux fruits et aux légumes est organisé en bord de mer par les producteurs des environs.

LA VILLA

Route de Manuel Antonio, 2 km de Quepos
✆ +506 2777 1117
C'est le restaurant de l'hôtel Villa Teca. Cuisine internationale, spécialités de pâtes italiennes, de poissons (dont le pargo et le mahi mahi) et de viandes. Le restaurant dans un très beau cadre, bien aéré (rancho), au-dessus de la piscine est très apprécié de tous.

Sortir

Quepos étant l'une des stations balnéaires les plus vivantes du Costa Rica avec ses 7 000 habitants et sa forte communauté étrangère, la nuit y est agitée, plus particulièrement le week-end où vous pourrez choisir entre plusieurs discothèques, de nombreux bars et casinos (Best Western Kamuk, dans le centre de Quepos, entre autres). Si aucun d'eux ne vous attire, de nombreux restaurants ouverts le soir montent le son dès la nuit tombée, et la dernière tendance est aux cours de salsa entre les tables...

ARCO IRIS

Face au restaurant Bahía Azul
✆ +506 2218 0003 – +506 8710 9068
www.arcoirisdiscoteque.com
Ouvert de 22h au petit matin.
Sortir de Quepos, juste après le pont sur la route de Jacó. Les vendredi et samedi soir, discothèque à couleur locale.

BAR EL AVION

Sur la route de Manuel Antonio,
à 5 km de l'hôtel du même nom
✆ +506 2777 0584 – +506 2777 0187
www.costaverde.com
reservations@costaverde.com
Ouvert de 12h à tard dans la nuit.
Un bar que vous ne pouvez pas râter car il est installé dans un avion ! C'est un C-123 de l'armée américaine. Vous pourrez découvrir l'histoire incroyable de cet avion – vestige de la guerre froide – à l'intérieur du bar, ou plutôt de l'avion. Soirées à l'ambiance jamaïcaine.

BAR TUTU

En face de l'hôtel Casitas Eclipse,
Manuel Antonio
Ouvert tous les jours de 19h à 2h du matin, deux verres pour le prix d'un tous les jours de 16h à 19h ! Les bières et liqueurs nationales sont incluses. Production de DJ le samedi.
Bonne ambiance dans ce bar mixte formé de deux grands desks. Pour profiter de la vue sur le parc national de Manuel Antonio et sur l'océan Pacifique, rendez-vous vers 16h30 pour les oiseaux, et dès 17h30 pour un bon plan pour le coucher de soleil ! Ambiance électro ou latine en sirotant son cocktail, que demande le peuple ?

CAVE BAR

Hôtel La Mansión Inn
✆ +506 2777 3489 – +506 2777 5010
www.lamansioninn.com
Discothèque caverneuse bien fréquentée.

Protégeons les singes titi !

Les singes à tête blanche sont omniprésents dans le parc Manuel Antonio.

Une des quatre espèces de singes au Costa Rica, el *mono titi* (*Saimiri oerstedii*), singe titi ou singe écureuil, est une espèce menacée. Il n'en reste plus aujourd'hui que 1 500 environ dans la région de Manuel Antonio. Le singe titi est inscrit sur la liste rouge des animaux en danger d'extinction. Son habitat diminuant et le contact avec les touristes grandissant sont les principaux facteurs menaçant sa survie. Donner à manger aux singes titi ou à d'autres animaux sauvages vous semble sans doute amusant, mais vous ne leur rendez pas service du tout. Ce sont des animaux sauvages qui ne nous ont pas attendus pour se débrouiller ! En réalité vous leur faites le plus grand tort. Pourquoi ? Voici au moins sept raisons pour ne pas donner à manger aux singes.

- **Cela dérange leur équilibre** et leur mode de vie puisque leurs habitudes alimentaires reposent sur l'absorption de fruits sauvages, de petits animaux et d'insectes.
- **Contrairement au stéréotype,** les bananes ne sont pas la nourriture préférée des singes dans leur habitat naturel. Les bananes – et particulièrement les vôtres – contiennent des pesticides qui peuvent déranger leur système digestif et leur poser de sérieux problèmes, voire les faire mourir.
- **L'alimentation** crée une dépendance dangereuse envers les humains, ce qui diminue leur capacité naturelle de survie.
- **Les singes** sont fortement prédisposés aux maladies au contact des humains. Ils peuvent mourir des bactéries transmises seulement par votre main.
- **Le déplacement des singes** vers des zones habitées accroît le risque d'attaques par les chiens et les accidents de la route.
- **L'alimentation irrégulière** et dépendante amène les singes à des comportements agressifs envers les humains.
- **Le contact avec les humains** facilite le braconnage, les captures et le commerce des animaux. Les singes ne se rendent pas compte de tout cela, par contre, vous, vous en êtes conscient. Leur caractère joueur, leur curiosité et la nourriture facile leur sont fatals. Pensez un instant au mal que fait un paquet de chips à leur système digestif, aussi ne facilitez pas l'extinction des animaux et en particulier des singes titi pour votre propre amusement, gratuit et purement égoïste.

Sports – Détente – Loisirs

Après la découverte de la région, en passant par le parc Manuel Antonio (le plus visité), l'arrière-pays avec ses montagnes et ses cascades, les plages pour leur beauté ou pour le surf, Quepos est renommé pour la pêche au gros et, dans une moindre mesure, pour la pratique du rafting. Le surf se pratique à Esterillos au nord de Quepos, à Boca Damas à l'entrée de la ville, à Quepos même, sur la plage de Manuel Antonio ou sur celle del Rey, à Matapaló au sud et, enfin, à Dominical.

AMIGOS DEL RIO
✆ +506 2777 0082
www.amigosdelrio.net
A partir de 70 US$ par personne la sortie.
Rafting sur les ríos Savegre et Naranjo, cheval, kayak de mer et pêche.

AQUATIC ADVENTURES (PLANET DOLPHIN)
✆ +506 2777 1647
www.planetdolphin.com
info@planetdolphin.com
Tarifs variables, contactez directement l'agence par mail.
Sorties en mer pour aller observer les dauphins.

BLUE FIN SPORTFISHING
✆ +506 2777 2222 – +506 2777 1676
Fax : +506 2777 0674
www.bluefinsportfishing.com
bluefin@bluefinsportfishing.com
Pêche au gros et à la carte. Compter au moins 700 US$ pour la journée.

CENTRO DE IDIOMAS DEL PACIFICO
Centre-ville ✆ +506 2777 0805
Fax : +506 2777 0010
www.costaricareisen.com
info@cipacifico.com
Le dernier des centres reconnus de Quepos. Programmes personnalisés.

FINCA VALMY TOURS
Naranjito, Villanueva, Manuel Antonio
✆ +506 2779 1118
Fax : +506 2779 1269
www.valmytours.com
Randonnée équestre de 2 à 3 heures : 120 US$ par personne et départ à 8h30. Pour le tour de 2 jours, compter 250 US$ par personne (au minimum 2 pers.), avec les repas et le logement compris.
Valentin organise de belles randonnées équestres jusqu'à certaines cascades des environs. En dehors du tour classique, possibilité de faire des tours privés ; et si vous aimez l'aventure, passez deux jours à cheval, la première journée dans l'exubérante forêt tropicale, une nuit à la montagne en bungalow et retour le lendemain en longeant l'océan Pacifique, cascades et rivières en prime. Hautement recommandé.

NATURE FARM
En face de l'hôtel Sí Como No
✆ +506 2777 0850
www.wildliferefugecr.com
Ouvert tous les jours de 8h à 16h. Entrée et tour guidé d'1 heure : 15 US$ par adulte, 8 US$ pour les enfants de moins de 12 ans.
Jardin de papillons, oiseaux et grenouilles… Comme une extension de l'hôtel Sí Como No. Un peu cher la visite.

RAINFOREST SPICES (VILLA VAINILLA)
Villa Nueva, à l'est de Quepos, près de Naranjito
✆ +506 2779 1155 – +506 8839 2721
www.rainforestspices.com
info@rainforestspices.com
Visites guidées à 9h et 13h du lundi au samedi, uniquement à 9h le dimanche. Réserver la veille. Tarifs communiqués uniquement par téléphone.
Plantation de vanille bio à visiter pour découvrir la culture organique.

SUNSET SAILS
✆ +506 2777 1304
www.sunsetsailstours.com
info@sunsetsailstours.com
Sorties en voilier, observation des dauphins, plongée…

TITI CANOPY TOUR
✆ +506 2777 1020
Fax : +506 2777 1575
www.titicanopytour.com
foresta@racsa.co.cr
Cette agence, qui porte le nom d'un singe menacé du parc Manuel Antonio, organise un tour de 1,6 km au niveau de la canopée.

UNIQUE TOURS
✆ +506 2777 1119
cruniquephotography@yahoo.com
Venus tout droit de la région de Turrialba, réputée pour le rafting et le kayak, les frères Fuentes ont emmené dans leurs valises pour Quepos un amour et une expérience professionnelle pour la pratique de ces activités.

Ils viennent jusqu'à votre hôtel pour vous emmener sur le río Savegre (classes 2 et 3) faire une descente magistrale, un moment inoubliable lors de journée pleine de sensations. Le tour est accessible à tous, les guides très pro assurent votre sécurité sur l'embarcation. Au retour on a droit à un déjeuner dans un restaurant typique de Quepos. Pour les amateurs de sensations plus fortes, allez vous jeter dans les bras du río Naranjo (classes 3 et 4). Demi-journée de kayak en mer possible. Petite agence et service attentionné. L'un des frères Fuentes, Carlos, alias Canuto, est un artiste peintre qui n'arrive plus à produire tellement la demande est forte, il étudie également la gastronomie, un personnage à rencontrer absolument !

Shopping

Si vous êtes arrivé là par hasard et ne disposez même pas d'un maillot de bain, plusieurs boutiques dans le centre et sur la route de la corniche menant à Manuel Antonio sauront corriger votre étourderie.

ASOMUFACQ
Centre de Quepos,
près de la Banco Popular
✆ +506 2777 1107
✆ +506 8703 3145
L'acronyme cache une énergique association de femmes de la région qui se battent pour améliorer le niveau de vie de leurs familles. A cette adresse, elles gèrent un magasin de souvenirs et d'artisanat basé sur le recyclage, du garanti local !

HOUSE OF CIGARS
Centre-ville. Près du café El Patio
✆ +506 2777 2208
www.houseofcigar.com
Vente de cigares.

LE NORD DE LA COSTIÈRE

Cette partie de la côte pacifique qui va de Puntarenas à Quepos est plus urbanisée que le sud avec les « grandes villes » de Puntarenas, une ville portuaire avant tout résidentielle, et la très américanisée Jacó qui attire aussi beaucoup de surfeurs. Heureusement, la nature reste omniprésente grâce à de belles plages préservées et des parcs naturels comme celui de Carara.

PARRITA

Ce village au bord de la rivière posséde une grande usine d'huile de palme ; si vous passez à proximité, vous verrez que ça ne sent pas très bon d'ailleurs. Cette huile est décriée par les écologistes en raison de la déforestation qu'elle engendre et de ses effets nocifs sur la santé comme le disent de nombreux médecins (problèmes cardiovasculaires en augmentation). C'est cependant une industrie qui prospère ici car l'huile se vend bien, vu que c'est une des moins chères du marché. Vous pourrez apercevoir dans les champs les ouvriers qui protègent les palmiers des insectes et autres parasites, en les aspergeant d'insecticide (autre problème pour l'environnement). Ils récupèrent aussi les fruits des palmiers qui, une fois pressés, donnent la fameuse huile de palme. Bien évidemment, ce n'est pas pour l'huile de palme que Parrita est intéressant, ce serait plutôt l'inverse... Non, le principal attrait de Parrita c'est sa jolie plage, Playa Palo Seco, qui est à 5 km du village.

Transports

- **Bus.** Tous les bus qui vont vers le sud en partant de Jacó s'arrêtent à Parrita ; bus environ toutes les heures de 9h à 22h. A Parrita, on peut prendre un des bus qui vont vers Quepos et Manuel Antonio.
- **Voiture.** A 30 minutes de Jacó par la route n° 34 en direction du sud. De Parrita, on peut rejoindre Quepos par la même route en une vingtaine de minutes.

Se loger

Les hôtels se trouvent à Playa Palo Seco, mais l'endroit est tellement magique que les prix flambent. Hélas, nous n'avons pas trouvé d'hôtel bon marché dans le coin. Cependant, même si vous êtes fauché, rien ne vous empêche de profiter de la plage gratuitement.

BESO DEL VIENTO
Playa Palo Seco, à 5 km de Parrita
✆ +506 2779 9674
Fax : +506 2779 9675
www.besodelviento.com
info@besodelviento.com
3 appartements confortables avec cuisine équipée et 6 chambres. Pour les appartements :

© TOM PEPEIRA – ICONOTEC

122 US$ (avec ventilateur) et 132 US$ (avec air conditionné), petit déjeuner non compris. Pour les chambres : 82 US$ (avec ventilateur) et 87 US$ (avec air conditionné), petit déjeuner compris. Piscine, jardin, accès direct à la plage. Accueil en français, en espagnol ou en anglais.

Les chambres sont très joliment décorées et impeccables. Elisabeth et Bernard, les propriétaires français du « Baiser du vent », ont aménagé sur une presqu'île un très joli établissement entièrement rénové entre une plage déserte de 12 km et la mangrove. Proche de multiples activités, vos hôtes pourront vous informer et vous conseiller – le tour à la Isla Damas (35 US$) vaut le coup. Le soir cuisine française de qualité sur réservation. Un superbe endroit et une très bonne étape pour qui recherche tranquillité, verdure, convivialité et inoubliable farniente autour de la piscine.

TIMARAI BAMBOO RESORT

Isla Playa Palo Seco, Parrita
✆ +506 2779 3200 – +506 2770 8360
www.timaraibambooresesort.net
timaraisales@gmail.com

De 121 à 168 US$ pour une chambre standard hors taxes, petit déjeuner inclus selon la saison, de 250 à 380 US$ pour une suite junior, de 367 à 483 US$ pour une suite de 2 chambres (5 personnes maxi), packages lunes de miel.

Ce nouveau resort est isolé en bordure de la plage de Palo Seco où il propose un véritable séjour de Robinson. Imaginée par le couple de propriétaires hispano-colombien, son éco-architecture originale, où le bambou règne en maître, tant dans la structure que dans les moindres détails des aménagements et de la décoration, lui confère un charme et une personnalité tout à fait particuliers. Les 11 bungalows ronds abritent 14 chambres romantiques, intimistes et douillettes à souhait aux couleurs tendres. Outre la piscine, l'hôtel propose de nombreuses activités pour les amoureux d'aventure et de sensations (pêche, deltaplane, vol en tandem, wakeboard, kiteboard avec initiation, ski nautique, kayak) et des excursions. Les hamacs sur la plage ou sur les terrasses invitent à la paresse, et au spa des séances de shiatsu vous remettront en forme après une journée d'activités bien remplie. Le restaurant Kanbambu propose une carte où chacun trouvera un plat à son goût, des spécialités espagnoles en passant par l'Italie avec un détour vers le Mexique, à signaler une belle cave à cigares.

À voir – À faire

PLAYA PALO SECO

A 5 km du village
Une superbe plage de sable gris où on se sent seul au monde.

Sports – Détente – Loisirs

RAINMAKERS
A 10 km au sud de Parrita,
San Rafael Norte
✆ +506 2777 3565
Fax : +506 2777 3563
www.rainmakercostarica.org
reservations@rainmakercostarica.com
Circuit « randonnée vers la rivière et ponts suspendus » à 15 US$ par personne et 35 US$ avec guide. Visite guidée nocturne « spécial amphibiens et reptiles » (de 19h à 21h) à 60 US$ par personne. Circuit d'observation des oiseaux à 90 US$ par personne (uniquement de 5h30 à 9h30, donc mieux vaut être matinal).
Au creux de la chaîne de Fila Chonta qui souligne la côte du Pacifique central, la réserve a été créée pour protéger un morceau de forêt primaire. Aujourd'hui, on y trouve un canopy tour qui est en fait un réseau de six passerelles tendues à hauteur de tête d'arbre. On vous recommande le circuit matinal pour observer les oiseaux et le circuit de nuit pour partir à la recherche des amphibiens et des reptiles.

Plage Espadilla.

PLAYA ESTERILLOS

Playa Esterillos est une des jolies plages de sable gris que l'on trouve sur la route entre Jacó et Quepos. On y accède par les communes Esterillos Oeste, Esterillos Centro et Esterillos Este qui n'ont aucun intérêt sinon celui de porter le nom d'une belle plage à proximité.

Transports

- **Voiture.** A 22 km au sud de Jacó, par la route n° 34.
- **Bus.** Tous les bus qui vont vers le sud en partant de Jacó s'arrêtent à Esterillos ; bus environ toutes les heures de 9h à 22h. A Esterillos, on peut prendre un des bus qui va vers Quepos et Manuel Antonio.

Se loger

ALMA DEL PACIFICO HOTEL
Playa Esterillos
✆ +506 2778 7070
Fax : +506 2778 7878
www.almadelpacifico.com
alma.reservation@rockresorts.com
20 très belles villas dans un jardin tropical. Les prix pour 2 personnes : 315 US$ (Beachfront Prima), 385 US$ (Beachfront Ultra), 415 US$ (Beachfront Ultra Plus), 435 US$ (Beachfront Maxima) et 295 US$ (Garden Villa). 30 US$ par personne supplémentaire. Taxes non incluses mais petit déjeuner compris. Restaurant, 2 piscines, Jacuzzi, spa dans le jardin. Wi-fi gratuit.
Ce sont de très belles villas privées, design et colorées, avec terrasse et disposant d'une large vue sur la mer et les jardins.

HÔTEL MONTEREY DEL MAR
Esterillos Este Parrita
✆ +506 2778 8787
✆ +506 8851 4734
Fax : +506 2778 8585
www.montereydelmar.com
montereydelmar@gmail.com
De 115 à 155 US$ le bungalow pour deux personnes, de 145 à 225 US$ la suite et de 220 à 285 US$ la suite présidentielle, taxes non incluses. Petit déjeuner inclus. Wi-fi gratuit.
Des chambres confortables installées dans de jolis bungalows dispersés dans un superbe jardin tropical, avec piscine et accès privé à la plage Esterillos. Vous apprécierez la gentillesse du personnel de l'hôtel et la qualité des plats du restaurant. Une bonne adresse.

VILLA CLAUDIA
A 20 km à l'est de Jacó; Esterillos Centro, Puntarenas ✆ +506 2778 8123
www.vrbo.com/119359
claudette.labrie@gmail.com
2 appartements avec une ou deux chambres. Location pour 2 à 6 personnes, entre 70 $ et 125 $ la nuit. Location à la semaine entre 470 et 795 $. Location au mois entre 1 700 et 3 000 $.
Claudette, d'origine québécoise, propose dans sa charmante villa deux appartements d'une ou deux chambres tout confort. Ils sont dotés d'air climatisé, d'une salle de bains privative, d'un séjour et d'une cuisine équipée. Une piscine et le jardin fleuri parachèvent ce cadre de séjour agréable.

PLAYA HERMOSA

Cette jolie station balnéaire est un peu chère mais très agréable. Sa plage de sable gris, Playa Hermosa, est LE spot pour surfeurs expérimentés. Ce n'est pas un hasard si c'est sur cette plage que se déroule, chaque année en août, une grande compétition internationale de surf. Attention aux baigneurs imprudents car les vagues sont souvent très violentes et certains surfeurs, même aguerris, refusent parfois de les affronter.

Transports

- **Voiture.** A 7 km au sud de Jacó, par la route n° 34.
- **Bus.** Tous les bus qui vont vers le sud en partant de Jacó s'arrêtent à Playa Hermosa ; bus environ toutes les heures de 8h30 à 21h. A Playa Hermosa, on peut prendre un des bus en provenance de Jacó qui va vers Quepos et Manuel Antonio.

Se loger

HÔTEL TERRAZA DEL PACIFICO
Playa Hermosa
A 3 km au sud de la station-service de Jacó
✆ +506 2643 3222
Fax : +506 2643 3424
www.terrazadelpacifico.com
info@terrazadelpacifico.com
gerencia@terrazadelpacifico.com
Chambres doubles standard de 101 à 145 US$, doubles supérieures de 136 à 170 US$, villas équipées (pour 6 personnes) de 346 à 371 US$, junior suites (pour 2 personnes) de 207 à 259 US$. Taxes non incluses mais petit déjeuner compris.
Un hôtel à l'atmosphère familiale où on peut se prélasser au calme. Les chambres sont confortables, climatisées et avec TV câblée. Certaines chambres ont vue sur la plage de Playa Hermosa. Deux piscines de taille moyenne se trouvent au milieu du jardin tropical : l'une des deux est accessible à la fois aux enfants et aux adultes. Un bon restaurant avec une terrasse qui donne directement sur la plage. Deux bars pour déguster de savoureux cockails : l'un installé à la piscine, l'autre au restaurant. Enfin, en cas de problèmes, ou simplement pour discuter, demandez à rencontrer la jeune et dynamique gérante Magali Mora. Elle est vraiment très gentille et se pliera en quatre pour vous, d'autant plus qu'elle adore les Français et parle un peu la langue. Une très bonne adresse.

SURF INN HERMOSA
Playa Hermosa. Face à la plage
✆ +506 2643 7184 – +506 8899 1520
www.surfinnhermosa.com
surfinnhermosa@yahoo.com
Studio pour deux personnes de 80 à 140 US$, appartements avec deux chambres de 150 à 225 US$. Wi-fi gratuit. Réservation recommandée.
Une très belle maison avec de charmants studios et appartements en face de la mer. Christina, la patronne américaine originaire du Maryland, est aux petits soins avec ses clients et ne manquera pas de vous conseiller sur la région qu'elle connaît par cœur. On a adoré le superbe bar-restaurant de l'établissement (installé au dernier étage) pour sa vue imprenable sur la plage et ses délicieux smoothies.

THE BACKYARD HOTEL
A côté du bar du même nom,
Playa Hermosa ✆ +506 2643 7011
www.backyardhotel.com
backyardbar@racsa.co.cr
De 90 à 110 US$ la chambre double. Suites de 175 à 180 US$. Petit déjeuner inclus, wi-fi gratuit. Parking.
Un petit hôtel avec 6 chambres deluxe ultra-confortables. Elles ont toutes la TV câblée et la climatisation. Les deux suites sont tout aussi confortables mais plus grandes. La piscine n'est pas très grande mais bien agréable pour se rafraîchir. Le patron de l'hôtel Nicolas possède aussi le bar de nuit du même nom qui est juste à côté, mais rassurez-vous vous n'entendrez rien depuis les chambres car elles ont été étudiées pour (on a vérifié et c'est vrai). Une bonne adresse.

Sortir

THE BACKYARD
Playa Hermosa, sur la plage
✆ +506 2643 7041
www.facebook.com/BackYardBar
Ouvert tous les jours de 7h à minuit. Happy hour de 16h30 à 19h30, sauf le samedi. Concerts tous les samedis. Ladies night tous les mercredis de 22h à 2h (boissons gratuites pour les filles).
C'est LE bar de Playa Hermosa. Tout le monde y va, les locaux comme les touristes. L'atmosphère est très décontractée dans ce bar cosy en bord de plage, mais on sait aussi y faire la fête jusqu'au bout de la nuit. Clientèle de surfeurs en grande majorité. Bonne ambiance garantie.

JACÓ

Jacó a longtemps été la plage préférée des Québécois (très nombreux à se rendre ici), surfeurs ou non ; les courants y sont modérés. La plage est suffisamment longue pour y installer son bout de serviette, simplement pour écouter les vagues et se laisser dorer. Cette petite cité qui consiste surtout en une rue principale parallèle à la mer, étant la plage la plus proche de San José, est très fréquentée mais reste cependant agréable à vivre au rythme du surf.

Transports

Bus. Au départ de San José (Terminal Coca-Cola, c16/18, a1/3 ✆ 2223 1109), tous les jours de 6h à 19h, toutes les 2 heures. Duréee du voyage : 2 heures 30. Retour tous les jours, toutes les 2 heures, de 5h à 17h. De Puntarenas, 7 bus par jour de 4h15 à 16h30. Compter 1 heure 30 de trajet.

Voiture. Après Carara et le pont de Tárcoles, suivre la Costarena Sur (la route de la côte sud) jusqu'aux indications Jacó sur la droite. Compter 2 heures de belle route au départ de San José.

Pratique

On trouve de tout à Jacó, de l'alimentation au Más X Menos très bien approvisionné à la quincaillerie. Les points de consultation Internet se suivent dans la rue principale et pratiquent de très bons prix (600 colones de l'heure) : c'est le moment d'écrire vos plus longs mails ou de consulter les journaux on-line. Dans le centre de Jacó, il y a plusieurs téléphones publics à carte et deux banques dans lesquelles vous pourrez effectuer vos opérations de change (à titre de rappel, il faudra se munir du passeport !).

Se loger

Popularité aidant, le logement est un peu plus cher dans cette région et il est prudent de réserver, surtout le week-end quand beaucoup de touristes et habitants de San José débarquent en ville, pour surfer ou faire la fête.

Bien et pas cher

CABINAS ANTONIO
Nord de Jacó, à 200 m
au nord de Banco Costa Rica
✆ +506 2643 3043
Compter 20 US$ la chambre. Wi-fi gratuit. Piscine.
Excellent rapport qualité-prix pour de belles chambres agréables. Eau chaude dans les salles de bains, et TV.

CAMPING EL MADRIGAL
Au sud de Jacó
✆ +506 2643 8351
Douches. 5 US$ par emplacement.

LA COMETA
En plein centre, dans la rue principale
✆ +506 2643 3615
Compter environ 45 US$ une chambre double avec salle de bains privée. 26 US$ la chambre double avec salle de bains commune. Wi-fi gratuit.
7 belles chambres propres, spacieuses, colorées et climatisées donnant sur un tout petit jardin bien planté. Petite piscine et bel accueil du patron québécois Maurice, qui est un sacré personnage.

EL PERICO AZUL
Avenida Santa Ana, à 200 m
au sud de la mairie
✆ +506 2643 1341
✆ +506 8322 4023
De 40 à 50 US$ la chambre double climatisée. Petite piscine. Wi-fi gratuit.
10 chambres propres, claires et confortables, avec TV câblée. Egalement des petits appartements à louer au mois pour les séjours de longue durée. La clientèle est essentiellement composée de jeunes surfeurs dans la mesure où les propriétaires, Céline Mounier (une Française !) et son compagnon Mike, sont profs de surf.

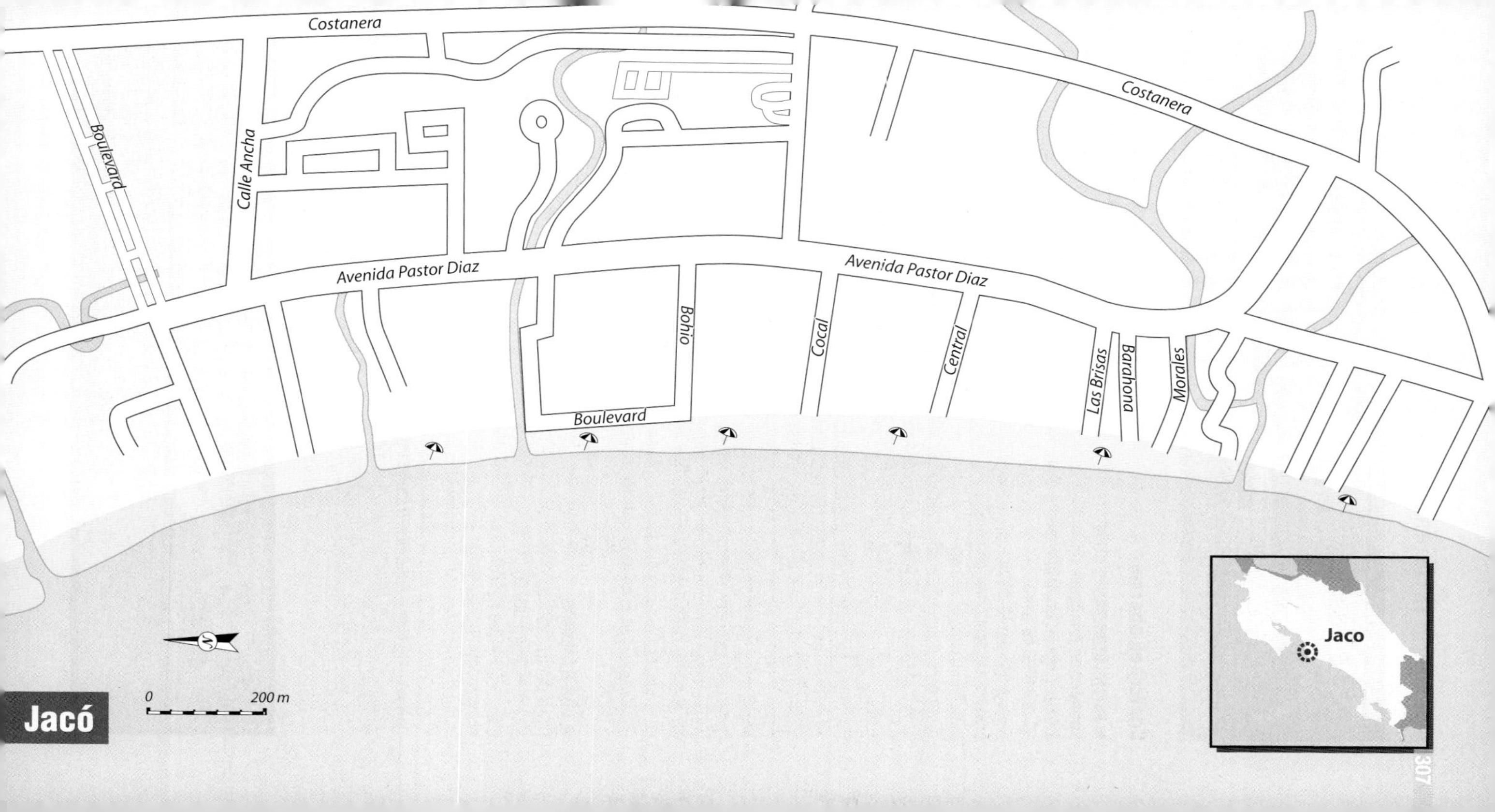
Jacó
Costanera
Costanera
Boulevard
Calle Ancha
Avenida Pastor Diaz
Avenida Pastor Diaz
Bohio
Boulevard
Cocal
Central
Las Brisas
Barahona
Morales
0
200 m
Jaco

Confort ou charme

HÔTEL MORGAN'S COVE

Sur la route principale,
à deux rues de la mairie vers le sud
✆ +506 2643 3147
Fax : +506 2643 3148
www.hoteljacocostarica.com
info@morgans-cove.com
Chambres doubles de 85 à 140 US$, selon la vue et la saison. Taxes non incluses. Wi-fi gratuit et un ordinateur connecté à Internet en libre accès.
Un hôtel de style colonial aux chambres modernes et confortables. Un restaurant, quatre piscines, des terrains de tennis, un casino, un terrain de foot et de volley, un accès à la plage, deux bars... En somme, de quoi vous occuper pendant votre séjour. Si vous croisez le manager Don José, saluez-le de notre part et échangez quelques mots de français avec lui pour lui faire plaisir car il adooooore la France (il est allé cinq fois à Paris).

LOS RANCHOS

Playa Jacó, calle las olas
✆ +506 2643 3070
Fax : +506 2643 1810
www.losranchosjaco.com
4 bungalows (pour 4 personnes) sur deux étages à 180 US$ la nuit, 4 chambres avec coin cuisine à 85 US$, 4 chambres standard (pour 4 personnes) à 75 US$. Si vous êtes moins de 4 personnes par chambre ou bungalow, les prix resteront les mêmes. Piscine, jardin, une aire de barbecue, parking et wi-fi gratuits.
A une petite minute à pied de la plage, ce petit hôtel familial dispose de chambres confortables, climatisées, avec TV et eau chaude. Bon accueil du patron Erik Sanchez, qui dirige l'établissement depuis vingt ans. Bon rapport qualité-prix.

LA PALMERA

A 400 m à l'est de la municipalité de Jacó, en direction de Quepos
✆ +506 2643 4062
www.lapalmerajaco.com
info@lapalmerajaco.com
Compter de 56 à 80 US$ la chambre double selon la saison et de 66 à 90 US$ la triple. Petit déjeuner inclus.
Situé à 800 m du cœur du village et à 800 m de la plage, l'hôtel a fait peau neuve sous la houlette d'Aude et Nicolas, deux jeunes Français souriants et dynamiques. L'hôtel aussi convivial que coloré, compte seulement 11 chambres (de 1 à 3 personnes) et 4 suites (de 4 à 5 personnes) confortables, abritées dans des édifices bas aux couleurs pimpantes qui encadrent la grande piscine (avec bassin enfant). Les chambres sont climatisées avec TV câblée, petit réfrigérateur, et disposent toutes d'une petite terrasse. Wi-fi gratuit dans les parties communes. Le copieux petit déjeuner continental est servi dans le rancho entre 7h30 et 10h. On se délasse dans les chaises longues qui ponctuent le jardin tropical. Le couple est toujours de bon conseil sur la région et se met en quatre pour leurs hôtes. Parking gardé 24h/24. Une bonne adresse, familiale, chaleureuse et au calme.

VILLA CREOLE
Calle Europa n° 20
✆ +506 2643 5151
www.hotelvillacreole.com
villacreole@gmail.com
Facile d'accès, panneaux indicateurs
Prendre la rue à la hauteur
du glacier « POP'S » (rue principale),
cinquième à gauche et enfin
première à gauche
Compter entre 50 à 80 US$ pour deux personnes selon la saison, petit déjeuner compris.
Ce petit hôtel familial, francophone et fort accueillant se trouve dans un quartier calme et résidentiel de Jacó, à environ 10 minutes à pied de la plage. Les 10 chambres de différente capacité (avec cuisinette, coffre-fort, air conditionné) encadrent une jolie piscine. Le restaurant, ouvert sur la piscine, sert quelques rafraîchissements et de nombreux snacks. Parking fermé.

ZABAMAR
✆ +506 2643 3174
De 35 à 60 US$ pour une double avec ventilateur, de 55 à 75 US$ pour une double avec air conditionné. De 45 US$ (avec ventilateur) à 65 US$ (avec climatisation) la triple, toute l'année. De 55 à 60 US$ la quadruple avec ventilateur et de 85 à 90 US$ avec climatisation. Petit déjeuner non inclus (sauf pendant la saison haute). Toutes les chambres disposent d'un réfrigérateur. Piscine aménagée pour les enfants. Accès à la plage, parking et wi-fi gratuit.
Bon accueil et bel emplacement.

Luxe

VILLA CALETAS
A 8 km au nord de Jacó sur la Costanera
✆ +506 2637 0505
Fax : +506 2637 0404
www.hotelvillacaletas.com
reservations@villacaletas.com
Les prix : de 160 à 230 US$ selon la saison en chambre standard de 1 à 2 personnes, 190 à 260 US$ (standard Deluxe), 220 à 295 US$ (villa), 310 à 380 US$ (junior suite), 400 à 515 US$ (suite supérieure) et 450 à 575 US$ la master suite ; 35 US$ par personne supplémentaire au-delà de 2 personnes, taxes et petits déjeuners non compris.
Cet hôtel de grand luxe comprend 52 chambres. Le grand confort (air conditionné, ventilation, téléphone, minibar, services…) est omniprésent dans toutes les chambres, les 6 suites disposant même d'une piscine privée. L'hôtel, situé sur une colline surplombant l'océan Pacifique, est disséminé dans des jardins abritant de beaux oiseaux tropicaux. Les chambres sont toutes décorées avec art et finesse, fer forgé et accent baroque ; certaines possèdent une piscine privée. Le restaurant propose une cuisine créative et raffinée appréciée de nombreux amateurs dont certains viennent de très loin. Un amphithéâtre gréco-romain sur les hauteurs face à l'océan complète ce cadre sublime. D'ailleurs sans y loger, on peut s'y rendre pour les concerts organisés. Le soir, les couchers de soleil légendaires sur le Pacifique comblent tous les visiteurs. La beauté du site, le confort luxueux, la qualité du restaurant et le service impeccable en font un incontournable du Costa Rica.

Se restaurer

Vous trouverez des restaurants à tous les prix à Jacó mais finalement peu de restaurants très typiques, on voit bien que l'influence américaine est passée par là...

Bien et pas cher

L'ESPERANZA
Avenida Pastor Diaz,
à l'angle de calle Bohio
✆ +506 2643 3326
Ouvert tous les jours de 10h à 22h, pour le déjeuner et le dîner. Plats de viande entre 10 800 et 15 300 colones, fruits de mer entre 9 500 et 37 500 colones.
Un restaurant agréable installé sous un grand toit en bois, en plein air avec un grand bar central. La décoration et l'aménagement ainsi qu'une petite librairie internationale lui donnent un aspect insolite. Bonne cuisine internationale et carte de vins variée (France, Italie, Chili).

SODA TIPICO PARGO ROJO-SUSHIS BY ANTHONY
Au bord de la route, au nord
de l'agence Yamada, 50 m avant la pompe
à essence Herradura
✆ +506 2643 5700
✆ +506 8826 9876
sushibeanthony@hotmail.es
Ouvert tous les jours de 6h à 22h. Sushis uniquement de 17h à 22h. Compter 4 000 colones le repas costaricain typique ou l'assiette de sushis. Une soda pas comme les autres où l'on peut aussi bien manger des plats costaricains que des sushis à prix doux (de 17h à 22h seulement). Une vraie bonne adresse pas chère comme on aime vous en dénicher.

TACO'S BAR
Face à la plage
✆ +506 2643 0222
www.tacobar.info
Ouvert de 7h à 22h, à partir de 12h le lundi. Compter environ 5 000 colones le repas. Spécialités de tacos au poisson.
Le concept est intéressant : on choisit le nombre de tacos que l'on veut, puis on choisit sa garniture. Lorsque c'est chose faite, on se sert à volonté parmi les dizaines d'ingrédients présents au buffet. Bon rapport qualité-prix, sauf pour les sushis un peu chers ! Mais grand choix de pâtes froides en salades, croûtons, olives, tapenade, cœur de palmiers, deux riz différents... On aime beaucoup le bar central avec des balançoires en guise de sièges.

Bonnes tables

PAPARAZZI
Rue qui mène à la plage,
à côté de l'hôtel Sole d'Oro
et en face du gymnasium Platinum
✆ +506 2643 2517
✆ +506 8386 0114
http://www.facebook.com/paparazzi.jaco
Ouvert tous les jours de 11h à minuit et même plus tard... Entrées de 3 000 à 3 200 colones, plats de viande/poisson de 3 500 à 8 500 colones, pâtes de 3 000 à 4 500 colones, langouste à 15 000 colones, desserts de 1 500 à 3 000 colones. Wi-fi gratuit.
C'est notre restaurant préféré à Jacó. Enfin un établissement qui sort des stéréotypes américains ! Normal, ici, vous êtes au cœur de l'Italie et de sa gastronomie grâce au talent et à la gentillesse du couple qui tient cet établissement, Stefania Polce et Roberto Spadaro. Vous mangerez tout simplement des plats aussi bons qu'en Italie car la cuisinière Stefania est très douée. On a testé quasiment tous les plats et on a tout aimé. Et l'ambiance est tellement sympathique que vous aurez forcément envie de revenir, ne serait-ce que pour discuter avec le très amusant Roberto qui est un vrai personnage de la comedia dell'arte. Il est aussi passionné de cinéma, comme en témoignent les portraits d'acteurs et d'actrices affichés sur les murs ; tous les vendredis soir, il organise la projection d'un film italien (sous-titré) sur grand écran. Notre adresse coup de cœur à Jacó !

RESTAURANT DE L'HÔTEL POSEIDON
Calle Bohío, 30 m à l'ouest de la plage
✆ +506 2643 1642
www.hotel-poseidon.com
Ouvert de 7h à 22h. Casados à 3 000 colones, hamburgers à 6 000 colones, plats de 5 500 à 11 000 colones.
Des plats inventifs, une ambiance agréable et un accueil chaleureux font de ce restaurant d'hôtel l'un des meilleurs restaurants de Jacó.

Sortir

Jacó a deux visages : l'un de jour, avec ses surfeurs et ses touristes venus faire du shopping, et l'autre de nuit où la ville se transforme en temple de la fête (tous les jours en haute saison et le week-end en basse saison) ou de la débauche disent les âmes pieuses. Vous serez surpris par la métamorphose de la ville qui se déguise alors en un mini-Ibiza avec des lumières à la Las Vegas. Le look des jeunes filles est très osé et tout le monde est très alcoolisé dès 22h, voire avant. L'alcool coule à flots dans des bars où l'on passe des tubes internationaux jusqu'au bout de la nuit. Hélas, vous apercevrez à cette occasion nombre de jeunes prostituées costaricaines prêtes à tout pour attirer l'attention des Américains. Et vous verrez aussi des touristes, surtout américains, accompagnés de prostituées et qui ne s'en cachent pas. C'est choquant, oui, mais Jacó la nuit c'est aussi cela, autant vous prévenir ! Faites attention par ailleurs à ne pas traîner seul dans des rues isolées tard la nuit car les agressions de touristes pour quelques dollars ne sont pas rares, dès qu'on s'éloigne des rues animées. Prenez plutôt un taxi si votre hôtel est loin. Rappelez-vous notamment que, le week-end, des personnes peu scrupuleuses viennent exprès de San José pour dépouiller le touriste en état d'ébriété. Si vous suivez tous nos conseils et que vous êtes plutôt fêtard, vous vous amuserez beaucoup à Jacó la nuit. Las de danser ? Observer les gens autour de vous : c'est un spectacle en soi.

LE LOFT
Avenue Pastor Diaz,
face au bar Los Amigos
✆ +506 2643 5846 – +506 8760 0077
Ouvert tous les soirs jusqu'au petit matin : du jeudi au dimanche en basse saison et tous les soirs (sauf mercredi) en haute saison. Ladie's night le jeudi (boissons gratuites pour les filles).
Dans un grand building, à l'étage, se trouve un beau loft transformé en bar et discothèque. Au moment de notre passage à Jacó, c'était le lieu nocturne le plus branché de la ville. Jolie terrasse pour les fumeurs ou pour ceux qui veulent juste respirer après avoir trop dansé. Pour l'anecdote, la blonde refaite qu'on voit sur l'affiche qui recouvre une des facades du bâtiment : c'est la patronne (une sorte de Loana à la grande époque), un brin narcissique tout de même.

MONKEY BAR
A 100 m au nord de l'hôtel Tangeri
✆ +506 2643 2357
Ouvert du mardi au dimanche de 11h à 2h ou 3h selon l'affluence. A la fois bar et discothèque, le Monkey Bar s'anime tard. N'y allez pas avant minuit sous peine de vous retrouver seul sur la piste de danse. En tous cas, vous y trouverez tout ce qu'il faut pour passer une agréable soirée, dans l'ambiance des Caraïbes. Lors de notre passage, ils étaient en train de construire un bar VIP avec accès à la plage, prometteur de soirées encore plus endiablées.

À voir – À faire

Vous êtes très probablement venu à Jacó pour profiter de sa plage, que vous soyez surfeur ou non... Pour un seul après-midi, vous trouverez une aire de stationnement, des douches et des casiers verrouillés à louer pour y laisser vos affaires. Un seul problème : la propreté de la plage laisse parfois à désirer. Jacó est un spot de surf très connu au Costa Rica, spécialement durant la saison des pluies où les vagues deviennent presque idéales. De Jacó, on peut se rendre à Boca Barranca, idéale pour le surf sur ses vagues obliques, et à Playa Escondida, accessible par bateau uniquement. A 3 km au sud de Jacó, Playa Hermosa est la plus connue puisque ses longues vagues donnent lieu à des compétitions de surf au mois d'août. Pour s'y rendre, il faut emprunter le chemin de terre après le portail qu'un gamin se charge de fermer à chaque passage de voiture.
Au nord de Jacó, Playa Herradura est plus petite que celle de Jacó et plus agréable pour la baignade. Pour s'y rendre, il faut quitter la route après le río Caña Blanca (à 7 km de Jacó) et suivre jusqu'au bout les 3 km de route goudronnée.

Plage de la côte pacifique.

Sports – Détente – Loisirs

Jacó et les plages alentour sont toujours des plages de surf. Si la plage de Jacó n'est pas le meilleur spot, c'est pourtant ici qu'on trouve les magasins où louer/faire réparer sa planche ou prendre des leçons. Pour les anti-surf, il est aussi possible de pratiquer le jet-ski ou encore le kayak à Jacó.

AXR JACO

Avenida Pastor Diaz,
face au restaurant Pancho Villa
✆ +506 2643 3130
✆ +506 8810 7271
✆ +506 8867 5089
www.jacobeachadventuretoursatvbuggy-dirtbikesandsurfingcostarica.com/
axr.jaco@gmail.com

4 tours différents sont proposés, par exemple le Sunset Tour à 70 US$ les 2 heures pour une personne et 15 US$ si vous avez un passager, et le Fanatic Tour à 180 US$ les 6/7 heures et 30 US$ pour un passager (lunch et boissons compris). Buggies à partir de 65 US$ pour une heure, moto et scooter à partir de 10 US$ de l'heure jusqu'à 200 US$ le week-end.

Aymeric est français, pionnier sur Jacó, il est passionné de mécanique et de sensations fortes, c'est un euphémisme de dire qu'il maîtrise bien son sujet. Faites vous plaisir, partez avec son équipe vous balader en ATV (quads) dernière génération, Suzuki Ozark 250 cv, 4 temps et 5 vitesses automatiques ou semi-automatiques. Accessible pour tous niveaux. Au programme : conduite dans un paradis tropical luxuriant entouré de montagnes à couper le souffle et à perte de vue la côte pacifique.

AXR JACO

Avenida Pastor Diaz,
face au restaurant Pancho Villa
✆ +506 2643 3130
✆ +506 8810 7271
✆ +506 8867 5089
www.jacobeachadventure
toursatvbuggydirtbikesandsurfing
costarica.com/
axr.jaco@gmail.com

4 tours différents sont proposés, par exemple le Sunset Tour à 70 US$ les 2 heures pour une personne et 15 US$ si vous avez un passager, et le Fanatic Tour à 180 US$ les 6/7 heures et 30 US$ pour un passager (lunch et boissons compris). Buggies à partir de 65 US$ pour une heure, moto et scooter à partir de 10 US$ de l'heure jusqu'à 200 US$ le week-end. En plus profitez des 15 % de remise si vous venez de la part du Petit Futé.

Aymeric est français, pionnier sur Jacó, il est passionné de mécanique et de sensations fortes, c'est un euphémisme de dire qu'il maîtrise bien son sujet. Faites vous plaisir, partez avec son équipe vous balader en ATV (quads) dernière génération, Suzuki Ozark 250 cv, 4 temps et 5 vitesses automatiques ou semi-automatiques. Accessible pour tous niveaux. Au programme : conduite dans un paradis tropical luxuriant entouré de montagnes à couper le souffle et à perte de vue la côte pacifique.

CHUCK'S W.O.W. SURF

Palm plaza local 1-6
Sur l'avenue principale à droite
en direction de l'hôtel Best Western
✆ +506 2643 3760
✆ +506 2643 3844
Fax : +506 2643 3844
www.surfoutfitters.com
www.wowsurf.com/
chucks@racsa.co.cr

De 15 à 20 US$ la location d'une planche à la journée. Représente les marques les plus prestigieuses du surf et fait partie des meilleurs shops d'Amérique latine.

Chuck est un pionnier du surf à Jacó, il a toujours le bon conseil qui fait la différence. Il fait toujours l'effort de baragouiner en français. Cours de surf (65 US$), trip surf dans les spots connus et moins connus de la côte, vente de matériel et fringues, vente, location et réparation de planches. N'hésitez pas à lui demander des informations également sur les spots, il saura vous répondre en fonction de votre expérience.

CHUCK'S W.O.W. SURF

Palm plaza local 1-6
Sur l'avenue principale à droite en direction de l'hôtel Best Western
✆ +506 2643 3760
✆ +506 2643 3844
Fax : +506 2643 3844
www.surfoutfitters.com
www.wowsurf.com
chucks@racsa.co.cr

De 15 à 20 US$ la location d'une planche à la journée. Représente les marques les plus prestigieuses du surf et fait partie des meilleurs shops d'Amérique latine.

Chuck est un pionnier du surf à Jacó, il a toujours le bon conseil qui fait la différence.

Il fait toujours l'effort de baragouiner en français. Cours de surf (65 US$), trip surf dans les spots connus et moins connus de la côte, vente de matériel et fringues, vente, location et réparation de planches. N'hésitez pas à lui demander des informations également sur les spots, il saura vous répondre en fonction de votre expérience.

EL SURF SHOP
Rue principale
✆ +506 2643 3850
www.jasssurfshop.com
jasssurf@racsa.co.cr
Ouvert tous les jours de 9h à 21h. Leçon de surf de 2 heures 30 à 40 US$. Location de planche de surf à 10 US$ les 24 heures et de boogie-board à 8 US$ les 24 heures.

KAYAK JACÓ
✆ +506 2643 1233
Fax : +506 2643 1233
www.kayakjaco.com
kayakjaco@gmail.com
Un ensemble de circuits dans les estuaires et les ríos alentour.

TORTUGA SURF SCHOOL
Avenida Pastor Diaz,
à côté de la Croix-Rouge
✆ +506 8322 4023 (Céline)
✆ +506 8847 6289 (Mike)
50 US$ les 2 heures de cours de surf, tous niveaux. Possibilité de faire un stage intensif de surf d'une semaine avec hébergement et cours inclus pour 1 500 US$ par personne (débutants acceptés).
Vous avez envie de vous mettre au surf mais vous parlez mal espagnol ou anglais ? Pas de problèmes : Céline Mounier, une prof de surf française installée à Jacó, sera là pour vous donner des cours, et avec le sourire car elle est vraiment très sympa. Vous pourrez même faire un stage intensif d'une semaine si vous le souhaitez. Tous les niveaux sont acceptés.

WALTER SURFBOARD
Rue principale
✆ +506 2643 1056
www.waltersurfshop.com
info@waltersurfshop.com
Ouvert tous les jours de 8h à 18h30. Location de planche de surf à 10 US$ pour 24 heures, 5 US$ pour une planche de boogie board.

Shopping

On trouve de tout à Jacó. Faire du shopping signifie flâner dans la rue principale ; les boutiques se suivent et ne se ressemblent pas, puisque l'on déniche même un petit magasin de fleurs et autres petites choses. Entre autres boutiques, on remarque une multitude de points de vente ou de locations de surfs, de vélos et autres objets de souffrance. Et pour se changer les idées, un petit tour dans l'une des « galeries d'art » vous rappellera qu'il faudra penser aux souvenirs à rapporter...

BOOKS&STUFF
✆ +506 2643 2508
glennreinhart@hotmail.com
Ouvert tous les jours de 9h à 21h.
Une librairie qui vend des livres d'occasion, neufs et aussi des ouvrages en français (il faut chercher un peu). Vous pourrez aussi acheter des CD, des DVD et de beaux objets à des prix plus raisonnables que dans d'autres boutiques de la ville.

PARC NATIONAL CARARA

On dénombre plus de 750 espèces végétales dans cette zone de transition entre la sécheresse du nord et l'humidité du sud, l'une des plus remarquables du pays. Au nord-est de la réserve, qui couvre 4 700 hectares, des marais abritent des échassiers et des reptiles. La réserve est très importante pour la lapa roja (ara rouge ou scarlet macaw) dont c'est l'un des derniers habitats de tout le continent américain. Pour en apercevoir, ou au moins entendre leur cri particulier, rendez-vous en début d'après-midi.

Deux circuits sont proposés aux visiteurs ; pour le plus court, malheureusement un peu proche de la route, il faut compter trois quarts d'heure à travers la forêt épaisse. Pour ces deux parcours, couvrez-vous bien, particulièrement les jambes et les chevilles : les insectes sont féroces. On s'en aperçoit déjà en s'acquittant du droit d'entrée. Outre ces deux sentiers balisés, d'autres circuits personnalisés peuvent être parcourus en compagnie d'un guide. La meilleure observation se fait tôt le matin. Côté climat, sachez que les températures oscillent entre 24 et 34 °C selon les saisons et que les précipitations sur le parc sont d'environ 3 100 mm par an.

Transports

- **Bus.** Prenez un bus pour Jacó ou Quepos (voir ces villes) et demandez que l'on vous dépose à l'entrée du parc.
- **Voiture.** Empruntez l'autoroute Cañas, celle de l'aéroport, puis, à environ 35 km de San José, tournez sur la gauche direction Orotina. Une autre route, plus longue mais plus rurale, passe par Santa Ana (autoroute) puis par Puriscal où l'on bifurque en direction d'Orotina ou vers la gauche pour se rendre directement à Quepos sans passer par Jacó.

Pratique

POSTE DE GARDES FORESTIERS
A l'entrée du Parc
✆ +506 2637 1080
Ouvert de 7h à 16h. Entrée : 10 US$.
C'est ici qu'on achète son ticket d'entrée pour le parc et qu'on peut éventuellement demander à être accompagné d'un guide (20 US$ par personne pour une visite guidée de 2 heures 30). Cartes et plans également sur place.

Se loger

Confort ou charme

LE PARADIS VERT
950 m au nord-ouest de l'école
de Mata de Platano ✆ +506 8812 6752
www.paradisvert.com
info@paradisvert.com
Un charmant écolodge situé dans la montagne à 15 minutes de marche du petit village de Mata de Platano et à 30 minutes en 4x4 de Jaco. Les tarifs incluent le petit déjeuner : 39$ pour 1 personne, 59$ pour 2 et 74$ pour 3, par nuit.
Un lieu idéal où furent tournées pas loin de là de nombreuses scènes du film *1492* avec notre Gérard national. Au calme, profitez du petit déjeuner les sens excités par les effluves du café, avec la nature sauvage et l'océan Pacifique en toile de fond ! Trois charmants chalets construits par les propriétaires Alda et Marco, équipés d'une salle de bains privée et d'une terrasse pour votre plus grande intimité. C'est un établissement écologique où l'eau provient d'une source naturelle et pour ne rien gâcher au charme et à l'authenticité, les nuits sont éclairées aux bougies. Un lieu incroyable et romantique pour se déconnecter du tumulte de la ville. On peut également observer une grande quantité d'oiseaux comme les perroquets aras (couloir biologique de CARARA) ainsi que des singes, coatis, biches, toucans, colibris et papillons. Plusieurs chemins vous conduiront à des rivières ou des cascades entourées d'arbres parfois multi centenaires. Un endroit pour se retirer spirituellement, pour une lune de miel, ou tout simplement pour connaître le Costa Rica à l'état pur. Marco vous attend également dans son dojo pour une session de karaté ou de yoga. Le Paradis Vert propose également des tours guidés à cheval, à pied ou en 4x4.

Luxe

HÔTEL VILLA LAPAS
4 km avant le parc national Carara
Route de Jacó, 600 m sur la droite
✆ +506 2282 6490
✆ +506 2203 3553
www.villalapas.com
reservaciones@villalapas.com
55 chambres dans des bungalows avec air conditionné, ventilateur, coffre-fort, cafetière. Les prix en formule « all inclusive » : 116 US$/pers., 60 US$ pour les enfants, les 3 repas, les boissons et les taxes compris.
Au fond d'une vallée, idéal si la chaleur sur la côte est accablante. Le long du río Tárcolitos (le petit Tárcoles), c'est le paradis des oiseaux : on peut y suivre un parcours aménagé au niveau de la canopée (Sky Way and Canopy Tour). Juste à côté un village costaricain a été reconstitué « el pueblo antiguo Santa Lucia ». Il comprend restaurant, bar, des boutiques d'artisanat (objets de qualité), une église et au centre un kiosque ancien. L'ensemble est magnifique. L'hôtel, idéalement situé pour la visite du parc national Carara, est à recommander.

PUNTA LEONA

✆ +506 2231 3131 – +506 2661 2414
Fax : +506 2232 0791
www.hotelpuntaleona.com
info@hotelpuntaleona.com

170 appartements, chalets et chambres. Les prix en haute saison pour 2 personnes : 114 US$ (Selvamar), 180 US$ (Leonamar junior suite), 200 US$ (Leonamar suite luxe), 250 US$ (Leonamar senior suite), 180 US$ (appartement 2 chambres), 180 US$ (chalet 2 chambres), 110 US$ (chalet 1 chambre) et 110 US$ (Torremar 2 chambres). Belles chambres avec air conditionné, téléphone, TV câblée, minibar, coffre-fort.

Toujours sur la route de Jacó, sur la droite, un immense portail gardé indique l'entrée. Le complexe touristique et immobilier est construit sur un terrain accidenté de plus de 300 hectares de forêt en bord de mer. C'est sur l'une de ses belles plages, Playa Blanca, que plusieurs séquences du film *1492, la conquête du paradis* de Ridley Scott avec Gérard Depardieu ont été tournées. C'est donc un très bel endroit à fréquenter (très animé le week-end et pendant les vacances). Supermarché, discothèque, trois restaurants, deux très belles plages (Playa Blanca et Playa Mantas), trois piscines, minigolf et même une église. Vous trouverez aussi une salle de conférences et un amphithéâtre. Les plages de Punta Leona sont magnifiques – sans doute les plus belles du Costa Rica – et excellemment disposées pour admirer les couchers de soleil sur le Pacifique. Un véritable lieu de vacances, à recommander.

Se restaurer

LA FIESTA DEL MARISCO

Tarcoles ✆ +506 2637 0046

Ouvert tous les jours de 10h à 21h. Compter 4 000 colones le plat.

Les « spécialistes des fruits de mer et du poisson » même si la diversité n'est pas au rendez-vous. Prix corrects.

À voir – À faire

CASCADE

Si vous continuez le chemin au-delà de l'entrée de l'hôtel Villa Lapas sur 2 km, se trouve la chute d'eau la plus haute, paraît-il, du Costa Rica (200 m). Celle-ci étant sur une propriété privée, un péage également privé a été mis en place. Le retour de la cascade, compte tenu de la dénivellation, est relativement difficile et laisse des traces. On vend des bouteilles d'eau au kiosque du départ.

PLAYA BARRANCA

Connue des surfeurs pour sa longue vague de gauche, peut-être l'une des plus longues du Costa Rica.

Sports – Détente – Loisirs

LE PARADIS VERT

950 m au nord-ouest de l'école
de Mata de Platano ✆ +506 8812 6752
www.paradisvert.com
stedesco1965@yahoo.fr
Les tarifs incluent le petit déjeuner : pour 1 personne 39 $, 59 $ pour 2 et 74 $ pour 3, par nuit.
Comme le souligne Marco en citant Taji Kase, un des principaux fils du fondateur du karaté do shotokan : « La voie du karaté est une aventure intérieure – Le karaté do est une voie dans laquelle on pratique toute la vie afin d'atteindre au fudo shin (harmonie entre le corps et l'esprit) « . C'est cette harmonie que Marco vous enseigne dans certainement l'un des plus beaux et originaux dojos au monde. Quatre petites fenêtres donnent sur les points cardinaux, et quelle vue ! Au cœur d'une nature exubérante, on est reçu chez une famille de Français adorable, aux petits soins pour vous montrer le chemin de la sagesse à travers des cours quotidiens de karaté do et de yoga.

Visites guidées

Un peu avant le parc en venant d'Orotina s'écoule nonchalant le río Tárcoles. L'observation des crocodiles, qui y ont élu domicile, est possible depuis le pont qui l'enjambe. Ces derniers sont le plus souvent passifs. Le rio Tárcoles abrite l'espèce crocodile d'Amérique (cousin du crocodile du Nil, qui atteint lorsqu'il est adulte 5,50 m et pèse 500 kg) ainsi que de nombreuses espèces d'oiseaux (50 espèces sur l'embouchure) comme les hérons, les aigrettes, les jacanas, les spatules rosées, et des iguanes sur les berges. Avec un peu de chance, vous pourrez voir voler de magnifiques aras rouges (scarlet macaw) qui viennent du parc national Carara très proche. Pour vivre des moments plus excitants au milieu des reptiles, deux « crocodiles safaris » sont organisés où vous pourrez les voir dévorer toutes sortes de volailles et/ou poissons.

JUNGLE CROCODILE SAFARI

Tárcoles, bureau dans le village
✆ +506 2236 6473
Fax : +506 2241 1853
www.junglecrocodilesafari.com
info@junglecrocodilesafari.com
Tour (2 heures) guidé en lancha, adulte 25 US$ et enfants 15 US$ (jusqu'à 12 ans).
Découverte du rio Tárcoles, observation des oiseaux, des iguanes… Spectacle avec des crocodiles. Tour conseillé. Boutique souvenirs dans le rancho.

PUNTARENAS

Fondée en 1814, la capitale de la province, avec près de 100 000 habitants, est surtout réputée pour son (ancien) port. Au XIXe siècle, c'est pour les yeux toujours beaux du commerce que l'on construisit la ligne de chemin de fer entre la Vallée centrale et ce port par lequel transitait le café en direction du Chili. Il y a une trentaine d'années, alors

Vente de souvenirs le long de la plage de Puntarenas.

que les touristes n'imaginaient pas encore passer leurs vacances dans les forêts plus au nord, sa proximité avec San José et sa facilité d'accès en firent une station balnéaire à la mode. On venait à Puntarenas pour un week-end ; les Joséfinos y achetaient des maisons et quelques Américains s'y retiraient. Puntarenas se faisait alors une réputation de cité touristique, mais la construction par les Japonais d'un port moderne à Puerto Caldera (à 20 km au sud) pour débarquer leurs voitures d'importation a commencé à polluer les eaux et les plages. Ce projet a eu raison de l'écotourisme dans cette zone. Etablie sur une étroite langue de terre parallèle à la côte, Puntarenas – dont le nom signifie « pointe de sable » – paraît petite avec ses quatre cuadras de largeur. De l'avenue centrale qui mène jusqu'au terminal des ferries, on aperçoit la mer à tous les coins de rue. Au sud-ouest, à votre gauche, s'étend la plage, qu'on promet toujours propre. Une ligne de palmiers et de figuiers la sépare du trottoir de ciment où déambulent les familles, les derniers retraités américains et les vendeurs de gadgets.

Durant la haute saison (*temporada alta*), le paseo de los Turistas est quasi bondé les samedi et dimanche, mais, entre mai et octobre, c'est le désert. C'est que Puntarenas n'a pas très bonne réputation dans les guides touristiques. Et il est vrai qu'elle ne bénéficie pas des paysages dont peut se vanter la presque totalité du pays, ni de forêts sensationnelles, ni d'animaux particulièrement exotiques. Si elle perdait ses ferries, la ville serait bien vite oubliée même si depuis quelques années les autorités locales tentent de réhabiliter l'ancien port. Des tracteurs ont été achetés pour nettoyer la plage régulièrement et les quais du port sont destinés à accueillir un nouveau complexe touristique (restaurants, bars, magasins de souvenirs...). Pour trouver de belles plages, il faut s'éloigner un peu ou redescendre vers Caldera, au-delà du port bien sûr. La province de Puntarenas, ou Pacifique central, couvre une grande partie de la côte pacifique, du Panamá à la péninsule de Nicoya. Avec pratiquement 1 000 km de côte, la province peut se permettre d'offrir quelques-unes des plus belles plages du pays, parfois situées dans des parcs nationaux. Vacanciers de tout poil, tenez-vous le pour dit : s'il faut se montrer respectueux de son environnement sur n'importe quelle plage (elles ne sont pas éternelles), il faut l'être encore plus sur celles de ces côtes.

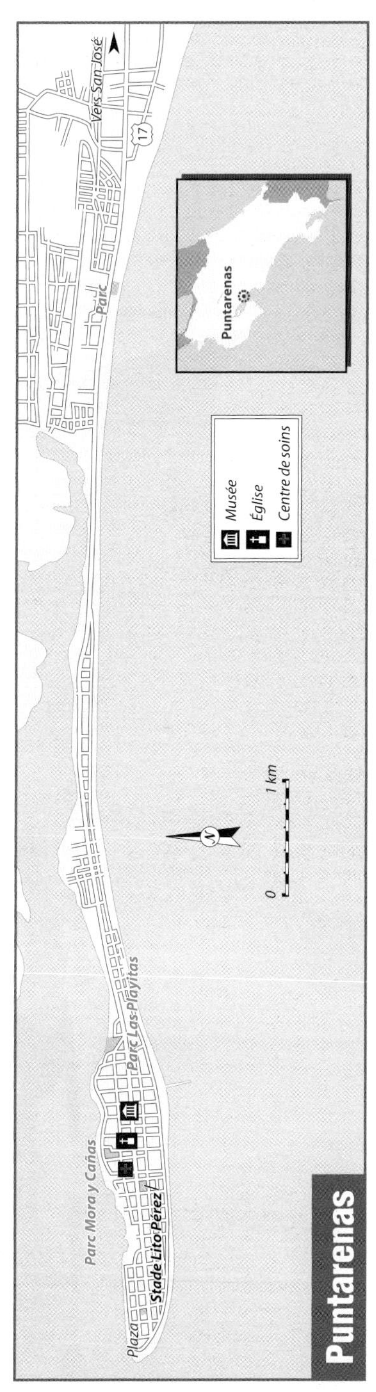

À Puntarenas, des produits frais arrivent de la mer.

Transports

Comment y accéder et en partir

Bus. De San José, tous les jours, toutes les heures, entre 6h et 19h (c16, a12 ✆ 2222 8231). De Puntarenas, pour s'y rendre, un bus par heure entre 4h et 19h. Compter 2 heures 30 de trajet. De Liberia, un bus part tous les jours, toutes les heures de 8h30 à 15h30 (✆ 2666 1752). De Puntarenas pour rejoindre Liberia, comptez 2 heures de trajet, 9 bus par jour de 4h50 à 20h30. Pour se rendre à Jacó, 4 départs de Puntarenas (5h, 11h, 14h30 et 16h30), compter 1 heure 30. Pour quitter Puntarenas et rejoindre le terminal de bus, prendre un petit taxi en débarquant du ferry ou porter son sac sur 2 km.

Voiture. La route 1, la célèbre Interamericana, au départ de San José (General Cañas) puis la route 17 à partir de Barranca. Entre les travaux, les accidents et sa propre détérioration, la route de Puntarenas peut réserver bien des surprises et de longues attentes. Pour éviter la monotonie de la route 1, prendre la route 11 via Atenas et San Mateo ou la 23 via Orotina. Cette route est charmante, relaxante et fleurie, ce qui la rend nettement plus attrayante que la principale. Elle est vivement recommandée. Un pont au-dessus du río Tempisque (pont de La Amistad) a été inauguré en 2002 (cadeau du gouvernement de Taïwan au Costa Rica). Pour le rejoindre en direction du nord de la péninsule de Nicoya, suivre l'Interamericana Norte après Puntarenas et guetter les indications « Tempisque ».

Bateau. Prévoir une assez longue attente en haute saison. Pour avoir le droit de monter à bord, il faut d'abord placer le véhicule dans la file d'attente, puis attendre (ou non) qu'on vous donne un jeton ou l'autorisation d'aller acheter un ticket au guichet un peu plus loin... Seul le conducteur peut rester dans la voiture au moment de l'embarquement.

COONATRAMAR FERRY
✆ +506 2661 1069
www.coonatramar.com
coonatra@sol.racsa.co.cr
Pour Playa Naranjo. Environ 1 heure. Départs à 6h30, 10h, 14h30 et 19h30 ; retours à 8h, 12h30, 17h30 et 21h. Aller : adulte 860 colones, enfant 515 colones, moto 3 000 colones, vélo 2 000 colones, voiture et son chauffeur 9 000 colones.
Le ferry transporte piétons et véhicules. Si vous êtes véhiculé, achetez votre billet avant d'embarquer sinon on ne vous laissera pas monter. Arrivez au moins une heure à l'avance le week-end et pendant la haute saison.

NAVIERA TAMBOR FERRY
✆ +506 2661 2084
www.navieratambor.com
Pour Paquera. Départs à 5h, 9h, 11h, 13h, 15h, 17h et 21h ; retours à 6h, 10h, 14h, 18h, 20h30 et 21h30. Aller : adulte 810 colones, enfant 485 colones, moto 2 300 colones, voiture 7 800 colones.
Le ferry transporte piétons et véhicules. Si vous êtes véhiculé, achetez votre billet avant d'embarquer sinon on ne vous laissera pas monter. Arrivez au moins une heure à l'avance le week-end et pendant la haute saison. Attention : les horaires communiqués par cette compagnie sont très variables selon les saisons et peuvent changer le matin-même. Nous vous conseillons donc de téléphoner à la compagnie avant de prendre la route pour aller à l'embarcadère, même si le réceptionniste de votre hôtel vous garantit que les horaires n'ont pas changé. C'est ainsi que nous nous sommes retrouvés coincés à Paquera (où il n'y a absolument rien à faire à des kilomètres à la ronde) pendant trois heures à attendre le prochain ferry car les horaires indiqués venaient tout juste de changer... Et là on peut trouver le temps très, très, très long...

Pratique

OFFICE DU TOURISME DE LA PROVINCE DE PUNTARENAS, DE MONTEVERDE ET DES ÎLES DU GOLFE
Plaza del Pacífico
✆ +506 2661 6408
ictpuntarenas@ict.go.cr
Ce bureau de l'Institut costaricain du tourisme vous fournira toutes les informations nécessaires sur la province de Puntarenas, Monteverde et les îles du golfe. Brochures et cartes à votre disposition.

Se loger

Bien et pas cher

CABINAS CALDERA
Caldera, sur la droite de la route
✆ +506 2634 4482
Fax : +506 2634 4789
Compter 30 US$ la nuit.
Chambres climatisées et accueil prévenant.

Plage de Puntarenas.

GUGA'S

100 m au nord du quai d'embarquement des croisières
✆ +506 2561 4231
Comptez 50 US$ la nuit.
Quelques cabinas confortables avec air conditionné, salle de bains privée et télévision câblée. Bien meublées. Restaurant réputé de poissons, mais grand choix de viandes et de pâtes.

Confort ou charme

COSTA RICA YACHT-CLUB

C74 (début de la péninsule)
A 3 km du centre
✆ +506 2661 0784
Fax : +506 2661 2518
www.costaricayachtclub.com
Hébergement en villa avec air conditionné à partir de 120 US$ d'une capacité de 5 personnes, en chambre à partir de 60 US$. Marina de 200 places avec tous les équipements (bar, restaurant, boutique).
L'endroit est presque toujours complet, ce n'est pas étonnant vu le bon rapport qualité-prix, le restaurant élégant et la magnifique piscine.

HOTEL TIOGA

Paseo de Los Turistas face à la mer
calle 17 et 19 ✆ +506 2661 0271
Fax : +506 2661 0127
www.hoteltioga.com
52 chambres avec AC, téléphone, TV câblée, coffre-fort. De 81 à 92 US$ (chambre deluxe) et de 91 à 102 US$ (chambre executive), taxes non comprises. Petit déjeuner inclus. Casino, bar, piscine.
Les chambres sont très joliment décorées. L'une des meilleures adresses de Puntarenas, elle a fait ses preuves.

YADRAN BEACH RESORT & CASINO

Au bout de la presqu'île
✆ +506 2661 2662
Fax : +506 2661 1944
www.puntarenas.com/yadran
Des chambres classées en standard, supérieur et suite. 38 US$ (standard), 44 US$ (supérieur) et 162 US$ (suite), 25 US$ par personne supplémentaire. Deux restaurants (Los Delphines, plutôt snack, et Adriatico). Piscine, casino, discothèque.
Aucune surprise.

Se restaurer

Pour ce qui est de la restauration, vous trouverez les sodas habituelles, et un self à la gare du ferry qui vous permettra de patienter. Quelques bonnes tables même si ce n'est pas la spécialité de Puntarenas.

SODA EL DESORDEN

C0, a0/2
✆ +506 2661 3028
A 100 m du vieux quai en direction de l'estuaire. Compter 3 000 colones le plat.
Plus local que les précédents, donc plus intéressant. A signaler l'excellent *casado*.

À voir – À faire

ANCIENNE PRISON DE PUNTARENAS

Avenida central ✆ +506 2661 1394

Ouvert du lundi au samedi de 9h à midi et de 13h à 19h. Entrée libre.

L'ancienne prison de Puntarenas, construite en 1890, a été aménagée en Maison de la culture, en musée et en auditorium de 204 places, ce qui donne un petit cachet culturel à une station balnéaire à la recherche de ses touristes.

COSTA RICA YACHT-CLUB

C74 (début de la péninsule)
A 3 km du centre ✆ +506 2661 0784
Fax : +506 2661 2518
www.costaricayachtclub.com

Il offre tous les services d'un port de plaisance (200 places), un restaurant, un bar et des hôtels (de 45 à 105 US$).

ÎLOT DE SAN LUCAS

✆ +506 2663 5952
✆ +506 2661 9011

Au large de Puntarenas, cet îlot était une prison sans murs ni barreaux, abandonnée en 1991. Les prisonniers se réhabilitaient par l'artisanat et vendaient leur production le dimanche. On peut visiter l'îlot de 800 hectares en contactant les gardes-côtes.

ORCHID'S FARM

Miramar Plantación
A 40 minutes au nord-est de Puntarenas
✆ +506 2639 1034
✆ +506 2639 1151
www.orchimex.com – info@orchimex.com

La ferme comprend une plantation et une collection d'orchidées et propose un tour qui dure 2 heures 30 min environ. Les chemins sont adaptés pour une agréable visite guidée. Possibilité de visite pour groupes agrémentée de haltes musicales « marimba ». Orchid's Farm est le cinquième plus grand producteur et exportateur d'orchidées du monde (exportations de 15 000 plants et de 2 millions de fleurs en Europe et en Amérique du Nord). Une visite à recommander.

THE ORIGINAL CANOPY TOUR (MAHOGANY PARK)

Près d'Orotina
✆ +506 2257 5149
Fax : +506 2256 7626
info@canopytour.com

Cette appellation regroupe plusieurs sites qui se revendiquent les meilleurs canopy tours du Costa Rica.

PARQUE TROPICAL TURU BARI

A 10 km d'Orotina
Turrubares, sur la route de Puriscal
✆ +506 2250 0705 – www.turubari.com

Entrée : 15 US$.

Véritable centre de loisirs dans lequel il faut payer les diverses activités (canopy tour ou cheval) en sus du droit d'entrée qui ne donne accès qu'aux jardins. En gros, pour bien s'amuser, compter au minimum 70 US$ par pers.

Visites guidées

BAY ISLAND CRUISES

Paseo Colón, 275
✆ +506 2258 3536
www.bayislandcruises.com
reservas@bayislandcruises.com

Excursions d'une journée vers l'île de Tortuga.

Délicieux ceviches *de la côte pacifique.*

L'un des bungalows du Tenorio Lodge.

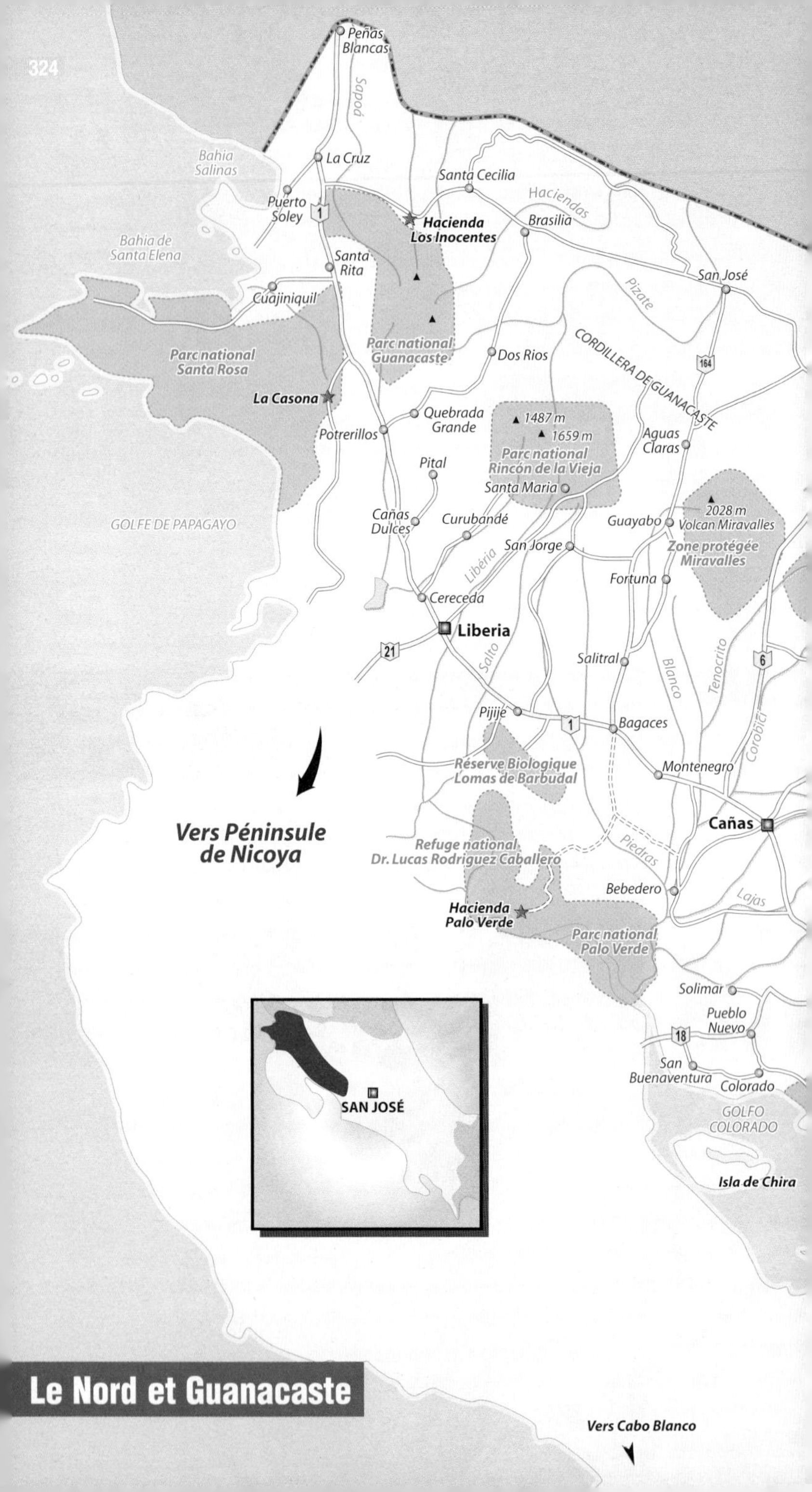

Le Nord et Guanacaste

Peñas Blancas
Sapoá
Bahia Salinas
La Cruz
Santa Cecilia
Puerto Soley
1
Haciendas
Hacienda Los Inocentes
Brasilia
Bahia de Santa Elena
Santa Rita
San José
Cuajiniquil
Pizote
Parc national Guanacaste
Parc national Santa Rosa
Dos Rios
CORDILLERA DE GUANACASTE
164
La Casona
Quebrada Grande
1487 m
1659 m
Potrerillos
Aguas Claras
Parc national Rincón de la Vieja
Pital
Santa Maria
2028 m
Volcan Miravalles
GOLFE DE PAPAGAYO
Cañas Dulces
Curubandé
Guayabo
San Jorge
Zone protégée Miravalles
Libéria
Fortuna
Cereceda
Liberia
21
Salitral
Tenocrito
6
Salto
Blanco
Pijijé
1
Bagaces
Corobici
Réserve Biologique Lomas de Barbudal
Montenegro
Vers Péninsule de Nicoya
Cañas
Refuge national Dr. Lucas Rodriguez Caballero
Piedras
Bebedero
Lajas
Hacienda Palo Verde
Parc national Palo Verde
Solimar
Pueblo Nuevo
18
San Buenaventura
Colorado
SAN JOSÉ
GOLFO COLORADO
Isla de Chira
Vers Cabo Blanco

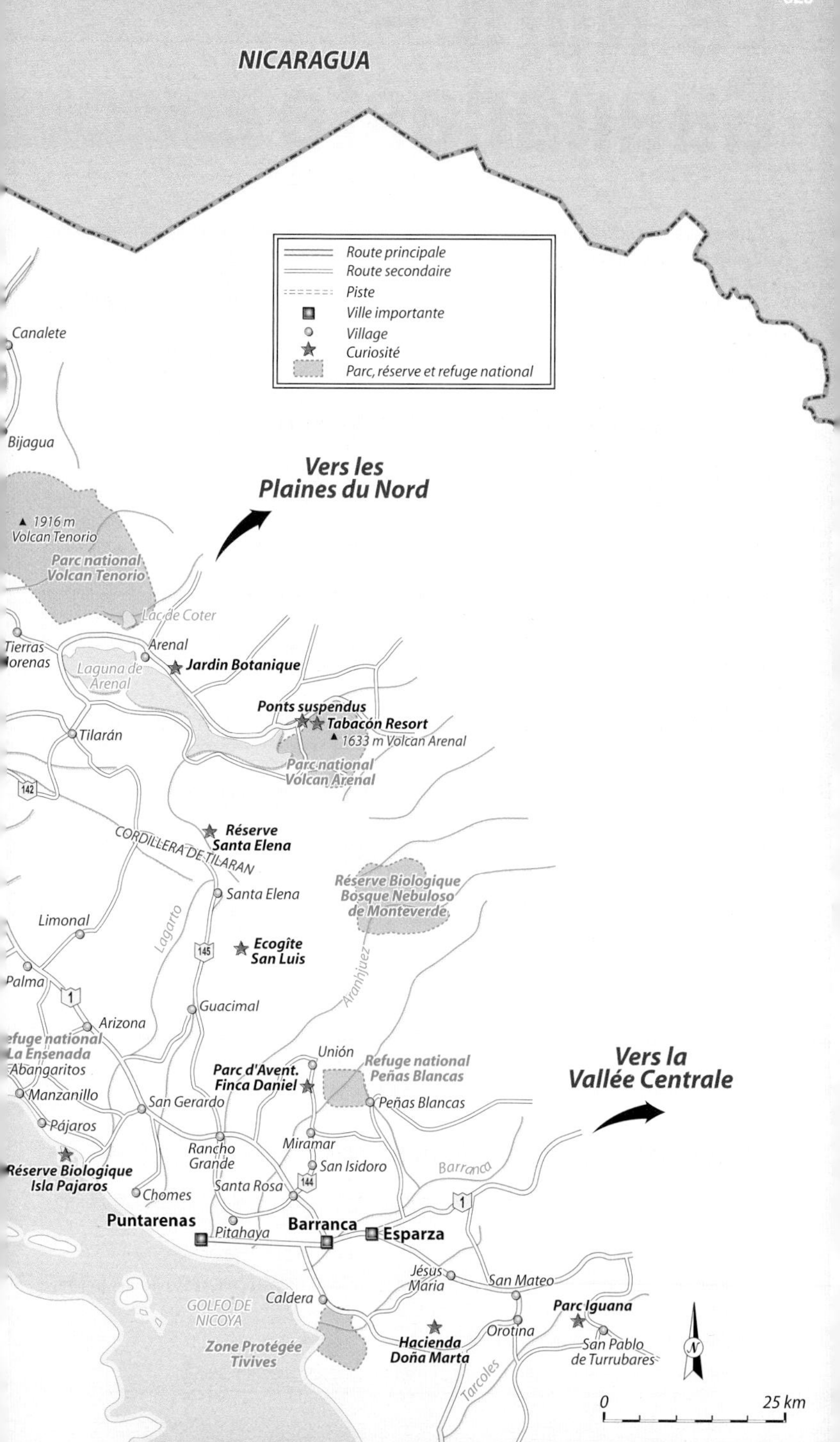

NICARAGUA
Route principale
Route secondaire
Piste
Ville importante
Village
Curiosité
Parc, réserve et refuge national
Canalete
Bijagua
Vers les Plaines du Nord
1916 m Volcan Tenorio
Parc national Volcan Tenorio
Lac de Coter
Tierras
Arenal
Laguna de Arenal
Jardin Botanique
Ponts suspendus
Tabacón Resort
1633 m Volcan Arenal
Tilarán
Parc national Volcan Arenal
142
Réserve Santa Elena
CORDILLERA DE TILARAN
Santa Elena
Réserve Biologique Bosque Nebuloso de Monteverde
Limonal
Lagarto
145
Ecogîte San Luis
Aranjuez
Palma
1
Guacimal
Arizona
La Ensenada
Abangaritos
Unión
Parc d'Avent. Finca Daniel
Refuge national Peñas Blancas
Vers la Vallée Centrale
Manzanillo
San Gerardo
Peñas Blancas
Pájaros
Rancho Grande
Miramar
San Isidoro
Barranca
Réserve Biologique Isla Pajaros
Chomes
Santa Rosa
144
1
Puntarenas
Pitahaya
Barranca
Esparza
Jésus Maria
San Mateo
Caldera
GOLFO DE NICOYA
Parc Iguana
Hacienda Doña Marta
Orotina
San Pablo de Turrubares
Zone Protégée Tivives
Tarcoles
N
0
25 km

Le Nord – Guanacaste

A cheval sur deux cordillères, celle de Tilarán et celle de Guanacaste, bordée à l'ouest par le golfe de Nicoya et au nord-ouest par l'océan Pacifique, la province du Guanacaste, à l'extrême nord-ouest du Costa Rica, offre de multiples paysages, des imposants volcans actifs aux côtes sauvages du Pacifique. Elle renferme une grande et riche biodiversité avec des altitudes qui s'échelonnent du niveau de la mer à 1 916 m dans le parc national Rincón de la Vieja. On y trouve 850 espèces d'oiseaux dont le quetzal, les colibris, les perroquets, les toucans, de nombreuses espèces de mammifères dont les singes écureuils, les capucins à tête blanche, les singes araignées, les singes hurleurs, des félins dont le puma, l'ocelot, le jaguar, des reptiles et enfin des tortues marines. Le volcan Rincón de la Vieja est un volcan actif dont les deux cratères (1 895 et 1 916 m) ont régulièrement des éruptions de gaz, ce qui contribue à la richesse de la forêt et de sa vie. Il abrite la plus forte densité d'orchidées Cattleya skinneri, *la fleur nationale du Costa Rica qui ne pousse qu'en pleine nature. Nous avons regroupé sous le nom de Nord-Guanacaste la région comprise entre le nord de Puntarenas et la frontière du Nicaragua, de chaque côté des deux chaînes volcaniques parallèles de Tilarán et de Guanacaste. Concernant le réseau routier, l'Interamericana, en bon état, traverse toute cette région de la frontière jusqu'à Puntarenas. En revanche, certains secteurs sont dans un état catastrophique comme la route de La Cruz à Upala et les routes de la région de Monteverde. Au niveau du climat, c'est la région la plus sèche du Costa Rica avec des températures de 25 à 34 °C.*

LE SUD

Cette magnifique région de la cordillère de Tilarán séduira en tous points les amoureux de la nature. La mangrove d'Isla Chira est très impressionnante, les réserves naturelles de Santa Elena et Monteverde sont un véritable trésor de la biodiversité et Cañâs un des meilleurs spots de rafting du pays. Randonnées, à pied ou à cheval, circuits à travers la canopée, visite de jardins de papillons ou d'orchidées sont autant d'activités que vous pourrez pratiquer à loisir pendant votre séjour.

ISLA LA CHIRA

Au fond du golfe de Nicoya, l'île de Chira (une ancienne colline cernée par les eaux lorsqu'elles ont envahi le golfe) porterait le nom de la première femme qui a vécu ici. Les 1 230 personnes, pour la plupart des pêcheurs et des agriculteurs, qui vivent en permanence sur ce morceau de terre de 27 km² dont presque la moitié est constituée de mangrove, manquent de moyens de subsistance et cherchent d'autres débouchés.

Les immanquables du Guanacaste

- **Visiter** les réserves de Monteverde et de Santa Elena, dans les forêts nuageuses de la cordillère de Tilarán.
- **Faire** l'ascension du volcan Rincón de la Vieja, jusqu'au cratère actif.
- **Visiter** la région de La Fortuna, le volcan Arenal (avec un peu de chance, le voir fumer) et les sources thermales (Baldí, Ecotermales).
- **Faire** le tour du lac Arenal en voiture.
- **Visiter** le parc national Santa Rosa, observer la forêt tropicale sèche.

Transports

Voiture. Prendre l'Interamericana puis la sortie vers Punta Morales. Après 20 minutes en direction du nord, tournez à gauche pour rejoindre Costa del Pájaro afin de prendre la lancha. Vous pouvez demander à l'association La Amistad de venir vous chercher en bateau, si vous avez réservé une chambre chez eux.

Se loger

LA AMISTAD DE LA ISLA DE CHIRA
Palito de Chira, sur l'île de Chira
dans le golfe de Nicoya
✆ +506 2661 8256 – +506 2661 3261
www.actuarcostarica.com
Asociación de Damas de la Isla de Chira. Embarcadères à Costa del Pájaro, Manzanillo ou Tempisque. Plusieurs packages pour des séjours sur place avec balades à vélo, découverte de la mangrove en bateau, visite chez des artisans, etc. Pour une nuit, compter 62 US$ par personne avec activités incluses.
Sur cette île en voie de désaffection par les hommes au chômage, les femmes se sont mobilisées pour préserver et améliorer leurs conditions de vie auparavant exclusivement liées à la pêche et à l'exploitation de la mangrove. Elles ont aménagé 6 bungalows. Restauration à base de poisson et de fruits de mer et belle offre de visites guidées (coquillages ou tour artisanal...). Belle adresse, la seule d'ailleurs sur cette île qu'il ne faut pas manquer de visiter !

À voir – À faire

Découverte de la mangrove et des îles de Chira et de Paloma (oiseaux de mer et de mangrove) en compagnie de guides locaux, pêche sportive, visite des projets en cours (culture de panguas).

SANTA ELENA DE MONTEVERDE

La forêt tropicale humide qui entoure Monteverde est difficilement accessible, aussi les habitants de cette région cherchent-ils à conserver la route qui y mène dans son état actuel pour préserver leur forêt de la déforestation (visible à la lisière) et, par-dessus tout, leur mode de vie. Il y a une trentaine d'années, un groupe de quakers de l'Alabama, séduits par la politique pacifiste du Costa Rica, s'installa dans cette région et fut à l'origine des fermes laitières de la réserve biologique de Monteverde. Aujourd'hui, cette région est l'une des principales attractions touristiques du Costa Rica, d'où peut-être une certaine « réserve » de la part des natifs qui ne s'étaient pas installés ici pour rester sur le bord de la route à compter les voitures...

Transports

Bus. De San José, 2 bus tous les jours à 6h30 et à 14h30 (c12, a9/11 ✆ 2222 3854). Le même bus quitte Monteverde à 6h30 et à 14h30 (renseignements : hôtel Bosque ✆ 2661 1258 – 661 1152). Achetez vos billets à l'avance, car le bus est souvent bondé et les places sont numérotées. Le départ s'effectue de la fromagerie de Monteverde, mais vous pouvez arrêter le bus n'importe où pourvu que vous ayez un billet. Le car, qui quitte San José à 12h45 en direction de Tilarán, vous dépose à 15h15 à la jonction de l'Interamericana et de Lagarto, ce qui vous permet de prendre le bus de 15h30 pour Santa Elena. De Puntarenas, 2 bus rallient Santa Elena, à 3 km de Monteverde. Départ du bord de la mer, près de l'arrêt du car San José-Puntarenas, à 13h15 et à 14h15. Le trajet dure un peu plus de 3 heures. Retour de Santa Elena à 16h15 et à 18h. A Santa Elena, vous pouvez demander à un hôtel de Monteverde (adresses plus loin) de vous envoyer un taxi. Plus onéreux mais plus pratique, vous pouvez faire appel à Interbus qui organise des transferts de l'Arenal à Monteverde et vice-versa ! Cela peut être une bonne option pour gagner du temps. Comptez 45 US$ pour un transfert pour une personne. Le minibus vient vous chercher à l'hôtel et vous dépose devant l'hôtel de votre prochaine étape. Une bonne alternative si l'on est un peu pressé par le temps.

Voiture. A 30 minutes au nord de Puntarenas, à la hauteur de la rivière Lagarto, quittez l'Interamericana vers le nord-ouest. Ensuite, c'est tout droit pendant 2 heures. Avant d'arriver à Lagarto, si vous êtes fatigué du mauvais état de la route, vous pouvez vous arrêter au Chino's pour vous rafraîchir. Les toilettes sont propres et gardées sous clé. Il est également possible de se rendre à Monteverde par Tilarán, via Quebrada Grande, Cabeceras et Santa Elena, mais le trajet est plus long et difficile (2 heures 30 min). Les portions de route de terre peuvent devenir très mauvaises en période de pluies. A Cabeceras, vous avez le choix entre deux routes aussi splendides que mauvaises.

Celle de Las Nubes, sur la gauche, est plus longue de deux kilomètres, mais encore plus belle que celle de Turín (compter de 2 à 3 heures pour 70 km). Attention, il est impossible de faire le tour complet du lac Arenal, même en saison sèche, à cause d'une rivière à l'est, qu'on ne peut franchir même en 4x4, coupe la route. C'est donc une mauvaise idée de visiter le volcan Arenal avant Monteverde car il faut refaire le tour du lac, au moins aux trois quarts... Si vous voulez aller de Monteverde à Arenal (ou vice-versa), il vaut mieux prendre le bateau sur l'une des deux rives du lac. Vous trouverez des agences et des hôtels qui proposent la traversée, moyennant 25 US$, aussi bien à Santa Helena/Monteverde qu'à Arenal (durée : 3 heures).

INTERBUS
De la Fuente de la Hispanidad
A 100 m à l'est et 25 m au nord,
San Pedro, Montes de Oca, San José
✆ +506 2283 5573
Voir la rubrique « San José », « Se déplacer », « L'arrivée », « Bus ».

Pratique

On peut retirer de l'argent à Santa Elena à un guichet automatique (toutes cartes) à la sortie du bourg sur la route de la réserve de Monteverde. Un peu plus loin, près de l'hôtel Belmar, c'est du carburant. Dans le bourg même de Santa Elena, un grand supermarché permet de remplir le sac à dos.

OFFICE DU TOURISME
En plein centre, face au supermarché
✆ 2645 6565
Ouvert tous les jours de 8h à 20h en haute saison et de 10h à 18h en basse saison.
Cette petite officine propose de nombreuses brochures et vous aide à vous y retrouver quand vous voulez faire un tour de canopée ou du cheval ou toute autre activité possible dans la région.

Se loger

Vous pouvez dormir à Santa Elena ou à Monteverde qui n'est pas à proprement parler un village, mais plutôt une suite de hameaux disséminés dans la forêt et reliés entre eux par des sentiers. Pour rejoindre l'une des réserves, depuis Santa Elena ou Monteverde, un taxi

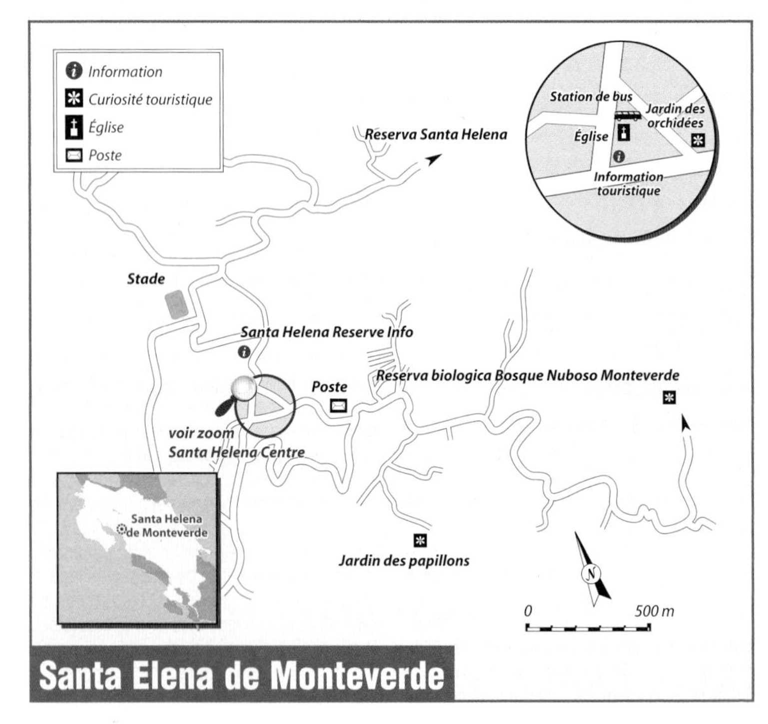

revient à 1 000 colones mais la circulation dans la région est assez importante pour pratiquer l'auto-stop.

Bien et pas cher

Les chambres les moins chères se trouvent à Santa Elena. Certains hôtels vous autoriseront à camper et à utiliser une douche.

BELCRUZ BED AND BREAKFAST

Cañitas, Monteverde
A 500 m du restaurant Sabor Español
✆ +506 2645 5295 – +506 8301 7037
www.belcruz.com
40 US$ la chambre double avec salle de bains privée, taxes non incluses. Petit déjeuner inclus.
Des chambres simples et propres, tout en haut d'une colline. Le propriétaire a une petite cafétéria où vous pourrez prendre un bon petit déjeuner, juste en face. Accès Internet uniquement dans la cafétéria.

CABINAS EDDY

✆ +506 2645 6635
Fax : +506 2645 6618
www.cabinas-eddy.com
info@cabinas-eddy.com
25 US$ la double sans petit déjeuner, 30 US$ avec petit déjeuner. De 10 à 15 US$ la nuit en dortoir sans petit déjeuner. Café gratuit avec toasts et confiture dans la cuisine commune. Internet à disposition, et tour en bateau (de Monteverde à Arenal) pour 20 US$, le moins cher de tous.
18 chambres claires et confortables pour cet établissement rénové récemment. Bon accueil. Pour la petite histoire, le propriétaire a un salon de coiffure situé dans la cour, à droite de l'entrée, donc si vous voulez rafraîchir votre coupe de cheveux, c'est l'occasion !

CABINAS SOL Y LUNA (SUN AND MOON)

Entrée de Santa Elena ✆ +506 2645 5629
www.cabinassolyluna.com
Compter 40 US$ pour deux, 50 US$ pour 3 personnes, 60 US$ pour 4 personnes et 70 US$ pour 5 personnes (négociable selon la saison et l'affluence touristique). Wi-fi gratuit, TV dans les chambres et parking.
Petite structure se composant de 5 chambres doubles, triples ou quadruples. Egalement des cabinas pour 5 personnes. L'accueil d'Amelia Albarado Valenciano est des plus chaleureux, la décoration, sobre, fait la part belle au bois, et la tenue est impeccable. Une bonne adresse, en recul de l'agitation du village.

LA COLINA LODGE

Monteverde. A 5 minutes de la fabrique de fromage ✆ +506 2645 5009
www.lacolinalodge.com
info@lacolinalodge.com
Chambres simples de 10 US$ (salle de bains commune) à 25 US$ (salle de bains privée) et doubles de 20 US$ (salle de bains commune) à 35 US$ (salle de bains privée). Wi-fi gratuit. Un salon avec TV câblée et une cuisine commune.
Cet hôtel tout en bois et en couleur est l'un des plus anciens hôtels de Monteverde. La maison a en effet été construite par des Quakers venus s'installer à Monteverde dans les années 1950. Chambres joliment décorées, repas bio, cheminée dans le restaurant font de cette adresse un bon rapport qualité-prix.

HÔTEL DON TACO

Entrée nord de Santa Elena, à 300 m au nord de la mairie ✆ +506 2645 5263
Fax : +506 2645 5985
www.hoteldontaco.com
cab_don_taco@racsa.co.cr
Comptez entre 55 US$ et 60 US$ pour une chambre double avec petit déjeuner. 23 chambres et 5 cabañas avec TV, frigo, balcon, laverie. Wi-fi gratuit.
Hôtel récent aux chambres bien aménagées avec balcon. Restaurant. Accueil sympathique et disponible.

MONTEVERDE COUNTRY LODGE

Monteverde ✆ +506 2645 7600
Fax : +506 2645 7687
www.monteverdecountrylodge.com
reservaciones@monteverdecountrylodge.com
Chambres simples et doubles à 85 US$, taxes non incluse. Petit déjeuner et cocktail de bienvenue compris. Wi-fi gratuit.
16 chambres rustiques, tout en bois, cosy et confortables. Parfait pour se reposer et « se mettre au vert ».

PARIS CONFORT BED AND BREAKFAST

Route de Tilarán, à 1,5 km de l'église catholique et à 250 m à l'ouest de l'hôtel Miramontes ✆ +506 2645 5281
Fax : +506 2645 5913
www.cabinasconfort.com
gvansil@gmail.com
Chambre double à 60 US$, petit déjeuner inclus.
Un charmant bed and breakfast tenu par un couple de retraités belges francophones. Les chambres sont confortables et bien équipées (frigo, micro-ondes, machine à café). Michelle, la maîtresse de maison, sera aux petits soins avec vous. Une bonne adresse.

PENSION SANTA ELENA
En plein centre, juste avant le jardin d'orchidées, à 50 m du Banco Nacional
✆ +506 2645 5051
www.pensionsantaelena.com
Compter 7 US$ pour une nuit en dortoir, 18 US$ pour une chambre double avec salle de bains commune (12 US$ en chambre simple), 27 US$ avec salle de bains privée, ou 35 US$ pour un peu plus d'espace. Café gratuit. Internet en libre accès (2 ordinateurs), nombreuses informations sur la région dispensées par Ran, le maître des lieux. Wi-fi gratuit (accès à l'accueil seulement).
Un repaire de jeunes, américains et européens, avec une bonne ambiance et des rencontres assurées. Les chambres sont réparties dans deux bâtiments : l'un ancien et l'autre plus récent qui donne sur une cour intérieure. On préfère les chambres du bâtiment récent car elles sont beaucoup plus claires et plus confortables que celles du vieux bâtiment (et elles ne coûtent que quelques dollars de plus).

RÉSERVE DE MONTEVERDE (CENTRO CIENTIFICO TROPICAL)
✆ +506 2645 5122
Fax : +506 2645 5034
www.cct.or.cr – cct@cct.or.cr
53 US$ par personne la nuit en dortoir avec les 3 repas et l'entrée à la réserve, 64 US$ dans une chambre individuelle avec les mêmes prestations.
Dans un centre scientifique, le plus intéressant et le plus pratique pour être sur place au plus tôt le matin. Les chambres au confort basique sont dans un bâtiment à l'entrée du parc. Réserver longtemps à l'avance. Formule très économique.

SUNSET HOTEL
A 1 km de Santa Elena en venant de Tilarán, sur la gauche, il est bien indiqué, juste après Swiss Miramontes Hotel
✆ +506 2645 5048
Fax : +506 2645 5228
mengelrobert@yahoo.com
35 US$ la chambre simple, 45 US$ la double, 60 US$ la triple, 75 US$ la quadruple. Petit déjeuner inclus. Des emplacements de camping à 6 US$ par personne.
Une adresse agréable tenue par Carmen et Vitalis Mengel sur une petite réserve privée. Un peu éloigné de Monteverde cependant, mais sur les hauteurs, ce qui explique ce nom si bien choisi, le coucher de soleil est en effet magique puisque l'on peut apercevoir le golfe de Nicoya ! Un petit sentier a par ailleurs été aménagé dans la propriété pour l'observation des oiseaux, tôt le matin. Accueil chaleureux.

Confort ou charme

ARCO IRIS
✆ +506 2645 5067
Fax : +506 2645 5022
www.arcoirislodge.com
arcoiris@racsa.co.cr
Les chambres sont installées dans 21 chalets avec cuisine équipée et une jolie décoration rustique. Selon la saison : de 75 à 85 US$ (2 pers.), de 90 à 100 US$ (3 pers.), de 100 à 160 US$ (4 pers.), 10 US$ par personne supplémentaire, petit déjeuner non compris (7 US$). Pour la maison : de 130 à 140 US$ (2 pers.) et de 160 à 165 US$ (4 pers.), 15 US$ par personne supplémentaire. Il y a aussi une maison « lune de miel » de 175 à 195 US$. Wi-fi gratuit et accès libre à un ordinateur connecté à Internet (de 6h à 20h).
Très joli hôtel, tout en bois, style chalet de montagne. La maison est superbe, parfaite pour une famille ou deux couples. Très bon rapport beauté-qualité-prix. A recommander.

BELMAR
300 East Of The Gas Station
✆ +506 2645 5201
Fax : +506 2645 5135
www.hotelbelmar.net
Compter de 59 à 91 US$ la chambre simple et de 69 à 102 US$ la double selon la saison et la catégorie. Wi-fi gratuit.
Niché dans les contreforts de la forêt comme dans un écrin de verdure, cet hôtel familial et fort convivial, un des pionniers de la région, abrite 27 chambres fort confortables (téléphone, balcons pour certaines) dans deux grands chalets de bois d'où la vue plongeante, dans certaines chambres, est tout à fait spectaculaire sur le golfe de Nicoya. L'ensemble a le charme rustique et chaleureux des maisons de montagne traditionnelles. Un Jacuzzi extérieur, un parking, un service de laverie, un billard, Internet en libre accès (deux ordinateurs) et un coffre-fort dans les chambres complètent les services de l'hôtel qui arbore le certificat du tourisme responsable. Le restaurant sert une cuisine de bonne tenue. Le Belmar possède un bout de forêt avec des sentiers privés aménagés le long desquels il fait bon se balader. Une adresse recommandée.

EL BOSQUE

Route principale menant à la réserve, à mi-chemin
✆ +506 2645 5221
✆ +506 2645 5129
www.bosquelodge.net
info@bosquelodge.net
30 chambres de 2 à 4 personnes. 55 US$ (2 pers.), 65 US$ (3 pers.), 75 US$ (4 pers.), taxes et petit déjeuner compris.
Bungalows simples en bois dans un parc adossé à la forêt.

FONDA VELA

Route de la réserve de Monteverde, 1,3 km
✆ +506 2645 5125
Fax : +506 2645 5119
www.fondavela.com – info@fondavela.com
40 chambres réparties en 22 chambres standard et 18 suites, avec TV câblée, minibar, téléphone. 120 US$ (standard, 2 pers.) et 170 US$ (junior suite, 2 pers.), taxes et petit déjeuner (10 US$) non compris. Bar-restaurant. Piscine et Jacuzzi à l'extérieur. Wi-fi gratuit (accès au restaurant et dans le lobby seulement).
Situé tout près de la réserve, ce bel hôtel, installé sur une propriété de 35 hectares, privilégie son environnement exceptionnel. Le patron de l'hôtel, Paul Loren Smith, est un descendant de Quakers ; si vous le croisez, il vous racontera volontiers l'histoire de cette communauté qui a créé la réserve de Monteverde. Bon restaurant et prix corrects. Une bonne adresse.

HOTEL POCO A POCO

Santa Elena
A 5 minutes du centre-ville de Santa Elena
✆ +506 2645 6000
Fax : +506 2645 6264
www.hotelpocoapco.com
reservaciones@hotelpocoapoco.com
93,80 US$ la chambre simple et 134 US$ la double, petit déjeuner et cocktail de bienvenue inclus, taxes non comprises. Wi-fi gratuit.
Un hôtel confortable avec des chambres modernes et un service irréprochable. Une belle piscine, un Jacuzzi extérieur (eau chauffée), un salle de gym, un spa, une garderie, un superbe jardin tropical... Tout a été pensé pour vous permettre de vous détendre, jusqu'au restaurant de l'hôtel, l'Otocuma, où une douce musique live vous bercera pendant vos dîners aux chandelles. Un très bon rapport qualité-prix.

LOS PINOS

Monteverde ✆ +506 2645 5252
Fax : +506 2645 5005
www.lospinos.net – info@lospinos.net
Cabinas confortables pour 2 à 6 personnes. Pour les cabanas : de 75 US$ (2 pers.) à 165 US$ (6 pers. maxi). Pour les suites : de 85 US$ (2 pers.) à 110 US$ (4 pers.). Taxes non incluses.
Bon rapport qualité-prix pour ces chalets individuels et confortables, équipés d'un coin cuisine. Vous aurez aussi accès à d'agréables sentiers aménagés et à un joli potager. Réservation conseillée.

MONTEVERDE CLOUD FOREST LODGE

Route de Monteverde ✆ +506 2645 5058
Fax : +506 645 5168
www.cloudforestlodge.com
www.canopytour.com
info@cloudforestlodge.com
20 chambres. 90 US$ (1 pers.), 100 US$ (2 pers.), 110 US$ (3 pers.) et 120 US$ (famille), taxes non incluses mais petit déjeuner compris. Wi-fi gratuit et un ordinateur connecté à Internet en accès libre. Tour de canopy : 45 US$ par adulte, 35 US$ pour un étudiant, 25 US$ pour un enfant. Randonnée nocturne sur les sentiers de la propriété : 15 US$ par personne.
Des chambres cosy et modernes avec de grandes salles de bains. L'hôtel dispose de sa propre petite réserve agrémentée d'un canopy tour (Original Canopy Tour).

Grenouille multicolore, emblème du Costa Rica.

EL SOL
4 km avant Santa Elena
en venant de Tilarán
✆ +506 2645 5838 – +506 8353 7190
www.elsolnuestro.com
info@elsolnuestro.com
Maison à 75 US$ pour 2 personnes, 110 US$ pour 3 personnes, 150 US$ pour 4 personnes. Grand chalet à 125 US$ pour 2 personnes, 15 US$ par personne supplémentaire. Petit chalet à 95 US$ pour deux personnes. Taxes incluses. Petit déjeuner à 10 US$ par personne. 2 ordinateurs connectés à Internet si besoin. Sauna à 5 US$ et très jolie piscine. Massages à 45 US$ par personne. Un Farm Tour (circuit fermier) avec possibilité de traire une vache et de goûter aux produits locaux : 30 US$ par personne (durée : 3 heures). Randonnées guidées à cheval : 20 US$ par personne pour 1 heure et 35 US$ par personne pour 2 heures. Balade nocturne à 35 US$ par personne (durée : 2 heures).
Sur une magnifique propriété de 15 hectares, 3 chalets et une maison, entièrement équipés et disposant de tout le confort nécessaire, sont installés suffisamment loin les uns des autres pour que vous vous sentiez seul au monde, en pleine campagne. La vue des chambres sur les plaines est particulièrement reposante. On a aussi beaucoup aimé la décoration raffinée, très colorée et orientalisante des habitations. Cet établissement est tenu par Elizabeth, une dame d'origine allemande, installée au Costa Rica depuis des années ; elle vit là avec son fils et sera ravie de discuter avec vous, de tout et de rien, autour d'un bon café si vous le souhaitez. Si vous aimez la bonne cuisine, vous avez aussi frappé à la bonne porte. Pour en moyenne 15 US$ par personne, vous pouvez vous faire livrer un bon repas fait maison dans votre chambre. Côté activités, vous aurez l'embarras du choix sur place : randonnées guidées à cheval, circuit fermier ou encore balade nocturne avec guide vous seront proposées. En résumé, c'est une très bonne adresse.

SWISS HOTEL MIRAMONTES
1 km avant Santa Elena en venant
de Tikarán ✆ +506 2645 5152
Fax : +506 2645 5297
www.swisshotelmiramontes.com
miramont@racsa.co.cr
8 chambres, 4 standard et 4 chalets pour 4 pers. avec véranda. Compter 40 US$ pour une personne, 50 US$ pour deux et 80 US$ en chalet, taxes non incluses mais petit déjeuner compris.
Un petit air de chalet alpin flotte sur cet hôtel familial où l'on se sent immédiatement comme chez soi. Les propriétaires suisses, Katie (qui parle français) et Walter – ancien duo de musiciens – sont aux petits soins pour leurs hôtes. Les chambres sont bien entretenues avec un décor tout de bois. Le jardin tropical s'enorgueillit d'une belle collection d'orchidées que Walter soigne et photographie amoureusement. Le soir on peut prendre un apéritif au bar en regardant les films que Walter a réalisés sur la région. Le restaurant ouvert tous les jours midi et soir propose une cuisine européenne, avec des spécialités suisses notamment. Une adresse à recommander qui offre un bon rapport qualité-prix.

TRAPP FAMILY LODGE
A l'entrée du parc ✆ +506 2645 5858
Fax : +506 2645 5990
www.trappfam.com – info@trappfam.com
32 chambres dont 8 suites avec téléphone. Les prix pour 2 personnes : 85 US$ (la chambre) et 100 US$ (la suite), 15 US$ par personne supplémentaire, taxes et petit déjeuner non compris. Bar-restaurant.
Dans un très beau chalet en bois qui rappelle les dernières vacances « à la neige », hébergement familial, simple et chaleureux. Toutes les chambres ont vue sur le bois.

Luxe

EL ESTABLO
Situé à la sortie du village de Santa Elena
✆ +506 2645 5110
Fax : +506 2645 5041
www.elestablo.com – info@elestablo.com
Compter 210 US$ pour deux personnes en chambre standard déjà très luxueuse avec balcon ou terrasse, 295 US$ la chambre « lune de miel » ou pour la suite. Entre 55 et 75 US$ la personne extra.
L'hôtel est le plus imposant et le plus grand de la région. C'est une halte de grand confort. Il déploie ses installations en plusieurs bâtiments à flanc de colline et compte une centaine de chambres de différentes catégories toutes très confortables, chaleureuses et très bien équipées (TV câblée, réfrigérateur, cafetière, coffre, sèche cheveux…) et disposant d'une belle vue. Le restaurant Las Riendas est classique et offre une bonne cuisine locale et internationale. Le spa Green Leaf propose de multiples formules de soins en tous genres. Piscine, tennis pour les sportifs. L'Establo possède également son propre canopy tour.

HIDDEN CANOPY TREEHOUSES
Monteverde
A 5 minutes du Sky Trek
✆ +506 2645 5447 – +506 8703 2024
Fax : +506 2645 9952
www.hiddencanopy.com
info@hiddencanopy.com
De 245 à 295 US$ le châlet pour deux personnes, selon la taille et la saison, taxes non incluses. Petit déjeuner et « tea time » l'après-midi sont inclus dans les tarifs. 25 US$ par personne supplémentaire. Egalement deux chambres doubles dans le bâtiment principal, de 165 à 185 US$ pour une double.
Un lieu magique ! Des chalets de standing perchés sur des arbres. Ou comment vivre la vie d'un Robinson tout-confort. Une expérience unique qui séduit beaucoup de voyageurs à tel point qu'il faut réserver six mois à l'avance, si l'on veut espérer avoir une chambre disponible. Au moment de notre passage, au printemps 2011, toutes les chambres étaient déjà réservées jusqu'en mars 2012 !

EL SAPO DORADO
Entre Santa Elena et Monteverde
✆ +506 2645 5010
Fax : +506 2645 5180
www.sapodorado.com
reservations@sapodorado.com
30 suites réparties en 10 suites classiques, 10 suites Sunset (avec terrasse) et 10 suites Fountain (pour famille). Chacune avec 2 lits queen size, une machine à café. Prix en haute saison : 122 US$ (les 3 types de suites, 2 pers.), 26 US$ par personne supplémentaire, petit déjeuner et taxes non compris. En basse saison : 107 US$ (suite, 2 pers.). Wi-fi gratuit et deux ordinateurs connectés à Internet en libre accès.
Les clients de l'hôtel-restaurant du « Crapaud doré » logent dans des petits chalets éparpillés dans la verdure. Toutes les chambres sont confortables et réchauffées par des cheminées. Bon restaurant ouvert aux personnes extérieures. Un très bel endroit.

Se restaurer

On mange bien à Santa Elena de Monteverde et tous les budgets y trouvent leur compte. Pour ceux qui ont un logement avec cuisinette, les supermarchés sont bien fournis donc vous ne mourrez pas de faim.

Bien et pas cher

EL CAMPESINO
Dans la rue qui descend à droite de l'église
✆ +506 2645 5883
Ouvert de 11h à 23h. Enrées de 3 000 à 3 800 colones, casados à 3 000 colones, ceviche de 3 000 à 4 500 colones, hamburgers à 2 500 colones.
Dans un décor d'enfance, bons plats costaricains, notamment de poissons de rivière.

MORPHOS
Centre de Santa Elena. A 50 m à l'est du Banco Nacional ✆ +506 2645 7373
Ouvert de 11h à 21h15. Plats et burgers variés à 5 000 colones en moyenne.
Sur deux étages, l'un des restaurants les plus populaires de Santa Elena, où vous pourrez manger des plats basiques mais consistants, entouré de papillons suspendus (ce sont des faux, rassurez-vous). Concerts en fin de semaine pendant la haute saison.

PIZZERIA JOHNNY
Monteverde ✆ +506 2645 5066
www.pizzeriadejohnny.com
Ouvert tous les jours de 11h30 à 21h30. Compter 8 000 colones le repas.
Bon restaurant italien où la cuisine est préparée devant vous.

STELLA'S BARKERY
Monteverde, près de la fabrique de fromages ✆ +506 2645 5560
Ouvert de 7h à 16h. De 3 000 à 5 000 colones le plat.
Il mérite aussi le détour pour ses pâtisseries (brownies, tartes, pains...) et ses plats salés, comme les lasagnes aux légumes et les pizzas.

Bonnes tables

DON JUAN

Monteverde, en face de l'office du tourisme
✆ +506 2645 7114
Fax : +506 2645 7115
www.donjuan-restaurant.com
Ouvert tous les jours de 11h à 22h. Compter 25 US$ le repas.
Cusine du monde et plats aux saveurs originales dans un cadre coloré et contemporain.

SABOR ESPAÑOL

Cañitas, Monteverde
Près de « El Trapiche »
A 3 km au nord-ouest de Santa Elena
✆ +506 2645 5387
Ouvert du mardi au dimanche de 12h à 21h. Fermé le lundi. Entrées de 2 500 à 2 800 colones, paella à 5 500 colones, entrecôte à 7 800 colones, le litre de sangria à 5 500 colones.
Ouvert depuis deux ans seulement, ce restaurant, tenu par un couple d'Espagnols très chaleureux, ne désemplit pas. Vous y mangerez de la bonne paella accompagnée d'une vraie sangria made in Spain, dans une ambiance bon enfant. On vous recommande en entrée : les avocats fourrés au thon et aux crevettes flambées, un délice ! Une bonne adresse.

© STÉPHANE SAVIGNARD

Repas typique à base de viande grillée, riz et haricots.

TRAMONTI

Monteverde ✆ +506 2645 6120
www.tramonticr.com
Ouvert de 11h30 à 21h30. Compter 9 000 colones le repas.
Un bon restaurant italien aves des pizzas cuites au feu de bois comme on les aime.

À voir – À faire

Dans le centre de Santa Elena, se renseigner auprès de plusieurs bureaux d'information et surtout à la Chambre de tourisme de Monteverde qui se trouve au centre du village. On vous indiquera toutes les activités touristiques, les établissements et on vous fournira aussi des billets au meilleur tarif pour certains circuits organisés. La Chambre de tourisme propose enfin aux touristes une belle carte de la région – à recommander – avec tous les établissements (hôtels, restaurants, institutions, attractions).

BAT JUNGLE

Monteverde. En face du restaurant Tramonti ✆ +506 2645 7701
Fax : +506 2645 9999
www.batjungle.com
thebatjungle@gmail.com
Ouvert tous les jours de 9h à 19h30. Visite guidée : adultes 11 US$, étudiants et enfants 9 US$, gratuit pour les enfants de moins de 6 ans.
Une visite passionnante où on apprend à mieux connaître ces petits animaux, cousins de Batman. Derrière des vitres, on peut observer différents spécimens de chauve-souris et le guide vous présentera les principales espèces qui vivent au Costa Rica (on dénombre 113 espèces à travers le pays). Vous comprendrez pourquoi ces petits mammifères sont très utiles à l'homme. Ils n'ont rien à voir avec ce vilain Dracula ! Sabine Benert et Michel Denis Huot l'expliquent bien dans leur ouvrage *Costa Rica, rencontres au jardin d'Eden* (éditions Timée) : « Non les chauves-souris ne sont pas des vampires qui tourmentent les humains sans défense à la nuit tombée, rien n'est plus faux [...] en fait ces petites merveilles de la nature nous protègent. Seules de rares espèces prélèvent le sang du bétail ».

EL TRAPICHE

Cañitas, Monteverde
A 3 km au nord-ouest de Santa Elena
✆ +506 2645 7650 – +506 2645 7780
www.eltrapichetour.com
info@eltrapichetour.com

Papillon dans le parc national Rincón de la Vieja.

Visites guidées à 10h et 15h du lundi au samedi et seulement à 15h le dimanche. Entrée : adultes 30 US$, étudiants ou enfants (à partir de 12 ans) 25 US$, 10 US$ pour les enfants de 6 à 12 ans. Le transport depuis l'hôtel est inclus dans les tarifs mais, si on vient par ses propres moyens, les tarifs restent les mêmes.

La visite guidée dure 2 heures : on découvre une petite exploitation de café puis on remonte le temps grâce à la présentation du *trapiche*, la machine traditionnelle destinée à écraser la canne à sucre qui était actionnée par des bœufs. Le guide explique dans un atelier de fabrication authentique comment on fabrique le sucre à l'ancienne. Dégustation du délicieux *agua dulce* en fin de visite (friandise obtenue en faisant revenir du sucre fondu).

JARDIN DE MARIPOSAS OU BUTTERFLY GARDEN (JARDIN DES PAPILLONS)

Monteverde, à 20 minutes à pied
de Santa Elena, au sud de l'école
✆ +506 2645 5512
www.monteverdebutterflygarden.com
mariposamonteverde@yahoo.com
mariposamonteverde@gmail.com

Ouvert de 9h à 16h. Visite guidée : adultes 12 US$, étudiants 9 US$, enfants 4 US$.

Pour y parvenir, suivre les panneaux en forme de papillon à partir de l'hôtel Heliconia à Monteverde. Sur la droite, prenez le petit chemin de terre sur 600 m puis tournez à gauche. Vous êtes alors dans une forêt recouverte d'un filet très fin, destiné à protéger les papillons de toutes les espèces qui peuplent la région. Par temps ensoleillé, ils seront beaucoup plus nombreux que sous un ciel nuageux. A l'entrée, une exposition décrit le cycle de reproduction des papillons et les guides du jardin vous fourniront toutes les explications désirées.

JARDIN DE ORQUIDEAS

Monteverde, à proximité du
restaurant Morpho's
✆ +506 2645 5308
www.monteverdeorchidgarden.net

Ouvert de 8h à 17h. Entrée : 10 US$.

Le passionnant et passionné Barbosa vous invite à visiter sa mini-forêt-jardin. On y observe plus de 400 espèces endémiques d'orchidées. Une loupe pour observer les plus petites orchidées du monde vous est remise à l'entrée.

RANARIO (FROG POND)

Lodge Santa Elena, au nord de Monteverde
✆ +506 2645 6320

Ouvert tous les jours de 9h à 20h30. Entrée : 10 US$ pour les adultes, 8 US$ pour les enfants.

On estime que 40 % des amphibiens ont disparu du Costa Rica et le *ranarío* (« grenouillerie » en français…) a pour but non seulement de les protéger, mais aussi de devenir une espèce de banque génétique. On y observe les grenouilles dans leurs différents habitats naturels recréés dans des terrariums aménagés par des spécialistes. Très pédagogique !

RESERVA BIOLOGICA BOSQUE NUBOSO MONTEVERDE

✆ +506 2645 5112
Fax : +506 2645 5034
www.cct.or.cr – cct@cct.or.cr
Ouvert tous les jours de 7h à 16h, sauf en cas de tempête. Entrée : adultes 14 US$, étudiants (justificatif à présenter) et enfants 9 US$, ajouter 17 US$ par personne pour la visite guidée (à 7h30, 12h, 13h30 tous les jours) qu'il vaut mieux réserver la veille pendant la haute saison. Visite guidée nocturne : 17 US$ par personne. Possibilité de louer des bottes à l'entrée pour 1 US$ et d'acheter des imperméables dans la boutique souvenirs.

Pour visiter cette réserve, la petite brochure vendue à l'entrée, qui vous entraîne de balise en balise, sera très utile et les services d'un guide encore plus. On ne laisse entrer que 200 visiteurs (au maximum) dans la réserve, lesquels arrivent bien souvent en même temps, entre 8h et 10h, mais il est impossible de réserver sa place à l'avance, sauf en cas de visite guidée. Entre mai et décembre – la saison humide –, il y a moins de monde, mais plus de pluie et il peut faire assez froid. En raison de l'humidité ambiante, prévoyez des vêtements pour vous changer après la visite, ou au moins un imperméable, un pull et des chaussettes, ce n'est pas pour rien que l'on appelle cette forêt tropicale « humide ». Au cours de la visite de la réserve, vous aurez peut-être la chance d'apercevoir toutes sortes d'animaux comme le quetzal (surtout visible de mars à avril), emblème de la région, qui ne supporte pas la captivité. Cet oiseau nidifie dans les plus hauts et plus vieux arbres des forêts tropicales d'altitude. Le couple quetzal est un parfait exemple de partage des tâches au sein de la famille, la femelle couvant la nuit, le mâle (à la queue verte) le reste du temps. Le solitaire, à la tête noire, a un chant séduisant comparable à celui du rossignol. C'est le chant que l'on entend aux abords du volcan Barva. Pour bien observer ces oiseaux, mieux vaut être accompagné par un guide dont l'œil et l'oreille plus expérimentés que les vôtres sauront capter le frémissement furtif dans les branchages ou dans les fougères abondantes. Vous observerez aussi, plutôt à la nuit tombée, d'étranges grenouilles, et si l'on vous parle du crapaud doré, ne vous désespérez pas de ne pas l'apercevoir : cela fait si longtemps que l'on n'en a pas vu que d'aucuns prétendent que l'espèce est éteinte ou qu'elle n'a peut-être jamais existé...

RESERVA BOSQUE NUBOSO SANTA ELENA

✆ +506 2645 5693
Fax : +506 2645 5390
Ouvert de 7h à 16h. Entrée : adultes 14 US$, étudiants 7 US$ (uniquement sur présentation de la carte d'étudiant), ajouter 15 US$ par personne pour la visite guidée (à 7h30 et 11h30 tous les jours) qu'il vaut mieux réserver la veille pendant la haute saison. A 5 km au nord-est de Santa Elena.

De 1,6 km à 9 km de sentiers bien balisés à travers ce parc de 360 hectares mènent à un observatoire donnant sur le volcan Arenal. Cette réserve est plus accueillante que celle de Monteverde, peut-être parce qu'elle est, pour le moment du moins, moins fréquentée. Les gardiens du centre d'information sont disponibles pour répondre à toutes les questions et ne demandent qu'à partager leur passion pour ce bout de terre préservé. Vous apprendrez ainsi que l'ouverture de Santa Elena n'est que le début du vaste projet de conservation de toute la région.

RESERVA SENDERO TRANQUILO

Monteverde ✆ +506 2645 5010
20 US$ par personne la visite guidée (transports non inclus).

Cette réserve familiale organise des randonnées avec des groupes de 2 personnes au minimum et 6 personnes maximum afin de préserver au mieux ce parc de 80 hectares à la faune extrêmement riche.

SERPENTARIO

Près du restaurant Valverde,
parking commun ✆ +506 2645 5702
Ouvert tous les jours de 9h à 20h. Entrée : adultes 9 US$, étudiants 7 US$, enfants 3 US$. Compter 2 US$ de plus par personne pour une visite guidée.

Derrière une façade éloquente, la variété des spécimens présentés est intéressante, et il y a même plusieurs types de grenouilles, dont la minuscule grenouille rouge venimeuse.

SLOTH SANCTUARY (REFUGE POUR PARESSEUX)

Monteverde, 1 km avant la réserve de Monteverde, en face de l'hôtel Villa Verde
✆ +506 2645 5995
Fax : +506 2645 5991
www.slothrescue.org
montever desloths@gmail.com
Ouvert tous les jours de 8h à 16h. Entrée : adultes 20 US$, étudiants 15 US$.

Ce petit refuge, où se trouvent des paresseux qui ont été sauvés, est le deuxième du genre au Costa Rica, mais en plus petit. A Cahuita se trouve le siège de l'association Sloth Rescue et un refuge beaucoup plus grand. Ici, on a voulu insisté sur l'aspect pédagogique : panneaux explicatifs plus nombreux et diffusion d'une petite vidéo. Bien sûr, vous verrez aussi d'adorables paresseux mais pas de bébés car ils sont seulement à Cahuita.

TRAIN FOREST

Santa Elena, à 5 km au nord de l'école
✆ +506 2645 5700
Fax : +506 2645 7212
www.trainforest.com
info@trainforest.com
Ticket avec transport depuis l'hôtel inclus : adultes 50 US$, retraités 40 US$, étudiants 32,50 US$ et gratuit pour les enfants de moins de 12 ans. Un départ toutes les heures de 8h à 16h. Durée : 1 heure 30.

Assis dans une locomotive, on se promène dans la région verdoyante de Monteverde. Les panoramas, notamment sur le volcan Arenal, sont sublimes. Une seule condition à la réussite de votre voyage : le temps ! Vérifier que le ciel soit dégagé avant d'embarquer dans le petit train parce que le ticket est un peu cher tout de même...

Visites guidées

Les principales activités que vous pourrez pratiquer à Monteverde, en dehors de la randonnée, sont les tours de canopée et les balades à cheval. Les forêts alentour peuvent être parcourues à cheval à la suite de guides. La plupart des hôtels louent des chevaux. La balade jusqu'au Cerro Amigo à travers la forêt humide débouche près des deux antennes de télévision et offre un panorama superbe. La course commence derrière l'hôtel Belmar en direction du village de Monteverde, à 2 km de Santa Elena (10 km aller-retour, ça grimpe et le chemin est un peu encombré).

MEG'S STABLES

Monteverde ✆ +506 2645 5419
✆ +506 2645 5968 – +506 8357 3855
*De 15 à 20 US$ de l'heure la randonnée à cheval.*Une des écuries les plus connues à Monteverde. Les chevaux sont bien traités et les guides très sérieux.

SELVATURA PARK

Santa Elena, plusieurs bureaux
de réservation, dont un dans le centre près du supermarché et un sur la route de la réserve ✆ +506 2645 5929
✆ +506 2645 5757
Fax : +506 2645 5828
www.selvatura.com – info@selvatura.com
Ouvert tous les jours de 7h à 16h. Mieux vaut réserver le canopy tour en haute saison. Tarifs : Canopy Tour 45 US$ adulte, 35 US$ étudiants, 30 US$ enfant ; Tree Top Walk promenade sur les passerelles suspendues 25 US$ adulte, 20 US$ étudiant et 15 US$ enfant, guide naturaliste 15 US$, musée des insectes 12 US$, jardin des papillons 12 US$ jardin des colibris 5 US$. Packages multi-activités.

S'il y a des activités à faire dans la région ce sont bien celles proposées par Selvatura, qu'il s'agisse du canopy tour – exceptionnel – ou de la balade sur les huit ponts suspendus très haut au-dessus de la forêt ! Une organisation sans faille et un aménagement très bien opéré font de Selvatura un incontournable dans la région. On vous conseille de faire la balade sur les passerelles suspendues au-dessus de la canopée tôt le matin (s'il pleut on vous prêtera de grandes capes en plastique) pour profiter au mieux de la nature et de ses hôtes. On vous recommande également de faire la balade longue d'un peu plus de 3 km à quelque 60 m de hauteur accompagnés d'un guide naturaliste rompu au spectacle et aux bruits de cette nature très dense. Yeux et oreilles exercés, il saura repérer oiseaux et insectes, plantes et fleurs, bien plus aisément que de pauvres néophytes. Ce sera l'occasion d'observer la flore, essences rares, fougères arborescentes ou orchidées, et de guetter les oiseaux, toucan ou colibri, et de débusquer le mythique quetzal... si vous êtes chanceux. Vous pourrez terminer la balade par la visite d'un musée d'insectes où les espèces les plus phénoménales et spectaculaires vous attendent. D'autres balades thématiques sont proposées aux amateurs de nature, comme le Jardin des papillons et celui des oiseaux-mouches. Quant au canopy tour, très bien orchestré et bénéficiant d'un cadre exceptionnel, il réserve de belles surprises avec ses 13 câbles et ses 18 plate-formes. Il alterne des câbles très longs et rapides pour l'adrénaline et des câbles plus sages qui permettent de survoler la forêt en bénéficiant d'un point de vue sans pareil. Il faut compter environ 2 heures pour la balade sur les passerelles et de 2 à 3 heures pour le canopy. Selvatura dispose également d'un restaurant et d'une boutique bien fournie en souvenirs locaux.

SKYWALK – SKYTREK
Avant Santa Elena ✆ +506 2645 5238
Fax : +506 2645 5796
Ouvert de 7h à 16h. Sky Tram & Sky Walk : adultes 50 US$, étudiants 40 US$, enfants 26 US$ (à partir de 7 ans). Circuits à 7h30, 9h30, 11h30, 13h30, 15h : réservation obligatoire.
Câbles d'acier et ponts suspendus pour découvrir la forêt en ayant une vue plongeante sur la canopée. Plus intéressant pour la flore que pour la faune. Le SkyTrek en est le grand frère avec un niveau de difficultés et de sensations plus élevé.

Shopping

Le café (*de montaña* ou *de altura*) produit dans la région est vendu sous l'étiquette « Café Monteverde » qui porte le label commerce équitable – ce qui signifie que les bénéfices de la vente vont directement aux petits producteurs.

ARTESANIAS CASEM (COMMISSION ARTISANALE DE SANTA ELENA ET DE MONTEVERDE)
Monterverde, avant la fabrique de fromages de Santa Elena
✆ +506 2645 5190
Fax : +506 2645 5898
casemcr@yahoo.com
Ouvert du lundi au samedi de 8h à 17h et le dimanche de 10h à 16h. Plats à 3 000 colones.
Les bénéfices de la vente des produits fabriqués par les femmes de l'association vont directement à la communauté (articles en bois, vêtements brodés et peints à la main, souvenirs évoquant le quetzal, crapaud doré et autres représentants de la mythologie sylvestre…). Egalement des plats traditionnels et consistants à l'heure du repas.

CASA DE ARTES
Santa Elena, à 50 m à l'est de la pizzeria Johnny ✆ +506 2645 6121
mviarte@mvinstitute.org
Dans le même ordre d'idée que la Casem, mais le travail de la communauté vise à recycler tout ce qui peut l'être, du traitement des eaux usées aux compressions de déchets métalliques. Vente de produits issus du recyclage.

GALERIA COLIBRI (HUMMINGBIRD GALLERY)
Près de l'entrée de la réserve de Monteverde ✆ +506 2645 5030
Ouvert tous les jours de 7h30 à 17h30.
Michael et Patricia Fodgen y exposent leurs photos de paresseux, d'insectes, d'oiseaux et de grenouilles prises dans la réserve, ce qui est extrêmement pratique si le « crapahutage » parmi les sujets vivants vous rebute quelque peu. Mais ne cherchez pas les photographes... Ils vivent en Equateur. C'est Maruja qui s'occupe de la galerie qui est aussi en partie une boutique de souvenirs divers. Mais ce qui attire bien plus les visiteurs ici, ce ne sont ni les souvenirs ni les photos, mais les colibris en nombre à l'extérieur. Maruja a mis un peu de miel dans plusieurs nichoirs et ces derniers viennent donc régulièrement goûter le précieux nectar, pour le plus grand plaisir des yeux et des photographes.

LIBRAIRIE CHUNCHES
Santa Elena. En face de la pension Santa Elena ✆ +506 2645 5147
Ouvert tous les jours, sauf le dimanche. Wi-fi gratuit.
Boutique très pratique, librairie où l'on peut choisir un livre ou du café en écoutant ronronner le lave-linge.

CAÑAS

Cañas, située sur l'Interamericana, est une petite ville dont la vocation est l'agriculture et l'élevage.
Elle est également une étape pour les routiers, et un croisement important pour les visiteurs. En venant de San José ou de Liberia, c'est à Cañas que vous tournerez pour vous rendre aux volcans Arenal, Tenorio et Miravalles, ou à Palo Verde.

Transports

- **Bus.** 6 bus par jour au départ de San José entre 8h30 et 16h45 (c14, a1/3 ✆ 2258 5792). Le trajet dure 3 heures.
- **Voiture.** Cañas est à 180 km de San José et à 45 km de Liberia sur l'Interamericana.

Se loger

CAPAZURI
2 km au nord de Cañas
✆ +506 2669 6080
Fax : +506 2669 0580
A partir de 40 US$, petit déjeuner compris. 70 US$ la chambre pour 4 pers. Egalement emplacements de camping : 5 US$. Piscine et restaurant italien.
Chambres confortables.

Centre de Cañas.

Église de Cañas.

Centre de Cañas.

Las Pumas Centro de Rescate

Le centre de secours Las Pumas a été créé il y a plus de quarante ans quand la déforestation était très importante dans le Guanacaste : les habitats de nombreux animaux sauvages se réduisaient sévèrement et les habitants capturaient et chassaient les animaux égarés. Lily Bodmer de Hagnauer (décédée en 1991) et Werner Hagnauer, Suisses, qui ont toujours eu une vision conservatrice de la nature, créèrent ce centre pour venir en aide aux animaux désemparés ; en peu d'années, il y eut plus de 160 animaux (plus de 60 espèces différentes). Aujourd'hui, le centre compte une centaine d'individus de 24 espèces différentes. En 2006, il a reçu plus de 30 000 visiteurs dont 1 825 étudiants et est en relation avec 68 établissements d'enseignement ! Une fondation (La Fundación Hagnauer) a été créée en 2003 pour trouver les ressources nécessaires à la survie du centre. Werner Hagnauer est l'âme de cette fondation : il a rédigé plus de 245 publications scientifiques en vingt-cinq ans ; infatigable, il continue encore aujourd'hui à 88 ans. De nombreux animaux trouvés blessés dans les forêts sont amenés à Las Pumas (pumas, jaguars et ocelots), mais aussi de nombreux autres animaux qui, après des soins et une mise en quarantaine, sont relâchés dans leur milieu naturel ou un autre ressemblant. C'est la seule occasion de voir des félins (jaguars, ocelots, jaguarundis, pumas, manigordos…), ainsi que des renards gris, des singes capucins ou hurleurs et de nombreux oiseaux comme les aras rouges, perroquets… Faites une halte à Las Pumas, vous serez bien reçu, et vous aiderez ainsi à la sauvegarde des animaux sauvages indispensables à la vie naturelle dont nous avons tant besoin. Il vous sera demandé la modique somme de 5 US$.

HACIENDA LA PACIFICA
Sur l'Interamericana, à 5 km de Cañas
✆ +506 2669 9393
Fax : +506 2669 6055
recepcion@pacificacr.com
17 chambres et mini-suites dans des petits bungalows. Prix pour 2 personnes, selon les saisons : de 70 à 95 US$ (standard) et de 90 à 105 US$ (suite), 10 US$ par personne supplémentaire. Dans toutes les chambres : air conditionné, ventilateur, cafetière et TV câblée ; les mini-suites ont en plus un minibar. Wi-fi gratuit.
Si vous n'allez pas y dormir, essayez de vous y arrêter. La Pacífica est une réserve privée où le propriétaire est arrivé à allier exploitation agricole et exploitation des ressources naturelles. L'observation des oiseaux ou des armadillos est toujours appréciable quand on connaît les difficultés qu'il faut surmonter pour en apercevoir un dans la nature. Un restaurant et une piscine pour se restaurer et se détendre. Des activités sont organisées (rafting, chevaux, parc national Palo Verde).

Se restaurer

EL COCO BOLO
Corobici, Cañas ✆ +506 2669 6191
www.safaricorobici.com
Ouvert de 7h à 19h. De 3 000 à 5 000 colones le plat. Bonne cuisine costaricaine traditionnelle pour ce restaurant qui appartient à Safaris Corobici.

À voir – À faire

ARTESANIAS FALCONIANA
Près de Bagatzi, à Falconiana
✆ +506 2671 1290
Groupe de femmes artisanes en action.
Artisanat mais cette fois-ci à base de jícaras, venu dans un ancien corral. Restauration sur place dans une soda tenue par les femmes de l'association.

LA CATARATA LLANO DE CORTES
4 km avant Bagaces en venant de Liberia
Une cascade inconnue des tour-opérateurs ! Dans un virage sur la droite, coincée entre deux sodas s'ouvre une piste accessible en berline. Suivre la piste et prendre le premier chemin à droite jusqu'à un petit parking. La cascade se trouve un peu plus bas. Evitez le samedi et le dimanche et ne laissez rien dans votre voiture.

ECOMUSEO MINAS DE ABANGARES
La Sierra, Abangares ✆ +506 2662 0033
Fax : +506 2662 0310
goldmine@desacarga.co.cr
Ouvert de 8h à 15h, fermé le lundi. Entrée : 700 colones.
Visite des mines d'or du XIXe siècle en cours de sauvetage, salle d'exposition de matériel d'excavation et parcours de découverte, canopy tour (800 m de longueur), randonnées équestres, artisanat.

LAS PUMAS – CENTRO DE RESCATE
Cañas, sur l'Interamericana
à 5 km de Cañas, à coté de l'Hacienda
La Pacífica ✆ +506 2669 6044
Fax : +506 2669 6044
Voir l'encadré.

PARC NATIONAL PALO VERDE
240 km au nord-ouest de San José,
et à 30 km à l'ouest de Cañas
sur l'Interamericana ✆ +506 2666 5051
✆ +506 2671 1072
16 804 hectares. Hôtels, restaurants et épiceries à Cañas ou à Bagaces. Sentiers balisés.
Un arbuste de couleur vert tendre aux délicates fleurs jaunes a donné son nom au parc. Le long de la rivière Tempisque, les marécages et la mangrove abritent des oiseaux aquatiques, palmipèdes et échassiers communs à toute l'Amérique centrale (279 espèces recensées). Sur les rives mêmes du río Tempisque, les crocodiles peuvent atteindre 5 m de longueur. Précipitations : 1 500 mm.

PÉTROGLYPHES
A proximité de Cañas, sur l'Interamericana
Un panneau indique un site où l'on peut observer des pétroglyphes récemment classés au Patrimoine national.

Sports – Détente – Loisirs

Si le rafting vous tente, le río Corobicí vous attend. Les installations de rafting se voient distinctement avant le restaurant Corobicí en venant de San José.

SAFARIS COROBICI
Corobici ✆ +506 2669 6191
www.safaricorobici.com
safaris@racsa.co.cr
Des circuits axés sur la nature à partir du río Corobicí en rafting (40 US$/pers./2 heures, 48 US$/3 heures d'observation d'oiseaux, 62 US$/pers./la demie-journée) Rafting de classe II.

TILARÁN

Toujours dans une région agricole dont on remarquera les collines pelées par les troupeaux de vaches. Le contraste est saisissant avec la végétation que l'on observe plus près de la mer. Après Tilarán, on commence à apercevoir les eaux placides de la Laguna Arenal dominées par le volcan sombre.

Transports

- **Bus.** De San José (c20, a3 ✆ 2695 5611), 5 bus par jour entre 7h30 et 18h30 ; compter 4 heures de trajet. De Puntarenas, bus à 16h (3 heures). De Cañas, 45 minutes en bus.
- **Voiture.** 24 km à l'ouest de Cañas par la route 19.

Se loger

HÔTEL MARY
Centre de Tilarán
✆ +506 2695 5479
Compter 25 US$ la nuit.
Des chambres propres, disposant d'un confort basique, à 5 minutes du parc central.

La Laguna Azul et sa cascade dans le parc national du volcan Tenorio.

LAC D'ARENAL ET VOLCANS

Le lac artificiel d'Arenal inonde une grande partie de la vallée. Le barrage a été construit en 1973 pour fournir en électricité la région du Guanacaste. Il y a deux ans, la production des usines hydroélectriques a été renforcée par l'installation d'un champ d'éoliennes qui semblent surveiller le sud du lac. Depuis les grands travaux, le lac est une aire de distraction.

LAC ARENAL

On y vient pour pratiquer la pêche qui, paraît-il, est très bonne. Les moins patients pratiqueront la planche à voile, facilitée par de bons vents (moyenne de 20 nœuds). Dans la partie ouest du lac, pratiquez tout simplement le canotage ou la baignade. La plupart des hôtels des bords du lac louent le matériel nécessaire, mais vous trouverez un peu partout sur les rives des points de location.

Transports

Bus. De San José (c12, a9/11 ✆ 2222 3854), 5 bus par jour entre 7h30 et 18h30 ; compter 4 heures de trajet.

Voiture. La route, qui contourne le lac par le nord, promet de magnifiques panoramas par beau temps. Quand elle redescend vers le sud, vous êtes alors sur la rive nord-est, la végétation s'épaissit pour reprendre des allures tropicales, mais le trajet devient très difficile, voire impraticable après de fortes pluies. Testez-y quand même votre conduite : entre « anciens du Costa Rica », on en parle encore... Les morceaux récemment asphaltés annoncent souvent un grand hôtel.

Se loger

Les hôtels se trouvent autour du lac, au départ de Tilarán vers Nuevo Arenal.

Bien et pas cher

XILOE LODGE
Ouest du lac ✆ +506 2692 1101
Fax : +506 2259 9882
Compter 30 US$ la nuit.
Certaines chambres disposent d'un coin cuisine. Piscine. Randonnées équestres et barbecues les mercredi et vendredi soir. Discothèque originale.

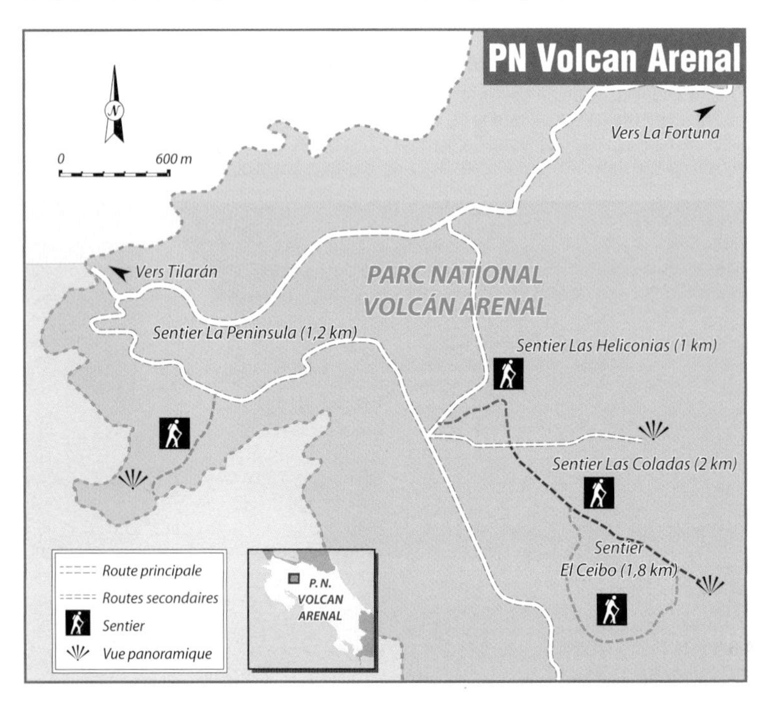

© TOM PEPEIRA – ICONOTEC

Volcan Arenal.

Confort ou charme

ARENAL LODGE

A 200 m au nord-ouest du lac,
près du barrage ✆ +506 2290 4232
Fax : +506 2290 5125
www.arenallodge.com
info@arenallodge.com

Chalets comprenant des chambres standard, junior suites et master suites. Les prix pour 2 personnes : 78 US$ la chambre standard et 110 US$ la chambre supérieure, 131 US$ la suite, 143 US$ le chalet, 150 US$ la master suite et 164 US$ la suite matrimoniale ; 20 US$ par personne supplémentaire, petit déjeuner compris, taxes non incluses. En basse saison, respectivement : 72 US$, 95 US$, 99 US$, 118 US$, 129 US$ et 139 US$. Chambres avec coin cuisine. Wi-fi gratuit (accès seulement dans le lobby). De nombreuses activités sur place : randonnée à cheval, visite d'une ferme de papillons, balade sur les sentiers de la propriété...

Très bel hôtel merveilleusement bien placé au centre d'une propriété bien entretenue avec vue sur le volcan Arenal depuis le restaurant. Les chalets sont entièrement équipés (frigo, micro-ondes, machine à café) et presque tous ont vue sur le lac et/ou le volcan Arenal.

CEIBA TREE LODGE

A 6 km de Nuevo Arenal,
sur la route de La Fortuna
✆ +506 2692 8050 – +506 8814 4004
www.ceibatree-lodge.com
ceibaldg@racsa.co.cr

Compter 45 US$ la cabina pour 2 pers., petit déjeuner compris.

Peut-être l'une des plus belles vues du Costa Rica, carrément ! Surplombant le lac de la terrasse où se prend le petit déjeuner, à l'heure du coucher de soleil, cet endroit est tout aussi magique, d'autant que toutes les cabinas et les deux appartements jouissent de ce superbe panorama. L'accueil simple convivial et chaleureux de Malté donne encore plus envie de rester. Dans le jardin il se fera un plaisir de vous conter les histoires de l'arbre, élu en 2006, plus beau ceiba du Costa Rica. Le *ceiba* est l'arbre sacré des indigènes. Membre du groupe Charming and Nature Hotels of Costa Riva, cette petite structure compte bien le rester, pour notre plus grand bonheur !

CHALET NICHOLAS

Nuevo Arenal
✆ +506 2694 4041
Fax : +506 2694 4041
www.chaletnicholas.com
ChaletNicholasBandB@gmail.com

De 58 à 68 US$, taxes non incluses et petit déjeuner compris. Exclusivement pour non-fumeurs et grands enfants de plus de 10 ans.

Ce Bed & Breakfast domine le lac Arenal, avec une vue imprenable. Le couple d'Américains qui reçoit est charmant.

ECOLODGE LAGO DE COTER
Nord du lac, à l'ouest de Nuevo Arenal
✆ +506 2694 4400 – +506 2694 4306
Fax : +506 2694 4395
www.ecolodgecostarica.com
ecolodgelagodecoter@gmail.com
Situé à 10 minutes du petit village de Nuevo Arenal (commerces, banques et restaurants). 38 chambres réparties entre le bâtiment principal et des bungalows avec terrasse. Prix des chambres de 50 à 75 US$ avec le petit déjeuner inclus et de 75 à 135 US$ pour les bungalows (3 adultes ou 2 adultes et 2 enfants).
Un écolodge dédié à la nature, à l'écologie et au tourisme responsable. Rénové récemment, loin du bruit et de la pollution, comme hors du temps, voici un lieu pour se ressourcer, se reposer ou organiser un séminaire. Surveiller le vol des toucans, croiser le chemin d'un coati, d'un pizote ou d'un ocelot. Cet établissement est situé devant le petit lac de Coter en forme de cœur. Les bungalows donnent sur le volcan et le lac Arenal. On est ici au calme le chant des oiseaux en guise de réveille-matin, repos, contact avec la nature et rencontre avec les indigènes Malekus au programme. La climatisation n'est pas nécessaire puisque le lodge se trouve à 1 000 m d'altitude, si besoin les chambres sont équipées de ventilateur. Organisation de vos transferts terrestres. On est à 1 heure 30 de l'aéroport de Liberia et 3 heures 30 de celui de la capitale.

Luxe

LA MANSION INN ARENAL
Nuevo Arenal ✆ +506 2692 8018
Fax : +506 2692 8019
www.lamansionarenal.com
De très luxueux cottages tout confort avec climatisation, TV câblée, et même… des tableaux italiens. Tarifs en haute saison pour deux personnes : 165 US$ et 195 US$ le cottage, 255 US$ la junior suite, 325 US$ le queen cottage, 295 US$ le cottage « lune de miel » et 795 US$ pour le royal cottage.
Sur les rives du lac Arenal, ce lodge luxueux est bourré de charme et de classe, mais à ce prix… L'hébergement se fait dans 14 bungalows disséminés dans un beau jardin. Idéal pour des séjours de plusieurs jours. Randonnées à cheval ; ces derniers sont soignés dans le ranch du domaine.

À voir – À faire

Presque tous les hôtels autour du lac Arenal ou à La Fortuna louent planches à voile, kayaks ou kitesurfs et organisent des excursions de tout type. Mais après une journée sur l'eau, on peut plonger avec délice dans une eau plus chaude, celles des eaux thermales. Vous trouverez de nombreux hôtels avec des parcs aménagés spécialement dans la région du volcan et aux environs de La Fortuna.

EAUX THERMALES-TABACON HOT SPRINGS
✆ +506 2519 1999 – +506 2519 2000
Entrée aux thermes : 16 US$/pers. et 10 US$ par enfant de 10h à 22h, 45 US$ par personne (adulte ou enfant) de 18h à 22h (avec le dîner inclus : 85 US$).
La détente parfaite au cœur de très beaux jardins tropicaux. Il faut absolument voir les eaux chaudes directement sorties des entrailles du volcan. 17 bassins sont aménagés dans le cours d'eau, des mini-chutes permettent de se faire masser le dos tout en profitant de la chaleur. Si vous avez de la chance, peut-être pourrez-vous admirer une éruption, allongé béatement dans l'une de ces piscines naturelles. Ce qui vaut la peine, si on en a les moyens, est de déjeuner ou de dîner sur place, la gastronomie y est de qualité ! Pour moins cher, vous pouvez boire un cocktail dans l'eau chaude après vous être fait servir au bar : détente garantie !

PONTS SUSPENDUS
Entrée près du barrage
A l'est du lac Arenal ✆ +506 2479 1128
www.hangingbridges.com
info@hangingbridges.com
24 US$ par personne. Ouvert tous les jours de 7h30 à 16h.

© STÉPHANE SAVIGNARD

Vue sur le lac Arenal depuis le Linda Vista del Norte Lodge.

17 ponts dont 6 suspendus au niveau de la canopée ont été lancés au travers d'une réserve privée de 250 hectares sur un circuit de 3 km.

VOLCAN ARENAL

L'Arenal représente le volcan dans toute sa perfection conique et menaçante. Il est encore jeune et ses éruptions n'ont pas encore tronqué son sommet. Après trois mille années d'inactivité, on vivait près de cette montagne émergeant des collines luxuriantes sans penser une seconde qu'elle pouvait présenter un danger. Mais en 1968, un violent tremblement de terre, suivi d'une importante éruption, a complètement détruit un village sur le versant ouest. Actuellement, c'est la nuit que l'on voit le mieux les coulées de lave en fusion et les projections de roches incandescentes sur le flanc nord. Le jour, on n'entend que les grondements sourds et quelquefois des explosions, mais c'est suffisant pour se faire une idée de la force prodigieuse du monstre qui s'est manifesté sérieusement en 2002 lorsqu'un pan de son cratère s'est effondré. Le sommet, voire le volcan tout entier, est souvent caché par les nuages, mais les fumerolles sont nettement visibles sur les flancs de la montagne avant de se confondre avec les brumes. A la suite de plusieurs accidents, les visiteurs ne sont plus autorisés à s'approcher du cratère ni à entreprendre l'ascension à cause des coulées permanentes de lave et des fissures, mais il est possible d'en avoir un très bon aperçu de l'endroit appelé « parqueo interior », lorsque la végétation disparaît au profit de la poussière anthracite.

Transports

De nombreuses agences, que ce soit à San José, à Liberia ou dans les hôtels des environs, organisent le voyage qui peut se faire dans la journée.

- **Bus.** Tous les jours au départ de San José (c12, a7/9 ✆ 2255 0567) entre 6h15 et 11h30, retour à 12h45 et 14h45. Un bus La Fortuna-Tilarán vous dépose à l'entrée du chemin qui mène au volcan (2 km). Retour vers 14h45 ou 15h de Tabacón.
- **Voiture.** A partir de la Fortuna, suivre les panneaux « Parque Nacional ». C'est à 15 km.

Pratique

POSTE DE GARDES FORESTIERS
A l'entrée du parc
Sur le versant ouest du volcan,
à 15 km de La Fortuna
✆ +506 2461 8499
Ouvert de 8h à 16h. Entrée : 10 US$.
A partir de l'entrée, environ 3 km de sentiers. Les gardes vous expliqueront jusqu'où vous pourrez aller et vous fourniront des cartes. Cependant, ne vous attendez pas à bien voir le volcan. Finalement, on ne voit pas grand-chose sur le sentier et, vu que l'ascension du volcan est impossible pour des raisons de séurité, c'est finalement de La Fortuna qu'on le voit le mieux ! A condition d'avoir beau temps, bien sûr...

Se loger

Bien et pas cher

CABINAS LUMBRES DEL ARENAL
Près du restaurant Steack House el Novillo
✆ +506 2479 1911
www.lumbresdelarenal.com
50 US$ la chambre double, 10 US$ par personne supplémentaire (maximum 5 personnes).
6 chambres réparties dans trois maisonnettes avec vue sur le volcan. Confort basique. Les propriétaires possèdent aussi le restaurant Steack House el Novillo, adressez-vous directement à eux si vous n'avez pas réservé.

Confort ou charme

ARENAL MANOA
A 7 km à l'ouest de La Fortuna, à 800 m de la route principale
✆ +506 2479 1111 – +506 2479 1112
www.arenalmanoa.com
info@arenalmano.com
De 160 à 200 US$ la suite pour 2 personnes, de 180 à 225 US$ la suite pour 3 personnes, de 200 à 280 US$ pour 4 personnes. Petit déjeuner inclus. Restaurant, spa.
80 suites parfaitement équipées avec un coin cuisine et une vue imprenable sur le volcan Arenal, le tout sur une grande propriété verdoyante en pleine nature. Très belle et grande piscine d'où la vue sur le volcan est encore plus sublime.

ARENAL VOLCANO INN
Sur la route du volcan, à 6,5 km de La Fortuna ✆ +506 2479 1122
Fax : +506 2479 1133
www.arenalvolcanoinn.com
info@arenalvolcanoinn.com
25 chambres (avec climatisation, ventilateur, coin petit déjeuner avec cafetière, coffre-fort et terrasse avec vue sur le volcan), dont 15 casitas et une suite (salle de bains avec Jacuzzi). Les prix en haute saison sont pour une chambre de 100 US$ (2 pers.) à 142 US$ (4 pers.), pour une suite Jacuzzi de 165 US$ (3 pers.) ; petit déjeuner compris, taxes non incluses. 1 piscine pour adultes, 1 piscine pour enfants, un Jacuzzi et un restaurant complètent les installations.
Devant les pentes verdoyantes du volcan, dans un cadre aéré d'une grande sérénité, ce lodge est parfait pour rayonner dans ce site. A recommander.

CABAÑITAS EL CASTILLO
El Castillo, à 8 km de La Fortuna
✆ +506 2479 1146
cabanitaselcastillo@hotmail.com
Chambre simple de 48 à 78 US$, double de 71 à 96 US$, triple de 99 à 104 US$. Un bon restaurant sur place. Des excursions à cheval peuvent être organisées sur demande (excursion payante).
Un batiment avec 6 chambres et 10 petits bungalows où se trouvent les autres chambres.

Chambre du lodge Linda Vista del Norte.

Les chambres situées dans le bâtiment sont plus confortables, avec air climatisé, terrasse et vue sur le volcan. Quant aux bungalows, ils ont tous une baie vitrée à travers laquelle on a une vue sublime sur le volcan Arenal.

LOMAS DEL VOLCAN
Sur la route du volcan
à 2 km de La Fortuna puis 1 km de piste
✆ +506 2479 9000 – +506 2479 8600
✆ +506 2479 9600
Fax : +506 2479 9770
www.lomasdelvolcan.com
lomasdelvolcan@ice.co.cr
48 petits chalets pour 4 pers. (2 lits queen size), climatisation, frigo, cafetière et une grande loggia. Les prix sont les mêmes toute l'année : 110 US$ (1 ou 2 pers.), 140 US$ (3 pers.) ; taxes et petit déjeuner compris. Piscine, Jacuzzi, restaurant, bar, parking. Deux chambres adaptées aux handicapés. Wi-fi gratuit et deux ordinateurs connectés à Internet en libre accès.
Au pied du volcan (Las Lomas) dans un beau cadre vert, aéré et tranquille, ces chalets tout en bois, aux très beaux intérieurs et très confortables, sont un régal pour se reposer. Ils sont aussi idéalement situés pour rayonner (tout près) aux alentours, à La Fortuna, au volcan et au lac. A recommander vivement.

MONTAÑA DEL FUEGO HOTEL & SPA
A 8km à l'ouest de La Fortuna direction parc national Arenal ✆ +506 2479 1220
Fax : +506 2479 1240
www.montanadefuego.com
reservaciones@montanadefuego.com
De 99 à 236 US$ pour la suite ou formule tout inclus sur demande (repas, boissons ou forfaits avec excursions et spa). Climatisation, sauna, Jacuzzi, terrasse privée, minibar, téléphone, TV.
Profitez de l'irréprochable vue du volcan de votre terrasse dans ce bel espace propice au repos et à la méditation. En harmonie et en respect avec la nature, ce charmant complexe enfoui dans une forêt primaire et secondaire recycle, composte, utilise l'énergie solaire et offre des produits frais, régionaux et organiques, même la viande est bio et provient de leur propre ferme. Outre sa très bonne cuisine, son accueil chaleureux et son service complet de spa, cet hôtel tico a aussi son propre parc d'aventures : randonnées écologiques, tour de canopy, tubing dans la rivière Arenal, descente en rappel ou équitation, tours d'environ 3 heures avec des paysages à vous couper le souffle.

Luxe

KIORO SUITE & SPA
A 10 minutes de La Fortuna
✆ +506 2479 1700
Fax : +506 2479 1710
www.hotelarenalkioro.com
Comptez 300 US$ par chambre.
Des bungalows, tous identiques, disséminés dans un superbe parc de 12,5 hectares, au pied du volcan. De toutes les chambres, on peut apercevoir, par temps clair, « le monstre ». Du luxe, du luxe et du luxe, tel pourrait être le slogan de cet établissement. Des chambres très, très, spacieuses (plus de 70 m²) avec baie vitrée, Jacuzzi, télévision câblée, coffre-fort, téléphone, réveil, minibar, salle de bains et deux lits double king size, avec des draps soyeux et des coussins moelleux. L'établissement possède également un spa où vous vous ferez dorloter (essayez absolument le masque du visage aux fruits exotiques !). Deux bars, un salle de fitness, une grande salle pour le petit déjeuner (et il faut le voir le petit déjeuner, cinq sortes de fromages, trois sortes de *gallo pinto*, des omelettes préparées devant vous, des friands sucrés et salés, des fruits, des céréales...), un restaurant gastronomique, deux piscines, et nous gardions le meilleur pour la fin : des bains thermaux de toute beauté ! Huit bassins dont la température augmente avec l'altitude, de 36 à 42 °C. Le service est en prime impeccable. Un conseil : réservez d'emblée deux nuits, car une seule ne ferait que vous frustrer !

NAYARA HOTEL SPA AND GARDENS
À proximité de l'Arenal Volcano Lodge
Route du Volcan ✆ +506 2479 1600
Fax : +506 2479 1601
www.arenalnayara.com
gerencia@arenalnayara.com
Chambres doubles deluxe de 199 à 230 US$, suites de 265 à 350 US$, villa Nayara (pour 4 personnes) de 499 à 510 US$. Wi-fi gratuit et des ordinateurs connectés à Internet en libre accès. Appels gratuits vers les Etats-Unis, le Canada et l'Europe (de 18h à 22h).
C'est l'hôtel le plus romantique que nous avons visité au Costa Rica. Là tout n'est qu'ordre et beauté, luxe, calme et volupté... Au milieu d'une propriété verdoyante qui sent bon les tropiques, 44 chambres décorées avec raffinement dans un style balinais. Toutes ont une grande salle de bains moderne avec Jacuzzi et disposent d'une agréable terrasse de bois qui invite à la relaxation.

Pour continuer de vous détendre, vous pourrez aller vous baigner dans la piscine d'eau chaude et déguster un cocktail au bar qui y est installé. Les amateurs de vins seront quant à eux aux anges : l'hôtel dispose d'un bar à vins exceptionnel, très high-tech (on vous laisse le découvrir) où les grands crus de la planète se côtoient. Un hôtel superbe, exceptionnel. Un véritable coup de cœur.

Se restaurer

QUE RICO ARENAL (RESTAURANT ARENAL VOLCANO INN)
Sur la route du volcan, à 6,5 km de La Fortuna © +506 2461 2021
www.quericoarenal.com
Ouvert midi et soir. Compter entre 17 et 20 US$ le repas.
Dans un cadre verdoyant et calme, face au volcan Arenal, ce restaurant propose une carte de spécialités italiennes.

STEACK HOUSE EL NOVILLO
Entre le lac et La Fortuna après Tabacón, sur la gauche
© +506 2479 1910
shermanps_19@hotmail.com
Ouvert tous les jours de 10h à 22h. Grillades de bœuf de 7 500 à 9 000 colones, hamburgers de 2 000 à 2 500 colones, pâtes à 3 800 colones, plats de fruits de mer à 7 000 colones.
Sous un grand rancho, c'est là que vous mangerez la meilleure viande grillée de tout le pays (si, si !). Vous ne pouvez pas râter le restaurant sur la route : une statue de vache, grandeur nature, est juste en face.

À voir – À faire

ARENAL ECO ZOO
El Castillo, à 7 km au sud de l'entrée au parc national du volcan
© +506 2479 1059 – +506 2479 1058
© +506 8371 9902
www.arenalecozoo.com
info@arenalecozoo.com
Ouvert tous les jours de 8h à 21h. Visite guidée : 15 US$ par personne. Visite sans guide : 10 US$ par personne.Restaurant et petite auberge à proximité (35 US$ la nuit en chambre double et 15 US$ en dortoir).
Un petit parc où se trouvent plus de 45 espèces de serpents. Une visite passionnante à condition qu'elle soit guidée par le spécialiste des serpents qui a créé ce parc, Victor Hugo Quesada. Il vous en apprendra beaucoup sur les différents serpents du Costa Rica et, si vous le souhaitez, vous pourrez aussi porter quelques instants un petit (ou un gros) serpent. A voir également : la célèbre grenouille aux yeux rouges.

SKY ADVENTURES
Bosque lluvioso Arenal © +506 2479 9944
Ouvert tous les jours de 7h30 à 19h. Téléphérique seul : adultes 55 US$, étudiants 45 US$, enfants 28 US$. Parcours des ponts suspendus : 30 US$ par personne avec guide et 20 US$ sans guide (étudiants 16 US$, enfants 14 US$). Téléphérique et tour de canopy : adultes 66 US$, étudiants 52 US$, enfants 42 US$.
Situé au milieu de la forêt, non loin du volcan et du lac Arenal, c'est un bel endroit pour avoir des points de vue époustoufflants sur ces sites. Les plus aventureux se laisseront glisser sur un des 8 câbles et les autres feront un tour en téléphérique ou parcourront les ponts suspendus. Sujets au vertige, s'abstenir.

LA FORTUNA

A 6 km du volcan, la petite ville semble physiquement écrasée par la menace. Elle est pourtant vivante et sait parfaitement tirer profit de sa situation exceptionnelle. Cette petite ville, qui est une explosion d'enseignes commerciales, est un bon point de départ pour la visite du parc national et surtout c'est LA ville des eaux thermales, tellement agréables pour se prélasser des heures...

Transports

- **Bus.** De San José, tous les jours, départs à 6h15, 8h40 et 11h30 (c12, a7/9 à San José © 2255 4318), environ 5 heures de trajet. De ou pour Tilarán, 2 départs par jour, un peu moins de 4 heures de trajet. Pour se rendre à Monteverde, il faudra changer à Tilaran. Comptez environ 8 heures de trajet.
- **Voiture.** En venant de San José, vous pouvez passer par l'ouest du Poás ou par l'est : les deux routes sont très agréables et donnent un bon aperçu des zones montagneuses du Costa Rica.

Se loger

Qui dit essor touristique, dit développement de l'hébergement. Ici, vous trouverez de tout, des emplacements de camping dans les jardins des particuliers aux chambres chez l'habitant, en passant par les petits hôtels simples et traditionnels. Une aire de camping est officiellement installée à l'ouest de La Fortuna (douches et toilettes).

La Fortuna, bassins alimentés par les sources d'eau chaude du Tabacón Hot Springs Resort and Spa.

© STEPHANE SAVIGNARD

La Fortuna, bassins alimentés par les sources d'eau chaude du Tabacón Hot Springs Resort and Spa.

Bien et pas cher

ARENAL BACKPACKER'S RESORT
À 350 m de l'arrêt de bus
✆ +506 2479 7000 – +506 2479 7171
www.arenalbackpackershotel.com
arenalhostel@yahoo.com
De 14 à 15 US$ par personne la nuit en dortoir, 14 US$ par personne la nuit dans une tente, 56 US$ la chambre double, 75 US$ la triple, 84 US$ la quadruple. Wi-fi gratuit et 4 ordinateurs connectés à Internet en accès libre.
Cet hostel se présente comme le 5-étoiles des auberges de jeunesse, et c'est vrai ! Piscine design, chambres d'une propreté irréprochable, des tentes de camping tout confort (avec lit, lampes, moustiquaire, etc.) où l'on peut dormir à deux ou à plusieurs, des dortoirs à la literie récente, une cuisine avec de l'équipement neuf (micro-ondes, frigo)... Nous n'avons en somme trouvé aucun défaut dans cette auberge de jeunesse, même le manager Diego, un beau brun ténébreux que les demoiselles remarqueront vite, est d'une gentillesse exemplaire.

ARENAL GREEN
A 1 km à l'ouest de l'entrée de la Catarata de La Fortuna ✆ +506 2479 8383
www.arenalgreen.com
info@arenalgreen.com
De 60 à 85 US$ le bungalow pour 1 à 2 personnes. De 110 à 170 US$ la villa de 4 à 7 personnes. Petit déjeuner inclus. Wi-fi gratuit et un ordinateur connecté à Internet en accès libre. Un spa.
7 bungalows et une villa entièrement équipées (cuisinette, machine à café, frigo) dispersés dans une propriété verdoyante. Bon rapport qualité-prix et bon accueil.

HÔTEL AMISTAD INN
La Fortuna centre ✆ +506 2479 9364
Fax : +506 2479 9342
www.hotellaamistadarenal.com
info@hotellaamistadarenal.com
17 chambres en plein centre de La Fortuna. Compter 20 US$ par personne la nuit.
Une bonne adresse.

Confort ou charme

ARENAL OASIS ÉCO-LODGE
1,5 km à l'ouest après le cimetière
✆ +506 2479 9526 – +506 2479 8472
Fax : +506 2479 8472
www.arenaloasis.com
info@arenaloasis.com
En bungalow, il faut compter de 50 à 60 US$ pour une personne, de 65 à 75 US$ pour deux, de 80 à 90 US$ pour trois, de 95 à 105 pour quatre et de 110 à 115 US$ pour cinq. Petit déjeuner non compris. Un ordinateur connecté à Internet en accès libre. Une réserve privée avec de nombreux animaux sur place ; des visites guidées possibles : 20 US$ par personne pour les clients et 45 US$ pour les personnes extérieures. Egalement une visite guidée pour observer les oiseaux avec les mêmes tarifs.
C'est un petit lodge joliment établi et entretenu dans la finca de la famille Rojas Bonilla, en pleine nature. Sur place, la famille a établi une petite réserve avec bon nombre d'animaux que l'on peut découvrir le long d'une visite guidée (payante) ou tout seul. On peut y observer beaucoup d'espèces animalières du Costa Rica : serpents, grenouilles, papillons... Les propriétaires sont vraiment des amoureux de la nature et ils récupèrent régulièrement des animaux blessés, les soignent puis les relâchent. Lors de notre passage, un bébé chouette était ainsi en convalescence. Une très bonne adresse.

ARENAL RABFER
A 150 m au nord de la banque Banco Nacional. Centre-ville ✆ +506 2479 9187
Fax : +506 2479 7305
www.arenalrabfer.com
info@arenalrabfer.com
Chambre simple à 62 US$, double à 74 US$, triple à 87 US$, quadruple à 101 US$, petit déjeuner inclus. Wi-fi gratuit.
Un petit hôtel de 19 chambres. Chambres agréables et belle piscine dans la cour intérieure. Bon petit déjeuner préparé par la gentille patronne Rosella.

CATARATA ECO-LODGE
A 1,5 km au nord de La Fortuna
✆ +506 2479 9522
Fax : +506 2479 9168
www.cataratalodge.com
info@cataratalodge.com
Chambre simple de 57 à 63 US$, double de 63 à 69 US$, triple de 78 à 84 US$, quadruple de 93 à 99 US$. Piscine avec Jacuzzi. Restaurant.
Des chambres confortables installées dans des maisonnettes en bois réparties sur un magnifique jardin tropical. La plupart des chambres ont une terrasse avec un hamac. Aucune n'est climatisée car, ici, on est soucieux de l'environnement et on le prouve.

EL SILENCIO DEL CAMPO
A 5 km à l'ouest de l'église
✆ +506 2479 7055
Fax : +506 2479 7056
www.hotelsilenciodelcampo.com
info@silenciodelcampo.com
Bungalows pour 2 personnes de 129 à 159 US$, ajouter 25 US$ par personne supplémentaire (capacité maximale de 4 personnes par bungalow). Compter 30 US$ de plus pour les bungalows équipés d'un Jacuzzi. Wi-fi gratuit.
20 bungalows installés dans un beau jardin tropical. Tous ont une terrasse avec vue sur le majestueux volcan Arenal. 2 piscines : l'une avec eau froide et l'autre avec eau thermale agrémentée d'une petite cascade (température : 41 °C). Bar et restaurant. Une bonne affaire.

HÔTEL SAN BOSCO
A 100 m au nord de la banque Banco Nacional de La Fortuna ✆ +506 2479 9050
Fax : +506 2479 9109
www.hotelsanboscocr.com
33 chambres réparties en 2 catégories A (chambres plus grandes) et B (avec air conditionné et TV câblée). Les prix en haute saison pour la catégorie A : 80 US$ (2 pers.), 92 US$ (3 pers.) et 104 US$ (4 pers.). En catégorie B : 75 US$ (2 pers.), 87 US$ (3 pers.) et 99 US$ (4 pers.). Balcons, salle de bains dans chaque chambre. Piscine, Jacuzzi. Thé et café gratuit 24h/24.
Un assez bon prix pour cet hôtel dont les chambres sont réparties entre deux bâtiments style colonie de vacances à l'ombre, ou presque, du volcan.

Luxe

BALDI HOTEL RESORT & SPA
A 4 km à l'ouest de La Fortuna
✆ +506 2479 2190 – +506 2479 9917
Fax : +506 2479 7437
www.baldihotsprings.cr
yporras@baldihotsprings.cr
Ouvert de 10h à 22h. Chambre double standard à 150 US$ (30 US$ par personne supplémentaire, 25 US$ pour les enfants jusqu'à 12 ans), double deluxe à 190 US$ (268 US$ pur 4 personnes). Petit déjeuner et accès illimité aux bassins d'eau thermale inclus. Wi-fi gratuit. Tarifs du spa : massages de 55 à 100 US$, le volcano massage avec de la boue du volcan est à 90 US$.
Un très bel établissement installé sur une immense propriété (2 000 hectares) où les eaux thermales sont reines. L'hôtel compte 25 piscines avec une eau de 32 à 67 °C et 3 chutes d'eau, un Jacuzzi géant et un excellent spa. Le restaurant prépare quant à lui de délicieux plats gastronomiques. Très bon rapport qualité-prix.

TABACON HOT SPRINGS RESORT & SPA
Nord-est du lac, sur la route de La Fortuna
✆ +506 2479 1500 – Fax : +506 2519 1940
www.tabacon.com – sales@tabacon.com
Resort de 114 chambres et 11 junior suites. Chambres standard pour 2 personnes à 159 US$ et 164 US$, junior suites à 229 US$, chambres supérieures à 264 US$. 19 US$ par personne supplémentaire, taxes non incluses.
Cet établissement hôtelier établi à 300 m des thermes a des chambres d'un très bon confort avec toutes les commodités (air conditionné silencieux – c'est important ! –, télévision et vue depuis votre lit sur le volcan). Les petits déjeuners et l'accès illimité aux sources sont inclus dans le prix de la nuit.

Se restaurer

Comme La Fortuna est une ville très touristique, les restaurants sont nombreux. Il y a à prendre et à laisser, comme dans toutes les villes très visitées, mais globalement vous mangerez bien et pour des prix assez corrects.

Bien et pas cher

RESTAURANTE VIQUIEZ
Centre-ville. A 75 m du parc central
✆ +506 2479 7132
Ouvert tous les jours de 7h à 22h. Plats de 3 000 à 5 000 colones. Buffet au déjeuner à 2 700 colones.
Un petit restaurant de cuisine costaricaine traditionnelle, intéressant pour son buffet au déjeuner à seulement 2 700 colones. Les plats sont généralement bons et à prix doux. Bon accueil.

Bonnes tables

ANCH'IO
Près du centre commercial de La Fortuna
✆ +506 2479 7560
Ouvert tous les jours, sauf le mardi, de 7h à 21h45. Pâtes de 4 450 à 7 600 colones, grandes salades de 3 800 à 6 350 colones, pizzas de 4 950 à 9 250 colones.
Un tout nouveau restaurant italien dont vous apprécierez les bonnes pizzas et l'atmosphère relaxante, bercé par une douce musique lounge, une fois le soir venu.

ANTOJERIAS MEXICANAS LAS BRASITAS
La Fortuna, centre-ville
✆ +506 2479 9819
Fax : +506 2479 9574
www.lasbrasitas.com
Ouvert tous les jours de 10h à 22h. Plats de 7 000 à 12 000 colones.
Cuisine mexicaine et bonnes grillades. La terrasse est très agréable. Une des meilleures tables de La Fortuna.

DON RUFINO
Avenue centrale
✆ +506 2479 9997 – +506 2479 9633
www.donrufino.com
reservaciones@donrufino.com
Ouvert tous les jours de 11h à 23h. Plats de 9 000 à 15 000 colones.
Excellent restaurant de cuisine internationale et cuisine typique. Le bar est agréable pour boire un verre aussi bien dans la journée que le soir.

RESTAURANTE VAGABONDO
Ouest de La Fortuna ✆ +506 2479 9565
www.vagabondocr.com
Ouvert tous les jours de 11h à 23h. Pizzas de 4 000 à 9 000 colones selon les ingrédients et la taille. Plats de pâtes à 7 000 colones en moyenne. Taxes non incluses.
Pizzeria à l'ambiance sympathique. Les pizzas cuites au feu de bois (devant vous) sont de qualité. Bon rapport qualité-prix.

RESTAURANT NENE'S
La Fortuna à 50 m au nord de la pharmacie El Pueblo ✆ +506 2479 9192
Ouvert tous les jours de 10h à 23h. Entrées de 2 000 à 3 000 colones, plats de 3 000 à 6 000 colones, hamburgers à 2 900 colones, ceviche à 2 900 colones.
Très bonnes spécialités de fruits de mer et de poisson. Ici, tout le monde vient déguster le célèbre ceviche maison et c'est un régal. Autre succès du restaurant : ses énormes et onctueux hamburgers. On vous recommande vivement cette adresse.

À voir – À faire

Le ciel est couvert... Que faire ? Tout d'abord, méfiez-vous des excursions organisées et souvent onéreuses au volcan : on ne peut s'en approcher et, si on le devine à peine de La Fortuna, on ne le verra pas mieux d'un autre point. Sinon, hôtels et agences touristiques proposent de nombreuses excursions dans les environs (cavernes de Venado, Caño Negro...). Sans oublier les nombreux bassins d'eaux thermales, nombreux à La Fortuna, dont vous aurez du mal à vous passer une fois que vous y aurez fait trempette.

LA CATARATA DE LA FORTUNA (CASCADE)
A 15 minutes du centre-ville en voiture
Ouvert de 8h à 17h. Entrée : 10 US$ par personne. Chaussures de marche ou tennis indispensables. Pensez à prendre une bouteille d'eau. Parking gratuit au niveau du guichet.
Cette superbe cascade est une attraction, plus rafraîchissante que le volcan. Comptez 2 à 3 heures sur place pour la visite. On commence par prendre un pont suspendu au milieu d'une végétation luxuriante. Au bout du pont, deux sentiers : l'un part à gauche, l'autre à droite mais les deux se rejoignent à un mirador d'où la vue sur la cascade est sublime. Si vous souhaitez flâner, prendre des photos et que vous n'êtes pas très sportif, prenez le sentier de gauche. Les plus motivés prendront le sentier de droite où se trouve par ailleurs un snack avec des bouteilles d'eau en vente ; pensez à en acheter une si vous n'en avez pas et si vous comptez descendre jusqu'à la cascade car la montée vous donnera TRÈS soif. Une fois qu'on est au mirador, soit on décide de rentrer, soit on descend les 430 marches assez abruptes qui mènent à la cascade. Si vous avez de bonnes chaussures et si vous n'avez pas de problèmes de genoux, foncez car une fois en bas, le spectacle est sublime et la baignade très agréable. Si vous êtes en tongs, oubliez, car vous pourriez glisser et vous faire très mal. Le plus difficile, c'est ensuite de remonter... Comptez les marches, ça vous motivera. A noter : gardez un œil sur vos affaires quand vous êtes dans l'eau, des vols ont été signalés.

EAUX THERMALES BALDI HOT SPRINGS
Hotel Baldi Resort and Spa
à 4 km à l'ouest de La Fortuna
✆ +506 2479 2190
www.baldihotsprings.cr
gmoreira@baldihotsprings.cr
Ouvert tous les jours, de 10h à 22h. Entrée : 28 US$ par personne, package avec le dîner à 45 US$ par personne.
Sur l'immense propriété de l'hôtel Baldi Hot Springs, 25 piscines de 32 à 67 °C. Plusieurs bars installés dans les piscines vous permettent de boire un verre tout en vous baignant. Musique entraînante partout ; les fêtards apprécieront.

EAUX THERMALES
ÉCO TERMALES FORTUNA

A 4,5 km au nord-ouest
de l'église de La Fortuna
✆ +506 2479 8787 – +506 2479 7085
Fax : +506 2479 8686
reservaciones@ecotermaleslafortuna.com
Ouvert de 10h à 21h. Fermé le 25 décembre et le 1er janvier. Entrée : 34 US$ par personne, 24 US$ pour les enfants de moins de 12 ans. Réservation obligatoire la veille car la capacité de l'établissement est limitée à 100 personnes.

Nos eaux thermales préférées à La Fortuna. Le cadre est tout simplement magnifique : cinq piscines naturelles d'eau thermale dans un jardin tropical sublime, au calme. Point de musique ici, c'est la nature qui est à l'honneur. Vous pourrez vous prélasser dans des eaux de 37 à 42 °C en écoutant le clapotis de l'eau, et pourquoi pas en buvant un délicieux cocktail (bar en haut des escaliers). C'est vrai que le ticket d'entrée est cher comparé aux tarifs des autres bassins d'eau thermale de La Fortuna, mais les lieux valent largement le prix d'entrée. Un conseil : allez y le soir, une fois la nuit tombée c'est encore plus magique.

Sports – Détente – Loisirs

DESAFIO ADVENTURE COMPANY

Derrière l'église, La Fortuna
✆ +506 2479 9464
Fax : +506 2479 9463
www.desafiocostarica.com
info@desafiocostarica.com

L'agence pionnière à La Fortuna est spécialisée dans les tours d'aventure et nature, service pro, on voit de suite qu'ils sont bien rodés dans la région et à travers le Costa Rica. Essayez par exemple leur célèbre Arenal Tour : rafting sur le río Toro ou río Balsa, canyoning dans les cascades en rappel de Lost Canyon, et quelques coups de pagaies, ou partez à la pêche sur le lac Arenal.

WAVE EXPEDITIONS

La Fortuna, à côté de l'agence Desafio
✆ +506 2479 7262
Fax : +506 2479 7263
www.waveexpeditions.com
info@waveexpeditions.com

L'association parfaite pour une agence de tours d'aventure, un Costaricien et une Californienne, le premier connaît et aime son pays, la seconde apporte le savoir-faire et la passion des sports extrêmes. Services de haute qualité. Wave Expeditions s'efforce de partager cet amour pour le Costa Rica avec ses clients et leurs familles : rafting, kayak, canyoning. Partez aussi à cheval ou à VTT au départ du volcan Arenal pour les forêts brumeuses de Monteverde. Il y a vraiment de quoi faire dans cette région.

PARC NATIONAL RINCÓN DE LA VIEJA

Le volcan qui a donné son nom au parc de 17 000 hectares n'est pas le plus élevé de cette région dominée par l'un des massifs volcaniques (au repos depuis les années 1960) de la cordillère de Guanacaste qui comprend également le Miravalles et le Santa María. En empêchant l'eau de s'évaporer, la forêt sèche qui les entoure est le point de départ des nombreuses rivières qui y prennent leur source. C'est pour protéger ce formidable réservoir que le parc Rincón de la Vieja a été créé dans les années 1970. A l'intérieur de la forêt, vous pourrez observer une multitude d'orchidées (symboles du Costa Rica), dont la guaria morada, et nombre d'oiseaux, y compris des aigles, des mammifères et des insectes. Les sentiers aménagés partent, pour la plupart, de la station Santa María, que l'on atteint par San Jorge (20 km) au départ de Liberia ou par Curubandé, après avoir tourné à droite sur l'Interamericana, à une dizaine de kilomètres au nord de Liberia. Dans les deux cas, la route n'est pas toujours bonne. Comme partout, tout dépend de la pluie ! Certains sentiers, longs de plusieurs kilomètres, mènent à des bassins de boue (trop chaude pour s'y rouler) ou d'eau à 40 °C qui a, paraît-il, des vertus rajeunissantes. Au sud du parc, les chemins partant de l'entrée de Casona Santa María – une maison classée – mènent également aux bassins d'eau chaude (aguas termales, 3 km de marche) via le Bosque Encatado, un morceau de forêt primaire autour d'une cascade et à des sites volcaniques chauds (8 km) ou froids. On peut rallier la Casona au départ de Liberia (20 km) ou de Bagaces sur l'Interamericana, direction San Jorge, en passant par Guayabo (tourner à gauche dans le village, après l'école) puis par Pueblo Nuevo. Il faut compter environ 1 heure 30 de trajet par des sentiers superbes mais sportifs (4x4 obligatoire). A partir de San Jorge, le parc national Rincón de la Vieja est indiqué. La route est praticable, mais le cheval, toujours présent, reste l'un des meilleurs moyens de locomotion pour découvrir la région. Nous vous déconseillons de séjourner près du volcan durant les mois de septembre, octobre et novembre, qui sont très pluvieux. Vous éviterez ainsi l'humidité pénétrante et les émotions d'un embourbement avec votre 4x4.

Transports

Voiture. A 5 km au nord de Liberia, une route, qui part de l'autoroute, mène au poste des gardes forestiers de La Pailas. Pour aller à l'est, au poste Santa María, une route qui part du barrio de la Victoria à Liberia, vous y conduira. Dans les deux cas, on vous recommande de rouler en 4x4.

Taxi. Depuis Liberia, 25 US$ la course juqu'à l'entrée ouest et 45 US$ pour aller à l'entrée est.

Transport depuis les hôtels. Comme aucun bus ne va au parc, la plupart des hôtels proposent de vous y conduire. Compter 40 US$ l'aller-retour.

Pratique

Tourisme

Deux entrées possibles au parc, via deux postes de gardes forestiers auprès de qui l'on paye son entrée et l'on récupère des cartes.

POSTE DE GARDE FORESTIERS DE LAS PAILAS
Poste de Las Pailas ✆ +506 2200 0399
Ouvert de 7h à 17h (dernière entrée à 15h). Entrée : 10 US$. Fermé le lundi.
Entrée ouest du parc. 1,50 US$ de plus à payer car on doit traverser la propriété d'un hôtel, l'Hacienda Guachipelin.

POSTE DE GARDES FORESTIERS DE SANTA MARÍA
Poste de Santa Maria ✆ +506 2200 0296
Ouvert de 7h à 17h (dernière entrée à 15h). Entrée : 10 US$.
Entrée est du parc. Sur place, une tour d'observaton et une salle d'exposition.

Se loger

Bien et pas cher

On peut camper aux entrées du parc national. A la Casona Santa María, près de San Jorge, où des douches et des toilettes sont à votre disposition, ainsi que quelques couchettes superposées dans des chambres sommaires et plusieurs barbecues, ou à Las Pailas. Il est interdit de camper dans le parc même.

EL RINCONCITO LODGE
San Jorge, sur la route du parc
✆ +506 2666 2764
www.rinconcitolodge.com
info@rinconcitolodge.com
9 chambres dont 1 cabaña (4 pers.) et 1 cabaña (2 pers.). Les prix (une seule saison) : 25 US$ (1 pers.), 60 US$ (2 pers.), 77 US$ (3 pers.) et 88 US$ (4 pers.), taxes et petit déjeuner compris. Transports au parc pour 15 US$; service de transports depuis Liberia pour 30 US$ ou vers Playa Hermosa pour 60 US$.
Le Rincóncito est un hôtel très simple à l'accueil familial. Au restaurant, dont tout un chacun peut profiter au retour du parc, plats typiques cuisinés avec goût à des prix très compétitifs. Tours guidés à cheval dans le parc national Rincón de la Vieja ou au volcan Miravalles.

Entrée du parc national Rincón de la Vieja.

RINCON DE GAETANO

San Jorge, au sud du volcan
✆ +506 2228 2980
Fax : +506 2228 0156
http://elrincondegaetano.free.fr
rincondegaetano@yahoo.fr
duodecr@racsa.co.cr
A partir de 40 US$ la chambre double, gratuit pour les enfants de moins de 12 ans partageant la chambre de leurs parents, petit déjeuner compris. Petite piscine.
A San Jorge, ces chambres d'hôtes réparties dans des bungalows en bois, peuvent accueillir jusqu'à 10 personnes. Les chambres récemment aménagées sont simples, sommaires, mais joliment décorées. Possibilité de manger sur place en prévenant. Accueil simple et chaleureux, le propriétaire est belge. La nature y est généreuse et luxuriante, un petit coin de paradis avec diverses activités : randonnées pédestres, promenades à cheval... Ce petit coin hors des sentiers battus est à recommander aux amoureux de la nature.

Confort ou charme

CAÑON DE LA VIEJA LODGE

Route du parc ✆ +506 2665 5912
canyonlodge05@hotmail.com
canyonlodge@gmail.com
34 chambres rustiques et confortables en bois. Les prix (une seule saison) : 90 US$ (2 pers.), 114 US$ (3 pers.), petit déjeuner inclus. Restaurant (cuisine typique). Piscine, bar.
Des activités sont proposées (cheval, canopy, rafting). Cet hôtel est situé dans un beau cadre naturel, très tranquille.

HACIENDA GUACHIPELIN

✆ +506 2666 8075
✆ +506 2665 2178
www.guachipelin.com
info@guachipelin.com
De nombreuses formules tarifaires, petit déjeuner, demi pension, journée multi-activités.... Compter de 96 à 112 US$ pour 2 personnes en formule petit déjeuner.

Casita du Rincón de la Vieja Lodge, situé à quelques kilomètres du parc.

L'hacienda se trouve presque au bout de la route caillouteuse, mais en bon état (20 km) menant au parc national. Les amoureux de la nature seront séduits par l'environnement sauvage de la propriété. Le domaine est immense – plus de 1 600 hectares dont la moitié consacrée à la conservation de la forêt tropicale sèche – et se déploie au pied du volcan. Il offre de nombreuses possibilités et chacun y trouvera son compte. Les 40 chambres (de deux catégories) fonctionnelles et confortables, sont abritées dans des bâtiments à l'ancienne. Le bâtiment principal, vieux de plus d'un siècle, est le centre de la vie sociale. Il abrite le restaurant, le bar et donne sur la piscine cernée de chaises longues. Les repas sont servis sous forme de buffet où la cuisine internationale côtoie les plats locaux. Les activités proposées sont nombreuses : randonnées à cheval (l'hacienda ne compte pas moins d'une centaine de chevaux), canopy tours, descente de rivière en tubing, balades à pied aux cascades voisines de Oropendola ou de las Chorreras, mountain bike, activités agricoles (traite des vaches…). En fin de journée, le spa très rustique offre une pause bienvenue ; outre les massages il propose des bains de boue aux vertus bienfaisantes, des bains revivifiants dans trois piscines sulfureuses de différentes températures. De nombreux packages d'activités sont proposés dont la journée multi-activités. Une bonne option dans la région.

Visites guidées

GUIDE FRANCOPHONE QUIRIEN JEAN
gjflo@yahoo.fr
Guide naturaliste et spécialiste en trek et randonnées dans tout le Costa Rica, sur place depuis plus de 12 ans. De formation botaniste, il connaît parfaitement la flore du pays et saura satisfaire votre curiosité quant à la faune (ornithologie, amphibiens, et reptiles…). Les us et coutumes costariciens n'ont plus grand secret pour lui, il les partagera d'ailleurs avec enthousiasme et vous promet un séjour enchanteur à travers monts, volcans et forêts. Particulièrement passionné par les treks, il propose diverses randonnées d'observation avec possibilités de bivouac, il ne faut pas hésiter à le contacter très longtemps à l'avance tant il est demandé !

LE NORD

LIBERIA

Avec 40 000 habitants, Liberia est la plus grande ville du nord et la capitale de la province du Guanacaste. Centre d'élevage, la ville est passée en peu de temps de bourgade rurale et tranquille où il fait bon vivre parmi les *sabaneros* depuis que le pays délocalise et, surtout, depuis que l'aéroport est devenu international désenclavant ainsi la région Nord et permettant aux touristes de rejoindre les plages de la Gold Coast dès la descente du charter.

Si les abords de Liberia se sont enrichis d'entreprises dont Plaza Liberia, un centre commercial doté de quatre salles de cinéma, de chaînes de restauration rapide et d'hôtels, le centre-ville n'a guère changé si ce n'est qu'on a mis en valeur la calle Real, une rue aux maisons anciennes au sud de l'église aux lignes futuristes. Liberia est encore parfois appelée la « ville blanche » en souvenir de ses rues régulièrement passées à la chaux, pratique qui a disparu avec l'asphaltage des rues.

Transports

Comment y accéder et en partir

Avion. Nature Air et Sansa desservent Liberia et son aéroport international Daniel Oduber, le deuxième du pays. De San José, comptez 190 US$ aller-retour. Des compagnies américaines ont également des vols directs depuis les Etats-Unis vers Liberia. A partir du mois de novembre 2011, Air Berlin reliera Düsseldorf et Liberia par un vol direct. Pour rejoindre le centre-ville de Liberia depuis l'aéroport, compter environ 10 US$ en taxi.

Bus. Deux gares routières se trouvent à Liberia : l'une se trouve avenida 7 entre c12 et c14, il s'agit du terminal Liberia, l'autre se trouve avenida 5 entre c10 et c12, elle se nomme terminal Pulmitan. De San José. Tous les jours, plusieurs bus partent de San José (a5/7, c24 ✆ 2222 1650). Après 4 heures de trajet vous arriverez au terminal Pulmitan. Pour Canas, se rendre au terminal Liberia, 1 heure 30 de trajet.

De ce même terminal partent les bus à destination de Nicoya, via Filadelfia et Santa Cruz (1 heure 30 de trajet), de même pour Playa Hermosa et Playa Panama, compter 1 heure 30, Playa Tamarindo se trouve à 2 heures de route. Du terminal Pulmitan, les bus suivant partent en direction de La Cruz, Penas blancas (2 heures de trajet), Managua au Nicaragua, il faut 5 heures de route et 10 US$ (le mieux est d'acheter son billet la veille). Playa del Coco est à une heure de trajet et Puntarenas est à 3 heures.

Voiture. Sur l'Interamericana Norte. Compter 3 heures 30 de trajet depuis San José, selon le nombre de camions.

NATURE AIR
✆ +506 2220 3054 – www.natureair.com

SANSA
✆ +506 2257 9444 – www.flysansa.com

Se déplacer

TOUTCOSTARICA
Interamericana y Avenida 1
✆ + 506 8656 4260
www.toutcostarica.com
info@toutcostarica.com
Pour votre réservation de véhicule (spécialiste 4x4), pas de n° de carte bleue à communiquer, pas d'avance de versement, et une assistance téléphonique 24h/24 en français vous est proposée pour la durée du séjour. GPS gratuit !
Deuxième implantation de l'agence qui se trouve déjà à San José. Tenue par une équipe francophone orchestrée par Olivier qui vous offre la possibilité de réserver depuis la France sans paiement anticipé. Confiance et garantie au rendez-vous.

Pratique

OFFICE DU TOURISME DU GUANACASTE NORD
A6, c1 ✆ +506 2666 2976
✆ +506 8885 0333 – fesquive@ict.go.cr
Ouverture aléatoire, mais normalement du mardi au samedi de 9h à midi et de 13h à 18h.
Cartes et informations touristiques sur la région du Guanacaste Nord. Egalement des brochures sur Liberia.

Se loger

Si vous n'y allez ni à Pâques, ni à Noël, ni en saison sèche, nul besoin de réserver ; dans le cas contraire, mieux vaut s'être organisé un peu à l'avance.

HÔTEL BOYEROS
Près de l'intersection
entre l'Interamericana
et la rue principale ✆ +506 2666 0722
Fax : +506 2666 2529
www.hotelboyeros.com
hboyeros@racsa.co.cr
55 US$ la chambre simple et 66 US$ la double. Wi-fi gratuit.
Piscine et restaurant ouvert en permanence. Chambres confortables. Une bonne adresse.

POSADA DEL TOPE
Sud du Parque Central ✆ +506 2666 3876
www.posadadeltope.com
A partir de 20 US$ la nuit.
Chambres simples dans une vieille bâtisse du centre-ville de Liberia.

Se restaurer

CAFÉ LIBERIA
c8, a2 ✆ +506 2665 1660
Ouvert pour les 3 repas. Plats légers, soupes et sandwiches de 1 500 à 3 000 colones. Wi-fi gratuit.
Une bonne adresse pour manger des bons produits à prix correct et dans un cadre cosy.

PARC NATIONAL SANTA ROSA

Ce morceau de terre qui couvre presque entièrement la péninsule de Santa Elena – espèce de nez au-dessus de celle de Nicoya – était, il y a quelques années, particulièrement dévasté par la déforestation et les feux de forêts, amateurs de vents secs. La zone a alors été déclarée protégée (en 1971) pour permettre d'une part sa reforestation, et d'autre part l'étude du processus de génération d'une forêt : le vent ou les animaux (singes, chevreuils, iguanes, caïmans...) transportent les graines dans leurs poils ou leurs plumes ou les ingèrent. Ce vaste projet d'étude destiné au reboisement du secteur associe les habitants qui, grâce à leur connaissance du terrain et après formation, sont devenus gardiens, guides ou assistants des chercheurs tout en vaquant à leurs occupations quotidiennes.
Avant que l'on ne s'intéresse à l'importance des matières fécales des animaux dans le processus biologique forestier, Santa Rosa était célébrée pour son esprit de résistance héroïque. En effet, chaque fois que le Costa

Rica a été envahi par des armées, c'est toujours à la Casona de l'hacienda Santa Rosa que ces armées ont été mises en déroute. C'est ici que le 20 mars 1856 fut livrée la bataille décisive entre l'armée de paysans centraméricaine et celle levée par le mercenaire William Walker, qui voulait faire de cette région de l'Amérique un réservoir de main-d'œuvre esclave des Etats-Unis. La Casona a été dévastée par un incendie en 2001, mais le musée a pu retrouver sa place dans la maison reconstruite à l'identique. Petit détail qui n'a rien à voir avec l'écologie et ne tiendra pas beaucoup de place dans les annales de la guérilla : la secrète piste d'atterrissage de la contra nicaraguayenne, dont on a parlé lors de l'Irangate, se trouvait dans le parc de Santa Rosa.
Le parc national protège en grande partie l'habitat typique de la forêt tropicale sèche. Pour l'observation de la faune, mieux vaut s'y rendre durant la saison sèche (de décembre à avril) quand les animaux se retrouvent autour des rares points d'eau et que les insectes sont moins nombreux. Mais c'est également pendant cette période que les groupes de visiteurs affluent. En d'autres temps, on venait voir les tortues, notamment celle de Ridley, pondre à Playa Nancite, au nord du golfe Papagayo. Mais l'accès de la plage est maintenant restreint à vingt-cinq visiteurs à la fois, suite à des exactions commises par des personnes indélicates. Pour s'y rendre, réservez votre place auprès des autorités du parc. D'autres animaux sont visibles presque toute l'année, dont un grand geai noir et blanc qui pousse un cri encore plus rauque que celui de n'importe lequel de ses congénères. Les chauves-souris sont très largement représentées par une bonne cinquantaine d'espèces différentes. Les autres mammifères présents vont du singe au coyote en passant par le coati. En ce qui concerne la flore, deux arbres sont particulièrement intéressants. Le premier, un arbre imposant au large branchage, a donné son nom à la province du Guanacaste, dont il est devenu le symbole. Le second, le gumbo limbo, est facilement reconnaissable à son écorce brûlée, associée à la couleur des Indiens.

Transports

Voiture. A 35 km au nord de Liberia par l'autoroute. Pour accéder à l'entrée de Mucielago, continuer 10 km de plus vers le nord puis tourner à gauche sur une route goudronnée et aller jusqu'à Cuajiniquil ; à partir de là, il faut rouler 8 km pour rejoindre le poste de gardes forestiers. 4x4 recommandé.

Bus. Prendre un bus qui va jusqu'à la frontière du Nicaragua et demander au chauffeur de vous déposer à l'une des entrées du parc.

Pratique

Tourisme

Deux entrées possibles au parc.

POSTE DE GARDES FORESTIERS DE MURCIELAGO
Poste de Murcielago ✆ +506 2666 7718
Ouvert de 8h à 16h. Entrée : 10 US$.

POSTE DE GARDES FORESTIERS DE SANTA ROSA
Poste de Santa Rosa ✆ +506 2666 5051
Ouvert de 8h à 16h. Entrée : 10 US$.

Se loger

On peut loger dans les stations Cacao (sur les flancs du volcan, accès depuis l'Interamericana à 9 km au sud de l'entrée de Santa Rosa) et Maritza (12 km au nord de la route qui tourne vers Cuajiniquil). Le mieux pour s'y rendre est de prendre un bus pour la frontière nicaraguayenne et de demander au chauffeur de vous déposer au plus près de l'entrée.

PARC NATIONAL GUANACASTE

Ce parc, parmi les plus récents du Costa Rica (ouvert en 1989), fait partie d'un grand ensemble protégé, formé par le parc de Santa Rosa et celui de Rincón de la Vieja. Séparé du premier par l'Interamericana, il en est le parfait prolongement écologique dans la partie ouest, puis deux volcans imposent leur relief, le volcan Orosí (1 486 m) et le volcan Cacao (1 660 m) que l'on peut escalader. L'activité principale du parc est la recherche.

LA CRUZ

A 20 km au sud de la frontière nicaraguayenne, La Cruz est la ville importante de ce bout de pays éloigné de tout. Mais ne vous y trompez pas, ce n'est rien d'autre qu'un village sur l'Interamericana. Les paumés y trouveront tout de même quelques cabinas. Pour venir jusqu'à ce petit bled, rien de plus simple : tous les bus pour Peñas Blancas (un poste-frontière) passent par là.

Transports

Bus. De San José (c14, a3/a5 ✆ 2256 9072), des bus tous les jours partent toutes les heures de 3h à 19h pour La Cruz. Retour de 8h à 19h, toutes les heures. De Liberia, des bus tous les jours pour La Cruz à 5h, 5h30 puis toutes les heures de 6h à 17h. Retour à 5h, 6h, 7h, 7h30 puis de 8h à 17h toutes les heures.

Voiture. Prendre l'Interamericana en direction du nord et de la frontière du Nicaragua. Les contrôles de police peuvent être fréquents du fait de la proximité de la frontière nicaraguayenne.

Pratique

Argent

Vous trouverez deux banques (Nacional et Popular) avec possibilité de retirer de l'argent au distributeur automatique.

Postes et télécom

CYBERCAFÉ

Un café ouvre de 8h à 19h dans le centre, fermé le dimanche, 600 colones de l'heure.

Se loger

HACIENDA LOS INOCENTES

A 15 km à l'est de La Cruz, Route de Santa Cecilia ✆ +506 2679 9190
✆ +506 2679 9294 – Fax : +506 2679 9224
orosina@racsa.co.cr

23 chambres dont 11 standard dans la partie principale et 12 bungalows avec terrasse et hamac pour la sieste. Les prix (une seule saison) : 45 US$ (1 pers.), 70 US$ (2 pers.), 87 US$ (3 pers.), taxes comprises, 11 US$ par personne supplémentaire. Petit déjeuner inclus. Piscine, Jacuzzi, restaurant typique.

Grande finca costaricaine pas loin du volcan Orosí, Los Inocentes est un lieu agréable de villégiature. Les chambres sont propres, l'accueil très agréable. Au petit déjeuner, les oiseaux partagent avec vous votre jus d'orange ou votre refresco natural. L'observation d'aras rouges et de toucans pico iris est quasi garantie depuis ce lodge ; ils y viennent même très près. Activités « nature », sentiers pour observer les animaux, promenade à cheval.

PUERTO SOLEY

Petit village de pêcheurs sans autre intérêt que d'être la seule possibilité de logement et de ravitaillement dans le coin, excepté La Cruz à 6 km de là, desservie par une mauvaise route et d'être un fameux spot de planche à voile.

ECOPLAYA BEACH RESORT

Bahia Salinas, à 17 km de La Cruz, avant Playa El Jobo ✆ +506 2228 7146
✆ +506 2228 7137
Fax : +506 2289 4536
www.ecoplaya.com
infohotel@ecoplaya.com

Les prix en haute saison, en pension complète : 84 US$/pers. (adulte) et 42 US$/pers. (enfant) ; les taxes, les 3 repas et les boissons nationales compris. En basse saison, respectivement : 74 US$ et 37 US$. Séjour de 2 nuits au minimum exigé.

Resort composé de 36 chambres dont 20 sont à louer, le reste est en time sharing. Chambres de luxe avec climatisation, ventilateur, TV câblée, téléphone, et junior suites avec kitchenette tout équipée. Piscine, salon multi-usages (conférences, spectacles, jeux...) complètent les équipements, avec accès direct à la plage ainsi qu'à la plage El Jobo où vous trouverez un beach club. Le restaurant sous un grand rancho propose une excellente carte internationale et typique avec un service de qualité. Des tours sont proposés, notamment la visite des Islas Bolaños – sanctuaire d'oiseaux marins. Dans un beau cadre spacieux et arboré de plantes tropicales, ce resort, situé dans le site encore naturel de Bahía Salinas, est à recommander vivement.

BAHÍA DE SALINAS

Refuge national de la faune sylvestre Isla Bolaños. Cette petite île de 25 hectares, accessible de Puerto Soley au fond de la baie de Salinas, est un paradis ornithologique. On y recense, parmi les espèces les plus représentatives, des pélicans bruns et des frégates. Pour accoster, il faut l'autorisation des autorités de Santa Rosa (✆ 506 2695 5598). C'est l'une des zones les plus sèches du pays avec annuellement moins de 1 500 mm. L'île de Bolaños, de forme ovale, a une altitude de 81 m et est à 1,5 km de la côte. Bahía Salinas est fréquentée par les fous de planche à voile qui connaissent les vents forts de la baie, mais son éloignement des centres touristiques plus développés lui confère un charme à découvrir.

Transports

Bus. Des bus vous emmenent de La Cruz à Jabó à 5h, 8h30, 11h15, 14h et 17h. Ils repartent à 6h, 9h30, 12h, 15h et 17h45.

Taxi. Depuis la Cruz, comptez 7 000 colones la course.

PÉNINSULE DE NICOYA

À Playa del Coco, locaux et touristes profitent de la plage jusqu'à la tombée de la nuit.

Puerto Culebra
Aéroport Inter. D. Odduber
Baie de Papagayo
Baie Culebra
Playa Hermosa
Panamá
Vers le Guanacaste
Playa del Coco
Coco
Playa Ocotal
Communidad
Ocotal
151
Sardinal
Palmira
Playa La Penca
Playa Pan de Azucar
Playa Potrero
Potrero
Filadelfia
Playa Flamingo
Playa Flamingo
Playa Brasilito
Palmas
Brasilito
Belèn
Playa Conchal
Cartagena
155
Huacas
Ortega
Portegolpe
Cañas
Parc national Marino Las Baulas
Refuge national Tamarindo
Playa Grande
Villareal
Tamarindo
Santa Barbara
Playa Langosta
160
Guaitil
Santa Cruz
Paraiso
Vientisiete de Abril
150
Playa Avellana
Parc national Barra Honda
Nambi
Santa Ana
Piave
Playa Junquillal
Retallano
Junquillal
Nicoya
Nacaome
Morote
Lagarto
Vista al Mar
Curime
Mansión
Playa Manzillo
Marbella
Virginia
Hojancha
Cuajiniquil
San Juanito
Belèn
PÉNINSULE DE NICOYA
Ostional
150
Playa Ostional
Nosara
Refuge national Ostional
Maquenco
Ora
Garza
Playa Guiones
Panamá
Sámara
Estrada
Playa Buena Vista
Playa Carillo
Islita

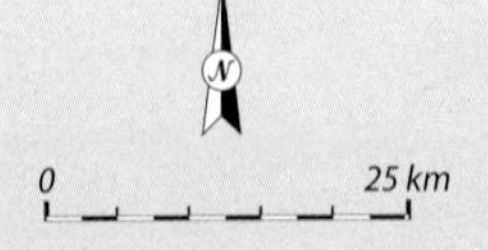

N
0
25 km

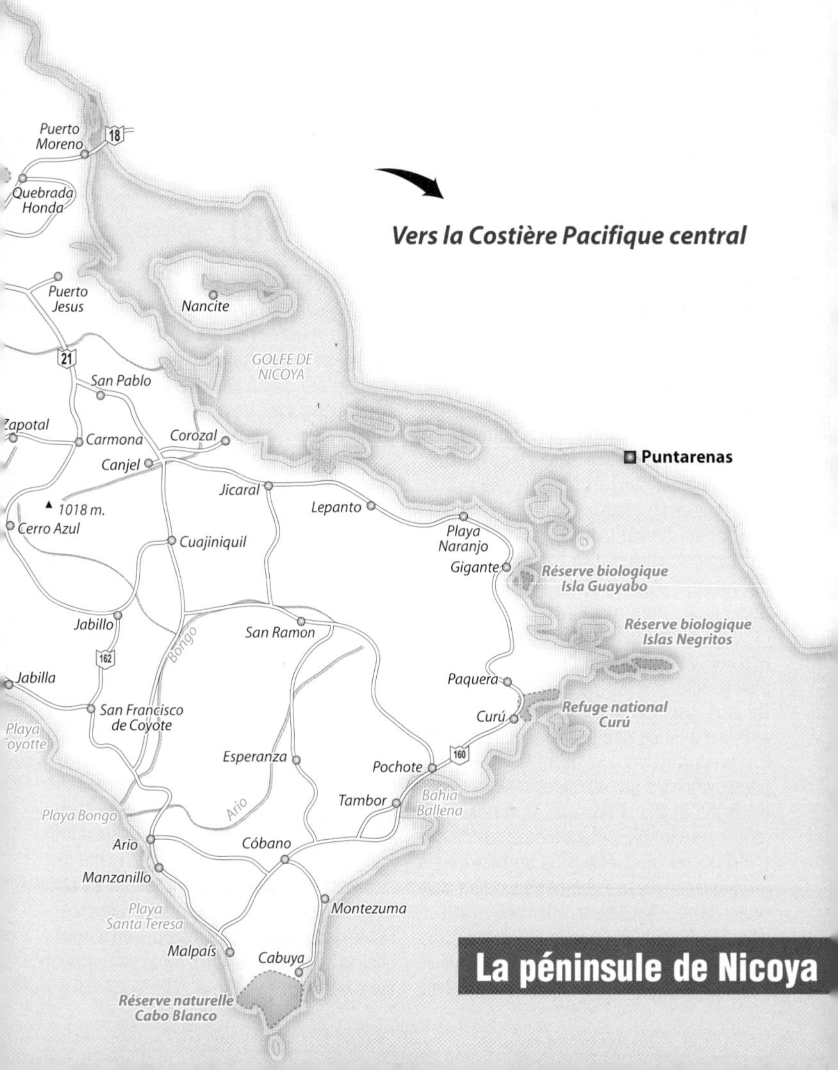

La péninsule de Nicoya

La péninsule de Nicoya

Une péninsule montagneuse affrontant l'océan par des côtes rocheuses et sauvages tout en dégageant de magnifiques plages de sable fin, telle apparaît la péninsule de Nicoya aux nombreux voyageurs qui la fréquentent. Car avec sa forme de « tête de cheval de mer » ou de « pince de crabe » et le soleil de son climat tropical sec, la péninsule est toute tournée vers le tourisme. Ancien territoire des Indiens chorotegas, aujourd'hui disparus, elle est devenue un refuge pour Américains plutôt aisés confortablement installés sur la Gold Coast. Concernant le réseau routier, de gros efforts ont été faits dans la péninsule de Nicoya, ce qui rend le réseau agréable dans les zones localisées au nord et au nord-ouest. En revanche d'autres zones sont dans un état catastrophique comme la route de Paquera à Naranjo, toute la côte sud-ouest du Pacifique avec des pistes impossibles à passer même avec un 4x4 (hauteur des cours d'eau due aux pluies, de la marée...). L'intérieur du sud de la péninsule est aussi très difficile d'accès. Côté climat, il fait généralement chaud toute l'année sur la péninsules avec des moyennes de 30 à 34 °C pendant la saison sèche (de décembre à avril) et de 25 à 28 °C pendant la saison de pluies (de mai à novembre).

NORD-NICOYA (SUD-PAPAGAYO)

Les plages du Nord-Nicoya (Sud-Papagayo) commencent avec le grand golfe de Papagayo, plus précisément à partir de Playa Ocotal jusqu'à la péninsule de Nascacolo. La première plage en arrivant de Liberia est Playa Ocotal, très agréable et reposante. La célèbre Playa del Coco vient ensuite. Sa renommée ne vient certainement pas de sa plage – qui est quelconque et pas très propre – mais de sa proximité avec Liberia, à une trentaine de kilomètres. La petite ville, qui ressemble à une sympathique station balnéaire familiale de Bretagne, possède plusieurs supermarchés utiles pour l'approvisionnement et quantité de cabinas ou de chambres d'hôtels bon marché par rapport à ce qui est proposé plus au sud.
De plus, très fréquentée par les Ticos, elle est plus animée que ses consœurs du sud. En remontant vers le nord – sur la carte parce qu'il n'y a pas de route côtière –, Playa Hermosa et Playa Panamá sont beaucoup moins fréquentées mais tout aussi dignes d'intérêt, et peut-être plus appropriées à la baignade. Playa Panamá fait partie d'un projet de développement et de mise en valeur, appelé « Projet Papagayo », un projet de très grand développement touristique qui se voulait être, au début, un mini-Cancún et qui est maintenant un projet plus modeste, mais tout de même de grande ampleur.
Pour se rendre à Playa Nacascolo où se trouve un petit site précolombien – sans grand intérêt il faut le dire –, un seul moyen : sympathiser avec un pêcheur pour qu'il vous y dépose et, très important, qu'il revienne vous y chercher. Géographiquement, le nord de la côte entre la péninsule de Nascacoyo et la frontière nicaraguayenne, bien qu'étant sur la côte pacifique, n'appartient plus à la péninsule de Nicoya mais au Guanacaste et est donc décrit dans la partie « Guanacaste ». La première plage de la péninsule de Nicoya est donc la playa Panama, au sud de la bahia de Culebra.

PLAYA PANAMÁ

Elle est située à 3 km au nord de Playa Hermosa. C'est une succession de sable fin et noir, entouré de végétation exubérante. Il y a une petite mangrove à l'estuaire du río Rocha, riche d'oiseaux aquatiques et marins. Les plages isolées et encore naturelles plus au nord de Bahía Culebra ne sont pas accessibles depuis Playa Panamá, sauf en barque ; elles le sont par une autre route en revenant sur Liberia.

Transports

Bus. Pour Playa Panamá (via Playa Hermosa), départ à 15h30 tous les jours de San José (c20, a1/3 ✆ 2221 7202) ; retour à 5h. A Liberia, départ à 4h30, 4h40, 4h50, 7h30, 11h30, 13h, 15h30, 17h30. Retour à 6h, 7h30, 8h30, 10h, 14h, 16h, 17h, 19h10.

Voiture. A environ 40 km de Liberia, on y arrive facilement par la route.

Se loger

HÔTEL HILTON PAPAGAYO
✆ +506 2672 0000
www.hiltonpapagayoresort.com
A partir de 200 US$, tout compris.
Avant la construction de ce complexe, on pouvait presque dire que Playa Panamá n'avait rien à proposer… Le luxe à l'état pur.

Sports – Détente – Loisirs

Bonnes sorties plongée possibles, tout particulièrement du côté des îles Catalina ou Murcielagos.

RESORT DIVERS
Hôtel Hilton Papagayo ✆ +506 2672 0000
www.resortdivers-cr.com
Cette agence spécialisée dans les sports aquatiques est basée à l'hôtel Hilton Papagayo. Elle organise de nombreuses sorties plongée dans la zone, notamment aux îles Catalina et Murcielagos.

PLAYA HERMOSA

Plage de sable gris de 1,5 km de longueur, située à seulement 10 km au nord de Playa del Coco. Elle est protégée par des promontoires de roches volcaniques à chaque extrémité recouverts de forêts tropicales sèches. Ainsi, bien abritée de la houle, elle est idéale pour la baignade, le kayak, le snorkeling et la plongée. Elle fait honneur à son nom de « Belle Plage ».

Transports

Bus. Pour Playa Hermosa, départ à 15h30 tous les jours de San José (c20, a1/3 ✆ 2221 7202) ; retour à 5h. A Liberia, départ à 4h30, 4h40, 4h50, 7h30, 11h30, 13h, 15h30, 17h30. Retour à 6h, 7h30, 8h30, 10h, 14h, 16h, 17h, 19h10.

Voiture. A 45 km de Liberia, on y arrive facilement par la route.

Se loger

CONDOVAC LA COSTA
✆ +506 2672 0154
Fax : +506 2672 0166
www.condovac.com
info@condovac.com
Chambres de 95 US$ (2 pers.) à 160 US$ (4 pers.), villa à 243 US$, petit déjeuner inclus. Il y a aussi des forfaits tout compris (logement et les 3 repas).
Incontournable pour qui veut passer des vacances en famille et au calme. Service hôtelier haut de gamme, restauration internationale. Sa position est unique : les villas sont dans la jungle, l'océan Pacifique juste en bas avec une plage superbe. Pas de discothèque, animations pour les enfants et les adultes. A recommander.

Les immanquables de la péninsule de Nicoya

- **Surfer** sur les belles vagues du Pacifique à Santa Teresa, Malpaís, Playa Avellana.
- **Faire** un séjour à Tamarindo, pour le village, pour le surf (débutants et aguerris) et aussi pour les belles plages.
- **Visiter** Montezuma, le village, les plages, l'ambiance festive.
- **Découvrir** le refuge Ostional, pour l'observation des tortues lors d'une ponte (*arribada*).
- **Parcourir** le parc national Las Baulas, et observer la ponte des tortues luth la nuit à Playa Langosta près de Tamarindo.
- **Visiter** la réserve de Cabo Blanco, le plus ancien parc naturel du Costa Rica, à partir de Cabuya.
- **Faire** une sortie en bateau à la Isla Tortuga pour y découvrir sa superbe plage et ses fonds marins sublimes.

VILLA DEL SUEÑO
À la première entrée de Playa Hermosa quand on vient de Liberia, à gauche, puis sur la droite ✆ +506 2672 0026
Fax : +506 2672 0021
www.villadelsueno.com
41 chambres dont 14 suites junior (3 pers.), 9 suites (4 pers.) et 4 appartements (6 pers.). Toutes les chambres ont l'air conditionné, ventilateur, coffre-fort et téléphone. Toutes les suites et les appartements ont en plus une cuisine équipée, TV, minibar et terrasse. Les prix en haute saison : 75 US$ (standard, 2 pers.), 105 US$ (supérieur, 2 pers.), 130 US$ (suite junior, 2 pers.), 195 US$ (suite, 2 pers.) et 255 US$ (appartement, 4 pers.). En basse saison, respectivement : 65 US$, 89 US$, 109 US$, 139 US$ et 199 US$. 10 US$ par personne supplémentaire, taxes et petit déjeuner non compris.
Ce bel hôtel de style méditerranéen est situé au cœur de Playa Hermosa. Il est entouré de jardins tropicaux bien entretenus avec en leur centre deux piscines, un bar type rancho, une boutique de souvenirs et un restaurant gourmet en terrasse. La plage est à 150 m. Le gérant est canadien et on parle français. Le restaurant jouit d'une bonne renommée à Playa Hermosa. Groupes de musiciens en haute saison. Tous les circuits traditionnels peuvent être organisés à partir de l'hôtel. La Villa del Sueño, qui porte bien son nom, est idéale pour un séjour de repos tout près de la belle plage Hermosa. A recommander.

VILLA KOKOMO
Sur la plage au sud ✆ +506 2672 0105
Fax : +506 2672 0105
A partir de 60 US$, petit déjeuner compris.
Les chambres sont propres et disposent d'une belle vue. L'établissement est tenu par une Américaine pleine d'entrain.

Se restaurer

PESCADO LOCO
✆ +506 2672 0017
Ouvert de 9h à 1h. Plats de 3 000 à 8 000 colones. Situé à 150 m de l'hôtel Playa Hermosa, ce resto prépare une cuisine tica et des ceviches délicieux.

Sports – Détente – Loisirs

Des rochers au nord de la plage, on peut observer la vie sous-marine avec un masque et un tuba. On vous recommande cependant de faire de la plongée sous-marine car toute la zone est réputée pour être un très bon spot. Les amateurs de pêche pourront, quant à eux, faire des sorties en bateau à voile.

AQUA SPORT
Playa Hermosa ✆ +506 2672 0050
Location de planches à voile, bateaux de pêche, matériel de snorkeling, kayaks, vélos.

BILL BEARD'S SAFARIS
Playa Hermosa ✆ +506 2670 0012
www.billbeardcostarica.com
diving@racsa.co.cr
Sorties plongée à partir de 100 US$ par personne.

PLAYA DEL COCO

C'est la plage la plus accessible et la plus visitée de cette côte. Elle n'a donc rien d'une plage sereine ou tranquille, surtout pendant les vacances scolaires, car elle est prisée par de nombreux Ticos. Il est facile de pratiquer la plongée à partir de la côte et de nombreuses sorties sont proposées ; on peut faire de superbes plongées à Playa del Coco. Les passionnés peuvent aussi aller à la Isla Catalina à une demi-heure de Playa del Coco, ou à Isla Murciélagos à une heure et demie

Transports

- **Bus.** Pour Playa del Coco, départ tous les jours à 8h, 14h et 16h depuis San José (c14, a1/3 à San José ✆ 2222 1650) ; retour à 4h, 8h et 14h. A Liberia, départ de 5h à 11h, toutes les heures puis à 12h30, 14h30 et 18h.
- **Voiture.** A 37 km à l'ouest de Liberia, on y accède rapidement par la route.

Se loger

A Playa del Coco, aucune difficulté pour trouver une chambre bon marché, sauf peut-être durant la haute saison (de décembre à avril), période pendant laquelle il est partout difficile de se loger, sans parler des week-ends !

Bien et pas cher

PATO LOCO INN
✆ +506 2670 0145
Fax : +506 2670 0145
www.costa-rica-beach-hotel-patoloco.com
patoloco@racsa.co.cr
Selon la saison : chambre simple ou double de 38 à 48 US$, triple de 48 à 58 US$.
Voici un bel hôtel tenu par un couple d'Italiens parlant le français. Bon restaurant de pâtes italiennes.

© STÉPHANE SAVIGNARD

À Playa del Coco, locaux et touristes profitent de la plage jusqu'à la tombée de la nuit.

Confort ou charme

LA FLOR DE ITABO

✆ +506 2670 0292 – +506 2670 0455
Fax : +506 2670 0003
www.flordeitabo.com
info@flordeitabo.com
Chambres et appartements. De 65 à 85 US$ (chambre, 2 pers.), de 85 à 105 US$ (chambre de luxe, 4 pers.), de 105 à 135 US$ (appartement, 6 pers.). 1 km avant Playa del Coco sur la route venant de Liberia.
C'est ce qu'il y a de mieux dans la région. Les chambres sont agréables et comme l'établissement est « éloigné » de la mer, on y organise de nombreuses distractions autour des piscines, dans une ambiance sympathique et familiale.

RANCHO ARMADILLO

✆ +506 2670 0108
Fax : +506 2670 0441
www.ranchoarmadillo.com
info@ranchoarmadillo.com
A partir de 90 US$.
Cet hôtel se trouve à 500 m sur la gauche, avant d'arriver à la plage. L'établissement domine la ville et offre une belle vue. Un bel endroit retiré à l'écart des foules.

VILLA CASA BLANCA

Playa Ocotal ✆ +506 2670 0518
Fax : +506 2670 0448
vcb@racsa.co.cr
14 chambres avec air conditionné, ventilateur. Prix en haute saison : 105 US$ (2 pers.) et 125 US$ (4 pers.). En basse saison, respectivement : 85 et 105 US$. Petit déjeuner compris, taxes non incluses.
Les chambres ont vue sur la mer ou sur le jardin. Un très mignon petit hôtel, parfaitement tranquille, sans restaurant, uniquement le petit déjeuner.

VILLA DEL SOL

✆ +506 2670 0085
Fax : +506 2670 0085
www.villadelsol.com – villasol@racsa.co.cr
Pour y accéder, tourner à droite
au bar-restaurant Lizard
et suivre la route pendant 1,2 km
L'hôtel dispose de chambres et d'appartements (4 pers.) avec air conditionné, ventilateur, cuisine équipée. De 55 à 65 US$ (chambre 2 pers.), 76 US$ (appartement 2 pers.) et 87 US$ (appartement 4 pers.). Les propriétaires disposent également de maisons et d'appartements à louer à la semaine ou au mois (les contacter directement). Pour y accéder, tourner à droite du restaurant San Francisco Treats et suivre la route pendant 1 km.
Situé à 150 m de la plage, l'hôtel se trouve dans un quartier résidentiel. Il offre des chambres en B&B pour 1 à 3 personnes dans une auberge et des studios avec cuisine pouvant accommoder jusqu'à 4 personnes. Toutes les unités sont climatisées.

Luxe

EL OCOTAL BEACH RESORT
Playa Ocotal ✆ +506 2670 0321
Fax : +506 2670 0083
www.ocotalresort.com
info@ocotalresort.com
59 chambres dont des junior suites et des master suites avec air conditionné, ventilateur, TV câblée et téléphone. Les prix en haute saison : 150 US$ (chambre plage 2 pers.), 230 US$ (junior suite 2 pers.) et 285 US$ (suite 2 pers.), petit déjeuner compris, taxes non incluses. En basse saison, respectivement : 135 US$, 200 US$ et 235 US$. Trois piscines, rancho, tennis.
Vue imprenable sur le golfe Papagayo, superbe plage où pratiquer tous les sports nautiques, restaurant panoramique et chambres très agréables réparties dans des bungalows avec vue sur la mer. L'hôtel organise des excursions en mer à la journée, des séjours de pêche et de la plongée. Le transport depuis San José est assuré, matériel compris.

Se restaurer

LA DOLCE VITA
Centre commercial El Pueblito,
à 700 m au nord du parc des plages
✆ +506 2670 1384
www.ladolcevitacostarica.com
Ouvert de 7h à 23h. Compter environ 20 US$ le repas.
Excellent restaurant de cuisine italienne.

PAPAGAYO SEAFOOD RESTAURANT
✆ +506 2670 0298
Ouvert de 12h à 22h. Compter 40 US$ le repas.
Spécialités de fruits de mer et de poisson bien préparées.

Sports – Détente – Loisirs

Comme sur les autres plages de la baie de Papagayo, la plongée est l'activité reine car les fonds sous-marins sont très riches dans cette zone.

DEEP BLUE DIVING
Calle principal,
en face de la pharmacie Cocos
✆ +506 2670 1004
www.deepblue-diving.com
Compter 100 US$ la sortie plongée.
Sorties plongée dans la zone de Playa del Coco, aux îles Catalina et Murcielagos.

Activités

RICH COAST DIVING
PO BOX 005
50 m en face de la croix de Ocotal
✆ +506 2670 0176
www.richcoastdiving.com
dive@richcoastdiving.com
Situé sur la rue principale de Playa el Coco. Centre de plongée PADI 5-étoiles. Comptez à partir de 80 US$ une plongée, dégressif. Une bonne adresse pour organiser vos plongées avec 25 sites différents au programme. Dont le parc national Bat Island, compter 150 US$ les deux immersions et 180 US$ les trois. L'entrée au parc n'est pas comprise (15 US$). Plongée à l'île Catalina pour 125 ou 150 US$ (2 ou 3 immersions). Equipement en supplément (25 US$). Pendant la saison sèche le centre organise des excursions l'après-midi. Les amateurs pourront également plonger de nuit, leur demander. Tous les types de cours de plongée sont dispensés, avec Martin votre instructeur diplômé qui est aussi le responsable du centre.

PLAYA EL OCOTAL

Belle et grande plage au sud de Playa del Coco. Elle fait partie d'un grand et ambitieux projet Proyecto de Conservacion Playa Esmeralda.

Transports

Bus. A San José, prendre le bus pour Playa del Coco (il faut ensuite marcher 1 heure pour y accéder ou faire du stop), départ tous les jours à 8h, 14h et 16h (c14, a1/3 à San José ✆ 2222 1650) ; retour à 4h, 8h et 14h. A Liberia, départ de 5h à 11h, toutes les heures puis à 12h30, 14h30 et 18h.

Voiture. A 4 km au sud-ouest de Playa del Coco par la route.

Se loger

OCOTAL INN B&B
Playa Ocotal, Playa del Coco
✆ +506 2670 0835
Fax : +506 2670 0526
www.ocotalinn.com – info@ocotalinn.com
Chambre simple de 20 à 25 US$, double de 35 à 40 US$, triple de 50 à 55 US$, quadruple de 60 à 65 US$. Petit déjeuner inclus.
Tout près de la plage, mais les plus fainéants pourront barboter dans la piscine. Bon restaurant de spécialtés péruviennes.

Se restaurer

FATHER ROOSTER SPORTS BAR AND GRILL
Plata Ocotal ✆ +506 2670 1246
Ouvert de 11h à 23h. Plats de 3 000 à 9 000 colones.
Connu pour son honnête cuisine et ses soirées animées et dansantes sur la plage.

Sortir

BANANA SURF
En face du casino, bar et discothèque, à l'étage
Playa del Coco
Ouvert jusqu'à 2h.

PLAYA POTRERO

A Potrero, la vie suit le rythme du soleil dans la chaleur ambiante. C'est un petit village plus résidentiel que touristique où il est plus simple de louer une maison, face au Pacifique, à des particuliers que de chercher une chambre d'hôtel. Une boulangerie, un petit supermarché et quelques restaurants vous permettront de découvrir le village et de vous restaurer. L'accès est un peu difficile au départ de Playa del Coco (25 km) et ne peut s'effectuer qu'en 4x4.

Transports

Bus. De San José, départs tous les jours à 8h, 10h30, 15h (c20, a1/3 ✆ 22217202). Retours à 2h45, 9h, 14h.

Voiture. Compter 4 heures pour Liberia au départ de San José et une heure supplémentaire pour rejoindre la plage.

© STÉPHANE SAVIGNARD

L'une des nombreuses boutiques de souvenirs de Playa del Coco.

Playa del Coco.

Se loger

CAMPING ET CABINAS MAYRA

Sud de Playa Potrero
✆ +506 2654 4213
De 10 à 30 US$ la nuit.
Basique ainsi que le restaurant.

FLOR DE PACIFICO

Entrée de Playa Potrero
✆ +506 2654 4664
Fax : +506 2654 4663
A partir de 65 US$.
C'est assurément une bonne adresse. Bon restaurant italien.

GUANACASTE LODGE

Sur la route de Flamingo
✆ +506 2654 4494
Fax : +506 2654 4495
A partir de 65 US$.
Belles chambres bien équipées. Restaurant mexicain.

HÔTEL MEDITERRANEUS

Playa Potrero
✆ +506 2297 1029 – +506 2654 5439
Fax : +506 2240 1919
www.hotelmediterraneus.com
sales@hotelmediterraneus.com
Compter environ 160 US$ la nuit.
Hôtel de style méditerranéen avec une belle harmonie architecturale. Il est composé de 52 chambres, toutes identiques : spacieuses, deux grands lits, salle de bains avec baignoire, écran plat, vue sur la piscine, tout cela dans un style moderne avec des beaux matériaux frais et clairs. Air climatisé, parking, wi-fi. Cet hôtel « thalasso » avec un très beau spa et centre de bien-être, piscine, terrain de beach soccer, organise également des tours. Le Mediterraneus veut soutenir le développement économique et social de la région, et travaille très étroitement avec la communauté locale. Egalement écolo, avec des panneaux solaires, un système de recyclage d'eau pour le jardin et l'eau de la piscine est traité par ionisation. Ouverture prochaine d'une épicerie fine, boulangerie, style « snacking » fait maison. Le bar-restaurant Amaterra vous propose dans sa salle climatisée, des plats légers (beaucoup de poisson) franco-ticos assurés par le gérant du restaurant Vincent Vurpillot. Bons repas « fusion » avec des produits locaux. Craquez également pour une part de gâteau maison !

Se restaurer

EL COCONUT BEACH

Sur la plage ✆ +506 2654 4300
http://elcoconut-tamarindo.com
katharina.elcoconut@gmail.com
Ouvert du mardi au dimanche de 10h à 22h. 3 menus dégustation à 2 500, 3 500 et 4 400 colones, les produits de la mer sont à l'honneur et de bonnes salades fraîches.
Du mobilier en bois sous des parasols blancs posés sur le sable et séparé d'un gazon fraîchement coupé par une avancée en teck qui mène à la plage. Une piscine suffisamment proche du bar pour siroter un cocktail entre deux apnées. Voici le nouvel établissement de Katharina qui connaît son métier puisqu'elle mène depuis longtemps sa barque avec le Coconut à Tamarindo. Un resto-plage qui promet !

Sports – Détente – Loisirs

VIC TOURS

✆ +506 2654 4403
Situé sous le yacht club
Des sorties plongée et pêche.

PLAYA PAN DE AZUCAR

Au sud de Playa Conchal, c'est une plage tranquille idéale pour la plongée avec tuba et un bon endroit pour passer quelques jours au calme.

Transports

Bus. Pas de bus direct, il faut prendre le bus qui va à Potrero puis marcher 3 km vers le nord ; de San José, départs tous les jours à 8h, 10h30, 15h (c20, a1/3 ✆ 22217202). Retours à 2h45, 9h, 14h.

Voiture. Compter 4 heures pour Liberia au départ de San José et une heure supplémentaire pour rejoindre la plage.

Se loger

SUGAR BEACH
Playa Pan de Azúcar,
à 8 km au nord de Flamingo
✆ +506 2654 4242
Fax : +506 2654 4239
www.sugar-beach.com
info@sugar-beach.com
27 chambres, 2 suites et 2 maisons de plage avec air conditionné, TV câblée, coffre-fort. La villa de plage dispose d'une cuisine entièrement équipée. Les prix en haute saison : de 145 à 165 US$ (chambre standard, 2 pers.), 195 US$ (master suite), 280 US$ (suite, 2 chambres), 552 US$ (suite, 3 chambres) et 768 US$ (villa de plage), petit déjeuner compris, taxes incluses. En basse saison : - 20 %. Compter 15 US$ pour le déjeuner et 25 US$ pour le dîner.
Cet hôtel, situé dans un cadre verdoyant directement au bord de la plage (quasi privée, pour la baignade attention aux roches plates sur le côté droit), dispose d'une grande piscine et d'un bar-restaurant ouvert toute la journée. L'hôtel est extrêmement calme, on entend seulement les rouleaux du Pacifique. Kayak, plongée, surf, pêche, cheval, observation des tortues et visite des réserves alentour font partie des activités proposées. C'est une très bonne adresse pour des vacances reposantes dans les embruns de l'océan.

PLAYA FLAMINGO

Plus au nord, Playa Flamingo (l'une des plages préférées des tour-opérateurs) doit sa renommée au complexe touristique qui s'y est développé. Alors qu'elle était auparavant connue sous le nom de Playa Blanca – ce qu'est réellement sa plage : blanche –, Playa Flamingo a failli ne devenir qu'une avancée rocheuse couverte de bâtiments roses, qui font des petits gris béton à leur naissance. Heureusement, le développement excessif a pu être évité et les abords de la plage conservent encore beaucoup de charme. Elle reste cependant une plage assez huppée avec les tarifs qui vont avec...

Transports

Bus. De San José, départs tous les jours à 8h, 10h30, 15h (c20, a1/3 ✆ 22217202). Retours à 2h45, 9h, 14h.

Voiture. Compter 4 heures pour Liberia au départ de San José et une heure supplémentaire pour rejoindre la plage.

Se loger

FLAMINGO BEACH RESORT
Playa Flamingo ✆ +506 2654 4444
Fax : +506 2654 4060
www.resortflamingobeach.com
info@resortflamingobeach.com
91 chambres et suites avec climatisation, TV câblée, téléphone, minibar, coffre-fort et balcon privé. Chambres doubles de 120 à 300 US$. Spa.
Grande piscine, salle de gym, tennis, casino et petit supermarché pour ce superbe resort de standing. L'hôtel est bien situé face au Pacifique. La plage est de sable blanc ; il suffit de traverser une petite route pour y accéder. Grande et belle piscine. Bar et restaurant face à la mer avec tables en terrasse. Le spa est très agréable ; il dispose d'un Jacuzzi et les massages sont très agréables.

FLAMINGO MARINA RESORT****
Playa Flamingo, au-dessus de la marina
✆ +506 2654 4141
Fax : +506 2654 4035
www.flamingomarina.com
info@flamingomarina.com
Resort 4-étoiles comprenant des chambres et des suites tout confort. De 119 à 169 US$ (chambre de luxe 2 pers.), 250 et 280 US$ (suite 4 pers.), petit déjeuner et taxes non compris. En basse saison, respectivement : de 89 à 139 US$, 190 et 210 US$.
Dominant la marina, cet établissement ne possède certainement pas un charme fou, néanmoins, il a le mérite d'avoir le confort standardisé d'un resort et de rester abordable pour sa catégorie.

MARINER INN
Playa Flamingo ✆ +506 2654 4081
Fax : +506 2654 4042
marinerinn@racsa.co.cr
marinerinn@hotmail.com
Compter 45 US$ la chambre double. Piscine, air conditionné.
Chambres simples au confort correct.

Se restaurer

MARIE'S RESTAURANT
Playa Flamingo,
à droite avant le Flamingo Beach Resort
✆ +506 2654 4136
Ouvert de 6h30 à 21h30. Plats de 3 000 à 12 000 colones.
Simple, mais superbes spécialités de poisson et de fruits de mer. Egalement petit déjeuner.

Sortir

AMBERES
Playa Flamingo ✆ +506 2654 4001
Bonne ambiance nocturne (bar, discothèque, casino…).

PLAYA BRASILITO

Juste entre Flamingo et Playa Conchal, la petite plage de Brasilito nous donne l'impression de vivre à une époque révolue. Les Costaricains pratiquent la pêche pendant que les visiteurs profitent de ce lieu typique. L'hébergement en cabinas domine.

Transports

Bus. De San José, départs tous les jours à 8h, 10h30, 15h (c20, a1/3 ✆ 22217202). Retours à 2h45, 9h, 14h.

Voiture. Compter 4 heures pour Liberia au départ de San José et une heure supplémentaire pour rejoindre la plage.

Se loger

APARTOTEL NANY
Playa Brasilito, à 200 m sud
et 75 m est de l'école ✆ 22654 4320
www.apartotelnany.com
De 50 à 115 US$ la nuit, en chambre ou en appartement. Petit déjeuner inclus. Piscine.
Chambres et appartements confortables.

BRASILITO
Centre de Brasilito
✆ 2654 4237
www.brasilito.com – hotel@brasilito.com
11 appartements pour 4 personnes et 5 pour 2 personnes, avec air conditionné. Les prix en haute saison : de 39 US$ (2 pers.) à 79 US$ (5 pers.). Restaurant. Une vue splendide sur la plage et sur l'océan Pacifique. Les chambres au premier étage de cette maison bientôt antique sont les meilleures.

CABINAS OJOS AZULES
Playa Brasilito, à l'entrée sur la droite
✆ 2654 4346
www.cabinasojosazules.com
Chambre double à 15 000 colones. Cuisine commune. Chambres simples, mais bien entretenues.

Se restaurer

CAMARON DORADO
Playa Brasilito ✆ +506 2654 4028
www.camarondorado.webs.com
De 5 000 à 6 000 colones le plat, jusqu'à 13 000 colones pour la langouste.
Restaurant local de fruits de mer et poissons bien préparés, copieux et servis presque sur la plage, à des prix raisonnables. A fréquenter si possible à l'heure du coucher de soleil. Le personnel y est vraiment très agréable et plein de petites attentions, et le cadre reposant, les pieds dans l'eau. Parking.

PLAYA CONCHAL

Transports

Bus. De San José, départs tous les jours à 8h, 10h30, 15h (c20, a1/3 ✆ 22217202). Retours à 2h45, 9h, 14h.

Voiture. Compter 4 heures pour Liberia au départ de San José et une heure supplémentaire pour rejoindre la plage.

Se loger

THE WESTIN RESORT & SPA*****
Playa Conchal ✆ +506 2654 3500
Fax : +506 2654 3449
www.westin.com/playaconchal
reservas@solmelia.com
C'est un resort 5-étoiles de 39 bungalows et de 406 chambres avec air conditionné, TV, minibar et balcon. A partir de 400 US$ la chambre double en formule tout-inclus…
Au moment de notre visite, Westin venait de racheter ce complexe hôtelier à Melia et terminait de grands travaux pour le mettre aux normes Westin et l'améliorer à tous les niveaux.

Nous avons pu cependant déjà avoir un bel aperçu de cet établissement de grand luxe, les travaux étant quasi terminés. Cinq bars, huit restaurants avec toutes les cuisines possibles (italienne, asiatique, tex-mex, américaine, costaricaine...), deux superbes piscines, des spectacles variés tous les soirs, un terrain de golf, un terrain de tennis, un club de fitness, une garderie et un spa très agréable font partie des multiples commodités dont peuvent profiter les clients de l'hôtel. C'est un peu cher, mais vu que c'est en formule tout-inclus, on rentre dans ses frais ! Pour la petite histoire, c'est le premier hôtel en formule tout-inclus que lance dans le monde la chaîne internationale Starwood, ils ont donc bien l'intention de tout faire pour que tout soit absolument parfait. La qualité de tous les services, des restaurants et des infrastructures ultra-modernes de l'hôtel vaut déjà largement le prix. Gageons qu'après les dernières finitions ce sera tout simplement le paradis sur terre. Une très belle adresse.

GOLD COAST

La Gold Coast ou Costa de Oro, c'est le nom que les Américains ont donné à la côte Tamarindo-Guiones.

TAMARINDO

A une quinzaine de kilomètres au sud de Huacas, Tamarindo est une longue plage de sable presque blanc à l'intérieur de la zone protégée de Las Baulas. Elle doit son nom aux tamariniers qui la bordent. Bonne pour le surf ou la planche à voile, elle est suffisamment protégée pour être appréciée par les baigneurs peu téméraires, mais il vaut mieux se renseigner avant de plonger, certaines zones étant soumises à des courants traîtres. De chaque côté de Tamarindo, les vagues sont encore meilleures pour le surf, surtout aux alentours des embouchures des rivières, mais il faudra porter votre planche sur quelques kilomètres le long de la plage avant de trouver le bon endroit.

En ce qui concerne les infrastructures, Tamarindo est certainement le lieu qui s'est le plus développé au Costa Rica. En quelques années, le village est devenu une petite ville balnéaire très animée et, surtout, très commerçante. Et elle est par conséquent très américanisée et très fréquentée par les touristes américains, c'est pourquoi les locaux la surnomment Tamagringo (de *gringo* qui signifie « américain » dans le langage parlé). En effet, on y trouve aujourd'hui de tout, comme dans un grand centre commercial américain, même des boutiques de luxe ! Et malgré la crise avérée qui touche le tourisme, les constructions continuent, les buildings s'élèvent, mais heureusement la plage reste préservée, pour le plus grand bonheur de tous.

Transports

- **Avion.** Les avions atterrisent à 3 km au nord de la ville. En haute saison, Nature Air et Sansa effectue chacune 3 vols par jour depuis/vers San José.

- **Bus.** Départs de San José, tous les jours à 11h30 et 15h30 (c14, a5) via Liberia. Retour de Tamarindo à 3h30 et 5h30. Compter 6 heures de trajet. Départs de Liberia, tous les jours, à 3h50, 4h30 (sauf dimanche), 5h15, 6h10, 7h (sauf dimanche), 8h puis de 10h à 18h à chaque heure et enfin à 15h (sauf dimanche). Retour à 3h30 (sauf dimanche), 4h30, 5h45, 7h30, 9h, 9h45 (sauf dimanche), 11h10, 11h20 (sauf dimanche), 13h, 14h30, 15h (sauf dimanche), 16h15 et 17h30. Compter 1 heure 30 de trajet. De Santa Cruz, départs à 5h30, 9h, 10h30, 13h30, 15h30 et 17h. Retours à 6h, 8h30 et 12h. Durée du trajet Santa Cruz-Tamarindo : 1 heure 30. Pensez aussi à vous offrir les services d'Interbus (www.interbusonline.com). De Tamarindo, vous pouvez rejoindre San José, Liberia, et un tas d'autres destinations. A partir de 45 US$ par personne. Pour réserver : reservations @interbusonline.com

- **Voiture.** Le mieux est de passer par Liberia puis Huacas. Ceux qui aiment vadrouiller traverseront avec bonheur la péninsule de Nicoya. En arrivant du sud, la route côtière pour Tamarindo est assez affreuse, tellement défoncée par les nids-de-poule que cela en paraît irrécupérable... Seuls les deux derniers kilomètres sont asphaltés, pour le repos des lombaires.

NATURE AIR

✆ +506 2299 6000 – www.natureair.com

En moyenne 200 US$ l'aller-retour San José-Tamarindo.

SANSA
✆ +506 2290 4100 – www.flysansa.com
En moyenne 200 US$ l'aller-retour San José-Tamarindo.

Pratique

Il est assez simple de trouver tout ce que l'on désire le long de la rue principale de Tamarindo qui s'est considérablement développée.

Banques. Dans le centre, un Banco Nacional et un distributeur ; un autre distributeur, toujours en service dans le hall de l'hôtel Best Western. Les banques sont ouvertes de 8h à 16h et proposent de changer vos dollars.

Poste. Pas de bureau de poste. Le mieux est de laisser vos cartes postales à la réception de votre hôtel. Un grand supermarché non loin du centre commercial offre tout ce dont vous pourriez avoir besoin. Supercompro reste le plus fourni et le moins cher.

Se loger

Aucune difficulté quel que soit votre budget. Des cabinas à 20 US$ à l'hôtel de luxe, Tamarindo offre toutes les possibilités d'hébergement. Les prix peuvent sensiblement augmenter en très haute saison, comme en période de fin d'année ou pendant la semaine sainte, en avril.

Bien et pas cher

CABINAS MARIELOS
Rue principale, à 200 m de l'hôtel Deria
✆ +506 2653 0141
Fax : +506 2653 0141
www.cabinasmarieloscr.com
info@cabinasmarieloscr.com
Chambres simples, mais confortables et pratiques. En saison haute : 55 US$ (1 pers.), 60 US$ (2 pers.) et 75 US$ (3 pers.). Cuisine commune avec réfrigérateur. Wi-fi gratuit.
Ce petit hôtel se trouve dans un jardin tropical (peuplé de fleurs, de cactus et d'orchidées) où viennent jouer singes hurleurs, iguanes et colibris. Idéal pour les surfeurs. Il n'y a que la route à traverser pour se retrouver sur la plage. N'hésitez pas à négocier, quelle que soit la saison, si vous sentez que l'hôtel est un peu vide. Une cuisine est à disposition et permet de se mitonner les petits poissons pêchés !

HÔTEL MAMIRI
Face au Pasatiempo ✆ +506 2653 0079
www.hotelmamiri.com
hotelmamiri@hotmail.com
Depuis 15 ans sur Tamarindo. En cours de rachat lors de notre visite, les tarifs du nouveau propriétaire sont en fonction de la saison : de 20 à 40 US$ la double, de 30 à 50 US$ la triple, de 65 à 75 US$ l'appartement pour deux personnes. Wi-fi gratuit. Cuisine commune.
Un endroit très cool et bon marché au milieu d'un jardin tropical, café à disposition toute la journée. Deux styles selon votre budget : des chambres privées avec salle de bains ou des appartements entièrement équipés (TV, cuisinette, climatisation).

Confort ou charme

15 LOVE CONTEMPORARY BED AND BREAKFAST
200 m avant l'hôtel Jardin del Eden
✆ +506 2653 0898
www.15lovebedandbreakfast.com
info@15lovebedandbrekfast.com
De 75 à 95 € la chambre selon la saison et de 110 à 140 € pour l'appartement. Du 15 décembre au 10 janvier respectivement 140 et 175 €. Petit déjeuner compris svp !
Amateur de tennis ou non, mention spéciale pour cet établissement tenu par un couple francophone adorable. Trois chambres tout confort, salle de bains privée, matelas orthopédique, climatisation, décoration minimale, le tout avec vue plongeante sur les deux courts de tennis où l'on peut s'exercer avec ou sans maestro Olivier. A l'étage, un spacieux living avec salle à manger et un espace à coucher séparée, belle terrasse vue sur l'océan. Une petite piscine très agréable et wi-fi à disposition. Une adresse originale.

■ **BEST WESTERN CAMINO A TAMARINDO**
A 3 km de l'intersection Huacas, en direction de Tamarindo
✆ +506 2653 6818 – +506 888735 0830
Fax : +506 2653 6821
www.hotelcaminoatamarindo.com
operaciones@bwtamarindo.com
De 70 à 80 US$ la chambre double, de 90 à 125 US$ le studio pour 2 personnes, de 80 à 105 US$ la suite et de 95 à 130 US$ la villa.
25 bungalows impeccables, lumineux et chaleureux qui bordent une piscine de 400 m², tel est le décor ! Les chambres sont spacieuses et présentent des volumes intéressants, elles offrent tout le confort puisque sont toutes pourvues de salle de bains bien équipées, de ventilateur au plafond, de télévision cablée, de coffre fort... Rien ne manque pour passer un séjour de farniente ensoleillé. L'accueil de Christian est enthousiaste et le petit déjeuner servi par Nadia est aussi bon que copieux ! De très bons moments en perspective, d'autant que, lors de notre passage, l'hôtel s'apprêtait à ouvrir son propre restaurant !

■ **EL MONO LOCO**
Condominio Pacific Park, 300 m à l'ouest Route de Playa Langosta, sur la gauche
✆ +506 2653 0238 – Fax : +506 2653 1042
www.hotelelmonoloco.com
hotel@hotelmonoloco.com
12 chambres de 2 à 10 personnes pour la plus grande avec air conditionné ou ventilateur. Les prix en haute saison : 45 et 55 US$ (2 pers.), de 12 à 15 US$ par pers. supplémentaire. En basse saison, respectivement : 35, 45 et 25 US$. Taxes comprises, petit déjeuner non compris. Piscine et restaurant. Wi-fi gratuit
Chambres agréables et vivement décorées dans un jardin. Très bon rapport qualité-prix.

■ **LAGUNA DEL COCODRILO**
✆ +506 2653 0255
Fax : +506 2653 1029
www.lalagunadelcocodrilo.com
info@lalagunadelcocodrilo.com
8 chambres, 2 petites suites et 2 studios. Les chambres sont assez spacieuses et confortables, climatisées et ventilées. Elles offrent télé, salle de bains avec eau chaude. Pour celles avec terrasse, compter de 90 à 115 US$ la nuit pour deux personnes selon la saison, et de 100 à 125 US$ pour trois. D'autres chambres avec vue sur le jardin et vue sur la rue pour des budgets moindres : de 45 à 85 US$ selon la saison et le nombre (de 2 à 4 personnes).
Ce petit établissement agréable, tenu par des Français, dispose de son propre petit jardin face à une lagune où jadis vivait un crocodile. Cédric, le fils du propriétaire et gérant de l'établissement, est actuellement le champion national de longboard, les Ticos n'ont qu'à bien se tenir ! Il saura vous donner les bons conseils et spots selon votre niveau.

■ **LUNA LLENA**
Route de Playa Langosta sur les hauteurs
✆ +506 2653 0082
Fax : +506 2653 0120
www.hotellunallena.com
www.salvemonos.org
reservaciones@hotellunallena.com
De 75 à 90 US$ la chambre double et de 85 à 90 US$ le bungalow pour 2 personnes, taxes non incluses mais petit déjeuner compris. Wi-fi

gratuit. Ce charmant petit hôtel aux couleurs pimpantes et toits de palmes se situe dans un coin calme de Tamarindo, au cœur d'un beau jardin tropical. Il propose 7 bungalows de forme circulaire équipés de cuisine et d'air conditionné et pouvant accueillir jusqu'à 5 personnes, et 7 chambres joliment décorées dans un style méditerranéen avec TV câblée et coffre-fort. L'une des chambres est proposé à un tarif plus bas parce qu'elle ne dispose pas de balcon, mais elle est tout aussi colorée et spacieuse que les autres (50 US$). Le bar où est servi le petit déjeuner s'abrite sous un toit de palmes. Jolie petite piscine et Jacuzzi. Restaurant de cuisine italienne. Accueil charmant de la patronne italienne qui est un personnage ; elle vous parlera notamment de son engagement pour la protection des singes du Costa Rica et de son association Salve Monos.

LA PALAPA
En plein centre de Tamarindo. 20 m avant la rotonde. Juste à côté de l'agence francophone. Destination Adventures
✆ +506 2653 0362 – +506 2653 1718
Fax : +506 2653 0362
www.lapalapatamarindo.com
info@palapatamarindo.com
lapalapacabinas@gmail.com
Compter de 65 à 75 US$ pour 1 personne selon la saison, de 75 à 85 US$ pour 2 (10 ou 20 US$ par personne supplémentaire), taxes et petit déjeuner compris. Chaque chambre est équipée d'une salle de bains avec eau chaude, air conditionné, TV, minibar, machine à café, coffre-fort et une petite terrasse qui donne sur la plage.
Situé au cœur du village et littéralement sur la plage, ce concept chambre d'hôte de plage à Tamarindo est très convivial. L'établissement est tenu depuis peu par un couple francophone, très actif, qui souhaitent faire de ce lieu une adresse originale et novatrice. La Palapa dispose de tous les atouts pour les amoureux de la plage (la baignade est sûre). Les chambres sont belles et fonctionnelles et s'ouvrent directement sur la plage.

Luxe

CAPITAN SUIZO
Route de Playa Langosta
✆ +506 2653 0075
Fax : +506 2653 0292
www.hotelcapitansuizo.com
info@hotelcapitansuizo.com

De 140 à 200 US$ et de 165 à 225 US$ la chambre pour 2 personnes sans et avec l'air conditionné selon la saison, de 195 à 365 US$ le bungalow, à partir de 305 US$ la Honeymoon suite et 385 US$ la suite pour 4 personnes. Petit déjeuner buffet compris au milieu des écureuils, singes et autres résidents, un moment inoubliable. Wi-fi gratuit.
L'hôtel est idéalement situé, un peu à l'écart du village, et donne directement sur une belle plage au sud de Tamarindo. Les 22 chambres ou suites et les 7 bungalows (idéal pour des familles), nichés au cœur d'un luxuriant jardin tropical, offrent un confort sans faille, raffiné jusque dans les moindres détails : immenses salles de bains, décoration exquise, bois et tons reposants, terrasse, et l'équipement est parfait. Détail significatif, vous aurez le choix entre air conditionné ou ventilateur. La piscine est magnifique, ombragée d'immenses arbres et agrémentée de chaises longues, et s'ouvre sur la plage très calme à cet endroit. Le restaurant sert une cuisine gastronomique d'excellente tenue, avec des spécialités internationales servies dans une ambiance romantique. L'établissement dispose désormais d'un spa. Accueil francophone fort sympathique.

JARDIN DEL EDEN
A l'entrée de Tamarindo,
sur la gauche après l'hôtel Milagro
✆ +506 2653 0137
Fax : +506 2553 0111
www.jardindeleden.com
info@jardindeleden.com
36 chambres impeccables avec air conditionné, TV câblée, téléphone, coffre, minibar. Les prix varient de 110 à 250 US$ selon la saison et la chambre (standard, appartement et suite). Petit déjeuner compris, taxes non incluses. Wi-fi gratuit dans les chambres et postes Internet à disposition avec ticket de 30 minutes vendus à la réception.
Perché sur une colline surplombant Tamarindo, l'hôtel dispose de deux piscines, d'un Jacuzzi, d'une plate-forme de yoga et d'un rancho (espace pour relaxation et massages), le tout dans un cadre d'arbres et de fleurs très bien entretenus. Les chambres personnalisées sont spacieuses, ainsi que les appartements, et ont toutes un grand balcon ou une terrasse avec vue sur la mer et le jardin tropical de l'hôtel. Décoration : styles indonésien, tunisien, mexicain, africain ou japonais. La plage situé à 150 m est accessible directement par un chemin privé. La direction est française et l'accueil chaleureux. Le restaurant de l'hôtel figure parmi les bonnes tables de la ville.

SUEÑO DEL MAR
Playa Langosta ✆ +506 2653 0284
Fax : +506 2653 0435
www.sueno-del-mar.com
suenodelmar@gmail.com
3 chambres (lit queen size), 2 casitas (maison avec une chambre, mezzanine, cuisine) et une suite « lune de miel, vue océan ». Climatisation et coffre-fort dans tous les cas. Les prix en haute saison : 195 US$ (chambre Queen), 220 et 240 US$ (les 2 casitas), et 295 US$ (suite « lune de miel »), taxes non incluses. En basse saison, respectivement : 150, 165, 185 et 195 US$. Wi-fi gratuit.
De belles chambres, de style balinais pour la plupart. Accès direct à la plage et petite piscine. Pas de restaurant, mais il y a une grande et belle cuisine à disposition… et de bons restaurants au-dehors. Les enfants de moins de 12 ans ne sont pas admis.

Se restaurer

En plus des restaurants d'hôtels (Jardín del Edén, Capitán Suizo entres autres...), on trouve évidemment des sodas et de petits restaurants rapides et peu chers un peu partout.

Bien et pas cher

FT'S (FRUTAS TROPICALES)

Rue principale, sur la gauche
✆ +506 2653 0041
Compter 3 000 colones le plat en moyenne.
On y sert d'excellents jus de fruits, des plats ticos et d'énormes hamburgers.

NOGUI'S-SUNRISE CAFE

Centre de Tamarindo, sur la plage,
au niveau du rond-point
Ouvert tous les jours, sauf le mercredi, de 6h à 21h30. Poisson grillé à 6 900 colones, filet de poulet à 6 225 colones, ceviche à 3 666 colones, tacos de poissons à 4 245 colones.
Parfaitement situé pour déjeuner à l'ombre et reprendre des forces. Un menu bien varié, avec viandes, poissons et quelques snacks. Les spécialités du chef sont proposées pour le dîner.

Bonnes tables

EL COCONUT

Main Road, à côté de l'agence
Economy Rent a Car
✆ +506 2653 0086
http://elcoconut-tamarindo.com
katarina.elcoconut@gmail.com
Ouvert de 17h à 22h. Fermé le lundi.
Grand deck de bois couvert, lueurs de petites bougies, éclairage savamment dosé, mobilier sobre de bois, le Coconut affiche un décor soigné et enchanteur. La cuisine, orchestrée par une équipe féminine menée par Katarina, une Norvégienne polyglotte, est fonction de la pêche du jour. Des spécialités créatives de fruits de mer et de poissons frais s'affichent à l'ardoise, telle la langouste tropicale qui s'accompagne d'ananas de raisins et de gingembre, ou les crevettes panées à la noix de coco servies avec une sauce mangue et fruits de la passion, ou le délicieux carpaccio de poisson. Les viandes sont présentes, ainsi que des plats plus simples comme des salades. Les desserts sont différents tous les jours, mais on recommande chaudement les fruits flambés. Une longue carte de vins internationaux soigneusement conservés dans une cave à vin digne de ce nom, c'est certainement la seule vraie cave du pays. Si vous êtes accompagnés de vos enfants, des attentions toutes particulières leur sont réservées (demi-portions, coloriages, jeux...). Et si l'appétit n'est pas au rendez-vous, laissez-le venir en savourant tout simplement un exceptionnel mojito cubain au bar. Le tout San José demande à Katarina d'ouvrir une annexe dans la capitale, mais cette dernière a préféré Playa Potrero pour le plus grand plaisir des touristes.

JARDIN DEL EDEN

A l'entrée de Tamarindo,
sur la gauche après l'hôtel Milagro
✆ +506 2653 0137
Fax : +506 2553 0111
www.jardindeleden.com
info@jardindeleden.com
C'est le restaurant de l'hôtel du même nom. Comptez pour un plat, entrée et dessert à partir de 30 US$ jusqu'à 50 US$ pour les plus luxueux. Carte de vins bien fournie dont un blanc italien Ruffino Orvieto (28 US$) idéal pour accompagner les produits de la mer ou un bon rouge chilien Carmenere (27 US$).
Une table que l'on recommande, belle fusion entre la Méditerranée et le Pacifique dans un cadre agréable entre le bar et la piscine. En entrée, escargots provençal flambée au Pernod, une salade de crevettes sauce origan ou thaï avec crevettes sauce vinaigre d'orange (de 7 à 13 US$). En plat de résistance, le fameux surf & turf au grill avec langouste combinée avec viande, fruits de mer ou poissons (de 20 à 25 US$). Les inconditionnels des *Palinuridae* seront comblés avec des langoustes grillés simples ou préparées avec crème de coco papaye et ananas, et la spéciale de la maison aux mangues et curry, exotique à souhait ! Mais que les amateurs de viande ou de pâtes se rassurent, il y en a aussi.

LAGUNA DEL COCODRILO
✆ +506 2653 0255
Fax : +506 2653 1029
www.lalagunadelcocodrilo.com
info@lalagunadelcocodrilo.com
Ouvert en soirée uniquement. Compter de l'ordre de 25-30 US$.
Cuisine costaricaine fusion. Au bord de la lagune où dorment les crocodiles, ce restaurant est incontournable pour un excellent dîner. A l'entrée, une Française Claudine vend croissants, baguettes et paninis dans la boulangerie Panadería de Paris (Tél 2653 3896).

LAZY WAVE
Plaza del Mar
Derrière le centre commercial, face à l'hôtel Portofino
✆ +506 2653 0737
Fax : +506 2653 0737
www.lazywavelounge.com
info@lazywavelounge.com
Entrée de 6 à 16 US$, plat compter de 16 à 45 US$.
Un restaurant réputé sur Tamarindo. Marion, la propriétaire française, le gère avec passion et enthousiasme. Certainement l'un des plus beaux jardins intérieurs parmi les établissements de Tamarindo qui offre à cet espace lounge tropical une atmosphère délicieuse. A table ou confortablement installé sur des matelas et des coussins entourés de feuillages luxuriants, vous siroterez à l'heure de l'apéro un cocktail élaboré avec kiwis, fruits de la passion, litchis, etc., poursuivrez avec des moules au beurre d'escargot, une soupe de langouste ou un tartare de thon avant de vous attaquer à une raie au beurre noir d'anthologie. Le menu change très souvent en fonction de l'arrivage de la pêche.

NIBBANA
Centre-ville, sur la plage, derrière le Century 21
✆ +506 2653 2222 – +506 2653 0447
✆ +506 8858 5090
www.nibbana-tamarindo.com
fabienmandrea@hotmail.com
Ouvert pour le déjeuner et le dîner. Menu dégustation à 25 US$ et menu gourmet à 36 US$. 10 % de service en plus. A la carte, compter de 30 à 40 US$ le repas. Happy hour de 11h à 13h et de 17h à 19h.
Excellente cuisine au bord de l'eau, dans une ambiance intimiste et zen sous les cocotiers. Les plats sont raffinés, les mélanges subtils et bien trouvés, on se rend compte qu'on n'est

pas loin de la gastronomie française quand on découvre soudain que le patron est... français. Le Niçois Fabien Mandréa tient cet établissement d'une main de maître et, ici, difficile de trouver quelque chose à redire. Nous avons testé le menu dégustation et on vous le recommande ! C'est vrai, les pizzas sont bonnes aussi mais ce serait dommage d'arriver dans ce mini-palais de la haute cuisine pour ne manger qu'une simple pizza. Une très bonne adresse pour les papilles.

LA PALAPA
En plein centre de Tamarindo
20 m avant la rotonde
Juste à côté de l'agence francophone Destination Adventures
✆ +506 2653 0362 – +506 2653 1718
Fax : +506 2653 0362
www.lapalapatamarindo.com
info@palapatamarindo.com
lapalapacabinas@gmail.com
Le restaurant est ouvert tous les jours de 17h à minuit. Happy hour au coucher de soleil, la vue est superbe.
La cuisine servie en salle ou sous les palmiers, les pieds dans le sable, offre un large choix de plats internationaux : ribs, ceviches, quesadillas, filet mignon, brochettes, pâtes ou poissons et fruits de mer, à prix très doux. Le bar ouvert jusqu'à 2h du matin propose des soirées avec musique en vivo.

VOODOO LOUNGE
Centre-ville de Tamarindo,
à côté de Plaza Conchal
✆ +506 2653 0100
nicopetry@hotmail.com
Adresse aussi bien appréciée par les autochtones, les touristes que par les compatriotes expatriés, c'est bon signe. Le matin vous verrez les chauffeurs de taxi prendre possession des tables extérieures, Nicolas est leur pote. Le Voodoo est tenu par ce Français passionné de cuisine et des bonnes choses en général. Diplômé de l'école hôtelière Vatel, il s'est perfectionné dans des références aussi prestigieuses que l'hôtel Beachcombers aux Seychelles et Londres, au Trocadero de Paris et à San José avant d'ouvrir le Voodoo. Une cuisine qui laisse toute sa place à la fusion européo-tropicale. De très bonnes pâtes et viandes accompagnées d'un bon petit vin jusqu'à la langouste avec champagne ! Le restaurant vous permet de profiter ensuite du bar et de la belle scène en plein air à l'arrière.. de quoi sauter sur les tables !

Sortir

Impossible de s'ennuyer le soir à Tamarindo. Il suffit d'aller dans le centre-ville, vous trouverez des dizaines de bars ouverts tard ; quelques-uns font discothèque.

BAR PACIFICO
Près du rond-point du centre
✆ +506 2653 4406
Ouvert du mercredi au samedi de 21h à tard dans la nuit.
Musique et DJ en plein air le jeudi soir (soirée reggae) et le samedi. Babyfoot.

CAPITAN SUIZO
Route de Playa Langosta
✆ +506 2653 0075
Fax : +506 2653 0292
www.hotelcapitansuizo.com
info@hotelcapitansuizo.com
Le bar de l'hôtel organise régulièrement des soirées tranquilles et bien fréquentées autour d'un buffet animé par un orchestre folk. Mieux vaut réserver.

VOODOO LOUNGE

50 mètres au sud-est de la banque BAC San José
Bar du restaurant Voodoo Lounge
✆ +506 2653 0100
De 21h à minuit.
Une adresse incontournable pour passer une bonne soirée en plein air au cœur de Tamarindo. Mardi soirée It's Ladies Night... *This is your night tonight, Everything is going to be alright* ! Mercredi, un groupe rock'n roll en live avec un guitariste français qui a accompagné quelques grands noms de la métropole. Jeudi, soirée latine avec concert live du meilleur groupe de la région Son del Barrio, cuivre et percu pour oublier de compter les cuba libre et mojitos.

Sports – Détente – Loisirs

La principale activité sportive à Tamarindo, c'est le surf. Vous trouverez de nombreuses boutiques pour louer ou acheter des planches. Attention, la plupart des « tortues tours » organisés au départ de Tamarindo sont souvent très chers (35 US$ au moins)...

Vente de souvenirs.

15 LOVE TENNIS CLUB

200 m avant l'hôtel Jardin del Eden
✆ +506 2653 0898 – +506 8829 4769
www.15lovebedandbreakfast.com
info@15lovebedandbrekfast.com
Ouvert de 7h30 à 21h. 40 US$ l'heure de cours particulier. Idéal pour les enfants.
Le seul club de tennis de la zone où l'on peut venir jouer et/ou prendre un cours avec Olivier, prof de tennis passionné, ancien pro originaire de Belgique. Patience et professionnalisme sont au rendez-vous, et il saura trouver le mot juste pour vous faire progresser. Les deux courts sont en excellent état, éclairés pour jouer à la tombée de la nuit, et Emilie au bar pour vous rafraîchir. Le club fait office de Bed and breakfast. Des forfaits avec logement compris sont proposés.

COSTA RICA SURF CLUB

Entre le Wok & Roll et le Sharkies Bar
Et une autre boutique
face à la plage à côté de l'Aqua Bar
✆ +506 2653 1270 – +506 2653 2967
www.costaricasurfclub.com
info@costaricasurfclub.com
Leçons de surf privées ou en groupe, surf camp, on vous organise aussi des trips guidés sur différents spots pour les puristes qui cherchent du gros. Location de planches toutes tailles jusqu'au retrofish, bodyboards et le très en vogue SUP (stand up paddle board). Stock de 150 planches, de quoi trouver votre bonheur.

MATOS SURF SHOP

Sur Tamarindo,
dans le petit centre commercial Sunrise
Et une autre boutique avant d'arriver
à Playa Grande
✆ +506 2653 0845
Fax : +506 2653 0845
www.matossurfshop.com
Marcelo est un sympathique surfeur et un photographe pro originaire d'Uruguay. Expatrié à Tamarindo pour vivre de sa passion, vous trouverez dans ses deux boutiques tout le nécessaire pour surfer ou du moins ressembler à un vrai surfeur. Location, réparation de planches et leçons. Matos Films organise des surf trips et crée vos vidéos. Ambiance très fun.

PAPAGAYO EXCURSIONS

Rue principale
✆ +506 2653 0254
✆ +506 2653 0227
papagayo@racsa.co.cr

Sortie de nuit pour observer les tortues : 60 US$ par personne (3 heures). Journée au parc Rincon de la Vieja : 150 US$ (transport inclus). Sortie Kayak à 20 US$ par personne.
Spécialiste des journées en mer. Pêche, plongée, tortue.

TAMARINDO SPORTFISHING
✆ +506 2653 0090
Plusieurs bateaux sont mis à votre disposition pour la pêche au gros (6 personnes au maximum).

WAYRA SPANISH INSTITUTE
Calle Real ✆ +506 2653 0359
Fax : +506 2653 0617
www.spanish-wayra.co.cr
wayra@spanish-wayra.co.cr
Compter 530 US$ la semaine de cours. Hébergement possible pour 140 à 230 US$ de plus la semaine.
Une bonne adresse pour apprendre l'espagnol à Tamarindo.

Visites guidées

DESTINATION ADVENTURES
Tournant le dos à la mer,
juste à côté de l'hôtel la Palapa,
✆ +506 2653 3842 – +506 8709 0075
Fax : +506 2653 2862
www.destinationadventures.net
destinationadventures@gmail.com
Agence incontournable à Tamarindo pour l'organisation de vos tours : Monteverde, Arenal, Río Celeste, Rincon de la Vieja, même jusqu'au Nicaragua (compter 3h30 jusqu'à Granada). Accueil francophone et efficacité avec Hélène qui propose même des tarifs dégressifs si l'on combine les sites. Par exemple, le tour à Monteverde comprend le transport aller-retour, le petit déjeuner, une activité au choix (3 heures de plaisir) et même la nuit sur place dans un hôtel authentique et confortable pour 179 US$ par personne. Au lieu de revenir à Tamarindo, vous pouvez poursuivre vers Arenal pour 259 US$ au total plutôt que de payer 358 US$ les deux trips. Il existe une myriade de combinaisons possibles, l'agence est là pour vous aider dans l'organisation de votre séjour. Elle dispose aussi de trois vans et d'un bus 25 places pour tous les transferts. Recommandé.

Shopping

On trouve tout à Tamarindo, du guichet UPS aux inévitables boutiques de souvenirs et de matériel de plage...

PLAYA GRANDE

Le retour des tortues... mais pas les mêmes. A Playa Grande, ce sont les leatherback turtles (tortugas baulas en espagnol, les tortues luth en français) qui viennent enfouir leurs œufs depuis des millénaires. Peu de plages au monde ont l'honneur de recevoir la visite de ces mastodontes (il n'est pas rare que quelques spécimens atteignent 500 kg pour 2 m de longueur), mais il y en a trois rien qu'au Costa Rica. Les baulas pondent entre décembre et mars sur cette plage, étroite et venteuse, sinistre quand il pleut. A l'entrée, un avertissement en anglais et en espagnol rappelle que, les tortues choisissant toujours le même endroit pour pondre leurs œufs, il est interdit de dégrader la plage, de quelque façon que ce soit, sous peine de ne plus jamais revoir les reptiles. C'est pourquoi, malgré ses vagues excellentes pour le surf, l'accès de Playa Grande est contrôlé par des gardiens.

Transports

Aucun bus ne va à Playa Grande. Vous pouvez y aller en voiture, même si c'est un peu difficile. Il faut prendre la route jusqu'à Huacas puis aller à Matapaló et prendre le chemin de terre jusqu'à Playa Grande. Sur cette route en terre, faites attention aux virages, aux essieux de votre voiture, aux torrents qui peuvent déferler durant la saison verte, aux porcs... Vous l'aurez compris : le 4x4 est vivement recommandé pour cette portion de route ! Pour vous éviter cette route difficile, vous pouvez vous s'inscrire dans une agence qui organise le déplacement (attention aux prix parfois exorbitants étant donné la distance !) ou demander à la réception de votre hôtel comment faire.

Se loger

On trouve des maisons équipées à louer sur la côte, entre Playa Grande et Tamarindo. Concernant les hôtels, les chambres s'entendent – sauf indications contraires – avec salle de bains et toilettes privées, eau chaude.

KIKÉ'S PLACE

À l'entrée de Playa Grande,
sur la route principale
✆ +506 2653 0834 – +506 2653 1619
Fax : +506 2653 1725
www.kikesplacecr.com
10 chambres doubles ou triples. 20 US$ pour une personne, 30 US$ pour deux pers., 45 US$ pour trois pers., 60 US$ pour quatre pers., 75 US$ pour cinq pers. et 90 US$ pour 6 pers.

Kiké's est une institution à Playa Grande. Ici, vous êtes chez « Kiké » (diminutif d'Enrique, le patron). Il connaît tout le monde et tout le monde le connaît. Ce personnage haut en couleur est le premier à avoir ouvert un hôtel à Playa Grande et il maîtrise bien son métier. Les chambres sont claires, propres, confortables et l'accueil de toute l'équipe est vraiment convivial. Un bar-restaurant en prime pour manger bon et pas cher. Sans oublier la grande piscine pour se rafraîchir. Très bon rapport qualité-prix.

LAS TORTUGAS

Juste à l'entrée de la plage aux tortues
✆ +506 2653 0423
Fax : +506 2653 0458
www.lastortugashotel.com
info@lastortugashotel.com
10 chambres de 2 à 5 personnes avec air conditionné. En basse saison : de 60 à 70 US$ la chambre double. En haute saison et pendant la période de ponte des tortues (du 10 octobre au 15 février) : 110 US$ la chambre double. Wi-fi.

Les chambres sont certes confortables mais on a vu mieux ailleurs. C'est l'hôtel le plus proche du spectacle de la ponte des tortues vu qu'il est vraiment sur la plage (son atout majeur) et c'est peut-être pour cette raison qu'il est un peu cher et que les prix flambent pendant la haute saison.

PLAYA GRANDE INN

Près du Rip Jack Inn, plus à l'intérieur
des terres ✆ +506 2653 0719
www.playagrandeinn.com
playagrandeinn@gmail.com
De 50 à 60 US$ la chambre double et de 70 à 90 US$ la triple ou la quadruple. Petit déjeuner de 5 à 10 US$. Wi-fi gratuit. Parking inclus. Location de planches de surf et cours de surf. Un établissement agréable très fréquenté par les surfeurs, d'autant plus que Justin, un Américain originaire de Floride, est professeur de surf. Les chambres sont propres, climatisées, mais vous apprécierez surtout la jolie piscine. Bon bar à jus de fruits pressés pour faire le plein de vitamines avant d'aller surfer.

À voir – À faire

Pour aller observer les tortues et leurs nids, vous devrez faire appel à un guide officiel. Cette présence a été rendue nécessaire par les agissements de curieux qui allaient même jusqu'à tenter de chevaucher les tortues (parole de gardien !). D'autre part, plusieurs organisations d'aide aux parcs nationaux (seule ressource pour le fonctionnement des parcs) ont mis sur pied un programme destiné à équilibrer le développement immobilier, inévitable, et les intérêts écologiques de la côte. Si on a remarqué que les tortues sont en général visibles de trois heures avant jusqu'à trois heures après la marée haute, entre décembre et mars, on n'a pas encore compris quand elles viennent exactement...

EL MUNDO DE LA TORTUGA
✆ +506 2653 0471
Ouvert du mois d'octobre à la fin du mois de mars (saison de ponte des tortues).
Deux Toulousains et une Agenaise ont ouvert un musée de la Tortue, l'unique d'ailleurs... On s'y promène avec un casque sur les oreilles dans les salles où l'on vous explique (en français, anglais, espagnol ou allemand) les différentes étapes de la ponte à l'aide de posters géants. Ce local est relié par talkies-walkies aux volontaires qui travaillent sur la plage à côté de l'hôtel Las Tortugas. Les bénéfices vont à l'aménagement de la plage et à la surveillance contre les voleurs.

Sports – Détente – Loisirs

Playa Grande est très appréciée pour ses vagues, mais elle est dangereuse. Un avertissement posé sur la plage par les parents d'un jeune surfeur noyé prévient de la force des courants et un petit cimetière se tient aux abords. Outre les prouesses des surfeurs et les tortues, Playa Grande et toute la zone de Las Baulas de Guanacaste (parc national marin) sont remarquables pour leurs différentes sortes de mangroves résumant en fait toutes celles que l'on trouve dans le pays.

PLAYA AVELLANAS

Cette belle plage de sable blanc, non loin de la mangrove, est réputée pour être un des meilleurs spots de surf de la côte. Ce n'est pas par hasard qu'on l'a surnommée « le petit Hawaii ». Cette plage, tout comme sa voisine Playa Negra, est bien plus préservée que Tamarindo ; les constructions sont rares et dispersées. Le paysage change soudainement et on renoue avec la nature sauvage de la côte pacifique, ce n'est pas plus mal...

Transports

Bus. Départs uniquement de Santa Cruz à 11h30 et 18h. Retours à 5h30 et 13h30. Pas de bus le dimanche.

Voiture. De Tamarindo, on y accède en 20 minutes, mais attention c'est un chemin de terre qui y mène et il faut absolument avoir un 4x4.

Se loger

CABINAS EL LEON
Playa Avellanas ✆ +506 2652 9318
www.cabinaselleon.com
info@cabinaselleon.com
*Compter 15 US$ la nuit.*Grandes et belles chambres. Proche de la plage.

HÔTEL PLAYA NEGRA
Playa Negra, près de Playa Avellanas
✆ +506 2658 9134
Fax : +506 2658 9035
www.playanegra.com
hotelplayanegra@ice.co.cr
Belles casitas aux toits en palmes. Prix en haute saison : de 100 US$ (2 pers.) à 120 US$ (4 pers.). En basse saison, respectivement : de 80 à 100 US$. Gratuit pour les enfants de moins de 5 ans. Taxes non incluses.
Un hôtel très agréable, constitué de paillotes, tenu par un jeune Suisse et son épouse parlant français. Très bon restaurant.

VILLA DEEVENA
Playa Negra, près de Playa Avellanas
✆ +506 2653 2328
www.villadeevena.com
villadeevena@yahoo.com
Chambre double de 85 à 95 US$. Wi-fi gratuit. Réservation conseillée en haute saison.
Un bel établissement de charme comme on en trouve peu dans le coin. Une maison avec un grand et beau patio agrémenté d'une belle piscine ; tout autour six chambres décorées dans un style balinais avec beaucoup de goût. Les propriétaires, français, Patrick et Tasia Jamon, sont tombés amoureux du Costa Rica et ont décidé de s'installer ici il y a quelques années. Mais ils ont eu une autre vie auparavant, et quelle vie ! Patrick était un grand chef pour un club américain très privé et il cuisinait pour les présidents américains en personne. Eh oui, rien que ça ! Il vous racontera photos à l'appui, ses rencontres avec Bill Clinton ou George Bush. Un personnage passionnant qui vous recevra avec beaucoup de convivialité et vous fera d'aussi bons petits plats qu'à ces personnalités. Oui, c'est lui qui est aux commandes du petit restaurant de la maison, et c'est divin, comme tout le reste. Une superbe adresse comme on adore vous en dénicher. Un vrai coup de cœur.

Se restaurer

LOLA'S PLACE
Playa Avellanas ✆ +506 2652 9097
Ouvert du mardi au dimanche, de 8h à 19h. Smoothies à 1 800 colones, plats de 6 200 à 6 600 colones, pizzas de 5 200 à 6 600 colones. Pour boire un cocktail ou manger un bout sous les cocotiers, c'est ici. Situé sur la plage, ce bar-restaurant vous permet de vous prélasser au soleil au son d'une musique lounge, tout en admirant les surfeurs qui font des prouesses en face de vous. Lola est le cochon mascotte de l'établissement. Elle est énorme, vous ne pouvez pas la rater ; elle roupille en général près du bar et Donatus, le patron, nous a promis qu'elle ne finirait jamais en saucisson. Donc, vous devriez la croiser là-bas ; passez-lui le bonjour de la part du petit renard ! Une très belle adresse.

Sports – Détente – Loisirs

PINILLA CANOPY TOUR
À 8 km de Tamarindo,
sur la route de Playa Avellanas
✆ +506 8704 2693
canopy.pinilla@hotmail.com
Tour de canopy à 30 US$ par adulte et 25 US$ par enfant. Durée : 1 heure. Prendre la direction de Playa Avellanas depuis Tamarindo et suivre les panneaux « Pinilla Canopy ».
C'est un Français, François Bel, qui dirige ce petit circuit dans la canopée. 8 câbles et 10 plates-formes en tout. Ce n'est pas trop haut et c'est la bonne occasion de s'initier à ce sport si on est en famille car les enfants ne devraient pas avoir trop peur (et les adultes les plus frileux non plus).

PLAYA JUNQUILLAL

Une superbe plage de sable gris qui se prête au surf mais pas à la baignade car les courants sont vraiment forts. C'est aussi une plage où les tortues luth aiment bien pondre de juillet à novembre, et les braconneurs ne sont pas rares en cette période, hélas ! Certes, les autorités essaient d'endiguer le trafic mais ce n'est pas très efficace pour l'instant d'après les associations écologistes.

Transports

- **Bus.** De Santa Cruz, des bus partent tous les jours à 5h, 10h, 14h30 et 17h30. Retour tous les jours à 6h, 9h, 12h30, 16h30. Durée : 1 heure 30.
- **Voiture.** De Santa Cruz en passant par Veintisiete de Abril, vous avez une vraie route goudronnée qui vous mène directement à Playa Junquillal, en un peu moins de 35 km. Pour faire route vers Ostional ou Nosara ensuite, on vous recommande de reprendre cette route goudronnée (et de faire une boucle en passant par Nicoya) plutôt que le chemin de terre qui va vers le sud. Pendant la saison des pluies, ce chemin a de grandes chances de ne pas être praticable et, pendant la saison sèche, il est de toutes façons désagréable (beaucoup de bosses sur la route), même en 4x4.

Se loger

HIBISCUS
Playa Junquillal ✆ +506 2658 8437
A partir de 50 US$, petit déjeuner compris.
Créé par des Français, cet établissement met à disposition des chambres confortables et plaisantes. Restaurant de fruits de mer dans un jardin très fleuri.

IGUANAZUL
A l'entrée nord de Playa Junquillal
✆ +506 2658 8123
Fax : +506 2658 8124
www.iguanazul.com
info@hoteliguanazul.com
Chambres avec ou sans climatisation. Pour une chambre standard sans climatisation de 55 à 79 US$ (2 pers.), pour une chambre standard côté piscine avec climatisation de 75 à 102 US$ (2 pers.), pour une chambre standard avec vue sur l'océan avec climatisation de 95 à 24 US$ (2 pers.). Taxes et petit déjeuner compris.
Avec de nombreuses formules pour agrémenter votre séjour (excursions, locations diverses…) et un hébergement tout confort, cet établissement vaut largement le détour, d'autant qu'il est fermement engagé dans le développement durable.

MONO CONGO LODGE
Playa Negra ✆ +506 2658 9261
Fax : +506 2658 9260
www.monocongolodge.com
info@monocongolodge.com
Chambres et suites. 65 US$ (chambre, 2 pers.), 75 US$ (junior suite, 2 pers.), 95 US$ (master suite, 2 pers.), 10 US$ par personne supplémentaire, taxes non incluses. Café et jus de fruits offerts.
Hôtel et restaurant surélevés au niveau de la canopée. Cuisine commune. Brunch le dimanche.

OSTIONAL

Autour de Nosara, la région forme la réserve faunique d'Ostional, du nom de la magnifique plage du même nom, refuge des tortues Olive Ridley qui viennent y pondre leurs œufs entre juillet et novembre. Sur cette plage, et sur celle de Nancite plus au nord, les tortues viennent en permanence, mais à certaines périodes elles sont des milliers à s'y s'échouer. Ces débarquements sont appelés *arribadas* et ont lieu principalement entre septembre et décembre. A l'occasion de ces *arribadas*, c'est la fête au village. Les premiers œufs pondus sur la plage sont traditionnellement ramassés par les habitants regroupés en coopérative et vendus pour être dégustés jusque sur les marchés de San José. Ce geste n'est pas criminel et de toute façon surveillé ; par ailleurs, ces œufs seraient écrasés par la seconde arrivée des futures mères. Les bénéfices sont partagés et destinés au développement de la communauté. Si vous êtes au Costa Rica au moment d'une *arribada* (tenez-vous au courant quelques jours avant une nouvelle lune), ne manquez surtout pas cette marée de tortues. Il est très impressionnant et émouvant de les observer, épuisées par les milliers de kilomètres parcourus, se hissant sur la plage et creusant le nid avec leurs pattes arrière. Pendant ce temps, les enfants courent entre les carapaces, les hommes détectent les nids du bout du pied et les femmes en extraient les œufs. Pendant plusieurs jours, ils ne mangeront plus que ça, gobés sur la plage (c'est, paraît-il, un excellent remontant et un aphrodisiaque honorable) ou frits en omelette. Il ne faut pas rater ce spectacle. A force de voir des reportages sur la dégradation irréversible de la planète, on se prend à imaginer un monde perdu et désespérant, et voilà que des villageois vivent au rythme d'un animal rare qui risque moins de disparaître, grâce à l'éducation et au bon sens de quelques scientifiques. Les observateurs affirment qu'il y a de plus en plus de tortues (marquées) qui reviennent, ce qui est un réel bon signe. Quelques tortues leatherback et tortues vertes du Pacifique viennent également, mais elles sont moins nombreuses. Au nord de la plage, on peut observer de petites choses adorables comme les anémones de mer, les étoiles de mer ou les crabes transparents dans des petits bassins emplis par la marée. Dans les environs immédiats de la plage, les tatous, les jaguarundis (petits félins), les singes hurleurs, les toucans ou les perroquets aiment ce coin de verdure protégé.

Transports

Bus. Pas de bus direct pour Ostional, sauf pendant la saison sèche au départ de Santa Cruz (renseignez-vous à Santa Cruz car les horaires sont très variables). Il faut donc aller jusqu'à Nosara et se débrouiller pour rejoindre Ostional en voiture. Vous pouvez bien sûr prendre un taxi à Nosara, si vous n'avez pas trouvé de bonne âme pour vous déposer. De San José (c14, a3 ✆ 2222 2666), des bus partent tous les jours pour Nosara à 5h30. Retour à 14h45. Durée : 6 heures. De Nicoya, départs tous les jours à 4h45 (sauf dimanche), 10h, 12h, 15h et 17h30. Retour à 5h (sauf dimanche), 7h, 12h, 15h. Durée : 2 heures.

Voiture. 4x4 obligatoire depuis Nosara car il faut passer plusieurs rivières afin d'accéder à Ostional. Pendant la saison des pluies, renseignez-vous auprès des locaux avant de prendre la route. Cela vous évitera sans doute de faire demi-tour à mi-chemin si les rivières sont trop en crue.

Se loger

Il est juste permis de planter sa tente aux abords mêmes de la plage d'Ostional, mais rien d'autre n'est prévu (pas de point d'eau). Pour se loger – surtout pendant une arribada –, il faut donc aller à Nosara (7 km) ou à Guiones plus au sud.

À voir – À faire

Sur les sept espèces de tortues marines peuplant les océans de la planète, cinq viennent nidifier régulièrement sur les plages du Costa Rica. Descendant des cotylosaures et des chéloniens, les tortues sont parmi les derniers animaux préhistoriques du monde. La ponte des tortues est un événement important et souvent spectaculaire sur les côtes costaricaines. Certaines tortues viennent pondre de façon solitaire sur de nombreuses plages des deux côtes à n'importe quel moment de l'année, mais en raison de leur faible nombre il est difficile de les observer. Quand la ponte est intensive (de 20 à 100 tortues par nuit), l'observation est plus aisée. Enfin quand la ponte est massive, le phénomène est appelé *arribada* – c'est la nidification synchronisée de milliers de tortues de Ridley pendant une période de 3 à 9 jours ; les plages les plus importantes sont Playa Ostional et Playa Nancite sur le Pacifique. La saison de ponte dépend de l'espèce de tortue et de la plage de ponte.

NOSARA

Nosara est un petit village entouré de belles plages mais aussi d'une nature luxuriante grâce à la réserve faunique d'Ostional toute proche. Les routes sont en état correct mais la plupart ne sont que des chemins de terre. La plage de Nosara n'est pas facilement accessible et on y vient surtout pour pêcher. La petite plage de Playa Pelada, au sud, est spectaculaire en raison de son trou souffleur qui projette l'eau de mer en haute saison ; on peut généralement s'y baigner sans problèmes et c'est une plage très prisée par les locaux. Quant à Playa Guiones, c'est un excellent spot de surf qui explique le grand nombre de surfeurs à Nosara. Cependant ce ne sont pas des fauchés mais de riches passionnés, car Nosara est une sorte de village bobo, très branché yoga et nature, où vivent beaucoup d'Américains et où on ne vient que si on en a les moyens. Tout est relativement cher par rapport au reste de la côte.

Transports

Avion. Nature Air et Sansa assurent des vols aller-retour depuis San José une fois par jour. Compter 100 US$ l'aller.

Bus. De San José (c14, a3 ✆ 2222 2666) des bus partent tous les jours pour Nosara à 5h30. Retour à 14h45. Durée : 6 heures. De Nicoya, départs tous les jours pour Nosara à 4h45 (sauf dimanche), 10h, 12h, 15h et 17h30. Retour à 5h (sauf dimanche), 7h, 12h, 15h. Durée : 2 heures.

Voiture. De Nicoya, 5 km avant d'arriver à Samara, un chemin de terre mène à Nosara. 4x4 indispensable. Pour continuer vers Ostional pendant la saison des pluies, renseignez-vous auparavant auprès des locaux car il arrive souvent qu'on ne puisse pas franchir les rivières trop en crue en cette saison.

NATURE AIR
✆ +506 2299 6000 – www.natureair.com

SANSA
✆ +506 2290 4100 – www.flysansa.com

Se loger

Bien et pas cher

BELLA VISTA MAR
Nosara, Playa Pelada
✆ +506 2682 5015
www.bellavistamar.com
info@bellavistamar.com
A 12 minutes à pied de Playa Pelada et 10 minutes de l'embouchure du fleuve, idéal pour le surf et la pêche. Compter de 50 US$ la simple jusqu'à 139 US$ pour la suite avec le petit déjeuner que l'on vous sert selon vos envies et à tout moment. L'hôtel est situé dans une rue paisible, idéal pour un séjour reposant, la vue sur l'océan est superbe. Internet à disposition.
9 chambres dont une double, 3 avec terrasse vue mer. La piscine est entourée de chaises longues et de parasols. Bella Vista dispose d'un espace commun pour le petit déjeuner, cuisine à disposition pour se préparer les repas. L'équipe peut également vous organiser des sorties diverses.

RANCHO CONGO
Playa Guiones
✆ +506 2682 0078
40 US$ la chambre double, 50 US$ la chambre triple ; petit déjeuner inclus.
Deux chambres propres et confortables qui peuvent chacune aller jusqu'à 3 personnes. Monika, la gentille propriétaire allemande, parle couramment le français. Bon rapport qualité-prix.

Confort ou charme

HÔTEL CASA ROMANTICA
Playa Guiones ✆ +506 2682 0019
Fax : +506 2682 0272
www.casa-romantica.net
info@casa-romantica.net
Appartements et chambres. Prix en haute saison : 98 US$ (1 ou 2 pers.), 15 US$ par personne supplémentaire, taxes et petit déjeuner non compris. En basse saison, respectivement : 90 US$ (1 ou 2 pers.). Wi-fi gratuit.
12 chambres confortables, à 200 m de la plage. Les meilleures chambres se trouvent dans l'annexe. Restaurant de spécialités suisses.

VILLA MANGO BED AND BREAKFAST
Nosara, Playa Pelada ✆ +506 2682 1168
www.villamangocr.com
villamango@racsa.co.cr
Compter de 49$ la chambre simple en basse saison jusqu'à 89$ la double en haute saison. Le petit déjeuner type buffet est inclus.
Un Bed & Breakfast bien situé avec vue sur l'océan et géré par les propriétaires qui sont français. Cet établissement très confortable propose 7 chambres avec un ou deux lits queen, dont 5 d'entre elles possèdent l'air conditionné (petit supplément), toutes ont une salle de bains. La piscine différente des standards est à l'eau salée ; il y a également un bar et même une cuisine à disposition, il vous suffit de la laisser propre. Les marcheurs pourront rejoindre la plage en dix petites minutes. Joe et Agnès peuvent vous organiser des excursions et des locations de maisons pour une plus longue période.

Luxe

L'ACQUA VIVA
Playa Guiones ✆ +506 2682 1087
www.lacquaviva.com – info@lacquaviva.com
36 chambres spacieuses et très agréables, air climatisé, écran plat, terrasse privée, grande salle de bains. Minibar et coffre-fort dans toutes les chambres. Tout a été fait avec de beaux matériaux, dans un style indonésien. A partir de 99 US$ la chambre double en basse saison et à partir de 200 US$ en haute saison. Petit déjeuner inclus, wi-fi gratuit.
Véritable havre de paix dans un décor hyper chic, tropical et harmonieux. Ambiance relaxante à souhait, avec ses 4 belles piscines (2 pour adultes et 2 pour enfants), Jacuzzi et bassins d'un gris de toute beauté.

Sports – Détente – Loisirs

SPORT FISHING
Playa Garza
✆ +506 8319 7035
Alexis possède une poissonnerie à Playa Garza, un autochtone qui mène bien sa barque, toujours le sourire aux lèvres il vous emmène pêcher au gros, il loue également deux très grandes chambres très propres, équipées d'une cuisine, tout ce qu'il faut pour passer un séjour pêche agréable. Un bon plan pour ceux qui souhaitent passer quelques jours avec les locaux.

PLAYA GUIONES

A 4 km du village de Nosara, Playa Guiones est LA plage de surf. Ses vagues sont réputées auprès des surfeurs aussi bien confirmés que débutants. C'est aussi là que se concentrent la plupart des hébergements.

Transports

Bus. Pas de bus jusqu'à Playa Guiones, il faut aller jusqu'à Nosara et se faire déposer en auto-stop à Playa Guiones ensuite, ou prendre un taxi. De San José (c14, a3 ✆ 2222 2666) des bus partent tous les jours pour Nosara à 5h30. Retour à 14h45. Durée : 6 heures.

Les cinq espèces de tortues des côtes costaricaines

La tortue verte (*Chelonia myda*) – *tortuga verde* ou *tortuga blanca* (espagnol), *green sea turtle* (anglais) – est la deuxième plus grande des tortues marines, mesurant 1,20 m de longueur et pesant 150 kg. Il existe une variante blanche de la tortue verte. Une femelle peut pondre plusieurs fois par saison, la moyenne étant de 5 à 6 fois. Après son dernier effort de ponte, elle retourne s'alimenter loin du Costa Rica, pour revenir sur la même plage deux ou trois ans plus tard. Tortuguero au Costa Rica est la plage de ponte la plus importante pour cette espèce dans les Caraïbes. Environ 8 000 femelles viennent y pondre chaque année entre juin et octobre.

La tortue noire ou « tora » (*Chelonia agassizi*) – *tortuga negra* (esp.), *black sea turtle* (ang.) – est semblable à la tortue verte, mais elle est plus petite et sa carapace est beaucoup plus foncée. En moyenne, cette tortue mesure de 70 à 90 cm de longueur et pèse entre 40 et 70 kg. Sa distribution est limitée à la côte pacifique américaine. Au Costa Rica, cette tortue est relativement peu commune, un certain nombre d'observateurs attestent qu'elle vient pondre à Playa Cabuyal, Bahía Culebra dans le golfe de Papagayo en compagnie de la tortue luth et de la lora (l'Olive Ridley).

La tortue caret (*Eretmochelys imbricata*) – *tortuga carey* (esp.), *hawksbill turtle* (ang.). Il s'agit d'une des espèces les plus menacées et considérées comme au bord de l'extinction en raison de la forte demande pour sa carapace. Les écailles de sa carapace, qui peuvent être très épaisses, sont recherchées par les artisans pour faire des bijoux. L'adulte peut atteindre de 70 à 90 cm de longueur et peser 70 kg. Elle fréquente des eaux chaudes peu profondes comme les récifs coralliens où elle trouve ses aliments préférés : éponges de mer et crustacés. La tortue caret est difficile à observer, car elle a tendance à nicher en solitaire sur de petites plages isolées. Au Costa Rica, elle pond ses œufs en même temps que les tortues vertes et avec un peu de chance, on peut en rencontrer à Tortuguero. La ponte sur la côte pacifique est sporadique.

La tortue de Ridley ou *lora* ou *Olive Ridley* (*Lepidochelys olivacea*) – tortuga lora (esp.), *Olive Ridley turtle* (ang.). C'est l'une des plus petites tortues, mesurant de 60 à 75 cm de longueur et pesant entre 35 et 40 kg. Sa carapace est d'un vert olive terne. Son alimentation se compose principalement de crevettes, de crustacés et autres invertébrés tels que le calamar. Elle pond solitairement sur une quarantaine de plages de la côte pacifique du Costa Rica. C'est également la seule espèce qui pond de façon synchronisée selon le phénomène connu sous le nom d'arribada, normalement directement lié au cycle lunaire, commençant en général au dernier quartier de lune, mais il peut aussi se produire quelquefois au premier quartier. En fait, il est impossible de prévoir la période exacte d'une arribada. Les arribadas se produisent sur la plage de Nancite à la saison des pluies entre mai et décembre et à Ostional (la plus importante arribada du monde) tout le reste de l'année.

La tortue luth (*Dermochelys coriacea*) – *tortuga baula* (esp.), *leatherback turtle* (ang.). Cette tortue, avec une taille de 2 m en moyenne et un poids allant jusqu'à 500 kg, est la plus grande des tortues marines du monde. Contrairement aux autres tortues, la tortue luth n'a pas de revêtement corné. Sa carapace est constituée de nombreuses plaques osseuses recouvertes d'une peau épaisse et coriace. Il y a une différence de taille entre les individus du Pacifique et ceux de l'Atlantique. La tortue luth pond environ quatre fois par saison entre 50 et 80 œufs de la taille d'une boule de billard (on a même observé neuf pontes pour un même individu). La période d'incubation est approximativement de 60 jours. La superficie de l'habitat de ces tortues est très importante. Elles sont connues pour pouvoir résister à l'eau extrêmement froide et il en résulte qu'elles sont présentes des tropiques aux pôles. Les plages de ponte des tortues luth les plus importantes au Costa Rica sont Playa Matina, Tortuguero, Cahuita, Playa Negra, et Gandoca sur la côte caraïbe (de février à juillet), et Playa Langosta, Playa Grande (parc Las Baulas) et Playa Naranjo sur la côte pacifique (de septembre à mars).

De Nicoya, départs tous les jours pour Nosara à 4h45 (sauf dimanche), 10h, 12h, 15h et 17h30. Retour à 5h (sauf dimanche), 7h, 12h, 15h. Durée : 2 heures.

Voiture. De Nicoya, 5 km avant d'arriver à Samara, un chemin de terre mène à Nosara et on peut continuer jusqu'à Playa Guiones plus au sud. 4x4 indispensable.

Se loger

Confort ou charme

GIARDINO TROPICALE
Playa Guiones ✆ +506 2682 4000
✆ +506 2682 0258 – Fax : +506 2682 0353
www.giardinotropicale.com
info@giardinotropicale.com
4 chambres standard, 4 deluxe et 2 junior suites. Pour les chambres, compter de 55 à 100 US$ la nuit pour 1, 2 ou 3 personnes en fonction du nombre de personnes et de la saison ; de 120 à 145 US$ la suite, 15 US$ l'air conditionné par nuit. Ajouter les taxes. Petit déjeuner continental à 7 US$ et le buffet préparé avec amour à 10 US$. Transport de Nosara à l'hôtel : 15 US$ pour 4 personnes au maximum.
Un établissement très propre, une belle piscine et de très beaux jardins qui font honneur aux Suisso-Colombiens de l'hôtel. Les chambres type bungalow tout confort sont dispersés au milieu du jardin, un nouveau bungalow en bois vient d'être achevé au fond, une belle réalisation. Pour dîner le soir, une pizzeria réputée surplombe l'hôtel. Marcel vous surprendra avec son français très léché, les matinaux peuvent dès l'aube l'apercevoir faire ses longueurs dans la piscine, avant de vous la laisser libre toute la journée. Avec sa charmante épouse Myriam, ils sont tous deux défenseurs de l'écologie et du bien-être de la population locale.

NOSARA SUITES
Playa Guiones ✆ +506 2682 1036
www.nosarasuites.com
De 100 à 120 US$ la chambre double en basse saison et de 120 à 150 US$ en haute saison. Compter 25 US$ par personne supplémentaire (maximum 4 personnes). Location de quads à 50 US$ par jour. Des chambres flambant neuves, décorées dans un style indonésien et design. Les trois propriétaires sont francophones ; Fabien, Thierry er Grégory sont suisses et vivent dans la région depuis des années. Fabien possède également la boulangerie-restaurant, le Café de Paris, à Playa Guiones.

Se restaurer

CAFÉ DE PARIS
Playa Guiones, Nosara
✆ +506 2682 1036 – Fax : +506 2682 0089
www.cafedeparis.net – info@cafedeparis.net
Boulangerie ouverte de 7h à 17h, jusqu'à 22h pour le restaurant. Fermé le lundi. Petit déjeuner de 4 à 8 US$. Entrées de 5 à 10 US$, plats de 15 à 20 US$. Tenu par un couple franco-ticain, le Café de Paris est d'abord une boulangerie avec de vrais croissants à la française, des baguettes et de très bonnes pâtisseries, mais c'est aussi un restaurant avec des bons petits plats. On vous recommande le tartare de poisson sur carpaccio d'avocat et vinaigrette de poivron doux : une entrée délicieuse. Une vraie bonne adresse où vous pourrez vous remettre au français en discutant avec Fabien (le patron), histoire de faire une pause avec l'espagnol.

SUD DE LA PÉNINSULE

Située au nord-ouest du pays, la plus grande péninsule du Costa Rica, la patte antérieure de la tortue, a connu et connaît toujours un important engouement touristique avec le Guanacaste voisin. Ses longues plages bénéficient d'un climat clément beaucoup moins pluvieux qu'ailleurs et, si elles ne sont pas toujours accessibles ou praticables par tous, elles sont souvent idéales pour les surfeurs. Les projets d'aménagement sont légion, mais se heurtent quelquefois à l'opposition écologique dont les arguments, très convaincants, peuvent retarder leur achèvement de plusieurs mois, voire des années entières. Quoi qu'il en soit, la péninsule de Nicoya peut être l'objet d'un séjour assez long, tant elle offre de possibilités.

PLAYA BUENA VISTA

Playa Buena Vista est la plage se trouvant sur la droite de Samara lorsqu'on est face à la mer. C'est une superbe crique sauvage où l'on peut cependant se loger sans difficulté. Mieux vaut tout de même disposer de sa propre voiture, car le taxi coûte 5 000 colones pour s'y rendre. Il y a environ 1 heure à 1 heure 30 de marche depuis Samara en saison sèche, car il est possible de passer par la plage.

BUENAVISTA SPORT FISHING

Playa Buenavista
✆ +506 2656 8215 – +506 8723 0821
www.pechesportivecostarica.com
contact@pechesportivecostarica.com
losticos@hormail.fr
À 5 km de Sámara en direction de Playa Guiones. Prendre le chemin
qui mène à la plage Buena Vista
qui se trouve à seulement 800 m
Transfert de San José 90 € aller-retour. Le centre de pêche est ouvert du 15 novembre au 15 août (pause en septembre et octobre en raison de pluies abondantes). Comptez 470 € pour la pêche côtière par jour pour 4 personnes au maximum et 8 heures de pêche hauturière 520 € et pêche de nuit 450 €. Demi-journée possible. Equipement, casse-croûte et boissons compris. Possibilité de loger au centre dans des cabinas équipées.

Le centre francophone est tenu par Christian, un passionné du Costa Rica et de la pêche. Sa compagne Clarissa qui parle parfaitement le français gère la logistique et les liaisons radio depuis la terre. Après un bon café ou un copieux petit déjeuner sur la superbe terrasse, si vous dormez au centre, prenez la route de Playa Garza pour embarquer sur une panga de 8 m équipée de toute l'électronique nécessaire dans la quête des bancs de dorades, thons jaunes, marlins voiliers, poissons coqs... Avec un peu de chance, vous croiserez des raies mantas, des dauphins, des tortues et en saison des baleines (de décembre à juillet). Une belle journée avec une équipe sympa qui profite également aux enfants. N'hésitez pas à les contacter pour un séjour sur mesure.

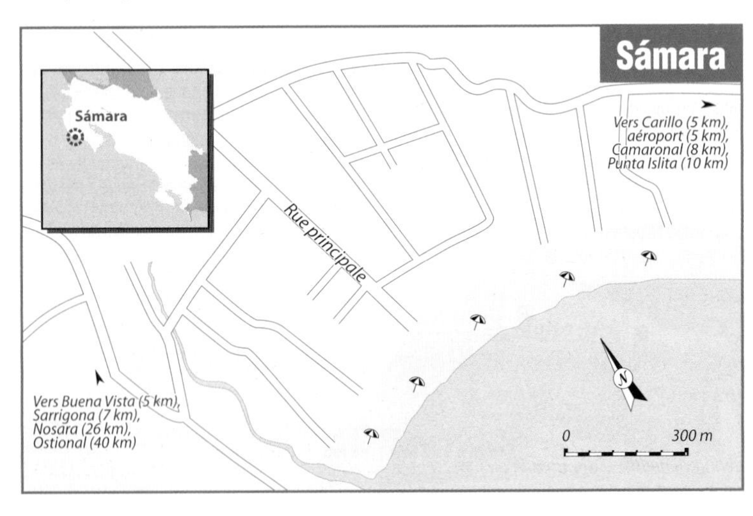

SÁMARA

Playa Sámara est une splendide plage de sable blanc de 7 km, protégée par une barrière de corail, riche en faune marine. Le village de Sámara dispose de quelques facilités comme un mini-supermarché, une *pulpería*. Mais comme le tout est un peu dispersé et qu'il n'y a pas d'adresse, le mieux est de vous faire indiquer ce que vous cherchez. Pour le surf, il faut se rendre à Nosara parce que la plage de Sámara, protégée par une barrière de corail, réjouit surtout les barboteurs.

Transports

Avion. Nature Air ou Sansa relient quotidiennement San José et l'aéroport de Playa Samara qu'on appelle Carrillo car il est proche de Playa Carrillo.

Bus. De San José (c14, a5 ✆ 2222 2666) départ tous les jours à 12h et 18h30. Retour à 5h15 et 9h15. Durée : 5 heures.

Voiture. A 35 km de Nicoya par une route en très bon état.

Pratique

INTERCULTURA SAMARA LANGUAGE SCHOOL
Face à la mer,
à 150 m au sud du restaurant El Dorado
✆ +506 2260 8480 – +506 2656 0127
www.interculturacostarica.com
info@samaralanguageschool.com
Cours de 8h à 12h et de 13h15 à 15h15, le vendredi de 8h à 13h. Un campus à la plage, on ne peut rêver mieux pour une immersion linguistique. Plusieurs options s'offrent à vous pour apprendre l'espagnol ou l'anglais : des cours intensifs en petits groupes (de 300 US$ la semaine à 985 US$ le mois) basés sur la communication, des cours particuliers (22 US$ le cours à deux ou 33 US$ seul), des séjours en famille ou hôtel, et cours pour ado. L'école s'occupe de tout, elle propose même des excursions dans le pays.
Ambiance très sympa, une belle énergie dans cette structure orchestrée par la charmante Lucie. Une autre école se trouve à Heredia dans la calle 10, avenida 4.

Se loger

De nombreuses possibilités s'offrent à tous les voyageurs désireux de passer quelques nuits dans le village de Samara, plus calme que Tamarindo. Il y en a pour toutes les bourses, du camping à l'hôtel plus confortable.

Locations

CASA TORTUGA
À la sortie de Samara,
sur la route principale en direction du sud
✆ +506 2656 0948 – +506 8380 2856
www.samarabeach.com
casa-tortuga@hotmail.com
Petit appartement à 320 US$ la semaine en saison basse et 400 US$ la semaine en saison haute. Grand appartement à 360 US$ en saison basse et 420 US$ en saison haute. Wi-fi gratuit. Prêt de vélos. Grande terrasse.
Claudette, une Québécoise installée à Samara, loue deux appartements parfaitement équipés pour une semaine au minimum. Bon rapport qualité-prix.

Bien et pas cher

CAMPING COCO'S
Proche de la plage ✆ +506 2656 0496

HÔTEL RANCHO DE LA PLAYA
A 100 m de la plage
✆ +506 2656 0573
✆ +506 8781 6257
www.ranchodelaplaya.com
info@ranchodelaplaya.com
De 15 à 20 US$ par personne en basse saison et de 20 à 30 US$ par personne en haute saison. Appartements équipés pour 6 personnes : de 100 à 120 US$. Wi-fi gratuit. Vélos et planches de surf à disposition.
Le Rancho de la Playa a pour propriétaire Philippe Vernaison, un Lyonnais installé à Samara. Cet hôtel pourtant récent cartonne déjà. Il est très bien aménagé, les chambres sont confortables et la piscine assez grande pour faire quelques longueurs. Les plats du bar-restaurant sont consistants et à petits prix. Accueil vraiment convivial de l'équipe francophone. Excellent rapport qualité-prix.

Confort ou charme

HÔTEL CASA DEL MAR
Centre de Samara, en face de la plage
✆ +506 2656 0264
Fax : +506 2656 0129
www.casadelmarsamara.net
reservations@casadelmarsamara.net
Compter 30 US$ (1 pers.), 40 US$ (2 pers), ventilateur et salle de bains partagée ou chambres avec climatisation, salle de bains privée, petit déjeuner inclus pour 60-75 US$ (1-2 pers.) et jusqu'à 90-120 US$ (5 pers.) Eau chaude, wi-fi, bain tourbillon à eau froide. Accès privé à la plage.
Ce petit hôtel écolo et familial respire la simplicité et la joie de vivre. Personnel très sympa et serviable. Les six chambres les plus économiques, dont trois ont vue sur la mer, ont le charme d'une maison ancienne, l'escalier de bois, le plancher qui craque et le bonheur ; la terrasse pour regarder les gens passer. Derrière la cour, onze chambres climatisées, simples et propres, à la décoration faite main et typique du Costa Rica. La star de l'hôtel, Bella, un perroquet amazone qui fera tout pour vous plaire. Délassez-vous dans votre chaise hamac dans ce petit havre en plein cœur de la ville ou sur les transats à la plage avant votre séance de surf.

HÔTEL GIADA
Centre de Sámara, à 150 m de la plage
✆ +506 2656 3232
Fax : +506 2656 0131
www.hotelgiada.net – info@hotelgiada.net
24 chambres pour 2 et 4 personnes avec terrasse, air conditionné, TV câblée, coffre-fort et minibar. 80 US$ (2 pers.), 95 US$ (3 pers),

105 US$ (4 pers.), taxes et petit déjeuner compris. En basse saison, respectivement : 65 US$, 80 US$ et 90 US$. Deux piscines, un restaurant (excellent).
Dans un joli cadre, cet hôtel près de la plage en plein centre de Sámara, très bien tenu, vous ravira. Le livre d'or est élogieux. Un excellent rapport qualité-prix.

EL PEQUENO GECKO VERDE

Playa Sámara
✆ +506 2656 1176
✆ +506 8870 4611
www.gecko-verde.com
Entre les plages de Samara et Buena Vista, un peu après le Sámara Pacific Lodge. Piscine au sel et cascade, rancho sympa pour les petits déjeuners, 8 bungalows de 2 à 5 personnes tout équipés avec air conditionné. Haute saison pour 2 personnes de 90 à 130 US$ + taxes et en basse saison pour 2 personnes de 75 à 100 US$. Gratuit pour les moins de 5 ans. Wi-fi et TV satellite. Parking et gardiennage de nuit.
Après avoir sillonné le globe, surtout l'Asie, c'est ici que ce couple de Français a décidé de se poser. Ils ont construit dans un esprit tropical de jolis bungalows, ils vous attendent dans ce petit paradis. Un chemin permet d'accéder à une petite plage secrète située à 150 m, idéale pour la bronzette et l'observation les pélicans, la piscine au retour de plage est très agréable. Organisation de repas à thèmes plusieurs fois par semaine... Les compatriotes ne peuvent décidemment pas se passer de faire la cuisine, qui s'en plaindra ?

SAMARA INN

A 600 m de la banque Banco Nacional
✆ +506 2656 0482 – www.samarainn.com
info@hotelsamarainn.com
De 65 à 90 US$ la chambre simple, de 85 à 95 US$ la double, de 105 à 115 US$ la triple, de 120 à 130 US$ la quadruple. Petit déjeuner inclus. Wi-fi gratuit. Un bel hôtel confortable. Une jolie piscine. Accueil convivial des propriétaires italiens.

SAMARA PACIFIC LODGE

Entre la plage de Samara et de Buenavista
✆ +506 2656 1033 – Fax : +506 2656 1035
www.samara-pacific-lodge.com
samarapacific@gmail.com
Prix pour deux personnes de 65 à 85 US$ et de 75 à 95 US$ la triple jusqu'à 95 et 115 US$ la quintuple (+ 13 % de taxes) selon saison, petit déjeuner compris. Gratuit pour les enfants de moins de 6 ans et 6 US$ entre 6 et 12 ans. Parking privé.
L'hôtel, rondement géré par un autre couple de Français très sympathiques, compte 16 chambres, de une à cinq personnes avec air climatisé, ventilateur, salle de bains privée. Les chambres sont disposées autour d'une belle piscine sans chlore (au sel) où un iguane vient se recharger les batteries. Bar et restaurant (bonne table), wi-fi gratuit. Un peu en retrait du centre-ville (qui s'en plaindra), l'hôtel organise des balades à cheval. Clémence, la propriétaire, est une grande passionnée des tours en bateau pour aller voir les dauphins, la pêche et le snorkelling à l'île Chora, kayak jusqu'à l'île. Transport nocturne et guide pour aller observer les tortues ! Accès à la plage par un petit chemin.

Luxe

HÔTEL VILLAS PLAYA SAMARA

À 3 km du centre,
de la plage Samara direction Carrillo
✆ +506 2656 1111
Fax : +506 2656 0372
www.hotelvillasplayasamara.com
reserva@villasplayasamara.com

De 129 US$ par nuit (1-2 pers.) pour la chambre deluxe à 279 US$ pour la villa 2 chambres (7 pers.) ou formule tout inclus sur demande (repas, boissons, tuba, kayak, bodyboard et vélos). 59 villas, grande piscine, climatisation, wi-fi, restaurant, bar, épicerie et spa.

Eloignez-vous de la ville et prenez contact avec la nature dans ce bel ensemble hôtelier en bordure de plage. La tranquillité est de mise et pas même un téléviseur ne vient perturber le bruit des vagues. De cette position privilégiée, vous apprécierez les plus beaux couchers de soleil sur la mer, le départ des bateaux de pêche, les baignades ou les promenades sur la plage presque déserte à cet endroit. Les villas avec cuisines équipées sont confortables et sans prétention, les lits douillets, et on s'y sent vite chez-soi. Populaire auprès des Ticos, on y parle français, espagnol et anglais. Confort d'un resort, mais intimité garantie entre les oiseaux exotiques et les singes qui ne manqueront pas de vous rendre visite.

Se restaurer

EL COLIBRI
Playa Carillo ✆ +506 2656 0656
www.cabinaselcolibri.com
Ouvert de 18h à 22h. Ferme le lundi. Plats de 4 000 à 7 000 colones.
Très bon restaurant argentin.

HÔTEL GIADA
Centre de Sámara, 150 m de la plage
✆ +506 2656 3232
Fax : +506 2656 0131
www.hotelgiada.net – info@hotelgiada.net
Le restaurant de l'hôtel Giada. Comptez en moyenne 15 US$ le repas.
Excellente cuisine italo-méditerranéenne. Pizzas, pastas, poissons, viandes, salades, desserts... Tout y est vraiment excellent. Il y a aussi un grand choix de cocktails aussi bons que la cuisine.

Sports – Détente – Loisirs

ULTRA LIGHT TOUR
✆ +506 2656 8048 – +506 8827 8858
www.ultralighttour.com
Aéroports de Sámara mais aussi à Tamarindo, Arenal, Uvita et Tambor. 110 US$ les 20 minutes de vol.
Si vous aimez voler ou si vous n'avez jamais essayé, c'est le moment de vous offrir un tour d'autogyre. Il s'agit d'un type d'ULM inventé par l'espagnol Juan de la Cierva en 1919. Comme les hélicoptères, il utilise un rotor, mais ici il est entraîné par les forces aérodynamiques en autorotation. Un moteur à hélice, similaire à celui d'un aéronef, assure la poussée de l'engin. Bref, en l'air vous avez l'impression d'être sur une moto volante, du pur bonheur qui vous permet d'apprécier la côte pacifique comme personne ! Vous êtes encadré par des pros, le responsable du centre est formateur certifié et importateur d'engins volants identifiés !

CARRILLO

Plus préservée que Playa Samara, Playa Carrillo est époustoufflante. Une longue étendue de sable blanc et un superbe champ de cocotiers caractérise cette plage. C'est vraiment la plage de carte postale où vous aurez bien du mal à cesser de prendre des photos. Le village de Carrillo installé en hauteur fait bien pâle figure à côté ; vous n'aurez rien à y faire.

ESPERANZA B & B
Playa Carillo, Samara ✆ +506 2656 0564
www.hotelesperanza.com
Chambres avec ventilateur. De 79,50 à 120 US$ la chambre double, 90,50 US$ la triple, de 109,50 à 150 US$ la quadruple. Petit déjeuner inclus. Wi-fi gratuit. Restaurant avec une cuisine internationale. Piscine.
7 chambres propres et confortables dont une adaptée aux personnes handicapées. Une bonne adresse et tout un tas d'activités.

Histoire des Indiens chorotegas

Avant l'arrivée de Christophe Colomb (1502), plusieurs ethnies d'indigènes peuplaient le Costa Rica ; la péninsule de Nicoya était, elle, habitée par les Indiens chorotegas. En 1522, on estime leur nombre à 13 200 dont 12 000 dans la péninsule elle-même et 1 200 dans les îles du golfe de Nicoya. En 1801, un recensement fait état de 709 Indiens chorotegas et de 4 619 mulâtres. Que s'est-il passé entre 1522 et 1801 pour que cette population décroisse ainsi ? Avec l'arrivée des Espagnols, certains Indiens se soulevèrent, d'autres devinrent rapidement esclaves sur leur propre terre sous le régime de l'encomienda, d'autres finirent marqués au fer rouge au Panamá. Mais déçus par le peu de richesses découvertes au Costa Rica et attirés par l'or prometteur des pays incas, les Espagnols avaient besoin de main-d'œuvre. Les conquistadores ont alors déplacé les Indiens chorotegas vers le Pérou, car ces derniers étaient mieux adaptés à travailler dans cette région du globe que d'autres, mais surtout cette politique de déplacement des populations leur permettait de mieux contrôler les indigènes. Du coup, le Nicoya se dépeuplait de façon alarmante jusqu'à ce que les Espagnols déplacent au Costa Rica des Noirs d'Afrique à partir de 1525. Chaque Noir se voyait attribuer vingt Indiennes vierges dans le but de procréer et donc de repeupler la péninsule. Comme il n'y avait pas de femmes noires, le métissage a été total entre les Chorotegas et les Noirs. Si bien qu'en 1801 il y avait sur la péninsule de Nicoya, 4 619 mulâtres, aucun Noir de souche et il restait à peine 709 Indiens. Aujourd'hui, les Chorotegas font partie de l'histoire, les autochtones sont les Ticos et les nouveaux conquistadores, les touristes...

HÔTEL CLUB CARILLO
Playa Carillo ✆ +506 2656 0316
Fax : +506 2656 0197
www.carrilloclub.com
info@carrilloclub.com
De 70 à 80 US$ la chambre double, 18 US$ par personne supplémentaire. Taxes non incluses mais petit déjeuner inclus. Wi-fi gratuit.
Cet hôtel récent, de forme circulaire, propose 17 jolies chambres (dont 9 avec une cusinette). Restaurant agréable avec une superbe vue sur Playa Carrillo.

MANZANILLO

Cachée à une extrémité de la péninsule, synonyme de tranquillité et de beautés naturelles, avec ses maisons rustiques et l'amabilité de ses habitants, Manzanillo saura vous plaire. Les récifs protègent la plage des rouleaux et des courants marins, la rendant ainsi propice aux loisirs familiaux et à la baignade.

ATARDECER DORADO
Playa Manzanillo de Ario
✆ +506 8360 9377
Compter 10 US$ le repas.
Cuisine typique et internationale, spécialités de fruits de mer.

LODGE YLANG YLANG
Route de Cóbano à Manzanillo
à 500 m de la plage ✆ +506 8359 2616
www.lodgeylangylang.com
lodgeylang@yahoo.com
5 bungalows de 3 places (possible 4 pers.) et un grand bungalow (4 pers.) avec cuisine équipée. Ils ont tous ventilateur, TV pour DVD, téléphone, minibar, coffre-fort et une grande terrasse avec rocking-chair. 140 US$ (1 pers.), 160 US$ (2 pers.), 20 US$ par personne supplémentaire, taxes et petit déjeuner compris. Piscine, plate-forme de yoga sur un arbre, atelier d'artisanat, boutique, accès Internet, TV et DVDthèque complètent les installations. Il y a même un pont suspendu de 90 m sur la forêt pour observer la nature sans faire de canopy.
Construits sur une colline, les bungalows et la paillote principale sont superbes tout en bois et palmes et magnifiquement décorés avec des bois rejetés par l'océan et travaillés artisanalement sur place. Restaurant le soir, sur commande de très bons plats préparés par les pêcheurs locaux. De nombreuses activités et tours sont organisés (bateau, cheval, excursions...). Olivier, le propriétaire français, a mis toute son expérience de grand voyageur en œuvre pour faire de ce lodge l'un des plus beaux de la péninsule. A recommander vivement.

EL PESCADITO
Bello Horizonte, à 500 m de Playa Manzanillo ✆ +506 2661 8337
Compter 20 US$ le repas.
On y sert des spécialités de fruits de mer et de la cuisine typique.

SANTA TERESA

En repassant par Cóbano, puis en tournant sur la gauche à la première piste, on arrive à Santa Teresa (12 km) ou plutôt au niveau de l'embranchement de Playa Carmen qu'on n'appelle plus que « La Cruce ». Santa Teresa est à droite le long du chemin qui remonte vers le nord (Manzanillo de Arío). C'est l'un des paradis des surfeurs et des amoureux des côtes sauvages où la vie coule doucement.

Transports

Bus. De San José (Terminal Coca Cola, c16, a1/3 ✆ 2642 0219), des bus partent tous les jours à 7h et 15h30 pour Mal País et poursuivent ensuite jusqu'à Santa Teresa (compter 10 minutes de plus). Retour à 7h et 15h30 de Mal País. Durée : 5 heures 15. De Cóbano, les bus partent pour Mal País à 10h30 et 14h30. Retour à 7h et 12h. Durée : 15 minutes.

Voiture. De Cóbano pour aller jusqu'à Santa Teresa, il faut suivre la direction de Montezuma. La route est un chemin de terre en état correct. Pour aller de Santa Teresa à Montezuma par la côte est, c'est plus compliqué : le chemin de terre est en mauvais état et, pendant la saison des pluies, même les 4x4 ont du mal à passer parfois... Renseignez-vous donc auprès des locaux avant de prendre la route.

Se loger

Les hôtels, hostals et B&B poussent ici comme des champignons. De nombreux Italiens s'y sont installés, mais ils ne sont pas les seuls puisque l'on trouve aussi nombre d'Allemands ou d'Américains tenant une structure hôtelière, souvent de qualité, mais pour laquelle il faudra mettre le prix. Les petits budgets pourront essayer les chambres en dortoir de certains hôtels « backpackers » comme le Tranquillo, à l'entrée de Santa Teresa, juste après le supermarché, à environ 500 m de l'arrêt de bus La Cruce.

CASA ZEN

Santa Teresa ✆ +506 2640 0523

Entre Santa Teresa et Manzanillo (au niveau de Playa Carmen). Compter 12 US$ par personne en chambre double ou entre 20 et 25 US$ par pers. Selon le confort désiré.

Elles sont toutes décorées différemment avec goût et tissus ethniques colorés. Pourvues d'une petite terrasse et de hamacs, c'est un nid d'amour parfait et, à ce prix là, pas besoin d'être une princesse pour en bénéficier ! Dans les parties communes, deux espaces, pour déjeuner ou dîner, une mezzanine pour lire et se relaxer, terrasse avec spa et hamacs. Le soir, le restaurant sert une cuisine thaïe réputée pour sa qualité.

MILAREPA

Santa Teresa, 4 km à droite de la route de Cóbano ✆ +506 2640 0023
Fax : +506 2640 0168
www.milarepahotel.com
milarepahotel@mac.com

Les bungalows côté jardin 194 US$, avec vue océan 206 US$, en bord de plage 224 US$; taxes non incluses.

Les bungalows sont arrangés avec goût dans un style indonésien fort à la mode depuis quelques années au Costa Rica. C'est vraiment un bel endroit où l'on vous propose, en plus du yoga, des balades à cheval ou des sorties de pêche. Le haut de gamme de Malpaís-Santa Teresa.

RANCHOS ITAUNA

Santa Teresa ✆ +506 2640 0095
Fax : +506 2640 0095
www.ranchos-itauna.com

De 70 à 90 US$ les 2 cabinas avec cuisine et de 60 à 80 US$ les 2 cabinas sans cuisine. Wi-fi gratuit. Parking.

Six cabinas dont deux équipées pour faire votre propre cuisine, situées sur la superbe plage de Santa Teresa. Chaises longues sur leur plage « presque privée », beau bar où prendre l'apéritif. Accueil convivial.

Se restaurer

DULCES SABORES

Santa Teresa ✆ +506 2640 0165

Ouvert de 10h à 22h. Location de vélos à Malpaís et à Santa Teresa. Glaces de 700 à 1 700 colones. 10 US$ la journée en saison haute et 7 US$ en saison basse.

Possibilité de vous rafraîchir en mangeant une glace.

FRANK'S PLACE

Cruce Malpais/ Sta. Teresa
Cobano de Puntarenas ✆ +506 2640 0071
www.azucar-restaurant.com
info@azucar-restaurant.com
A 150 m de la Playa Carmen

Ouvert tous les jours de 8h à 21h30.

Le restaurant de l'hôtel Frank's Place offre un cadre tranquille, loin des bruits et des poussières de la rue, sous un rancho typique de bambous. Au menu du déjeuner : un choix de salades, sandwichs et casados. La carte du dîner est plus sophistiqué, avec sa sélection de poisson frais, de viande d'exportation servie avec des sauces faites maison, à base de curry, de lait de coco, de vin ou d'avocat.

RANCHOS ITAUNA

Santa Teresa ✆ +506 2640 0095
Fax : +506 2640 0095
www.ranchos-itauna.com

Restaurant brésilien. Barbecue le jeudi.

À voir – À faire

COURS D'ESPAGNOL

✆ +506 2640 0227 – +506 8897 1982

25 US$ l'heure de cours. Forfaits possibles pour plusieurs heures.

Veronica donne des cours d'espagnol aux touristes depuis plusieurs années.

Sports – Détente – Loisirs

Allez au village de pêcheurs, au bout de la route qui longe la mer. Demandez Bernardino, si possible vers 7h ou à son retour vers midi. Trois heures de pêche en bateau coûtent environ 50 US$ par personne.

ADRENALINA SURF & KITESURF SCHOOL
Santa Teresa, face à l'hôtel Tropico Latino
✆ +506 8324 8671
www.adrenalinasurfcamp.com
adrenalina-surfcamp@hotmail.com
laurent_trinci@hotmail.com
L'adresse francophone idéale pour apprendre et se perfectionner sur l'eau que ce soit en surf ou en kitesurf. Avec son grand cœur et un œil d'expert, Laurent Aka « Lolo », le Biterrois-Marseillais, saura trouver les mots justes pour vous faire progresser. Après avoir préparé Guillaume Canet et passé quelques heures en compagnie de Leonardo di Caprio et de la top model brésilienne Gisèle Bundchen (qui a acheté pas très loin une maison), Laurent vous déroule le tapis rouge avec sa bonne humeur éternelle. Son nouveau shop propose location de planches, vente de matériel en tout genre et de collections de vêtements pour femmes, hommes et enfants dont certains sont dessinés par sa compagne, également surfeuse dans l'âme et prof. Une bonne adresse.

MAL PAÍS

Tout au bout de la pointe sud-ouest de Nicoya, le village de Mal País est dans le prolongement de celui, plus grand, de Santa Teresa. Tous deux s'étalent sur environ 4 km sur la côte et cela peut créer une certaine confusion entre les deux quand on arrive pour la première fois. Mal País est très fréquenté par les surfeurs qui viennent pour les bonnes vagues de sa plage. Mais contrairement à Nosara, ici les surfeurs à petit budget trouveront facilement hébergement et logement à des prix raisonnables. Et pour ceux qui ne sont pas branchés surf, passer quelques jours dans cette bourgade paisible, non loin de sa plage sublime, est un vrai bonheur aussi.

Transports

- **Bus.** De San José (Terminal Coca Cola, c16, a1/3 ✆ 2642 0219), des bus partent tous les jours à 7h et 15h30. Ils poursuivent ensuite jusqu'à Santa Teresa. Retour à 7h et 15h30. Durée : 5 heures 15. De Cóbano, les bus partent à 10h30 et 14h30. Retour à 7h et 12h. Durée : 15 minutes.
- **Voiture.** De Cóbano pour aller jusqu'à Mal País, il faut suivre la direction de Montezuma. La route est un chemin de terre en état correct. Pour aller de Mal País à Montezuma par la côte est, c'est plus compliqué : le chemin de terre est en mauvais état et, pendant la saison des pluies, même les 4x4 ont du mal à passer parfois... Renseignez-vous donc auprès des locaux avant de prendre la route.

Se loger

Locations

HACIENDA OKHRA
Mal País. Sur les collines de Las Delicias
✆ +506 8822 2914 – +506 8321 0672
www.haciendaokhra.com
costamar@racsa.co.cr

Prendre à gauche au niveau de la station-service avant de descendre sur Mal País.
A quelques minutes de Santa Teresa sur une colline à couper le souffle, bienvenu au paradis chez Georges et Stéphanie, au Southfork du Costa Rica ! Compter pour la semaine de location à partir de 1 550 $ jusqu'à 2 150 US$ selon la saison et le type de villa.
Après avoir tenu des bars très en vogue à New York, Georges le plus Costaricien des Français vous reçoit avec sa charmante épouse et leurs enfants dans les luxueuses villas qui dominent l'océan Pacifique. Très spacieuses et minimales, elles sont réparties dans une propriété de plus de 40 hectares, un cachet incroyable à la limite de l'improbable. L'impression surréaliste de l'endroit a sans doute enchanté l'auteur compositeur Francis Lalanne qui venait d'y passer une semaine en famille lors de notre passage ; il a certainement apprécié l'intimité, le confort et les équipements dont dispose chaque villa. Un trésor bien gardé à découvrir sans modération. Les amoureux de la côte pacifique peuvent même s'y installer puisque des parcelles sont à vendre, équipées de l'eau et électricité, au minimum 5 000 mètres à l'achat ; Georges s'occupe de tout pour vous. Une équipe très pro et sérieuse.

Bien et pas cher

HÔTEL MELI MELO

À 500 m au nord du terrain de foot
Santa Teresa ✆ +506 2640 0575
www.hotelmelimelo.com
info@hotelmelimelo.com
info@melimelo.com
Tarifs selon la saison : chambre double de 45 à 55 US$. Petit déjeuner inclus. Une cuisine commune. Location de planches de surf, de vélos et de matériel de snorkeling.
Cet établissement est tenu par un adorable couple de Français, Mélanie et Frédéric, installé là depuis huit ans. Les chambres sont propres et confortables. L'accueil est convivial ; Mélanie connaît le coin par cœur et elle vous donnera plein de très bons conseils. Excellent rapport qualité-prix.

SURF CAMP

Malpaís, à 300 m du supermarché vers le sud ✆ +506 2640 0031
Fax : +506 2640 0061
www.malpaissurfcamp.com
surfcamp@racsa.co.cr
Un camp avec un peu de tout : des chambres avec salle de bains partagée, un rancho, des villas et même du camping. Tarifs selon la saison : de 10 à 15 US$/pers. (en dortoir dans le rancho) et de 25 à 35 US$/la double (cabine privée). Wi-fi gratuit.
Le spécialiste du surf offre la possibilité soit de faire du camping amélioré, soit de louer des chambres pour 4 à 6 personnes, très confortables, avec une grande piscine, un billard et le tout dans une ambiance branchée surf.

TRANQUILO BACKPACKERS

Santa Teresa ✆ +506 2640 0589
www.tranquilobackpackers.com
tranquilobackpackers2@gmail.com
Compter 12 US$ en dortoir. Chambre double avec salle de bains commune à 30 US$, double avec salle de bains privée à 35 US$; de 12 à 14 US$ par personne supplémentaire. Pas de climatisation mais de bons ventilateurs. Wi-fi gratuit et 2 ordinateurs connectés à Internet en libre accès. Une grande bâtisse abritant de nombreuses chambres. Toute la structure est en bois, la cuisine est parfaitement bien équipée, deux frigos sont à disposition, des hamacs sont suspendus sur les balcons respectifs, et le top du top : une table de ping-pong est à disposition et permet de rencontrer ses adversaires de manière ludique !

Confort ou charme

BLUE JAY LODGE

Mal País ✆ +506 2640 0089
www.bluejaylodgecostarica.com
bluejay1@racsa.co.cr
info@bluejaylodgecostarica.com
À 800 m du croisement
Mal País-Santa Teresa
Comptez de 55 à 85 US$ hors taxes pour deux, de 70 à 105 US$ pour 3 et de 85 à 125 US$ pour 4, petit déjeuner compris selon la saison. Les enfants de moins de 5 ans ne paient pas. Situé au centre de Mal País à environ 150 m de la plage et à proximité immédiate du parc de Cabo Blanco, le lodge offre une architecture naturelle en harmonie avec la nature et une hospitalité sans faux pli. Les 7 bungalows privés sont enclavés dans l'écrin de la montagne et de la forêt. Des arbres vénérables accueillent singes, iguanes, pizotes et oiseaux… Ici la nature s'invite jusque dans votre bungalow dont la chambre s'habille de blanc (salle de bains privée, eau chaude, ventilateur et hamacs). Si vous souhaitez encore plus d'intimité, demandez un des bungalows situés sur les hauteurs de la colline d'où vous bénéficierez d'une belle vue sur l'océan en paressant dans un hamac.

Le restaurant s'abrite sous un grand toit de bois et de bambou et sert une cuisine conviviale. La petite piscine permet de paresser aux heures chaudes. A signaler un service de laverie bien pratique et une propriétaire adorable qui parle parfaitement le français.

GRISS

Santa Teresa, en direction de Manzanillo, sur la droite ✆ +506 2640 0804
www.costaricagriss.com
info@costaricagriss.com
Comptez selon le nombre de personnes entre 75 et 100 US$ la nuit pour une maison de bois, certaines peuvent accueillir jusqu'à 6 pers.
Elles sont magnifiquement agencées, on dirait presque une cabane, mais avec tout le confort nécessaire. Terrasse avec hamacs, beau jardin, à deux pas et demi de la plage. L'accueil est latin, puisque des Italiens se sont pris d'amour pour le lieu et en ont fait ce qu'il est devenu. Une très belle option non loin du centre et de son animation !

HÔTEL TROPICO LATINO

Playa Santa Teresa ✆ +506 2640 0062
Fax : +506 2640 0117
www.hoteltropicolatino.com
troplat@racsa.co.cr
10 bungalows, chambres et suites en front de mer. 115 US$ (chambre, 2 pers.) + 13 US$ par personne supplémentaire, 103 US$ (bungalow jardin, 2 pers.) + 13 US$/pers. supp., 154 US$ (bungalow mer, 2 pers.) + 13 US$/pers. supp. et 167 US$ (suite, 2 pers.) + 16 US$/pers. supp. Piscine, Jacuzzi.
Chambres spacieuses et très agréables.

HÔTEL VILLA FLEUR DE LOTUS

Playa Hermosa,
300 m après l'école privée
Hermosa Valley, prendre à gauche
Piste qui mène à Manzanillo par la plage
✆ +506 2640 1071
www.villafleurdelotus.com
villafleurdelotus@gmail.com
Possibilité de louer la villa entièrement (12 pers.) avec les cinq chambres ou par unité. En fonction de la saison, compter 60 ou 95 US$ par nuit et 400 ou 600 US$ la semaine. 280 ou 395 US$ les 5 chambres par nuit ou 1 680 et 2 370... voire plus la semaine, avec les taxes (25 US$ pour une troisième personne). Petit déjeuner 8 US$. Pour les petits budgets, possibilité de louer également un petit chalet en bois très bien équipé un peu plus bas, 50 ou 80 US$ par jour. Wi-fi gratuit. Table d'hôte sur commande avec un chef ou livraison.

Luis et Christine sont français, ils ont fait d'un rêve une réalité et vous font partager leur bonheur. Alors venez profiter de cette belle villa très confortable récemment construite dans un cadre naturel. L'athmosphère invite à la détente, le grand salon s'ouvre sur une terrasse où quelques hamacs vous tendent leurs filets, un jardin, une petite piscine avec transats et la plage en guise de téléviseur. Autour trois chambres type suite avec salle de bains privée, aménagées avec beaucoup de goût. C'est en véritable autodidacte que Luis (ancien bijoutier de la place Vendôme et pilote d'essai) a construit de ces mains cet ensemble minimaliste mêlant intelligemment le moderne et les matériaux tropicaux. Ne ratez pas le coucher de soleil sur Playa Hermosa... vous y êtes. Des hamacs vous attendent sur les terrasses ombragées et les transats autour de la piscine. Un barbecue est à votre disposition ainsi que la cuisine toute équipée. Un petit déjeûner copieux vous est servi chaque jour si vous le souhaitez. Si vous venez en vacances en famille ou entre amis, louez toutes les suites et l'hôtel est à vous !

THE PLACE
Mal País, sur la gauche,
à 200 m de la célèbre plage de surf
Playa Carmen et du centre
✆ +506 2640 0001
Fax : +506 2640 0234
www.theplacemalpais.com
info@theplacemalpais.com
Etabli depuis de nombreuses années, The Place vous propose 5 bungalows thématiques (africain, mexicain, nid d'amour, etc.) de 2 à 4 pers. de 80 à 120 US$ + taxes selon la saison. Wi-fi à disposition, service de blanchisserie et parking. Si vous êtes en groupe, la villa est une bonne option avec ses deux chambres (2, 3 personnes), deux salles de bains, sa cuisine équipée et son salon. Compter alors de 198 à 289 US$. Les plus petits budgets peuvent opter pour les 2 chambres standard de 2 à 4 personnes situées dans le bâtiment principal, de 60 à 90 US$. Toutes les chambres disposent de coffre-fort, air conditionné, ventilateurs et eau chaude.
Les bungalows et la piscine sont bien intégrés dans un jardin luxuriant, une adresse où il fait bon vivre, une déco chic, minimale, dans une ambiance tropicale. Une fois par semaine, un film récent est projeté au-dessus de la piscine en début de soirée. La propriétaire suisse et son équipe vous accueillent chaleureusement en français.

Se restaurer

SURF CAMP
Malpaís, à 300 m du supermarché vers le sud ✆ +506 2640 0031
Fax : +506 2640 0061
www.malpaissurfcamp.com
surfcamp@racsa.co.cr
Ouvert de 7h à 22h. Compter 10 US$ le repas.
Bonne adresse.

Sports – Détente – Loisirs

HORSE TOURS MAL PAÍS
✆ +506 2640 0007 – +506 2640 0209
Sur la plage ou dans les collines, mais à ne pas pratiquer en maillot de bain.

PACIFIC DIVERS
Santa Teresa
✆ +506 2640 0187
Cours de plongée (PADI) et tours en bateau.

MONTEZUMA

Montezuma est souvent appelé par les locaux « Montefuma » en raison du côté baba cool de ses voyageurs qui fument beaucoup (pas la cigarette). Attendez-vous donc à une mini-ambiance à la Woodstock, surtout dans les auberges de jeunesse. Montezuma pâtit aussi de sa popularité parmi les campeurs et randonneurs, pourtant la beauté de sa petite plage presque intimiste, de ses anses rocheuses et de ses chutes d'eau place le village de pêcheurs dans le peloton de tête du classement des petits paradis costaricains. Il faut compter une bonne heure de voiture, après la traversée en ferry, pour se rendre à Montezuma. Le voyage constitue à lui seul un périple pour nos randonneurs enthousiastes, qui ne devraient cependant pas perdre de vue que les paradis ne sont pas tous éternels et qu'ils peuvent disparaître sous les immondices. Ils l'ont quelquefois tellement oublié que les Montezumeños ont créé un fonds de protection écologique afin de discipliner tout un chacun.

Transports

Bus. De San José (Terminal Coca Cola, c16, a1/3 ✆ 2221 7479), départ de bus tous les jours à 6h et 14h. Retours à 6h et 14h30. Durée : 5 heures. De Paquera (✆ 2642 0219), les bus partent pour Montezuma de 6h à 19h, toutes les 2 heures, tous les jours. Retours à 3h45, 6h, 10h, 12h, 14h, 16h. Durée : 2 heures.

Voiture. Pendant la saison des pluies la route de terre qui relie Cóbano à Montezuma n'est souvent pas praticable. Renseignez-vous avant de prendre la route. En dehors de la saison des pluies, vous ne devriez pas rencontrer de problèmes. Côté parking dans le centre-ville de Montezuma, attendez-vous à rencontrer des difficultés car les places sont rares ; mieux vaut laisser votre voiture garée au parking de l'hôtel et parcourir le centre à pied.

Bateau. Des bateaux-taxis relient Jacó à Montezuma. Il faut compter 45 US$ l'aller-simple. Si vous n'avez pas de voiture, c'est très intéressant car ça vous évite de perdre beaucoup de temps dans les trajets en bus. La plupart des agences de Montezuma effectuent ce trajet. On vous recommande Zuma Tours qui organise également de nombreuses excursions à Montezuma et aux alentours. Vous pouvez aussi arriver de Puntarenas par le ferry Naviera Tambor qui vous débarque à Paquera, à 2 heures de Montezuma en bus.

Se loger

A Montezuma, vous n'aurez aucun mal à trouver un hôtel car vous verrez qu'il y en a presque à chaque coin de rue dans le centre. Les voyageurs de tous les budgets, même les plus fauchés, devraient trouver une chambre à un tarif qui leur convient. Pendant la saison sèche, il est conseillé de réserver quel que soit le type d'hôtel car le village est pris d'assaut.

Bien et pas cher

CABINAS EL TUCAN
Montezuma ✆ +506 2642 0284
Confort sommaire et salle de bains commune, en plein centre. Compter en haute saison : 20 US$ pour 2 avec salle de bains commune, 30 US$ pour 2 avec salle de bains privée.
17 chambres grandes et claires. Si vous arrivez en bus, il vous dépose devant, pas étonnant donc que ces cabinas soit régulièrement complètes en fin de semaine !

LA CASCADA
Sur la route de Cabuya, près du pont
✆ +506 2642 0056
Tarifs selon la saison : de 35 à 45 US$ la chambre double avec ventilateur et de 50 à 60 US$ la double climatisée. Maximum 5 personnes par chambre : compter 15 US$ par personne supplémentaire en basse saison et 25 US$ en haute saison. Wi-fi gratuit. L'un des hôtels les plus récents des environs. Tout y est très propre, les chambres donnent sur la mer, et des hamacs sont posés sur la terrasse. L'hôtel propose des cours d'espagnol.

HOSTAL EL PARQUE
Sur la plage, en direction de Cabuya
✆ +506 8882 8790
Sur la plage, c'est l'un des rares hôtels à proposer des places en dortoir (9 US$). En chambre, compter 10 US$ par personne. Petit déjeuner non inclus. Possibilité de louer des quads à partir de 75 US$ la journée, et service de laverie.
En raison de la loi qui protège le littoral, cet hôtel, installé sur la plage, risque de disparaître mais en attendant c'est un très bon plan pour les voyageurs à sac à dos. Les chambres sont propres et plutôt confortables. Les hamacs sur la plage sont particulièrement agréables. Bonne ambiance entre voyageurs du monde entier.

HÔTEL LYS
Sur la plage, en direction de Cabuya
✆ +506 2642 1404
Tarifs selon la saison : chambres doubles avec salle de bains partagée de 6 000 à 8 000 colones, de 15 000 à 20 000 colones avec salle de bains privée. Billard, babyfoot. Wi-fi gratuit.
Une plage, quelques hamacs, une bonne ambiance musicale et un accueil très convivial. Les pieds dans l'eau quasiment... et cela ne s'arrête pas là, possibilité de dîner, tous les soirs à 19h, le seul plat du jour qui change en fonction de ce que ramènent les pêcheurs ! Un charme fou dont il faudrait profiter avant démolition car, comme pour tous les établissements se situant sur la plage, il tombe sous le coup de l'arrêté concernant la protection du littoral... Il faut donc profiter de ces établissements qui sont les pieds dans l'eau avant leur ordre de destruction.

HÔTEL MOCTEZUMA
En plein centre, à côté du Chico's Bar
✆ +506 2642 0058
Fax : +506 2642 0058
www.hotelmoctezuma.com
rodelsa@racsa.co.cr
Compter de 15 à 60 US$ par pers. pour une chambre climatisée, selon la saison et le confort de la chambre. Réception au premier étage. Wi-fi gratuit, parking.
A moins de 50 m de la plage, cet hôtel (l'un des plus anciens du village) propose 16 chambres simples mais propres, les meilleures se trouvent dans l'annexe de l'autre côté de la rue. Certaines sont climatisées ou équipées

de frigo et d'une cuisinette : ce sont les plus chères. Toutes les chambres climatisées disposent également de la TV câblée.

EL PARGO FELIZ
Près de la plage ✆ +506 2642 0065
Compter entre 30 et 40 US$ la chambre pour deux.
Bonne adresse où de spacieuses chambres donnent directement sur la mer. Quelques hamacs sont étendus sur la terrasse donnant sur un jardin verdoyant bien entretenu. Bon accueil. Cet hôtel, comme quelques autres risquent d'être démolis puisque la loi sur la protection du littoral prévoit que les constructions doivent se tenir à plus de 50 m de la plage. Ne soyez donc pas surpris si, d'ici quelques temps, la plage est « déserte » d'hôtels !

Confort ou charme

AMOR DE MAR
Sur la route de Cabuya, juste après le pont
✆ +506 2642 0262
Fax : +506 2642 0262
www.amordemar.com
info@amordemar.com
11 chambres et 2 maisons (l'une pour 4 pers., l'autre pour 7 pers. au maximum). Pour les chambres : de 40 à 50 US$ (2 pers., salle de bains partagée) à 90 US$ (4 pers., salle de bains privée), taxes non incluses. Pour les 2 maisons : 175 US$ (2 pers.), 15 US$ par personne supplémentaire. Wi-fi gratuit.
Ce bel hôtel tout en bois, en bord de mer, séduit par la tranquillité de ses chambres, ses hamacs sur la grande pelouse qui descend vers l'océan et ses bassins privés naturels sur la plage.

LOS MANGOS
Sud de Montezuma, route de Cabuya
✆ +506 2642 0076
Fax : +506 2642 0259
www.hotellosmangos.com
homangos@racsa.co.cr
Comptez de 60 à 90 US$ pour 1 à 3 personnes dans l'un des 9 bungalows équipés de ventilateur, frigo, salles de bains privée avec eau chaude. 6 chambres (de 1 à 4 pers.) de 50 à 60 US$. 4 chambres (de 1 à 2 pers.) avec salle de bains partagée de 25 à 35 US$. Piscine, Jacuzzi, yoga et massages. Pas de restaurant.
Belles chambres et bungalows au toit de chaume dans un parc devant l'océan (plage à 300 m).

Luxe

YLANG YLANG BEACH RESORT
Playa de Montezuma ✆ + (506) 26420632
www.ylangylangbeachresort.com
reservations@ylangylangresort.com
Chambres et suites jusqu'à 6 personnes. A partir de 140$ pour 2 en basse saison et à partir de 300$ en haute saison. Réductions pour les enfants. Petit déjeuner et dîner à la carte inclus.
Véritable petit paradis, voici l'adresse par excellence pour venir célébrer une lune de miel : plages, cocotiers, bungalows magnifiques au milieu de jardins luxuriants. Bon restaurant.

Se restaurer

CHICO'S BAR
Centre de Montezuma, en bordure de mer
Ouvert tous les jours de 10h à minuit et parfois jusqu'à 3h du matin (si la fête bat son plein). Plats de 2 500 à 6 000 colones. Soirées DJ tous les soirs à partir de 19h : musique reggae ou latine. Impossible de rater cet endroit qui semble attirer spécialement les touristes égarés en mal d'informations. Les plats, peu onéreux, sont bons. Idéal pour une bière en fin de journée, ou lors d'un match de foot, assidûment suivi ici et retransmis sur écran.

EL SANO BANANO
Rue principale ✆ +506 2642 0638
*Ouvert à partir de 7h. Bar-restaurant de l'hôtel. Compter en moyenne 6 000 colones pour un repas.*Cuisine à base de produits bio et contrôlés. Projection de films le soir à l'heure du dîner, et idéal aussi pour le petit déjeuner, copieux et savoureux.

MOCTEZUMA
Centre-ville ✆ +506 2642 1522
Ouvert tous les jours de 7h à 23h. Compter de 3 000 à 4 000 colones le plat. Attention : ce restaurant n'a rien à voir avec l'hôtel du même nom à proximité.
Sur une terrasse avec quelques tables donnant sur la brise et l'océan, le choix est large et la qualité toujours égale. Parmi les spécialités espagnoles, la paella. Mais on ne pourra être déçu par un filet de poisson grillé en sauce à l'orange ou à l'ail, accompagné de purée, de petits légumes et de riz (3 990 colones). Belle carte aussi pour le petit déjeuner, nombreuses crêpes à partir de 1 290 colones, toasts, omelettes... Du choix et une belle vue, idéal donc pour débuter une journée de balade.

PIZZERIA ANGULO ALLEGRO
Au début de la rue principale
✆ +506 2642 1430
Ouvert tous les jours de 12h à 22h. Pizzas de 3 500 à 6 500 colones, grandes salades de 3 500 à 4 500 colones, pâtes de 4 300 à 4 500 colones.
Café italien et pizzas de bonne facture dans une grande salle à la décoration chaleureuse.

À voir – À faire

Outre les petites plages de Montezuma, vous pouvez batifoler dans l'eau douce d'un bassin naturel alimenté par de superbes cascades, à 20 minutes à pied au sud du village. Une falaise vous permettra également de plonger. Pour vous y rendre, il faut dépasser l'hôtel La Cascada et suivre pendant 500 m la rivière en amont du pont qui l'enjambe. Attention, la balade n'est pas de tout repos et des panneaux rappellent régulièrement les dangers...

LA ESCUELA DEL SOL (COURS D'ESPAGNOL)
A 300 m au sud du centre-ville, près du pont ✆ +506 8884 8444
www.laescueladelsol.com
info@escueladelsol.com
Les contacter directement pour avoir les tarifs.
Plusieurs formules proposées : des cours d'espagnol seuls ou combinés avec des cours de yoga, de surf, de plongée sous-marine sur des séjours d'une semaine au minimum, avec ou sans hébergement.

PLAYA BALISTAS
Suivre le sentier Sueco en contournant la pointe de Cabo Blanco (impossible à faire à marée haute, renseignez-vous auprès des gardiens de la réserve pour connaître les heures de marée ou à Montezuma). Comptez deux bonnes heures de marche à l'aller pour cette véritable randonnée ; n'oubliez pas votre ravitaillement en eau potable et de quoi vous restaurer. En route, les singes hurleurs vous attaqueront de façon surprenante, mais le spectacle des colonies de pélicans sur le sable rose vous fera sourire de ces « averses »...

PLAYA GRANDE
En partant de Montezuma, compter 30 minutes de marche vers le nord pour trouver cette plage aux eaux calmes et peu profondes, protégée des puissants courants qui longent la côte. Méfiez-vous des singes qui, si vous n'y prenez garde, déroberont vos affaires.

RÉSERVE NATURELLE ABSOLUE DE CABO BLANCO
✆ +506 2642 093
Précipitations annuelles : 2 300 mm. Température moyenne : 27 °C. Au départ de Montezuma, il faut suivre jusqu'au bout la route qui passe par Cabuya ; il vaut mieux disposer d'un 4x4. Du débarcadère de Paquera, compter 3 heures de piste correcte. De 8h à 16h. Fermée le lundi et le mardi. Informations et transports dans les agences de Montezuma. Le poste de garde vous délivrera un permis de visite.
A la fin des années 1960, la réserve de Cabo Blanco fut la première du programme de développement des parcs nationaux du Costa Rica. Un biologiste danois, sensibilisé au problème de déforestation, encouragea la création de cette réserve « absolue » dont la plus grande partie n'est accessible qu'aux scientifiques. Il est donc impossible d'y camper. Le nom de cette pointe de la péninsule provient du dépôt blanchâtre du guano sur les rochers de la minuscule île au large de la réserve. En effet, de nombreux oiseaux fréquentent les parages. Compter cinq heures pour la visite.

Sports – Détente – Loisirs

A Montezuma, vous pourrez louer des vélos, des chevaux, des kayaks ou du matériel de plongée très facilement dans le centre-ville ; il suffit d'être attentif aux enseignes à l'entrée des nombreuses agences. A partir de Montezuma, on vous recommande vraiment de partir en circuit organisé à Isla Tortuga pour découvrir cette île superbe et sa très belle plage. Les amateurs de plongée doivent aussi absolument s'y rendre car les fonds marins sont sublimes.

MONTEZUMA EXPEDITIONS
✆ +506 2642 0919
www.montezumaexpeditions.com
info@montezumaexpeditions.com
De 60 à 100 US$ la sortie à la journée.
Nombreuses activités : excursions vers Isla Tortuga, sorties équitation, canopy tours...

ZUMA TOURS
✆ +506 2642 0024 – +506 2642 0516
Fax : +506 2642 0050
www.zumatours.net
frontdesk@zumatours.net
55 US$ la sortie plongée (masque-tuba) à la journée à Isla Tortuga et demi-tarif pour les enfants. Pour la sortie plongée sous-marine, compter 110 US$ par personne.

Loisirs

La pêche est pratiquée également tout le long de la côte. Les Costaricains se sont adaptés et embarquent facilement les étrangers pour un tour de pêche d'une demi-journée (demandez à l'accueil de votre hôtel ou, mieux, directement aux pêcheurs pour préparer votre sortie.) Tous les établissements hôteliers proposent différents tours ; cependant, c'est toujours plus cher par leur intermédiaire. Vous pouvez rencontrer des pêcheurs très facilement à Montezuma en bord de mer ; si vous ne les trouvez pas, demandez à la réception de votre hôtel.

Visites guidées

- **Itinéraire.** Vous pouvez essayer de suivre une partie de la côte avec un 4x4 bien sûr. En partant de Tambor, passez par Montezuma et continuez jusqu'à Cabuya. Si vous êtes au mois de janvier, février ou mars, vous pouvez, à Cabuya, prendre à droite pour rejoindre Mal País (demandez si le chemin est ouvert), puis longez la côte pacifique jusqu'à Manzanillo et revenez par Cóbano. C'est une superbe balade à travers collines, ríos et plage de Manzanillo. Il faut compter une bonne journée en prenant votre temps.
- **Autre choix :** l'intérieur de la péninsule, toujours pour ceux qui aiment la piste. 1 km avant Cóbano, prenez à droite en direction de Pavón, puis de Guadalupe et de Jicaral au nord. Retour par la côte du golfe de Nicoya en passant par Naranjo et Paquera. La plus belle partie étant celle qui précède l'arrivée à Jicaral. Les chemins passent par les crêtes ou les vallées. Des paysages superbes s'étalent sans aucun touriste.

TAMBOR

Playa Tambor borde, avec Playa Pochote, la baie de Bahía Ballena, la plus grande baie de la péninsule. Playa Tambor, une superbe plage de sable gris, est le lieu idéal pour se reposer quelques jours en se ressourçant près de l'océan. La zone a en effet été préservée du développement touristique extrême avec des hôtels disséminés de ci-de là et seuls quelques villages de pêcheurs se trouvent aux environs. La marina de Bahía Ballena permet aux plaisanciers de refaire le plein d'eau douce et de carburant, en mettant à leur disposition une trentaine d'emplacements où mouiller, sans avoir à se rendre à Puntarenas.

Transports

- **Avion.** Les compagnies Nature Air et Sansa desservent l'aéroport de Tambor situé à l'entrée de l'hôtel Barceló Playa Tambor. L'aller-simple depuis San José revient à 80 US$ en moyenne avec les deux compagnies.
- **Bus.** Les bus qui vont de Paquera à Montezuma s'arrêtent à Playa Tambor. Ils partent de Paquera toutes les 2 heures entre 6h et 19h, tous les jours. Il faut compter 45 minutes pour qu'ils arrivent jusqu'à Tambor. De Montezuma, les bus repartent toutes les heures, entre 3h45 et 16h, tous les jours.
- **Voiture.** Il faut compter 30 minutes de route depuis Paquera si vous êtes arrivé par le ferry en provenance de Puntarenas.

Se loger

A Playa Tambor, une plage exceptionnelle, vous trouverez avant tout des logements de standing. Les petits budgets devront aller plus loin ou dans les terres pour trouver un hôtel aux tarifs qui leur conviennent.

Bien et pas cher

CABINAS CRISTINA

Playa Tambor, en face à l'école et à côté du petit supermarché ✆ +506 2683 0028
cabinascristina@ice.co.cr

9 chambres différemment équipées avec salle de bains privée ou commune. Les prix avec salle de bains commune : 15 US$ (2 pers.) ; avec salle de bains privée : 20 US$ (2 pers.) et 23 US$ (jusqu'à 4 pers.). Un bon plan sur Tambor. Petit restaurant local, aux fourneaux les femmes cuisinent comme à la maison. Le restaurant est d'ailleurs fréquenté par les locaux et nationaux de passage. Les prix sont doux et la patronne adorable organise des excursions à Curú, Cabo Blanco (30 à 40 US$/pers., prix pratiqués dans la région). S'il vous plaît, dîtes au fiston d'aller à l'école... il est souvent en retard et cela le fait sourire en plus !

Confort ou charme

COSTA CORAL

Entrée de Playa Tambor ✆ +506 2683 0105
Fax : +506 2683 0016
www.costacoral.com

10 villas avec piscine, Jacuzzi, restaurant et boutique de souvenirs. Prix à partir de 70 US$ (2 pers.) et 100 US$ (4 pers.).

Chambres confortables et bien équipées. Activités de canopy et de promenade à cheval. Assez bon rapport qualité-prix.

Luxe

BARCELO PLAYA TAMBOR

Bahía Ballena, Playa Tambor, nord de Tambor
✆ +506 2683 0333 – +506 2220 1991
Fax : +506 2683 0304
www.barcelo-tambor.com

Grand resort du groupe Barceló de 402 chambres grand confort en formule « tout compris ». Les prix pour la haute saison : 230 US$ par nuit pour 2 personnes, tout compris (logement occupation double, tous les repas et les boissons). Voyez également sur le site Internet, car il y a souvent des promotions. Tennis, boutiques, piscine, théâtre... Deux restaurants, l'un type buffet, l'autre avec une carte.

Les critiques qui s'étaient déchaînées lors de la construction de ce grand complexe – au bord d'une plage de 6 km de long – ne sont plus qu'un vague souvenir, et aujourd'hui les adeptes du « tout compris » trouvent leur bonheur dans cet hôtel-club : on peut y rester enfermé durant une semaine à faire le tour des activités et animations proposées (tennis, piscines, plongée, catamarans, planches à voile, kayaks, équitation, golf, etc.). Mais les environs sont magnifiques et il serait dommage de ne pas en profiter...

LOS DELFINES GOLF & COUNTRY CLUB

Playa Tambor ✆ +506 2683 0333
Fax : +506 2683 0331
www.delfines.com
recepciondelfines@barcelo-tambor.com

Prix en haute saison pour la villa de 2 chambres : 173 US$/jour, 906 US$/semaine et 1 811 US$/mois ; pour la villa 3 chambres : 23 US$/jour, 1 208 US$/semaine et 2 415 US$/mois. Restaurant, bar, supermarché, tennis, golf et boutique de golf. Sécurité 24h/24.

Toujours du groupe Barceló, Los Delfines est la partie villas du golf dont certaines sont achetées, mais 26 d'entre elles se louent. Elles sont tout équipées (climatisation et TV câblée), ont 2 et 3 chambres.

TAMBOR TROPICAL

Sur la plage, au centre de Tambor
✆ +506 2683 0011
Fax : +506 2683 0013
www.tambortropical.com
info@tambortropical.com

Deux catégories de suites : 150 US$ la suite pour 2 personnes et 175 US$ la suite supérieur, petit déjeuner compris, taxes non incluses.

De splendides constructions en bois exotiques servent d'habitations pour les visiteurs (qui doivent avoir plus de 16 ans). Les salles de bains sont superbes. Bel hôtel face à la baie.

TANGOMAR HOTEL BEACH SPA AND GOLF RESORT

4 km au sud de Tambor, en direction de Cobano
✆ +506 2683 0001 – +506 2225 9801
Fax : +506 2683 0003
www.tangomar.com
reservations@tangomar.com

A partir de 185 US$ jusqu'à 210 US$ pour une ou deux personnes en chambre standard vue mer ou suite tropicale. 4 types de villas, au minimum 3 nuits à partir de 420 US$ par jour. Supplément entre Noël et jour de l'an. Gratuit pour les enfants âgés de 5 ans au maximum et 50% de remise aux moins de 12 ans. De 25 à 35 US$ pour un adulte en plus. Petit déjeuner compris (5 options). De nombreuses formules, selon les activités retenues, proposées sur le site dont le très romantique pack « lune de miel » dans une suite style polynésien à 1 176 US$ par couple les 3 jours-4 nuits, avec pour témoins des écureuils, des singes hurleurs et des iguanes et pour mener la messe de splendides lézards Jésus-Christ.

Ce superbe domaine (où fut tournée *L'Ile de la tentation* en 2005) se niche dans une réserve privée de 60 hectares en bordure du Pacifique et offre l'intimité d'un complexe de plage de grand luxe. Il compte 18 chambres avec une vue superbe sur l'océan, 17 suites avec Jacuzzi et 4 villas (jusqu'à 12 personnes) dont la présidentielle au cœur du parcours de golf avec piscine et cascade d'eau privée. Chambres et suites (certaines dans des bungalows de bois) sont très bien équipées (salle de bains, Jacuzzi pour les suites, ventilateur et air conditionné, TV câblée, coffre-fort, sèche-cheveux, machine à café, balcon ou terrasse) et offrent tout le confort imaginable. Les nuits sont délicieusement bercées par le roulis des vagues. Le petit déjeuner et le dîner sont servis dans le restaurant Cristobal, joliment décoré et meublé de bois précieux, qui donne sur la mer, idéal pour passer un moment romantique. Pour le déjeuner et les rafraîchissements sur la plage ou au bord de la piscine, le grill El Pirata sert des boissons, des cocktails, des sandwichs, des salades et des repas légers. Deux piscines noyées de verdure, des jardins piquetés de palmiers, des activités variées (équitation, pêche au gros, tennis et golf – le domaine possède son propre parcours 9-trous parfaitement adapté au jeu court –, un spa très sophistiqué avec des méthodes de pointe et un centre de yoga). Une magnifique salle pour accueillir les mariages et un autre bar, dansant celui là, pour les fins de semaine... Voilà de quoi passer des vacances de Robinson très privilégié.

Se restaurer

BAHÍA BALLENA YACHT-CLUB
Playa Tambor
✆ +506 2683 0213
Un restaurant à découvrir au clair de lune et des concerts étonnants à l'affiche toutes les fins de semaine. Egalement ravitaillement pour bateaux.

Sports – Détente – Loisirs

TANGOMAR HOTEL BEACH SPA AND GOLF RESORT
4 km au sud de Tambor,
en direction de Cobano
✆ +506 2683 0001 – +506 2225 9801
Fax : +506 2683 0003
www.tangomar.com
reservations@tangomar.com
Par 3 et 4. 25 US$ le green fee à la journée. Location de matériel : 15 US$ les clubs et 30 US$ pour la voiturette pendant 4 heures.
Dominant l'océan, 9 trous et 2 000 yards (environ 1 830 m) avec une configuration idéale pour s'entraîner au jeu court. On reste charmé par ce site très exclusif. En couple, pour un moment liant romantisme et détente ou entre amis, c'est un pur bonheur. Landy Blank, le grand spécialiste du golf au Costa Rica, décrit Tangomar comme un 9-trous d'exception sur un terrain parfait pour affiner la partie la plus importante et la plus délaissée de son jeu : le jeu court.

REFUGIO CURÚ

A 7 km au sud de Paquera, sur la route de Cóbano, ce refuge de 84 hectares permet de protéger des milliers de crabes, différentes espèces d'oiseaux comme l'ara rouge, le singe hurleur et le très menacé singe-écureuil. Ce refuge, ouvert au public, appartient à la famille Schutt qui est installée au Costa Rica depuis plusieurs générations. Vous pouvez dormir sur place, si vous le souhaitez, dans l'une des cabinas du refuge pour seulement 15 US$ la nuit (faites la demande par email au préalable pour être sûr d'avoir une place). Les eaux calmes de cette plage sont propices à la plongée avec tuba.

Au cours de balades sur les cinq sentiers de randonnée qui sillonnent les terres, vous pourrez apercevoir des singes (hurleurs, à face blanche et des paresseux), des tortues, des iguanes et certainement un représentant de l'une des 115 espèces d'oiseaux répertoriées en ces lieux. Les plantations de bananes servent à nourrir ces animaux. Les précipitations annuelles sont de 1 900 mm, la température moyenne est de 27 °C.

POSTE DE GARDIENS DU REFUGE
Suivre le panneau,
à droite sur la route goudronnée
de Paquera à Playa Tambor
✆ +506 2641 0100
www.curuwildliferefuge.com
refugiocuru@yahoo.com
Ouvert de 7h à 15h. Entrée : 10 US$ par personne.

L'INTÉRIEUR DES TERRES

Loin des plages et de l'ambiance balnéaire de la côte, vous renouerez avec le Costa Rica rural et traditionnel dans les petites villes de Nicoya et Santa Cruz ou au village de Guaitil. On vous recommande d'aller visiter les superbes grottes du parc national Barra Honda, facilement accessible depuis Nicoya.

NICOYA

Patrie des Indiens chorotegas, cette petite ville du centre de la péninsule doit son nom à l'un des caciques rencontrés par les Espagnols lors de leur arrivée dans la région en 1523. Nicoya est le principal point d'accès au parc national Barra Honda. Son église blanche San Blas, édifiée en 1644, est l'une des plus anciennes du Costa Rica – et l'une des plus jolies.

Transports

Bus. De San José (c14/16, a5), départs de bus tous les jours à 5h30, 7h30, 9h (via Liberia), 10h, 12h, 13h, 15h, 17h, 17h30 (via Liberia) et 18h. Retour à 3h, 4h30, 6h, 7h (via Liberia), 8h, 10h, 12h, 15h (via Liberia), 16h45 et 17h. Durée du trajet San José-Nicoya : 5 heures. Durée du trajet San José-Liberia ou Libéria-Nicoya : 2 heures. Plusieurs départs par jour pour Playa Naranjo, les 72 km se parcourent en 3 heures 15.

Voiture. A 23 km au sud de Santa Cruz par une belle route goudronnée.

Se loger

ALBERGUE ECOTURISMO MONTE ALTO
A 4 km au sud de Hojancha sur la route
de Monte Romo, au sud de Nicoya
✆ +506 2659 9347 – +506 2290 7514
(siège de l'association de tourisme rural
à San José)
www.actuarcostarica.com
5 chambres avec salle de bains et une cabina pour 4 personnes. Compter 60 US$ pour 2 jours et 1 nuit avec tous les repas inclus et une randonnée guidée.
Activités proposées : 5 km de sentiers à travers les forêts primaire et secondaire, jusqu'à un mirador avec vue sur le golfe de Nicoya, jardin d'orchidées, visite des installations agricoles du XIXe siècle.

Se restaurer

CAFÉ DANIELA
Calle del comercio ✆ +506 2686 6148
Ouvert de 8h à 21h. Compter 10 US$ le repas.
Ce bon restaurant peu cher sert des plats traditionnels et de bonnes pâtisseries dont le gâteau à la yuca.

RESTAURANT EL TEYET
Rue principale, près de Coopmani
✆ +506 2685 5113
Ouvert pour le déjeuner et le dîner. De 2 000 à 3 000 colones le plat.
Un restaurant chinois, l'un des meilleurs de Nicoya, qui propose au moins 80 plats différents souvent à base de poisson frais.

PARC NATIONAL BARRA HONDA

Les cavernes de ce parc souterrain, unique en son genre, se seraient creusées il y a soixante millions d'années dans un récif marin.

Transports

En voiture. De San José, roulez 13 km au nord du pont de l'Amistad et tournez à droite au niveau du panneau indiquant Barra Honda. 3 km plus loin, vous arrivez au village de Barra Honda, c'est alors qu'il faut tourner à gauche et continuer à rouler vers le nord sur 6 km. Ensuite, c'est très bien indiqué ; il suffit de suivre les panneaux. De Nicoya, allez jusqu'au village de Santa Ana. Le parc se trouve à 15 km au nord-ouest ; suivez les panneaux.

Pratique

POSTE DE GARDES FORESTIERS
✆ +506 2659 1551
Entrée : 10 US$. Sentiers balisés. Prendre le bus à 12h30 au terminal de Nicoya, direction Santa Ana. Le bus vous dépose à Santa Ana, à 1 km de l'entrée puis randonnée de 3 heures (vue superbe du mirador). Retour à pied, 16 km jusqu'à la route où il est facile d'arrêter une voiture ou d'attendre le bus qui vient de Santa Ana (ils en partent à 12h30 et 16h30).
Le poste des gardes forestiers, où l'on paye son ticket d'entrée et où l'on récupère les cartes des sentiers, est au sud-ouest du parc. Arrivez avant midi pour pouvoir visiter les grottes dont la visite guidée prend environ 4 heures. Elle ne sont pas possibles après 12h.

GUAITIL

A 15 km à l'est de Santa Cruz, ce petit village est réputé pour ses poteries guaitiles, de style chorotega qu'on retrouve, originales ou copiées, dans tous les magasins de souvenirs du pays. Autour de la place, des artisans travaillent sous vos yeux les poteries indigènes. Beaucoup de choix et des prix plus intéressants qu'ailleurs.

SANTA CRUZ

Bourgade au charme d'antan, Santa Cruz est souvent un peu oubliée lors d'un périple dans la péninsule ; c'est aussi la cité même du folklore. Vers le 25 juillet, la ville célèbre l'annexion du Guanacaste au Costa Rica. Sur plusieurs jours, la fête est colorée et dansante, l'ambiance excellente.

Transports

Bus. De San José (c14, a5 ✆ 2222 2666), des bus partent tous les jours pour Santa Cruz, via Tempisque, à 6h, 8h, 9h45, 11h, 11h30, 14h, 16h30, 19h. Retour à 3h, 4h, 6h, 7h, 8h, 10h, 12h, 14h, 15h, 16h30. Durée : 5 heures. De Liberia, des bus partent toutes les 45 minutes pour Santa Cruz de 4h20 à 21h15. Retour de 6h50 à 22h, toutes les 45 minutes aussi. Durée : 1 heure 15.

Voiture. A 57 km de Liberia, Santa Cruz est facilement accessible par une bonne route goudronnée.

Se loger

ECOTURISMO BOLSON
À Bolsón, sur le río Tempisque
à 20 km au nord-est de Santa Cruz
✆ +506 2651 8165
Pas loin du parc national de Palo Verde et du village potier de Guaitil. Logement pour 12 personnes chez l'habitant. Compter 60 US$ la nuit avec les repas et les activités incluses.
A faire sur place : navigation sur le río Tempisque, Palo Verde (crocodiles, iguanes, oiseaux, singes...), cours de danses folkloriques, artisanat local.

Se restaurer

EL CAMPEON
Centre-ville
✆ +506 2680 0033
Ouvert pour le déjeuner et le dîner. Compter 3 000 colones le plat.
Le restaurant chinois sert de copieux plats peu chers.

COOPETORTILLAS
Fabrique de tortillas,
500 m à l'ouest du Parque Central
Ouvert de 6h à 15h pour le petit déjeuner et le déjeuner.
Restauration typique et bon marché. Une association de femmes du village est aux fourneaux.

À voir – À faire

LOMA LARGA
Ortega, sur le río Tempisque,
au nord-est de Santa Cruz
✆ +506 2651 8152
Fax : +506 2651 8036
Association des petits producteurs d'Ortega.
L'association s'est organisée autour de la reforestation et de la fabrication de papier à partir de fibres naturelles. Aux touristes, elle propose un tour de 2 heures sur le río Tempisque et l'observation de la biodiversité qui commence par une balade en charrette. Découverte également de la fabrication du papier se terminant par un passage « achat ». Restauration dans un rancho à Loma Larga.

LES GRANDES PLAINES DU NORD

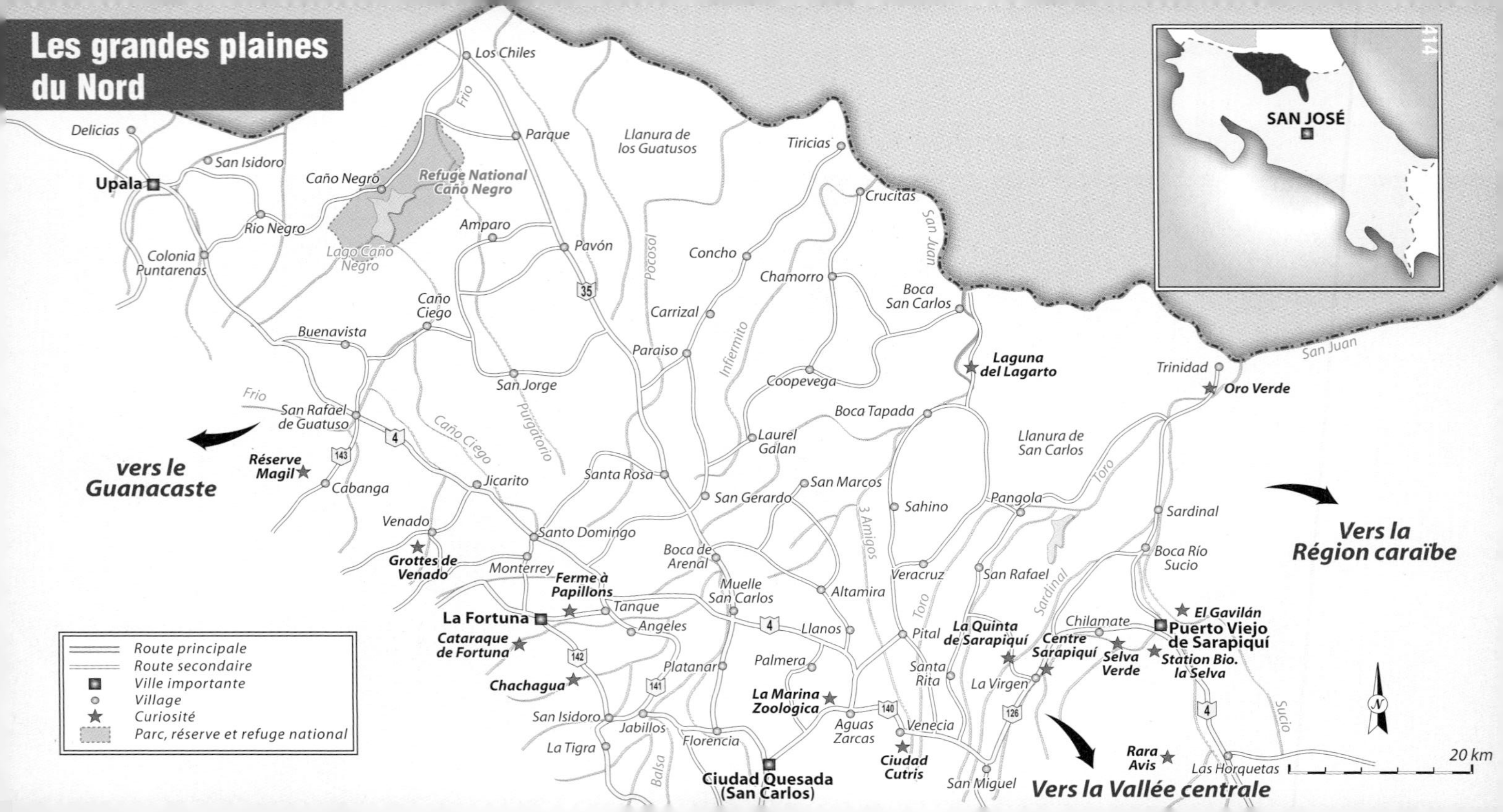
Les grandes plaines du Nord
SAN JOSÉ
Los Chiles
Delicias
San Isidoro
Upala
Caño Negro
Refuge National Caño Negro
Parque
Llanura de los Guatusos
Tiricias
Crucitas
San Juan
Rio Negro
Amparo
Pavón
Colonia Puntarenas
Lago Caño Negro
Frio
Pocosol
Concho
Chamorro
Boca San Carlos
35
Caño Ciego
Carrizal
Buenavista
Paraiso
Infiermito
Laguna del Lagarto
San Jorge
Coopevega
Trinidad
Oro Verde
San Rafael de Guatuso
Boca Tapada
4
Caño Ciego
Purgatorio
Laurel Galan
Llanura de San Carlos
vers le Guanacaste
Réserve Magil
143
Cabanga
Jicarito
Santa Rosa
San Marcos
San Gerardo
Sahino
Pangola
Sardinal
Toro
Vers la Région caraïbe
Venado
Santo Domingo
3 Amigos
Grottes de Venado
Boca de Arenal
Boca Río Sucio
Monterrey
Veracruz
San Rafael
Ferme à Papillons
Muelle San Carlos
Altamira
Sardinal
Tanque
La Fortuna
El Gavilán
Angeles
Llanos
Pitał
La Quinta de Sarapiquí
Chilamate
Puerto Viejo de Sarapiquí
Cataraque de Fortuna
Centre Sarapiquí
Selva Verde
Station Bio. la Selva
142
Platanar
Palmera
Santa Rita
La Virgen
Chachagua
141
La Marina Zoologica
126
San Isidoro
140
Jabillos
Aguas Zarcas
Venecia
Sucio
Florencia
La Tigra
Ciudad Cutris
Rara Avis
Balsa
Ciudad Quesada (San Carlos)
San Miguel
Las Horquetas
Vers la Vallée centrale
20 km
N
Route principale
Route secondaire
Ville importante
Village
Curiosité
Parc, réserve et refuge national

Les grandes plaines du Nord

Des montagnes au nord de la Vallée centrale, en passant par les cantons de Heredia et d'Alajuela, jusqu'à la frontière du Nicaragua s'étendent des plaines tropicales appelées llanuras. Elles sont tropicales par leur climat, chaud et relativement sec, et leur végétation haute et toujours verte. Du côté du Guanacaste, région délimitée par la cordillère du même nom, le climat est plus sec. A l'inverse, plus on se rapproche de la côte caraïbe, plus la saison sèche est courte, voire inexistante, et le climat en permanence humide. Ce climat, plutôt mixte, est à l'origine de l'appauvrissement écologique de la région. Dès les premiers temps de la colonisation, les forêts ont été massivement défrichées et transformées en pâturages destinés à l'élevage rentable devenu l'activité principale du nord du Costa Rica. L'absence d'arbres entraîne une érosion importante du sol, particulièrement durant la saison humide. Certaines llanuras, comme celle de San Carlos, sont très fréquemment inondées pendant plusieurs semaines et deviennent impropres aux cultures, et encore moins praticables pour les troupeaux. Le reste du temps, le terrain marécageux est de plus en plus utilisé pour la culture du riz, aliment de base du Tico. Au nord du lac Arenal, entre San Rafael et Los Chiles, le refuge national de la vie sylvestre de Caño Negro est la seule réserve de la région, l'une des moins fréquentées du pays aussi. Cette région paraît éloignée, car elle est mal desservie par les transports en commun et, surtout, elle ne se trouve ni sur la route des plages ni sur celle du Nicaragua. Mais la beauté de la région et les possibilités qu'elle offre commencent à attirer, et d'ici peu on devrait voir apparaître de plus en plus de lodges. On dit même que la région de Caño Negro et de Los Chiles pourrait venir concurrencer Tortuguero en voie de saturation. Accessible par l'autoroute de Limón, Puerto Viejo de Sarapiquí, à l'extrême nord du parc national Braulio Carrillo, est une bonne base d'exploration des plaines du nord. C'est d'ailleurs l'une des seules villes de la région disposant d'une structure hôtelière à peu près suffisante pour réguler le flot grandissant des visiteurs passionnés par les oiseaux. Le nord est en effet le paradis du birdwatching (observation des oiseaux) qui attire la plupart des excursions organisées par les agences. Quand ils sont seuls, les touristes découvrent la région en se lançant sur la route entre Puerto Viejo et Arenal via La Fortuna de San Carlos. Les hôtels ou les lodges sont d'ailleurs bien implantés entre les petites villes.

UPALA

Cette petite ville de 15 000 habitants est centrée sur la production de riz et l'élevage de bétail. Sur place, pas grand-chose à faire, mais il est intéressant de s'y arrêter si on veut aller à Caño Negro ou sur la côte nord-ouest.

Transports

- **Bus.** Les bus quittent San José (c12, a7/9 ✆ 2221 4464) à 4h30, à 5h15 et à 9h30 via Cañas. Retour à 10h15, 15h, 17h10. Durée : 5 heures.

Les immanquables des grandes plaines du Nord

- **Visiter** le refuge de Caño Negro, un très beau lac et 12 lagunes avec beaucoup d'animaux.
- **Faire** la descente en pirogue du río San Juan, à la frontière du Nicaragua.
- **Visiter** Puerto Viejo de Sarapiquí, le village, les plages, l'ambiance festive.
- **Faire** une petite pause à la Quinta de Sarapiquí.
- **Descendre** la rivière Sarapiquí en raft.

Voiture. Depuis Cañas, emprunter l'Interamericana, tourner à droite après le río Corobicí pour prendre la route 6 qui est bonne. De La Cruz, c'est la route 4 – un peu difficile à partir de Santa Cecilia –, et de San Rafael également la route 4. N'oubliez pas votre passeport pour le contrôle de Canalete (en venant de Santa Cecilia) ou du pont à l'entrée sud d'Upala (en venant de San Rafael).

BIJAGUA

Bijagua est une petite ville de 5 000 habitants, mais c'est la ville la plus proche du parc national du Volcan Tenorio et du río Celeste. Il est donc judicieux de dormir là pour visiter les deux sites. Au centre-ville, vous trouverez des distributeurs d'argent, quelques restaurants et des petits hôtels.

Transports

Bus. Les bus de la ligne San José-Upala s'arrêtent à Bijagua. Départs de San José (c12, a7/9 ✆ 2221 3318), tous les jours à 4h30, 5h15, 9h30. Retour à 10h15, 15h, 17h10. Attention : aucun bus ne s'arrête au niveau du parc national du Volcan Tenorio. Il faut donc s'y rendre par ses propres moyens à partir du centre-ville de Bijagua ; essayez de vous faire déposer par une bonne âme ou prenez un taxi.

Voiture. Le 1er juillet 2011 a enfin été inauguré le nouvel accès au parc national via Bijagua. Désormais Bijagua n'est qu'à 9 km de l'entrée du parc national (au lieu des 18 km auparavant) du Volcan Tenorio où se trouve le magnifique río Celeste.

Se loger

Vous trouverez quelques hôtels dans le centre-ville de Bijagua mais ils n'ont aucun charme. Les établissements les plus charmants se trouvent dans les environs de Bijagua, non loin de l'entrée du parc national du Volcan Tenorio. Ils sont de bon rapport qualité-prix et nous vous en avons fait une sélection.

Bien et pas cher

BLAU CEL LODGE
El Pilón, à 1 km avant l'entrée principale du parc national du Volcan Tenorio
✆ +506 8359 6235 – +506 8648 1522
www.costaricarioceleste.com
rioceleste2011@yahoo.com
10 US$ la nuit en dortoir et 14 US$ avec petit déjeuner inclus. 25 US$ par personne dans les chambres doubles avec petit déjeuner inclus et l'accès à un mini-Jacuzzi.
Un hébergement simple mais correct à deux pas du parc national du Volcan Tenorio. Le propriétaire Alexander Ordoñez est également un excellent guide du parc ; vous pouvez donc partir directement du lodge le matin pour une visite guidée avec lui (10 US$ par personne). Le lodge possède un restaurant où l'on peut manger un bon plat traditionnel pour 4 000 colones en moyenne.

Confort ou charme

LA CAROLINA LODGE
Route de Upala-Cañas, à 12 km de Bijagua
✆ +506 8703 5003 – +506 2466 8879
www.lacarolinalodge.com
info@lacarolinalodge.com
Au bord d'un torrent, dans un parc arboré, une grande maison rustique en bois comprenant 3 chambres (2 pers.) et une chambre (5 pers.) avec salle de bains partagée, 2 casitas avec salle de bains privée et cheminée ; l'une pour 2 personnes, l'autre pour 3 personnes. Une grande casa pour 6 personnes avec baignoire. Egalement une maison de la finca avec 2 chambres pour 4 personnes, salle de bains privée, kitchenette équipée. Les prix (une seule saison) : de 85 à 100 US$ (1 pers.), de 75 à 90 US$/pers. (2 pers.) comprenant le logement, les 3 repas, une promenade à cheval, une visite guidée au parc national du Volcan Tenorio. Gratuit pour les enfants de moins de 5 ans, 35 US$ pour les moins de 12 ans, 50 US$ pour les moins de 16 ans.
Le lodge est très rustique, mais ô combien agréable ! Pas d'électricité : des bougies, une cuisine au feu de bois, des discussions devant la cheminée le soir venu, des hamacs, une petite piscine rustique... Les repas – cuisine typique faite par des cuisinières du coin – se prennent tous ensemble autour d'une grande table campagnarde. Accueil très chaleureux de Bill et de Karin. La Carolina Lodge : un paradis perdu, hors du temps. On aime ou on n'aime pas, mais à recommander vivement pour tous.

HELICONIAS LODGE
Bijagua, 3 km au nord de la Banco Nacional ✆ +506 2248 9470
(service de réservation de l'association de tourisme ruralActuar Costa Rica)
www.actuarcostarica.com
6 cabines (3 pour 2 pers. et 3 pour 4 pers.). Chambres de 40 (1 pers.) à 70 US$ (4 pers.), bungalows nouveaux de 55 (1 pers.) à 90 US$ (4 pers.), bungalows Harriet et Maira de 45 à

75 US$. Toutes les chambres disposent d'une salle de bains privée et d'une terrasse. Restaurant (ouvert de 7h à 18h) type rancho, cadre agréable et bien ventilé. Boutique de souvenirs.

Possibilité de faire les circuits suivants : sentiers Héliconias (station biologique Héliconias), jardin de papillons, lagune Danta, parc national du Tenorio, río Celeste, Caño Negro, ferme agro-écologique, promenade à cheval.

SUEÑO CELESTE

Route d'Upala à Cañas, entre le km 28 et 29, au sud de l'entrée de Bijagua
✆ +506 2466 8221 – +506 8370 5469
www.sueno-celeste.com
info@sueno-celeste.com

60 US$ la chambre simple, 75 US$ la double et 95 US$ la triple. Petit déjeuner inclus.

Au milieu d'une belle propriété verdoyante, deux charmantes maisonnettes avec deux chambres chacune. Toutes les chambres sont cosy et confortables. Les propriétaires, Daniel et Dominique, un couple de Belges francophones, vous accueilleront chaleureusement et vous donneront de vrais bons conseils pour visiter la région.

TENORIO LODGE

Bijagua, Camino del Retiro
✆ +506 2466 8282 – +506 8886 5314
Fax : +506 2466 8461
www.tenoriolodge.com
infos@tenoriolodge.com

Tenorio Lodge vous proposes 8 beaux et spacieux bungalows au milieu d'une propriété de 7 hectares entourée d'un jardin d'héliconias : 115 US$ (1 pers), 125 US$ (2 pers), 155 US$ (3 pers) et 175 US$ (4 pers), comprenant les taxes, le petit déjeuner (pain et confitures fait maison), le Jacuzzi et l'accès libre à Internet. Gratuit pour les moins de 5 ans. Un bungalow est dédié spécialement aux personnes handicapées. Tous les bungalows ont vue sur le volcan Tenorio.

Les chambres comprennent toutes un lit king et queen size avec ventilateur, un petit coin salon en bois exotique, un bureau, un coffre, une penderie, un sèche-cheveux et une salle de bains privée équipée d'un chauffe-eau solaire. L'hôtel dispose d'un ordinateur, d'une zone wi-fi en libre service. Egalement une boutique de souvenirs, un bar et un restaurant (cuisine raffinée et d'expérience) avec une terrasse d'où l'on a une très belle vue sur le volcan Tenorio. Avec le sol en teck et en pierre noire, les meubles en bois, les grandes baies vitrées donnant sur la nature, le lieu a un charme fou. Il s'y dégage romantisme, calme et harmonie avec la nature. En fin de journée, vous pourrez vous détendre et admirer la vue exceptionnelle du volcan Tenorio sur la terrasse avec le fameux cocktail Río Celeste ou en vous relaxant dans l'un des Jacuzzi installés dans le ranchito entouré d'un grand jardin de fleurs où virevoltent les colibris. De nombreuses activités vous seront proposées, notamment la découverte du parc national du Volcan Tenorio et de son joyau le río Celeste. Pour les passionnés d'oiseaux, la région compte plus de 450 espèces dont le tody motmot (*Hylomanes momotula*), l'aigle orné (*Spizaetus ornatus*) ou le geocoucou de Geoffroy (*Neomorphus geoffroyi*). Rien qu'à l'hôtel il est recensé plus de 150 espèces ainsi que 12 espèces de grenouilles dont la fameuse rainette aux yeux rouges (*Agalychnis callidryas*), que vous pourrez certainement voir lors d'un tour de nuit organisé avec le guide naturaliste de l'hôtel autour des deux lagunes et des sentiers pédagogiques de la propriété. Accueil très chaleureux et francophone de la part de Christine et Franck qui sont également photographes animaliers professionnels. Un très beau lodge, à recommander.

Luxe

CELESTE MOUNTAIN LODGE

Bijagua de Upala, à 3 km
à l'est du centre de Bijagua
✆ +506 2278 6628
Fax : +506 2278 6628
www.celestemountainlodge.com
info@celestemountainlodge.com
Comptez en pension complète 150, 180, 215 et 250 US$ pour 1, 2, 3 et 4 personnes, taxes comprises. 30 US$ pour les enfants de 2 à 12 ans. A seulement 5 km du parc national du Volcan Tenorio avec la nouvelle route !
Blotti entre les volcans Miravalles et Tenorio, le lodge Celeste Mountain, délicatement posé sur un col de montagne entouré de réserves de forêts primaires et à proximité immédiate du parc national Volcan Tenorio (à seulement 4 km), vient tout juste d'ouvrir ses portes. Son emplacement exceptionnel lui vaut des vues impressionnantes, avec le Montezuma (troisième bosse du volcan Tenorio), arrogant mur vert faisant face au lodge, qui disparaît parfois mystérieusement dans des brumes passagères. A l'ouest, les cinq sommets du volcan Miravalles ferment l'horizon comme un rideau de théâtre. Plus bas, dans la vallée, se déploie le paisible village rural de Bijagua. Le lodge qui ouvre ses portes sur l'étonnant río Celeste et les sentiers du parc national Volcan Tenorio est entouré sur trois côtés par une jungle dense ; c'est une base idéale pour explorer cette région rurale authentique encore méconnue d'une grande beauté naturelle, pleine de vie sauvage abondante. La propriété comprend 4 hectares ouverts et 3 hectares de forêt primaire protégée. Le lodge a été bâti en harmonie avec la nature dans un style très contemporain qui ouvre les espaces et abolit les murs, invitant la nature à l'intérieur de l'édifice. Les matériaux utilisés apportent des touches à la fois rustiques et très modernes, les détails allient la simplicité au raffinement. Les 18 chambres (dont une équipée pour personnes handicapées) sont réparties sur deux étages, toutes avec vues sur la forêt et les volcans, salle de bains, eau chaude, douche, bois de teck. Le salon avec cheminée est ouvert sur les jardins couverts qui abritent des bains chauds tropicaux. Le restaurant sert une cuisine costaricienne innovatrice et le bar possède une terrasse panoramique. Tours et excursions de toutes sortes sont proposées : promenades à cheval, randonnées, rafting. Les personnes handicapées ne sont pas oubliées, une chaise à porteur spéciale pour handicapés, la Joelette, leur permettra des découvertes inoubliables. Le Celeste Mountain Lodge est fier d'adhérer à une philosophie de développement durable dans le tourisme par ses pratiques à impact environnemental bas et son engagement envers les populations locales : utilisation de matériaux recyclés ou de récupération pour la construction (pneus, bois de plantation ou de récupération), panneaux solaires pour eau chaude, bio dépurateur pour les eaux usées, utilisation d'eau de pluie, séchoir à linge bioclimatique, utilisation de savon biodégradable, éducation des employés et de la communauté locale, achat de plantes et d'artisanat à des groupes de femmes locales… Bref, un vrai coup de cœur pour cette étape !

Se restaurer

CELESTE MOUNTAIN LODGE

Bijagua de Upala, à 3 km
à l'est du centre de Bijagua
✆ +506 2278 6628
Fax : +506 2278 6628
www.celestemountainlodge.com
info@celestemountainlodge.com
Ouvert pour le dîner seulement. 15 US$ par personne. Réservation impérative.
Un excellent restaurant dont le propriétaire, Joel Marchal, est français. Les plats au croisement de la cuisine costaricaine et internationale sont un délice pour les sens. Le chef est particulièrement doué et créatif. Vous vous régalerez. Notre restaurant coup de cœur dans la région de Bijagua !

EL BARRIGON

Centre de Bijagua, à 200 m
au nord de la banque Banco Nacional
✆ +506 2466 8602
Ouvert tous les jours de 6h30 à 22h. Entrées de 1 900 à 3 000 colones, pizzas de 2 500 à 7 000 colones (selon la taille), plats de 2 300 à 2 900 colones, hamburgers à 2 000 colones.
Un très bon restaurant de pizzas mais aussi de plats traditionnels. Bon rapport qualité-prix.

EL BARRIGON

Centre de Bijagua, à 200 m au nord
de la banque Banco Nacional
✆ +506 2466 8602
Ouvert tous les jours de 6h30 à 22h. Entrées de 1 900 à 3 000 colones, pizzas de 2 500 à 7 000 colones (selon la taille), plats de 2 300 à 2 900 colones, hamburgers à 2 000 colones.
Un très bon restaurant de pizzas mais aussi de plats traditionnels. Bon rapport qualité-prix.

À voir – À faire

FINCA AGROECOLOGICA GAVILÁN

✆ +506 2466 8069
À 1 km au sud du lycée de Bijagua
Visite guidée : 10 US$ par personne.
Cette ferme (*finca*) est une oasis de biodiversité. L'agriculteur passionné qui la possède vous fera découvrir toutes les merveilles de la faune et de la flore qui s'y trouvent. Dégustation d'un fruit de saison à la fin de la visite.

PARC DU HELICONIAS LODGE

Bijagua, 3 km au nord de Banco Nacional, face à l'auberge
Entrée : 8 US$ pour les clients de l'auberge et 12 US$ pour les autres.
C'est un parc de 110 hectares avec des ponts suspendus de 64 m, 95 m et 104 m. Observation de la flore (arbres géants comme le tabacon et le primiento, tous deux d'une hauteur de 55 m, le zapote de 50 m, le icaru danto de 35 m et le pilon de 70 m) et des oiseaux. Il y a aussi – mais très peu visibles – des singes (*colorado* signifiant brun, *arana* pour araignée et *carablanca* pour capucin), jaguars, tapirs, etc. Il s'agit pour tous ces arbres et animaux cités de noms locaux. Vue panoramique sur le volcan Miravalles, la vallée de Guatusos, et quand il fait très beau sur le lac Nicaragua.

Dicton local

« Quand Dieu termina de peindre le ciel en bleu, il lava ses pinceaux dans le río Celeste ».

PARC NATIONAL DU VOLCAN TENORIO

✆ +506 2200 0135
Ouvert de 8h à 14h. Entrée : 10 US$. Pour une visite guidée, ajoutez 10 US$ de plus par personne.
Le parc national du Tenorio a une étendue de 18 402 hectares (près de deux fois la superficie de Paris intra-muros) et a été créé en avril 1995. Il est d'une grande richesse quant aux différents écosystèmes et espèces qu'il abrite. La flore est très variée et présente une forêt toujours verte composée de forêt pluvieuse et de forêt nuageuse. On distingue une grande variété d'héliconias (héliconies), de bromelias et d'orchidées. Parmi les mammifères, on peut apercevoir des pumas, des tapirs (le plus grand mammifère d'Amérique centrale), des agoutis, des singes… Sur les flancs du parc, le río Celeste (car coloré du bleu du ciel) est sa principale attraction. Pour bien comprendre toutes les subtilités du parc et du río Celeste, on vous recommande de faire une visite guidée.

RÍO CELESTE

dans le parc national du Volcan Tenorio
Ouvert tous les jours de 8h à 14h. Entrée incluse dans le ticket d'entrée au parc national du Volcan Tenorio. Si vous avez pris une visite guidée du parc, sachez qu'elle inclut celle du río Celeste.
La cascade du río Celeste est une attraction naturelle de premier ordre, ainsi que la Laguna Azul (lac bleu). Ce lac est d'un bleu turquoise tellement beau que le poète Celso Alvarado a dit à son sujet : « C'est le lac où Dieu a lavé ses pinceaux après avoir peint le ciel. » Un autre lieu très intéressant est le Teñidero, où l'eau change de couleur, passant de la limpidité totalement transparente à la couleur turquoise du fait de gaz s'échappant des entrailles du volcan.

Visites guidées

GUIDE ALEX ORDOÑEZ JARQUIN

✆ +506 8359 6235
✆ +506 8648 1522
rioceleste2011@yahoo.com
10 US$ par personne la visite guidée du parc national du Volcan Tenorio avec celle du río Celeste incluse. Il faut cependant également payer son entrée au parc à 10 US$, ce qui fait en tout 20 US$ par personne.
Un guide dynamique et sympathique avec plus de dix ans d'expérience. On vous le recommande pour la visite du parc national du Volcan Tenorio. Il vous en apprendra beaucoup sur ce site. Il parle aussi un peu français !

LOS CHILES

La construction de Los Chiles remonte à la grande époque du trafic commercial sur le río San Juan, seule voie d'accès entre l'océan Atlantique et ces régions du centre. Environ 8 000 habitants vivent aujourd'hui à Los Chiles, alors que la ville a un peu perdu de son importance commerciale et politique. Dans les années 1980, le passage de Los Chiles était fermé pour cause d'activité contra. Il a fallu attendre l'élection présidentielle de 1990 et le retour au calme pour que la frontière soit rouverte aux touristes, pour peu qu'ils soient en règle. Depuis quelques années, des sociétés à capitaux américains se lancent dans la production intensive de fruits comme les oranges ou les citrons qui s'épanouissent sur cette terre rougie par la latérite rouge. C'est un nouveau marché, qui amorce le développement commercial de la région. On aperçoit de la route des usines rutilantes qui détonnent un peu dans le paysage. Les investisseurs à la recherche de terrains idéaux et peu chers se tournent maintenant vers le Nicaragua, de l'autre côté de la frontière du Costa Rica, et se mettent à acquérir des surfaces impressionnantes. Cela devrait amener les gouvernements des deux pays voisins à faciliter dans l'avenir le passage de la frontière à Los Chiles, aussi bien pour le commerce que pour le tourisme.

Transports

- **Bus.** Vous pouvez prendre un bus à San José (c12, a7/9) tous les jours à 5h30 et 15h30. 5 heures sont nécessaires pour parcourir les 215 km.
- **Voiture.** Une excellente route (la n° 35) relie depuis quelques années Los Chiles à Muelle (environ 75 km). Une petite route assez mauvaise de 3 km mène à la frontière, à partir de laquelle un chemin rejoint San Carlos au sud-est du lac Nicaragua.
- **Bateau.** Des bateaux font les trajets Caño Negro-Los Chiles. Compter 5 800 colones l'aller-simple.

Pratique

BUREAU DE MIGRACION

Dans le centre de Los Chiles
Ouvert du lundi au vendredi de 8h à 16h (il se peut que les employés fassent une pause déjeuner entre midi et 13h30).
Il vaut mieux s'adresser au bureau d'immigration sur la route de l'aéroport à San José ou à l'ambassade du Nicaragua. La frontière du Costa Rica est marquée par la rive gauche du fleuve qui est, lui, entièrement nicaraguayen.

Se loger

Les logements à prix raisonnables ne manquent pas à Los Chiles, au plus près de la frontière nicaraguayenne.

CABINAS JABIRU

Centre de Los Chiles ✆ +506 2471 1496
Compter entre 25 US$ et 30 US$ par chambre avec air conditionné ou pas. Rustique et pas cher, l'établissement fait partie du réseau des auberges de jeunesse. Une foule de petits services et conseils en font une bonne adresse.

CAÑO NEGRO

Transports

Deux routes sont possibles :

- **En suivant celle de San Rafael,** au sud de Caño Negro, il faut obliquer à droite à Colonia Puntarenas, 11 km avant Upala, puis rouler pendant 26 km sur une route difficile, pourtant régulièrement entretenue. Le chemin est faisable en voiture de tourisme, mais pour plus de sécurité peut-être vaut-il mieux prévoir un 4x4. Un bus est quelquefois mis en service entre Upala et Caño Negro, pensez à vous renseigner dès que possible.
- **À partir de Los Chiles,** il faut prendre un bateau qui descend le río Frío jusqu'au lac puis traverser le lac pour atteindre la station des rangers. Une route apparaît sur la plupart des cartes, mais il faut d'abord trouver des bateaux pour traverser le fleuve. Le poste des gardes forestiers peut être joint (tôt le matin) pour prévoir le logement ou le camping.

Pratique

POSTES DE GARDES FORESTIERS

A 150 m au nord de l'épicerie
✆ +506 2471 1309
Ouvert de 8h à 16h. Entrée : 10 US$. 1 US$ pour les enfants de moins de 12 ans.
C'est là qu'on s'acquitte du droit d'entrée au parc. Cartes à disposition.

Se loger

ALBERGUE CAÑO NEGRO

Caño Negro ✆ +506 2471 2029
Chambre à partir de 12 US$.
Très basique. Eau froide seulement.

HOTEL DE CAMPO CAÑO NEGRO
Caño Negro
✆ +506 2471 1012 – +506 8877 1212
Fax : +506 2471 1490
www.canonegro.com
info@hoteldecampo.com
14 chambres, toutes ont vue sur la lagune. Bar, restaurant. Vue sur le lac. De 75 à 85 US$ la chambre double, petit déjeuner inclus.
Hôtel très calme.

Sports – Détente – Loisirs

Pour pêcher ou simplement observer les oiseaux, on peut louer un bateau. Une heure de location, chauffeur compris, revient à environ 11 US$. Sachez qu'il faut avoir une licence pour pêcher pendant la saison des pluies et qu'il est interdit d'attraper quoi que ce soit entre avril et juin. A Los Chiles, le quai d'embarquement se trouve à l'ouest de la ville. La location coûte entre 50 et 100 US$ pour une embarcation couverte. Le tour dure à peu près 5 heures et offre une excellente occasion d'observer une faune abondante (singes, tortues vertes, paresseux, lézards et caïmans, perroquets, toucans et papillons...). Prévoyez de partir à plusieurs. Pour cette expédition au départ de San José, de nombreuses agences se chargent d'organiser des tours de 3 jours avec hébergement. Mais vous pouvez peut-être trouver moins cher dans certaines annonces promo des journaux (*Tico Times, Costa Rica Today*).

SAN RAFAEL DE GUATUSO

San Rafael de Guatuso, au nord de la réserve indigène de Malekus, est un village sur la route de Caño Negro. Il n'a rien de particulier, mais c'est un bon point de chute si on veut visiter les grottes de Venado (nom qui signifie « cerf ») qui rappellent celles de Barra Honda.

Transports

Bus. Ils partent de Ciudad Quesada ou de Tilarán (à l'ouest du lac Arenal). Pour Venado, il faut tourner à gauche après la localité de Maquencal (sur la route de La Fortuna) et traverser Delicias : les grottes sont à 4 km au sud du village.

Voiture. Il vaut mieux venir de La Fortuna que du village Arenal dont la route est en mauvais état, aux humeurs imprévisibles, surtout quand il pleut. La route d'Upala est assez bonne.

À voir – À faire

GROTTES DE VENADO
Au sud de San Rafael de Guatuso,
à 4 km de Venado
✆ +506 2478 8071
Ouvert de 7h à 16h (dernière admission à 14h30). Entrée : 17 US$.
Emportez une lampe torche puissante et n'hésitez pas à vous habiller avec des vêtements sales, vous le serez encore plus en sortant après avoir marché dans l'eau, voire rampé, et essayé d'éviter les nuées de chauves-souris. Cette visite est organisée par la plupart des hôtels de la région ; en outre, des bus partent de Ciudad Quesada chaque après-midi.

CIUDAD QUESADA

Egalement appelée San Carlos par les locaux, Ciudad Quesada, une ville d'environ 30 000 habitants, est en pleine campagne mais ne manque pas de dynamisme. On y trouve de nombreux commerces (autour du parc central) et c'est aussi un important centre agricole. Cependant elle manque d'intérêt touristisque. C'est plutôt une ville-étape pour faire des provisions afin de se rendre à La Fortuna, Los Chiles ou Puerto Viejo de Sarapiquí.

Transports

Bus. Pour Ciudad Quesada, bus à San José toutes les heures de 7h30 à 17h30 (c12, a7/9 ✆ 2255 4300). Retour toutes les heures de 6h40 à 17h40 et à 18h15. Durée : 2 heures 30. De Puerto Viejo de Sarapiquí, des bus partent tous les jours pour Ciudad Quesada à 4h40, 5h30, 8h30, 10h30, 12h15, 14h30, 16h, 18h, 19h. Retours à 4h40, 6h, 10h, 12h, 15h, 16h30, 17h30, 18h30. Durée : 2 heures.

Voiture. Les routes sont plutôt bonnes, le seul tronçon difficile étant celui qui traverse une zone de brumes (*neblinas*), prudence ! avant la descente vers Ciudad Quesada.

Pratique

COSTA RICA COMPLETE
✆ +506 8880 8722 – +506 8606 8359
www.costaricacomplete.com
Cette agence de voyage locale organise des circuits, avec transport, repas et hébergement. Prestations sérieuses.

OFFICE DU TOURISME DES GRANDES PLAINES DU NORD
Quartier Hogar de Ancianos
✆ +506 2461 9102 – +506 2461 9107
www.visitcostarica.com
A 50 m au nord de l'Université catholique
Ce bureau de l'Institut costaricain du tourisme vous fournira toutes les informations nécessaires sur les grandes plaines du Nord. Brochures et cartes à votre disposition.

Se loger

DON GOYO
Sud de la place centrale
Ciudad Quesada ✆ +506 2460 1780
Fax : +506 2460 6383
De 20 à 30 US$ la chambre double.
De belles chambres avec salle de bains. Le restaurant est plus que fréquentable.

TERMALES DEL BOSQUE
Ciudad Quesada
sur la route d'Aguas Zarcas, à 7 km environ ✆ +506 2460 1356
Fax : +506 2460 1356
www.termalesdelbosque.com
info@termalesdelbosque.com
A partir de 55 US$, petit déjeuner compris.
Pour goûter au thermalisme en se roulant dans les sept sources d'eau chaude dans la forêt.

PUERTO VIEJO DE SARAPIQUÍ

Ancien port fluvial de première importance, Puerto Viejo de Sarapiquí permettait le transit des marchandises, principalement des bananes, sur le río Sarapiquí vers San Juan, puis vers l'Atlantique avant l'avènement du chemin de fer. Actuellement, il n'y a plus guère que des touristes sportifs ou des gens du cru qui s'engagent sur les eaux du Sarapiquí. La petite ville de 6 000 habitants est devenue calme, un peu endormie dans la chaleur de l'après-midi quand les ouvriers sont au travail dans les bananeraies des environs.

Transports

Bus. De San José, 10 bus par jour entre 6h30 et 18h (c0, a15 ✆ 2222 0610). Le trajet dure 2 heures. 8 retours par jour de 5h à 17h30. A Puerto Viejo, les bus s'arrêtent dans la rue principale.

Voiture. Deux itinéraires possibles : le plus beau passe par Heredia, Varablanca et San Miguel ; la route est très sinueuse, mais quel panorama ! De l'embarcadère sur le río Sarapiquí, possibilité de louer une embarcation ou de trouver un guide pour aller jusqu'à Tortuguero ou jusqu'au fleuve San Juan. Le second itinéraire emprunte la route de Limón. Une dizaine de kilomètres avant Guápiles, à la hauteur de Santa Clara et du restaurant Rancho Roberto, prendre la route 4. La chaussée est très défoncée entre Horquetas et Puerto Viejo. Les terres de cette région, fortement déboisées pour l'élevage, sont peu à peu abandonnées par leurs propriétaires pour leur permettre de revenir à leur état premier.

Se loger

Si vous ne logez pas dans l'un des nombreux lodges, un peu chers, il est possible de trouver à Puerto Viejo une chambre convenable à prix correct mais il est recommandé de réserver.

Bien et pas cher

MI LINDO SARAPIQUI
Centre de Puerto Viejo, au sud du terrain de foot ✆ +506 2766 6281
Fax : +506 2766 6074
lindo@sarapiquirainforest.com
Compter 30 US$ la chambre double.
Chambres confortables avec ventilateur et salle de bains (eau chaude) au-dessus d'un restaurant.

POSADA ANDREA CRISTINA B&B
Ouest de Puerto Viejo ✆ +506 2766 6265
www.andreacristina.com
alex6265@hotmail.com
4 cabinas et 2 bungalows (salle de bains partagée). Les prix pour les cabines : 45 US$ (2 pers.), 15 US$ par personne supplémentaire ; pour les bungalows : 30 US$ (2 pers.).
B&B aux chambres propres, jardin tropical et accueil fort sympathique. Le propriétaire est guide-naturaliste et saura partager son savoir.

Confort ou charme

EL BAMBU
✆ +506 2766 6005
Fax : +506 2766 6132
www.elbambu.com
reservas@elbambu.com
27 chambres dont 16 de confort standard et 11 de confort supérieur, avec air conditionné, TV câblée, coffre-fort et terrasse. Les prix en

haute saison : chambre standard de 65 US$ (2 pers.) à 85 US$ (4 pers.) ; chambre supérieure de 85US$ (2 pers.) à 115 US$ (4 pers.). Taxes non incluses, gratuit pour les moins de 12 ans.
Bar, restaurant, piscine et bureau de tourisme en font un hôtel de classe supérieure par rapport aux autres établissements de la ville. El Bambú peut aussi organiser votre transport depuis San José.

HACIENDA POZO AZUL

Au Pont de la Vierge de Sarapiqui
✆ +506 2761 1360 – +506 2438 2616
www.haciendapozoazul.com
info@haciendapozoazul.com
Compter 95 US$ pour 2 pers. En tente avec les repas et 35 US$ sans repas ; 120 US$ pour 2 repas compris dans le lodge. Packages d'activités au choix à composer.
D'hacienda d'élevage, Pozo Azul est devenu un complexe écotouristique très complet où le mot d'ordre est le respect de la nature : recyclage, production d'énergie, utilisation de bio fertilisants, cultures organiques... De très nombreuses possibilités d'excursions, d'aventures et d'activités au-delà du simple hébergement s'offrent à vous. Rafting de classe 2, 3 et 4 pour les plus expérimentés, canopy tour le long d'un parcours de 12 câbles dont le dernier survole la rivière Sarapiqui, et 17 plates-formes, balades et raids à cheval de 2 heures à plusieurs jours, rappel et chute libre, excursions en VTT, à pied en forêt, balades découverte à thèmes (poivre, papillons...) accompagnées de guides naturalistes bilingues... La palette d'activités est si large que chacun trouvera loisir et niveau de difficulté à sa mesure. Deux possibilités d'hébergement s'offrent à vous dans la propriété au cœur d'une nature foisonnante de vie. Le lodge de tentes Cuculmeca se trouve sur une colline à 200 m du Sarapiqui ; il compte 25 tentes confortables avec 4 lits individuels, montées sur des terrasses de bois, avec électricité, bains communs, salon terrasse aménagée avec hamacs. Plus traditionnel, le lodge Magsasay se trouve à l'entrée du parc national Braulio Carrillo, à quelque 10 km du camp de base. Il possède 10 chambres de style rustique très soigné, de différentes capacités, alimentées par l'énergie solaire, avec salle de bains partagée. Le restaurant sert une cuisine variée qui tire le meilleur parti des ressources locales (viandes, légumes et fruits). Pozo Azul organise également une journée découverte avec activités et repas au départ de San José.

Luxe

CENTRO NEOTROPICO SARAPIQUÍS

La Virgen de de Sarapiquí
✆ +506 2761 1004 – Fax : +506 2761 1415
www.sarapiquis.org
sarapiquis@ice.co.cr
36 chambres dont 12 standard et 24 de luxe, prix à partir de 85 US$. Restaurant, bar, boutique de souvenirs.
L'un de nos coups de cœur du voyage ! Voici un complexe écotouristique (et c'est en fait comme cela qu'on imagine l'écotourisme réussi) édifié au sein d'une réserve privée de 350 hectares. L'hébergement se fait dans des chambres simples distribuées sous d'immenses *palenques* (huttes précolombiennes) dont on vous explique la construction dans le parc archéologique. Le jardin botanique est très bien fait, très clair et bourré d'enseignements. Pour rejoindre la réserve privée Tirimbina (300 hectares), un impressionnant pont de 150 m a été suspendu au-dessus des bras du Sarapiquí. Ici, tout est pensé nature : les fruits et les légumes proviennent du jardin organique, les eaux sales sont traitées sur place et une part des bénéfices est réservée à l'enseignement, notamment des gens du coin qui viennent en petits groupes suivre les cours du soir. Ne pas manquer de visionner dans le bel auditorium le très intéressant film que le propriétaire belge a produit sur la vie précolombienne.

SELVA VERDE LODGE & RAINFOREST RESERVE

Chilamate ✆ +506 2766 6800
Fax : +506 2766 6011
www.holbrooktravel.com
travel@holbrooktravel.com
Chambres et cabinas. Prix (avec 3 repas compris) : pour les cabinas 140 US$ (1 pers.), 187 US$/s. (2 pers.), 257 US$/ (3 pers.) et 350 US$/. (4 pers.) ; pour les bungalows, toujours avec les 3 repas, respectivement 157, 216, 280 et 363 US$. Finca en bordure du río Sarapiquí transformée en complexe touristique. Le bâtiment central tout en bois et sur pilotis abrite 45 chambres basiques (ayant chacune une salle de bains), distribuées autour d'une véranda commune avec hamacs, vue sur la forêt, etc. Ambiance rustique assurée. Pour les groupes, il y a quelques bungalows pour quatre personnes. Quant aux activités et aux excursions, tout est possible à condition de payer ! On atterrit à la Selva Verde par l'intermédiaire d'une agence de voyages, mais il est possible de réserver individuellement.

À voir – À faire

Puerto Viejo est le point de départ de tours en bateau sur le río Sarapiquí au cours desquels on vous montrera d'énormes iguanes, des lézards Jésus-Christ, des basilics, des singes hurleurs, une grande quantité d'oiseaux, de petites chauves-souris grises plaquées sur les troncs d'arbres et des crocodiles. La plupart des agences de voyage locales (basées à San José ou à Puerto Viejo de Sarapiquí) vous proposeront cette sortie ; toutes affichent plus ou moins les mêmes prix.

CENTRO NEOTROPICO SARAPIQUÍS

La Virgen de de Sarapiquí
✆ +506 2761 1004
Fax : +506 2761 1415
www.sarapiquis.org
sarapiquis@ice.co.cr
Tarifs variables, communiqués uniquement par téléphone.
Ce petit centre culturel propose plusieurs visites : un musée d'art précolombien, un parc archéologique montrant les restes de sépultures indiennes, un jardin botanique bien organisé et une balade sur des ponts suspendus vers la réserve de Tirimbina.

ESTACION BIOLOGICA LA SELVA

Au sud de Puerto Viejo,
sur la route de Guápiles
✆ +506 2240 6696
Fax : +506 2240 6783
www.esintro.co.cr – edu.travel@ots.ac.cr
20 US$ la demi-journée de visite guidée, 13 US$ le repas sur place. Pour vous y rendre, prenez le bus pour Puerto Viejo qui passe par Horquetas et vous dépose à l'entrée de la réserve, à 5 km au sud de Puerto Viejo. Comptez ensuite 1 km de marche… souvent sous la pluie.
C'est une station écologique à vocation éducative et scientifique fondée par l'Organisation des études tropicales (OTS) qui, depuis 1963, regroupe quarante-six universités et deux musées d'Histoire naturelle des Etats-Unis, de Puerto Rico et du Costa Rica. La Selva est située à l'extrémité nord du parc national Braulio Carrillo, au sud de Puerto Viejo. Les 1 400 hectares de la réserve correspondent approximativement au territoire de chasse des pumas ou des jaguars ; on y recense un nombre incroyable d'espèces d'arbres, d'oiseaux migrateurs ou non, de reptiles et de mammifères. Au sein du centre de recherche, outre les cours et interventions dispensés aux étudiants et aux chercheurs, on invite plusieurs fois par an des chefs d'entreprise du monde entier susceptibles d'être sensibilisés à l'écologie tropicale dans le cadre de leurs activités industrielles. Environ 50 km de sentiers balisés permettent d'observer les oiseaux, mais par temps de pluie, le sol déjà humide devient totalement impraticable. C'est pourquoi quelques sentiers sont bordés d'une sorte de trottoir. En tout état de cause, prévoyez des bottes de caoutchouc, des vêtements assez légers (la température moyenne est de 24 °C, mais paraît plus élevée dans une atmosphère saturée d'humidité) et une bonne protection anti-insectes (*repelente*). Les forêts tropicales étant peu lumineuses, ne vous attendez pas à voir plus d'une dizaine d'animaux. Avis à tous : attention aux serpents ! Vous pouvez loger à La Selva, mais assurez-vous d'abord que l'on vous y attend. Il n'y a que 65 lits et la priorité est accordée aux étudiants et aux chercheurs qui paient moitié prix. En tant que simple touriste, vous débourserez 89 US$ pour une chambre simple et 84 US$ par personne dans une double ; les trois repas sont inclus dans le prix.

Visites guidées

GUIDE FRANCOPHONE QUIRIEN JEAN

gjflo@yahoo.fr
Guide naturaliste et spécialiste du Costa Rica, sur place depuis plus de douze ans. De formation botaniste, il connaît parfaitement la flore du pays et saura satisfaire votre curiosité quant à la faune. Les us et coutumes Costariciens n'ont plus grand secret pour lui, il les partagera d'ailleurs avec enthousiasme et vous promet un séjour enchanteur à travers monts, volcans et forêts. Particulièrement passionné par les treks, il ne faut pas hésiter à le contacter très longtemps à l'avance tant il est demandé !

RESERVA RARA AVIS

L'Américain Amos Bien est venu pour la première fois au Costa Rica en 1977 pour y étudier la forêt tropicale. Devant la multitude et la complexité des écosystèmes qu'il a pu découvrir durant ses études, il a décidé de se consacrer à la pérennité de ces richesses incroyables. Il commença par La Selva, puis fonda le parc Rara Avis qui couvre actuellement 1 300 hectares de forêt tropicale humide à 700 m d'altitude sur les contreforts de

Développement durable

Les professionnels du tourisme (hôteliers, spécialistes d'activités, etc.) sont fortement impliqués dans la préservation de la nature au Costa Rica afin de sauvegarder leur « or vert » et de faire du tourisme une richesse sûre. C'est ce que l'on appelle le développement durable. Les professionnels se sont engagés à trouver les moyens de minimiser les impacts négatifs sur l'environnement local et maximiser les effets positifs dans la communauté environnante de Sarapiquí. Le CST (Certificat de Tourisme durable) est un programme qui établit un standard pour les lodges et auberges portant sur certains aspects du développement durable, incluant l'impact environnemental, l'impact communautaire et les risques de la construction sur le milieu. Ce programme est un programme de volontariat créé et suivi par l'Institut costaricain du Tourisme (ICT). CTS est l'un des programmes de certification de par le monde qui a été accrédité par l'Alliance pour les Forêts tropicales (Rainforest Alliance). Les CST sont attribués par Costa Rica National Accreditation Commission et consistent à attribuer une valeur sur une échelle de cinq « degrés » en rapport avec la conformité de l'établissement concernant le tourisme durable. Nous croyons que cette certification est à long terme l'un des chemins les plus prometteurs pour une évolution de l'industrie touristique à pratiquer le développement durable. Grâce à la prise de conscience soulevée par cette certification, les consommateurs ont un moyen facile et défini de connaître la réalité des faits et leur responsabilité face à la sauvegarde de la nature.

la cordillère centrale, à la frontière du parc national Braulio Carrillo, sur le flanc est du volcan Cacho Negro. La biodiversité de cette réserve est quelque chose d'extraordinaire. Il y a en effet 367 espèces d'oiseaux – dont toutes sortes de perroquets, toucans – sur les 820 que compte le Costa Rica, et 157 espèces d'orchidées. Pour mieux se rendre compte de cette richesse, il suffit de retenir que, sur ce petit bout de territoire (plus petit que la forêt de Rambouillet), il y a plus d'espèces de plantes, d'oiseaux et de papillons que dans toute l'Europe réunie. Le projet de Rara Avis diffère des autres. En effet, il aborde le problème de la destruction de la rainforest sous l'angle économique. Plutôt que de taper sur les doigts des destructeurs, Amos Bien préfère les convaincre qu'il est possible d'exploiter la forêt sans en perdre une parcelle à condition que les intérêts réels de ce milieu particulier (plantes médicinales entre autres) soient connus et qu'une bonne gestion soit appliquée. L'écotourisme est l'un des premiers fers de lance du combat contre l'ignorance et les profits tous azimuts. Ensuite viennent les projets éducatifs qui découlent directement des recherches menées au sein de la réserve. Par exemple, une certaine variété de palmier qui ne pousse qu'à l'ombre (stained glass palm) a été récemment redécouverte dans la forêt de Rara Avis : on le croyait complètement disparu du Costa Rica. On a récolté sa semence pour le réintroduire dans les meilleures conditions dans son habitat et il est maintenant « cultivé » sous serre comme plante ornementale. Mais il n'est pas pour autant question de transformer la forêt en gigantesque « jardinerie ». Elle doit rester un réservoir de plantes originelles et non corrompues par des cultures intensives et polluées. Les orchidées sont l'objet de recherches équivalentes destinées à maîtriser leur culture à partir de graines, alors que jusqu'à maintenant il fallait couper l'arbre sur lequel elles poussaient pour récolter la pousse.

Transports

Il vaut mieux planifier le séjour à Rara Avis, au moins pour savoir comment vous y rendre et si la route est praticable. Prendre le bus pour Horquetas, après c'est l'aventure. La route de Rara Avis est impraticable la majeure partie de l'année. Une sorte de tracteur tirant une remorque équipée de bancs parcourt « au moins » la moitié du chemin, mais attendez-vous à marcher... et à plonger rapidement dans les merveilleuses réalités de la rainforest. Comme c'est une réserve très isolée, il est recommandé de passer une nuit sur place afin de consacrer la journée du lendemain à la visite. Les modalités du « transport » sont précisées lors de la réservation de votre hébergement. Après, vous ne regretterez rien de ces trajets fastidieux et souhaiterez même que l'accès à Rara Avis ne change pas, puisque c'est presque une condition essentielle à la conservation du site.

ISLA DEL COCO

Isla del Coco (Île Coco)

© STÉPHANE SAVIGNARD

Ce pourrait être, à quelque 500 km au sud-ouest du Costa Rica (latitude 5° 32' – longitude 87° 05'), le mythe absolu de l'île vierge. Ce pourrait être aussi l'île d'un Robinson qui aurait pu vivre dans cette prison insulaire la vie la plus sauvage qui soit, bien qu'il semble que l'homme n'ait jamais eu droit de cité ici. Les rares tentatives pour peupler l'île à la fin du XIXe siècle et au début du XXe siècle ont toutes échoué. Ce pourrait être… Mais la Isla del Coco est tout simplement une île de paradis émergée loin des hommes, bien protégée par le grand océan. Elle appartient à la chaîne volcanique des Cocos (du nom de la plaque des Cocos qui fait tant de misères « tectoniques » au continent américain) et qui s'étire jusqu'aux îles Galápagos. Ce caillou de 52 km^{2}, long de 12 km et large de 5 km – un grain de sable dans le Pacifique –, culmine à 634 m au Cerro Iglesias.

Son humidité attira l'attention des marins qui, dès sa découverte en 1526 par l'Espagnol Joan Cabezas, y trouvèrent les indispensables réserves d'eau pure, mais aussi des fruits frais – notamment la noix de coco – grâce auxquels les équipages épuisés pouvaient lutter contre le scorbut. Ensuite, des rumeurs – légendes ? – lui valurent d'innombrables et infructueuses expéditions. En effet, de nombreux pirates y auraient enterré leurs trésors. Et depuis, les chercheurs de trésors espèrent trouver le gros lot ; les permis de recherche rapportent même des revenus au gouvernement ! C'est peut-être ça le trésor… De trésors, nul n'en a trouvé les traces, sans doute depuis longtemps recouvertes par l'épaisse végétation due à des précipitations extrêmes (jusqu'à 7 000 mm par an – soit dix fois plus d'eau qu'à Paris). Ce minuscule îlot aurait inspiré sir Conan Doyle – le célèbre auteur anglais des récits de Sherlock Holmes – pour son *Monde perdu* écrit en 1912, ainsi que Michael Crichton pour *Jurassic Park*. On voit d'ailleurs la silhouette de l'île au tout début du film de Spielberg quand un hélicoptère survole une île dont le relief vertigineux plonge dans des eaux transparentes.

Les trésors de l'île Coco

Entre 1624 et 1821, les pirates William Davies, Benito Bonito dit l' « Epée sanglante » et William Thompson auraient enterré une partie de leur butin sur l'île. Si certaines des légendes paraissent tout à fait improbables, celle concernant la Vierge à l'Enfant en or cachée par Thompson aurait quelque vérité. Mais évidemment pas question d'embarquer avec son détecteur de métaux vers ce sanctuaire, déclaré Patrimoine de l'humanité en 1998 par l'Unesco. Cependant, le ministère des Ressources naturelles délivre des permis de recherche. Comme quoi les trésors des pirates – matières sonnantes et trébuchantes d'origine en principe douteuse – peuvent être considérés par des gouvernements comme des ressources naturelles (?). Alors, si vos espoirs de trésor viennent de s'évanouir, faites un dernier rêve : Coco est un trésor…

Aujourd'hui, malgré son isolement, la Isla del Coco jouit d'une réputation qui la situe à part dans l'écosystème planétaire. De quoi attirer les écolos les plus radicaux ! On y a répertorié près de 300 espèces animales et végétales qui n'apparaissent nulle part ailleurs dans le monde, mis à part quelques lointains cousins aux Galápagos. L'île, habitée par 90 espèces d'oiseaux pour lesquelles se damneraient les amateurs de plumages enchantés, se targue d'abriter trois espèces uniques au monde : le coucou des Cocos, le pinson (une sous-espèce du pinson des Galápagos) et le moucherolle (un gobe-mouches). N'oublions pas l'oiseau de l'Esprit-Saint (une sterne blanche à bande noire) et de curieux fous, certains à pattes bleues, d'autres à pattes rouges. Mentionnons quelques lézards rares à stries noire, rouge et dorée. La faune marine est tout aussi exceptionnelle, des eaux riches en phytoplanctons et des courants tourbillonnants créant des conditions de vie hors du commun. Au milieu du récif corallien, des myriades de poissons festoient de ces riches repas, devenant eux-mêmes repas pour les autres… jusqu'au bout de la chaîne alimentaire. Ainsi les plongeurs peuvent fréquenter en grand nombre des raies pastenagues, raies manta, requins-marteaux, requins à nez blanc et même le grand, mais paisible, requin baleine. Bref, c'est un monde fabuleux, merveilleux et inquiétant qui vous attend sur la Isla. Des sentiers, connus par les chasseurs clandestins attirés par l'abondance du gibier, permettent d'en faire le tour. On s'y rend en yacht – quelques privilégiés – et, comme on ne peut y séjourner, il faut loger sur le bateau. Mais il paraît qu'il y a pire comme logement…

Transports

Comptez plus de 4 000 US$ pour 10 jours d'excursion au départ de Puntarenas, en logeant sur le bateau (aucun hébergement possible sur Isla del Coco, et aucune possibilité d'y aller par ses propres moyens). Pour vous y rendre, renseignements auprès des agences de voyages en France ou auprès de l'office des parcs nationaux.

SERVICIO DE PARQUES NACIONALES (SPN)
Apartado 10104-1000 San José
(c25, a8/10)
✆ +506 2257 0922 – +506 2233 4118
Fax : +506 2223 6963
De 8h à 16h du lundi au vendredi.

UNDERSEA HUNTER ET SEA HUNTER
✆ +506 2228 6613
Fax : +506 2289 7334
www.underseahunter.com
info@underseahunter.com
Trois navires de 90 pieds (27 m), d'une capacité de quatorze passagers, avec un équipage de huit personnes. Une bien belle organisation, avec repas variés, apéritifs à chaque dîner, trois plongées par jour, dont une nocturne… Bref, un moment magique au large d'une île magique !

ESPECIALES

Transport scolaire dans la vallée d'Orosí.

Pense futé

ARGENT

Monnaie

La monnaie du Costa Rica est le colón (¢) – colones au pluriel – du nom du « découvreur » Christophe Colomb, mais les prix sont souvent affichés en US$. Les deux monnaies ont indifféremment cours au Costa Rica. Si vous payez en dollars, on peut très bien vous rendre la monnaie en colones et vice-versa. Ce n'est pas évident au début mais on s'y retrouve vite. Les erreurs de rendu de monnaie sont rares car les Costaricains ont l'habitude de faire le calcul dans les deux monnaies. Sachez cependant que dans les petits commerces, les pulperías et autres abastadores, on n'accepte souvent que les colones ; il vaut mieux donc avoir les deux monnaies sur vous en permanence. A savoir également : préférez les petites coupures en US$ au moment où vous changez vos euros car les commerçanst et les restaurateurs costaricains refusent presque systématiquement les billets de 100 US$.

Taux de change

- **En août 2011 :** 1 € = 724 colones ; 1 US$ = 501 colones ; soit 1 000 colones = 1,38 € ou 1,99 US$.

Coût de la vie

Le Costa Rica est un pays où le niveau de vie est assez élevé, vous trouverez donc globalement les mêmes prix qu'en Europe ou aux Etats-Unis. Rappelez-vous que dans le domaine touristique, comme partout, tout est un peu plus cher.

- **Pour un repas complet :** 3 500 colones dans une soda et de 10 000 à 20 000 colones dans un restaurant de moyenne gamme ou une bonne table.
- **Une bouteille d'eau :** de 500 à 800 colones la petite bouteille. 1000 colones pour une grande bouteille.
- **Une bière (Imperial) :** de 500 à 800 colones.

Un jus de fruits : de 700 à 900 colones.

Un timbre carte postale : 340 colones pour l'Europe et 280 colones pour le Québec

L'entrée dans un Parc National : elle varie de 10 à 17 US$ mais elle est en général à 10 US$. Compter 10 US$ de plus par personne si vous prenez un guide. C'est un peu cher mais ça vaut le coup car ils ont l'œil et vous montreront tous les animaux que vous ne voyez pas.

Budget

Comparé avec ses voisins d'Amérique centrale, le Costa Rica est un pays cher, et encore plus dans les domaines touristiques qui se sont rapidement alignés sur les standards nord-américains.

Accès. Le billet au départ de l'Europe coûte 1 000 € (en été, il faut compter plutôt 1 400 €). On trouve éventuellement des billets moins chers, mais les périodes auxquelles ils sont proposés ne sont pas forcément les meilleures.

Hébergement. Peu de chances de trouver quelque chose de correct en dessous de 40 US$, surtout pendant la haute saison (de décembre à avril).

Transports. Hors location de voitures (compter environ 500 US$/semaine pour un petit 4x4 plus l'assurance de 18 US$ par jour), les transports sont en revanche bon marché, ainsi que la restauration « cuisine typique ».

Pour entrer dans un parc national, il faut compter environ 10 US$/personne.

Banques et change

Les banques sont ouvertes de 8h à 16h ou 15h le samedi. Certaines-le plus souvent dans les villes importantes-ferment à 18h30.

Le colón est introuvable en France, vous ne pourrez en obtenir qu'une fois au Costa Rica. Les bureaux de change acceptent les US$ mais jamais les euros (sauf un ou deux bureaux de change dans la capitale). On vous recommande donc de changer vos euros en dollars avant de partir.

Vous pouvez ensuite changer vos dollars en colones à la banque (pièce d'identité obligatoire), dans un bureau de change ou à la réception de la plupart des hôtels (contre un reçu officiel pour éviter les arnaques).

Important : vérifiez que vos dollars ne sont pas abîmés ou déchirés, ils ne seraient acceptés nul part au Costa Rica, pas plus que les grosses coupures dont on se méfie.

Les Costaricains vivent l'œil rivé en permanence sur le cours du dollar qui fixe le prix du colón. Vous pouvez demander à n'importe quel Costaricain dans la rue le cours du dollar et il vous donnera le cours du jour !

NATIONAL CHANGE
✆ 0 820 888 154
www.nationalchange.com
N'hésitez pas à contacter notre partenaire en mentionnant le code PF06 ou en consultant le site Internet. Vos devises et chèques de voyage vous seront envoyés à domicile.

Moyens de paiement

Les dollars en petites coupures ou la Carte Bleue Visa sont acceptés quasiment partout, ce sont les modes de paiment à privilégier. Les distributeurs (en monnaie locale le plus souvent) sont présents sur tout le territoire, sauf à Tortuguero et dans les zones les plus rurales, où il faut prendre ses précautions. Les Traveler's cheques sont peu acceptés et on vous les déconseille. Il vaut mieux plutôt partir avec des dollars qui seront acceptés partout, à condition que vous preniez des petites coupures (en-dessous de 100 US$).

Cash

Dans la plupart des cas, vous devrez faire la queue au guichet de la banque ou du bureau de change pour changer vos dollars en colones (présentez une pièce d'identité ou sa photocopie). On vous changera aussi vos dollars à la réception des hôtels. Si les distributeurs automatiques se sont multipliés ces dernières années, arrangez-vous tout de même pour retirer de l'argent (*efectivo*) dans les grandes villes ou les sites touristiques. On ne sait jamais ! Il vaut mieux retirer de l'argent au distributeur (*cajero*) et payer en liquide plutôt que de payer avec votre carte bancaire. En effet, certains établisssements (surtout les petits hôtels) ne sont toujours pas équipés d'un lecteur CB et il faut donc laisser une empreinte de sa carte sur place pour le paiement... Ce n'est pas forcément rassurant, même si les arnaques sont rares. Et puis dans certains cas, c'est le terminal de paiment électronique qui est en panne ! Pensez donc à avoir du liquide en quantité suffisante sur vous.

Transfert d'argent

Avec ce système, on peut envoyer et recevoir de l'argent de n'importe où dans le monde en quelques minutes. Le principe est simple : un de vos proches se rend dans un point MoneyGram® ou Western Union® (poste, banque, station-service, épicerie…), il donne votre nom et verse une somme à son interlocuteur. De votre côté de la planète, vous vous rendez dans un point de la même filiale. Sur simple présentation d'une pièce d'identité avec photo et de la référence du transfert, on vous remettra aussitôt l'argent.

Carte de crédit

- **Avant votre départ,** pensez à vérifier avec votre conseiller bancaire la limitation de votre plafond de paiement et de retrait. Demandez, si besoin est, une autorisation exceptionnelle pour la période de votre voyage. Forts utiles, les règlements par carte sont très majoritairement acceptés dans les hôtels, les restaurants et les agences de voyages, moyennant une commission de 2 à 3 %.
- **En cas de perte ou de vol** de votre carte de paiement, appelez le serveur vocal du groupement des cartes bancaires Visa® et MasterCard® au ✆ (00 33) 892 705 705 ou (00 33) 836 690 880. Il est accessible 7j/7 et 24h/24. Si vous connaissez le numéro de votre carte bancaire, l'opposition est immédiate et confirmée. Dans le cas contraire, l'opposition est enregistrée mais vous devez confirmer l'annulation à votre banque par fax ou lettre recommandée.
- **En cas de dysfonctionnement de votre carte** de paiement ou si vous avez atteint votre plafond de retrait, vous pouvez bénéficier d'un *cash advance*. Proposé dans la plupart des grandes banques, ce service permet de retirer du liquide sur simple présentation de votre carte au guichet d'un établissement bancaire, que ce soit le vôtre ou non. On vous demandera souvent une pièce d'identité. En général, le plafond du *cash advance* est identique à celui des retraits, et les deux se cumulent (si votre plafond est fixé à 500 €, vous pouvez retirer 1 000 € : 500 € au distributeur, 500 € en *cash advance*). Quant au coût de l'opération, c'est celui d'un retrait à l'étranger.

Traveler's Cheques

Ce sont des chèques prépayés émis par une banque, valables partout, et qui permettent d'obtenir des espèces dans un établissement bancaire ou de payer directement ses achats auprès de très nombreux lieux affiliés (boutiques, hôtels, restaurants…). Ils sont valables à vie. Leur avantage principal est l'inviolabilité : un système de double signature (la deuxième étant faite par vous devant le commerçant) empêche toute utilisation frauduleuse. A la fin de votre séjour, s'il vous reste des Traveler's Cheques, vous pourrez les changer contre des euros ou les restituer à votre banque qui les imputera à votre compte courant. A noter que le paiement par chèque classique est rarement possible à l'étranger. Lorsque c'est le cas, l'utilisation est compliquée et très coûteuse.

Pourboires, marchandage et taxes

Taxe de service et pourboire

Le service (10%) est normalement compris dans la cuenta, mais cela n'est pas toujours appliqué. Aussi pour éviter les mauvaises surprises, lisez bien la carte du menu car si le service n'est pas compris, c'est normalement indiqué. Il arrive cependant que les 10 % de service soient ajoutés à l'addition sans que ce soir inscrit sur le menu, prévoyez donc suffisamment d'argent pour ces 10% supplémentaire. Quant au pourboire, la *propina*, il est selon votre bon vouloir et la qualité du service.

Marchandage

Il ne se pratique que très peu. Les locaux se le permettent lors de l'achat de certains produits, comme l'électroménager par exemple, mais il serait plutôt mal vu de marchander repas, nuits d'hôtels et souvenirs.

Taxes

Pas toujours comprises dans les tarifs annoncés des hôtels, les taxes alourdissent de 16,39 % la note des hôtels et de 26 % celle des restaurants où les taxes ne sont pas comprises (impuestos non incluidos). Une loi oblige pourtant ces établissements à donner le prix final (impuestos incluidos) mais les hôteliers profitent d'un certain flou et ne l'appliquent pas toujours.

Duty Free

Puisque votre destination finale est hors de l'Union européenne, vous pouvez bénéficier du Duty Free (achats exonérés de taxes). Attention, si vous faites escale au sein de l'Union européenne, vous en profiterez dans tous les aéroports à l'aller, mais pas au retour. Par exemple, pour un vol aller avec une escale, vous pourrez faire du shopping en Duty Free dans les trois aéroports, mais seulement dans celui de votre lieu de séjour au retour.

ASSURANCES

Simples touristes, étudiants, expatriés ou professionnels, il est possible de s'assurer selon ses besoins et pour une durée correspondant à son séjour. De la simple couverture temporaire s'adressant aux baroudeurs occasionnels à la garantie annuelle, très avantageuse pour les grands voyageurs, chacun pourra trouver le bon compromis. À condition toutefois de savoir lire entre les lignes.

Choisir son assureur

Voyagistes, assureurs, secteur bancaire et même employeurs : les prestataires sont aujourd'hui très nombreux et la qualité des produits proposés varie considérablement d'une enseigne à une autre. Pour bénéficier de la meilleure protection au prix le plus attractif, demandez des devis et faites jouer la concurrence. Quelques sites Internet peuvent être utiles dans ces démarches comme celui de la Fédération française des sociétés d'assurances (www.ffsa.fr), qui saura vous aiguiller selon vos besoins, ou le portail de l'Administration française (www.service-public.fr) pour toute question relative aux démarches à entreprendre.

Voyagistes. Ils ont développé leurs propres gammes d'assurances et ne manqueront pas de vous les proposer. Le premier avantage est celui de la simplicité. Pas besoin de courir après une police d'assurance. L'offre est faite pour s'adapter à la destination choisie et prend normalement en compte toutes les spécificités de celle-ci. Mais ces formules sont habituellement plus onéreuses que les prestations équivalentes proposées par des assureurs privés. C'est pourquoi il est plus judicieux de faire appel à son apériteur habituel si l'on dispose de temps et que l'on recherche le meilleur prix.

Assureurs. Les contrats souscrits à l'année comme l'assurance responsabilité civile couvrent parfois les risques liés au voyage. Il est important de connaître la portée de cette protection qui vous évitera peut-être d'avoir à souscrire un nouvel engagement. Dans le cas contraire, des produits spécifiques pourront vous être proposés à un coût généralement moindre. Les mutuelles couvrent également quelques risques liés au voyage. Il en est ainsi de certaines couvertures maladie qui incluent une protection concernant par exemple tout ce qui touche à des prestations médicales.

Employeurs. C'est une piste largement méconnue mais qui peut s'avérer payante. Les plus généreux accordent en effet à leurs employés quelques garanties applicables à l'étranger. Pensez à vérifier votre contrat de travail ou la convention collective en vigueur dans votre entreprise. Certains avantages non négligeables peuvent s'y cacher.

Cartes bancaires. Moyen de paiement privilégié par les Français, la carte bancaire permet également à ses détenteurs de bénéficier d'une assurance plus ou moins étendue. Visa®, MasterCard®, American Express®, toutes incluent une couverture spécifique qui varie selon le modèle de carte possédé. Responsabilité civile à l'étranger, aide juridique, avance des fonds, remboursement des frais médicaux : les prestations couvrent aussi bien les volets assurance (garanties contractuelles) qu'assistance (aide technique, juridique, etc.). Les cartes bancaires haut de gamme de type Gold® ou Visa Premier® permettent aisément de se passer d'assurance complémentaire. Ces services attachés à la carte peuvent donc se révéler d'un grand secours, l'étendue des prestations ne dépendant que de l'abonnement choisi. Il est néanmoins impératif de vérifier la liste des pays couverts, tous ne donnant pas droit aux mêmes prestations. De plus, certaines cartes bancaires assurent non seulement leurs titulaires mais aussi leurs proches parents lorsqu'ils voyagent ensemble, voire séparément. Pensez cependant à vérifier la date de validité de votre carte car l'expiration de celle-ci vous laisserait sans recours.

Précision utile : beaucoup pensent qu'il est nécessaire de régler son billet d'avion à l'aide de sa carte bancaire pour bénéficier de l'ensemble de ces avantages. Cette règle ne s'applique en fait qu'à la garantie annulation du billet de transport – si elle est prévue au contrat – et ne concerne que l'assurance, en aucun cas l'assistance. Les autres services, indépendants les uns des autres, ne nécessitent pas de répondre à cette condition afin de pouvoir être actionnés.

Choisir ses prestations

Garantie annulation. Elle reste l'une des prestations les plus utiles et offre la possibilité à un voyageur défaillant d'annuler tout ou partie de son voyage pour l'une des raisons mentionnées au contrat.

Ce type de garantie peut couvrir toute sorte d'annulation : billet d'avion, séjour, location… Cela évite ainsi d'avoir à pâtir d'un événement imprévu en devant régler des pénalités bien souvent exorbitantes. Le remboursement est la plupart du temps conditionné à la survenance d'une maladie ou d'un accident grave, au décès du voyageur ayant contracté l'assurance ou à celui d'un membre de sa famille. L'attestation d'un médecin assermenté doit alors être fournie. Elle s'étend également à d'autres cas comme un licenciement économique, des dommages graves à son habitation ou son véhicule, ou encore à un refus de visa des autorités locales. Moyennant une surtaxe, il est également possible d'élargir sa couverture à d'autres motifs comme la modification de ses congés ou des examens de rattrapage. Les prix pouvant atteindre 5 % du montant global du séjour, il est donc important de bien vérifier les conditions de mise en œuvre qui peuvent réserver quelques surprises. Dernier conseil : s'assurer que l'indemnité prévue en cas d'annulation couvre bien l'intégralité du coût du voyage.

Assurance bagages. Voir la partie « Bagages ».

Assurance maladie. Voir la partie « Santé ».

Autres services. Les prestataires proposent la plupart du temps des formules dites « complètes » et y intègrent des services tels que des assurances contre le vol ou une assistance juridique et technique. Mais il est parfois recommandé de souscrire à des offres plus spécifiques afin d'être paré contre toute éventualité. L'assurance contre le vol en est un bon exemple. Les plafonds pour ce type d'incident se révèlent généralement trop faibles pour couvrir les biens perdus et les franchises peuvent finir par vous décourager. Pour tout ce qui est matériel photo ou vidéo, il peut donc être intéressant de choisir une couverture spécifique garantissant un remboursement à hauteur des frais engagés.

BAGAGES

Que mettre dans ses bagages ?

Des vêtements amples et légers, des t-shirts ainsi que des tenues en coton sont conseillées sous ce climat chaud et humide, qui sévit la majeure partie de l'année. Evitez les tissus épais ou synthétiques qui sèchent lentement ! Une bombe anti-moustiques vous sera vitale dès le crépuscule, si vous séjournez près des fleuves ou des lacs. A Tortuguero, les moustiques sont féroces alors aspergez-vous bien de produit répulsif avant de partir en promenade. Mettez un produit anti-moustiques par sécurité dans votre valise mais vous en trouverez aussi facilement en supermarché sur place. Pour la marche, emportez ce que vous voulez pourvu que ce soit confortable en montagne. Pensez aussi à avoir sur vous un impérméable de type poncho pour vous protéger en cas d'averses

soudaines (très fréquentes à la saison des pluies) ; c'est préférable à un parapluie qui est très peu efficace en cas de pluie violente. De bonnes chaussures de randonnée montantes sont parfaites pour marcher quelque soit le terrain, qu'il pleuve ou qu'il vente, et elles protègent bien contre d'éventuelles morsures de serpents (rares, rassurez-vous). Mettez un pantalon long en forêt, vous serez mieux protégé des branches et des morsures d'insectes ou de fourmis. Les nuits, et même les journées, peuvent être fraîches en altitude (les températures descendent parfois jusqu'à 3 ou 4 °C) : prévoyez donc une petite laine une polaire, légère et chaude, et un coupe-vent efficace. Pour sortir, les Costaricains aiment s'habiller ; emportez une tenue qui peut servir dans de telles occasions.

Réglementation

- **Bagages en soute.** Généralement, 20 à 23 kg de bagages sont autorisés en soute pour la classe économique et 30 à 40 kg pour la première classe et la classe affaires. Si vous prenez une des compagnies *low cost*, sachez qu'elles font souvent payer un supplément pour chaque bagage enregistré.

- **Bagages à main.** En classe éco, un bagage à main et un accessoire (sac à main, ordinateur portable) sont autorisés, le tout ne devant pas dépasser les 12 kg ni les 115 cm de dimension. En première et en classe affaires, deux bagages sont autorisés en cabine. Les liquides et gels sont désormais interdits : seuls les tubes et flacons de 100 ml maximum sont tolérés, et ce dans un sac en plastique transparent fermé (20x20 cm). Seules exceptions à la règle : les aliments pour bébé et médicaments accompagnés de leur ordonnance. Enfin, si vous souhaitez ramener des denrées typiquement françaises sur votre lieu de villégiature, sachez que les fromages à pâte molle et les bouteilles achetées hors du Duty Free ne sont pas acceptés en cabine. Pour un complément d'informations, contactez directement la compagnie aérienne concernée.

Excédent

Lorsqu'on en vient à parler d'excédent de bagages, les compagnies aériennes sont assez strictes. Elles vous laisseront souvent tranquille pour 1 ou 2 kg de trop, mais passé cette marge, le couperet tombe, et il tombe sévèrement : 30 € par kilo supplémentaire sur un vol long-courrier chez Air France, 120 € par bagage supplémentaire chez British Airways, 100 € chez American Airlines. A noter que les compagnies pratiquent parfois des remises de 20 à 30 % si vous réglez votre excédent de bagages sur leur site Web avant de vous rendre à l'aéroport. Si le coût demeure trop important, il vous reste la possibilité d'acheminer une partie de vos biens par voie postale.

Perte – Vol

En moyenne, 16 passagers sur 1 000 ne trouvent pas leurs bagages sur le tapis à l'arrivée. Si vous faites partie de ces malchanceux, rendez-vous au comptoir de votre compagnie pour déclarer l'absence de vos bagages. Pour que votre demande soit recevable, vous devez réagir dans les 21 jours suivant la perte.

La compagnie vous remettra un formulaire qu'il faudra renvoyer en lettre recommandée avec accusé de réception à son service clientèle ou litiges bagages. Vous récupérerez le plus souvent vos valises au bout de quelques jours. Dans tous les cas, la compagnie est seule responsable et devra vous indemniser si vous ne revoyez pas la couleur de vos biens (ou si certains biens manquent à l'intérieur de votre bagage). Le plafond de remboursement est fixé à 20 € par kilo ou à une indemnisation forfaitaire de 1 200 €. Si vous considérez que la valeur de vos affaires dépasse ces plafonds, il est fortement conseillé de le préciser à votre compagnie au moment de l'enregistrement (le plafond sera augmenté moyennant finance) ou de souscrire à une assurance bagages. A noter que les bagages à main sont sous votre responsabilité et non sous celle de la compagnie.

Matériel de voyage

AU VIEUX CAMPEUR
www.auvieuxcampeur.fr
Fondé en 1941, Au Vieux Campeur est la référence incontournable lorsqu'il s'agit d'articles de sport et loisirs.

DELSEY
www.delsey.com
La deuxième marque mondiale dans le domaine du bagage, présente dans plus de 100 pays, avec 6 000 points de vente.

INUKA
www.inuka.com
Ce site vous permet de commander en ligne tous les produits nécessaires à votre voyage, du matériel de survie à celui d'observation en passant par les gourdes ou la nourriture lyophilisée.

SAMSONITE
www.samsonite.com
Samsonite est le leader mondial de l'univers des solutions de voyage. Les produits sont distribués sous les marques Samsonite, Samsonite Black Label, American Tourister, Lacoste et Timberland.

TREKKING
www.trekking.fr
Trekking propose dans son catalogue tout ce dont le voyageur a besoin : trousses de voyage, ceintures multipoche, sacs à dos, sacoches, étuis... Une mine d'objets de qualité pour voyager futé et dans les meilleures conditions.

DÉCALAGE HORAIRE

- **En hiver :** 7 heures de moins. Quand il est 17h à Paris, il est 10h à San José.
- **En été :** 8 heures de moins. Quand il est 18h à Paris, il est 10h à San José.

ÉLECTRICITÉ, POIDS ET MESURES

Électricité

110 volts AC. Les prises électriques sont de type américain, à fiches plates, mais la plupart des installations récentes acceptent les nôtres. A défaut, on trouve assez facilement des adaptateurs (adaptadores) dans les magasins d'électricité générale pour 1000 colones environ.

Poids et mesures

Les mêmes qu'en France concernant les poids : kilogrammes, grammes... Même s'il arrive qu'on entende parler de livre costaricienne qui équivaut à 460 g. Pour les distances, on parle en kilomètres, vous ne serez donc pas non plus perdus. Seul le secteur de la contsruction emploie la mesure de superficie appelée « manzana » qui équivaut à 86,96 m^2. Pour des superficies plus grandes, c'est la «caballaria» qui est utilisée. Elle est égale à 45 hectares, 25 ares et 35,16 m^2.

FORMALITÉS, VISA ET DOUANES

Le visa n'est pas exigé pour les ressortissants français qui se rendent au Costa Rica ; si le séjour n'excède pas 90 jours, un passeport est suffisant. Attention cependant, toute personne qui quitte le Costa Rica par l'aéroport international doit s'acquitter d'une taxe de 26 US$ (ou la somme équivalente en colones).

Attention aux conditions d'entrée pour vos animaux de compagnie. Renseignez-vous avant votre départ pour savoir comment ils pourront vous accompagner.

Obtention du passeport

Tous les passeports délivrés en France sont désormais biométriques. Ils comportent votre photo, vos empreintes digitales et une puce sécurisée. Pour l'obtenir, rendez-vous en mairie muni d'un timbre fiscal, d'un justificatif de domicile, d'une pièce d'identité et de deux photos d'identité. Le passeport est délivré sous trois semaines environ. Il est valable dix ans. Les enfants doivent disposer d'un passeport personnel (valable cinq ans).

Conseil futé. Avant de partir, pensez à photocopier tous les documents que vous emportez avec vous. Vous emporterez un exemplaire de chaque document et laisserez l'autre à quelqu'un en France. En cas de perte ou de vol, les démarches de renouvellement seront ainsi beaucoup plus simples auprès des autorités consulaires. Vous pouvez également conserver des copies sur le site internet officiel http://mon.service-public.fr – Il vous suffit de créer un compte et de scanner toutes vos pièces d'identité et autres documents importants dans l'espace confidentiel.

Formalités et visas

ACTION-VISAS
69, rue de la Glacière 75013 Paris
✆ 0 892 707 710
www.action-visas.com

VSI
19-21, avenue Joffre
93800 Epinay-sur-Seine Cedex
✆ 0 826 46 79 19
www.vsi.1er.fr

WORLD VISA
117, rue de Charenton 75012 Paris
✆ 06 09 83 82 29
www.worldvisa.fr

Douanes

Lorsque vous arrivez en France d'une destination hors de l'Union européenne, vous pouvez transporter avec vous des marchandises achetées ou qui vous ont été offertes dans un pays tiers, sans avoir de déclaration à effectuer, ni de droits et taxes à payer. La valeur de ces marchandises ne doit pas excéder, selon les cas de figure :

Voyageur de moins de 15 ans (quel que soit le mode de transport) : 150 €.

Voyageur de 15 ans et plus, utilisant un mode de transport autre que aérien et maritime : 300 €.

Voyageur de 15 ans et plus, utilisant un mode de transport aérien et maritime : 430 €.

Attention : aucune de ces sommes ne peut être cumulée par différentes personnes pour bénéficier d'une franchise plus importante pour un même objet. (Par exemple, un couple ne peut pas demander à bénéficier de la franchise pour un appareil d'une valeur de 860 €).

Si vous voyagez avec 10 000 € de devises ou plus, vous devez impérativement les déclarer en douane et si vous transportez des objets d'origine étrangère, munissez-vous des factures ou des quittances de paiement des droits de douane : on peut vous les demander pour prouver que vous êtes en règle.

Enfin, certains produits sont libres de droits de douane jusqu'à une certaine quantité. Au-delà de celle-ci, ils doivent être déclarés. Vous acquitterez alors les taxes normalement exigibles. Les franchises ne sont pas cumulatives. Cela signifie que si vous

Tabac	Cigarettes (unités)	200*
	Tabac à fumer (g)	250
	Cigares (unités)	50
Alcool (litres)	Vin	4
	Produits intermédiaires (- 22°)	2
	Boissons spiritueuses (+ 22°)	1
	Bières	16

** Certains pays peuvent abaisser ce chiffre à 40 selon leur politique de santé.*

choisissez de ramener du tabac, vous pouvez acheter 200 cigarettes ou 50 cigares (soit 250 grammes de tabac), mais pas les deux. Contactez la douane pour en savoir plus.

DOUANES
✆ 0 811 20 44 44
www.douane.gouv.fr
dg-bic@douane.finances.gouv.fr

HORAIRES D'OUVERTURE

Horaires d'ouverture

- **Les commerces** ouvrent à 9h et ferment à 20h. Les boutiques et les magasins, mis à part ceux d'alimentation, sont ouverts approximativement de 9h à 19h30, et les grandes surfaces entre 8h et 19h. Les magasins de la chaîne Más x Menos sont ouverts le dimanche et les jours fériés jusqu'à 20h.
- **Les magasins ou bureaux** sont pratiquement toujours fermés entre 12h et 14h, l'heure du déjeuner étant sacrée
- **Les administrations** ouvrent dès 8h et ferment à 17h en semaine. Elles sont fermées le samedi, le dimanche et les jours fériés.

Fermetures exceptionnelles

Elles sont annoncées dans les quotidiens. Attention ! Si vous séjournez au Costa Rica à l'occasion de la semaine sainte, prévoyez de réserver plusieurs mois à l'avance pour les hôtels en bord de mer car tous les Costaricains partent vers les côtes. De plus, la plupart des commerces sont fermés.

Magasins ouverts en permanence

Les stations-service (*gasolineras*) des grandes villes sont en général ouverts en permanence, tout comme leur superette.

INTERNET

Pour consulter vos e-mails, vous n'aurez aucun mal à trouver un cybercafé en ville (en moyenne : 1 US$ les 30 minutes et 2 US$ l'heure). La plupart des hôtels mettent à disposition de leurs clients un ordinateur avec accès internet gratuit. Si vous avez apportez votre ordinateur portable, sachez enfin que le wifi est généralement gratuit et illimité dans la plupart des hôtels ; il suffit juste de demander les codes à la réception.

JOURS FÉRIÉS

- **1er janvier :** jour de l'An.
- **11 avril :** jour de Juan Santamaria, le héros national.
- **avril :** jeudi et vendredi saints, Pâques.
- **1er mai :** fête du travail.
- **25 juillet :** fête de l'annexion de la région du Guanacaste.
- **2 août :** jour de la Vierge de Notre Dame des Anges (Virgen de nuestra señora de Los Angeles), patronne du Costa Rica.
- **15 août :** l'Assomption.
- **12 octobre :** fête de Christophe Colomb.
- **25 décembre :** Noël.

LANGUES PARLÉES

Apprendre la langue : il existe différents moyens d'apprendre quelques bases de la langue et l'offre pour l'auto-apprentissage peut se faire sur différents supports (CD, DVD, cahiers d'exercices ou même directement sur Internet.

Vous trouverez également bon nombre d'écoles d'espagnol destinées aux touristes à travers le pays ; nous avons recensé les plus sérieuses dans ce guide et vous les trouverez dans les chapitres des régions concernées.

ASSIMIL

11, rue des Pyramides 75001 Paris
✆ 01 42 60 40 66 – Fax : 01 40 20 02 17
www.assimil.com – contact@assimil.com
Métro Pyramides L14
Assimil est le précurseur des méthodes d'auto-apprentissage des langues en France, la référence lorsqu'il s'agit de langues étrangères. C'est aussi une nouvelle façon d'apprendre : une méthodologie originale et efficace, le principe, unique au monde, de l'assimilation intuitive.

POLYGLOT

www.polyglot-learn-language.com
Ce site propose à des personnes désireuses d'apprendre une langue d'entrer en contact avec d'autres dont c'est la langue maternelle. Une manière conviviale de s'initier à la langue et d'échanger.

TELL ME MORE ONLINE

www.tellmemore-online.com
Sur ce site Internet, votre niveau est d'abord évalué et des objectifs sont fixés en conséquence. Ensuite, vous vous plongez parmi les 10 000 exercices et 2 000 heures de cours proposés. Enfin, votre niveau final est certifié selon les principaux tests de langues.

PHOTO

Photo sous-marine

Eau, sable, pluie poussière : en voyage, votre appareil est mis à rude épreuve. Vous pouvez le protéger en achetant une housse de pluie (50 € environ) ou une pochette étanche (à partir de 10 €). En vinyle ou PVC, ce type de pochette permet même d'effectuer des clichés sous-marins jusqu'à 3 ou 5 m selon les modèles. Vous en trouverez notamment chez Nautistore ou Pearl.fr. Dans le cas où vous n'auriez pas pensé à vous munir de ce genre d'accessoire avant le départ, un bon vieux sac plastique assurera une protection minimale. A noter : Si votre appareil a été mouillé, n'essayez surtout pas de l'utiliser pour voir s'il fonctionne, c'est le meilleur moyen de l'endommager réellement. Laissez-le sécher 48 heures à l'air libre, boîtier ouvert.

Conseils pratiques

Vous prendrez les meilleures photos tôt le matin ou aux dernières heures de la journée. Un ciel bleu de midi ne correspond pas aux conditions optimales : la lumière est souvent trop verticale et trop blanche. En outre, une météo capricieuse offre souvent des atmosphères singulières, des sujets inhabituels et, par conséquent, des clichés plus intéressants.

Prenez votre temps. Promenez-vous jusqu'à découvrir le point de vue idéal pour prendre votre photo. Multipliez les essais : changez les angles, la composition, l'objectif... Vous avez réussi à cadrer un beau paysage, mais il manque un petit quelque chose ? Attendez que quelqu'un passe dans le champ ! Tous les grands photographes vous le diront : pour obtenir un bon cliché, il faut en prendre plusieurs.

Appliquez la règle des tiers. Divisez mentalement votre image en trois parties horizontales et verticales égales. Les points forts de votre photo doivent se trouver à l'intersection de ces lignes imaginaires. En effet, si on cadre son sujet au centre de l'image, la photo devient plate, car cela provoque une symétrie trop monotone. Pour un portrait, il faut donc placer les yeux sur un point fort et non au centre. Essayez aussi de laisser de l'espace dans le sens du regard. Un coup d'œil aux cartes postales et livres de photos sur la région vous donnera des idées de prises de vue.

À savoir : les tons jaunes, orange, rouges et les volumes focalisent l'attention ; ils donnent une sensation de proximité à l'observateur. Les tons plus froids (vert ou bleu) créent de leur côté une impression d'éloignement.

Développer – Partager

Plusieurs sites proposent de stocker vos photos et de les partager directement en ligne avec vos proches.

FLICKR

www.flickr.com
Sur Flickr, vous pouvez créer des albums photo, retoucher vos clichés et les classer par mots-clés tout en déterminant s'ils seront visibles par tous ou uniquement par vos proches. Petit plus du site : vous avez la

possibilité d'effectuer des recherches par lieux et ainsi découvrir votre destination à travers les prises de vue d'autres internautes. D'autant plus intéressant que nombre de photographes professionnels utilisent Flickr.

FOTOLIA
http://fr.fotolia.com
Fotolia est une banque d'images. Le principe est simple : vous téléchargez vos photos sur le site pour les vendre à qui voudra. Le prix d'achat de base est fixé à 0,83 € et peut monter jusqu'à 8,30 € par cliché. Pas de quoi payer vos prochaines vacances donc, mais peut-être assez pour réduire la note de vos tirages !

PHOTOWEB
www.photoweb.fr
Photoweb est un laboratoire photo en ligne. Vous pouvez y télécharger vos photos pour commander des tirages ou simplement créer un album virtuel. Le site conçoit aussi tout un tas d'objets à partir de vos clichés : tapis de souris, livres, posters, faire-part, agendas, tabliers, cartes postales… Les prix sont très compétitifs et les travaux de qualité.

POSTE

Le courrier entre le Costa Rica et les autres pays met du temps à voyager. Il faut compter au moins sept jours par exemple pour la France. Les timbres pour des cartes postales vers la France valent 340 colones et 280 colones vers le Québec. A la poste centrale de San José (Correo Central, c2, a1/3), les boîtes internationales sont à gauche en entrant. Allez donc, en passant, jeter un coup d'œil aux boîtes postales au fond de la pièce, elles sont impressionnantes ! Si vous attendez du courrier lors d'un séjour suffisamment long, mieux vaut louer une boîte postale (*apartado*, abrégé « Apdo ») à la poste ; vous récupèrerez ainsi votre courrier au guichet (ce service est gratuit). Les coût d'envoi des paquets (*paquetes postales*) par la poste aérienne sont très élevés, il vaut mieux les expédier par la poste maritime même si les délais sont plus longs (cinq semaines pour la France).

QUAND PARTIR ?

Climat

La saison sèche, entre décembre et avril, est la meilleure au niveau du climat : il ne pleut pas, le soleil brille en permanence et les températures vont de 25 à 30°C.

MÉTÉO CONSULT
www.meteo-consult.com
Sur ce site vous trouverez les prévisions météorologiques pour le monde entier. Vous connaîtrez ainsi le temps qu'il fait sur place.

Haute et basse saisons touristiques

- **La saison sèche,** de décembre à avril, est la haute saison touristique. Il fait beau mais les hôtels sont souvent complets et les prix augmentent. Pensez à réserver plusieurs semaines à l'avance pour trouver une chambre disponible et obtenir les meilleurs prix.
- **La saison basse** correspond à la saison dite « verte », soit la saison des pluies qui commence en mai, cependant depuis quelques années le climat est assez clément jusqu'en août. En juillet, il y a presque toujours une période de beau temps, appelée « veranillo » (petit été), qui dure à peu près 15 jours. Les pires mois sont septembre et octobre, surtout en ce qui concerne les transports (certaines routes peuvent être bloquées pendant plusieurs semaines à la suite des pluies qui ne se calment qu'en novembre). Particularité : la côte caraïbe est souvent ensoleillée à cette période. Toutefois, les avantages en basse saison sont nombreux : rabais dans les hôtels, températures plus clémentes, paysages plus verts.... A savoir : pendant la saison verte, plus la matinée est ensoleillée, plus la pluie tombera violemment au cours de l'après-midi.

Manifestations spéciales

Evitez vraiment de partir au Costa Rica pendant la semaine sainte (Pâques, en avril), ou alors prévoyez de réserver plusieurs mois à l'avance si vous voulez séjourner dans un hôtel en bord de mer car tous les Costaricains partent vers les côtes. De plus, la plupart des commerces sont fermés.

SANTÉ

Aucun vaccin n'est obligatoire au Costa Rica mais les vaccins contre le tétanos, la diphtérie et l'hépatite A (à moins d'être immunisé) sont recommandés. Les plus prudents et les plus aventureux devront y ajouter l'hépatite B ainsi que la fièvre typhoïde. Planifiez vos vaccinations plusieurs semaines avant le départ. Il est également nécessaire de prendre ses précautions contre la dengue et le paludisme (mettre du produit anti-moustiques, un t-shirt à manches longues et un pantalon dans les zones à risques, près des eaux stagnantes). Enfin si l'eau est potable, les corps fragiles veilleront à n'en consommer qu'en bouteille. Les problèmes de santé les plus fréquents sont la diarrhée, les infections des voies aériennes (attention à la climatisation !) et les maladies de peau. En forêt, il est fréquent de se faire piquer par des insectes dont certains peuvent transmettre des maladies de peau (leishmaniose, puce-chique...) qui peuvent se révéler après le retour. De plus, les piqûres d'insectes se surinfectent facilement en milieu tropical : il faudra être attentif aux petits bobos et veiller à éviter les piqûres principalement par une couverture vestimentaire correcte. Si les problèmes sont plus graves, ayez le réflexe : contactez le consulat français. Il se chargera de vous aider et vous forunira la liste des médecins francophones. C'est aussi lui qui prévient la famille et qui décide du rapatriement dans les cas extrêmes.

Conseils

Pour vous informer de l'état sanitaire du pays et recevoir des conseils, n'hésitez pas à consulter votre médecin. Vous pouvez aussi vous adresser à la Société de médecine des voyages du centre médical de l'Institut Pasteur au ✆ 01 40 61 38 46 (www.pasteur.fr/sante/cmed/voy/listpays.html) ou vous rendre sur le site du Cimed (www.cimed.org), du ministère des Affaires étrangères à la rubrique « Conseils aux voyageurs » (www.diplomatie.gouv.fr/voyageurs) ou de l'Institut national de veille sanitaire (www.invs.sante.fr).

En cas de maladie, il faut contacter le consulat français. Il se chargera de vous aider, de vous accompagner et vous fournira la liste des médecins francophones. En cas de problème grave, c'est aussi lui qui prévient la famille et qui décide du rapatriement.

Avant de partir, vous pouvez contacter le service Santé Voyages : ✆ 05 56 79 58 17 (Bordeaux) ✆ 04 91 69 11 07 (Marseille) ✆ 01 40 25 88 86 (Paris).

Maladies et vaccins

Diarrhée du voyageur (tourista)

Statistiquement, un voyageur sur deux est touché par la turista au cours des 48 premières heures de son séjour. Ces diarrhées et douleurs intestinales sont dues à une mauvaise hygiène, à la cuisson insuffisante des aliments, à une nourriture trop épicée ou, le plus souvent, à l'eau. 80 % des maladies contractées en voyage sont en effet directement imputables à une eau contaminée. Ces troubles disparaissent en général en un à trois jours. Prenez un antidiarrhéique, un désinfectant intestinal et hydratez-vous bien (pas de jus de fruits). Si la diarrhée persiste ou s'accompagne de pertes de sang ou de glaires, consultez un médecin. Pour éviter ces désagréments, achetez des bouteilles d'eau scellées, faites bouillir l'eau (le café et le thé sont des boissons « sûres »), évitez les crudités ou les fruits non pelés, bannissez les glaçons, ne vous brossez pas les dents avec l'eau du robinet et ayez toujours sur vous des comprimés désinfectants. Avant de partir, vous pouvez acheter du Micropur® Forte DCCNa – seul produit sur le marché qui purifie l'eau rapidement (élimine bactéries, virus, giardia et amibes) et permet à l'eau de rester potable. Il existe aussi Aquatabs® ou Hydroclonazone®. Ce dernier est le moins cher mais le goût en chlore est très prononcé et seules les bactéries sont éliminées. Pour les aventuriers, un filtre est indispensable pour l'eau boueuse. Les filtres Katadyn® répondent aux attentes de ces baroudeurs avec plusieurs modèles, dont le filtre bouteille qui permet d'avoir de l'eau potable instantanément sans pomper (il élimine aussi les virus).

Dengue

Cette fièvre assez courante dans les pays tropicaux est transmise par les moustiques. La dengue se traduit par un syndrome grippal (fièvre, maux de tête, douleurs articulaires et musculaires). Il n'existe pas de traitement préventif ou de vaccin. Ne prenez jamais d'aspirine. Cette maladie pouvant être mortelle, il est fortement recommandé de consulter un médecin en cas de fièvre.

Fièvre jaune

La fièvre jaune est une maladie virale, transmise à l'homme par les moustiques. Elle est surtout présente dans les régions tropicales. Après une semaine d'incubation, la maladie provoque fièvres, frissons et maux de tête. Pour les cas les plus graves, après plusieurs jours apparaît un syndrome hémorragique caractérisé par des vomissements de sang noirâtre, un ictère et des troubles rénaux. Il n'existe aucun traitement spécifique pour soigner la fièvre jaune, si ce n'est le repos au lit accompagné de médicaments permettant de lutter contre les symptômes.

Hépatite A

Pour l'hépatite A, l'existence d'une immunité antérieure rend la vaccination inutile. Elle est fréquente lorsque vous avez des antécédents de jaunisse, de séjour prolongé à l'étranger ou êtes âgé de plus de 45 ans. L'hépatite A est le plus souvent bénigne mais elle peut se révéler grave, notamment au-delà de 45 ans et en cas de maladie hépatique préexistante. Elle s'attrape par l'eau ou les aliments mal lavés. Si vous êtes porteur d'une maladie du foie, la vaccination contre l'hépatite A est hautement recommandée avant tout type de voyage où l'hygiène est précaire. Elle doit être effectuée en deux fois mais la première injection, un mois avant le départ, suffit à assurer une protection pour un voyage de courte durée. La deuxième (six mois à un an plus tard) renforce la durée de l'immunité pour des dizaines d'années.

Hépatite B

L'hépatite B est plus grave que l'hépatite A. Elle se contracte lors de rapports sexuels ou par le sang. Le vaccin contre l'hépatite B est à faire en deux fois à un mois d'intervalle (mais il existe des vaccinations accélérées en un mois pour les voyageurs pressés), puis un rappel six mois plus tard pour renforcer la durée de la protection.

Paludisme

Le pays est une zone de transmission de paludisme. Consultez votre médecin pour connaître le traitement préventif adapté : il diffère selon la région, la période du voyage et la personne concernée. Eviter le traitement est possible si votre séjour est inférieur à sept jours (et sous réserve de pouvoir consulter un médecin en cas de fièvre dans le mois qui suit le retour.) En plus des cachets, réduisez les risques de contraction du palu en évitant les piqûres de moustiques (répulsif et vêtements couvrants). Entre le coucher et le lever du soleil, près des points d'eau stagnante et des espaces ombragés, les risques de se faire piquer sont les plus élevés.

Typhoïde

La fièvre typhoïde est une infection bactérienne qui se traduit par de fortes fièvres, une diarrhée fébrile et des troubles de la conscience. Les formes les plus graves peuvent engendrer des complications digestives, neurologiques ou cardiaques. La période d'incubation de la maladie varie entre dix et quinze jours. La contamination se fait par les selles ou la salive, de manière directe (contact avec une personne malade ou un porteur sain) ou indirecte (ingestion d'aliments contaminés : crudités, fruits de mer, eau et glaçons). Le vaccin, actif au bout de deux à trois semaines, vous protège pour trois ans. En cas de contamination et de non-vaccination préventive, un traitement par les fluoroquinolones sera préconisé.

Les centres de vaccination

Pour plus d'informations, vous pouvez consulter le site Internet du ministère de la Santé (www.sante.gouv.fr) pour connaître les centres de vaccination proches de chez vous.

CENTRE AIR FRANCE
148, rue de l'Université 75007 Paris
✆ 01 43 17 22 00 – 08 92 68 63 64
✆ 01 48 64 98 03
http://centredevaccination-airfrance-paris.com
vaccinations@airfrance.fr

Autre adresse : 3, place Londres, bâtiment Uranus 95703 Roissy-Charles-de-Gaulle.

INSTITUT PASTEUR
209, rue de Vaugirard 75015 Paris
✆ 0 890 710 811 – 03 20 87 78 00
www.pasteur.fr – www.pasteur-lille.fr

Autre adresse : 1, rue du Professeur Calmette 59019 Lille.

En cas de maladie

Un réflexe : contacter le Consulat de France. Il se chargera de vous aider, de vous accompagner et vous fournira la liste des médecins francophones. En cas de problème grave, c'est aussi lui qui prévient la famille et qui décide du rapatriement. Pour connaître les urgences et établissements aux standards internationaux : consulter les sites www.cimed.org – www.diplomatie.gouv.fr et www.pasteur.fr.

Assurance rapatriement – Assistance médicale

Si vous possédez une carte bancaire Visa® et MasterCard®, vous bénéficiez automatiquement d'une assurance médicale et d'une assistance rapatriement sanitaire valables pour tout déplacement à l'étranger de moins de 90 jours (le paiement de votre voyage avec la carte n'est pas nécessaire pour être couvert, la simple détention d'une carte valide vous assure une couverture). Renseignez-vous auprès de votre banque et vérifiez attentivement le montant global de la couverture et des franchises ainsi que les conditions de prise en charge et les clauses d'exclusion. Si vous n'êtes pas couvert par l'une de ces cartes, n'oubliez surtout pas de souscrire une assistance médicale avant de partir.

CARTE BLEUE VISA®
✆ 01 41 85 88 81
www.europ-cartes.com

© STÉPHANE SAVIGNARD

Vertigineuse cascade de la Catarata.

MASTERCARD®
✆ 01 45 16 65 65 – www.mastercard.com

SÉCURITÉ SOCIALE
11, rue de la Tour des Dames Cedex 09
75436 Paris ✆ 01 45 26 33 41
Fax : 01 49 95 06 50
www.cleiss.fr, www.ameli.fr
Plus d'informations sur l'assistance médicale à l'étranger au Centre des Liaisons Européennes et Internationales de la Sécurité Sociale (Cleiss).

Médecins parlant français

DR LUIS DIEGO CALZADA
Bâtiment Tepeyac, Guadalupe
San José ✆ +506 2224 3356
Voir la rubrique « San José », « Pratique », « Urgences ».

Hôpital – Pharmacie

CIMA
Escazú, San José ✆ +506 2208 1144
Voir la rubrique « San José », « Pratique », « Urgences ».

PHARMACIE 24H/24
Clinica Biblica, a14, c0/c1
San José ✆ +506 2522 2058
Voir la rubrique « San José », « Pratique », « Urgences ».

Urgences

URGENCES
San José ✆ 911
Voir la rubrique « San José », « Pratique », « Urgences ».

SÉCURITÉ ET ACCESSIBILITÉ

Dangers potentiels et conseils

Partout on vous dira de faire attention aux vols. Si c'est parfois exagéré, les vols sont une réalité à San José, sur la côte Pacifique à Jacó et Quepos mais aussi à Limón sur la côte caraïbe. Ne tombez pas dans la paranoïa non plus. En journée, il suffit de vous habiller simplement, d'avoir l'air le moins possible d'un touriste et de ne pas avoir de gros sacs quand vous vous promenez. Dès le crépuscule et la nuit, évitez de marcher à San José, Quepos, Jacó ou Limón : prenez un taxi. De façon générale, partout au Costa Rica, ne laissez rien dans votre voiture de location car les vols ne sont pas rares. Faites également attention à la technique du pneu crevée : on dispose un système pour que votre pneu crève sur la route et une personne arrive pour vous aider... Ne lui faites pas confiance, ne vous arrêtez pas et continuez à rouler jusqu'à une station-essence. Si vous vous arrêtez, une portière ou un coffre ouvert, permettent au voleur de prendre tout ce qui lui passe par la main et ça va très vite. Si jamais ça vous arrive, ne résistez pas car certains de ces voleurs sont armés et n'hésitent pas à tirer. Souvenez-vous aussi que plus un hôtel est bon marché, plus les risques de vols sont élevés. Pour éviter toute mauvaise surprise, assurez-vous que votre hôtel est surveillé par un gardien dès le soir venu et pendant la nuit.

Pour connaître les dernières informations sur la sécurité sur place, consultez la rubrique « Conseils aux voyageurs » du site du ministère des Affaires étrangères (www.diplomatie.gouv.fr/voyageurs). Sachez cependant que le site dresse une liste exhaustive des dangers potentiels et que cela donne parfois une image un peu alarmiste de la situation réelle du pays.

Femme seule en voyage

Une fille seule n'a pas grand chose à craindre, il faut juste s'habituer aux « piropos », ces sifflements entre les dents quelquefois accompagnés d'adjectifs flatteurs qui fusent à chaque apparition d'une silhouette féminine. Rien à craindre donc de ces hommages, à condition bien sûr de les prendre pour ce qu'ils sont. Les femmes seules doivent, encore plus que les hommes, éviter de se promener au crépuscule et pendant la nuit, notamment à San José et dans les grandes villes de la côte Pacifique ; le taxi est plus que recommandé !

Voyager avec des enfants

Le Costa Rica se prête volontiers à un séjour familial. Les enfants sont acceptés partout et les activités pour eux sont nombreuses : musée des enfants (à San José), snorkeling, la forêt des enfants à Monteverde, les canopy tours pour les plus de 7 ans... Et dans l'hotellerie comme dans les musées, des tarifs avantageux allant jusqu'à 50 % sont pratiqués.

Voyageur handicapé

La plupart des structures sont relativement bien aménagées pour recevoir les visiteurs à mobilité réduite : les bus sont adaptés aux handicapés, des places de parking leur sont réservées, l'accès de certains parcs nationaux est bien équipé, les hôtels et les restaurants sont agencés de manière à recevoir des hôtes en fauteuil (l'Institut costaricain du tourisme inspecte les hôtels et les restaurants régulièrement pour verifier qu'ils sont aux normes). Tous les musées et les édifices publics (banque, mairies...) ont également un accès prévu pour les personnes à mobilité réduite. Néanmoins, dans certaines rues de grandes villes comme à San José notamment, il faut savoir que l'étroitesse de certains trottoirs et la circulation relativement dense, rendent difficiles les balades. Si vous présentez un handicap physique ou mental ou que vous partez en vacances avec une personne dans cette situation, différents organismes et associations s'adressent à vous.

ACTIS VOYAGES
http://actis-voyages.fr
Voyages adaptés pour le public sourd et malentendant.

ADAPTOURS
www.adaptours.fr
info@adaptours.fr

AILLEURS ET AUTREMENT
www.ailleursetautrement.fr
Pour des personnes souffrant de handicap physique et/ou mental.

COMPTOIR DES VOYAGES
2-18, rue Saint-Victor 75005 Paris
✆ 0 892 239 339 – www.comptoir.fr
Fauteuil roulant (manuel ou électrique), cannes ou béquilles, difficultés de déplacement... Quel que soit le handicap du voyageur, Comptoir

des Voyages met à sa disposition des équipements adaptés et adaptables, dans un souci de confort et d'autonomie. Chacun pourra voyager en toute liberté.

ÉVÉNEMENTS ET VOYAGES
www.evenements-et-voyages.com
Sports mécaniques, sports collectifs, festivals et concerts, Événements et Voyages propose à ses voyageurs d'assister à la manifestation de leur choix tout en visitant la ville et la région. Grâce à son département dédié aux personnes handicapées, Événements et Voyages permet à ces derniers de voyager dans des conditions confortables.

HANDI VOYAGES
12, rue du Singe, Nevers
✆ 0 872 32 90 91
✆ 09 52 32 90 91
✆ 06 80 41 45 00
http://handi.voyages.free.fr
Cette association assure l'aide aux personnes à mobilité réduite dans l'organisation de leurs voyages individuels ou en petits groupes. Elle propose un service d'aide à la recherche d'informations sur l'accessibilité mais aussi la mise en relation avec des volontaires compagnons de voyage. En outre, dans le cadre de l'opération « Des fauteuils en Afrique », Handi Voyages récupère du matériel pour personnes à mobilité réduite et le distribue en Afrique.

OLÉ VACANCES
www.olevacances.org
info@olevacances.org
Olé Vacances propose d'accompagner des personnes adultes handicapées mentales.

PARALYSÉS DE FRANCE
www.apf.asso.fr
Informations, conseils et propositions de séjours.

Voyageur gay ou lesbien

La discrétion reste de rigueur même si les comportements sont loin d'être agressifs.

TÉLÉPHONE

De façon générale, téléphonez plutôt d'une cabine que de l'hôtel qui vous demandera beaucoup plus cher. Cependant les appels locaux sont souvent offerts et il arrive même que des appels internationaux le soient. Renseignez-vous au préalable pour éviter les mauvaises surprises.

Comment téléphoner

- **Indicatif téléphonique :** 506. Tous les numéros ont 8 chiffres, avec un 2 pour les numéros de fixe et un 8 pour les numéros de portable. A l'intérieur du pays, on ne fait donc que les 8 chiffres.
- **Appeler le Costa Rica** depuis l'étranger : composer le 00 + 506 (ou le 011 depuis le Québec), puis les 8 chiffres du numéro de votre correspondant.
- **Appeler du Costa Rica :** composer le 00 puis l'indicatif du pays de votre correspondant et enfin le numéro sans le 0 initial. Ex : 00 + 33 (indicatif France) + 1 (Paris) + 53 69 70 00 ou 00 + 33 + 6 + 10 75 52 73 pour un téléphone portable.
- **Appels en PCV** (cobro revertido) : 110.

Téléphone mobile

- **Utiliser son téléphone mobile français :** si vous souhaitez garder votre forfait français, il faudra avant de partir, activer l'option internationale (généralement gratuite) en appelant le service clients de votre opérateur. Qui paie quoi ? La règle est la même chez tous les opérateurs. Lorsque vous utilisez votre téléphone français à l'étranger, vous payez la communication, que vous émettiez l'appel ou que vous le receviez.

TARIFS DES DIFFÉRENTS OPÉRATEURS				
	Bouygues	Orange (HT)	SFR	SFR Vodafone (option gratuite)
Appel émis	2,30 €/min.	2,35 €/min.	2,90 €/min.	2,20 € + 0,37 €/min.
Appel reçu	1 €/min.	1,10 €/min.	1,40 €/min.	2,20 € par appel (jusqu'à 20 min.).
SMS	0,30 € – réception gratuite	0,29 € – réception gratuite	0,50 € pour les forfaits souscrits depuis le 12/03/2008, 0,30 € pour les autres – réception gratuite	0,30 € – réception gratuite

Dans le cas d'un appel reçu, votre correspondant paie lui aussi, mais seulement le prix d'une communication locale. Tous les appels passés depuis ou vers l'étranger sont hors forfait, y compris ceux vers la boîte vocale.

Vous pouvez aussi acheter une carte sim locale, ainsi les communications locales vous coûteront beaucoup moins cher que depuis votre portable français. Si votre telephone mobile est desimlocké, vous pouvez y insérer une sim étrangère. Pour vous en procurer une, il faut vous rendre dans un bureau de l'ICE (Institut de l'éléctricité et des télécommunications pour tout le pays), présenter une pièce d'identite et acheter une carte SIM avec un système de rechargement par carte prépayée. Précisez bien au moment de l'achat que vous ne voulez pas prendre d'abonnement mais que vous voulez un système à carte prépayée. La carte Sim ne coûte presque rien ; il faut compter 3 000 colones en moyenne. Les recharges sont de 2 500, 5 000 ou 10 000 colones. On peut recharger son crédit téléphonique dans les supermarchés, les petits commerces et bien sûr les bureaux de l'ICE.

Cabines et cartes prépayées

Les cabines téléphoniques sont nombreuses dans la rue et dans les lieux publics. Elles sont quasiment toutes à cartes. Vous pouvez vous faire appeler dans n'importe quelle cabine, le numéro est affiché. De plus, il est possible de téléphoner de la plupart des épideries (pulperías) ; la mention «telefono publico» vous avertira. Les cartes s'achètent dans les kiosques, les épiceries, les supermarchés etc. Nous vous conseillons d'acheter la carte Colibrí (la 197 ou la 199 pour les appels internationaux) qui permet d'appeler de n'importe quel poste y compris des téléphones publics. La plus petite coûte 500 colones, ce qui n'est pas suffisant pour appeler l'Europe.

Skype et MSN

Pas besoin de combiné mais d'un ordinateur et d'une connexion Internet pour téléphoner avec Skype ou MSN. Les deux personnes cherchant à entrer en contact doivent avoir téléchargé l'un de ces deux logiciels gratuits. L'utilisation est ensuite très simple : un micro, un casque et une webcam si vous en avez une, et vous pouvez discuter pendant des heures sans payer un centime (connexion Internet exceptée). Attention, si vous voulez appeler sur un téléphone (fixe ou mobile) depuis Skype, il vous faudra créditer votre compte de 10 € minimum. Les tarifs sont néanmoins très avantageux.

S'informer

CARTOGRAPHIE ET BIBLIOGRAPHIE

Costa Rica, Rencontres au dernier Jardin d'Eden, Sabine Bernert et Michel Denis-Huot (Timée éditions). Un ouvrage superbe sur le Costa Rica avec une préface de Yann Arthus-Bertrand. Dans le sillage de deux photographes amoureux du Costa Rica, on redécouvre, le pays à travers des photos sublimes de la forêt luxuriante, de pumas, capucins, paresseux, crocodiles, chauve-souris, aras... Les auteurs nous racontent leurs rencontres, leurs coups de cœur et lancent un appel pour la sauvegarde de la biodiversité exceptionnelle du Costa Rica.

Jurassic Park de Michael Crichton. Si vous n'avez pas vu le film, vous ne pourrez échapper au livre dont la trame se déroule sur l'île de Coco, au Costa Rica. C'est de la fiction !

Les Pétroglyphes de Rodrigo Soto (écrivain costaricain) traduit de l'espagnol par Christophe Josse, aux éditions Meet. Histoire à partir de pétroglyphes (inscriptions précolombiennes gravées dans la pierre).

What happen : a Folk-History of Costa Rica's Talamanca Coast de Paula Farmer, Ecodesarollos, San José, 1977. Toujours disponible dans les rayons de San José, cet ouvrage évoque le sud de la côte caraïbe à travers ses habitants et sa colonisation.

Costa Rica, a Traveller's Literary Companion. Collectif. 36 contes costaricains pour illustrer chaque région. Préface d'Oscar Arias (éditions Barbara Ras, Whereabouts Press).

Beyond the Mexique Bay d'Aldous Huxley. Récit de voyage.

AVANT SON DÉPART

Le rôle principal de l'ambassade est de s'occuper des relations entre les Etats, tandis que la section consulaire est responsable de sa communauté de ressortissants. Ainsi, pour tout problème concernant les papiers d'identité, la santé, le vote, la justice ou l'emploi, il faut s'adresser à la section consulaire de son pays. En cas de perte ou de vol de papiers d'identité, le consulat délivre un laissez-passer pour permettre uniquement le retour dans le pays d'origine, par le chemin le plus court. Il faut, bien entendu, avoir préalablement déclaré la perte ou le vol auprès des autorités locales.

AMBASSADE DU COSTA RICA EN FRANCE
4 square Rapp 75007 Paris
✆ 01 45 78 96 96
www.ambassade-costarica.org
embcr@wanadoo.fr
Ouvert le lundi de 9h30 à 14h30 et du mardi au vendredi de 10h à 15h.

ASSOCIATION FRANCE-AMÉRIQUE LATINE
37 boulevard Saint-Jacques 75014 Paris
✆ 01 45 88 22 74
✆ 01 45 88 27 04
www.franceameriquelatine.org

INSTITUT DES HAUTES ÉTUDES D'AMÉRIQUE LATINE
28, rue Saint-Guillaume 75006 Paris
✆ 01 44 39 86 60/71
www.iheal.univ-paris3.fr

SUR PLACE

AMBASSADE DE FRANCE
Apartado 10177,
Quartier de Curridabat
San José
✆ +506 2234 4167
Voir la rubrique « San José », « Pratique », « Représentations », « Présence française ».

GUIDE
Parc national Manuel Antonio
✆ +506 2777 0562
Voir la rubrique « Costière du Pacifique », « Costière du Pacifique central », « Le sud de la costière », « Parc national Manuel Antonio », « Visites guidées ».

MAGAZINES ET ÉMISSIONS

Presse

COURRIER INTERNATIONAL

www.courrierinternational.com

Hebdomadaire regroupant les meilleurs articles de la presse internationale en version française.

GÉO

www.geo.fr

Le mensuel accorde une large place aux reportages photographiques. Il propose aussi des articles et actualités, l'ensemble étant désormais imprimé sur du papier provenant de forêts gérées durablement.

GRANDS REPORTAGES

www.grands-reportages.com

Le magazine de l'aventure et du voyage propose des dossiers, reportages photo et articles divers sur les peuples, civilisations, paysages et monuments. Chaque sujet est complété par un important volet pratique pour préparer son voyage.

PETIT FUTÉ MAG

www.petitfute.com

Notre journal bimestriel vous offre une foule de conseils pratiques pour vos voyages, des interviews, un agenda, le courrier des lecteurs… Le complément parfait à votre guide !

Casa Turire à La Suiza dans la Vallée centrale.

RANDOS-BALADES

www.randosbalades.fr

Magazine mensuel sur les randonnées en France et à l'étranger. L'approche est thématique (sentiers du littoral, itinéraires sauvages, thèmes culturels…) et la publication est riche en actualités, trucs et astuces, tests matériels, fiches topographiques et, bien sûr, en guides de randonnée.

TERRE SAUVAGE

www.terre-sauvage.com

Ce mensuel est spécialisé dans la faune et la flore sauvages. Au sommaire : des aventures dans le sillage des expéditions scientifiques, la découverte des écosystèmes, des enquêtes sur la protection de l'environnement ou encore des rubriques plus pratiques avec, par exemple, des conseils photo.

ULYSSE

www.ulyssemag.com

Ce magazine culturel du voyage est édité par *Courrier International*. Huit numéros par an pour découvrir le monde, avec une large place accordée à la photographie.

Radio

RADIO FRANCE INTERNATIONALE

www.rfi.fr

89 FM à Paris. Pour vous tenir au courant de l'actualité du monde partout sur la planète.

Télévision

ESCALES

www.escalestv.fr

Cette chaîne est consacrée au voyage sous toutes ses formes, en France et à l'étranger. Différentes thématiques sont déclinées au fil de d'émissions comme « Cap sur » ou « Passeport », animées par des invités de marque.

FRANCE 24

www.france24.com

Chaîne d'information en continu, France 24 apporte 24h/24 et 7j/7, un regard nouveau à l'actualité internationale. Diffusée en 3 langues (français, anglais, arabe) dans plus de 160 pays, la chaîne est également disponible sur internet (www.france24.com) et les mobiles, pour vous accompagner tout au long de vos voyages.

LIBERTY TV
www.libertytv.com
Cette chaîne non cryptée propose des reportages sur le monde entier et un journal sur le tourisme toutes les heures. La « télé des vacances » met aussi en avant des offres de voyages et promotions touristiques toutes les 15 minutes.

PLANÈTE
www.planete.tm.fr
Depuis plus de 20 ans, Planète propose de découvrir le monde, ses origines, son fonctionnement et son probable devenir avec une grille de programmation documentaire éclectique : civilisation, histoire, société, investigation, reportages animaliers, faits divers, etc.

TV5 MONDE
www.tv5.org
La chaîne de télévision internationale francophone diffuse des émissions de ses partenaires nationaux (France Télévisions, RTBF, TSR et CTQC) et ses propres programmes.

USHUAÏA TV
www.ushuaiatv.fr
La chaîne découlant du magazine éponyme a un slogan clair : « Mieux comprendre la nature pour mieux la respecter ». Elle se veut télévision du développement durable et de la protection de la planète et propose nombre de documentaires, reportages et enquêtes.

VOYAGE
www.voyage.fr
Terres méconnues ou inconnues, grands espaces et mégapoles, lieux incontournables ou insolites, cultures et nouvelles tendances : Voyage TV vous propose d'explorer le monde dans toute sa richesse à l'aide de documentaires ou en compagnie de guides éclairés.

Sites Internet

COSTA RICA EN FRANCAIS
www.costaricaenfrancais.com
Site utile et sérieux qui recense les hôtels et agences francophones du Costa Rica. Egalement des conseils pratiques aux voyageurs.

COSTA RICA FRENCH TOUCH
www.costaricafrenchtouch.com
Site sérieux en français qui recense tous les hôtels francophones du Costa Rica.

CR SURF
www.crsurf.com
Un site en anglais totalement dédié au surf.

VISIT COSTA RICA
www.visitcostarica.com
C'est le site officiel de l'ICT, l'Institut costaricain du Tourisme, émanation du ministère du tourisme. Site très complet et intéressant, en anglais.

Plage sauvage du parc national de Cahuita dans la région caraïbe.

Comment partir ?

PARTIR EN VOYAGE ORGANISÉ

Voyagistes

Spécialistes

Vous trouverez ici les tour-opérateurs spécialisés dans votre destination. Ils produisent eux-mêmes leurs voyages et sont généralement de très bon conseil car ils connaissent la région sur le bout des doigts. À noter que leurs tarifs se révèlent souvent un peu plus élevés que ceux des généralistes.

ALLIBERT
37, boulevard Beaumarchais 75003 Paris
✆ 0 825 090 190 – Fax : 01 44 59 35 36
www.allibert-trekking.com
Créateur de voyages depuis 25 ans, Allibert propose plus de 600 voyages à travers 90 pays. Du désert à la haute montagne, le tour opérateur propose de nombreux circuits de différents niveaux de marche pour satisfaire chacun avec possibilité d'extension. Au programme, une demi-douzaine de voyages « Marche et Découverte » de 14 à 21 jours. Parmi ceux-là « Au pays du Guanacaste » est un voyage liberté offrant une vision complète des différents aspects du Costa Rica (volcans, forêt tropicale humide ou sèche, cascades, côte, vie animale) et mettant l'accent sur la découverte des volcans, dont l'Arenal en éruption et « A la Recherche du mono titi » est destiné aux familles et offre de pratiquer diverses activités : marche, cheval, bateau, accrobranche, rafting, snorkeling, sans oublier les nombreuses baignades dans les deux océans, les rivières et les piscines des hôtels. Egalement disponible : une randonnée de 15 jours.

ALMA VOYAGES
573, Route de Toulouse,
Villenave-d'Ornon
✆ 05 56 87 58 46
✆ 0820 20 20 77 (coût d'un appel local)
www.alma-voyages.com
Ouvert de 9h à 21h.
Voilà une agence de voyages bien différente des autres. Chez Alma Voyages, les conseillers sont formés et connaissent les destinations. Eh oui, ils ont la chance de partir cinq fois par an pour mettre à jour et bien conseiller. D'ailleurs, chaque client est personnellement suivi par un agent attitré qui n'est pas payé en fonction de ses ventes... mais pour son métier de conseiller. Vous pourrez choisir parmi une large offre de voyages : séjour, circuit, croisière ou circuit individuel. Faites une demande de devis pour votre voyage de noces ou un voyage sur mesure, comme vous en rêviez. Cerise sur le gateau, Alma voyage pratique les meilleurs prix du marché et travaille avec des partenaires prestigieux comme Fram, Kuoni, Club Med, Beachcombers, Jet Tour, Marmara, Look Voyages... Si vous trouvez moins cher ailleurs, Alma Voyages s'alignera sur ce tarif et vous bénéficierez en plus, d'un bon d'achat de 30 € sur le prochain voyage. Surfez sur leur site ou contactez-les au ✆ 0820 20 20 77 (coût d'un appel local) de 9h à 21h et préparez vos valises... Bon voyage !

ALTIPLANO
18, rue du prè d'avril, Annecy-le-Vieux
✆ 04 50 46 90 25
Fax : 04 50 46 00 88
www.altiplano.org
altiplano@altiplano.org
Pour un voyage sur mesure réunissant les incontournables et les confidentiels, Altiplano met à votre disposition Hélène, sa spécialiste du Costa Rica. Le tour opérateur, expert sur l' Amérique Latine depuis 12 ans, offre l'exclusivité (avec une spécialiste pays qui traite votre demande de A à Z), la liberté (autotours, excursions en service en privé...) et surtout la personnalisation (départ garanti aux dates et aéroport de votre choix). Découvrez le Costa Rica à votre rythme grâce aux circuits à la carte d'Altiplano. Les idées d'itinéraires sur le site web (tels que « Trésors du Costa Rica » ou « Costa Rica Grandeur Nature au volant ») ainsi que les extensions au Guatemala et pays limitrophes s'adaptent à vos envies !

Images du Monde
voyages

AMERIK AVENTURE

23, rue La Condamine 75017 Paris
✆ 09 75 17 11 30
www.amerikaventure.com
Ecotourisme et aventure à travers les Amériques, voilà ce que propose Amérik Aventure. Travaillant avec des partenaires locaux, le TO vous emmène au Costa Rica, à la rencontre de ses oiseaux, ou pour faire du rafting, de la plongée. A moins que vous ne préfériez allier écotourisme et aventure.

AMPLITUDES

20, rue du Rempart-Saint-Etienne
Toulouse ✆ 05 67 31 70 00
www.amplitudes.com
Spécialiste du voyage sur mesure depuis plus de 15 ans, Amplitudes propose notamment un circuit en voiture au Costa Rica : « Le Défi de la Nature ». Au programme de cet itinéraire une excursion en bateau dans les forêts du Parc de Tortuguero, la découverte du volcan Arenal, de San Jose, Sarapiqui, La Fortuna, Cañas et Tamarindo. Il est aussi possible d'approfondir la découverte du pays à travers une sélection d'itinéraires courts et intenses ou de simplement ajouter une extension détente dans l'un des hôtels spécialement choisis.

ARROYO – LES ATELIERS DU VOYAGE

54-56, avenue Bosquet 75007 Paris
✆ 0 820 300 371 – Fax : 01 45 51 34 70
www.ateliersduvoyage.com
cecile.thiercelin@atlv.fr
Ce tour opérateur spécialiste propose depuis 10 ans des voyages en individuels et sur mesure dans tous les pays d'Amérique latine. Sa brochure de 130 pages présente une offre exhaustive de circuits, séjours, excursions et hôtels. Aucune formule n'est imposée, toutes les propositions sont sur mesure : devis réalisés en fonction de vos envies, contraintes et budget. L'équipe, composée uniquement de spécialistes des destinations, s'adapte à la demande du voyageur, l'oriente et le conseille au mieux.

ARTS & VIE

251, rue de Vaugirard 75015 Paris
✆ 01 40 43 20 21
Fax : 01 40 43 20 29
www.artsetvie.com – info@artsetvie.com
Depuis 50 ans, Arts et Vie, association culturelle de voyages et de loisirs, développe un tourisme ouvert au savoir et au bonheur de la découverte. L'esprit des voyages culturels Arts et Vie s'inscrit dans une tradition associative et tous les voyages sont animés et conduits par des accompagnateurs passionnés et formés par l'association. Arts et Vie, a composé un circuit très complet au Costa Rica avec des approches flore-faune à pied et en bateau.

ATRIUM TRAVELS

113, rue du Faubourg-Poissonnière
75009 Paris
✆ 06 85 96 50 18
www.atriumtravels.com
info@atriumtravels.com
Une équipe jeune et dynamique vous attend afin de vous proposer un large choix d'hôtels au Costa Rica allant de la petite hôtellerie de charme à l'établissement de luxe. Offres « Longs séjours », « Voyages de noces », « Senior ou anniversaire de mariage ».

COLLECTIONS DU MONDE – LVO

✆ 09 50 82 79 19 – Fax : 01 42 93 79 92
www.collectionsdumonde.com
info@voyastore.com
Ce pays aux mille facettes n'a pas de secret pour ce tour opérateur spécialiste de la destination. Ses conseillers voyage sauront vous concocter à la carte le circuit en autotour avec ou sans chauffeur privé, dont vous rêvez. Amoureux de la nature, vous serez comblés pas cette luxuriance de faune et de flore. Collections du Monde saura vous transmettre ses connaissances et « petits plus » qui sauront faire de votre voyage un accomplissement... Collections du Monde saura vous guider dans le choix des hôtels grâce à sa connaissance du pays. Une bonne adresse avec des prix très avantageux !

Autre adresse : agence en province ✆ 04 73 93 94 17.

EMPREINTE VOYAGES

ZAC des Etangs – Avenue des Peupliers
Saint-Mitre-les-Remparts
✆ 0 826 106 107 – Fax : 04 42 81 26 45
www.empreinte.net
ledefi@empreinte.net
Spécialiste de l'Amérique latine, Empreinte décline le Costa Rica sous toutes ses coutures : combiné avec le Panama, autotours, séjours en All Inclusive, petites excursions, mini-circuits, sélection rigoureuse d'hôtels à San José et dans tout le pays, etc. Egalement disponible, un circuit de 10 jours et 8 nuits en pension complète et accompagné d'un guide naturaliste parlant français à la découverte des volcans Arenal, Rincón de la Vieja, entre autres.

Région caraïbe, la Playa Negra.

HORIZONS NOMADES

4, rue des Pucelles 67000 Strasbourg
✆ 03 88 25 00 72 – Fax : 03 88 25 02 52
www.horizonsnomades.fr
contact@horizonsnomades.com
Un circuit de découverte et randonnée intitulé « Entre Caraïbes et Pacifique » (15 jours). Il est accessible aux non-initiés, inutile d'être un grand sportif pour partir avec Horizons Nomades et découvrir les multiples facettes de la Terre des Sabaneros et des Ticos.

IKHAR

162-164, rue Jeanne-d'Arc 75013 Paris
✆ 01 43 06 73 13 – Fax : 01 40 65 00 78
www.ikhar.com – ikhar@ikhar.com
Ikhar est une agence spécialisée dans les séjours culturels, les circuits de découverte nature et les voyages sur mesure. « Costa Rica, Nicaragua, Panama » est le combiné proposé pour découvrir volcans, canaux et villes coloniales. L'itinéraire est suggéré et peut simplement servir de base à l'élaboration d'un voyage à la carte.

IMAGES DU MONDE

14, rue de Siam 75116 Paris
✆ 01 44 24 87 88 – Fax : 01 45 86 27 73
www.images-du-monde.com
info@images-du-monde.com
A deux pas de la Tour Eiffel, l'équipe de spécialistes d'Images du Monde vous recevra sur rendez-vous dans son Espace Voyage : Arabica Costaricain servi dans le salon de l'agence puis projection sur grand écran des sites incontournables du Costa Rica et des différentes possibilités d'hébergement. Votre conseiller « construira » votre voyage selon vos envies : assister à la ponte des tortues, découvrir un orphelinat de paresseux, rencontrer les tribus indiennes, séjourner dans un écolodge au cœur de la forêt tropicale, se réveiller face à un des 116 volcans... L'équipe d'Images du Monde à Paris et à San José saura répondre à toutes vos attentes. Consultez leur site, véritable mine d'informations sur la destination. Extension possible aux Galapagos et au Panama.

LA ROUTE DES VOYAGES

59, rue Franklin 69002 Lyon
✆ 04 78 42 53 58
Fax : 04 72 56 02 86
www.route-voyages.com
lyon@route-voyages.com
Le spécialiste incontesté du Costa Rica. Fort de 13 années d'expérience en contact direct avec les prestataires locaux, ce tour-opérateur construit des voyages personnalisés, et propose de très nombreuses possibilités d'itinéraires pour découvrir à son rythme et selon ses goûts ce pays aux visages innombrables. Leur site Internet très détaillé vous donnera un aperçu de leur programmation. Circuits individuels en 4x4, prestations à la carte, ou avec un chauffeur francophone. Modules et itinéraires solidaires sont également proposés dans les coopératives rurales et indigènes du pays, une découverte différente basée sur l'échange, visant à être un levier de développement.

LE MONDE À LA CARTE

729, rue de la Croix Verte,
Parc Euromédecine
34090 Montpellier ✆ 04 67 61 18 00
www.lemondealacarte.com
A la fois agence de voyage et tour opérateur, Le Monde à la Carte (membre du réseau AFAT Voyages) propose vols, séjours, circuits, croisières et locations de vacances. Cette agence couvre une soixantaine de destinations réparties sur les cinq continents. A vous de choisir !

MAKILA VOYAGES

4, place de Valois 75001 Paris
✆ 01 42 96 80 00
www.makila.fr
Au Costa Rica, Makila Voyages, spécialiste de voyages sur mesure vers l'Amérique Latine, propose un voyage à la carte pour découvrir une nature vierge dans des endroits isolés de la Péninsule d'Osa, pour des descentes en rafting de la rivière Pacuare, pour surprendre le Quetzal à San Gerardo de Dota, s'imprégner des parfums de café et de cannelle dans la Vallée Centrale, séjourner et pratiquer des sports nautiques sur la côte Pacifique et sur la côte Caraïbes dans des structures de charme et à taille humaine... Makila Voyages vous aide aussi à organiser votre mariage dans un lieu de rêve tel que Punta Islita, des canopy-tour ou encore des randonnées à cheval dans le parc du Rincon de la Vieja, des balades en canoë dans les marais de Caño Negro pour l'observation de nombreuses espèces d'oiseaux, des treks dans la forêt nuageuse de Monteverde ou au sommet du volcan Turrialba, à monter des bivouacs dans le parc national du Corcovado ou encore à être les spectateurs de la ponte de tortues à Tortuguero ou à vous octroyer un bain de boue ou un bain d'eau chaude thermale des volcans... Extensions possibles vers le Nicaragua, Guatemala et Panama.

MELTOUR

103, avenue du Bac
94210 La Varenne Saint-Hilaire
✆ 01 48 89 85 85 – Fax : 01 48 89 41 59
www.meltour.com – meltour@meltour.com

Spécialiste des voyages sur mesure, Meltour propose de nombreuses prestations pour personnaliser votre circuit au Costa Rica. Vous trouverez des suggestions d'itinéraires ainsi que des circuits guidés pendant lesquels vous serez accompagnés de guide francophone pour aller découvrir les splendeurs de ces terres d'Amérique du Sud. N'hésitez pas à contacter ses spécialistes à votre écoute.

NOMADE AVENTURE – ARGANE

40, rue de la Montagne-Sainte-Geneviève
75005 Paris
✆ 0 825 701 702
Fax : 01 43 54 76 12
www.nomade-aventure.com
infos@nomade-aventure.com

Spécialiste des randonnées à pied, des voyages découvertes en 4x4, à cheval, à pied et en bateau en France et partout dans le monde et bien sûr au Costa Rica. Plusieurs voyages disponibles, dont « Des volcans et des hommes » destiné aux familles ou encore un séjour à faire au volant d'un 4x4 en totale liberté, avec possibilité d'extension à Playa Cocles. Il est aussi proposé de composer entièrement son circuit. L'originalité de Nomade Aventure réside dans le fait que quasiment tous les voyages sont accompagnés d'un guide local francophone, à même de faire partager à un groupe de voyageurs la culture et les valeurs du pays visité.

NOSTALATINA

19, rue Damesme 75013 Paris
✆ 01 43 13 29 29 – Fax : 01 43 13 30 60
www.ann.fr
info@ann.fr

Ethno-musicologue comme second hobby, la chef de produit aime comparer son travail à celui d'un chef d'orchestre, un travail d'inspiration et de rigueur. Depuis 1994, ce petit voyagiste à taille humaine se décarcasse pour trouver les meilleures solutions adaptées aux voyageurs individuels : les même formules (Estampe ou Aquarelle) qui ont fait la réputation du voyagiste en Asie (NostalAsie) font chemin désormais en Amérique Latine. NostaLatina s'adapte au rythme et au style de chaque voyageur pour apporter exactement la « dose » d'organisation qu'il lui faut, du cousu main, en somme. La brochure et le site internet sont une mine d'itinéraires et d'idées à creuser. C'est une des références des voyageurs curieux et indépendants, que vous soyez seul ou entre amis.

OBJECTIF NATURE
63, rue de Lyon 75012 Paris
✆ 01 53 44 74 30
Fax : 01 53 44 74 35
www.objectif-nature.com
info@objectif-nature.tm.fr
Objectif Nature est LE spécialiste du voyage d'observation de photographie de la nature et de la faune sauvage. En effet, chez Objectif Nature ce sont des femmes et des hommes de terrain (photographes animaliers, naturalistes, ornithologues...) qui conçoivent, organisent, accompagnent les safaris dans une trentaine de pays sur tous les continents. Au Costa Rica, un safari naturaliste « Spécial Ornitho » de 14 jours avec hébergement en hôtels et lodges. Au planning, la découverte de parc national transfrontalier de l'Amistad (classé réserve de Biosphère par l'Unesco), la visite de la réserve biologique de Rara Avis et de la péninsule d'Osa du Piedras Blancas National Park, l'un des plus secrets. Egalement disponible un safari découverte de 13 jours « Richesses naturelles du Costa Rica » : le volcan Arenal, les forêts primaires de Monteverde et du Cerro de la Muerte, observation du Quetzal, singes hurleurs, grenouilles et la découverte du parc de Manuel Antonio, bordé par l'océan Pacifique sont au programme.

OCÉANES
231 rue Paul Julien, Le Tholonet
✆ 04 42 52 82 40
Fax : 04 42 52 82 42
www.oceanes.com
Océanes propose de partir en croisière aux îles Cocos à bord du Sea Hunter, un bateau de 36 m de long par 8 m de large. Le Sea Hunter se compose de 6 cabines doubles et 2 cabines triples, toutes équipées de sanitaires et douches privés. Capacité de 18 personnes pour 9 membres d'équipage. Une bonne manière d'allier la découverte des sites de plongée sur l' île Coco aux moments de détente à bord.

SENSATIONS DU MONDE
38, rue des Renouillères, Saint-Denis
✆ 01 40 10 50 00
Fax : 01 40 12 57 63
www.sensationsdumonde.com
resa@sensationsdumonde.com
Sensations du Monde mise sur le rapport qualité/ prix de ses prestations pour un voyage personnalisé. Trois axes définissent les services de Sensations du Monde : la formule « courts séjours » à destination de l'Europe et de ses grandes capitales, la formule « destinations lointaines » sous la forme de voyages sur mesure à deux ou en groupe, ou encore la formule « destinations soleil » vers les pays de l'évasion et de la détente. Une large palette de prestations est disponible, allant du simple séjour balnéaire (vol + hébergement) au circuit accompagné « Images du Costa Rica », en passant par la location de véhicules et la sélection d'hébergements.

ULTRAMARINA
29, rue de Clichy 75009 Paris
✆ 0 825 02 98 02
Fax : 01 53 68 90 78
www.ultramarina.com
info@ultramarina.com
Spécialiste des vacances plongée, l'équipe d'Ultramarina propose des séjours pour découvrir les fonds sous-marins des îles Coco, au large du Costa Rica. Une occasion unique de plonger au cœur d'une zone classée sanctuaire animalier par l'Unesco. Egalement un séjour à l'hôtel Jinetes de Osa, en baie de Drake, et point de départ idéal pour découvrir les plongées d'Isla Del Caño.

Généralistes

Vous trouverez ici les tour-opérateurs dits « généralistes ». Ils produisent des offres et revendent le plus souvent des produits packagés par d'autres sur un large panel de destinations. S'ils délivrent des conseils moins pointus que les spécialistes, ils proposent des tarifs généralement plus attractifs.

ABCVOYAGE
www.abcvoyage.com
Regroupe les soldes de tous les voyagistes avec des descriptifs complets pour éviter les surprises. Les dernières offres saisies sont accessibles immédiatement à partir des listes de dernière minute. Le serveur est couplé au site www.airway.net qui propose des vols réguliers à prix réduits, ainsi que toutes les promotions et nouveautés des compagnies aériennes.

AZUREVER
5 rue Daunou 75002 Paris
✆ 01 73 75 89 63
www.azurever.com
Azurever est un site internet dédié au tourisme et plus particulièrement aux activités que vous pouvez faire, lors de vos voyages ou chez vous. C'est un catalogue de plus de 7 000 activités variées à faire partout dans le monde. Ces activités sont dénichées, comparées et sélectionnées par des spécialistes pour vous faire profiter au maximum des trésors cachés de chaque destination. De la traversée en camion de pompiers du Golden Gate Bridge à San Francisco en passant par le survol de la forêt de Fontainebleau en montgolfière ou la découverte de la gastronomie vénitienne (circuit des bars à Venise), Azurever vous propose quantité de bons plans insolites, originaux, classiques ou extrêmes à expérimenter aux 4 coins de la planète et à réserver en ligne, avant le départ.

DEGRIFTOUR
✆ 0 899 78 50 00
www.degriftour.fr
Vols secs, hôtels, location de voiture, séjours clé en main ou sur mesure... Degriftour s'occupe de vos vacances de A à Z, à des prix très compétitifs.

EXPEDIA FRANCE
✆ 0 892 301300
www.expedia.fr
Expedia est le site français du n° 1 mondial du voyage en ligne. Un large choix de 500 compagnies aériennes, 105 000 hôtels, plus de 5 000 stations de prise en charge pour la location de voitures et la possibilité de réserver parmi 5 000 activités sur votre lieu de vacances. Cette approche sur mesure du voyage est enrichie par une offre très complète comprenant prix réduits, séjours tout compris, départs à la dernière minute...

GO VOYAGES
✆ 0 899 651 951 – www.govoyages.com
Go Voyages propose le plus grand choix de vols secs, charters et réguliers, au meilleur prix, au départ et à destination des plus grandes villes. Possibilité également d'acheter des packages sur mesure « vol + hôtel » et des coffrets cadeaux. Grand choix de promotions sur tous les produits sans oublier la location de voitures. La réservation est simple et rapide, le choix multiple et les prix très compétitifs.

LASTMINUTE
✆ 04 66 92 30 29
www.lastminute.fr
Des vols secs à prix négociés, dégriffés ou publics sont disponibles sur Lastminute. On y trouve également des week-ends, des séjours, de la location de voiture... Mais surtout, Lastminute est le spécialiste des offres de dernière minute permettant ainsi aux vacanciers de voyager à petits prix. Que ce soit pour un week-end ou une semaine, une croisière ou simplement un vol, des promos sont proposées et renouvelées très régulièrement.

OPODO
✆ 0 899 653 656
www.opodo.fr
Pour préparer votre voyage, Opodo vous permet de réserver au meilleur prix des vols de plus de 500 compagnies aériennes, des chambres d'hôtels parmi plus de 45 000 établissements et des locations de voitures partout dans le monde. Vous pouvez également y trouver des locations saisonnières ou des milliers de séjours tout prêts ou sur mesure ! Des conseillers voyages à votre écoute 7 jours/7 de 8h à 23h du lundi au vendredi, de 9h à 19h le samedi et de 11h à 19h le dimanche.

PROMOVACANCES
✆ 0 899 654 850
www.promovacances.com
Promovacances propose de nombreux séjours touristiques, des week-ends, ainsi qu'un très large choix de billets d'avion à tarifs négociés sur vols charters et réguliers, des locations, des hôtels à prix réduits. Egalement, des promotions de dernière minute, les bons plans du jour. Informations pratiques pour préparer son voyage : pays, santé, formalités, aéroports, voyagistes, compagnies aériennes.

THOMAS COOK
✆ 0 826 826 777
www.thomascook.fr
Tout un éventail de produits pour composer son voyage : billets d'avion, location de voitures, chambres d'hôtel... Thomas Cook propose aussi des séjours dans ses villages-vacances et les « 24 heures de folies » : une journée de promos exceptionnelles tous les vendredis. Leurs conseillers vous donneront des conseils utiles sur les diverses prestations des voyagistes.

TRAVELPRICE
✆ 0 899 78 50 00
www.travelprice.com
Un site Internet très complet de réservations en ligne pour préparer votre voyage : billets d'avion et de train, hôtels, locations de voitures, billetterie de spectacles. En ligne également : de précieux conseils, des informations pratiques sur les différents pays, les formalités à respecter pour entrer dans un pays.

Réceptifs

Il s'agit de tour-opérateurs présents dans le pays, de fait, ils connaissent extrêmement bien la zone.

AMAZILIA TOURS
San José
✆ +506 2273 6500 – +506 8345 4237
Fax : +506 2273 6660
www.amaziliatours.com
drazog@yahoo.com
Ornithologue en herbe ou désireux de découvrir une façon enrichissante de voyager, cette agence propose des voyages ornithologiques pour public averti et néophytes, des voyages naturalistes et photographiques, des séjours découverte nature à dominante ornithologique. Du fait de la diversité de son relief et de sa situation géographique comme « pont » naturel entre l'Amérique du Nord et l'Amérique du Sud, le Costa Rica est un carrefour hébergeant une biodiversité exceptionnelle (plus de 900 espèces d'oiseaux). Jean-Jacques Gozard et ses collaborateurs vous attendent avec toutes leurs connaissances et leur passion. Jean-Jacques a décidé un jour de fermer les grilles de sa pharmacie pour ouvrir celles de la plus belle cage aux oiseaux du monde : le continent d'Amérique. Il a déjà accompagné l'équipe de tournage d'*Ushuaïa Nature* et fut responsable local pour la logistique de Yann Arthus-Bertrand lors du tournage de *Home*. Itinéraires adaptés, logistique fluide, hébergement confortable, groupes de petite taille, les guides sont francophones et très pros.

BACKPACKER ADVISOR
✆ +506 8353 6428
www.backpackeradvisor.com
info@backpackeradvisor.com
Cette agence, basée à San José et spécialisée dans les petits budgets, organise des séjours sur-mesure dans tout le pays. Sri, le responsable de l'agence, est français.

CAMINANDO COSTA RICA

Barrio Amon, San José
✆ +506 2221 7033
Voir la rubrique « San José », « À voir – À faire », « Visites guidées ».

COSTA RICA DÉCOUVERTE

Santa Ana, San José
✆ +506 2282 7543
Voir la rubrique « San José », « À voir – À faire », « Visites guidées ».

GREENWAY NATURE TOURS

P.O.Box 3153 1000 San José
✆ (506) 297 0889
Fax : (506) 240 0309
www.greenwaytours.com
info@greenwaytours.com
Green Way est un tour-opérateur/agence de voyages qui se charge d'organiser tous types de tours, d'itinéraires, d'excursions... en prenant à sa charge locations d'hôtels, de véhicules et de vols intérieurs. Tous les thèmes sont abordés : surf, pêche sportive, plongée, canyoning, aventure, mais aussi observation des oiseaux, écotourisme... Des forfaits à la journée ou sur plusieurs jours sont proposés ainsi que des croisières en bateau. Green Way – qui est reconnu par l'ICT (Institut costaricien du Tourisme – répond pleinement aux besoins et aux souhaits des clients tout en étant respectueux de la nature.

IMAGENES TROPICALES

Apartado 12 664 1000 San José
✆ (506) 258 48 38
Fax : (506) 257 31 51
www.imagenes-tropicales.com
imagenes@racsa.co.cr
Imagenes Tropicales est une agence réceptive créée et dirigée par des Français – depuis 1996 – qui ont une excellente connaissance du Costa Rica. Elle est le relais dans le pays de plusieurs tours opérateurs francophones. L'équipe d'Imagenes Tropicales, forte d'un professionnalisme reconnu, trouve pour chaque voyageur la formule qui lui convient : voyage découverte, voyage de noces, voyage à thèmes (ornithologie, vulcanologie, botanique...), vacances sportives (rafting, pêche, plongée, surf, excursions en mer, randonnées à cheval, trekking, golf), une sélection adaptée au goût européen d'hôtels, lodges et villas, logements ruraux, de vols intérieurs, de location de voitures toutes catégories (grand choix de 4x4) avec ou sans chauffeur, de guides interprètes francophones... Sur place, l'agence assure une totale assistance en français et est garante du bon déroulement de votre séjour. Site Internet très étoffé, régulièrement actualisé, où vous trouverez une multitude d'informations sur de nombreux thèmes, ainsi qu'une galerie photos de qualité.

RIOS TROPICALES

✆ (506) 233 6455
Fax : (506) 255 4354
www.riostropicales.com
info@riostropicales.com
Les spécialistes du rafting sur le río Pacuare ou le río Reventazón entre San José et Limón et le río Corobicí, près de Cañas. Tous styles d'excursions, tous niveaux et tous tarifs. Contactez-les au moins deux jours avant la sortie projetée pour qu'ils aient le temps de composer un groupe.

TERRA CARIBEA COSTA RICA

100 Norte y 25 Este de la Iglesia Católica
San Joaquín de Flores, Alajuela
✆ +506 2265 1020
Voir la rubrique « Vallée centrale », « Nord de la Vallée centrale », « Alajuela », « Visites guidées ».

TRIO DE TURISMO

Plaza Colonial, Escazu, San José
✆ +506 8823 9574
Voir la rubrique « San José », « À voir – À faire », « Visites guidées ».

TUCAYA
San José ✆ +506 2234 1639
Voir la rubrique « San José », « À voir – À faire », « Visites guidées ».

VIAJES SIN FRONTERAS
San josé ✆ +506 2253 2412
Fax : +506 2225 8583 – www.sinfront.com
Des tours découverte mais très détente sont proposés ici. Le tour « Saveurs » de 8 jours et 7 nuits vous fait passer par Arenal et Manuel Antonio, et le tour « Charmes » vous emmène à Playa Samara et/ou Playa Potrero. Les petits déjeuners journaliers et l'hébergement en chambre standard sont compris. Vous êtes libre de conduire en solo ou d'utiliser le service de bus privé de l'agence entre les hôtels. Il ne vous reste plus qu'à organiser votre temps libre sans vous soucier de la logistique.

Sites comparateurs et enchères

Plusieurs sites permettent de comparer les offres de voyages (packages, vols secs, etc.) et d'avoir ainsi un panel des possibilités et donc des prix. Ils renvoient ensuite l'internaute directement sur le site où est proposée l'offre sélectionnée.

EASYVOYAGE
www.easyvoyage.com
Le concept d'Easyvoyage.com peut se résumer en trois mots : s'informer, comparer et réserver. Des infos pratiques sur quelque 255 destinations en ligne (saisonnalité, visa, agenda...) vous permettent de penser plus efficacement votre voyage. Après avoir choisi votre destination de départ selon votre profil (famille, budget...), Easyvoyage.com vous offre la possibilité d'interroger plusieurs sites à la fois concernant les vols, les séjours ou les circuits. Enfin grâce à ce méta-moteur performant, vous pouvez réserver directement sur plusieurs bases de réservation (Lastminute, Go Voyages, Directours, Anyway... et bien d'autres).

ILLICOTRAVEL
www.illicotravel.com
Illicotravel permet de trouver le meilleur prix pour organiser vos voyages autour du monde. Vous y comparerez les billets d'avion, hôtels, locations de voitures et séjours. Ce site très simple offre des fonctionnalités très utiles comme le baromètre des prix pour connaître les meilleurs prix sur les vols à plus ou moins 8 jours. Le site propose également des filtres permettant de trouver facilement le produit qui répond à tous vos souhaits (escales, aéroport de départ, circuit, voyagiste…).

KELKOO
www.kelkoo.com
Ce site vous offre la possibilité de comparer les tarifs de vos vacances. Vols secs, hôtels, séjours, campings, circuits, croisières, ferries, locations, thalassos : vous trouverez les prix des nombreux voyagistes et pourrez y accéder en ligne grâce à Kelkoo.

LILIGO
www.liligo.com
Liligo interroge agences de voyage, compagnies aériennes (régulières et low cost), trains (TGV, Eurostar…), loueurs de voiture mais aussi 250 000 hôtels à travers le monde pour vous proposer les offres les plus intéressantes du moment. Les prix sont donnés TTC et incluent donc les frais de dossier, d'agence… Le site comprend aussi deux thématiques : « week-end » et « ski ».

LOCATIONDEVOITURE.FR
✆ 0 800 73 33 33 – 01 73 79 33 32
www.locationdevoiture.fr
Le site compare toutes les offres de 8 courtiers en location de voitures, des citadines aux monospaces en passant par les cabriolets et 4x4. Vous avez le choix parmi 6 123 villes différentes réparties dans 130 pays. En plus du prix, l'évaluation de l'assurance et les avis clients sont affichés pour chacune des offres. Plus qu'un simple comparateur, vous pouvez réserver en ligne ou par téléphone. En outre, le site propose des circuits en voiture dans chaque pays, remplissant ainsi parfaitement son rôle d'agence de voyage. C'est la garantie du prix et du service !

MYZENCLUB
www.myzenclub.com
Le site recense les meilleures offres des voyagistes en ligne les plus importants. Il vous informe des bons plans et des promotions trouvées parmi toutes les agences pour vos vacances en France et à l'étranger, hôtels, croisières, thalasso, vols... L'inscription est gratuite.

PRIX DES VOYAGES
www.prixdesvoyages.com
Ce comparateur de prix, permettant aux internautes d'avoir une vue d'ensemble sur les diverses offres de séjours des partenaires selon plusieurs critères (nombre de nuits, catégories d'hôtel, prix, etc.). Les internautes souhaitant avoir plus d'informations ou réserver un produit sont ensuite mis en relation avec le site du partenaire commercialisant la prestation. Sur Prix des Voyages, vous trouverez des billets d'avion, des hôtels et des séjours.

SPRICE
www.sprice.com
Un site Internet qui gagne à être connu. Vous pourrez aisément y comparer vols secs, séjours, hôtels, locations de voitures ou biens immobiliers, thalassos et croisières. Le site débusque aussi les meilleures promotions du Web parmi une cinquantaine de sites de voyages. Un site très ergonomique qui vous évitera bien des heures de recherches fastidieuses.

VOYAGER MOINS CHER
www.voyagermoinscher.com
Ce site référence les offres de près de 100 agences et TO parmi les plus réputés du marché et donne ainsi accès à un large choix de voyages, de vols, de locations, etc. Il est également possible d'affiner sa recherche grâce au classement par thèmes : thalasso, randonnée, plongée, All Inclusive, voyages en famille, voyages de rêve, golf ou encore départs de province.

PARTIR SEUL

En avion

Prix moyen d'un vol Paris/San José aller-retour : de 1 000 à 1 400 €. La variation de prix dépend de la compagnie empruntée mais, surtout, du délai de réservation. Pour obtenir des tarifs intéressants, il est indispensable de vous y prendre très en avance. Pensez à acheter vos billets six mois avant le départ !

Principales compagnies desservant le Costa Rica

Pour connaître le degré de sécurité de la compagnie aérienne que vous envisagez d'emprunter, rendez-vous sur le site Internet www.securvol.fr ou sur celui de la Direction générale de l'aviation civile : www.dgac.fr.

AIR FRANCE
✆ 36 54 (0,34 €/min d'un poste fixe)
www.airfrance.fr
Air France assurait son vol quotidien via Caracas puis c'est la compagnie TACA qui prenait le relais jusqu'à San José, au départ de Paris Roissy. Depuis l'été 2007, il est prévu qu'Air France assure une liaison directe sur San José toujours au départ de Paris Roissy. Egalement des liaisons possibles via Atlanta. Par téléphone, il est possible de réserver ou acheter un billet, de choisir son siège côté couloir ou hublot ou de s'informer sur l'actualité des vols en temps réel. Air France propose une gamme de tarifs attractifs accessibles à tous : Tempo 1 (le plus souple) au Tempo 5 (le moins cher) selon les destinations. Pour les moins de 25 ans, Air France propose des tarifs très attractifs Tempo Jeunes, ainsi qu'une carte de fidélité (Fréquence Jeunes) gratuite et valable sur l'ensemble des lignes d'Air France et des autres compagnies membres de skyteam. Cette carte permet de cumuler des miles et de bénéficier d'avantages chez de nombreux partenaires. Tous les mercredis dès minuit, sur www.airfrance.fr, Air France propose les tarifs « Coups de cœur », une sélection de destinations en France pour des départs de dernière minute. Sur Internet, possibilité de consulter les meilleurs tarifs du moment, rubrique « offres spéciales », « promotions »...

AMERICAN AIRLINES
✆ 0 826 460 950
www.americanairlines.fr
Au départ du terminal 2A de Paris-Charles de Gaulle, American Airlines assure 1 liaison quotidienne pour San José via Miami. La durée du voyage est d'environ 12h45. Les voyageurs fréquents peuvent adhérer au programme de fidélisation AAdvantage d'American Airlines qui offre de très nombreux avantages, notamment la possibilité de gagner des miles et de les échanger contre des primes de voyages sur American Airlines et toutes les compagnies partenaires du programme.

CONTINENTAL AIRLINES
4, rue du Faubourg Montmartre
75009 Paris
✆ 01 71 23 03 35 – 01 71 23 03 22
www.continental.com
Continental Airlines assure des liaisons quotidiennes au départ de Paris à destination de San José, via New York ou Houston. Au minimum une quinzaine d'heures de voyage.

GRUPO TACA
4, rue Gramont 75002 Paris
✆ 01 44 50 58 60
Fax : 01 44 50 58 61
www.tacafrance-airsystem.fr
taca.france@airsystem.fr
Gripo Taca propose un vol quotidien de Paris à San José, via Caracas et en partage des codes avec Air France. Départ à 10h35 pour arriver à Caracas à 13hh5 et connexion à 16h35 pour arriver à 17h30.

IBERIA

✆ 0 825 800 965 – www.iberia.fr

Au départ de France, les vols d'Iberia pour rejoindre le Costa Rica se font via Madrid. Pour l'aller, sur les 10 vols quotidiens de Paris à Madrid, 2 permettent de prendre la correspondance pour San José. De Madrid, il existe ensuite un vol quotidien pour San José. Au retour, également un vol par jour de San José à Madrid, puis, 6 connexions de Madrid à Paris sur les 10 Paris-Madrid proposés quotidiennement. Possibilité de départ de province : Toulouse, Marseille, Nice, Nantes et Lyon.

Vous rendre à Roissy-CDG ou Orly

CARS AIR FRANCE

✆ 0 892 350 820

www.cars-airfrance.com

Pour vous rendre aux aéroports de Roissy-Charles-de-Gaulle et d'Orly, vous pouvez utiliser les services des cars Air France. Quatre lignes sont à votre disposition. Tarif réduit pour les moins de 12 ans et les groupes de plus de 4 personnes.

- **Ligne 1 :** Orly-Montparnasse-Arc de Triomphe : 11,50 € pour un aller simple, 18,50 € pour un aller-retour.
- **Ligne 2 :** CDG-Porte Maillot-Étoile : 15 € pour un aller simple et 24 € pour un aller-retour.
- **Ligne 3 :** Orly-CDG : 19 € pour un aller simple. Pas de tarifs spécifiques aller-retour.
- **Ligne 4 :** CDG-gare de Lyon-Montparnasse : 16,50 € pour un aller simple et 27 € pour un aller-retour.

ROISSYBUS – ORLYBUS

✆ 0 892 68 77 14

www.ratp.fr

La RATP permet de rejoindre facilement les deux grands aéroports parisiens grâce à des navettes ou des lignes régulières.

- **Roissy-CDG.** Au départ de la place de l'Opéra (à l'angle de la rue Scribe et la rue Auber), il y a des bus toutes les 15 ou 20 minutes entre 5h45 et 23h. Comptez 10 € l'aller simple et entre 45 et 60 minutes de trajet. Au départ de Paris-gare de l'Est (bus 350) et au départ de Paris-Nation (bus 351), vous pouvez aussi rejoindre l'aérogare 1 et 2, terminal 4, et le Roissypôle Gare-RER. La fréquence des bus est de 10 à 15 minutes en semaine, 20 à 35 minutes le week-end et les jours fériés. Avec la ligne B du RER : comptez 45 minutes au départ de Denfert-Rochereau (toutes les 10 à 15 minutes) : 8,40 €.
- **Orly.** Départ de l'Orlybus de la place Denfert-Rochereau de 5h30 à 23h toutes les 15 à 20 minutes. Comptez 6,90 € l'aller simple et 30 minutes de trajet. Au départ de porte de Choisy, le bus 183 vous mène aussi au terminal sud de l'aéroport d'Orly. Avec le RER C : 25 minutes de trajet entre Austerlitz et Orly, puis navette. Départ toutes les 15 minutes. Avec le RER B : allez jusqu'à Antony, puis métro Orlyval. Comptez alors 8 minutes de trajet pour rejoindre Orly (toutes les 4 à 7 minutes). Tarif de l'aller simple : 10,75 €.

Aéroports

BEAUVAIS

✆ 08 92 68 20 66

www.aeroportbeauvais.com

BORDEAUX

✆ 05 56 34 50 00

www.bordeaux.aeroport.fr

BRUXELLES

✆ +32 2 753 77 53 – +32 9 007 00 00

www.brusselsairport.be

GENÈVE

✆ +41 22 717 71 11 – www.gva.ch

LILLE-LESQUIN

✆ 0 891 67 32 10

www.lille.aeroport.fr

LYON SAINT-EXUPÉRY

✆ 08 26 80 08 26

www.lyon.aeroport.fr

MARSEILLE-PROVENCE

✆ 04 42 14 14 14

www.marseille.aeroport.fr

MONTPELLIER-MÉDITERRANÉE

✆ 04 67 20 85 00

www.montpellier.aeroport.fr

MONTRÉAL-TRUDEAU

✆ +1 514 394 7377 – +1 800 465 1213

www.admtl.com

NANTES-ATLANTIQUE

✆ 02 40 84 80 00

www.nantes.aeroport.fr

NICE-CÔTE-D'AZUR

✆ 0 820 423 333 – www.nice.aeroport.fr

PARIS ORLY
✆ 01 49 75 52 52
www.aeroportsdeparis.fr

PARIS ROISSY – CHARLES-DE-GAULLE
✆ 01 48 62 12 12
www.aeroportsdeparis.fr

QUÉBEC – JEAN-LESAGE
✆ +1 418 640 3300 – +1 877 769 2700
www.aeroportdequebec.com

STRASBOURG
✆ 03 88 64 67 67
www.strasbourg.aeroport.fr

TOULOUSE-BLAGNAC
✆ 0 825 380 000
www.toulouse.aeroport.fr

Les sites comparateurs

Ces sites vous aideront à trouver des billets d'avion au meilleur prix. Certains d'entre eux comparent les prix des compagnies régulières et low-cost. Vous trouverez des vols secs (transport aérien vendu seul, sans autres prestations) au meilleur prix.

EASY VOLS
www.easyvols.fr

JET COST
www.jetcost.com

TERMINAL A
www.terminalA.com

Location de voiture

ALAMO – RENT A CAR – NATIONAL CITER
✆ 0 825 16 22 10
✆ 0 891 700 200
www.alamo.fr
Depuis près de 30 ans, Alamo Rent a Car est l'un des acteurs les plus importants de la location de véhicules. Actuellement, Alamo possède plus de 180 000 véhicules au service de 15 millions de voyageurs chaque année, répartis dans 1 248 agences implantées dans 43 pays. Des tarifs spécifiques sont proposés, comme Alamo Gold, le forfait de location de voiture tout compris incluant les assurances, les taxes, les frais d'aéroport, le plein d'essence et les conducteurs supplémentaires. Rent a Car et National Citer font partie du même groupe qu'Alamo.

AUTO ESCAPE
✆ 0 892 46 46 10
✆ 04 90 09 51 87
www.autoescape.com
En ville, à la gare ou dès votre descente d'avion. Cette compagnie qui réserve de gros volumes auprès des grandes compagnies de location de voitures vous fait bénéficier de ses tarifs négociés. Grande flexibilité. Pas de frais de dossier, pas de frais d'annulation, même à la dernière minute. Des informations et des conseils précieux, en particulier sur les assurances.

Boutique de la côte caraïbe.

AUTO EUROPE

✆ 0 800 940 557 – www.autoeurope.fr

Réservez en toute simplicité sur plus de 4 000 stations dans le monde entier. Auto Europe négocie toute l'année des tarifs privilégiés auprès des loueurs internationaux et locaux afin de proposer à ses clients des prix compétitifs. Les conditions Auto Europe : le kilométrage illimité, les assurances et taxes incluses dans de tout petits prix et des surclassements gratuits pour certaines destinations.

AVIS

✆ 0 820 05 05 05 – www.avis.fr

Avis a installé ses équipes dans plus de 5 000 agences réparties dans 163 pays. De la simple réservation d'une journée à plus d'une semaine, Avis s'engage sur plusieurs critères, sans doute les plus importants. Proposition d'assurance, large choix de véhicules de l'économique au prestige avec un système de réservation rapide et efficace.

BSP AUTO

✆ 01 43 46 20 74 – Fax : 01 43 46 20 71

www.bsp-auto.com

La plus importante sélection de grands loueurs dans les gares, aéroports et centres-villes. Les prix proposés sont les plus compétitifs du marché. Les tarifs comprennent toujours le kilométrage illimité et les assurances. Les bonus BSP : réservez dès maintenant et payez seulement 5 jours avant la prise de votre véhicule, pas de frais de dossier ni d'annulation, la moins chère des options zéro franchise.

BUDGET FRANCE

✆ 0 825 00 35 64 – Fax : 01 70 99 35 95

www.budget.fr

Budget France est le troisième loueur mondial, avec 3 200 points de vente dans 120 pays. Le site www.budget.fr propose également des promotions temporaires. Si vous êtes jeune conducteur et que vous avez moins de 25 ans, vous devrez obligatoirement payer une surcharge.

ELOCATIONDEVOITURES

✆ 0 800 942 768

www.elocationdevoitures.fr

Vous avez la possibilité de louer votre voiture moyennant une caution et de ne rien payer de plus jusqu'à quatre semaines avant la prise en charge. Il n'y a pas de frais d'annulation, ni de frais de carte de crédit, ni de frais de modification.

EUROPCAR FRANCE

✆ 0 825 358 358 – Fax : 01 30 44 12 79

www.europcar.fr

Chez Europcar, vous aurez un large choix de tarifs et de véhicules : économiques, utilitaires, camping-cars, prestige, et même rétro. Vous pouvez réserver votre voiture via le site Internet et voir les catégories disponibles à l'aéroport – il faut se baser sur une catégorie B, les A étant souvent indisponibles.

HERTZ

✆ 0 810 347 347 – www.hertz.com

Vous pouvez obtenir différentes réductions si vous possédez la carte Hertz ou celle d'un partenaire Hertz. Le prix de la location comprend un kilométrage illimité, des assurances en option, ainsi que des frais si vous êtes jeune conducteur. Toutes les gammes de voitures sont représentées.

HOLIDAY AUTOS FRANCE

✆ 0 892 39 02 02

www.holidayautos.fr

www.holidayautos.fr

Avec plus de 4 500 stations dans 87 pays, Holiday Autos vous offre une large gamme de véhicules allant de la petite voiture économique au grand break. Holiday Autos dispose également de voitures plus ludiques telles que les 4x4 et les décapotables.

LOCATIONDEVOITURE.FR

✆ 0 800 73 33 33 – 01 73 79 33 32

www.locationdevoiture.fr

Notre coup de cœur ! Le site compare toutes les offres de 8 courtiers en location de voitures, des citadines aux monospaces en passant par les cabriolets et 4x4. Vous avez le choix parmi 6 123 villes différentes réparties dans 130 pays. En plus du prix, l'évaluation de l'assurance et les avis clients sont affichés pour chacune des offres. Plus qu'un simple comparateur, vous pouvez réserver en ligne ou par téléphone. En outre, le site propose des circuits en voiture dans chaque pays, remplissant ainsi parfaitement son rôle d'agence de voyage. C'est la garantie du prix et du service !

SIXT

✆ 0 820 00 74 98 – www.sixt.fr

Fournisseur de mobilité n° 1 en Europe, Sixt est présent dans plus de 3 500 agences réparties dans 50 pays. Cette agence de location vous propose une gamme variée de véhicules (utilitaires, cabriolets, 4x4, limousines...) aux meilleurs prix.

TOUTCOSTARICA

Paseo Colon, San José (Costa Rica)

✆ +506 8656 4260

Voir la rubrique « San José », « Se déplacer », « L'arrivée », « Voiture ».

Être solidaire

Soyons réalistes, en partant quinze jours « faire de l'humanitaire » avec une association, on soulage sa conscience mais on ne fait rien pour les populations locales. Un véritable engagement demande temps et réflexion. Pourquoi voulez-vous aider ? Quelles sont vos compétences ? A quel type de projet croyez-vous ? La première étape est de bien comprendre les difficultés rencontrées sur place. Il vous faudra ensuite partir à la chasse à la mission. Renseignez-vous bien sur l'association avec laquelle vous envisagez de partir car, dans le secteur de l'aide internationale, on trouve beaucoup d'organisations qui, même avec les meilleures intentions du monde, n'apportent finalement que peu d'aide réelle au pays. Mais à côté de ces missions, existent aussi des chantiers solidaires intéressants pour aller à la rencontre de la population, pour nettoyer une forêt, aider à la préservation d'une espèce…

CONCORDIA
www.concordia-association.org
Concordia propose des chantiers solidaires. C'est une solution intéressante pour ceux qui ont envie d'aider mais disposent de peu de temps.

COORDINATION SUD
www.coordinationsud.org
Vous pouvez consulter sur ce site la présentation de diverses organisations non gouvernementales et les offres d'emploi ou de bénévolat s'y rattachant.

UNAREC
Délégation internationale
3, rue des Petits-Gras, Clermont-Ferrand
✆ 04 73 31 98 04
www.unarec.org
Le mouvement « Etudes et Chantiers » développe par l'intermédiaire de ses associations régionales des projets de volontariat, en France et à l'étranger, ainsi que des projets de lutte contre les exclusions. Trois grandes catégories : « Le travail volontaire des jeunes », « Economie solidaire et lutte contre les exclusions » et « Coopération internationale ».

Étudier

Pour étudier ou poursuivre vos études supérieures, il vous faut prendre contact avec le service des relations internationales de votre université. Préparez-vous alors à des démarches longues. Mais le résultat d'un semestre ou d'une année à l'étranger vous fera oublier ces désagréments tant c'est une expérience personnelle et universitaire enrichissante. C'est aussi un atout précieux à mentionner sur votre CV.

AGENCE POUR L'ENSEIGNEMENT FRANÇAIS À L'ÉTRANGER
19-21, rue du Colonel Pierre Avia
75015 Paris ✆ 01 53 69 30 90
www.aefe.fr
Sous la tutelle du ministère des Affaires étrangères, l'AEFE est chargée de l'animation de plus de 250 établissements à travers le monde.

Autre adresse : 1, allée Baco, BP 21509, 44015 Nantes Cedex 1 ✆ 02 51 77 29 03.

CIDJ
www.cidj.asso.fr
La rubrique « Partir en Europe » sur le serveur du CIDJ fournit des informations pratiques aux étudiants qui ont pour projet d'aller étudier à l'étranger.

CONSEIL DE L'EUROPE
www.egide.asso.fr
Rubrique sur le programme BFE (boursiers français à l'étranger). Obtenir une bourse d'études supérieures à l'étranger.

ÉDUCATION NATIONALE
www.education.gouv.fr
Sur le serveur du ministère de l'Education nationale, une rubrique « International » regroupe les informations essentielles sur la dimension européenne et internationale de l'éducation.

MINISTÈRE DES AFFAIRES ÉTRANGÈRES
www.diplomatie.gouv.fr
Les informations mises à disposition dans l'espace culturel du serveur du ministère des Affaires étrangères sont également précieuses.

Retrouvez l'index général en fin de guide

Investir

MB ABOGADOS

Centre Commercial Seatower, 3e étage
Tamarindo (Costa Rica)
✆ +506 2 653 1503
Fax : +506 2 653 1538
www.crattorneys.net
mmora@crattorneys.net
Marianela Mora parle français, elle a fait ses études secondaires au lycée français de San José avant de s'envoler le Baccalauréat en poche pour les Pays Bas afin de suivre une formation en droit et en business. Si vous souhaitez investir au Costa Rica, elle saura vous conseiller sur l'organisation et la gestion, la fiscalité, la réglementation environnementale, et d'autres sujets tels que les procédures d'immigration et tout ce qui touche à l'immobilier, permis de construction, zone maritime, réglementation municipale. Au Costa Rica comme dans la plupart des pays, la réglementation concernant les permis, les procédures, les contrôles imposés par l'Etat est vaste, un suivi et un réel accompagnement est nécessaire, alors profitez du sérieux et des connaissances de cette agence réputée, afin de mettre toutes les chances de votre côté. Pour la défense de vos droits dans les différents domaine du droit n'hésitez pas à la contacter, en français c'est tellement plus simple.

Travailler – Trouver un stage

ASSOCIATION TELI

2, chemin de Golemme, Seynod
✆ 04 50 52 26 58 – www.teli.asso.fr
Le Club TELI est une association loi 1901 sans but lucratif d'aide à la mobilité internationale créée il y a 16 ans. Elle compte plus de 4 100 adhérents en France et dans 35 pays. Si vous souhaitez vous rendre à l'étranger, quel que soit votre projet, vous découvrirez avec le Club TELI des infos et des offres de stages, de jobs d'été et de travail pour francophones.

CAPCAMPUS

www.capcampus.com
Capcampus est le premier portail étudiant sur le Net en France et possède une rubrique spécialement dédiée aux stages, dans laquelle vous trouverez aussi des offres pour l'étranger. Mais le site propose également toutes les informations pratiques pour bien préparer votre départ et votre séjour à l'étranger.

MAISON DES FRANÇAIS DE L'ÉTRANGER

48, rue de Javel 75015 Paris
✆ 01 43 17 60 79
www.mfe.org
mfe@mfe.org
La Maison des Français de l'étranger (MFE) est un service du ministère des Affaires étrangères qui a pour mission d'informer tous les Français envisageant de partir vivre ou travailler à l'étranger et propose le *Livret du Français à l'étranger* et 80 dossiers qui présentent le pays dans sa généralité et abordent tous les thèmes importants de l'expatriation (protection sociale, emploi, fiscalité, enseignement, etc.). Egalement consultables : des guides, revues et listes d'entreprises et, dans l'espace multimédia, tous les sites Internet ayant trait à la mobilité internationale.

RECRUTEMENT INTERNATIONAL

www.recrutement-international.com
Site spécialisé dans les offres d'emploi à l'étranger, le recrutement international, les carrières internationales, les jobs et stages à l'international.

VOLONTARIAT INTERNATIONAL

www.civiweb.com
Si vous avez entre 18 et 28 ans et êtes ressortissant de l'Espace économique européen, vous pouvez partir en volontariat international en entreprise (VIE) ou en administration (VIA). Il s'agit d'un contrat de 6 à 24 mois rémunéré et placé sous la tutelle de l'ambassade de France. Tous les métiers sont concernés et vous bénéficiez d'un statut public protecteur. Offres sur le site Internet.

WEP FRANCE

81, rue de la République
69002 Lyon
✆ 04 72 40 40 04
www.wep-france.org
info@wep.fr
Wep propose plus de 50 projets éducatifs originaux dans plus de 30 pays, de 1 semaine à 18 mois. Année scolaire à l'étranger, programmes combinés (1 semestre scolaire avec 1 projet humanitaire ou 1 chantier nature ou 1 vacances travail), projets humanitaires mais également stages en entreprise en Europe, Australie, Nouvelle-Zélande, Canada et Etats-Unis, et Jobs & Travel (visa vacances travail) en Australie et Nouvelle-Zélande : voici un petit aperçu des nombreuses possibilités disponibles.

Index

D

E

F

G

H

I

P

Q – R